Werner Bests korrespondance med Auswärtiges Amt
og andre tyske akter vedrørende besættelsen
af Danmark 1942-1945

Die Korrespondenz von Werner Best mit dem
Auswärtigen Amt und andere Akten zur
Besetzung von Dänemark 1942-1945

Danish Humanist Texts and Studies

Volume 43

Edited by Erland Kolding Nielsen

THE ROYAL LIBRARY · COPENHAGEN

Werner Bests korrespondance med Auswärtiges Amt og andre tyske akter vedrørende besættelsen af Danmark 1942-1945

Udgivet af
John T. Lauridsen

Under medvirken af
Jakob K. Meile

BIND 9:

Januar – maj 1945

DET KONGELIGE BIBLIOTEK
&
SELSKABET FOR UDGIVELSE AF KILDER TIL DANSK HISTORIE

I kommission hos Museum Tusculanum Press

KØBENHAVN 2012

*Werner Bests korrespondance med Auswärtiges Amt
og andre tyske akter vedrørende besættelsen af Danmark 1942-1945
Udgivet af John T. Lauridsen under medvirken af Jakob K. Meile*

© 2012 Det Kongelige Bibliotek & Selskabet for Udgivelse af Kilder til dansk Historie

Tilsynsførende: Knud J.V. Jespersen & Aage Trommer
Oversættelse: Johannes Wendland, LanguageWire A/s
Layout & sats: Forlagsbureauet/Ole Klitgaard (†)
Reproduktioner: Fotografisk Atelier, Det Kongelige Bibliotek

Bogen er sat med Adobe Garamond Pro
og trykt på 115g Scandia 2000 Smooth Ivory
Dette papir overholder de i ISO 9706:1994
fastsatte krav til langtidsholdbart papir.

Printed in Denmark by Special-Trykkeriet Viborg A/s

ISBN (værket)   978-87-7023-296-8
ISBN (dette bind)   978-87-7023-305-7
ISSN (DHTS)   0105 8746

Udgivet med støtte fra
Carlsbergfondet
Oticon Fonden
Kulturministeriets Forskningspulje
Det Kongelige Bibliotek

I kommission hos
Museum Tusculanum Press
University of Copenhagen
Njalsgade 126
DK-2300 Copenhagen S
www.mtp.dk

Die Korrespondenz von Werner Best mit dem Auswärtigen Amt und andere Akten zur Besetzung von Dänemark 1942-1945

Herausgegeben von
John T. Lauridsen

Unter der Mitarbeit von
Jakob K. Meile

BAND 9:

Januar – Mai 1945

Königliche Bibliothek
&
Gesellschaft für die Herausgabe von Quellen
zur dänischen Geschichte

In Kommission bei Museum Tusculanum Press

Kopenhagen 2012

Die Korrespondenz von Werner Best mit dem Auswärtigen Amt
und andere Akten zur Besetzung von Dänemark 1942-1945
Herausgegeben von Dr. phil. John T. Lauridsen
unter der Mitarbeit von M.A. Jakob K. Meile

© 2012 Königliche Bibliothek & Gesellschaft für die
Herausgabe von Quellen zur dänischen Geschichte

Herausgeberbeirat: Prof., Dr. phil. Knud J.V. Jespersen &
                    Rektor i. R., Dr. phil. Aage Trommer
Übersetzung: M.A. Johannes Wendland, LanguageWire A/s
Layout & Satz: Forlagsbureauet/M.A. Ole Klitgaard (†)
Repro: Fotografisk Atelier, Det Kongelige Bibliotek

Das Werk wurde in der Adobe Garamond Pro gesetzt
und auf 115g Scandia 2000 Smooth Ivory gedruckt.
Dieses Papier erfüllt die Anforderungen an
Nachhaltigkeit nach ISO 9706:1994.

Printed in Denmark by Special-Trykkeriet Viborg A/s

ISBN (ges. Werk)   978-87-7023-296-8
ISBN (dieser Band) 978-87-7023-305-7
ISSN (DHTS)   0105 8746

Herausgegeben mit Unterstützung von
Carlsbergfondet
Oticon Fonden
Forschungspool des Dänischen Kulturministeriums
Königliche Bibliothek

In Kommission bei
Museum Tusculanum Press
University of Copenhagen
Njalsgade 126
DK-2300 Copenhagen S
www.mtp.dk

Indhold

Januar 1945 9

Februar 1945 131

Marts 1945 237

April 1945 329

Maj 1945 387

Inhalt

Januar 1945 9

Februar 1945 131

März 1945 237

April 1945 329

Mai 1945 387

JANUAR 1945

1. Politische Informationen für die deutschen Dienststellen in Dänemark 1. Januar 1945

Bests *Politische Informationen* ved årsskiftet udgjorde delvist også en årsberetning, hvori han på en række områder kastede blikket tilbage og gjorde status eller for første gang gjorde nærmere rede for den hidtil førte politik. Der bliver i en række af afsnittene givet væsentlige oplysninger, som han ikke tidligere har omtalt og som ellers ikke kendes andetsteds fra. Det gælder bl.a. de statistiske oplysninger i afsnit 6 og 8 og oplysningerne om krigsskadeaftalen i afsnit 3.2. Det er også første gang, at han giver en større oversigt over de periodiske publikationer, som nød tysk støtte. Der lægges klar afstand til brugen af modterror, det var en destabiliserende faktor, og Schalburgkorpset fremstilles, som har det aldrig været den rigsbefuldmægtigedes projekt, mens splittelsen i det danske nazistiske miljø var et problem, som besættelsesmagten angiveligt intet havde haft med at gøre. Afsnittet "Fjendtlige stemmer" brugtes til både at lægge afstand til modterroren og at udpege Bovensiepen og konsorter som dens bagmænd. Der blev ført magtkamp på ord mellem de tyske instanser, og Bovensiepen svarede igen få dage senere med "Meldungen aus Dänemark."

Kilde: BArch, R 43/II/1430. Uddrag i RA, pk. 7. RA, Vesterdals nye pakker, pk. 2. EUHK, nr. 147 (uddrag)) samt PKB, 14, nr. 333 (uddrag).

Der Reichsbevollmächtigte in Dänemark *Kopenhagen, d. 1. Januar 1945.*
Nur für den Dienstgebrauch!

Politische Informationen
für die deutschen Dienststellen in Dänemark.

Betr.: I. Die politische Entwicklung in Dänemark im Dezember 1944. – Rückblick auf die Entwicklung des Jahres.
II. Mitteilungen aus der Außenpolitik.
III. Mitteilungen aus der Verwaltung.
IV. Mitteilungen aus der Wirtschaft.
V. Mitteilungen aus Technik und Verkehr.
VI. Die deutsche Volksgruppe in Nordschleswig.
VII. Die nationalsozialistischen Gruppen in Dänemark.
VIII. Freiwillige der Waffen-SS aus Dänemark.
IX. Feindliche Stimmen über Dänemark.

I. Die politische Entwicklung in Dänemark im Dezember 1944

1.) Die Lage in Dänemark war im Monat Dezember 1944 einerseits von dem Fortwirken des latenten Spannungszustandes und anderseits von den privaten Interessen der Bevölkerung im Weihnachtsmonat beeinflußt. Die Offensive an der deutschen Westfront wird mit Interesse verfolgt, bewirkt aber nur sehr allmählich eine gewisse Auflockerung der herrschenden Auffassung über die weitere Kriegsentwicklung und den Kriegsausgang.

2.) Der Kleinkrieg des Feindes bewegte sich in einem gegenüber den letzten Monaten mäßigen Rahmen und richtete sich weiterhin in erster Linie gegen Eisenbahnen und

Kraftwagen. In einem Falle wurde ein Schiff während der Durchfahrt durch einen Kanal vermittels einer von Land herausgelösten Grundmine beschädigt.[1]

3.) Die deutsche Sicherheitspolizei hat in der Bekämpfung des feindlichen Kleinkrieges in Dezember 1944 festgenommen:

wegen Sabotageverdachts	512	Personen
wegen Spionageverdachts	80	–
wegen illegaler Tätigkeit	739	–

(Kommunismus und nationale Widerstandsgruppen)
Durch die Festnahme sind 23 Sabotageakte aufgeklärt worden.

Bei polizeilichen Aktionen sind wegen Widerstandes gegen die Festnahme, wegen Widersetzlichkeit gegen Polizeistreifen usw. 8 Personen erschossen worden.[2]

4.) Im Monat Dezember 1944 sind 11 Werften in Dänemark, die für deutsche Zwecke arbeiten, mit Wachkräften der deutschen Polizei und der deutschen Wehrmacht besetzt worden, deren sachliche Leitung beim Befehlshaber der Sicherheitspolizei liegt.[3]

5.) Ein Rückblick auf die Entwicklung des Jahres 1944 zeigt, daß in Dänemark – wie wohl in allen besetzten Gebieten – die Haltung der Bevölkerung in erster Linie von der Entwicklung der Gesamtkriegslage bestimmt wird. Je mehr durch die Kriegsereignisse die Überzeugung, daß Deutschland unterliege, sich festigte, um so ablehnender gegen alles Deutsche wurde die Haltung der dänischen Bevölkerung. Dabei ist die zur Schau getragene Feindseligkeit zum Teil nur eine von dem Stimmungsterror geschaffene Oberfläche. Maßgebend ist in Wahrheit die Überzeugung, daß ein Kleinvolk von 4 Millionen Menschen in jedem Falle die Beute des Stärkeren sein wird und sich deshalb rechtzeitig mit dem voraussichtlichen Sieger gut stellen muß. Alte Freunde Deutschlands haben offen ausgesprochen, man möge es nicht verargen, daß das kleine dänische Volk lieber mit den Briten leben als mit den Deutschen sterben wolle.

Die Organisation und Methode des feindlichen Kleinkrieges in Dänemark ist im Laufe des Jahres ziemlich vollständig erkannt worden. Englische Offiziere (dänischer Herkunft) leiten die Sabotagegruppen und erhalten ihre Befehle von englischen militärischen Dienststellen. Die Aktivität der gegnerischen Kampfgruppen bzw. die ihnen erteilten Befehle richten sich im wesentlichen nach Gesichtspunkten der Gesamtkriegslage, sodaß Sabotagewellen und ruhigere Perioden einander ablösen. So brachte die Zeitspanne der Invasionserwartung im September 1944 zugleich eine Kulmination der Sabotage. Im Dezember 1944 ist die Kleinkriegsaktivität ungefähr auf den Stand des Jahresanfangs zurückgekehrt.

Die innerdänische Politik spielt sich im Schatten der Nichtbeteiligung am offiziellen Staatsleben ab, in den sich die politischen Faktoren des Landes seit dem 29.8.1943 zurückgezogen haben. Durch vertrauliche Informationen ist bekannt geworden, daß sich gegen Ende des Jahres 1944 eine starke Spannung zwischen den im

---

1 Den tyske damper "Lindenau" fra Hamborg, som var blevet lastet med fødevarer, blev udsat for et bombeattentat 15. december 1944, da den under ledsagelse af tysk militær var på vej ud ad Odense kanal (RA, BdO Inf. Nr. 112, 1944, tilfælde 5, *Daglige Beretninger*, 1946, s. 503, Hansen 1945b, s. 113, Hæstrup 1979, s. 397f.).
2 Se Bovensiepens aktivitetsberetning for december 1944 (Best til AA 6. januar 1945).
3 Se KTB/WB Dänemark 5. december 1944.

sogenannten "Neunerausschuß" vertretenen früheren Regierungsparteien und dem illegalen "Freiheitsrat" entwickelt hat, da der "Freiheitsrat" und die ihm nahestehenden Kräfte Anspruch auf künftige Regierungsmacht erheben, die die Regierungsparteien keineswegs zugestehen wollen.[4] Innerhalb der illegalen Widerstandsbewegung macht sich mit wachsender Stärke der Gegensatz zwischen den nationalen und den kommunistischen Kräften bemerkbar, wobei die letzteren auch auswärtige Hilfe – z.B. russische Presseveröffentlichungen – für sich mobilisieren.[5]

Auf Grund der Erfahrungen des Jahres 1944 kann vorausgesagt werden, daß die politische Lage in Dänemark im Jahre 1945 in erster Linie von den Rückwirkungen der Gesamtkriegsentwicklung, und in zweiter Linie von der Kleinkriegsaktivität des Feindes bestimmt sein wird, während wirtschaftlich keine grundsätzlichen Veränderungen zu erwarten sind, wenn nicht der Leistungswille und die Leistungsfähigkeit der an sich ruhigen und arbeitswilligen Bevölkerung durch Eingriffe von außen – entweder Invasion oder deutsche Maßnahmen wie Repressalien, Zwangsarbeit o.ä. – beeinträchtigt wird.[6]

II. Mitteilungen aus der Außenpolitik
A.) Veränderungen der diplomatischen Beziehungen Dänemarks im Jahre 1944
1.) Argentinien
Mit dem Abbruch der Beziehungen Argentiniens zum Großdeutschen Reich stellte im Februar 1944 der argentinische Geschäftsträger in Kopenhagen [Alberto H.] Bafico seine Tätigkeit ein. Gleichzeitig erklärte der ehrenamtliche dänische Geschäftsträger in Buenos Aires Pedersen, daß er aus Dänemark kommende Instruktionen in Zukunft nicht mehr ausführen könne.
2.) Griechenland
Im Juni 1944 wurde auf Wunsch der Reichsregierung die dänische Gesandtschaft in Athen geschlossen. Der dänische Gesandte Durloo wurde nach Kopenhagen zurückberufen.[7]
3.) Türkei
Mit dem Abbruch der Beziehungen der Türkei zu Großdeutschland stellte im August 1944 der türkische Geschäftsträger im Kopenhagen Selcuk seine Tätigkeit ein. Der dänische Geschäftsträger in Ankara Friis, dessen Haltung schon lange Zeit zweifelhaft gewesen war, ging zu den "Freien Dänen" über.[8]
4.) Rumänien
Ende August 1944 verließen der rumänische Gesandte Crutzescu und die Angehörigen der Gesandtschaft illegal Dänemark, noch ehe der Abfall Rumäniens bekannt

---

[4] Uenigheden mellem Frihedsrådet og politikerne var en kendsgerning, men Bovensiepen ville gerne fremstille det som en splittelse. Måske var det en opfattelse, han havde fået gennem arresterede modstandsfolk, for at han skulle tro, at den danske modstand var svækket.
[5] Den kommunistiske modstandsbevægelse var meget længe blevet negligeret i Bests indberetninger, idet den blev betragtet som overvundet. Ikke desto mindre vendte den nu tilbage som en af hovedaktørerne.
[6] Best fastholdt sit hovedsynspunkt på, hvad der skulle til for at bevare ro og orden i Danmark.
[7] Sven Peter Duurloo havde været gesandt og befuldmægtiget minister i Athen og Ankara fra 1939.
[8] Legationsråd P. Friis, Ankara.

und eine Ausreisesperre verhängt worden war.⁹ Der dänische Gesandte in Bukarest und gleichzeitig auch in Sofia Biering hielt auch nach dem Einmarsch der Russen die Verbindung mit dem dänischen Außenministerium aufrecht.¹⁰

5.) Finnland

Im September 1944 verließ der Gesandte [Paavo] Pajula und seine Gesandtschaft Dänemark, nachdem Finnland die Beziehungen zum Großdeutschen Reich abgebrochen hatte. Der dänische Gesandte in Helsinki Lerche teilte dem dänischen Außenministerium mit, daß er auf seinem Posten verbleibe und sich als "freigesellt" betrachte.¹¹

6.) Ungarn

Der ungarische Geschäftsträger in Kopenhagen Gesandter [Joseph] von Kristoffy, der im April 1944 seine Tätigkeit aufgenommen hatte, verließ im Oktober 1944 ebenso mit den übrigen Angehörigen der ungarischen Vertretung Dänemark heimlich, noch ehe der Abfall der Regierung Horthy bekannt geworden war. Die Regierung Szalasi hat an seiner Stelle den Gesandten von Reviczky als Geschäftsträger nach Kopenhagen entsandt. Im November 1944 waren bereits die ungarischen Staatsangehörigen Dr. von Varsanyi und Dr. Szábo in Kopenhagen eingetroffen, um die Geschäfte des geflüchteten ungarischen Handelsattachés zu übernehmen. Dänischer Vertreter bei der ungarischen Regierung ist unverändert der Gesandte Boldt-Jörgensen.¹²

7.) Belgien

Nach der Besetzung Belgiens durch die Alliierten ging im Oktober 1944 der konsularische Vertreter Dänemarks in Brüssel Viggo Jensen zu den "Freien Dänen" über.¹³

8.) Frankreich

Der dänische Geschäftsträger in Vichy Seedorf vorlegte im November 1944 auf alliierten Druck seinen Dienstsitz nach Paris.¹⁴ Nach bisher unbestätigten Feindmeldungen soll er sich der Bewegung der "Freien Dänen" angeschlossen haben. Er hat aber noch im Dezember 1944 an des dänische Außenministerium berichtet und von ihm Weisungen erhalten.

9.) Italien

Im April 1944 wurde als "Konsularischer Agent für die Wahrnehmung der Italienischen Interessen in Dänemark," der italienische Staatsangehörige Dr. Squatriti bestellt.

B.) Stand der diplomatischen Beziehungen Dänemarks Ende 1944

An ausländischen Gesandten befinden sich Ende 1944 nur noch der schwedische Gesandte von Dardel, der spanische Gesandte [Francesco] Agramonte, der isländische Geschäftsträger Krabbe und der (noch nicht förmlich angemeldete) ungarische Geschäftsträger von Reviczky in Kopenhagen. In Kopenhagen akkreditiert – jedoch mit

9 Se også *Politische Informationen* 1. oktober 1944, afsnit II.
10 Erik Biering havde været gesandt i den del af Europa siden 1930 og fortsatte efter 1945.
11 Kammerherre Flemming Lerche var gesandt og befuldmægtiget minister i Helsinki fra 1921.
12 L.B. Bolt-Jørgensen var gesandt og befuldmægtiget minister i Budapest siden 1941.
13 Viggo Jensen var udsendt konsul i Bruxelles.
14 Legationsråd H.P.L. Seedorff.

auswärtigem Wohnsitz – sind die Gesandten von Iran, Japan, Mandschukuo, China, Portugal, Schweiz, Slowakei, Thailand.

Dänische diplomatische und berufskonsularische Vertretungen, die noch vom dänischen Außenministerium ihre Weisungen entgegennehmen, bestehen – außer in Berlin – in Brasilien, Italien, Japan, Mandschukuo, China, Norwegen, Portugal, Rumänien, Schweden, Schweiz, Slowakei, Spanien, Thailand und Ungarn.

C.) Die Loslösung Islands von Dänemark
Im Jahre 1944 erfolgte die endgültige Loslösung Islands von Dänemark, nachdem Island bis 1918 dänisches Staatsgebiet und von 1918-1944 ein durch "Unionsvertrag" mit Dänemark verbundener selbständiger Staat gewesen war.

Die folgenden Daten bezeichnen den Weg zur Loslösung:

25.2.1944	Beschluß des isländischen Altings, den Unionsvertrag aufzuheben und Island eine republikanische Verfassung zu geben.
2.5.1944	Botschaft des Königs Christian X von Dänemark und Island an den isländischen Ministerpräsidenten, in der er der Erwartung Ausdruck gab, daß während der Besetzung beider Länder keine Änderung der Regierungsform, die er ohne Verhandlung mit ihm nicht anerkennen könne, stattfinden werde.
20.-23.5.1944	Volksabstimmung mit 98,65 v.H. Stimmen für Aufhebung der Union und 96,35 v.H. Stimmen für die Republik.
17.6.1944	Erklärung des Vorsitzenden des isländischen Altings, daß die republikanische Verfassung in Kraft trete, und Wahl des bisherigen Reichsverwesers Sveinn Björnsson zum ersten Präsidenten der Republik. Errichtung isländischer Gesandtschaften in Washington, London, Moskau und Stockholm.
Ende August 1944	scharfe Äußerungen des isländischen Außenministers Thor gegen US-amerikanische Pläne, auch nach dem Kriege Stützpunkte in Island zu behalten.

III. Mitteilungen aus der Verwaltung
1.) Die Vermessungsarbeiten des dänischen Geodätischen Institutes
Die Vermessungsarbeiten in Dänemark, die durch das dänische Geodätische Institut geleitet werden und die bisher trotz der Besetzung des Landes ungehindert fortgesetzt worden sind, haben in der letzten Zeit zu militärischen Bedenken Anlaß gegeben, zumal das Vermessungspersonal sich zu einem großen Teil aus ehemaligen dänischen Offizieren zusammensetzt. Auf Verlangen des Wehrmachtbefehlshabers Dänemark hat der Reichsbevollmächtigte deshalb alle Vermessungsarbeiten bis auf weiteres verboten. Der dänischen Zentralverwaltung ist in Aussicht gestellt worden, daß über eine Wiederzulassung der Vermessungsarbeiten in beschränktem Umfange verhandelt werden könne, wann man auf dänischer Seite bereit sei, die Arbeiten unter eine gewisse deutsche Kontrolle zu stellen.[15]

---

15 Geodætisk Institut forestod opmålinger af Danmark og udarbejdelse af Generalstabskort, og de aktuelle opmålinger kunne være af interesse for de allierede.

2.) Kriegsschäden-Regelung

Über die grundsätzliche Regelung des Ersatzes von Kriegssachschäden sind im Laufe des Jahres 1944 zwischen dem Reich und Dänemark Verhandlungen geführt worden. Die Verhandlungen hatten das sogenannte "Wustrauer Abkommen" zum Ergebnis.[16] In diesem Abkommen sichern sich das Reich und Dänemark Gegenseitigkeit hinsichtlich der Behandlung von Kriegsschäden zu; danach werden dänische Staatsangehörige, die im Reich Kriegssachschäden erleiden, nach deutschen Vorschriften aus deutschen Mitteln entschädigt, während deutsche Reichsbürger in Dänemark, die hier Kriegssachschäden erleiden, unter Voraussetzung des dänischen Kriegsschädenrechts – das eine Brandversicherung zur Bedingung für die Entschädigung macht – aus dänischen Versicherungsmitteln Ersatz erhalten. Diese Regelung ist von besonderer Bedeutung für die Verlagerungsaufträge, die der Rüstungsstab Dänemark an dänische Firmen vermittelt; auch für diese Verlagerungsaufträge ist mit dem Abkommen Versicherungsschutz gegeben, soweit es sich nicht um das Material handelt, das für die Durchführung des Auftrages aus dem Reich nach Dänemark gebracht wird.

Ein Sonderproblem stellt die Entschädigung für Betriebsverluste, die durch Sabotage entstanden sind, dar. Die dänische Kriegsschädenregelung sieht einen Ersatz lediglich von materiellen, nicht dagegen von Betriebsverlusten vor. Von deutscher Seite mußte darauf Wert gelegt werden, daß – um die Lieferfähigkeit und Lieferfreudigkeit der für die Wehrmacht tätigen dänischen Firmen zu erhalten – auch eine Entschädigungsmöglichkeit für Betriebsverluste geschaffen wurde. Die Erweiterung des dänischen Kriegsschädenrechts auf die Berücksichtigung von Betriebsverlusten erwies sich als nicht durchführbar. Daraufhin ist durch Anordnung des Reichsbevollmächtigten ein deutscher Ausschuß eingesetzt worden, der sich aus Vertretern des Reichsbevollmächtigten und des Rüstungsstabes zusammensetzt und der über die Gewährung von Betriebsverlustentschädigungen an sabotagegeschädigte Firmen entscheidet. Die Entschädigungen werden aus dänischen, dem Reichsbevollmächtigten zur Verfügung stehenden Mitteln gezahlt.[17]

Eine andere Gruppe von Entschädigungen, die aus den gleichen Mitteln gezahlt werden, ist die der Entschädigungen für Plünderungsschäden. Es handelt sich dabei um den Ersatz solcher Schäden, die in Zusammenhang mit inneren Unruhen, insbesondere denen um den 30.6. und 19.9.1944 herum, durch Gewaltakte des Pöbels verursacht worden sind. Während bis zum August 1943 die dänische Regierung die Zahlung von Schadenersatz in Fällen dieser Art auf Grund eines deutsch-dänischen Übereinkommens vorgenommen hatte, war es ab August 1943 erforderlich, solche Entschädigungen durch deutsche Anordnung festzusetzen; die Anordnungen trifft der Reichsbevollmächtigte.[18]

---

16 Se RFM: Niederschrift ... 10. februar 1944.
17 Denne anordning er ikke offentliggjort af den rigsbefuldmægtigede, men den blev præsenteret i *Politische Informationen* 1. september 1944, afsnit IV.1.
18 Der er ikke af den rigsbefuldmægtigede offentliggjort en anordning angående skadeserstatning ved plyndring, men den er omtalt i *Politische Informationen* 1. august 1944, afsnit IV.1.

3.) Internierten-Fragen
Wegen der in Dänemark in den Lagern "Store Grundet" und "Lekkende" internierten britischen und amerikanischen Staatsangehörigen haben die zuständigen berliner Zentralstellen im Laufe des Jahres 1944 – ebenso wie wegen der im Reich Internierten – über das Internationale Rote Kreuz Verhandlungen geführt, die darauf abgestellt sind, einen Austausch gegen Reichsdeutsche, die in den Feindländern interniert sind, durchzuführen. Diese Verhandlungen standen vor dem Abschluß, haben sich in letzter Zeit aber wieder in die Länge gezogen.

Im Juni 1944 sind die Interniertenlager in Dänemark durch einen Vertreter des Internationalen Roten Kreuzes besichtigt worden. Es ist dabei festgestellt worden, daß die Lager vorbildlich sind.

4.) Die Entwicklung der deutschen Verwaltungstätigkeit in Dänemark im Jahre 1944
Im Jahre 1944 mußte die deutsche Verwaltungsaufsicht gegenüber den dänischen Behörden ständig intensiviert werden, weil im Zuge der politischen Entwicklung immer stärker die Tendenz der dänischen Behörden hervortrat, sich zu ihrer Deckung zu jeder im deutschen Interesse liegenden Handlung zwingen zu lassen.

Auch die Zahl der Fälle, in denen durch die deutsche Verwaltungsaufsicht dänische Behörden zu einem von deutscher Seite gewünschten Handeln veranlaßt werden mußten, ist im Laufe des Jahres 1944 beträchtlich gestiegen. Soweit Forderungen der deutschen Wehrmacht zur Erfüllung gebracht werden mußten, war die Vermehrung dieser Forderungen in den umfangreichen Befestigungsarbeiten, der Anlegung neuer Flugplätze und in der Verstärkung der in Dänemark eingesetzten Truppen und ihrem häufigen Wechsel begründet und erstreckte sich auf die Beschaffung von Materialien aller Art und die Beschlagnahme von Grundstücken, Gebäuden, Fahrzeugen usw. Ähnliche Notwendigkeiten waren für die in Dänemark eingesetzte deutsche Polizei zu erfüllen, für die auch im Laufe des Jahres das große Haftlager in Fröslev errichtet wurde.[19] Interventionen gegen dänische Strafverfahren wurden häufig gewünscht, wenn der Verfolgte bei Lieferungen und Leistungen für die Wehrmacht gegen geltende Wirtschaftsvorschriften verstoßen hatte; hierbei mußte das konkrete deutsche Interesse an dem Einzelfall und das allgemeine deutsche Interesse an der Aufrechterhaltung der Wirtschaftsordnung gegeneinander abgewogen werden. Die Auflösung der dänischen Polizei brachte neue Aufgaben der Verwaltungsaufsicht im Zusammenhang mit den entstehenden Ersatzeinrichtungen wie Kreiskontore und Wachtwehren mit sich.

Ein großer Teil der Verwaltungsaufgaben insbesondere zur Erfüllung von Forderungen der Wehrmacht konnten von den Außenstellen des Reichsbevollmächtigten in Odense (für Fünen), Aalborg (für Nordjütland), Silkeborg (für Mitteljütland) und Apenrade (für Südjütland) wahrgenommen worden, die sowohl hinsichtlich der Wehrmachtinteressen wie auch hinsichtlich der Verhältnisse in ihren Bezirken Kenntnisse und Erfahrungen gesammelt haben.[20]

---

19 Frøslevlejren blev taget i brug 12. august 1944. Jfr. Bests telegram nr. 955, 18. august 1944.
20 Bests repræsentanter var i Odense: konsul Georg Böhme; i Ålborg: konsul Gustav Brandtner; i Silkeborg hos WB Dänemark: Landrat Wilhelm Casper (fra december 1943); i Åbenrå: konsul Ewald Lanwer (juni 1940-juli 1943), konsul Helmuth Langer (15. august 1943-marts 1944), konsul Hans Meyer (fra marts

Der Reichsbevollmächtigte hat im Jahre 1944 die folgenden Verordnungen erlassen, die im "Verordnungsblatt des Reichsbevollmächtigten in Dänemark" bekannt gegeben wurden:[21]

Verordnung zum Schutz der deutschen Wehrmacht vom 23.5.1944.

Verordnung über die Beschlagnahme von Grundstücken und Gebäuden für die deutsche Wehrmacht vom 23.5.1944.

Verordnung über Lieferungen und Leistungen für die deutsche Wehrmacht vom 23.5.1944.

Verordnung über Strafbarkeit von Zuwiderhandlungen gegen Anordnungen deutscher Dienststellen vom 24.6.1944.

Verordnung über die Beschränkung von Grundeigentum aus Gründen der Landesverteidigung (Schutzbereich-Verordnung) vom 27.6.1944.

Verordnung vom 14.11.1944 zur Änderung der Verordnung zum Schutz der deutschen Wehrmacht vom 23.5.1944.

Verordnung vom 10.12.1944 zur Einführung der Richtlinien über die Gestaltung der Arbeitsbedingungen für die bei den deutschen Dienststellen und deutschen sowie diesen gleichgestellten Betrieben in Dänemark beschäftigten Arbeiter und Angestellten mit ständigem Wohnsitz in Dänemark.[22]

IV. Mitteilungen aus der Wirtschaft
1.) Die dänische Landwirtschaft im Dezember 1944

Nachdem die Kartoffelernte beendet ist, haben sich die früheren Schätzungen, nach denen nur eine knappe Mittelernte zu erwarten war, bestätigt. Die geringen Erträge werden sich dahingehend auswirken, daß weniger Futter zur Verfügung stehen wird als im letzten Jahr.

Obwohl die diesjährige Zuckerrübenernte später als normalerweise begonnen wurde, um die Wachstumszeit zu verlängern, bleiben die Erträge erheblich hinter denen der letzten Jahre zurück. Auch der Zuckergehalt der Rüben ist in diesem Jahre unternormal.

Die der Jahreszeit entsprechende rückläufige Bewegung der Milch- und Buttererzeugung ist in den letzten Wochen durch die Rübenblattfütterung zum Stillstand gekommen. Nach Verfütterung des Rübenblattes wird jedoch mit einem weiteren Absinken des Milchanfalles zu rechnen sein. Die Produktion liegt augenblicklich etwas unter der im gleichen Monat des Vorjahres.

Der Auftrieb auf den Schlachtviehmärkten ist besonders an Rindvieh nach Beendigung der Weidezeit nach wie vor groß. Infolge der Transportschwierigkeiten bereitet die

---

1944), hvor der desuden blev oprettet Außenstelle des Reichsbevollmächtigte i begyndelsen af 1944 først med Oberregierungsrat Lührmann og derefter med Oberregierungsrat, SS-Sturmbannführer, Walter Haensch som leder; i Århus: generalkonsul, dr. Herbert Hugo Hensel (fra oktober 1943). Se tillige tillæg 4.
21 Foreligger bl.a. på KB med de angivne forordninger.
22 Denne forordning var foreslået af Best allerede i foråret 1944, men var blevet afvist fra dansk side. Den blev 10. december 1944 gennemført med tilbagevirkende kraft fra 1. november 1944, hvorved lønkontrollen bortfaldt for bygge- og anlægsarbejder for værnemagten (Preispolitischer Lagebericht 9. maj 1944 (trykt ovenfor), Alkil , 2, 1945-46, s. 1059f., Schmidt 1948a, s. 67, Jensen 1971, s. 215f., Brandenborg Jensen 2005, s. 328-330).

Ausfuhr lebender und geschlachteter Rinder nach Deutschland größte Schwierigkeiten. Sie liegt jedoch erheblich über der des Vorjahres. Das zeitweilig zurückgewiesene Vieh geht jedoch in Dänemark der Ausfuhr nicht verloren, da die meisten dänischen Betriebe das einmal für den Verkauf bestimmte Vieh nicht länger als unbedingt notwendig zurückhalten.

Die letzten Schweinezählungen zeigen einen starken Rückgang der Sauenbestände. Seit November 1943 hat sich die Zahl der Zuchtsauen um rund 30 % verringert; der Rückgang ist mit rund 43 % bei den Jungsauen besonders stark. Begründet ist dieses Absinken in der Verkleinerung der Futterbasis, da die diesjährigen Erträge – insbesondere an Hackfrüchten – unter denen des Jahres 1943 liegen. Im ganzen gesehen wird die Schweinefleischerzeugung nicht durch die vorhandenen Schweine allein, sondern insbesondere durch das zur Verfügung stehende Futter bestimmt. Trotz der geringen Futtermenge liegt daher z.Zt. noch kein Grund für die Annahme vor, daß die zu Beginn des Erntejahres erfolgten Schätzungen über die Schweinefleischerzeugung und die Lieferungen nach Deutschland für 1944/45 nicht zutreffen werden.

Es ist jedoch erforderlich, daß jeder nicht unbedingt notwendige Verbrauch zu Lasten des Ausfuhrkontingentes vermieden wird. Hierzu gehört auch der nichtgenehmigte Ankauf von Vieh durch Einheiten der Wehrmacht usw. Dieser hatte in letzter Zeit einen größeren Umfang angenommen. Der Wehrmachtbefehlshaber hat deshalb an alle Einheiten der Wehrmacht und ihr angeschlossenen Verbände einen Befehl erlassen, in dem noch einmal auf die einschlägigen Bestimmungen hingewiesen worden ist.

2.) Die Entwicklung der dänischen Wirtschaft im Jahre 1944
Die dänische Wirtschaft hat im Jahre 1944 weiterhin insbesondere auf dem Ernährungsgebiet für die deutsche Kriegswirtschaft wertvolle Leistungen und Lieferungen erbracht. Die gegen industrielle Werke und das Verkehrswesen gerichtete Sabotage und einige kurze Streiks sind wirtschaftlich ohne größere Bedeutung geblieben.[23]

Die Produktion und die Lieferungen der dänischen Landwirtschaft nach Deutschland sind im 5. Kriegswirtschaftsjahr (1. Oktober 1943 – Ende September 1944) auf den wichtigsten Gebieten (Fleisch, Butter, Pferde, Fische) gehalten oder gesteigert – bei Fleisch sogar verdoppelt – worden. Wenn auch die Ernte 1944 im allgemeinen geringer ausgefallen ist als die vorjährige Ernte, werden auch im letzten Kalendervierteljahr 1944 die dänischen Lieferungen landwirtschaftlicher Erzeugnisse nach Deutschland annähernd den bisherigen Umfang haben.

Für die dänische Holzwirtschaft, die aus natürlichen Gründen stets auf die Einfuhr von Holz aller Art angewiesen war, ist der Wegfall Finnlands und die stark verringerte Einfuhrmöglichkeit aus Schweden besonders erschwerend, da der Holzbedarf für Wehrmachtsbauten unverändert groß geblieben ist und die Nachschubmöglichkeiten aus Deutschland fast völlig weggefallen sind. Der Einschlag der Wehrmacht muß sich nachteilig auch auf die Deckung des innerdänischen Holzbedarfs auswirken. Das verminderte Gesamtaufkommen an Nutzholz beeinflußt u.a. die Beschaffung von Verpak-

---

23 UM og Rü Stab Dänemark var af samme opfattelse (Jensen 1971, s. 239, Rü Stab Dänemarks månedlige situationsindberetninger og Giltner 1998, s. 165).

kungsmaterial z.Zt. so nachteilig, daß in dieser Hinsicht die größten Schwierigkeiten für die Lebensmittelausfuhr nach Deutschland zu besorgen sind.

Die intakte gewerbliche Wirtschaft Dänemarks wurde besonders durch die zunehmende Verknappung von Rohstoffen behindert. Für die Versorgung Dänemarks mit industriellen Rohstoffen kommen im wesentlichen nur noch die Lieferungen aus Deutschland in Frage. Diese konnten aber trotz einer Führerweisung, daß nach Dänemark insbesondere die für die Landwirtschaft erforderlichen Produktionsmittel geliefert werden sollen, auf wichtigen Rohstoffgebieten wie Eisen, Kohle, Kautschuk u.a. infolge des Vorrangs der Erfordernisse der deutschen Rüstungsindustrie und der kriegsmäßigen Produktions- und Transportschwierigkeiten nicht in erforderlichem Umfange zur Verfügung gestellt werden. Dagegen haben die Lieferungen auf anderen Warengebieten, wie z.B. Textilrohstoffen erfreulicherweise erhöht werden können.

Die Durchführung sowohl der Aufträge der Besatzungstruppen als auch der Verlagerungsaufträge der deutschen Rüstungsindustrie hat 1944 durchaus befriedigende Ergebnisse erzielt. Wertmäßig sind die Auslieferungen nach Deutschland mit rund 120 Mill. RM im Jahre 1944 noch etwas größer als im Vorjahre.

Die Preise und Löhne sind im Jahre 1944 wirksam festgehalten worden. Auch die Rationierungsbestimmungen wurden im großen und ganzen innegehalten und der Schwarze Markt hat kaum an Bedeutung zugenommen.[24] Immerhin führte auf wirtschaftlichem Gebiet das Fehlen der dänischen Polizei zu mannigfachen Schwierigkeiten. Durch die getroffenen Maßnahmen ist bisher kein brauchbarer Ersatz für die wirtschaftlichen Verwaltungsaufgaben, die früher von der dänischen Polizei erfüllt wurden, geschaffen worden.

Die öffentlichen Finanzen sind in Ordnung. Die Maßnahmen der dänischen Regierung gegen die Gefahren einer Inflation sind bisher wirksam gewesen; insbesondere kann die Abschöpfung der vorhandenen Geldreichlichkeit als befriedigend angesehen werden. Immerhin bilden der ständig sich erhöhende Clearingsaldo zu Gunsten Dänemarks gegenüber Deutschland und die voraussichtlich noch steigenden Wehrmachtskosten für die dänische Währung eine zunehmende Gefahr. Es liegt im deutschen Interesse, Dänemark in seinem Abwehrkampf gegen eine Inflation zu unterstützen.[25]

Auf dem Gebiet des dänischen Außenhandels besteht im Verhältnis zu Deutschland eine annähernd ausgeglichene Gegenseitigkeit des Waren-, nicht des Zahlungsverkehrs. Dagegen hat der dänischen Außenhandel mit dritten Ländern sich im Laufe des Jahres 1944 durch die militärische Entwicklung stark verringert; insbesondere ist für Dänemark der Ausfall Finnlands von Bedeutung gewesen, ebenso der Rückgang des Handelsverkehrs mit Schweden. Der Warenaustausch mit verschiedenen anderen Ländern wie Spanien, Portugal, Slowakei, Ungarn ist aus Verkehrsgründen mehr oder weniger zurückgegangen. Damit sind die Bezüge mancher in der dänischen Wirtschaft notwendig gebrauchten Rohstoffe fortgefallen.

---

24 Det sorte marked voksede betydeligt efter politiets fjernelse 19. september og blev tillige mere synligt (jfr. Bundgård Christensen 2003, s. 52f.).
25 Dette lå i forlængelse af rigsbankdirektør Sattlers beretning, som Best havde sendt til AA 15. juni 1944.

V. Mitteilungen aus Technik und Verkehr
1.) Bauwirtschaft
Auf dem Gebiete der Bauwirtschaft hat die Entwicklung des Jahres 1944 durch die erhebliche Verknappung der Baustoffe Holz und Eisen und durch die schwierige Transportlage dazu geführt, daß in der dänischen Bauwirtschaft nochmals eine bedeutende Einschränkung in der Bautätigkeit durchgeführt werden mußte. Mit Ausnahme der dringendsten Wohnungsbau-Programme und Bauarbeiten zur Verbesserung der landwirtschaftlichen Betriebe sowie des vom dänischen Staat befohlenen Luftschutzbau-Programms liegen sämtliche Bauarbeiten öffentlicher Bedarfsträger still. Die dadurch frei werdenden Arbeitskräfte und Baustoffe konnten z.T. bei den deutschen Bedarfsträgern Verwendung finden.

Nach Beendigung der Sofortprogramme der Befestigungsarbeiten im Frühjahr 1944 wurde eine Bereinigung der dänischen Firmen durchgeführt und alle nicht fachlich geleiteten Firmen von einer Auftragserteilung ausgeschlossen.[26] Vom Wehrmachtbefehlshaber wurde weiterhin befohlen, daß von der Truppe nur noch in geringem Umfange zivile Arbeitskräfte in Regie-Arbeit eingesetzt werden. Auf diese Weise wurde eine erhebliche Stabilisierung der Baupreise erreicht.

Mit Ausnahme einer geringen Schwankung in den September-Wochen, wo eine Reihe von dänischen Firmen versuchte, von den deutschen Arbeiten entbunden zu werden,[27] hat sich der Stand der bei deutschen Dienststellen eingesetzten dänischen Firmen und Arbeitskräfte gehalten. In den Monaten November und Dezember war das Angebot dänischer Firmen, die Aufträge bei deutschen Dienststellen suchten, größer als bisher. Ihre Unterbringung bei den Befestigungsarbeiten war deshalb nicht in vollem Umfange möglich.[28]

Im Anschluß an den mit Wirkung vom 1.11.1944 eingeführten einheitlichen, für alle deutschen Dienststellen geltenden Tarif wurden auf Richtsätze zur Festsetzung von Akkordpreisen auf der Basis von Bauleistungswerten eingeführt.[29] Dänischerseits wurde dieser Einrichtung zugestimmt. Mit den dänischen Preisprüfungsbehörden wurde eine Vereinbarung bezüglich der engeren Zusammenarbeit bei der Baupreisbildung für die Bauarbeiten in Dänemark getroffen.[30]

2.) Technische Verwaltungen
Mit Zustimmung des Wehrmachtbefehlshabers wurde im Verlauf des Sommers mit der dänischen Zentralverwaltung eine Vereinbarung getroffen, wonach die entlang der jütländischen Westküste von der dänischen Wasserbaubehörde errichteten Deiche und sonstigen Küstensicherungsanlagen einer besonderen Behandlung bezüglich Anlage von Bauten wegen ihrer Wichtigkeit für den Schutz der Küsten unterzogen werden.

Es wurde weiterhin vereinbart, daß Inanspruchnahmen von Material und Gerät der

---

26 Dette var en direkte indrømmelse af, at ikke-fagligt ledede virksomheder havde medvirket.
27 Se modsat Rü Stab Dänemarks situationsberetning for september 1944.
28 Se Rü Stab Dänemarks situationsberetninger for de to nævnte måneder. Forstmanns konklusion var den samme.
29 Se bilaget til Rü Stab Dänemarks situationsberetning for november 1944.
30 Best udtrykte her en optimisme med hensyn til kontrolmulighederne, som der ikke var dækning for.

dänischen Straßenbau-, Eisenbahn- und Wasserbau-Verwaltungen durch Wehrmachtdienststellen nur mit dem Einverständnis der Behörde des Reichsbevollmächtigten erfolgen dürfen, da die Einsatzbereitschaft dieser Behörden auch in deutschem Interesse liegt und deshalb zentral gesteuert werden muß.

Der Straßenwinterdienst 1944 wird im gleichen Umfang wie 1943 gemäß Vereinbarung mit der dänischen Verwaltung durch das dänische Wegebauwesen durchgeführt. Die Straßenzustandsmeldungen werden täglich von den dänischen Behörden über die Hauptabteilung Technik der Behörde des Reichsbevollmächtigten an die Wehrmacht durchgegeben.

3.) Energieversorgung
Die mangelnde Zufuhr von Brennstoffen und Treibstoffen für die Versorgungsbetriebe zwingt z.Zt. zu größter Sparsamkeit im Stromverbrauch. Die Elektrizitätswerke sind zum Großteil überlastet, so daß kurzfristige Betriebsstörungen unausbleiblich sind. Neue Rationierungsbestimmungen werden z.Zt. noch nicht erwogen, jedoch muß überall auf sparsamste Verwendung elektrischer Energie hingewiesen werden.

Eine Untersuchung der wichtigsten Versorgungsbetriebe in Dänemark auf ihre Leistung, Einrichtung und lebenswichtigen Abnehmer von Licht, Strom und Gas wird z.Zt. durchgeführt. Die Verhandlungen mit dem dänischen Elektrizitätsrat sind im Gange.

4.) Verkehr
Das Verkehrsnetz und der Wagenpark der dänischen Staatsbahn sind dringend überholungsbedürftig. Der immer stärker werdende Ausfall von Lokomotiven hat sich für die Durchführung der Transporte sowohl für dänische als auch für deutsche Interessen als äußerst nachteilig erwiesen.[31] Lokomotiven aus dem Reich konnten nicht zur Verfügung gestellt werden, da der für Dänemark benötigte leichte Lokomotiven-Typ nicht abgegeben werden kann.

Die Lage auf dem Lastkraftwagen-Gebiet hat sich durch Reifen- und Ersatzteilmangel äußerst verschärft. Die Neuorganisation der für deutsche Aufträge fahrenden Kraftfahrzeuge durch Umbeschilderung auf dänische Nummern, Einführung eines Fahrzeug-Passes und zentrale Abrechnung konnte bisher nicht durchgeführt werden, da die dänische Zentralverwaltung infolge Fehlens der Polizei nicht in der Lage ist, die Neuzulassung der Wagen vorzunehmen. Vertragsbrüchige Fahrzeuge können aus den gleichen Gründen nicht zurückgeholt werden.

5.) Schiffahrt
Die dänische Handelsflotte innerhalb des deutschen Machtbereichs hat auch im Jahre 1944 erhebliche Transportleistungen für deutsche Rechnung vollbracht. Während infolge der bekannten Ereignisse in Schweden die Erzfahrt Mitte des Jahres eingestellt werden mußte, so daß im Berichtsjahr nur 414.738 ts gegenüber 1.002.135 ts im Jahre 1943 gefahren werden konnten, hielt sich die Menge der im deutschen Küstenverkehr durch dänische Schiffe gefahrenen Transporte ungefähr auf der gleichen Höhe wie im Vorjahr (410.018 ts 1944 gegen 415.075 ts. 1943).

---

31 Denne udvikling dokumenteres af Rü Stab Dänemarks indberetninger for efteråret 1944.

Wenn trotzdem die Transportlage im Jahre 1944 wesentlich angespannter war als im Vorjahr, so liegt dies an folgenden Gründen:
a.) Durch Totalverluste, schwere Havarien, die mehrmonatliche Reparaturen erforderlich machten und durch Stillegungen aus Brennstoffmangel wurde die Transportkapazität der dänischen Handelstonnage um 25 % reduziert.
b.) Die Reisedauer der Schiffe ist durch Minensperrungen und andere Fahrthindernisse z.T. auf das Doppelte gestiegen.
c.) Die Beschlagnahme von drei dänischen Güterfähren machte eine Umlagerung zahlreicher Güter von der Eisenbahn auf die Schiffahrt erforderlich.[32]
d.) Der in früheren Jahren durch norwegische und finnische Schiffe gefahrene Anteil mußte fast ausschließlich mit dänischen Schiffen bewältigt werden.

Zu Gunsten der Kriegsmarine wurden weitere 6 dänische Schiffe beschlagnahmt, so daß seit Januar 1944 insgesamt 20 dänische Schiffe mit rund 35.000 BRT beschlagnahmt werden.[33] Abgesehen von den oben erwähnten, durch Feindeinwirkung bedingten Verlusten hat die dänische Flotte durch den Abgang von einer Güter- und Passagierfähre sowie von zwei Eisbrechern zu verzeichnen, die nach Schweden entwichen.[34]

VI. Die deutsche Volksgruppe in Nordschleswig
Aus einem Bericht des Kontors der Deutschen Volksgruppe beim Staatsministerium:
Die Arbeit der Volksgruppe kann auch im Jahre 1944 unter drei Hauptgesichtspunkten gesehen werden, die sich gegenseitig ergänzen und ineinander übergreifen:
1.) Erhaltung und Festigung des Bestandes der Volksgruppe,
2.) Unmittelbarer und mittelbarer Kriegseinsatz,
3.) Nutzbarmachung der Volksgruppe für die Politik des Reiches in Dänemark im Sinne der germanischen und europäischen Solidarität.

A.) Waffen- und Arbeitseinsatz
Nach Mitteilung des Organisationsamtes der Volksgruppe sind nach dem Stande vom 1.12.1944 6.296 Volksgenossen zum Einsatz gelangt.[35]

1.)	Freiwillige		
	a. bei der Waffen- SS	1.391	
	b. bei der Wehrmacht	507	
	c. bei der Flak	36	
	d. beim Grenzzollschutz	89	
	e. beim Luftgaukommando als Fahrer	108	
	f. beim landwirtschaftlichen Osteinsatz	8	
	g. beim RAD	23	2.162

---

32 Se OKW/WFSt til OKM 15. oktober 1944.
33 Det opgivne antal er korrekt. De seks yderligere beslaglagte skibe var "Hans Broge", "Aalborghus", "Kronprins Olaf", "Skipper Clement", "Melchior" og "Frem" (Hæstrup, 2, 1966-71, s. 157).
34 Det var færgen "Store Bælt", der 6. november 1944 blev kapret af Holger Danske og sejlet til Sverige, mens isbryderne "Holger Danske" og "Mjølner" var undveget til Sverige 18. september 1944 (jfr. ovenfor).
35 Se tillæg 11.

2.) Arbeitseinsatz
   a. im Süden als Facharbeiter usw.   2.285
   b. im Norden auf Fliegerhorsten   1.849   4.134
Gesamteinsatz   6.296

An Verlusten hat die deutsche Volksgruppe bis zum 30.11.1944 gehabt:
1.) Gefallene
   a. Waffen-SS   265
   b. Wehrmacht   69
   c. Arbeitseinsatz   10   344
2.) Vermißte
   a. Waffen-SS   40
   b. Wehrmacht   11   51
Gesamtverlust: 395

B.) Steigerung der Wehrbereitschaft in Nordschleswig
1.) Die Pflege des Wehrwillens und die körperliche Ertüchtigung sind in Nordschleswig wie auch im Reich Aufgabe der Deutschen Jungenschaft (Hitlerjugend) und der SK (SA, SS). An einem von der SK in der Zeit vom 20.-30. April 1944 durchgeführten Wehrsportschießen beteiligten sich 1.638 Volksgenossen.
2.) Als die vom Feind gesteuerten unterirdischen Kräfte Anfang des Jahres erstmalig versuchten, ihre Tätigkeit auch nach Nordschleswig zu verlagern, und die Polizei diesen Kräften gegenüber sich passiv verhielt, wurde im Benehmen mit dem Reichsbevollmächtigten aus der SK Mitte Februar ein Selbstschutz entwickelt.[36] Dieser Selbstschutz hat heute eine Stärke von etwa 500 Mann und ist im Rahmen der verfügbaren Bestände bewaffnet und uniformiert worden. Der Dienst wird neben der Berufsarbeit ehrenamtlich geleistet.
3.) Nach Genehmigung durch den Reichsbevollmächtigten hat die Volksgruppe ferner die für die Reichsdeutschen im Auslande eingeführte Noteinsatzpflicht auf freiwilliger Grundlage innerhalb ihres Bereiches eingeführt. Etwa 1.500 Deutsche aller Altersstufen, zu denen auch die Mitglieder des Selbstschutzes gehören, erhalten in ihrer freien Zeit an Sonntagen und in Abendstunden eine militärische Grundausbildung. Diese sogenannten Zeitfreiwilligen stehen nach Maßgabe der Vereinbarungen zwischen Volksgruppenführung und Befehlshaber der deutschen Truppen in Dänemark im Falle von militärischen Operationen in Dänemark (Invasion) als Angehörige der Wehrmacht für den Objektschutz in der Heimat bzw. für das Nachschub- und Transportwesen zur Verfügung.
4.) Im Zuge der Schanzarbeiten an den Grenzen des Reiches ist die Volksgruppe dann im September-Oktober 1944 bei dem Bau von Panzergräben mit rund 1.500 Personen eingesetzt gewesen.

---

36 Se Bests telegram nr. 215, 17. februar 1944.

C.) Die bäuerliche Produktion
Während die Arbeit der Volksgruppe auf dem Agrarsektor bis zum 9. April 1940 ihr Schwergewicht in der Besitzerhaltung und Besitzfestigung hatte, um weitere Bodenverluste zu verhindern, steht seit der Besetzung die Produktionssteigerung auf der wirtschaftseigenen Futtergrundlage, bzw. die Anpassung an die europäische Wirtschaftsstruktur eindeutig im Vordergrund. Die Volksgruppe hat sich besonders für die Erweiterung der wirtschaftseigenen Futtergrundlage als Voraussetzung für die Aufrechterhaltung der Butterproduktion und der Schweinemast eingesetzt. Dabei isoliert sie sich nicht auf ihr eigenes Bauerntum, sondern versucht planmäßig, den fachlichen Kontakt zum dänischen Bauerntum, sowie einen Erfahrungsaustausch mit der schleswig-holsteinischen Landesbauernschaft aufrechtzuerhalten.

D.) Die gewerbliche Produktion
Seit dem Frühjahr 1940 ist es möglich geworden, die gewerbliche Wirtschaft der Volksgruppe für Kriegszwecke nutzbar zu machen, und zwar:
1.) durch die Übernahme unmittelbarer und mittelbarer Aufträge für die Rüstungswirtschaft des Reiches,
2.) durch die Einschaltung deutscher Firmen aus Nordschleswig bei den Bauvorhaben der Wehrmacht in Dänemark.

Je nach Bedarf sind bis zu 400 Klein- und Mittelbetriebe laufend in die Auftragsverlagerung eingeschaltet. Es handelt sich hierbei in erster Linie um Zimmerer, Tischler, metallbearbeitende Betriebe, Sattler, Schneiderwerkstätten, Schuhfabriken, sowie um einen neu ins Leben gerufene Schiffswerft in Sonderburg, die laufend Reparaturen für die Kriegsmarine durchführt.

E.) Nutzbarmachung für die Politik des Reiches
Vom Standpunkt der Reichspolitik aus glaubt die Volksgruppe sich als positiven Ansatzpunkt für die Gestaltung des deutsch-dänischen Verhältnisses werten zu dürfen. Ihre Bedeutung kann demgemäß nicht an ihrer Größe allein gemessen werden, sondern ist in ihrem Standort – dem Grenzland zweier benachbarter Völker – begründet. Die Erfahrungen, Kenntnisse und Einsichten, die sich aus dem Zusammenleben der Deutschen mit den Dänen ergeben, sind für die Belange des Reiches einzusetzen.

Im Zuge dieser politischen Arbeit der Volksgruppe ist es von großer Bedeutung, daß es der Volksgruppe mit Unterstützung des Reichsbevollmächtigten gelang, die Nordschleswigsche Zeitung im Berichtsjahr über ihren Charakter als Volksgruppenorgan hinaus unter Wahrung ihres bodenständigen Charakters zu einer deutschen Zeitung in Dänemark fortzuentwickeln.[37]

Ein entsprechender Ausbau, wie bei der Zeitung, könnte, wenn die geeigneten Kräfte hierfür zur Verfügung stehen, mit der Zeitschrift der Volksgruppe "Junge Front" vorgenommen werden.[38]

---

37 Se *Politische Informationen* 1. maj 1944, afsnit V.
38 *Junge Front* udkom siden 1937 og blev udg. af *Nordschleswigsche Zeitung*. Det var i 1944 Bests hensigt, at det skulle være fællesorgan for alle de tyske ungdomsorganisationer i Danmark og dermed for hele den tyske ungdom i Danmark. Som avisen fik det økonomisk støtte fra den rigsbefuldmægtigede (PKB, 14, s. 94, 168).

F.) Totalisierung des Einsatzes
Nach Abschluß der zeitlich ineinander übergehenden Erntearbeiten und der Schanzaktion hat die Volksgruppenführung im Zuge der Proklamierung des totalen Krieges im Reich die Frage aufgegriffen, wie eine zusätzliche Steigerung ihres Kriegseinsatzes erreicht werden kann. Hierfür sind in einer Sitzung des Kleinen politischen Rates der NSDAP-N vom 1. November 1944 folgende Punkte herausgestellt worden:
1.) Erneute Überprüfung der UK-Stellungen.
2.) Fortsetzung und Intensivierung der Werbung unter den im Betracht kommenden Jahrgängen.
3.) Nochmalige Untersuchung der bisher untauglich Gemusterten.
4.) Zusammenfassung aller in der Heimat verbliebenen Kräfte zur Erweiterung des Zeitfreiwilligeneinsatzes und des Selbstschutzes.
5.) Organisierung kriegswichtiger Heimarbeit unter besonderer Heranziehung der Frauenschaft, der Jungenschaft und der Mädchenschaft als Ergänzung zu dem wehrwirtschaftlichen Einsatz der Volksgruppe.
6.) Verstärkte politische und weltanschauliche Ausrichtung der Volksgruppe.
Die zur Durchführung dieser Punkte erforderlichen Maßnahmen sind im Gange.

Bei der Werbung ist insofern in Nordschleswig immer eine Schwierigkeit gegeben, als die Volkstumsgrenzen an der Peripherie fließend sind, so daß hier ständig um jeden Einzelnen gerungen werden muß.

VII. Die nationalsozialistischen Gruppen in Dänemark
Die nationalsozialistischen Gruppen – im wesentlichen die DNSAP (Dänische Nationalsozialistische Arbeiterpartei) und das "Schalburg-Korps" – haben im Jahre 1944 weitere Einbußen an Stärke und Bedeutung erleben müssen, und zwar einerseits infolge der Kriegsentwicklung mit ihren politischen Rückwirkungen auf die besetzten Länder und andererseits infolge der Uneinigkeit und das Versagens ihrer Führer.[39]

1.) Die DNSAP
Die DNSAP hat durch das Scheitern ihres früher besonders stark herausgestellten Parteiführers Dr. Frits Clausen einen empfindlichen Schlag erlitten. Dr. Clausen, den seine krankhafte Neigung zum Trunk als Politiker und Parteiführer unmöglich gemacht hatte, hat am 5.5.1944 freiwillig die Leitung der DNSAP niedergelegt und ist am 22.11.1944 auf Antrag der Parteimitglieder seines Wohnbezirks aus der Partei ausgeschlossen worden.[40]

Das Ausscheiden des Dr. Clausen, dessen Person weitgehend als Grund für die seit Jahren bestehende Zerspaltung der nationalsozialistischen Gruppen in Dänemark angegeben wurde, aus der Politik hat allerdings nicht den Weg zur Einigung der nationalsozialistischen Gruppen – insbesondere der DNSAP und des "Schalburg-Korps" – geöffnet. Denn einerseits lehnte die neue Parteiführung der DNSAP – verkörpert in

---
39 Her formuleredes det igen udtrykkeligt, at besættelsesmagten var uden andel i udviklingen i det nazistiske miljø i Danmark.
40 Se Bests telegrammer 6. maj, 17. maj, 31. juli og 31. december 1944 og Lauridsen 2003b, s. 375f. og 389f. og samme 2005.

dem Großbauern C.O. Jörgensen – ein Zusammengehen mit dem Schalburg-Korps ab, weil man gewisse, vom Schalburg-Korps angewendete oder ihm von der Öffentlichkeit unterstellte Gewaltmethoden verwarf.[41] Andrerseits wurde von Seiten des Schalburg-Korps, dem sich der Folketingsabgeordnete der DNSAP Ejnar Jörgensen anschloß, versucht, die Mitglieder der DNSAP zum Schalburg-Korps herüberzuziehen.[42]

Immerhin ist die DNSAP mit 10-12.000 Mitgliedern – meist aus bäuerlichen Kreisen – noch immer die größte nationalsozialistische Organisation Dänemarks. Ihre gegenwärtige Arbeitsweise zielt darauf, ihren Mitgliederbestand über die jetzige Depressionsperiode hinweg zu erhalten und verzichtet deshalb auf eine sichtbare Aktivität nach außen.

2.) Das "Schalburg-Korps"

Das "Schalburg-Korps" war im Februar 1943 mit der Absicht gegründet worden, die aktivistischen Kräfte unter den von der DNSAP nicht erfaßten dänischen Nationalsozialisten in einem militanten Kampfverband zusammenzufassen und mit diesem eine schwungvolle nationalsozialistische Arbeit im ganzen Lande vorwärts zu treiben.[43] Nachdem die Organisation mit umfangreicher deutscher Hilfe aufgebaut war, stagnierte sie jedoch und trat statt in einen politischen Kampf um die Gesamtbevölkerung des Landes in einen Konkurrenzstreit mit der DNSAP um die alten dänischen Nationalsozialisten ein. Als der von der DNSAP ausgeschlossene Folketingsabgeordnete Ejnar Jörgensen zu dem Schalburg-Korps stieß, bemühte man sich, von der Basis des Schalburg-Korps aus eine politische Sammlungsbewegung mit der Bezeichnung "Dansk National Samling" zu gründen. Dieser Versuch ist bis zum Ende des Jahres nicht über vorbereitende Maßnahmen hinausgelangt.[44]

Die vom Schalburg-Korps auf der Grundlage der früher in der Schalburg-Schule Höveltegaard durchgeführten vormilitärischen Lehrgänge aufgestellte Mannschaft, die zunächst als Wachtruppe in der Kopenhagener Zentrale des Schalburg-Korps kaserniert und dann nach Ringsted in eine Kaserne verlegt worden war, ist im Laufe des Jahres 1944 in ein Ausbildungsbataillon "Schalburg" der Waffen-SS umgewandelt worden. Die Angehörigen des Bataillons, die sich auf ein Jahr zum Dienst für das Schalburg-Korps verpflichtet hatten, haben sich jedoch nur zum kleineren Teil nach Abschluß ihrer militärischen Ausbildung zum Fronteinsatz gemeldet, ein weiterer Teil erstrebte nach Ablauf des Verpflichtungsjahres seine Entlassung, die übrigen wollten zwar weiter Dienst tun, jedoch nicht außerhalb Dänemarks. Aus diesem Grunde besteht bei den im Fronteinsatz befindlichen dänischen Freiwilligen der Waffen-SS eine starke Abneigung gegen das Schalburg-Korps und seine "Heimkrieger."

Das trotz überaus starker hauptamtlicher Besetzung stagnierende Schalburg-Korps

---

41 Dette havde DNSAP meddelt Best i maj 1944, men på det tidspunkt undertrykte han oplysningen, der ikke gik videre til AA (Lauridsen 2003b, s. 382f.).
42 Best videregav her for første gang direkte forholdet mellem DNSAP og Schalburgkorpset, som det var.
43 Det er ikke korrekt. Det var hensigten, at Schalburgkorpset også skulle trække medlemmerne væk fra DNSAP og over til korpset.
44 Den beherskede optimisme om Dansk National Samlings fremtidsmuligheder, som Best havde udtalt juli 1944, var borte (se Bests telegram 31. juli 1944).

hat einen folgenschweren Stoß erlitten, als der bisherige Korps-Chef SS-Obersturmbannführer K.B. Martinsen wegen bestimmter Handlungen am 11.10.1944 nach Berlin befohlen und einer anderen Verwendung zugeführt wurde.[45] Es scheint, daß innerhalb des Schalburg-Korps Umbildungstendenzen sich durchsetzen, deren Ergebnis sich jedoch noch nicht überblicken läßt.

Der Versuch des Schalburg-Korps hat – wie die frühere Politik des Dr. Clausen – gezeigt, daß die dänischen Nationalsozialisten nicht in der Lage sind, eine einheitliche, disziplinierte und mit politischem Schwung erfüllte Bewegung aufzubauen, die zielbewußt auf die Eroberung des dänischen Volkes hinarbeitet. Sie ziehen es vielmehr vor, sich in den Streitigkeiten ihrer Führer und Gruppen und in internen Problemen ihrer Organisation zu erschöpfen und diese "Stürme im Wasserglas" – bei der letzten Reichstagswahl im März 1943 treten 2 % der Bevölkerung als Nationalsozialisten in Erscheinung, von denen sich inzwischen viele zurückgezogen haben dürften – als nationalsozialistische Politik zu bezeichnen.[46]

3.) Det Danske Arbejdsfællesskab
Die ursprünglich im Rahmen der DNSAP gegründete Organisation "Det Danske Arbejdsfællesskab" (Die Dänische Arbeitsgemeinschaft) ist von ihrem Leiter Jes Asmussen in den letzten 2 Jahren systematisch ihres parteipolitischen Charakters entledigt und in eine sozialpolitische Arbeiterorganisation umgewandelt worden. Sie vermeidet unnötige Schlagworte und versucht, durch die von ihr geleistete Arbeit das Vertrauen der Arbeiterschaft zu gewinnen. Neben sozialpolitischer Aufklärungsarbeit bemüht sich "Det Danske Arbejdsfællesskab" vor allem um die Betreuung der dänischen Arbeiter, die in Dänemark bei deutschen Bauvorhaben, auf Flugplätzen usw. beschäftigt sind.

Durch zahlreiche und z.T. geschickte Veröffentlichungen – insbesondere in ihrem Wochenblatt "Arbejdets Röst" (Stimme der Arbeit), das von zahlreichen Gewerkschaftsfunktionären bezogen wird,[47] – hat "Det Danske Arbejdsfællesskab" erreicht, daß mehrere ihrer Vorschläge in Gewerkschafts- und Arbeiterkreisen Diskussionen ausgelöst haben.[48]

4.) Nationalsozialistische Veröffentlichungen
Die vorgenannten nationalsozialistischen Organisationen wurden in ihrer Arbeit durch eine Reihe von Zeitungen und Zeitschriften unterstützt.

Die nationalsozialistische Tageszeitung "Fädrelandet" konnte im Berichtsjahr ihren Bezieherstand halten und sogar leicht erhöhen. Einige personelle und sachliche Veränderungen trugen zur Erhöhung der Leistungsfähigkeit des Unternehmens bei, bei dem heute nicht nur der überwiegende Teil aller von zivilen deutschen Dienststellen geför-

---

45 Det kunne ikke officielt meddeles de tyske tjenestesteder, at K.B. Martinsen var dømt for grove forbrydelser og afsonede i tysk fængsel.
46 Der gives ikke oplysninger om besættelsesmagtens indflydelse på og andel i splittelsen blandt de danske nazister.
47 *Arbejdets Røst* udkom januar 1943-april 1945 med økonomisk støtte fra Deutsche Arbeitsfront, der så sin fordel i bladet, der agiterede for at tage arbejde i Tyskland.
48 Det Danske Arbejdsfællesskab blev identificeret som et tysk finansieret foretagende og havde derfor kun begrænset indflydelse (Lauridsen 2002a, s. 488).

derten Veröffentlichungen sondern auch zahlreiche Drucksachen der Wehrmacht hergestellt werden. Eine kürzlich von der zuständigen Reichsstelle vorgenommene Revision endete mit der Feststellung, daß das Unternehmen als Musterbetrieb anzusehen sei.[49]

Auch die größte nationalsozialistische Bauernzeitung "Folket" konnte ihren Bezieherstand im wesentlichen halten.[50] Die bäuerliche Lokalzeitung "Himmerland" wurde enger in den Kreis der von der Behörde des Reichsbevollmächtigten betreuten Zeitungen hereingezogen.[51]

Die Zeitschrift "Globus" wurde in eine sozialpolitische Spezialzeitschrift mit wissenschaftlichem Niveau umgewandelt,[52] während sich die Wochenzeitung "Arbejdets Röst" an die breite Masse wendet.[53] Daneben erscheinen nach wie vor die "Sozialen Briefe" mit etwa 14-tägigem Abstand in verstärkter Auflage.[54]

Die Zeitschrift der Germanischen SS "Daggry" eroberte sich im Berichtsjahr einen großen Leserkreis;[55] ebenso arbeitet auch die dem "Schalburg-Korps" nahestehende Zeitschrift "Paa godt dansk" mit gutem Erfolg.[56]

Die auf hohem Niveau stehende Monatsschrift "Maanedens Tilskuer,"[57] deren Abhängigkeit von der Behörde des Reichsbevollmächtigten der dänischen Öffentlichkeit kaum bewußt geworden ist, erlitt einen schmerzlichen Verlust durch die Ermordung ihres Gründers und Schriftleiters Aage Petersen, der als Propagandaleiter des "Schalburg-Korps" dem Terror zum Opfer fiel. Es wird versucht, die Zeitschrift mit einem anderen Schriftleiter weiterzuführen.[58]

VIII. Freiwillige der Waffen-SS aus Dänemark
Das SS-Ersatzkommando Dänemark berichtet, daß bis zum 31.12.1944 sich die Ergänzungslage für die Waffen-SS folgendermaßen gestaltet hat:[59]

---

49 *Fædrelandet* med trykkeri var et mønsterforetagende for så vidt det var den publikation, som besættelsesmagten investerede flest midler i. Desuden blev foretagendet støttet med annoncer og andre trykkeriopgaver. Det er uvist, hvilke personelle og faglige ændringer på bladet Best hentyder til. Når *Fædrelandet* nu blev betegnet som et mønsterforetagende, skal det ses på baggrund af, at der i den periode, hvor DNSAP stod for bladet, havde været betydelige mangler ved revisionen.
50 *Folket* udkom oktober 1941-juni 1945 og blev udgivet af LS. Avisen fik indirekte støtte fra Reichsnährstand (Poulsen 1966, s. 267f.).
51 *Himmerland* udkom fra 1933, fra september 1941 med tysk støtte (Poulsen 1966, s. 268f.).
52 *Globus* udkom fra maj 1941 med tysk støtte. Personkredsen bag det var kritiske venstrefløjssocialdemokrater, der efterhånden faldt fra eller gik til nazismen (Hans Kirchhoff i *Gads leksikon om dansk besættelsestid 1940-1945*, 2003, s. 188).
53 *Arbejdets Røst* blev uddelt gratis.
54 *Sociale Breve* udkom fra februar 1942 med det formål at hverve arbejdere til Tyskland. Bladet var tysk støttet.
55 *Daggry* var et rent tysk foretagende udgivet af Germanische Leitstelle fra november 1943.
56 *Paa godt dansk* udkom månedligt fra juli 1943 til maj 1945 med Arent Lemvigh-Müller som udgiver. Bladet talte stærkt for Schalburgkorpset, hvori redaktøren en tid var ansat, og for tysk krigstjeneste. Bladet var tysk finansieret og en tid organ for Schalburgkorpset (Lauridsen 2002a, s. 517f.).
57 *Maanedens Tilskuer* udkom fra november 1943 for tyske midler.
58 Aage Petersen blev likvideret 13. september og fik som afløser først Bernt Jensen til januar 1945, derefter Arne Hansen.
59 Se endvidere oversigten hos Bundgård Christensen m.fl. 1998, s. 481 (hvor oplysningernes proveniens ikke opgives og næppe har kunnet opgives).

1.) Gesamtzahl der bis jetzt Einberufenen:
   Volksdeutsche   1.398
   Dänen   4.239
   Gesamtzahl: 5.637

2.) Gesamtzahl der Entlassenen:
   Volksdeutsche Ablauf der Dienstzeit   51
                  Andere Gründe   142
   Dänen   Ablauf der Dienstzeit   191
                  Andere Gründe   881
   Gesamtzahl: 1.265

3.) Gesamtzahl der bei der Truppe Befindlichen:
   Volksdeutsche   904
   Dänen   2.303
   Gesamtzahl: 3.207

4.) Gefallene und Vermißte:
   Volksdeutsche   307
   Dänen   864
   Gesamtzahl:[60]   1.165

5.) Dänische Schwestern:
   Einberufen   150
   Entlassen   30
   Gestorben und Gefallen   3
   Noch in Lazaretten bezw. in der Ausbildung 117
   Gesamtzahl: 300

Um dem Gerücht ein Ende zu machen, daß sich unter den dänischen Freiwilligen der Waffen-SS ein sehr hoher Prozentsatz Vorbestrafter befände, hat das SS-Ersatzkommando Dänemark eine genaue statistische Erfassung vorgenommen.[61] Hierbei hat sich herausgestellt, daß sich unter den insgesamt 12.180 Freiwilligenmeldungen 1.167 Vorbestrafte befanden. Eingestellt und bei der Truppe behalten wurden jedoch hiervon nur 63 von insgesamt 5.562 eingestellten Freiwilligen, d.h. also knapp über 1 %. Bei den Vorstrafen der eingestellten 63 handelt es sich um sehr geringfügige Delikte, bei denen in jedem einzelnen Fall genau durchgeprüft wurde, ob der Mann für die Truppe tragbar war.

---

60 Hvis summen er 1.165, skal der nok stå 301 ud for "Volksdeutsche" – alternativt er summen 1.171.
61 Rygtet blev bragt i den illegale presse.

IX. Feindliche Stimmen über Dänemark

1.) Der englische und schwedische Rundfunk

London 1.12.1944.
Pastor Sandbäk hat in einem Interview die Umstände, unter denen er verhaftet wurde, sowie seine Erlebnisse bei den Deutschen geschildert[62]: "Obgleich viele Ereignisse der letzten Wochen unauslöschlich in mein Bewußtsein eingebrannt stehen, sind viele Einzelheiten jedoch bereits wieder verwischt. Die Bestialität der Gestapo übertraf alle Berichte. …

Das längste Verhör erfolgte ungefähr 6 Tage nach meiner Verhaftung. Es dauerte 39 Stunden, während derer ich weder Ruhe noch etwas zu essen und zu trinken bekam und ununterbrochen Handschellen tragen mußte. …

Schließlich, als ich mich am Rande der Depression befand, wurde ich nach meiner Zelle gebracht. Ich hatte mich gerade auf die Pritsche gelegt, als die Tür geöffnet wurde und 2 junge kräftige Männer erschienen, um mich zu holen. Ich wurde in ein Büro gebracht, wo der Gestapochef Schwitzgebel und seine rechte Hand, Werner,[63] mich wissen ließen, daß dies meine letzte Chance sei, um die Wahrheit zu sagen. Ich erklärte, ich hätte nichts mehr zu sagen, worauf die beiden Teufel mich den Henkern überließen. Der eine war Deutscher und der andere Däne. Teils schleppten sie, teils trugen sie mich auf den Dachboden des Kollegiengebäudes, zogen mich vollständig aus und gaben mir Handschellen an. An diesen war eine Schnur befestigt, die fest angezogen werden konnte, wodurch die Handgelenke einem unerträglichen Schmerz ausgesetzt wurden. Ich wurde auf eine Pritsche geworfen und mit ledernen Hundepeitschen gepeitscht. Nach einiger Zeit fragten sie mich, ob ich auf Ehrenwort versprechen wollte, die Wahrheit zu sagen. Ich konnte nicht ja sagen, aber nachdem ich dreimal mit den Peitschen behandelt worden war und sie die Schnur an den Handschellen fest angezogen hatten, konnte ich nicht mehr. Ich wurde dann wieder hinunter in das Büro gebracht, wo ich die Fragen beantwortete, die mir gestellt wurden."[64]

London, 2.12.1944.
In Aalborg ist man augenblicklich dabei, das "Folkeregister" wiederherzustellen.[65] In diesem Zusammenhang muß hervorgehoben werden, daß die Behörden in Aalborg dadurch sehr leicht den Einwohnern der Stadt einen Bärendienst leisten könnten. Die Karteien des "Folkeregisters" wurden entfernt, um die dänische Bevölkerung vor den Verhaftungen durch die Deutschen zu schützen. In Holland, Belgien und Frankreich hat die Entfernung der "Folkeregister" sich als eine der effektivsten Schutzmaßnahmen

---

62 Harald Sandbæk sad arresteret, men slap fri ved RAFs bombardement af Gestapos hovedkvarter i Århus 31. oktober 1944 og slap derfra til Sverige (*Hvem var hvem 1940-1945*, 2005, s. 313f.).
63 Obersekretär Werner, Afdeling IV 1 (Illegale blade, kommunisme). Ifølge *Budstikken* 10. november 1944 døde han som Schwitzgebel ved RAF-angrebet.
64 Sandbæk gentog i sine erindringer beretningen om det 39 timer lange forhør (Sandbæk 1983, s. 96f.).
65 Folkeregistret i Ålborg var blevet fjernet 7. november 1944 (*Daglige Beretninger*, 1946, s. 381, 385f. Jfr. "Meldungen aus Dänemark" Nr. 6, 8. december 1944, videresendt af Best 15. december 1944).

gegen die Verhaftungen durch die Gestapo und die zwangsweise Aushebung von Arbeitskraft erwiesen. Selbstverständlich werden diese Maßnahmen Schwierigkeiten für die dänische Administration mit sich führen, solange die Besetzung dauert, z.B. bei der Verteilung von Lebensmittelmarken, bei Unterstützungen usw., aber dies dürfte von untergeordneter Bedeutung sein angesichts des völligen Verfügungsrechtes über die dänische Bevölkerung, daß das "Folkeregister" den Deutschen ermöglicht.

London, 2.12.1944.
Wie ernst der Mangel der Deutschen an Schiffen ist, geht aus der Tatsache hervor, daß sie außer den 3 Schiffen "Hans Broge," "Aalborghus" und "Kronprins Olaf" auch noch die Schiffe "Skipper Clement" und "Melchior" beschlagnahmt haben. Diese 5 Schiffe gehören alle der Gesellschaft DFDS. Die Deutschen ziehen diese kleineren dänischen Schiffe, die für Geleitzüge besonders geeignet sind, ihren eigenen großen Amerika-Schiffen vor, die in den Ostseehäfen liegen, weil sie diesen keinen Jagdschutz geben können. Außer den beschlagnahmten Dampfern haben die Deutschen in der letzten Zeit mehrere Motorschiffe genommen, die sie sonst bisher wegen Mangels an Öl liegen ließen. Diese Schiffe sollen wahrscheinlich nach deutschen Häfen geschleppt werden, um als Kasernenschiffe verwendet zu werden.[66]

London, 2.12.1944.
Der dänische Pressedienst teilt mit: Die Behandlung der dänischen Gefangenen in Konzentrationslagern in Deutschland ist derartig, daß die dänischen Behörden jede Woche seit dem 19. September darüber Beschwerden an Dr. Best gerichtet haben. Auch der dänische Gesandte in Berlin hat wiederholt bei Ribbentrop geklagt. Die dänische Proteste sind besonders im Zusammenhang mit den vielen Mitteilungen über Todesfälle in den Lagern erhoben worden.[67]

London, 3.12.1944.
Der dänische Pressedienst teilt mit, daß General von Hanneken neue Befestigungen um sein Hauptquartier in Silkeborg hat bauen lassen. Die Arbeit wird z.T. nachts bei starker Scheinwerferbeleuchtung durchgeführt. Dasselbe ist an anderen Stellen der Fall und die Deutschen hoffen wahrscheinlich, auf diese Weise Sabotagehandlungen vorbeugen zu können.

London, 7.12.1944.
Im Laufe der letzten Monate sind viele dänische Ärzte, Wissenschaftler, Offiziere, Fischer u.a. in England eingetroffen. Gestern wurden diese Neuangekommenen im Dänischen Hause in London vom Dänischen Rate willkommen geheißen. Der Vorsitzende des Rates, Christmas Möller, gab einleitend eine Übersicht über die Arbeit des Dänischen Rates während der vergangenen 4 Jahre. Wir haben jetzt das Ziel erreicht, worauf

---

66 Her fik Best fortalt, hvorfor de beslaglagte skibe henlå ubenyttede.
67 Dette var, som det fremgår ovenfor, korrekt. Best lod oplysningerne gå videre, selv om han ikke kunne give sin egen indstilling direkte til kende.

wir es abgesehen haben, führte er wörtlich aus, und zwar, daß Dänemark als eine alliierte Nation anerkannt wurde und daß das Land nicht nur in Gedanken, sondern auch in seinen Taten alliiert ist; aber wir vergessen nicht, daß die Dänen daheim den größten Einsatz geleistet haben und daß das, was wir erreicht haben, ohne den Einsatz der breiten Massen des dänischen Volkes unmöglich gewesen wäre.
…
Der Kampf in Europa ist jetzt in seine letzte Phase eingetreten, und nicht wenige dänische Offiziere sind nach England gekommen, um Aufgaben im Zusammenhang mit der Befreiung zu lösen. Ich möchte an diese Offiziere einen besonderen Dank richten.

London, 8.12.1944.
In Dänemark ist es in der letzten Zeit in mehreren Fällen vorgekommen, daß Leute, die mittels Anzeigen in der Tagespresse Arbeit gesucht haben, dadurch mit deutschen SS-Büros in Verbindung gekommen sind. DPT teilt mit, daß diese Leute visitiert worden sind, und daß man ihnen verschiedenen merkwürdige Fragen gestellt hat, worauf sie weggeführt wurden. Alle Arbeitsuchenden werden deshalb davor gewarnt, nach Anzeigen Arbeit zu suchen, wenn aus diesen nicht eindeutig hervorgeht, um was für eine Firma es sich handelt, also nie nach Anzeigen mit "Billet mrk."[68] – Die Deutschen haben jetzt insgesamt 6.500 Fahrräder in Dänemark gestohlen; es sind Anzeichen vorhanden, die darauf hindeuten, daß einige dieser Räder von den Deutschen an ihre Familien in Deutschland geschickt werden.[69]

London, 12.12.1944.
Freitag Abend wurde der Arbeiter Börge Nielsen und der Graveurgeselle Jacobsen von den Mörderbanden des Generals Pancke niedergeschossen und durch mehrere Kopfschüsse getötet. Es handelt sich wahrscheinlich um einen Racheakt, weil ein deutscher Soldat eines Vormittags vor "Daells Varehus" in Kopenhagen niedergeschossen wurde.[70]

London, 12.12.1944.
Hersholt Hansen erwähnt den Mord an 3 bekannten Gewerkschaftsleitern in Aarhus, die dem "blinden Terror der Gestapo" zum Opfer gefallen seien.[71] Wörtlich heißt es weiter: Die Morde müssen als schamlose Provokationen seitens der Deutschen angesehen werden. Der Hintergrund der Morde ist vielleicht die Tatsache, daß die Deutschen den Druck auf die dänischen Gewerkschaften gesteigert haben und forderten, daß sämtli-

---

68 Den angivne fremgangsmåde blev anvendt, og Best lod kun dette publicere for at kunne tage afstand fra det.
69 Se om cykelbeslaglæggelserne 6. oktober 1944. Ved at videregive rygtet om, at cykler blev ført til Tyskland til privat brug, lagde Best afstand dertil.
70 Fremstillingen er korrekt. Peter-gruppen likviderede remisearbejder Børge Henrik Nielsen og gravør Svend Orla Jacobsen 8. december som gengæld for drabet på en tysk soldat (Bøgh 2004, s. 180, tillæg 3 her). Best fik hermed udstillet tysk politis mordgruppe uden selv at skulle lægge navn til.
71 Den jyske afdeling af Peter-gruppen (Koldinggruppen) ledet af tyskeren Peter Lensing likviderede 30. november 1944 formand ved Århus Kommune August Julius Petersen, 7. december formand for Malernes Fagforening Albert Andersen og forretningsfører for Malernes Cooperative Albert Rasmussen (Andresén 1945, s. 315, tillæg 3 her).

che dänischen Arbeiter, die für die deutsche Wehrmacht arbeiten, deutschen Arbeitsbedingungen unterworfen werden sollen. Diese Forderung wurde selbstverständlich von sämtlichen dänischen Instanzen, und nicht zuletzt von den dänischen Gewerkschaften und den dänischen Arbeitern selbst, abgelehnt.

London, 15.12.1944.
Auf Grund der vielen erfolgreichen Sabotageakte gegen Schiffe in der letzten Zeit haben deutsche Truppen laut Dänischem Pressedienst die Schiffswerft in Helsingör sowie die Schiffswerft Burmeister & Wain in Kopenhagen besetzt. Die Sabotagewächter der beiden Werften wurden entlassen und deutsche Truppen bewachen jetzt die beiden wichtigen Werften sowohl außerhalb als auch innerhalb der Absperrung. In die Abteilungen der Firma Burmeister & Wain in der Strandgade und auf Christianshavn sind 150 Mann eingezogen, und eine noch größere Abteilung befindet sich auf der Refshale-Insel.[72]

London, 16.12.1944.
Die Anzahl der in deutschen Konzentrationslagern gestorbenen dänischen Polizisten beträgt jetzt mehr als 30. Der letzte Todesfall fand während des Transportes von 200 Polizisten statt, die in großen Autos aus Buchenwald nach dem Fröslev-Lager transportiert wurden. Die Autos hatte das Dänische Rote Kreuz zur Verfügung gestellt. Man vermutet, daß 15 % der dänischen Juden in Theresienstadt gestorben sind.[73] Als Todesursache wird häufig Ruhr angegeben.

Schwedischer Rundfunk, 21.12.1944.
Rußland und Dänemark: Das russische Blatt "Der Krieg und die Arbeiterklasse" veröffentlichte kürzlich einen Aufsatz über dänische Verhältnisse, der dadurch besondere Aufmerksamkeit erregte, daß er ein Gegensatzverhältnis zwischen dem Dänischen Freiheitsrat und dem von Christmas Möller geleiteten Dänischen Rat in London konstruierte. In Dänemark hat man in gewissen Kreisen geglaubt, aus dem Artikel den Schluß ziehen zu können, daß die russische Regierung die Absicht hätte, in Dänemark zugunsten der Kommunistischen Partei ihren Einfluß geltend zu machen. Die deutsche Propaganda hat den Artikel des russischen Blattes sofort dadurch ausgenutzt, daß sie die dänische Presse dazu gezwungen hat, losgerissene Zitate in einem Artikel zu veröffentlichen.[74] Das in Schweden erscheinende Blatt "Fremtiden" (Die Zukunft) meint, nachdem es die Sache untersucht hat, daß dem Artikel eine etwas übertriebene Bedeutung beigemessen wird. Es handelte sich um eine Korrespondenz eines verhältnismäßig unerfahrenen Journalisten, der, wie es aus den rein konkreten Fehlern des Artikels hervorgeht, seine Auskünfte aus zufälligen dänischen Quellen erhalten hat. Solche Korrespondenzen kommen in der russischen Presse wie auch in der Presse der übrigen Welt vor, ohne daß irgendein Grund besteht, ihnen offiziellen Charakter beizumessen.

---

72 Jfr. ovenfor pkt. 1.
73 481 danske jøder kom til Theresienstadt. Heraf døde 52 af alder eller sygdom (knapt 11 %). Med den givne oplysning blev det samtidigt fortalt, at flertallet af de danske deporterede jøder stadig var i live.
74 Hermed hentydes til Panckes Standarte "Kurt Eggers". Ved at gengive disse oplysninger fik Best dementeret artiklen.

London, 23.12.1944.
Der Dänische Pressedienst teilt mit, daß der Kampf in Dänemark und der deutsche Terror gegen die Bevölkerung seit dem 1. November, also in den letzten 1 ½ Monaten, 120 Menschen das Leben gekostet hat. Hierzu kommen noch 30 Spitzel, die innerhalb desselben Zeitabschnittes liquidiert wurden. Von diesen 120 waren 22 dänische Patrioten, die im direkten Kampf gegen die Deutschen gefallen sind, 11 sind nazistische Clearing-Morde und 24 sind Opfer des deutschen Terrors gegen die Zivilbevölkerung und sind fast alle auf offener Straße niedergeschossen worden; hierzu kommen noch 11 Morde, die noch nicht aufgeklärt worden sind. Außerdem kommen Todesfälle hinzu, die im Augenblick viel größere Verstimmung in dänischen Kreisen hervorrufen, nämlich die Todesfälle der 40 dänischen Polizisten und 10 anderer dänischer Gefangener in Deutschland.[75]

2.) Die schwedische Presse.
Die Frage "Militärische Hilfe für Norwegen?" beleuchtete ein mit H-y gezeichneter Artikel in "Morgontidningen" vom 29.11.1944. Darin heißt es u.a.: "Ohne Zweifel wäre die beste Form für eine schwedische militärische Hilfe an Norwegen eine Invasion in Dänemark. Für Deutschland ist Dänemark ein empfindlicherer Punkt als Norwegen. Die Westküste und die Nordspitze von Jütland sind von den Deutschen befestigt worden. Die Ostküste dagegen ist schlecht befestigt. Wenn Schweden Truppendeckung an der norwegischen Grenze hinterließe und den Hauptteil seiner Streitkräfte in Schonen konzentrierte, würde vielleicht schon diese Drohung Deutschland zu einer Räumung Norwegens veranlassen. Aber wir müssen uns gleichzeitig daran erinnern, daß die Alliierten Deutschland daran hindern wollen, Norwegen zu räumen.

Eine der Voraussetzungen für eine schwedische Militäraktion gegen die dänischen Inseln wäre auch die, daß sie in Zusammenarbeit mit den Alliierten geschieht und ein Glied in ihren strategischen Plänen bildet. Die schwedische Überquerung des Öresunds müßte von großen Formationen alliierter Luftstreitkräfte unterstützt werden, welche von südschwedischen Stützpunkten aus operierten, und die Skagerraksperre müßte von einer alliierten Flotte durchbrochen werden, welche ihre Basen an der schwedischen Westküste hätte. Man könnte hier den Einwand erheben, daß durch eine solche Aktion Norwegen vielleicht vermeiden würde, in noch größerem Umfang Schlachtfeld zu werden, daß aber dann Dänemark das Schlachtfeld würde. Das ist richtig, aber Dänemark ist schwerer zu verteidigen und leichter anzugreifen als das bergige Norwegen, falls der Angriff mit genügend großen Kräften von schwedischen Stützpunkten aus stattfindet. Die Invasion würde viel schneller und daher mit geringeren Zerstörungen durchgeführt werden können."

Aus dem Munde eines kürzlich in Schweden gelandeten dänischen Flüchtlings, welcher in der unterirdischen Bewegung eine Rolle gespielt haben soll, dann von den Deutschen in Kopenhagen gefangen genommen war und ihnen auf irgendeine Weise lebend entkommen konnte,[76] will "Expressen" vom 1.12.1944 die folgenden "Enthüllungen"

---

[75] Hensigten med at gengive disse oplysninger kan kun have været at tage afstand fra deportationen af politifolkene.
[76] Børge Outze.

über die Gestapo erhalten haben: "Die Deutschen in der Gestapo sind sich untereinander scharfe Aufpasser, und wenn man mit mehreren zusammen ist, wird man nie ihre innersten Gedanken erfahren. Hat man sie aber unter vier Augen, so ist es ganz merkwürdig zu sehen, wie schwer es ihnen fällt, sich nicht über ihre Gedankengänge auszulassen.[77] ... Diese Themen von Unterredungen mit Deutschen unter vier Augen sind der beste Beweis dafür, daß man sich in führenden deutschen Kreisen in Dänemark keinen Illusionen über den Ausgang des Krieges hingibt. Trotz aller Brutalität und hinter der härtesten äußeren Fassade werden die Deutschen bis in die höchsten Stellen von brennender Angst verzehrt. Es finden sich eindeutige Beweise dafür, daß das ganze Befehlskorps der Gestapo in Dänemark schon seit längerer Zeit unter falschen Namen auftritt und mit falschen Papieren ausgerüstet ist. Das einzig sichere bei Gestapochef Bovensiepen ist, daß er jedenfalls nicht Bovensiepen heißt. Es gibt auch gewisse Belege dafür, daß die deutschen Polizisten untereinander ihre Namen tauschen. Die Absicht damit ist, eine Art kollektiver Verantwortung zu schaffen, um sich dagegen zu versichern, daß jemand ausbricht und sich dadurch rettet, daß er andere anzeigt. All das sieht auf jeden Fall merkwürdig aus, und absolut nicht siegessicher!"

Unter dem Titel "Clearingmord" veröffentlichte "Aftonbladet" vom 2.12.1944 den folgenden Leitartikel: "Himmlers SS-Organisation hat die Kriegs- und Rechtsgeschichte mit einer ganzen Reihe von neuen Methoden im Umgang mit anderen Völkern bereichert. Einige davon waren schon früher bekannt und sind lediglich wieder entdeckt und wirksamer gemacht worden, andere aber sind ganz neu und somit das Ergebnis des eigenen Nachdenkens ihrer Mitglieder. Die allerneueste dieser Methoden ist der Clearingmord. Als Clearingmord ist zu verstehen der kaltblütige Mord Unschuldiger aus Rache dafür, daß Deutsche oder von den Deutschen gekaufte Personen im Kampf zwischen den Patrioten und den Unterdrückern gefallen sind. Der Prozeß geht so vor sich, daß zwei oder mehrere bewaffnete SS-Männer – SS-Leute treten aus irgendeinem Grunde niemals einzeln und unbewaffnet auf – ein Opfer aussuchen, es an einen geeigneten Ort entführen und dort ihr Magazin auf seinen Körper verschießen. Bisweilen ist man so vorsichtig, den Betreffenden mehrere Meilen von seiner Heimat entfernt auf eine öde Heide zu führen und ihn dann in den Rücken zu schießen. So geschah es mit Kaj Munk, dem ersten Opfer der neuen SS-Methode.[78] In gewöhnlichen Fällen macht man sich jedoch nicht soviel Mühe. Ein Mustermord, wenn man sich so ausdrücken darf, geschah vor einigen Monaten in Aalborg. Ein Angeber war von Patrioten erschossen worden. Die SS beschloß, das Clearingverfahren anzuwenden, verhaftete auf offener Straße den Aalborger Arzt Retzel und führte ihn in das Haus, wo der Angeber getötet worden war. Dort wurde die Prozedur auf die übliche Weise durchgeführt und die Leiche durfte abgeholt werden."[79]

Sorge um Dänemarks Zukunft im Hinblick auf die heutigen Verhältnisse in den "befreiten" Ländern spiegelte ein Leitartikel in "Aftontidningen" vom 6.12.1944 wieder,

---

77 Outze havde samtaler under fire øjne med Karl Heinz Hoffmann.
78 I betragtning af, at mordet på Kaj Munk fandt sted 4. januar 1944, og der var sket talrige clearingmord siden, var det misvisende i december 1944 at tale om SS' "nye" metode.
79 Læge Richard Raetzel blev likvideret af Peter-gruppen i Ålborg 7. oktober 1944 som gengæld for likvideringen af en lokal stikker (Bøgh 2004, s. 159-161, tillæg 3 her).

welcher wörtlich folgendes sagt:

"Dänemarks Befreiung dürfte nach menschlichem Ermessen noch einige Monate auf sich warten lassen. Aber der Streit, welcher in den schon befreiten Ländern blutige Formen angenommen hat, macht sich bereits in unserem südwestlichen Nachbarland geltend. Der Freiheitsrat hat bekanntgegeben, daß diejenigen Männer, welche während der Besetzung die Politik der Zugeständnisse an Deutschland unterstützt haben, in der neuen Regierung keinen Platz finden werden. Das ist nun eine rein innerdänische Frage, welche uns nur soweit angeht, als ganz Schweden begreiflicherweise daran interessiert ist, daß das schwergeprüfte dänische Volk so reibungslos wie möglich den Übergang zu friedlichen Verhältnissen findet. Wir würden es gern sehen, wenn Dänemark nach den Leiden der Besetzung ein schwerer Bürgerkrieg erspart bliebe. Leider läßt die Proklamation des Freiheitsrates in dieser Hinsicht nicht viel Hoffnung zu. Er scheint tatsächlich mit dem Gedanken zu spielen, auch nach der Besetzung einen entscheidenden Einfluß auf die Regierung des Landes zu nehmen, unabhängig davon, ob er dazu berufen wird oder nicht. Wer der Freiheitsrat eigentlich ist, wissen nur die ganz wenigen Eingeweihten. Es liegt in der Natur der Sache, daß er kein Mandat vom Volke erhalten konnte. Man darf wohl annehmen, daß die Tätigkeit des Freiheitsrates von der Mehrheit des dänischen Volkes gebilligt wird, obwohl nicht einmal der Rat selbst eine Bestätigung dafür erhalten kann. Zur Zeit der Besetzung hat ihm das Volk kein Mandat geben können. Aber gerade deshalb steht zu hoffen, daß der Freiheitsrat freiwillig abtritt, sobald das dänische Volk wieder seinen Willen bekunden und die Regierung denjenigen überlassen kann, denen das Volk sein Vertrauen schenkt. Sonst steuert Dänemark der gleichen Tragödie zu, welche sich bereits in einem Teil der jetzt befreiten Länder abspielt."

Zum Ausschluß Frits Clausens aus der DNSAP schrieb "Dansk Pressetjänst" am 7.12.1944: "Der frühere dänische Nazistenführer Frits Clausen ist aus der Nationalsozialistischen Partei ausgeschlossen und damit außer Spiel gesetzt worden. Im Mai wurde Clausen gezwungen, von seinem "Führerposten" zurückzutreten. Er hatte schon ein halbes Jahr lang keinen Kontakt mit der Partei, da er auf Grund umfassender Betrügereien mit der Parteikasse gezwungen war, außer Landes zu gehen, offiziell als Kriegsfreiwilliger.[80] Inzwischen sickerte eine Mitteilung durch, daß er sich in einer Trinkerheilanstalt in Würzburg befinde. Nach einiger Zeit gaben die Deutschen Clausen die Erlaubnis, nach Dänemark zurückzukehren unter der Bedingung, daß er abdankte.[81] Gleichzeitig stellten sie ihm einen größeren Betrag als Schadenersatz zur Verfügung.[82] Clausen sandte über Ritzaus Büro die bombastische Mitteilung aus, daß er "sein Mandat zur Verfügung stelle und alle Mitglieder der DNSAP von dem ihm geschworenen Treueid entbinde." An seine Stelle trat ein Führerrat. Diese Rekonstruktion der Partei half jedoch nicht viel. Die unbedeutende dänische Nazistenpartei ist kleiner und kleiner geworden, und ihr Zustand der Auflösung kulminierte wohl in dem Ausschluß Frits Clausens. Über die direkten Ursachen für diese Maßnahme erfährt Dansk Pressetjänst, daß Clausen versucht habe, sich für das von den Deutschen erhaltene Geld eine Arztpraxis zu kau-

---

80 Det var ikke tilfældet.
81 Heller ikke dette er korrekt.
82 DNSAP fik et større beløb sommeren 1943 og ikke senere.

fen. Als ihm dies nicht glückte, legte er sein Geld in einer Zementfabrik in Vejle an, welche ihm 10.000 Kronen im Monat einbrachte. Dieses Einkommen benutzte der ehemalige Führer, um ein Leben in Saus und Braus zu führen. Von allen Seiten liefen Schilderungen über seinen Lebenswandel ein. Das wurde schließlich auch der dänischen Nazistenpartei zuviel."[83]

"Dansk Pressetjänst" in Stockholm hat ein Bilderheft über Dänemark unter dem ironischen Titel "Det er et yndigt Land" herausgegeben.[84] Dazu schrieb "Göteborgs Handels- und Seefahrtszeitung" am 12.12.1944: "So gut wie jedes Bild in diesem Heft ist unter Lebensgefahr von anonymen Fotografen aufgenommen worden. In großen Teilen Dänemarks, z.B. in fast ganz Jütland, ist das Fotografieren streng verboten und Übertretungen werden durch sofortiges Erschießen bestraft. Vom Standpunkt der Besatzungsmacht ist das auch verständlich. Es ist kein "schönes Land," das hier gezeigt wird. Es ist eine Welt der Schrecken, des Mordes und der Verfolgungen, der Niedrigkeiten und der Zerstörungen. Das Heft ist ein erschütterndes Dokument des Freiheitskampfes, den die Deutschen nicht unterdrücken konnten. Da sind Bilder von den Provokationen während des Aufenthalts des dänischen Freikorps in Kopenhagen, vom Generalstreik im August, von den unzähligen Sabotagen im ganzen Lande. Hier ist das letzte unheimliche Bild des ermordeten Kaj Munk, eine Großaufnahme von der Hinrichtung eines Patrioten, Schnappschüsse, aus der Menge während der Entwaffnung und Deportierung der Polizei aufgenommen, und last not least das pathetische Bild eines Blumenstraußes auf das Trottoir – die dänische Art, Gefallene zu ehren. Die Herausgeber hoffen, daß der Inhalt des Heftes "für sich selbst sprechen wird." Das tut er! Und das Heft dürfte auf dem idyllischen Weihnachtsmarkt ein Bestseller werden wie nur irgendeiner."

2. Werner Best an das Auswärtige Amt 1. Januar 1945

AA gav 27. december Best ordre om at udstede en forordning om, at der ville blive gennemført kraftige soneforanstaltninger, hvis der forekom sabotage på de danske værfter. Det var i forlængelse af Keitels tidligere ønske. Best fastholdt i sit svar, at det var en stor fejltagelse at gennemføre en sådan forordning, den var katastrofal for tyske interesser, og han ville fralægge sig ansvaret for den (Rosengreen 1982, s. 153).

Den krævede forordning blev ikke udsendt. I stedet blev bevogtningen på værfterne skærpet, se KTB/Kriegsmarinedienststelle Kopenhagen 24. januar 1945.

Kilde: PA/AA R 101041. RA, pk. 232. LAK, Best-sagen (på dansk). PKB, 13, nr. 776. Best 1988, s. 74.

Telegramm

Kopenhagen, den	1. Januar 1945	16.50 Uhr
Ankunft, den	1. Januar 1943	18.40 Uhr

Nr. 1 vom 1.1.[45.]

---

83 Herom Lauridsen 2005, s. 34f., 51f.
84 *Der er et yndigt Land…* Uds. af Dansk Pressetjeneste i Kommission hos "Forum". Stockholm 1944. 32 s.

Auf das Telegramm Nr. 1495[85] vom 27.12.1944 berichte ich:
1.) eine Verordnung im Sinne des Fernschreibens des Generalfeldmarschalls Keitel könnte nach meiner Auffassung nur etwa den folgenden Inhalt haben: "Wenn schwere Sabotageakte auf dänischen Werften verübt werden, ist der Höhere SS- und Polizeiführer ermächtigt, bei Verdacht einer Mitschuld der Werftbelegschaft gegen die …[86] geeignete Repressalien durchzuführen. Er bedarf zu den einzelnen Maßnahmen der Zustimmung des Reichsbevollmächtigten."
2.) Ich stelle ausdrücklich fest, daß ich eine solche Verordnung nur auf Befehl erlassen und daß ich jede Verantwortung für die Auswirkungen der Verordnung und ihrer Anwendung ablehnen würde. Denn diese Auswirkungen wären katastrophal gerade für die Reichsinteressen, deren Sicherung erstrebt wird.
   a.) Der Feind würde, sobald die neue Methode bekannt wird, uns sofort durch Sabotageakte zu ihr umfassenden und gründlichen Anwendung zwingen. Denn wenn er uns zwingt, gemäß unserer Ankündigung die Facharbeiter der Werften zu erschießen oder zu deportieren, erreicht er den Totalerfolg, daß wir uns die Werften selbst stillegen, während er bisher nur Einzelbeschädigungen – und seit der Besetzung der Werften auch diese nicht mehr – erzielt hat.
   b.) Nach der ersten Anwendung von Repressalien in einem einzigen Betriebe würde eine Massenflucht aus den übrigen Betrieben einsetzen und damit die Produktion des Landes völlig zum Erliegen kommen.
   c.) Auch die Landwirtschaft würde teils durch die entstehende Unruhe und teils durch den inneren Widerstand der Bauern zu einer für die Ausfuhr nach Deutschland katastrophalen Produktionsverminderung gelangen.
   d.) Um die aus Prestigegründen – nicht mehr zur Rettung der Produktion – erforderlichen Gegenmaßnahmen gegen die so erzeugte Unruhe zu treffen, halte ich den zusätzlichen Einsatz von wenigstens 4 Polizeiregimentern oder der doppelten Zahl von Sicherungseinheiten der Wehrmacht für erforderlich.

Best

3. Das Auswärtige Amt: Niederschrift über die Tagung der Präsidenten der Deutschen Wissenschaftlichen Institute im Ausland am 18. Dezember 1944, 2. Januar 1945.

Der blev holdt en konference for præsidenterne for de tyske videnskabelige institutter i Europa. En del var pga. krigsudviklingen blevet nedlagt, men der blev afgivet beretning fra præsidenterne for de institutter, der endnu bestod, herunder Otto Höfler fra instituttet i København. Höfler skildrede situationen efter den danske regerings afgang 29. august 1943. Der havde blandt danske akademikere bredt sig den holdning, at der ikke mere fandtes tysk videnskab, og det var derfor DWIs opgave at tvinge skandinaverne til at tage upartisk stilling til tysk videnskab. Der kom ca. 200 mennesker til instituttets kurser, men det var fra kredse uden politisk indflydelse. Lederen af AAs kulturpolitiske afdeling, Franz Six, mente, at DWI i København ikke skulle lukkes. Der skulle gøres mere ud af at fremme tysk videnskab. Samtidig skulle SS og tysk politi arrestere de kredse i intelligentsiaen, der udgjorde modstandsbevægelsens anførere. Endvidere måtte man antage, at den

---

85 BRAM 1221/44 (Ha Pol) 1644 gRs. Telegrammet er ikke lokaliseret.
86 Her mangler fortsættelsen.

militære situation ville tvinge danskerne over på tysk side, da de skyldte Tyskland deres velstand.

I betragtning af de ressourcer, der blev brugt på DWI i København, var resultaterne pauvre. Det var først og fremmest tyskkurserne, der havde en tilfredsstillende søgning. Höfler havde selv måttet forlade København, så der kom kun lejlighedsvis andre tyske forskere til instituttet, og de kunne ikke nøjes med de videnskabelige faciliteter, som det kunne stille til rådighed, men måtte frekventere Københavns store forskningsbiblioteker. Franz Six lagde vægt på den politimæssige nedkæmpelse af de åndelige modstandere, men synes i øvrigt at være uden forståelse for stemningen i Danmark, når han forudså, at danskerne pga. økonomisk afhængighed ville komme til at indtage en mere positiv stilling til Tyskland.

Instituttet fortsatte sin kursusvirksomhed til besættelsens ophør[87] (Hausmann 2001, s. 203f., 378).
Kilde: PA/AA R 64.302.

Ref.: Kult Pol. U   Kult Pol. UI 180/Bln.

Niederschrift über die Tagung der Präsidenten der Deutschen Wissenschaftlichen Institute im Ausland am 18. Dezember 1944.

I.) Berichte über den letzten Stand der Arbeit bei den geschlossenen und den gegenwärtigen Stand bei den noch bestehenden DWI im Ausland.
[...]
9.) Dänemark (Prof. Dr. Höfler)
Am 29. August 1943 mußte der Ausnahmezustand verhängt werden. Der Reichsbevollmächtigte hat sich sehr bemüht, Zuspitzungen zu verhindern. Saboteure haben sich aber immer mehr hervorgetan, sodaß schärfer zugegriffen werden mußte. Kabinett trat nach Verhängung des Ausnahmezustandes zurück, ein neues wurde seitdem in Dänemark nicht gegründet. Akademikerschaft ist eigentlicher Träger des Nationalismus. Es wurde der Ausspruch geprägt: Ein guter Däne sein, heißt bewußtes Absetzen von Deutschtum. Da Universitätsmitglieder zum Teil verhaftet wurden – wenn auch nur für kurze Zeit –, so hat dies doch eine Kluft aufgerissen. Unseren Vorträgen sind die wissenschaftlichen Führer ferngeblieben, wenn auch die Vorträge sonst gut besucht waren. Für die gegenwärtige Lage ist zu betonen, daß die akademischen Kreise unsere gefährlichsten Gegner sind. Diese akademischen Kreise sind der Meinung, daß es in Deutschland keine wissenschaftliche Forschung mehr gibt. Das, was in der neuen deutschen Wissenschaft schon im Sinne des Nationalsozialismus geschaffen wurde, hat man ignoriert. Deutsche gute wissenschaftliche Werke sind z.T. totgeschwiegen worden. Es ist so weit gekommen, daß auch die gutwilligen Leute, die höchste Achtung vor der deutschen Wissenschaft hatten, der Ansicht sind, daß es in Deutschland keine wissenschaftliche Forschung mehr gibt. Sie meinen, wenn Deutschland siegt, geht es bei ihnen so wie in Deutschland, sie wären dann in ihrer wissenschaftlichen Tätigkeit gehemmt. Akademikerschicht ist in den nordischen Ländern die führende Schicht. Das DWI hat die Aufgabe, die Skandinavier zu zwingen, unparteiisch zu unserer Wissenschaft Stellung zu nehmen. Soweit Wille vorhanden, an Veranstaltungen teilzunehmen, so ist doch die Angst vor dem Boykott zu groß. Praktische Tätigkeit des Instituts ist positiv. Etwa 200 Leute haben an den

---

87 Der er bevaret udførlige indberetninger om den tyske lektors kursusvirksomhed og foredragsorganisering til ind i 1945 (se BArch, Außenstelle Dahlwitz-Hoppegarten, R 51/146-147. Jfr. *Skagerraks* annonceringer for kursusvirksomheden).

Kursen teilgenommen, allerdings solche aus kleinen Kreisen ohne politischen Einfluß. Es wurde wissenschaftlich publiziert und eine große Fachbibliothek angeschafft,[88] wozu der Reichsbevollmächtigte Mittel zu Verfügung stellte.
[...]
Zusammenfassung (Ges. Six):

Auf geistigem Gebiet ist zwischen Deutschland und Skandinavien Schweigen entstanden. An eine Formelle Schließung des Instituts wird trotzdem nicht gedacht. Es wird weitergeführt. Die Tätigkeit muß mehr in die Eröffnung des geistigen Nachweises der deutschen wissenschaftlichen Existenz übergehen. Der Führungskörper der Aufruhrbewegung besteht in Dänemark aus Mitgliedern der Intelligenzkreise, nicht aus geistig tief stehenden Menschen. SS und Polizei wird nach und nach die Hauptanführer der Bewegung verhaften können. Man müßte annehmen, daß die militärische Lage sie dazu zwingt, sich zu uns zu bekennen, da sie auch ihren wirtschaftlichen Wohlstand uns verdanken, indem wir einziger Abnehmer ihrer Produkte sind.
[...]
Berlin, den 2. Januar 1944.[89]

4. Rudolf Bobrik an Werner Best 3. Januar 1945

Best blev orienteret om, at Det Danske Gesandtskab i Berlin havde søgt om frigivelse af efterretningsofficeren Hans Lunding, der havde været fængslet siden august 1943. Der kunne af politimæssige grunde ikke være tale om en løsladelse.

Lunding blev senere i 1945 flyttet fra særafdelingen i Flossenburg til koncentrationslejren Dachau, hvor han 7. maj blev befriet af amerikanske tropper (H.C. Bjerg i *Hvem var hvem 1940-1945*, 2005, s. 241f. med der anf. henv.).

Der er kun lokaliseret et udkast til brevet til Best.
Kilde: PA/AA R 101.041. RA, pk. 232.

Berlin, den 3. Januar 1945.

zu Inl. II B 827 gRs.
1 Ausfertigung

An den Reichsbevollmächtigten in Dänemark
   in Kopenhagen

Zur Unterrichtung teile ich mit:
Dänische Gesandtschaft hatte sich wegen Freilassung dänischen Rittmeisters Hans Lunding, geboren 25.2.1899 in Steppinge/~~Dänemark~~, der Ende 1943 wegen nachrichtendienstlicher Beziehungen verhaftet und nach Deutschland überstellt war, hierher erneut gewandt. Chef Sicherheitspolizei mitteilt, daß Entlassung aus sicherheitspolizeilichen Gründen nicht möglich. L[unding] wurde Juli 1944 aus Gründen ~~polizeilicher~~ [per-

---

88 DWIs bibliotek blev beslaglagt maj 1945 og ført til KB (Lauridsen 1995, s. 65).
89 Rettelig 1945.

sönlicher] Sicherheit von Berlin im Konzentrationslager Flossenburg in Sonderhaft mit Hafterleichterungen untergebracht, unter anderem wurden ihm ~~auch~~ Taschengeldbeträge der Dänischen Gesandtschaft ausgehändigt.

I.A.

gez. **Bobrik**

5. Werner Best an das Auswärtige Amt 3. Januar 1945

Best orienterede AA om, at de danske regeringspartier var bekymrede over, at der blev smuglet betragtelige mængder svenske våben til Danmark. Rygter fortalte, at den svenske regering havde viden derom eller i det mindste accepterede det. Socialdemokraten Vilhelm Buhl havde rettet en henvendelse til den svenske gesandt von Dardel i sagen, der havde meldt tilbage, at den svenske regering ville gribe ind.

Se endvidere BdS' aktivitetsberetning for december 1944, som Best sendte til AA 6. januar. Heri optræder historien om Buhl også.

Kilde: BArch, Freiburg, RM 7/1812. RA, Danica 628, sp. 7, nr. 5750.

Telegramm aus Kopenhagen Nr. 17 vom 3.1.1945.

Aus zuverlässiger Quelle ist folgendes bekannt geworden:

"Innerhalb des Neuner-Abschusses der dänischen Regierungspartien besteht Sorge darüber, daß in der letzten Zeit erhebliche Mengen schwedischen Sprengstoffes und schwedischer Waffen aus Schweden nach Dänemark eingeschmuggelt worden sind. Gerüchteweise verlautete, daß die schwedische Regierung zumindest von dem Waffenschmuggel unterrichtet sei und ihn dulde. Buhl hat daraufhin eine persönliche Anfrage an den schwedischen Gesandten von Dardel gerichtet. Dieser hat nach Rückfrage in Stockholm wie folgt geantwortet: Die schwedische Regierung hätte von den Gerüchten gehört und daraufhin die schwedische Polizei angewiesen, schnellstens gegen den Waffenschmuggel von Schweden nach Dänemark vorzugehen. Dardel wäre auch davon überzeugt, daß, wenn die schwedische positive Kenntnis von Fällen von Waffenschmuggel hätte, sie sofort zugreifen würde."

Dr. Best

1.) Abschrift an 3. Skl
2.) FS an Adm. Skagerrak

6. Major Benze: Bericht über die Reise nach Dänemark vom 23.12.44 bis 3.1.45, 4. Januar 1945

Major Benze afgav rapport om det tyske kystforsvar i Danmark. Det indtryk, han havde fået af forholdene var positivt, selv om der blev foreslået forskellige omgrupperinger og sammenlægninger. Der var ikke huller i forsvaret, men gennem skærpede overvågningsforanstaltninger og fuld kapacitetsudnyttelse blev en god disciplin opretholdt (Andersen 2007, s. 249f., Zimmermann 2008, s. 384).

Kilde: BArch, Freiburg, RW 4/790. RA, Danica 1069, sp. 1, nr. 144-147.

Geheime Kommandosache
Major d. G. Benze
OKW/WFSt/Op(H)Nord
Nr. 0095/45 g.Kdos.

F.H.Qu., den 4. Januar 1945
7 Ausfertigungen
7. Ausfertigung

B e r i c h t
über die Reise nach Dänemark
vom 23.12.44 bis 3.1.45.

I. Über Verlauf des Abtransports 6. SS-Geb. Div. "Nord" wurde bereits mündlich vorgetragen.

II. Jütland:
1.) *Verteidigungsbereich Esbjerg-Fanö* gut ausgebaut. Der verhältnismäßig große Bereich kann mit den z.Zt. verfügbaren Kräften noch verteidigt werden.
   Gleichzeitige Ausbildung der Reservisten und Einsatz im Küstenschutz stellt an die Truppe große Anforderungen, die aber mit Tatkraft und Geschick gemeistert werden. Die Truppe ist voll ausgelastet.
2.) *Ostküste Jütlands* Marine-Küsten-Bttrn. sind feuerbereit, sämtlichst in offenen Feuerstellungen. Leichter, feldmäßiger Ausbau. Die Bttrn. sind daher gegen Angriffe aus der Luft und von See sehr empfindlich.
   Örtliche Sicherung der Bttr.-Stützpunkte durch je einen Marine-Inf.-Zug.
   Zwischen Aarhus und Limfjorden drei Magen-Btle. an der Küste eingesetzt. Einrichtung von etwa kp.-starken Stützpunkten zwischen den Küsten-Bttrn. im Gange.
   Dahinter steht die in Kampfgruppen aufgeteilte 233. Res. Pz. Div. als Eingreif-Reserve.
   Somit ist Ostküste Jütlands gesichert. Kräfte- und Ausbaustand reichen aber für die Abwehr eines Angriffs keinesfalls aus.
3.) *Nord-Jütland* z.Zt. eingesetzt:
2 Ost-Regimenter,
1 Ost-Aufklärungs-Abteilung,
1 Reserve-Grenadier-Regiment der 166. Res. Div.
(auf dem Kommandowege aufgestellt).
   Es ist beabsichtigt, die Osttruppen zu einer Brigade zusammenzufassen und durch eine bespannte 1a. Artl. Abt. (Ost), sowie je eine deutsche Fz. Jg., Pi.- und Nachrichten-Kp. als Heerestruppen zu verstärken.
   Die Bildung einer Ost-Division ist von Gen.St. d.H./Org. zunächst nicht beabsichtigt, da man sonst mit unerfüllbaren Aussprüchen seitens General Vlassow rechnen muß. Andererseits besteht im Hinblick auf die Kräftegliederung und wehrmachtsmäßige Führung der Küstenverteidigung die berechtigte Forderung auf Schaffung eines Div.-Rahmens [?]. Es bietet sich daher an, einen Div.-Stab z.b.V. nach Nord-Jütland zu verlegen. Sofern ein Div.-Stab z.Zt. nicht verfügbar ist, könnte hierzu gegebenenfalls der Festungs-Kommandant [?] (Div. Gruppe Van der Hoop, bereits

mehrere Jahre an der Eismeerküste einen Div.-Abschnitt geführt) aus dem Bereich W. Bfh. Norwegen abgezogen werden. Umgliederung bzw. Umbenennung in Div.-Stab s.b.V. wird für diesen Fall vorgeschlagen.

4.) Gudrunstellung (Kolding-Esbjerg) wird bis zum Frühjahr fertiggestellt. Der Ausbau der Krimhildstellung (Hadersleben-Ripen) ist im wesentlichen beendet.

Ausbau beider Stellungen für Einsatz von vier Divisionen (etwa 75 km) vorgesehen.

III. Fünen und Seeland:

1.) Die neuen *Marine-Küsten-Bttrn.* an der Nordküste Seelands sind feuerbereit. Einsatz unter gleichen Verhältnissen wie an Ostküste Jütlands.

Heeresseitig sind Riegelstellungen etwa 10 km landeinwärts erkundet worden. Mit dem Ausbau soll begonnen werden. Während sich die Riegelstellung westlich Isefjord sich auf einen beherrschenden Höhenzug stützt, verlaufen sie ostwärts des Fjordes bis Helsingör durch ein hügeliges, zum Teil stark bewaldetes Gelände, das eines erheblichen Ausbaues (Panzerabwehr!) bedarf.

Verteidigungsstellungen an der Küste sollen erkundet und erst in 2. Dringlichkeit ausgebaut werden. Es ist beabsichtigt, die Masse der von Seeland verfügbaren Kräfte an bzw. hinter die Riegelstellungen zu führen, um von dort aus angriffsweise einen von See oder aus der Luft gelandeten Gegner zu vernichten. Ihre mot. Beweglichkeit wird vorbereitet.

Falls die Kräfte von Seeland einmal verstärkt werden, ist ihr Einsatz mit Masse an der Nordküste beabsichtigt, z.Zt. reichen die Kräfte jedoch hierzu nicht aus.

Über die Verteidigung des Hafens Kopenhagen besteht noch keine Klarheit. Sicher ist, daß mit den verfügbaren Kräften die gesamte Stadt nicht gehalten werden kann. Andererseits darf der feindlich gesinnten Bevölkerung und dem Feind der wichtige Hafen nicht überlassen werden.

2.) *Zusammenfassung aller Heerestruppen* (Genesenden-Btls.) auf Seeland zu einem möglichst organisch gegliederten Verband ist im Hinblick auf die neue Lagebeurteilung erforderlich. Die Aufstellung einer 1e. Artl. Abt. ist bereits im Gange. Aufstellung je einer Pz. Jg.-, Pi.- und Nachrichten-Kp. aus Genesenden wird vorgeschlagen. Hierfür spricht auch die erwünschte waffenmäßige Erfassung der genesenden Panzerjäger, Pioniere und Nachrichtenleute, die bisher als Infanteristen in den Inf. Gen. Btlen. dienst taten. Sie können jetzt ihrer Waffengattung entsprechend ausgebildet und auf ihren neuen Einsatz vorbereitet werden, was bei der Nachrichtentruppe besonders wichtig erscheint.

Endziel ist eine Genesenden-Division.

3.) Auf *Fünen* sind lediglich Verkehrungen zur Sperrung des Kleinen und Großen Belts (Marine-Küsten-Bttrn.) getroffen worden.

IV. Allgemeines:

1.) *Nachrichtenwesen:*

a.) W. Bfh. Dänemark hatte kürzlich einen Antrag auf Zuführung eines Armee-Nachrichten-Rgts. gestellt. Er mußte abgelehnt werden, da keine Nachrichteneinheiten zur Verfügung stehen. W. Bfh. Dänemark regt an, daß dafür ein Frauen-Nachrichten-Verband in seinem Bereich aufgestellt wird. Frauen haben sich im Nachrichtendienst allgemein bewährt. Im Zuge des totalen Kriegseinsatzes ist die Aufstellung von Frauen-Nachrichten-Verbünden eine logische Folgerung. Ein entsprechender Antrag wird vorgelegt.

Diese Anregung verdient besondere Beachtung. Gegebenenfalls könnten Frauen-Nachrichten-Verbünde auf breiter Grundlage aufgestellt werden. Einsatz bis herunter zu den Armee-Oberkommandos erscheint möglich.

b.) Zur Einsparung von Nachrichtenpersonal für die kämpfende Truppe schlägt W. Bfh. Dänemark Zusammenlegung der zahlreichen Vermittlungen an einem Ort zu *einer* Wehrmachtsvermittlung vor. Antrag wird vorgelegt. Die gleichen Verhältnisse dürften auch für andere Kriegsschauplätze zutreffen. Auch hier könnte eine grundsätzliche Neuerung geschaffen werden.

2.) Während meines Aufenthaltes in Dänemark sind mir keinerlei üblen Etappenerscheinungen aufgefallen. Durch scharfe Überwachungsmaßnahmen seitens W. Bfh. Dänemark und vollständige Auslastung aller Soldaten wird die Truppe bei guter Disziplin gehalten.

Benze

Verteiler:

Stellv. Chef/Kriegstagebuch.	1. Ausf.
Op (H)	2. Ausf.
Op (H) Nord zgl. VO. Gen. d. Pi. u. Fest.	3. Ausf.
Op (M)	4. Ausf.
Op (L)	5. Ausf.
VO. Gen.St. d.H./Org.	6. Ausf.
VO. Chef H.N.W.	7. Ausf.

7. Rudolf Bobrik an Georg Martius 5. Januar 1945

Bobrik oversendte uden kommentar kopier af to akter (af Kaltenbrunner og Kaufmann) vedrørende sabotagebekæmpelsen i Danmark til gesandt Georg Martius i AAs handelspolitiske afdeling.

På dette tidspunkt havde sagen været drøftet i AA, senest under Bests besøg sidst i december.[90]

Kilde: PA/AA R 100.693.

---

90 Bobrik blev i begyndelsen af februar 1945 sendt fra stillingen som Legationsrat i AA til Det Tyske Gesandtskab i København som leder af konsulatafdelingen. Han vidnede 1948 til fordel for Best vedrørende de til Tyskland deporterede danske politifolk på grundlag af de indberetninger fra Best, der var gået gennem hans hænder, og de møder, han havde deltaget i, men efter ankomsten til København var han ikke længere informeret. Dog fremgår det af de for efteråret 1944 trykte akter, hvor Bobrik medvirkede, at han havde en reel viden om forholdene og holdt sig til det. Af ukendte årsager udtalte han ikke sig om Best og modterroren, som han også kunne studere på første hånd fra sidelinjen, som det fremgår af de akter, der 5. januar gik igennem hans hænder (LAK, Best-sagen, beediget erklæring 26. juni 1948).

Ref. LR Dr. Bobrik
Inl. II

Berlin, den 5. Januar 1945
zu Inl. II B 853gRs/44

Herrn Gesandten Martinus
Ha Pol III.

In der Anlage Übersende ich Ihnen Abschrift eines Schreibens des SS-Obergruppenführers Dr. Kaltenbrunner an den Herrn RAM nebst Anlage.[91]

Die Adjutantur Kaltenbrunner, von der ich diese Abschrift erhalten habe, bittet jedoch, da es sich um seine gRs-Angelegenheit handelt, nachzuforschen, ob das Original nebst Abschrift z.Zt. hier eingetroffen ist.

gez. **Bobrik**

8. Werner Best an das Auswärtige Amt [6.] Januar 1945

Den 4. januar 1945 blev DNSAPs sysselleder i Nordjylland, Ejnar Laursen, og en anden dansk nazist likvideret i Ålborg. Det fik lederen af DNSAPs førerråd, C.O. Jørgensen, til at henvende sig til BdS' "Außenstelle" i Ålborg for at forhindre, at der blev foretaget tysk gengæld for drabene. Det var resultatløst, og C.O. Jørgensen henvendte sig i samme ærinde skriftligt til Best – på dennes opfordring. C.O. Jørgensen tog skarpt afstand fra den tyske modterror og begrundede sin afstandtagen ved næsten præcist at citere Bests egne begrundelser, som Bovensiepen (!) korrekt fremstillede det 10. december 1946. Det fik Best til at skrive til AA, bilagt C.O. Jørgensens brev, for at forhindre, at der blev forøvet tysk modterror for likvideringen af syssellederen og for at få modterroren indstillet.

Bests henvendelse var resultatløs. Den 12. januar forøvede Peter-gruppen modterror i Ålborg, hvorved to personer blev myrdet, og dagen efter blev en fabrik sprængt i luften. Når der er grund til at tage de to efterkrigsforklaringer alvorligt, skyldes det ikke kun, at både Best og Bovensiepen var enige om, at C.O. Jørgensen henvendte sig, men også at C.O. Jørgensen faktisk på dette tidspunkt søgte at lægge størst mulig afstand til modterroren for ikke selv at blive offer eller set som medvidende. C.O. Jørgensen var straks offentligt ude og karakterisere Laursens likvidering som en "misforståelse", da DNSAP var imod terror, repressalier og snigmord, og det var vand på Bests mølle at få de danske nazisters leder til at intervenere mod modsabotagen på dette tidspunkt. Det er også det, som Bovensiepen insinuerede i sin forklaring: At C.O. Jørgensen brugte Bests begrundelser i sit brev.

Bests telegram med bilag er ikke lokaliseret, og det er ikke forsøgt at forene Bests og Bovensiepens forklaringer på de punkter, hvor de ikke stemmer overens. Bovensiepen forsøgte med sin forklaring at gøre sig selv til modstander af modterroren på lige fod med Best (Lauridsen 2002a, s. 516f., Bøgh 2004, s. 191-193, tillæg 3).

Kilde: Forklaring af Otto Bovensiepen 10. december 1946 og Werner Best 28. august 1945 (LAK, Best-sagen).

---

91 Det drejer sig om Kaltenbrunners brev til Keitel 7. december 1944 (trykt ovenfor), som RAM fik en kopi af foruden Kaufmann til RAM 14. december 1944 (trykt ovenfor), som her er med bilag.

9. Werner Best an das Auswärtige Amt 6. Januar 1945
Best fremsendte BdS' rapport om aktiviteten i december 1944.
    Kilde: PA/AA R 101.041. RA, pk. 232, 438a.

Durchdruck
Der Reichsbevollmächtigte in Dänemark   6.1.1945.
II C 2508/45.
– 2 Durchdr. –
– 1 Anlage –

An das Auswärtige Amt
    Berlin.

Betr.: Die Deutsche Sicherheitspolizei in Dänemark.

In der Anlage lege ich den Bericht des hiesigen Befehlshabers der Sicherheitspolizei und des SD vom 2. Januar 1945 betreffend die sicherheitspolizeiliche Tätigkeit in der Zeit vom 1. bis 31. Dezember 1944 vor.
                                    gez. **Dr. Best**

Der Befehlshaber der Sicherheitspolizei   *Kopenhagen, den 2. Januar 1945.*
und des SD in Dänemark
L IV – 1/45 g

An
das Reichssicherheitshauptamt – IV –
    z.Hd. von SS-Gruppenführer Müller – o.V.i.A –
das Reichssicherheitshauptamt – III –
    z.Hd. von SS-Brigadeführer Ohlendorf – o.V.i.A –
    Berlin
den Reichsbevollmächtigten in Dänemark
    SS-Obergruppenführer Dr. Best – o.V.i.A –
den Höheren SS- und Polizeiführer in Dänemark
    SS-Obergruppenführer Pancke – o.V.i.A –
    Kopenhagen
den Wehrmachtbefehlshaber in Dänemark
    General von Hanneken – o.V.i.A –
    Silkeborg
Admiral Skagerrak
    Admiral Wurmbach – o.V.i.A –
    Aarhus
den Befehlshaber der Sicherheitspolizei u. des SD Norwegen
    SS-Oberführer Fehlis – o.V.i.A –
    Oslo

die Außendienststelle Aalborg,
   z.Hd. von Krim. Rat Bolle – o.V.i.A. –
die Außendienststelle Aarhus,
   z.Hd. von Krim. Rat Renner – o.V.i.A –
die Außendienststelle Kolding,
   z.Hd. von Krim. Rat Burfeind – o.V.i.A. –
die Außendienststelle Odense,
   z.Hd. von Krim. Rat Guttmann – o.V.i.A. –
die Außendienststelle Bornholm,
   z.Hd. von SS-Untersturmführer Schulz – o.V.i.A. –

Betrifft: Die sicherheitspolizeiliche Tätigkeit in der Zeit vom 1. bis 31. Dezember 1944.

1.) Kommunismus:
Der kommunistische Parteiapparat und die "Frit Danmark"-Organisation einschließlich ihres Militärapparates wurden weiterhin systematisch aufgerollt. Es konnten insgesamt 17 Funktionäre des allgemeinen Parteiapparates und 24 Funktionäre der Militärgruppen von "Frit Danmark" festgenommen werden.[92]

Wegen kommunistischer Betätigung wurden in Gross-Kopenhagen insgesamt 102 Personen, von den Außenstellen insgesamt 54 Personen festgenommen.

Neu ist die Tatsache, daß erstmalig eine Sabotagegruppe festgenommen werden konnte, die vom kommunistischen Parteiapparat aufgestellt worden war, die aber ebenfalls nach den grundsätzlichen Weisungen der Zentralsabotage- und Militärorganisationen arbeitete.[93]

Auf dem Sektor der kommunistischen Flugblattpropaganda gelang die Festnahme der Herausgeber der Hetzschriften "Dansk Maaneds Post" und "Ugens Nyt." Das Herstellungsmaterial konnte sichergestellt werden.[94]

Im Zuge der Zerschlagung der Militärgruppen der "Frit Danmark"-Organisation wurden 4 kleine Waffenlager mit insgesamt 37 schwedischen Maschinenpistolen
   1 leichten MG,
   17 Pistolen,
   5 Gewehren,
      und Munition

ausgehoben. Die Sommerhäuser, die als Lagerplatz für die Waffen dienten, wurden in die Luft gesprengt.[95]

---

92 Frit Danmark havde – modsat DKP – ikke militærgrupper, men Bovensiepen opfattede dem som en enhed.
93 Efter et tip fra en stikker lå Gestapo i baghold ved et BOPA-depot på Klokkemagervej 5 den 5. december 1944, hvorved det lykkedes at arrestere en række medlemmer af gruppen (se nedenfor). Under en skudveksling blev Vagn Eigil Holst dræbt (*Faldne i Danmarks frihedskamp*, 1970, s. 180f., Brandt/Christiansen 1945, 148-150, Kjeldbæk 1997, s. 373-375).
94 Trods anholdelserne fortsatte bladene med at udkomme kontinuerligt i uændret oplag til april 1945.
95 HSSPFs Pressekontor meddelte bl.a. 8. og 24. december 1944 om sprængninger af sommerhuse, der

2.) Sabotage- und Militärgruppen:
   a.) Festnahme wegen Sabotage und Waffenbesitzes: 274 Pers.
   b.) Beschlagnahme von Waffen u. Munition:
       aa.) Waffen:
              28   MG,
              85   MG-Magazine,
             472   MP,
             811   MP-Magazine,
             820   amerikan. Karabiner,
           1.920   Magazine,
              51   Gewehre,
              68   Pistolen versch. Kal.,
             748   Handgranaten,
              16   Granatwerfer,
              15   Panzerschreck mit 142 Granaten.

       bb.) Munition:
           426.500   Schuß MG- und Gewehrmunition,
           614.000   Schuß MP-Munition,
           152.000   Schuß Pistolenmunition.

   c.) Beschlagnahme von Sabotagematerial:
           2.030   kg Sprengstoff,
               8   Haftladungen,
             125   mechan. Zeitzünder,
              41   Sprengkapseln,
             245   Zwischenladungen,
              67   Schienenzünder,
              30   Gammonhandbomben,
              20   Tachenbrandbomben,
               8   Thermitbrandbomben,
              17   Rollen Knallzündschnur,
               7   Rollen Zeitzündschnur.

   d.) Beschlagnahme von Kraftfahrzeugen:
               1   Lkw.,
               6   Pkw.,
           2.500   Ltr. Benzin.

   e.) Erfaßte Abwürfe aus Feindmaschinen: 6
   f.) Erschossene Terroristen: 4

havde været brugt som våbenlagre (Alkil, 2, 1945-46, s. 917, 919. Jfr. *Daglige Beretninger*, 1946, s. 473, tillæg 3 her).

In der Berichtzeit hat die Bahnsabotage leicht nachgelassen, während die Industriesabotage zunahm. Erstmalig wurden insbesondere auch Unternehmen der Nahrungsmittelindustrie, die für die Deutsche Wehrmacht arbeiteten, durch Sabotage zerstört.[96]

Zur Verhinderung der im November 1944 besonders starken Schiffssabotage wurden am 12.12.44 die 11 größten dänischen Werften mit Kräften der Ordnungspolizei und Truppen der 3 Wehrmachtsteile unter Leitung der Sicherheitspolizei besetzt und mir für die Dauer der Bewachung unterstellt. Die Besetzung der Werften verlief ohne Zwischenfälle und Streiks.[97] In den besetzten Werften wurden seit dieser Zeit keine Schiffe sabotiert. Im Odense-Kanal wurde durch einen bewaffneten Überfall ein Sprengstoffanschlag auf einen nach Deutschland auslaufenden Dampfer durchgeführt.[98]

Im Rahmen der weiteren Aufrollung der im Vormonat erkannten und angeschlagenen Organisationen wurden insgesamt 274 Personen festgenommen. Besonders gelang es, im Ramme von Gross-Kopenhagen Militär-Sabotagegruppen auszuheben.

Besonders hervorzuheben ist die Tatsache, daß die Leiter der beiden Sabotagegruppen, die fast sämtliche größeren Industriesabotagen des vergangenen Jahres in Kopenhagen durchgeführt hatten, festgenommen werden konnten. Es handelt sich um Jesper Jul Petersen, geb. 8.1.23 in Kopenhagen,[99] und Knud Erik Svendsen, geb. 13.9.18 in Kopenhagen.[100]

Durch die Festnahme dieser Gruppen konnte insbesondere auch der größte Teil des beim Überfall auf das Waffen- und Munitionsarsenal in Kopenhagen am 17.11.44 gestohlenen Materials (Teile für etwa 800 Maschinenpistolen) wieder herbeigeschafft werden. 1 Lkw. und 6 Pkw., die fast alle aus dem Eigentum deutscher Dienststellen herrührten, wurden sichergestellt.[101]

In Randers wurde durch die Außendienststelle Aarhus ein Empfangskomitee für Sabotagematerial Festgenommen. Im Anschluß daran wurde das dänische Motorschiff "Albatros" beschlagnahmt, das große Mengen von abgeworfenen Waffen, Munition und Sprengstoff an Bord hatte.[102]

---

96 I kommuniké nr. 7, 16. december 1944 meddelte Danmarks Frihedsråd, at modstandsbevægelsen på Fyn med held havde grebet ind mod den tyske levnedsmiddelforsyning (*Information* 20.12.1944, Alkil, 1, 1945-46, s. 270. Jfr. også Hæstrup 1979, s. 399-401).
97 Jfr. *Politische Informationen* 1. januar 1945, afsnit I.4. *Daglige Beretninger*, 1946, s. 491, 494f. bekræfter, at den tyske overtagelse af vagten forløb stort set gnidningsløst, men der var enkelte arbejdsnedlæggelser.
98 Se *Politische Informationen* 1. januar 1945, afsnit I.2.
99 Jesper Juul Petersen (Finn), alias Jesper Juel Berg, gruppeleder i BOPA, blev 5. december 1944 arresteret ved gruppens depot på Klokkemagervej 5 efter et tip fra stikkeren Kirkegaard (Kjeldbæk 1997, s. 373-375).
100 Knud Erik Svendsen, afdelingsleder i BOPA, blev som Juul Petersen arresteret på Klokkemagervej 5. december 1944 (Kjeldbæk 1997, s. 373-375).
101 BOPA foretog 17. november et våbenkup mod Hærens Våbenarsenal på Amager Boulevard (*Information* 18. december 1944, KB, Bergstrøms dagbog 18. november 1944, *Daglige Beretninger*, 1946, s. 484f., Kjeldbæk 1997, s. 476).
102 Oprulningen af modtagegruppen i Randers synes at stå i forbindelse med forhøret af sognefoged Søren Simonsen, Vinterslev pr. Hadsten 2. december. Påfølgende blev skibet "Aktiv" (dette navn opgiver *Information* og ikke "Albatros") fra Randers opbragt med en anklage for transport af sprængstof og illegal post (den indeholdt forsyninger fra 90 containere), og endelig blev Randers Diskonto- og Lånebank udsat for en omfattende politirazzia og adskillige medarbejdere arresteret. Banken skulle være brugt som skjulested for våben (*Information* 7., 13. og 14. december 1944, *Daglige Beretninger*, 1946, s. 486, 489, 497, Toldstrup 1948, s. 145 (der stod bag skibets afsendelse), Hæstrup, 2, 1959, s. 159).

Weiterhin wurde im Walde von Bistrup (Jütland) ein großes Lager mit Waffen und Sabotagematerial, welches in einem Erdbunker untergebracht worden war, sichergestellt.

Auf der Insel Romsö im Großen Belt wurden im Gewahrsam des Leuchtturmwärters 36 Kisten mit Ausrüstungsgegenständen der ehemaligen dänischen Kriegsmarine gefunden, die nach Auflösung der dänischen Wehrmacht dort verborgen gehalten worden waren.

Die Bewaffnung der dänischen Militär- und Sabotage-Organisationen wird zur Zeit in verstärktem Tempo durchgeführt. Die Bewaffnung erfolgt nicht nur durch Abwürfe, sondern in Seeland neuerdings auch durch Schifftransporte aus Schweden. Die Bewaffnung der Militär- und Sabotagegruppen auf Seeland erfolgt jetzt vorwiegend mit schwedischen Maschinenpistolen und Handgranaten. Bisher konnten 2 Schiffe, die schwedische Waffen herübergeschafft hatten, sichergestellt und die Gruppe, die in Kopenhagen den Abtransport ausgeführt hat, festgenommen werden.[103] Nachdem die dänische Zentralverwaltung mehrmals inoffiziell auf die schwedischen Waffenlieferungen hingewiesen worden war, wurde jetzt festgestellt, daß der Vorsitzende des Neunerausschusses, Staatsminister Buhl, bei dem schwedischen Gesandten Dardell gegen die schwedischen Waffenlieferungen Protest eingelegt hat. Die schwedische Regierung hat auf diesen Protest dem Neunerausschuß mitgeteilt, daß sie die Bewaffnung der illegalen Gruppen ablehne und bereit sei, die Lieferung zu unterbinden, wenn ihr Anhaltspunkte mitgeteilt würden.[104]

Als neue Maßnahme zur Bekämpfung der Militär- und Sabotagegruppen wurden Häuser, in denen sich Waffen- oder Sprengstofflager befanden oder die Sabotage- und Militärgruppen erwiesenermaßen als Unterschlupf dienten, in die Luft gesprengt und diese Tatsache in der Presse bekanntgegeben. Insgesamt wurden in der Berichtszeit 6 Villen gesprengt.[105]

---

103 Studenternes Efterretningstjenestes skib "Wanjan" blev opbragt 18. november, mens det ikke er klarlagt, hvilket andet skib der er tale om. Påfølgende blev lederen af Studenternes Efterretningstjenestes rutearbejde, Peter Wessel Fyhn, arresteret 5. december ved en tilfældighed, og adskillige andre medlemmer (Jørgen Frederik Winther, Jørgen Malm Rasmussen, Erik Crone, Axel Christensen og Kim Malthe-Bruun) blev arresteret 18.-19. december, antagelig efter angiveri. De blev siden alle enten henrettet eller sendt i tysk koncentrationslejr (Birkelund 2000, s. 324ff. med den anf. henv.).

104 Buhls angivelige henvendelse til den svenske gesandt Gustav von Dardel kan ikke bekræftes, men se Best til AA 3. januar 1945, hvor fremstillingen alene hviler på rygter. Om Buhl skulle have optrådt som angivet, ville det have været for at gøre besættelsesmagten tilfreds, da han var mere end vidende om købet af de svenske våben, selv om han havde nægtet at kautionere for dem (Torell 1973, s. 191, Røjel 1993, s. 243).

105 Der blev sprængt følgende villaer i december: 1) Mantziusvej 11, Hellerup, den 6. december, 2) Almindingen 8, Søborg, den 6. december, 3) Klosterrisvej 8 ved Emdrup Sø [?], den 6. december, 4) Lupinvej 17, den 6. december, 5) Chr. Winthersvej 4, Frederiksberg, den 20. december, 6) Sylows Allé 6, Frederiksberg, den 21. december, 7) "Kisum Bakke," Højgårds Allé, Bagsværd, den 23. december. Sidstnævnte benævntes i HSSPFs Pressekontors meddelelse som et sommerhus, og der opgives adressen Højgårdsvænget 17. Der var tale om forfatteren Karen Aabys villa. Pressekontoret omtalte ikke sprængningerne af villa nr. 3 og 4 (tilhørende henholdsvis ingeniør L.A. Duus Hansen og læge Erik Meyer), men karakteriserede givetvis i stedet et "weekendhus," Ellebækvej 8 i Gentofte som en villa, hvorfor det også talte med i Bovensiepens beretning (Alkil, 2, 1945-46, s. 917, 919, *Information* 7., 21. og 27. december 1944, *Daglige Beretninger*, 1946, s. 473, 512, 519, KB, Bergstrøms dagbog 20., 21. og 27. december 1944, tillæg 3 her).

In der Berichtszeit gelang in Kopenhagen insbesondere die weitere Aufrollung der reinen Militärorganisationen im Stadtbezirk Österbro. Es konnten zahlreiche Unterführer festgenommen werden. Hierbei wurde erstmalig der grundsätzliche Aufbau der reinen Militärorganisationen der Bezirke Österbro, Gentofte, Frederiksberg, Amager, Rödovre und Brönshöj geklärt. Jeder Bezirk stellt 1 Btl. mit 5-7 Komp.[106] Die Gesamtleitung der Militärorganisation in Gross-Kopenhagen liegt in der Hand des Oberstleutnants Tiemroth, der aus der rechtsradikalen Partei Arne Sörensens "Dansk Samling" kommt.[107] Hieraus erklärt es sich auch, daß die Militärorganisation in Gross-Kopenhagen sich vor allen Dingen aus Mitgliedern der "Dansk Samling" rekrutiert. Als zivile Berater in politischer Hinsicht hat jedes Btl. einen Vertreter von "Dansk Samling," "Frit Danmark" und der Kommunistischen Partei. Ferner hatte jedes Btl. einen direkten Verbindungsmann zur früheren dänischen Polizei und jetzt zur illegalen dänischen Polizeiorganisationen. Die Militärgruppen hatten sich aber auch bereits bezeichnenderweise an Überfällen und Sabotagen beteiligt, und das Btl. Österbro hatte insbesondere die Vernichtung des Volksregisters von Gross-Kopenhagen am 24.11.44 durchgeführt. Die Tat war von dem Komp. Führer Svarer mit 40 Mann durchgeführt worden.[108]

Der Organisation konnte fernerhin nachgewiesen werden, daß sie angeblich verdächtige Personen festgenommen und nach Schweden deportiert hatte. Sie hatten vorher versucht, ihre Gefangenen durch Chloroform und Einspritzung von Medikamenten zum Sprechen zu bringen. 3 Personen waren bereits nach Schweden deportiert worden; die weitere Deportierung eines vierten Mannes konnte durch den Zugriff der Sicherheitspolizei verhindert werden.[109]

Die Militärorganisationen sind dazu übergegangen, nicht-gediente Leute in ihre Reihen aufzunehmen, die sie zur Übernahme von Ordonnanzdiensten, zur Bewachung von illegalen Transporten und zu sonstigen Nebendiensten benutzen.

Neuartig war das Aufziehen einer illegalen Widerstandsgruppe in dem von der Luftwaffe aufgezogenen Wachkorps zur Bewachung der deutschen Flugplätze. Der ehemalige Leutnant Hjarvard, Führer der 2. Komp. des Luftwaffenkorps auf dem Flugplatz

---

106 København var opdelt i syv afsnit: 1: Havnen, 2: Gentofte-Lyngby, 3: Østerbro med indre by, 4: Amager, 5: Frederiksberg, Valby, Vesterbro, 6: Rødovre, Hvidovre, Glostrup, Brøndbyerne, 7: Søborg, Brønshøj. Hvert afsnit var opdelt i et antal kompagnier. Lederen af afsnit 3 var stud.theol. Arne Klostergaard Andersen, hvis afsnitsofficer kaptajnløjtnant Fritz Camillo Jørgensen blev arresteret 17. oktober, mens hans næstkommanderende, guldsmed Ejler Fangel, blev arresteret i december. Selv blev Klostergaard Andersen arresteret af Gestapo 29. januar 1945. Arrestationen af Frits Jørgensen førte til arrestationer blandt medlemmer af Studenternes Efterretningstjeneste (*Faldne i Danmarks frihedskamp*, 1970, s. 228, Barfod 1988, passim og s. 84f., Birkelund 2000, s. 318).
107 Oberstløjtnant Einar Tiemroth var leder af modstandsbevægelsens Københavnsregion siden juli 1944. Han blev arresteret af Gestapo 26. februar 1945 (Henrik Lundbak i *Hvem var hvem 1940-1945*, 2005, s. 364f.).
108 Ødelæggelsen af Københavns og Frederiksbergs folkeregistre skete 23. november og blev foretaget af en talstærk styrke (*Daglige Beretninger*, 1946, s. 432f.). Kompagnichef Ole Svarer blev arresteret 25. november i Bornholmsgade, hvor medlemmer af Studenternes Efterretningstjenestes Kampfraktion skulle mødes. 11 andre blev anholdt efterhånden som de ankom, og forhørene førte til yderligere arrestationer de følgende dage, bl.a. af Bjørn Suadicani og Peter de Hemmer Gudme (Birkelund 2000, s. 339. Jfr. Bovensiepens aktivitetsberetning for november 1944 (Best til AA 16. december 1944)).
109 Gestapo havde i november konstateret, at modstandsbevægelsen betjente sig af deportering af visse personer til Sverige (Bovensiepens aktivitetsberetning for november 1944 (Best til AA 16. december 1944)).

Kastrup konnte überführt werden, daß er nicht nur zum Nachteile Deutschlands systematisch Spionage getrieben hat, sondern daß er darüber hinaus seine gesamte Einheit als Kompanie für die illegale dänische Militärorganisation vorbereitet und seine Unterführer auch in diesem Sinne instruiert hatte. Die Unterführer wurden ebenfalls festgenommen. Hjarvard hatte Kontakt mit der Nachrichtensektion des früheren dänischen Generalstabes. Hjarvard, der in der Waffen-SS gedient hatte, hat diesen Schritt getan, um sich bei dänischen nationalen Kreisen wieder zu rehabilitieren.[110]

Nachdem in der letzten Zeit die illegalen Hetzschriften "S.E", "Nordisk Front" und "Folk og Frihed" wieder erschienen waren, wurde eine Aktion durchgeführt, und es gelang 25 Personen, vor allen Dingen Studenten, festzunehmen, die in den verschiedenen Hetzgruppen arbeiteten.[111] Die Druckerei "Atlas" wurde geschlossen und Maschinen und Material abgebaut, weil sie laufend "Folk og Frihed" in einer Auflagenhöhe von monatlich 20.000 Stück herstellte.[112] Desgleichen konnte die Setzerei für diese illegalen Schriften ausgehoben und Setzer und Verfasser festgenommen werden. Eine Herstellergruppe mit einem Gross-Duplikator und verschiedene kleine Herstellergruppen der Zeitschrift "S.E" konnten mit umfangreichem Material ebenfalls ausgehoben werden.[113]

Anläßlich der Ermittlung gegen die illegale Hetzschrift "Folk og Frihed" konnte festgestellt werden, daß von namhaften dänischen Schriftstellern und dänischen Beamten – u.a. auch von dem Staatsadvokaten Troels Hoff – an einem illegalen Großwerk "Dänemark während der Besetzung" gearbeitet wird. Der geschäftsführende Sekretär für dieses Werk, der im Auftrage des Schriftstellers la Cour arbeitete, konnte festgenommen werden.[114]

Aus dem angefallenen Material des dänischen Nachrichtendienstes war festgestellt worden, daß Telefonleitungen deutscher Dienststellen laufend abgehört wurden. Im Zuge der Ermittlungen gegen weitere Mitarbeiter des Freiheitsrates konnte der leitende Ingenieur der KTAS (Kopenhagener Telefon A.G.) Rosbäk festgenommen werden, der im Dienstes des Freiheitsrates verschiedene illegale Telefonschaltungen durchgeführt hatte.[115]

---

110 For den tidligere SS-frivillige Louis R. Hjarvard, se SS-Hauptamt til AA 2. juli 1944 og Haaest, 3, 1975, s. 94.
111 Det lykkedes Gestapo 25. november og følgende dage at få fat i i hvert fald 19 gruppemedlemmer, hvoraf 18 kom i koncentrationslejr (Birkelund 2000, s. 339).
112 Bogtrykkeriet Atlas lå i Nyhavn 42A.
113 Gestapo sporede et trykkeri for Studenternes Efterretningstjeneste til Gentofte, hvorefter trykgruppen gik i opløsning, nogle blev arresteret, andre flygtede (Birkelund 2000, s. 318).
114 Vilhelm la Cour arbejdede fra 1943 som redaktør på samleværket *Danmark under Besættelsen*, der skulle udkomme på Westermanns Forlag snarest muligt efter det tyske nederlag. Blandt medarbejderne var Troels Hoff, der skrev om dansk politi under besættelsen. Der var ikke tale om en illegal publikation. Harald Mogensen var forlagssekretær på værket, men det var redaktionssekretæren Hjalmar Petersen, der 6. december blev arresteret og opgav la Cours opholdssted. La Cour blev advaret og var flygtet, mens Hjalmar Petersen blev ført i tysk koncentrationslejr (la Cour 1959, s. 113, 118, 120, 145-148).
115 Ifølge *Daglige Beretninger*, 1946, s. 347 blev Rosbæk og med ham assistent Marcussen anholdt 27. oktober 1944 (jfr. Lund/Nielsen 2008, s. 189). *Information* 12. december 1944 kunne meddele, at også ingeniørerne Paul Draminsky og Thorning samt overassistent Georg Thorkildsen, alle KTAS, var anholdt af Gestapo. Sidstnævnte var anholdt på sin bopæl Almindingen 8 den 6. december og hans bopæl blev senere på dagen sprængt i luften af Gestapo (*Information* 7. december 1944, *Daglige Beretninger*, 1946, s. 470, 473, tillæg 3 her (Mau 2007, s. 256 skriver fejlagtigt, at arrestationerne først fandt sted 17. december 1944). Johannes Rosbæk blev deporteret til Neuengamme 14. januar 1945, mens Draminsky kom til Frøslevlejren (Barfod 1969, s. 396, Mau 2007, s. 256).

Die Ermittlungen in dieser Richtung dauern noch an.[116]

Durch die Monat Oktober 1944 durchgeführte Festnahme des Freiheitsrates ist die vom Neunerausschuß damals eingeleitete Verbindungsaufnahme mit dem Freiheitsrat vom Neunerausschuß wieder abgebrochen worden, und der Neunerausschuß hat sich mehr als bisher jedenfalls von einer direkten Zusammenarbeit und Abstimmung mit dem Freiheitsrat zurückgezogen. Hierdurch sind die alten Spannungen zwischen dem Freiheitsrat und dem Neunerausschuß wieder mit aller Schärfe entbrannt. Insbesondere hat die Konservative Partei ihre Fühler zum Freiheitsrat und den Kommunisten zurückgezogen, und in dem Rest-Freiheitsrat soll es zu erheblichen Spannungen zwischen den konservativen und kommunistischen Vertretern gekommen sein. Der offizielle Vortreter der Kommunistische Partei, Nielsen, soll den Freiheitsrat verlassen haben. Eine Bestätigung dieser Tatsache liegt jedoch noch nicht vor.[117]

gez. **Bovensiepen**
SS-Standartenführer

Beglaubigt:
Jörgens
Büroangestellte.

10. OKW an WFSt und OKM 6. Januar 1945

Best havde til AA besvaret ordren om at beslaglægge dokker og kraner i Danmark med, at det ville mindske de danske værfters mulighed for at arbejde for Tyskland, mens der på samme tid heller ikke ville blive vundet ny kapacitet for Tyskland. Kraner og dokker ville komme i stor fare ved borttransport, så der ville blive tabt mere end vundet ved at gennemføre ordren. AA havde hertil erklæret, at Ribbentrop havde givet Best til opgave at foretage beslaglæggelserne i forståelse med repræsentanten for Hauptausschuss Schiffbau. Denne repræsentant havde erklæret, at det ikke var hans opfattelse, at der skulle gribes til beslaglæggelse af kraner og dokker og havde derfor henvendt sig til sin foresatte i ministeriet Speer, direktør Merker. Merker tilsluttede sig i princippet beslaglæggelsen, men ville på grund af sin repræsentants opfattelse have sagen undersøgt sammen med Kriegsmarine.

Se Seekriegsleitung: Betr. Beschlagnahme 9. januar 1945.
Kilde: BArch, Freiburg, RM 7/1816. RA, Danica 203, pk. 38, læg 461.

Oberkommando der Wehrmacht	O.U., den 6. Januar 1945
Wehrmachtführungsstab Ag. Ausland	3 Ausfertigungen
Nr. 120/44 gKdos. Chefsache II. Ang./Ausland II A 2	2. Ausfertigung

---

116 Bovensiepen skrev 8. december til UM: "Nachdem festgestellt worden ist, daß illegale Kreise in großem Umfange den Fernmeldeverkehr abhören und sich Kräfte der staatlichen und vor allen Dingen der privat staatlich konzessionierten Telefongesellschaften zu illegalen Handlungen zum Schaden der deutschen Belange hergegeben haben, bin ich gezwungen, von dem mir aufgrund der Ziffer 6 des dorthin gerichteten Schreibens der ehemaligen Abwehrstelle Dänemark vom 21.2.1944 Br. B Nr. 330/44 III N g, angenommen durch die Erklärung des Beauftragten des Königlichen Ministeriums am 8.6.1944, zugestandenen rechten Gebrauch zu machen. Ich werde daher die dänischen Fernmeldeanlagen von jetzt ab durch deutsche Fachkräfte überwachen lassen. [...] (Alkil, 1, 1945-46, s. 129).
117 Børge Houmann havde ikke forladt Frihedsrådet, men var pga. sygdom fraværende i perioden januar til april 1945.

An W F St/Ie.
Nachrichtlich: OKM/1. Skl. I b (zu Nr. 3714/44 gKdos. Chefs.)

Betrifft: Beschlagnahme von Krähnen und Docks in Dänemark
Bezug: Nr. 774552/44 gKdos. Chefsache vom 22. Dezember 1944[118]

Das Ausw. Amt übersendet folgende Stellungnahme des Reichbevollmächtigten in Kopenhagen vom 1. Januar:[119]

"1.) Da die gesamte Schiffbaukapazität der dänischen Werften seit der Besetzung uneingeschränkt für deutsche Bauzwecke zur Verfügung steht, würde mit der Wegnahme der hiesigen Docks und Krähne und ihrer Überführung nach Deutschland keine Baukapazität für deutsche Bauzwecke neu gewonnen.
2.) Soweit durch die Wegnahme der Docks und Krähne die dänischen Werften arbeitsunfähig gemacht würden, ginge ihre gesamte Baukapazität verloren, während mit den weggenommenen Docks und Krähnen nur geringe Leistungsmöglichkeiten an anderem Ort gewonnen würden. Ergebnis wäre also ein Leistungsverlust.
3.) Der Leistungsverlust wird vergrößert durch die Luftgefährdung der Docks und Krähne in deutschen Häfen, während auf den dänischen Werften zur Zeit noch ohne Luftgefährdung gearbeitet werden kann."

Hierzu erklärt das Ausw. Amt – Gesandter Martius –: Der Reichsaußenminister habe dem Reichbevollmächtigten in Kopenhagen Auftrag erteilt, die Beschlagnahme der Krähne und Docks im Einvernehmen mit dem Beauftragten des Hauptausschusses Schiffbau zu regeln.

118 Skrivelsen er ikke lokaliseret. Se AA til OKM 25. december og Keitel til AA 31. december 1944.
119 Det er sandsynligvis dette telegram, som Duckwitz henviste til i sine erindringer i omtalen af Kriegsmarines krav om at få alle dokker slæbt til Tyskland: "Als die Not am höchsten war, verfiel Best auf einen ebenso genialen wie gefährlichen Ausweg. Er telegrahierte nach Berlin, daß er nach dem Abtransport von 2 Docks keinerlei Garantie mehr für den Weiterbestand der restlichen dänischen Docks sowie für die dänischen Werften überhaupt übernehmen könne. Es müsse damit gerechnet werden, daß sie alle unverzüglich das Opfer von Sabotagehandlungen werden würden, um weitere Transporte zu verhindern. Er müsse daher darauf bestehen, daß mit einem Schlage und in einer einzigen Aktion sämtliche Docks aus Dänemark abtransportiert würden, ferner sei es, um eine Zerstörung der dänischen Werften durch Sabotage zu verhindern, notwendig, diese Werften sofort zu übernehmen, d.h. sie unter deutscher Leitung und mit deutschen Arbeitern weiter arbeiten zu lassen. Die Argumente Dr. Bests, mit denen er seinen Vorschlag verzierte, waren sehr eindringlich und machte entsprechenden Eindruck, zumal sie von der Forderung begleitet waren, daß mehrere Polizeibataillonen zunächst nach Dänemark verbracht werden müßten, um die Besetzung der Werften vorschriftsmäßig durchführen zu können. Dieser Forderung schloß sich Pancke, der jedoch wie üblich von den inneren Zusammenhängen keine Ahnung hatte, begeistert an. Er erhoffte eine Erhöhung seiner Streitmacht. Das Best'sche Telegramm tat seine Wirkung. Man schreckte vor den drastisch ausgemalten Konsequenzen zurück, und die Aktion wurde abgeblasen." (Duckwitz' erindringer u.å. kap. IV, s. 31f. (PA/AA, Nachlass Georg F. Duckwitz, bd. 29)). Duckwitz gav til dels Bests håndtering af sagen en anden drejning, og Best anvendte, efter det foreliggende materiale at dømme, ikke det urealistiske argument, at Tyskland skulle overtage værfterne. Det var heller ikke givet, at Pancke uden videre ville blive begejstret for at få tilført mere politi. Pancke havde i det spørgsmål vist tilbageholdenhed i november 1944 og vidste lige så vel som Best, at det var urealistisk at få tilført yderligere politi. Duckwitz fortalte en "god" historie, men Bests faktiske håndtering af sagen var egentlig en mere "genial udvej" end den, Duckwitz fandt på.

Der Beauftragte des Hauptausschusses Schiffbau hat aber erklärt, es wäre durchaus nicht seine Auffassung, daß auf Krähne und Docks gegriffen werden solle. Er hat sich deswegen mit dem Direktor Merker, Leiter des Hauptausschusses Schiffbau, der dem Reichsminister Speer unmittelbar unterstellt ist, in Verbindung gesetzt. Direktor Merker hätte im Prinzip der Beschlagnahme zugestimmt; wegen der gegenteiligen Auffassung des Beauftragten des Hauptausschusses Schiffbau soll aber die Angelegenheit durch weitere Sachverständige im Dänemark, in Verbindung mit der Kriegsmarine, überprüft werden.

Das Auswärtige Amt wird über den Fortgang der Dinge berichten.

I.A.

11. Paul von Behr an Werner Best 6. Januar 1945

Godt tre måneder tidligere havde Best bedt om at få regelsat, hvem der skulle betale og fra hvilken kasse, når en dansk i tysk tjeneste kom til skade. Endvidere ville han have taget stilling til størrelsen på skadeserstatningen. Von Behr gav et klart svar på førstnævnte, men var mindre præcis, når det gjaldt spørgsmålet om erstatningens størrelse.

Kilde: BArch, R 901 113.555. RA, pk. 271

Durchdr. als Konzept (Zi.)
zu Ha Pol VI 32/45   den 6. Januar 1945
Auf den Bericht vom 28.9. v.J.[120]
III 10427/44

Betr.: Zahlung von Abfindungsbeiträgen bei Unfällen.
Ref.: LR Baron v. Behr

An den Reichsbevollmächtigten in Dänemark,
    Kopenhagen

Soweit hier festgestellt werden konnte, ist die nebenbezeichnete Angelegenheit in den deutsch-dänischen Verhandlungen der Regierungsausschüsse nicht behandelt worden. Der deutsche Regierungsausschuß ist der Auffassung, daß die Abfindungsbeträge aus Besatzungsmitteln zu leisten sind, wenn der verunglückte Arbeiter im Dienste der Besatzungstruppe innerhalb Dänemarks beschäftigt war, ebenso wie der an diesen Arbeiter zu zahlende Lohn. Ist dagegen der Unglückfall im Dienste einer außerhalb Dänemarks eingesetzten Truppe eingetreten, so werden die Abfindungsbeträge im Verrechnungswege zu zahlen sein.

Was die Höhe der Abfindungsbeträge anlangt, so müßten natürlich Vorkehrungen dagegen getroffen werden, daß der verunglücklichte Arbeiter eine unangemessene hohe Abfindung dadurch erhält, daß er sowohl von deutscher wie von dänischer Seite entschädigt wird.

Im Auftrag
gez. **v. Behr**

120 Trykt ovenfor.

12. Wilhelm Keitel an Joachim von Ribbentrop 8. Januar 1945

Keitel tilsluttede sig RFM Schwerin von Krosigks opfattelse, at det ikke var tidspunktet at rejse spørgsmålet om et dansk bidrag til krigsomkostningerne. På nuværende tidspunkt stillede Danmark de nødvendige midler til rådighed for værnemagten. Det kunne føre til en indskrænkning eller besværliggørelse af leverancerne fra Danmark, hvis der blev krævet et krigsbidrag. Det var i værnemagtens interesse, at det danske erhvervsliv blev holdt i gang, og at den danske krone bevarede sin købekraft. Dertil kom, at Keitel ikke mente, at spørgsmålet om et krigsbidrag skulle være med til at forstærke spørgsmålet om en dansk opsugning af ledige penge. Han havde fuld tillid til det danske finans- og skatteapparat og regnede med, at det ville klare pengeopsugningen, hvilket ville være til fordel for værnemagten. Best kunne gives direktiver i den retning. Keitel var ikke af den opfattelse, at der skulle indsættes en særlig generalingeniør for byggeriet i Danmark, for det tog værnemagtsintendanten sig af. Keitel tilsluttede sig Bests telegram af 30. november 1944.

Keitels moderate indstilling og hensyntagen til danske holdninger i spørgsmålet om et bidrag til krigsfinansieringen med begrundelse i, at værnemagtens forsyninger og tyskernes ernæring skulle sikres, står i skarp modsætning til den opfattelse, som han udtrykte godt fem uger tidligere i forbindelse med sabotagebekæmpelsen. Der var der ikke tale om nogen hensyntagen til andre væsentlige tyske interesser i Danmark. Det kan ikke udelukkes, at han havde ændret opfattelse af situationen i Danmark, selv om en anden tysk krigsherre, admiral Dönitz, stadig pressede på for skærpede foranstaltninger i Danmark, men måske skyldes det snarere, at tilbageholdenhed vedrørende et dansk krigsfinansieringsbidrag var helt gratis. Det ville ikke reelt ændre ved det forhold, at Danmark betalte for sin egen besættelse.

De hensyn, som Keitel i denne sag tog til tysk ernæringsforsyning og værnemagtens behov i Danmark, kom han til at skyde helt til side blot knapt 14 dage senere, se Keitel til Terboven 21. januar 1945.

Kilde: PA/AA R 105.210. RA, pk. 282.

Der Chef des Oberkommandos der Wehrmacht   F.H.Q., Berlin, den 8.1.1945

An den Herrn Reichsminister des Auswärtigen
Berlin

Betr.: Beitrag Dänemarks zur Kriegsfinanzierung.
Bezug: Reichsfinanzminister der Finanzen vom 10.11.44[121] – Y 5104/1 – 289 Vg –

Sehr verehrter Herr Reichsminister von Ribbentrop!
In Übereinstimmung mit dem Herrn Reichsminister der Finanzen glaube auch ich, daß der Zeitpunkt, die Frage eines dänischen Kriegskostenbeitrags aufzurollen, gegenwärtig nicht günstig ist.

Vom Standpunkt der Truppenwirtschaft aus besteht keine Notwendigkeit, die gegenwärtige Regelung zu ändern. Diese Notwendigkeit wäre nur dann gegeben, wenn zu befürchten wäre, daß die jetzige Art der Bereitstellung der für die Truppe in Dänemark benötigten Mittel in Form des Schutzkostenbeitrages gegen Gutschrift zukünftig zu einer Beschränkung oder Erschwerung der Bereitstellung führen wird. Ferner müßte sichergestellt sein, daß im Falle der Bereitstellung durch Kriegskostenbeitrag (ohne Gutschrift) diese Schwierigkeiten entfallen würden. Beide Voraussetzungen dürften nicht gegeben sein. Es ist zu erwarten, daß die Dänen bei Aushandlung eines Kriegskostenbeitrages (ohne Gutschrift) erheblich größere Schwierigkeiten machen werden als im Falle des Schutzkostenbeitrages, für den sie wenigstens eine Gutschrift erhalten.

---

121 Trykt ovenfor.

In höhere Maße interessiert ist die deutsche Wehrmacht jedoch daran, daß die dänische Wirtschaft in Gang gehalten wird und der dänischen Währung ihre Kaufkraft bleibt. Um dieses zu erreichen und der zunehmenden Geldfülle im Lande zu steuern, erscheint es mir nicht notwendig, die Frage einer inneren dänischen Geldabschöpfung mit der Frage zu verquicken, ob aus dieser Abschöpfung ein Kriegslastenbeitrag Dänemarks gewonnen werden soll. Während das letztere vermutlich in Dänemark auf regulärem Wege nicht zu erreichen sein wird, kann ich mir denken, das für das erstere durchaus eine aufzunahmebereite Stimmung gefunden werden könnte. Ich glaube außerdem, daß der vorhandene dänische Finanz- und Steuerapparat in der Lage sein müßte, eine solche Abschöpfung durchzuführen, die gleicherweise der Stärkung der eigenen dänischen Wirtschaft als auch der deutschen Wehrmacht und der deutschen Ernährungswirtschaft dienlich wäre. Ich darf Sie bitten, Ihr Augenmerk auf diese Möglichkeit besonders zu lenken und dem Reichsbevollmächtigten in Dänemark entsprechende Weisung zu geben.

Die deutsche Wehrmacht hat ihrerseits durch Einschränkung der Ausgaben und Beteilung an der Preis- und Lohnprüfung das ihr Mögliche getan, um inflationistischen Neigung entgegen zu wirken. Die Baupreisregulierung durch einen besonderen Generalingenieur halte ich nicht für erforderlich, nachdem der Oberbefehlshaber Dänemark (Wehrmacht-Intendant) in der Lage ist, auf dem Wehrmachtsektor diese Aufgabe zu erfüllen.

Den Ausführungen des Reichsbevollmächtigten Dr. Best in seinem Telegramm vom 30.11.44[122] kann dabei auch von mir nur beigetreten werden.

Wichtig ist nur, daß alle Stellen einschl. der OT in Dänemark, die im Wehrmachtinteresse arbeiten und daher von der Wehrmacht geldmäßig zu versorgen sind, sich diszipliniert an die Bewirtschaftungs- und Preis- und Lohnrichtlinien des OB Dänemark halten.

Heil Hitler!
Ihr ergebener
Keitel

13. Günther Pancke: Dienstanweisung Nr. 1, 8. Januar 1945

HSSPF indledte det nye år med at indskærpe først arbejdstiden, dernæst sin ordre fra 3. august 1944 om, at der altid skulle være to personer i de tyske biler på grund af faren for overfald, og at passageren skulle sidde med skudklart våben. OKW havde gjort opmærksom på, at oplysninger om overløbere skulle videregives til RSHA. Tyske vagter ved baneanlæg havde i den seneste tid foretaget skydeøvelser med betydelige ødelæggelser på det tekniske udstyr til følge. Disse skydninger måtte ophøre og øvelser foretages i afstand fra banelegemet.

Kilde: BArch, R 70 Dänemark 11.

15. Jan. 1945 [afskriftens dato]
Der Höhere SS- und Polizeiführer   *Kommandostelle, den 8.1.1945*
in Dänemark

---

122 Telegram nr. 1343, trykt ovenfor.

Dienstanweisung Nr. 1/45
[~~Tagesbefehl Nr. 28~~]

1.) Dienstzeitregelung.
Ab sofort befehle ich für die Dienststellen meines Befehlsbereichs folgende Arbeitszeit:
   Montag bis Freitag 8.00-18.00 Uhr
   Sonnabends   8.00-14.00 Uhr
   Sonntags   9.00-12.00 Uhr.

2.) Fahrten mit Kraftfahrzeugen.
Im Nachgang zu meinem Tagesbefehl Nr. 16 vom 3.8.44[123] ordne ich zum Schutz gegen die in letzter Zeit stattgefundenen Überfälle auf deutsche Kraftfahrzeuge, daß Fahrten mit Kraftfahrzeugen stets mit einem Begleiter durchzuführen sind. Die Insassen der Kraftfahrzeuge müssen ausreichend bewaffnet sein. Die Waffen sind schußbereit zu halten, um bei klar erkannten Angriffsabsichten sofort das Feuer eröffnen zu können.

3.) Maßnahmen gegen Überläufer.
OKW hat erneut auf die Maßnahmen gegen Überläufer hingewiesen und befohlen, daß die genauen Personalangaben der Überläufer sowie ihrer nächsten Angehörigen auf dem Dienstwege dem Reichssicherheitshauptamt zuzuleiten sind.

4.) Übungen an Bahnanlagen.
In letzter Zeit haben Wach- und Streifenposten mutwillig auf Signalscheiben, Leitungsmasten, Isolatoren und Brückenteile geschossen und dabei Bahnanlagen beschädigt. Es ist sogar ein Beschießen deutscher Eisenbahnbeamter gemeldet worden. Weiter sind Streckensperrungen von 2-5 Stunden durch Übungs-Handgranatenwerfen in der Nähe von Bahnanlagen verursacht worden. Die Detonationen haben das Eisenbahnpersonal Sabotageanschläge vermuten lassen, worauf der Betrieb eingestellt wurde.

Die Truppe ist sofort über Verhalten in der Nähe von Bahnanlagen zu belehren, insbesondere auf die evtl. eintretenden schweren Folgen mutwilliger Schießereien nachdrücklichst hinzuweisen. Jede beabsichtigte Übung in der Nähe von Bahnanlagen ist ab sofort über die zuständige territoriale Kommandobehörde der Transportkommandantur 24 Stunden vor Beginn der Übung einzureichen.

5.) Kennzeichnung der deutschen Jagdgeschwader.
Ab sofort sind die zur Reichsluftverteidigung eingesetzten Jagdverbände mit einem 90 cm breiten ringförmigen Streifen um den Rumpf gekennzeichnet. Die Streifen sind einfarbig oder zweifarbig (z.B. rot oder rot-weiß oder rot-weiß-rot). Belehrung der Angehörigen der Dienststellen und Einheiten hat zu erfolgen.

gez. **Pancke**
SS-Obergruppenführer und General der Polizei

---

123 Dagsbefalingen er ikke lokaliseret.

14. Werner Best an das Auswärtige Amt 8. Januar 1945

Best havde med værnemagtsintendanten i Danmark aftalt, at clearingkontoen månedligt skulle overskrides med 525.000 RM i kontant udbetalte beskyttelsesudgifter. Derved forblev det skjult for danskerne, hvad midlerne anvendtes til. Samtidig bad han igen om at få tilbagebetalt det store forskud, som han havde ydet.

Hermed var der lavet en ordning, så de danske myndigheder ikke fik at vide, at udgifterne til Waffen-SS' forsorgsofficer i Danmark var blevet kraftigt forøget. Best havde formelt set vundet magtkampen. Den konto, han direkte skulle forhandle om med danskerne, var ganske vist blevet forøget med en større udgift, men det var sket på en måde, så han ikke behøvede at fortælle danskerne, hvad de forøgede midler blev brugt til.

Kilde: PA/AA R 100.989.

Telegramm

Kopenhagen, den	8. Januar 1945	19.59 Uhr
Ankunft, den	8. Januar 1945	21.05 Uhr

Nr. 31 vom 8.1.[45.]   Geheim

Vorgang: Erlaß Ha. Pol. 6252/44 g vom 23.12.1944.[124]

Mit dem Wehrmacht-Intendanten ist vereinbart worden, daß die den Clearing-Pauschalbetrag vom 525.000 RM monatlich überschreitenden Kosten aus Schutzkosten bar gezahlt werden. Dadurch wird vermieden, daß Offenlegung des Verwendungszweckes im einzelnen verlangt werden kann. Der Wehrmachtintendant wird das Oberkommando der Wehrmacht in diesem Sinne unterrichten.- Ich bitte nunmehr, das OKW zu veranlassen, daß Wehrmachtintendant eine entsprechende Weisung baldigst erhält, in der auch die Rückzahlung des von mir geleisteten, mit Telegramm Nr. 1363[125] vom 6.12.44 gemeldeten Vorschusses, der sich inzwischen auf 1.468.968 Kr. erhöht hat, vorgesehen wird.

Dr. Best

Vermerk:
Inl. II hat Abdruck erhalten.
Tel. Ktr.

---

124 Trykt ovenfor.
125 bei Inl. II. Trykt ovenfor.

15. Eberhard von Thadden an Werner Best 9. Januar 1945

Best havde 17. oktober spurgt, om betalingen til Lorenz Christensen skulle fortsætte. Det fik han i første omgang ikke svar på. AA spurgte i stedet 2. december Best om en afskrift af akterne vedr. Christensen, og fra gesandtskabet blev der 19. december igen spurgt, om betalingerne skulle fortsætte. Det førte til dette svar af von Thadden, hvorefter enten Best måtte betale direkte af sine midler eller lade det ske via DWI.

Sagsgangen og svaret vidner om, at AA til dels havde mistet grebet om situationen. Flytningen af statslige arkiver fra Berlin, ødelæggelse af arkiver og personaleindskrænkninger i AA gjorde tilsammen sagsbehandlingen besværligere (om Lorenz Christensen se Best til AA 17. oktober 1944).

Kilde: RA, pk. 220. LAK, Frits Clausen-sagen XI/111.

Berlin, den 9. Januar 1945.

Auf den Bericht von 17.10.1944[126]
Soweit hier bisher festgestellt werden konnte, liegt der Zahlungsanweisung vom 16. März 1942 an Christensen folgender Tatbestand zugrunde.

Die Volksdeutsche Mittelstelle hatte Christensen ein Stipendium für Anfertigung einer Arbeit über den Einfluß des Judentums in Dänemark gegeben. Aus diesem Stipendium sollten bis zu seiner Erschöpfung monatlich 450,– RM an Christensen zur Auszahlung gelangen. Nach Mitteilung der Volksdeutschen Mittelstelle, die Genaueres ihrerseits durch Totalverlust ihrer Akten nicht anzugeben vermag, soll das Stipendium Ende 1943 abgelaufen sein, so daß an Christensen von diesem Zeitpunkt an einzustellen gewesen wären.

Da weiterhin Zahlungen an Christensen geleistet werden, hätte es demgemäß aus Mittel des Reichsbevollmächtigten oder des Deutschen Wissenschaftlichen Institut für die vom Christensen geleistete Arbeit zu erfolgen.

Im Auftrag
gez. v. **Thadden**

16. Seekriegsleitung: Betr. Beschlagnahme von Kränen und Docks in Dänemark 9. Januar 1945

Seekriegsleitung noterede sagens gang med hensyn til beslaglæggelser i Danmark: Efter at Best af Ribbentrop havde fået ordre til at beslaglægge dokker og kraner i Danmark, var der opstået uklarhed om, hvilke det skulle dreje sig om. Derfor havde Best sat sig i forbindelse med repræsentanten for Hauptausschuß Schiffbau i Danmark, der havde erklæret, at beslaglæggelsen af dokker og kraner i Danmark ville gøre mere skade end gavn. Derfor ville AA sætte sig i forbindelse med direktør Merker fra Hauptausschuß Schiffbau for at få at vide, hvad der videre skulle ske.

Se AA til Seekriegsleitung 22. januar 1945.
Kilde: BArch, Freiburg, RM 7/1816. RA, Danica 203, pk. 38, læg 461.

Neu B. Nr. 1/Skl. I ca /45 g.Kdos.   *Berlin, den 9.1.1945*
Geheim!   Kommandosache!
Vfg.

---

126 Trykt ovenfor.

Betr.: Beschlagnahme von Kränen und Docks in Dänemark.

I.) Vermerk:
9.1. Anruf AA (Gesandter Martius): er sei vom RAM beauftragt worden, sich für die Weiterverfolgung der Angelegenheit zur Verfügung zu stellen. Inzwischen habe sich nämlich folgendes ereignet:

Nachdem das AA auf Weisung des RAM den Reichsbevollmächtigten in Dänemark angewiesen habe, die vom Hauptausschuß Schiffbau mit Unterstützung des Ob.d.M. gewünschte Beschlagnahme der Kräne und Docks in Dänemark durchzuführen, habe zunächst Unklarheit darüber bestanden, welche Objekte im Einzelnen gemeint seien. Daraufhin habe sich der Reichsbevollmächtigte mit dem Vertreter des Hauptausschusses Schiffbau in Dänemark in Verbindung gesetzt, um zu erfahren, welche Objekte und wo diese beschlagnahmt werden sollten. Der Vertreter des Hauptausschusses Schiffbau habe erklärt, er könne die Beschlagnahme der Kräne und Docks nicht gutheißen, da seiner Ansicht nach die Beschlagnahme dieser Gegenstände die Interessen des Hauptausschuß Schiffbau in Dänemark schwerer schädige, als sie in Deutschland nützen würde.

Das AA beabsichtigt, sich nunmehr mit dem Direktor Merker des Hauptausschuß Schiffbau in Verbindung zu setzen, um zu erfahren, was geschehen solle.

II.)
I c i.A.
I ca

17. Werner Best an das Auswärtige Amt 10. Januar 1945
Best fremsendte endnu et nummer af "Meldungen aus Dänemark" omfattende ugen op til 5. januar 1945. Den blev nu ikke længere underskrevet af Bovensiepen, men i stedet af stedfortræderen SS-Sturmbannführer Zechenter. Der blev i dette nummer gjort bemærkelsesværdigt meget ud af lederen af DNSAPs førerråd, C.O. Jørgensens nytårsartikel, herunder de samlingsbestræbelser, der blev lagt op til inden for det nazistiske miljø. Det var et tydeligt signal om, at besættelsesmagten havde opgivet alle tidligere forsøg på at eliminere DNSAP.
Kilde: PA/AA R 101.041. RA, pk. 233

Der Reichsbevollmächtigte in Dänemark   *10. Januar 1945.*
II 2 – 183

An das Auswärtige Amt
    Berlin.

Betr.: Die "Meldungen aus Dänemark" des Befehlshabers der Sicherheitspolizei und
       der SD in Kopenhagen.
– 3 Anlagen –

In der Anlage wird die Nr. 10 der "Meldungen zur Dänemark" des Befehlshabers der

Sicherheitspolizei und der SD in Kopenhagen vom 5. Januar 1945 in dreifacher Ausfertigung mit der Bitte um Kenntnisnahme übersandt.
gez. **Dr. Best**

Der Befehlshaber der Sicherheitspolizei und des SD in Dänemark
III C 4
Pe./Wes.

Kopenhagen, den 5. Januar 1945.

Geheim!

M e l d u n g e n   a u s   D ä n e m a r k
Nr. 10

Vorliegender Bericht ist nur persönlich für den Empfänger bestimmt und enthält Nachrichtenmaterial, das der Aktualität wegen unüberprüft übersandt wird.

Verteiler: [Se Meldungen aus Dänemark Nr. 3 (Best til AA 22. november 1944)]

1.) Allgemeine Stimmung:
Schon die erste Rundfunkkunde von der persönlichen Ansprache des Führers hatte innerhalb der dänischen Bevölkerung eine große Spannung ausgelöst. Die vielen Gerüchte, die um die Person des Führers durch die Lande schwirrten, waren ohne jede Frage ein wichtiger Bestandteil der Illusionen gewesen, mit denen auf der Gegenseite der sichere Zusammenbruch des deutschen Volkes noch für das Jahresende vorausgesehen worden war. Die aufgetretene Behauptung, daß es sich um eine alte Grammophonplatte handele, wurde durch die neuen Daten, die der Führer anführte, und durch seine Erwähnung der Geschehnisse der letzten Zeit widerlegt. Mehr als sonst saßen die Dänen an ihren Geräten, um die Rede abzuhören. Daß auch seitens deutschfeindlicher Personen reger Anteil an den Ausführungen des Führers genommen wurde, geht aus den zahlreichen Diskussionen über die Rede des Führers hervor. So z.B.: "Ein letztes Aufpeitschen" oder "Die Rede enthielt nichts Neues über den Krieg," "Warum stellte Hitler keine Prognose über das Kriegsende?" und "Warum enthielt die Rede keine Ausführungen zum derzeitigen Kriegsgeschehen im Westen?" Eindeutig wurde als Auswirkung der Rede festgestellt, daß das erwartete Kriegsende in weite Ferne gerückt ist. Viele Dänen sind sich in ihrer Einstellung nicht mehr klar darüber, wie der weitere Verlauf des Krieges sein wird. In den deutschfreundlichen und nationalsozialistischen Kreisen herrschte große Freude über die Ausführungen des Führers. Man hat wieder neuen Mut gefaßt und sieht den kommenden Dingen mit Ruhe entgegen. Vielfach wurde der Meinung Ausdruck gegeben, daß der Führer bis Ende des Jahres, spätestens Anfang 1946, das siegreiche Kriegsende erwarte.

Die deutsche Offensive im Westen wird weiterhin mit Spannung verfolgt. Es sind noch viele der Ansicht, daß es den Amerikanern gelingen wird, die Deutschen zurückzuwerfen. Doch gibt es auch genügend Stimmen aus Gegnerkreisen, die einen Sieg der Deutschen nicht mehr für ausgeschlossen halten. Die neugestartete deutsche Offensive aus dem Saarpfalz-Gebiet ließ die Bevölkerung erneut aufhorchen. Auch sie hat dazu beigetragen, die Hoffnung auf eine deutsche Kapitulation abzuschwächen.

Sensationell wirkte die Meldung über die Vernichtung von 579 alliierten Flugzeugen. Wenn auch die Anzahl der vernichteten Flugzeuge angezweifelt wurde, so ist man doch allgemein der Ansicht, daß die deutsche Luftwaffe wieder im Kommen ist.[127]

Stehen auch viele Dänen der Wirkung der V-Waffen skeptisch gegenüber, so haben die Pressemeldungen aus Amerika, daß man dort in zehn bis zwanzig Jahren mit dem Beschuß von Robot-Bomben rechnet, ihre Wirkung nicht verfehlt.

Da es den Bolschewisten bislang nicht gelungen ist, Budapest einzunehmen, macht sich in Teilen der Bevölkerung eine Enttäuschung darüber bemerkbar. Viele hatten mit dem Fall der ungarischen Hauptstadt spätestens zum Jahresende gerechnet.[128]

Die kommunistische Gefahr wird mehr erkannt. In den besser gestellten Kreisen befürchtet man, daß zwischen Schweden und der Sowjetunion geheime Abmachungen getroffen worden sind, durch die auch Dänemark betroffen wird. Allgemein kann man eine Abkühlung der Sympathien zu Schweden feststellen. Das Verhalten der Engländer gegenüber den Griechen hat das Vertrauen zu England weiter erschüttert. Eine "Befreiung" durch die Engländer stellt man sich nun etwas anders vor als vor einiger Zeit.[129]

In weiten Schichten der dänischen Bevölkerung wird wieder einmal mit einer bevorstehenden feindlichen Invasion gerechnet. Als Termin der Besetzung Kopenhagens wird der 1. Februar 1945 genannt.

Die Sylvesternacht ist im ganzen Lande ruhig verlaufen. Die meisten Restaurants schlossen bereits in den Abendstunden, so daß sich die Feiern in der Hauptsache in den Familien abspielten.

2.) Presse und Rundfunk:
Die Rede des Führers wurde in allen Zeitungen in großer Aufmachung gebracht. Auch die Neujahrswünsche deutscher führender Persönlichkeiten fanden gute Beachtung. Recht lebhaft beschäftigte sich die Presse sowohl mit den Ereignissen an der Westfront als auch an der Ostfront und den Kämpfen um Budapest. "Berlingske Tidende" schrieb am 29. Dezember, daß der deutsche Druck in den beweglichen Kämpfen an der Westfront im Steigen ist. Nach zwölf Tagen hätten die Kämpfe ihren Höhepunkt erreicht und sich als eine Abnutzungs- und Materialschlacht ersten Ranges erwiesen. "Politiken" vom 30. Dezember hob hervor, daß von beiden Seiten ungefähr eine halbe Million Soldaten und mehrere tausend Panzer in der gewaltigen Bewegungsschlacht in den Ardennen eingesetzt sind.

Die Strategie von General Eisenhower verfolge angeblich zwei Ziele, zum einmal

---

127 Den sensationelle melding om, at 579 allierede fly var ødelagt ved et luftslag over Holland og Belgien blev bragt nytårsdag. Den tyske censur havde krævet, at alle danske dagblade, der abonnerede på Skandinavisk Telegrambureau, skulle bringe telegrammet med meddelelsen (*Information* 4. januar 1945). Det var et tysk forsøg på at påvirke opinionen, som givetvis virkede mod hensigten, selv om de allierede havde fået ødelagt næsten 500 fly.

128 Budapest blev indtaget 11. februar 1945.

129 England støttede den indsatte eksilregering i Grækenland efter den tyske rømning og tog kampen op med den kommunistiske græske modstandsbevægelse. Det vakte vrede i venstrefløjsopinionen, såvel i England og USA som i Danmark.

ein weiteres deutsches Vordringen zur wichtigen Meuse-Linie zu verhindern und zum andern den deutschen Einbruch einzudrücken und abzuschneiden. "Fädrelandet" vom gleichen Tage schrieb, daß die wechselvollen Kämpfe den deutschen Vorstoß gewissermaßen zum Stehen gebracht hätten, daß aber das erste deutsche Ziel, einen Angriffskorridor zu bilden, erreicht sei. Am 31. Dezember war das Allgemeininteresse auf die Kämpfe an dem Südflügel der Offensivfront gerichtet. Eingehend wurde von den Kämpfen um Bastogne und den Versuchen der Amerikaner, die Stadt zu entsetzen, berichtet. Am 2. Januar schrieb "Socialdemokraten," die Hauptkräfte an der Ardennenfront seien in einer verbissen durchgeführten Panzerschlacht verwickelt. Die Lage an dem Nordflügel sei im wesentlichen stationär, während der Hauptdruck des amerikanischen Gegenstoßes auf dem Südflügel liege.

Stärk hervorgehoben wurde in diesen Tagen der Luftkrieg. "Berlingske Tidende" schrieb, daß auf beiden Seiten alle zur Verfügung stehenden Luftverteidigungskräfte eingesetzt sind, um den Nachschubdienst des Gegners zu erschweren. Die große Luftschlacht über Belgien wurde als die größte Operation der deutschen Luftwaffe seit Beginn der Offensive beschrieben. Große Beachtung fanden auch die Meldungen vom 3. Januar, daß größere Teile der Westfront durch eine neue deutsche Offensive wieder in Bewegung geraten sind. "Nationaltidende" und "Socialdemokraten" u.a. hoben stark hervor, daß Bastogne weiter als Schwerpunkt der Kämpfe anzusehen ist und von der Grenze zwischen dem Elsaß und Lothringen, beiderseits Bitsch und anderen Frontabschnitten Nachrichten von steigender Kampftätigkeit vorliegen.

Die Kämpfe an der Ostfront, im Abschnitt Ungarn, wurden von den Zeitungen als pausenlos beschrieben, wobei die Kämpfe um die innere Verteidigungszone der Stadt Budapest und der zähe deutsch-ungarische Widerstand stark unterstrichen wurden. "Socialdemokraten" vom 30. Dezember und "Berlingske Tidende" vom 31. Dezember u.a. schrieben: "Der innere Verteidigungsring in Budapest hält stand. Eine Mauer von Minen, Handgranaten, Bajonetten und Maschinengewehren begegnet die sowjetrussischen Formationen, die versuchen, sich einen Weg durch den inneren Verteidigungsring zur Mitte der großen Stadt zu erzwingen." In der Schilderung über Budapest als ein brennender Haufen von Ruinen waren sich alle Zeitungen einig.

Die Offensive und die Kämpfe in Kurland fanden nur vorübergehende Erwähnung. "Fädrelandet" unterstrich am 31. Dezember, daß die großen Verluste an Kampfwagen die Sowjets zu einer neuen Angriffstaktik gezwungen haben. Die deutschen Gegenangriffe in Italien wurden als Auftakt einer verstärkten deutschen Kampftätigkeit in Italien gewertet.

Im übrigen war die Haltung der Tagespresse nicht zu beanstanden. In verstärktem Masse befaßte man sich mit der Jahreswende und mit Übersichtsberichten aus der Arbeit dänischer Organisationen und dem Leben der Stadtverwaltungen. Allgemein wurde der Hoffnung Ausdruck gegeben, daß das Jahr 1945 den Frieden bringen möge.

"Hejmdal," Apenrade, brachte in seiner Neujahrsnummer einen Leitartikel mit der Überschrift: "All das, was vor uns liegt," worin es zum Schluß heißt: "Unser Schicksal liegt vor uns." Das dänische Volk sieht all den unbekannten Möglichkeiten frei und offen ins Auge. Sie können schwere Belastungen bringen, aber wir haben starke Schultern durch das Gewicht der Kriegsjahre bekommen. Wir können mit Vertrauen in die

Zukunft schauen, denn wir haben die Gewißheit, daß wir nicht versagten und durch die hinter uns liegenden fünf Jahre treu geblieben sind."

In einer Reihe jütländischer Tageszeitungen wurde während der letzten Dezembertage 1944 eine "öffentliche Bekanntmachung" publiziert. Sie betraf das Arbeitsverhältnis zwischen den dänischen Unternehmern und Arbeitern einerseits und der deutschen Wehrmacht und OT anderseits. Die Bekanntmachung war vom Innenministerium unterzeichnet. Einige Tage später wurde die Bekanntmachung vom dänischen Innenministerium als eine Fälschung bezeichnet. Ohne Zweifel wurde die Bekanntmachung von illegaler Seite in die Presse lanciert, um unter den für die deutsche Wehrmacht tätigen Unternehmern und Arbeitern Unruhe zu stiften und sie zur Arbeitseinstellung zu zwingen.[130]

Wie vertraulich bekannt wird, ist man bei den dänischen Tageszeitungen mit der Zensurbestimmung über die einheitliche Aufmachung des Wehrmachtsberichtes unter der gemeinsamen Überschrift "Der deutsche Wehrmachtsbericht" zufrieden. Man sieht hierin eine günstige Gelegenheit, den Lesern zu zeigen, wie man von deutscher Seite die Presse nach deutschem Muster herzurichten gedenkt und den Inhalt der Zeitungen langweilig zu machen versuche. Man habe eine Chance erhalten, den Lesern ein Bild deutscher Pressepolitik zu geben.[131]

Die Verbreitung der illegalen Presse war in der Berichtswoche gering.

Das Interesse der dänischen Bevölkerung am dänischen Rundfunk ist im Ansteigen begriffen. Die Pressesendungen werden als deutsches Produkt bezeichnet, werden aber doch gehört, weil sie interessante Neuigkeiten für die sonst nicht politisch interessierten Personen bringen. Die Amerikaner haben eine Reihe fernliegender europäischer Rundfunkstationen verstärkt, so daß einige Stationen die deutschen Sender übertönen. Die deutschen Rundfunksendungen auf dänisch sind daher schwer zu hören.

Den vertraulichen Mitteilungen der Hauptleitung der Sozialdemokratie zur Folge soll sich im Odins-Turm in Odense ein Störsender befunden haben. Der Turm sei deshalb in die Luft gesprengt worden.[132]

Der dänische Sprecher Prior, der am 19. September 1944 nach Schweden flüchtete, spricht jetzt im englischen Rundfunk.[133]

3.) Innerpolitisches:
Die zunehmende Steigerung der Sabotage erregte in der Bevölkerung weitere Unruhe. Deutscherseits werde nichts ernstes unternommen, um die Sabotagen, die meistens zum

---

[130] Den falske bekendtgørelse og Esbjergpressens behandling af "visse locale Nyheder" førte til, at tysk politi krævede at udøve censur, så snart bladene var udkommet. Bladene havde givet en for iøjnefaldende omtale af tyskarbejdende og tyskbetalte danskeres bedragerier (*Information* 27. december 1944).

[131] Der var 23. december udgået det krav fra den tyske censur, at den tyske værnemagtsberetning hver dag skulle bringes i sin helhed af samtlige blade – på forsiden, 2-spaltet og uden mellemrubrikker (Bindsløv Frederiksen 1960, s. 448). Kravet vakte ikke tilfredshed i dansk presse, men i det mindste var det helt klart for læserne, hvad det drejede sig om. Der skete en yderligere skærpelse af kravet i marts 1945, se Meldungen aus Dänemark Nr. 18, 2. marts.

[132] Odinstårnet blev 14. december 1944 sprængt i luften af Peter-gruppen (Hæstrup 1979, s. 405, Bøgh 2004, s. 181, tillæg 3 her).

[133] Daniel Prior.

Schaden des eigenen Landes verursacht werden, auszuschalten. Auch die politischen Morde finden immer stärkere Ablehnung, besonders bei der Landbevölkerung. Äußerungen, wie "so etwas war früher im Lande nicht üblich und wäre auch jetzt nicht notwendig," hörte man des öfteren. Gegnerkreise befürworten beide Arten der Attentate. Dadurch werde verhindert, daß die Anglo-Amerikaner Dänemark bombardierten.[134]

Zu den dänischen Wachkorps hat man nach wie vor wenig Vertrauen. Man rechnet damit, daß sie früher oder später von den Deutschen wieder aufgelöst werden, da viele unlautere Elemente in diesen Korps Dienst machten. Viel wird auch von einer baldigen Auflösung der CB-Organisation gesprochen. Der Grund sei darin zu suchen, um im Falle einer Invasion den Feinden zu helfen. Der gesamte Luftschutzapparat werde von den Deutschen übernommen.

Die Beschlagnahme des Hotels "Phoenix" in Viborg durch die deutsche Wehrmacht hat in der Stadt große Unzufriedenheit hervorgerufen. "Phoenix" sei das erste Hotel am Platze und für eine große Anzahl lokaler Vereine der einzige Versammlungsort. Andere und geeignetere Gebäude seien in Viborg genug vorhanden.[135]

In Odense hat die Erschießung des Schauspielers Bent von Müllen am 29. Dezember die Bevölkerung erregt. Über die Gründe der Ermordung ist man sich nicht im klaren. Einige behaupten, der sei sehr deutschfeindlich, andere wieder, von Müllen sei ein Spitzel der deutschen Polizei gewesen.[136]

Als eindeutige "Schalburgtage" wurden die in Kerteminde und Faaborg durchgeführten Zerstörungen in den Hauptgeschäftsstraßen angesehen.[137]

Auf Fünen laufen Gerüchte, wonach man deutscherseits beabsichtigt, den Bahnverkehr über den großen Belt ganz zu sperren. Außerdem soll ein Sonntagsreiseverbot ähnlich wie in Deutschland, erlassen werden. Weiter sei für alle Reisen über 30 km in Zukunft eine besondere Erlaubnis von deutschen Stellen notwendig. Entsprechende Verhandlungen zwischen deutschen Stellen und der dänischen Staatsbahn hätten bereits stattgefunden.

Ein erneuter Mordversuch an dem früheren SS-Freiwilligen Johannes Madsen, Lomby, am Montag, den 2. Januar 1945, hat in dänischen nationalsozialistischen Kreisen Bestürzung hervorgerufen. Man nimmt an, daß der Mordversuch mit dem Mordanschlag auf den SS-Untersturmführer Larsen, dem eine Liste seiner Mitarbeiter in der Wohnung entwendet wurdet zusammenhängt.[138]

---

134 Påstanden om, at sabotagen hindrede eller gjorde, at Danmark undgik allierede luftangreb, har holdt sig til 2005 (Giltner 1998, s. 164, Bundgård Christensen m.fl. 2005, s. 381), selv om det er blevet dokumenteret i 1988, at det ikke var tilfældet (Skov Kristensen m.fl. 1988, s. 393-408).

135 "Hotel Phønix" i Viborg lå ved hovedgaden og i forvejen var to andre hoteller beslaglagt, hvorfor man i byen prøvede at undgå den beslaglæggelse, der 8. december blev taget skridt til. Det ville være generende for færdslen, hvis fortovet foran hotellet skulle afspærres. Da der imidlertid skulle findes anden indkvartering, hørte enigheden i byen op, og hotellet blev beslaglagt (KB, Herschends dagbog 8. december 1944 og senere i måneden).

136 Bent von Müllen blev likvideret af Peter-gruppen 29. december (Hæstrup 1979, s. 404, 419, Bøgh 2004, s. 184, tillæg 3 her).

137 Det var Peter-gruppen, der stod for schalburgtagerne i Kerteminde og Fåborg 30. december (Bøgh 2004, s. 185, tillæg 3 her).

138 Danske nazistiske kredse var stærkt foruroligede på denne tid pga. frygt for likvidering alene for et nazistisk tilhørsforhold.

Nach einer in Odense vorliegenden Mitteilung hat Popp-Madsen die führenden Persönlichkeiten von "Dansk National Samling" zum 14. Januar 1945 nach Kopenhagen gerufen. In dem Einladungsschreiben heißt es, daß eine völlig veränderte politische Situation in Dänemark eingetreten ist. Das Einladungsschreiben hat in Kreisen der "Dansk National Samling" Anlaß zu verschiedenen Gerüchten gegeben. So wird u.a. behauptet, daß der DNSAP nunmehr von deutscher Seite die finanzielle Unterstützung entzogen wurde.[139]

Nach einer weiteren Mitteilung beabsichtigt Axel Höyer, ab 1. Januar 1945 seine antikommunistische Vereinigung als Landesorganisation für ganz Dänemark auszubauen. Axel Höyer werde der Mann sein, der die ganzen nationalsozialistischen Gruppen einigen werde. Er sei in der Lage, mit Leichtigkeit 50.000 Mitglieder zu sammeln.[140]

Die Häufung der Todesfälle der in Deutschland internierten dänischen Polizisten erregten weiter Aufsehen. Verschiedene Zeitungen (u.a. "Sydvestjylland" vom 28. Dezember) brachten einen Artikel aus "Finanstidende," in welchem es u.a. heißt: "Die Zeitungen bringen zurzeit zahlreiche Todesanzeigen und Nekrologe über dänische Polizeimänner. In ihrem besten Alter sind sie von ihrem Lebenswerk und Heim weggerissen worden. Dazu kommen jetzt die unmotivierten und unverdienten Sterbefalle, die so meinungslos vorkommen."

In dem Kampfblatt der Nationalsozialisten in Dänemark, "Nationalsocialisten," vom 29. Dezember 1944 schrieb der Leiter des DNSAP-Führerrates, C.O. Jörgensen, einen Artikel "DNSAP beim Jahreswechsel," der auch in nationalsozialistischen Kreisen großes Aufsehen erregte.[141] Jörgensen erwähnte einleitend, daß der Kampf zwischen den aufbauenden und zerstörenden Kräften, zwischen Asen und Riesen, ausgetragen werde, der für die menschliche Geschichte entscheidend sei. Es bestehe die Möglichkeit, daß die Kultur der weißen Rasse, besonders der Germanen, des nordischen Menschen, der Barbarei Asiens weichen müsse. Als einziges Bollwerk gegen diese fürchterliche Entwicklung stehe Gross-Deutschland. Juden und ihre Handlanger hätten es fertiggebracht, das Gift der Zwietracht und des Hasses in die europäischen Völker zu bringen, die sich ihrer Mission nicht bewußt seien. Größere Teile der dänischen Bevölkerung hätten im voraus eine Meinung gefaßt, nämlich, nicht selbst denken zu müssen. Die Mehrzahl sei blind in einem törichten Haß gegen Deutschland. Fehlende Fähigkeit, die großen Linien zu sehen und zu verstehen, sei die Ursache dieses Komplexes. Hierin liege der große Unterschied zwischen den dänischen Nationalsozialisten und dem größten Teil der übrigen Bevölkerung. Auch die Nationalsozialisten wünschten, daß Dänemark ein freies Land sein soll, das später Mitglied des vereinten Europas werden kann. Deutlich sei erkannt worden, daß Deutschland die Rettung bedeute und daß das vereinte Europa sein Ziel sei. Deshalb sei der Kampf Deutschlands auch der Kampf der DNSAP, der eigentlich der Kampf ganz Dänemarks, ja, aller Germanen sein müßte.

Es sei erfreulich, zu sehen, daß der größte Teil der Mitglieder der DNSAP trotz Zersplitterungsversuche zusammenhielte. Die Zersplitterung sei eine Reinigung gewe-

---

139 På dette tidspunkt nød DNSAP kun en beskeden økonomisk støtte gennem tysk annoncering, mens Dansk National Samling var tysk finansieret. Se Berger til Himmler 24. januar 1945.
140 Denne påstand taler for sig selv.
141 Om artiklen se Lauridsen 2003b, s. 388.

sen. Nationalsozialismus bedeute Volksgemeinschaft und, daß der Gemeinnutz dem Eigennutz vorausgehe. Wenn die übrige Bevölkerung nicht diese Auffassung von den Nationalsozialisten hätte, seien die Nationalsozialisten zum größten Teil selbst daran schuld, und zwar deshalb, weil die Führung nicht von Anfang an die Mitglieder ausschied, die sich an der Volksgemeinschaft versündigten. Oft hätten sich Menschen Nationalsozialisten genannt, ohne eine Einstellung davon zu haben, was der Nationalsozialismus bedeute. Dieses gelte nicht nur für Dänen. Die Hauptforderung dieser Leute sei Machtübernahme, Drohung und Gewalt gegen Landsleute, ein negativer Rachekomplex anders Denkenden gegenüber gewesen. Glücklicherweise sei die DNSAP von solchen Elementen befreit.

Innerhalb der DNSAP werde jeder verachtet, der als Spitzel auftritt. Würde einer gefunden, so werde er sofort hinausgeworfen. Die Nationalsozialisten seien auch Gegner der Gewalt und des Terrors. Ihrer Ansicht nach führten sie nicht zum Guten. Es sei immer gefährlich, das Rechtsbewußtsein eines alten Kulturstaates zu verletzten; denn die dadurch geschlagenen Wunden heilten nur schwer.

Jörgensen führte dann weiter aus, daß mit Sorge die Verhältnisse im eigenen Lande betrachtet würden. Die Mitglieder der Regierungen und andere hätten ihre Pflicht dem Lande und der Bevölkerung gegenüber verletzt, überall habe man den Eindruck, daß man sich um jeden Preis von der persönlichen Verantwortung befreien wolle. Hoffentlich sei dieser Eindruck nicht richtig. Es werde aber sehr bedauert, daß man nicht eine so kluge und verantwortungsbewußte Linie verfolge, wodurch es hätte vermieden werden können, heute ohne eine offizielle dänische Regierung und ohne dänische Polizei zu sein. Stark bedauert würden die Zersplitterungsversuche, die immer wieder stattfänden, so z.B. die von einer bestimmten Seite und von einer bestimmten Presse gehässigen Versuche, das gute Verhältnis zwischen Stadt und Land zu untergraben. Doppelt müsse bedauert werben, wenn ein Blatt, das angeblich Kreise vertritt, die für die Volksgemeinschaft eingehen, aus der Rolle fällt, nur, um eventuellen Lesern zu schmeicheln, um Klassenhaß sowohl in Worten als auch in Bildern in zu predigen. Man bekomme den Eindruck, daß alte marxistische Leiter vergessen hätten, sich zum Nationalsozialismus bekehrt zu haben.

Zum Schluß seiner Ausführungen erwähnt Jörgensen den Gegensatz zwischen Marxismus und Nationalsozialismus. Die Einstellung des großen geistigen Führers Grundtvig ähnele sehr der des Nationalsozialismus. Grundtvig habe ebenso wie die Nationalsozialisten erkannt, daß materiellem Fortschritt eine geistige Weckung vorangehen müsse. Das Ziel der DNSAP sei nicht in erster Linie die Machtübernahme oder Regierungsbildung. Die Grundlage hierfür sei erst vorhanden, wenn die nationalsozialistische Idee in großen Teilen der Bevölkerung Widerhall fände. Das Ziel sei nur zu erreichen, wenn jedes Mitglied seine Pflicht erfülle. Das ganze Bestreben müsse darauf ausgehen, das Vertrauen und die Achtung der Bevölkerung zu gewinnen.

4.) Kulturelles:
In ganz Dänemark macht sich zurzeit eine starke Tätigkeit der Bibelforscher bemerkbar. Vertreter der Organisation "Ny Verden" besuchen in den Wohnungen die Frauen, wobei sie Bücher zum Verkauf anbieten.

Mit Ausnahme der Stadt Apenrade, in der zurzeit der Farbfilm "Immensee" bei sehr gutem Besuch gezeigt wird,[142] liegen in der Berichtswoche keine deutschen Filme. In Ribe wurden von Seiten der Illegalen Laufzettel verteilt, in welchen die Bevölkerung davor gewarnt wurde, deutsche Filme zu besuchen.

5.) Wirtschaftliches:
Die Unruhe in landwirtschaftlichen Kreisen über die Gefahr einer weiteren Verbreitung der Maul- und Klauenseuche hat sich verschärft. Auf Fünen wurde erneut ein Hof mit 21 Kühen und Kälbern von der Seuche befallen.

Für Fünen und Jütland wurde ein Verbot des Dreschens mit Strom in der Zeit von 7.00 bis 19.30 Uhr an allen Werktagen – mit Ausnahme des Sonnabends – eingeführt. Die mittelgroßen Höfe sind stark davon betroffen. Trotzdem an den vergangenen Feiertagen und zwischen Weihnachten und Neujahr teilweise eifrig gedroschen wurde, ist man in verschiedenen Landestellen erst zur Hälfte mit dem Dreschen fertig. Es ist schwierig, Arbeitskräfte für die nunmehr notwendige Nacht- und Sonntagsarbeit zu bekommen. In den kleineren landwirtschaftlichen Betrieben ist das Dreschen im wesentlichen beendet. Die großen Hofe können sich durch Traktoren, Wasserkraft usw. meistens behelfen.

In der Arbeiterschaft hat es Verärgerung hervorgerufen, daß ihr von den Unternehmern teilweise ein achttägiger Urlaub zwischen den Feiertagen diktiert wurde. Kommunistische Kreise benutzen diese Tatsache zu einer Hetzpropaganda. Hinzu kommt, daß die Angestellten eine Gratifikation in Höhe eines Monatsgehaltes bekamen, während die Arbeiterschaft völlig [ulæseligt]sging.

In Odense ist man einer Forderung der illegalen Odenseer Zeitung "Trods Alt" nachgekommen und hat an die minderbemittelte Bevölkerung Torf verteilt, da dieser äußerst knapp geworden war. Die Verteilung hat erheblichen Staub aufgewirbelt und Kritik der Arbeiterschaft hervorgerufen, weil angeblich auch Villen mit diesem Torf beliefert wurden.

In deutschfreundlichen Kreisen beobachtet man mit Besorgnis die Schwierigkeiten des Abtransportes von Vieh und Fleisch aus Dänemark. Wie verlautet, treten diese auf, weil im Reich selbst eine große Abschlachtung stattfindet und darüber hinaus die Transportverhältnisse und die Lagermöglichkeiten immer schlechter werden. Angeblich sind auch in Dänemark keine größeren Lagermöglichkeiten mehr vorhanden. Die Schlachthäuser müssen oft mehr als die Hälfte des angebotenen Viehes zurückweisen.

gez. **Dr. Zechenter**
SS-Sturmbannführer

F.d.R.
[underskrift]
Angestellte.

---

142 "Immensee" (Drømmesøen), tysk film fra 1943 af Veit Harlan. Modstandsfolk gik målrettet efter de tyske film. Spoler af "Drømmesøen" var således blevet fjernet fra "Fotorama" i Viborg 26./27. december (*Information* 2. januar 1945).

18. Wilhelm Keitel an WB Dänemark u.a. 10. Januar 1945

For at undgå magelighedstendenser hos stabene og tjenestestederne bag fronterne, skulle der ved udskiftning af det tilforordnede personale ikke indsættes nyt personale fra de besatte områder i Frankrig, Belgien og Holland fra før invasionens begyndelse. Formålet var at undgå at overtage tidligere overvundne magelighedstendenser hos disse.

Kilde: RA, Danica 1069, sp. 1, nr. 226.

Oberkommando der Wehrmacht *F.H.Qu., den 10.1.1945.*
WFSt/Qu. 2/Nr. 08179/44 geh. II Ang.

Bezug: Der Chef OKWW/WFSt/Qu. 2 Nr. 08179/44 geh. v. 28.11.1944.[143]
Betr.: Maßnahmen zur Ausrottung von Etappenerscheinungen.

An
1.) Ob. West
2.) Ob. Südwest
3.) Ob. Südost
4.) (Geb.) AOK 20 (W. Bfh. Norwegen)
5.) W. Bfh. Dänemark

Der in dem Befehl zur Ausrottung von Etappenerscheinungen angeordnete personelle Austausch bodenständiger Stäbe und Dienststellen darf grundsätzlich nicht gegen Soldaten erfolgen, die zuvor in gleicher oder ähnlicher rückwärtiger Tätigkeit in den besetzten Gebieten ohne Kampffront, insbesondere vor Invasionsbeginn in Frankreich, Belgien oder Holland eingesetzt waren, da andernfalls die Gefahr einer Übertragung der früher gewonnene "Etappenerfahrungen" auf die neue Tätigkeit besteht.

I.A.
[underskrift]

19. Horst Bender an SS- und Polizeigericht 11. Januar 1945

Bender tilbagesendte akterne i K.B. Martinsen-sagen efter at de havde været forelagt RFSS, der var af den opfattelse, at det begåede mord og den falske melding vedrørende lektor Ibsen ikke var undskyldelig. Da Best af politiske grunde var imod en retsforfølgelse, skulle Martinsen forblive fængslet til krigens ophør.

Den 23. december 1944 blev K.B. Martinsen og Knud Thorgils ført til fangelejren Fürstenburg nord for Berlin. Det lykkedes dem 1. marts 1945 at flygte fra lejren og nå tilbage til Danmark, hvor de blev arresteret umiddelbart efter befrielsen (Monrad Pedersen 2000, s. 133).

Kilde: RA, pk. 443a.

Feldkommandostelle, den 11.1.1945
Geheime Kommandosache! 3 Ausfertigungen,
3. Ausfertigung.

---

143 Trykt ovenfor.

Betr.: SS-Obersturmbannführer Martinsen.
Bezug: Dort. Schreiben vom 2.11.[144] u. 27.12.44[145] – St. L. 79/44.
Anlg.: 1 Bd. Akten, 1 Hoft Akten, 1 Umschlag mit Akten, 1 Vorg. (19 Blatt)[146]

An das SS- und Polizeigericht z.b.V.
  beim Hauptamt SS-Gericht Prien

In der Angelegenheit Martinsen sende ich anliegend die Akten nach Vortrag beim Reichsführer SS zurück.

Der Reichsführer SS ist der Auffassung, daß die eigenmächtige Erschießung des Barons von Eggers durch Martinsen durch nichts zu rechtfertigen ist und mithin der Tatbestand des Totschlags gegeben ist. Zugleich hat sich M. in der Angelegenheit Ibsen einer Falschmeldung schuldig gemacht.[147]

Da aber der Reichsbevollmächtigte in Dänemark die Durchführung eines gerichtlichen Verfahrens gegen Martinsen aus politischen Gründen für unangebracht hält, hat der Reichsführer SS angeordnet, daß M. durch das Reichssicherheitshauptamt für Kriegsdauer in Haft gehalten wird, zumal das Reichssicherheitshauptamt von sich aus ebenfalls um diese Maßnahme bittet, weil nach der Einstellung und Haltung des Martinsen zu befürchten ist, daß er gegen die deutschen Dienststellen in Dänemark arbeitet.

Ich bitte das Reichssicherheitshauptamt und auch SS-Obergruppenführer Berger von dieser Entscheidung des Reichsführers SS in Kenntnis zu setzen.

gez. **Bender**
SS-Oberführer

Durchschriftlich
Herrn Oberleutnant Suchanek, im Hause
mit der Bitte um Kenntnisnahme.

20. Günther Pancke: Dienstanweisning Nr. 2, 12. Januar 1945

HSSPF indskærpede forbuddet mod fotografering af tyske militære anlæg og havnene. Det gjaldt også medlemmer af værnemagten, og disse skulle have deres fotoudstyr konfiskeret, hvis de ikke havde en særlig tilladelse. Fra RFSS var der 27. december kommet befaling om, at tyske kommandanter ikke længere skulle føre kommandoflag på deres biler, da det gjorde dem til mål for fjenden. Endvidere blev det anbefalet, at tysk politi udstyrede sine biler med tilfældige kendetegn, så de ikke længere kunne identificeres og give fjenden værdifulde fingerpeg.

Tjenesteanvisningen er givetvis blevet fulgt og senere på foråret også fulgt op, da den illegale presse efter RAF-angrebet på Shellhuset kunne iagttage, at de krigsflag, der vejede over tyske tjenestesteder og institutioner blev taget permanent ned. Man formodede, at det var for at undgå at markere sig som bombemål (*Information* 5. april 1945).

Kilde: BArch, R 70 Dänemark 11.

---

144 Trykt ovenfor.
145 Skrivelsen er ikke lokaliseret.
146 Bilagene er ikke lokaliseret.
147 Se vedrørende Ibsen *Politische Informationen* 1. juni 1944, afsnittet "Fjendtlige stemmer" og tillæg 3.

Der Höhere SS- und Polizeiführer 　　　　　　　　　*Kommandostelle, den 12.1.1945*
in Dänemark

Dienstanweisung Nr. 2/45
[~~Tagesbefehl Nr. 29~~]

1.) Fotografierverbot.
In letzter Zeit ist wiederholt festgestellt worden, daß gegen das Verbot des Fotografierens von militärischen Anlagen und Häfen, sowie das Entwickeln von Filmen bei dänischen Firmen in steigendem Maße verstoßen wurde. Von Inhabern fotografischer Geschäfte ist weiterhin zugegeben worden, daß dies von deutschen Wehrmachtangehörigen zum Entwickeln abgegebenen Filme über Schweden nach England gegeben, dort entwickelt und über Schweden wieder zurück nach Dänemark gesandt wurden. In Anbetracht der daraus vom abwehrmäßigen Standpunkt erkennbaren gefährlichen Folgen wird hiermit befohlen:
1.) Der Besitz und das Mitführen von fotografischen Apparaten ist verboten.
2.) Ausnahmen werden nur mit einer besonderen schriftlichen Genehmigung des Disziplinarvorgesetzten im Range eines Batl. Kdr. gestattet.
3.) Der die Genehmigung erteilende Disziplinarvorgesetzte trägt die Verantwortung für die aufgrund der erteilten Genehmigung gemachten Aufnahmen. Er hat außerdem dafür zu sorgen, daß die Aufnahmen nicht bei dänischen Firmen entwickelt, sondern bei einer bei der Truppe eingerichteten Stelle unter entsprechenden Sicherungsmaßnahmen bearbeitet werden.
4.) Alle Wachen und Posten sind darüber zu unterrichten, daß alle fotografischen Apparate von Wehrmachtsangehörigen, Wehrmachtsgefolge und Polizei, die festgestellt werden, zu beschlagnahmen und die Personalien das Inhabers zu melden sind, sofern nicht eine schriftliche Genehmigung vorliegt.
5.) Wehrmachtstreifendienst und Feldgendarmerie sind angewiesen, auf die Durchführung dieses Befehls zu achten.
6.) Das Fotografierverbot für die dänische Bevölkerung erstreckt sich nur auf das Fotografieren aller militärischen Objekte und Häfen. In diesen Fällen ist der Betreffende festzunehmen und der nächsten deutschen Dienststelle zuzuführen. Meldung an Ic des Höheren SS- und Polizeiführers in Dänemark.

2.) Reichsführer-SS Befehl vom 27.12.44.
In den geregelten und eingespielten Verhältnissen des Friedens hatten die Autostander den Zweck, den die Kommandoflagge führenden Kommandeuren ein rasches Durchkommen durch jede Sperre und bei jedem Posten zu ermöglichen.
Im Kriege ist diese Regelung nicht sinnvoll, da es gerade Aufgabe aller Posten und Streifen ist, jeden Wagen, auch den, in welchem höhere oder angeblich höhere Führer sitzen, zu kontrollieren und zugleich Pflicht besonders der höheren Kommandeure, diese Kontrolle mit größter Selbstdisziplin zu unterstützen. Der kluge Feind nützt ohnedies die deutsche Mentalität aus, die seit den Zeiten des Hauptmanns von Köpenick ziemlich die gleich geblieben ist und tarnt seine besten Agenten durch deutsche Uniformen

mit möglichst hohen Rangabzeichen.
Mit Wirkung vom 1.1.45 verbiete ich daher auf Kriegsdauer, Autostander zu führen.
Zugleich empfehle ich, die SS- und Polizeikennzeichen der Kraftfahrzeuge mit niederen Nummern, die dem gegnerischen Nachrichtendienst wertvolle Fingerzeige geben, gegen nicht auffällige Kennzeichen zu tauschen.

gez. H. Himmler

gez. **Pancke**
SS-Obergruppenführer und General der Polizei

Für die Richtigkeit:
[underskrift]
Hauptmann u. Adjutant
I. Abschnittskommando

2. Komp.
1.) An Stützpunkte 1, 2, 3 und Hauswache Abschrift zur Kenntnis und Auswertung im Unterricht.
2.) Z.d.A. 16.1.1945

21. Horst Wagner: Finanzierung der Lebensborn-Arbeit in Dänemark 12. Januar 1945

RFSS havde tidligere ønsket oprettet et hjem til kvinder, der ventede tyske soldaters eller danske frivilliges børn under Lebensborn-programmet (se Best 11. november 1944). Nu kom Pancke med en gentagelse af kravet, der ville give en årlig udgift på 500.000 kr. Kravet var ikke til diskussion, så Best foreslog midlerne hentet hos Lebensborn i München, da danskerne ikke ville acceptere udgiften afholdt over clearingkontoen. Wagner tilsluttede sig Bests forslag.

For Lebensborn-programmets videre skæbne i Danmark, se *Politische Informationen* 1. marts 1945.
Kilde: RA, pk. 282. ADAP/E, 8, nr. 336.

Abschrift
Inl. II C 4129 II   *Berlin, den 12. Januar 1945*

Betr.: Finanzierung der Lebensborn-Arbeit in Dänemark.

Vortragsnotiz

Nach einem Bericht des Reichsbevollmächtigten in Dänemark hat der Höhere SS- und Polizeiführer in Dänemark mitgeteilt, daß der "Lebensborn" e.V. in Dänemark mehrere Heime zu errichten beabsichtigt, in denen Frauen dänischer Freiwilliger sowie dänische Frauen, die von deutschen Männern Kinder erwarten, entbinden können. Der Geldbedarf für diese Lebensbornarbeit wird auf 500.000 Kronen jährlich veranschlagt. Der Reichsbevollmächtigte hat um Entscheidung gebeten, ob dem Höheren SS- und Polizeiführer aus den Sicherungsmitteln, die vom Reichsbevollmächtigten bei der dänischen Nationalbank erhoben werden können, bis zu 500.000 Kronen zur Verfügung gestellt werden sollen. Für eine Transferierung dieses Betrages über Clearing würde nach Auffassung des Reichsbevollmächtigten die dänische Zustimmung nicht erreicht werden können. Es bleibe daher nur übrig, die 500.000 Kronen aus den Sicherungsmitteln aufzubringen. Falls erforderlich, würde der Gegenwert in Reichsmark durch den "Lebensborn" e.V. in München zur Verfügung gestellt werden, der seine Mittel vom Reichsfinanzministerium über den Reichskommissar für die Festigung deutschen Volkstums erhält.

Der Antrag ist vom Rasse- und Siedlungshauptamt-SS befürwortet worden.
Gruppe Inl. II befürwortet den Antrag ebenfalls.
Es wird um Weisung gebeten.

gez. **Wagner**

22. Hermann von Hanneken an OKW 15. Januar 1945

Von Hanneken ønskede OKWs tilladelse til opgive København ved en fjendtlig invasion på Sjælland og at ødelægge havnen.

Denne plan faldt hverken i OKWs, Seekriegsleitungs eller Hitlers smag. Se Dönitz i Hitlers Lagevorträge 25. januar, KTB/WB Dänemark 1. februar og KTB/ADM Skagerrak 4. februar 1945 (Andersen 2007, s. 251).

Kilde: KTB/WB Dänemark 15. januar 1945.

[...]

WB Dän. beabsichtigt, im Falle einer feindlichen Landung in Seeland die Hauptstadt Kopenhagen zu räumen, da die wenigen vorhandenen Kräfte des Heeres schwerpunktmäßig zum Gegenangriff zusammengefaßt werden müssen und die Besatzung von Kopenhagen zu einer Verteidigung der Stadt nicht ausreicht. Im Einvernehmen mit Admiral Skagerrak wird der Hafen Kopenhagen nachhaltig zerstört, da die dort eingesetzten Marinekräfte für eine längere Verteidigung zu schwach sind und der Hafen seitens der Marine nicht benötigt wird.

OKW/WFSt/Op (H) Nord wird um Einverständnis gebeten.
[...]

23. Dr. Flügel an Werner Naumann [18.] Januar 1945

Flügel orienterede Naumann om mulighederne for at indsætte G.W. Müller i propagandaarbejdet i Danmark. Der var enighed om ikke at gå ind på Müllers forslag om, at han skulle have Standarte "Kurt Eggers" underlagt. Der var kun to andre muligheder: enten skulle Müller på samme måde som Heinrich Gernand tilknyttes Det Tyske Gesandtskab eller han skulle tilstilles Bovensiepen som faglig rådgiver i propagandaspørgsmål. Flügel og hans afdelingsleder anbefalede det sidste, da man havde dårlige erfaringer med den første mulighed, som også ville give uoverstigelige problemer hos AA.

Af en håndskrevet påskrift fremgår, at Naumann tilsluttede sig indstillingen, og at Müller skulle spørges om sin holdning.

Notatet er udateret, men det er behandlet umiddelbart før, at Flügel sendte en fjernskrivermeddelelse til Müller 18. januar, trykt efterfølgende.

Kilde: BArch, R 55/219 (enkelte håndskrevne tilføjelser, tekstmangel i dokumentets højre side).

[RMVP] *Berlin, den ... Januar 1945*
Der Leiter der Personalabteilung
Sachbearbeiter Min. Rat Dr. Flügel

An den Herrn Staatssekretär

Betr.: Propagandasituation in Dänemark.

Entsprechend Ihrer Weisung hatte ich Min. Dirig. G.W. Müller mündlich beauftragt, sich mit dem Befehlshaber der Sicherheitspolizei und des SD in Kopenhagen in Verbindung zu setzen, um mit ihm die von SS-Obersturmbannführer von Kielpinski angeschnittene Frage der Entsendung einiger politisch aktiver und propagandistisch erfahrener Fachkräfte der Presse und des Rundfunks nach Dänemark an Ort und Stelle zu besprechen. G.W. Müller sollte danach Vorschläge wegen des organisatorisches Einbaus solcher Fachkräfte unterbreiten. Leider enthält das Schreiben von G.W. Müller vom 15.12. keine erschöpfende Behandlung dieser Frage.[148] Er beabsichtigt lediglich, daß die Standarte "Kurt Eggers" das propagandalose Interregnum in Dänemark dahingehend ausgenutzt habe, daß sie sich vor allem des Rundfunk und der Presse bemächtigt habe. Sein Vorschlag, ihm die in Dänemark befindliche Dienststelle der Standarte "Kurt Eggers" ebenso zu unterstellen wie dies für Norwegen geplant sei, findet, wie Sie mir bereits mitgeteilt haben, nicht Ihre Zustimmung. Ich hätte auch grundsätzliche Bedenken, diesen Gedanken aufzugreifen, da G.W. Müller nur SS-Untersturmführer d.R. ist und daher in dieser Eigenschaft kaum in der Lage sein dürfte, einen entscheidenen Einfluß auf die in Dänemark befindliche Einheit der Standarte zu gewinnen.

Es bleiben danach nur zwei Wege. Entweder wird G.W. Müller, in ähnlicher Weise wie Gesandtschaftsrat Gernand, der Deutschen Mission in Kopenhagen ein- bzw. angliedert oder G.W. Müller tritt als Fachberater für Fragen unseres Geschäftsbereichs zum Befehlshaber der Sicherheitspolizei und des SD in Kopenhagen. Der Durchführung der ersteren Absicht würden sich – dies ist auch die Auffassung von Lt.A. – unüberwindliche Schwierigkeiten beim Auswärtiges Amt entgegenstellen, die sich aus der Dienststellung von G.W. M[üller] ergeben. Er ist Ministerialdirigent und könnte daher nur in einer entsprechenden Funktion (Gesandter 1. Klasse, Generalkonsul 1. Klasse) in der Mission eingebaut werden. Da unsere Sachverständigen leider den Kulturreferenten der Missionen nicht übergeordnet sind, wird das Auswärtige Amt einen solchen Plan von vornherein ablehnen. Übrigens wissen wir auch aus Erfahrung, daß der Wirkungsbereich unserer Sachverständigen sehr gering ist,[149] und daß wir daher mit einer Eingliederung von G.W. Müller bei der Mission in Kopenhagen in der gewünschten Richtung nichts erreichen würden. Wichtiger [und] zugleich realisierbar erscheint der zweite Weg, G.W. Müller als Fachberater der Befehlshaber der Sicherheitspolizei und des SD in Kopenhagen zuzuteilen. Dieser Plan hat den Vorteil, daß die An[re]gung zur Entsendung Propagandafachkräften offenbar vom Befehlshaber der Sicherheitspolizei und des SD ausgeht

---

148 Trykt ovenfor.
149 Se Koeppens beretning 24. marts 1944 og RMVPs notat 2. juni 1944.

und daß G.W. Müller bei einer Abstellung zu diesen gleichzeitig auf die Angehörigen der Standarte "Kurt Eggers" in Dänemark Einfluß nehmen könnte. Ich [bin] mit Lt.A. der Auffassung, daß es G.W. Müller bei einer solchen Kommandierung in der Hand hat, die Führung der für unseren Geschäftsbereich wichtigen Fragen in Dänemark in die Hand zu bekommen. [Mög]licherweise müssen wir bei der Realisierung dieses Planes mit Schwierigkeiten von Seiten des Auswärtigen Amtes rechnen, Lt.A. [ist] jedoch der Auffassung, daß wir diese in Kauf nehmen können.

Im Falle Ihres grundsätzlichen Einverständnisses bitte ich [um] die Ermächtigung, G.W. Müller in Sinne meiner Vorlage unterrich[ten] zu dürfen. Darauf erfolgt Unterlage und Antwortbrief an v. Kielpinski.

Lt.A. hat mitgezeichnet.

Heil Hitler!
(Lt. Pers. z. U.)
[uden underskrift]

[Påskrift:] feststellen ob G.W. Müller den Plan für durchführbar und erfolgversprechend hält.

24. Dr. Flügel an G.W. Müller 18. Januar 1945

Efter en drøftelse med sin afdelingsleder meddelte Flügel Müller, hvordan RMVP havde til hensigt at anvende ham i det tyske propagandaarbejde i Danmark. Der kunne ikke være tale om at give Müller en status som Heinrich Gernands, da AA ville gøre indvendinger pga. Müllers tjenestegrad. I stedet skulle han være sagsbehandler for Bovensiepen i propagandaspørgsmål ved siden af sit arbejde i Oslo.

Dermed havde RMVP valgt en løsning, der lagde op til et tæt samarbejde med RSHA, hvilket var et vidnesbyrd om, at ministeriet havde opgivet at nå et selvstændigt fodfæste i Danmark. Den rigsbefuldmægtigede og AA havde ikke ladet RMVP komme til.

Müller svarede Flügel 30. januar 1945.

Kilde: BArch, R 55/219.

RMVP
Pers. 1399-85/3,4/44/
Sachb.: MR. Dr. Flügel

Berlin, den 18. Januar 1945

Persönlich!
Fernschreiben nach Oslo
   z.Hd. Herrn. Min. Dirig. G.W. Müller

Betr.: Ihr Schreiben an Herrn Staatssekretär Dr. Naumann vom 15.12.44.[150]

Die Angelegenheit ist mit Lt.A. besprochen worden. Gegen Ihre Verwendung in ähnlicher Stellung wie Gernand bestehen Bedenken, da das Auswärtige Amt voraussichtlich

---

150 Trykt ovenfor.

wegen Ihren Dienstgrades Schwierigkeiten machen würde. Es ist beabsichtigt, Sie als Fachberater für Fragen unseres Geschäftsbereichs zu den Befehlshaber der Sicherheitspolizei und des SD in Kopenhagen – neben Ihrer Tätigkeit in Oslo – zu kommandieren. Auf diese Weise dürfte es Ihnen am besten möglich sein, die Führung aller Fragen unseres Geschäftsbereiches in die Hand zu bekommen und gleichzeitig auch Einfluß auf die Dienststelle der Standarte "Kurt Eggers" zu erhalten.

Ich bitte um Ihre Stellungnahme hierzu.

I.A.

Flügel

25. Christian Breyhan: Vermerk 18. Januar 1945

Efter de tysk-danske regeringsudvalgsforhandlinger i begyndelsen af januar 1945 refererede Breyhan via Korff til Schwerin von Krosigk om de frustrationer, som Walter havde ladet komme til udtryk over udvalgets arbejde. Breyhan lod den påfølgende drøftelse med ministeren gå videre til Dirig. Bender som referat. Regeringsudvalget blev til stadighed udsat for tyske angreb, bl.a. gennem værnemagten, der egenmægtigt gennemtrumfede sine fordringer. Den sidste rest af den tidligere "ligeberettigelse" mellem de danske og tyske medlemmer af udvalget var væk. Besættelsesmagten, især politiet og værnemagten, gennemførte sine fordringer over for den danske stat med magt. Derfor havde Walter stillet "tillidsspørgsmålet". Korff mente dog, at udvalget skulle fortsætte sit arbejde, da det politisk stadig betød noget for danskerne. RFM var imod en ophævelse af udvalget og billigede Breyhans forslag om at tage virkningen af værnemagtens og OTs nye prisordning op på næste møde i marts. Det var ikke til at forstå, at Walter tog disse spørgsmål op nu, da problemerne mellem de danske myndigheder og værnemagten vedrørende økonomien var mindsket siden sommeren 1944 (RA, UM 1909-45, H64-198 og 199, Jensen 1971, s. 246 og Nissen 2005, s. 231-234 omtaler de dansk-tyske forhandlinger i januar, der i de skriftlige referater er uden antydning af problemerne på tysk side).

Korff uddybede Walters indstilling i et notat 20. januar.

Kilde: BArch, R 2/30.668.

Referent Dr. Breyhan   *Berlin, den 18. Januar 1945*

Y 5104-110V

1.) Vermerk: ORR Korff trug am 15. Januar 1945 Herrn Minister vor:

Infolge der politischen Entwicklung in Dänemark hätten sich Stellung und Einfluß des Regierungsausschusses stark gewandelt. Die deutsche Besatzungsmacht, insbesondere die Polizei und Wehrmacht, arbeite gegenüber dem dänischen Staat mit Anordnungen, die zwangsweise durchgesetzt werden. Das letzte Überbleibsel des alten offiziellen diplomatischen Verkehrs sei der Regierungsausschuß, in dem das dänische Außenministerium "gleichberechtigt" zu Wort komme. Diese Stellung des Regierungsausschusses sei wiederholt von deutscher Seite angegriffen worden, so auch durch die Wehrmacht, die ihre Forderungen eigenmächtig durchzusetzen wünscht. MinDir Walter, der Vorsitzende des Deutschen Ausschusses, habe deshalb "die Vertrauensfrage gestellt". Nach Ansicht von ORR Korff hat sich die Arbeit des Regierungsausschusses für die Leistungen Dänemarks, d.h. zum Nutzen Deutschlands nach wie vor günstig ausgewirkt. Es sei deshalb zu bedauern, wenn man dieser Einrichtung, die für die Dänen politisch noch etwas bedeute, unnötig aufgebe.

Herr Min erklärte, er sei gegen eine Aufhebung des Deutsch-Dänischen Regierungsausschusses. Das RFM müsse diesen Standpunkt auch den andern beteiligten Ressorts gegenüber zum Ausdruck bringen. Herr Min billigte meinen Vorschlag, daß das RFM spätestens anläßlich der im Frühjahr (etwa im März) geplanten Ressortbesprechung über die Auswirkungen der neuen Preisanordnungen für die Wehrmacht und die OT die Frage der Beibehaltung des Regierungsausschusses zur Sprache bringen werde.

Es ist nicht recht zu verstehen, daß MinDir Walter jetzt diese Frage anschneidet, nachdem im Anschluß an den Besuch des Herrn Min im Sommer 1944 die Spannungen zwischen der Wehrmacht und den dänischen Zivilbehörden auf wirtschaftlichem Gebiet zweifellos vermindert[151] worden sind.

2.) Herrn Dir 5 Abt. II Herrn Dirig Bender zur Kenntnis.

26. Hans Fritzsche an Gerhard Rühle 18. Januar 1945

Hidtil havde Fritzsche på grund af de fremførte vanskeligheder ikke været interesseret i at anvende radiosenderen i Kalundborg, men nu havde situationen ændret sig, da senderen Weichsel var faldet ud. Det var nu af allerstørste vigtighed at kunne betjene sig af Kalundborgsenderen for at nå det nordøsteuropæiske område. Rühle blev bedt om at sætte sig i forbindelse med Best, for at man i det mindste i de sene aftentimer kunne betjene sig af Kalundborgsenderen til rigsprogrammer.

AA kontaktede påfølgende Best i København. Brevet er ikke lokaliseret.

Lohmann underrettede 27. januar fortroligt dansk radios direktør, F.E. Jensen, om de tyske planer om at lade Kalundborgsenderen få et nyt virkefelt. Her er planerne mere konkretiserede end hos Fritzsche. Kalundborgsenderen skulle overtage Königsberg radios timelange programudsendelser på svensk. Lohman fortalte, at kravet kom fra RMVP, men at han med Bests støtte havde udvirket, at kravet blev indskrænket til at dreje sig om leje af Kalundborgsenderen hver aften fra kl. 23 til kl. 2 til udsendelse af "diskret" propaganda og musik. Lohmann synes her at tiltage sig æren for indskrænkningen af et krav, som ikke var stillet af RMVP i Berlin. Det gjorde heller ikke indtryk på direktør Jensen, der protesterede mod forslaget, som man i Sverige straks ville vide, at dansk radio ikke var gået frivilligt med til. Endvidere ville det føre til risiko for sabotage mod senderen og give et meget betydeligt strømforbrug. Lohmann overbragte Best direktør Jensens synspunkter, som Best tiltrådte 28. januar, og han tog påfølgende i telegram til AA afstand fra planerne (telegrammet er ikke lokaliseret). Der blev i foråret 1945 fremsat adskillige andre radioplaner, hvoraf kun en blev realiseret: Nogle natudsendelser i marts, som OKW stod bag (Christiansen/Nørgård 1945, s. 214, Boisen Schmidt 1965, s. 296f.). Der var tysk bevågenhed omkring Kalundborgsenderen til det sidste, se Lindemann til Best 5. maj 1945.[152]

Kilde: RA, Danica 465: Moskva, Osobyj Archiv, 1363/1/163/143 (gennemslag).

Rfk/ Lt 3000/6.1.43/708-1,2
Ministerialdirektor Fritzsche   *18. Januar 1945*
im [Reichsministerium für Aufklärung und Propaganda]   abges.: 18.1.

---

151 Her er foretaget en håndskrevet rettelse: "verhindert" er blevet erstattet med "vermindert".
152 Afhørt 6. august 1945 forklarede Best, at han i begyndelsen af 1945 blev mødt med krav fra RMVP og OKW om at overtage den danske sender og benytte den til udsendelser på tysk i stedet for de stationer, som man efterhånden tabte ved de allieredes fremrykning. Dette modsatte han sig (LAK, Best-sagen). Det finder bekræftelse her, selv om han ikke helt synes at have modstået det tryk, som han blev udsat for.

Herrn Gesandten Rühle
    Auswärtiges Amt

Betrifft: Einsatz des Senders Kalundborg.[153]

In der Frage des Einsatzes des dänischen Senders Kalundborg, der nach Ihrer Mitteilung auf Schwierigkeiten stieß, hatte ich bisher kein besonders großes Interesse.

Nach dem Ausfall des Senders Weichsel aber hat sich die Situation grundsätzlich geändert. Jetzt ist Deutschland mit seinem Programm leider wieder nur auf einer langen Welle, der des Deutschlandsenders, vertreten. Jetzt ist es für uns gerade auch im nordeuropäischen Raum, der von Weichsel/Warschau bisher gut mit bedient wurde, von allergrößter Wichtigkeit, auf dem Sender Kalundborg vertreten zu sein. Ich wäre Ihnen für eine dringliche Anfrage bei dem Reichbevollmächtigten dankbar, ob wir unter diesen Umständen die Belastung gegenüber den Dänen in Kauf nehmen wollen, um mindestens in den späten Abendstunden das Reichsprogramm über den Sender Kalundborg auszustrahlen.

Heil Hitler!
[uden underskrift]

27. Kriegstagebuch/Kriegsmarinedienststelle Kopenhagen 19. Januar 1945

Kriegsmarinekommandanten i København drøftede forholdsregler til beslaglæggelse af danske skibe og bevogtning af handelsskibene med RKS Dänemark, Raul Mewis.

Baggrunden var dels det stærkt øgede tyske behov for skibstonnage, dels risikoen for sabotage mod skibene og deres flugt til Sverige.

Kilde: KTB/Kriegsmarinedienststelle Kopenhagen 19. januar 1945, RA, Danica 628, sp. 6, nr. 4336.

[…]
Besprechung mit Reikosee Dänemark über Maßnahmen zur Schiffsbeschlagnahme und Handelsschiffsbewachung.
[…]

28. Horst Wagner an Joachim von Ribbentrop 19. Januar 1945

Wagner meddelte, at han som ønsket havde kontaktet Kaltenbrunner for straks at få Bests tre tidligere ansatte, som nu var beskæftiget hos BdS, afskediget. Hertil havde Kaltenbrunner svaret, at Bovensiepen havde bedt om tildeling af nogle kontordamer med kendskab til dansk samtidig med, at AA havde afgivet de tre kontordamer til Arbeitsamt, og at det var Arbeitsamt, der havde tilbudt dem til Bovensiepen. Der var ikke gjort noget ukorrekt fra SDs side, hvorfor Wagner ønskede instruktion, om AA skulle 1) henvende sig til Landesarbeitsamt i anledning af den bemærkelsesværdige fremgangsmåde eller 2), om Kaltenbrunner skulle anmodes om straks at gennemføre kvindernes hjemkaldelse. Blev sidstnævnte ikke tilfældet, ville Bovensiepen orientere Best om den rette sammenhæng.

Ribbentrop lod svare 27. januar 1945.
Kilde: PA/AA R 69.205.

153 Se Rühle til Fritzsche 11. december 1944.

Gruppe Inland II				Inl. II B 2824 g
						Geheim

Vortragsnotiz

Mit Beziehung auf die Weisung vom 15.12.1944[154]
Betr.: Personalabbau beim Reichsbevollmächtigten in Kopenhagen.

Weisungsgemäß habe ich Obergruppenführer Kaltenbrunner gebeten, für sofortige Entlassung der Kanzleiangestellten Willich, Obst und Hertel Sorge zu tragen.
  Die von Obergruppenführer Kaltenbrunner eingeleiteten Ermittlungen haben folgendes ergeben:
  Der Chef der Sicherheitspolizei in Dänemark hatte beim Arbeitsamt Berlin die Zuteilung einiger Stenotypistinnen mit Sprach- und Landeskunde von Dänemark erbeten. Da zu dem gleichen Zeitpunkt das Auswärtige Amt im Zuge des Personalabbaues Kräfte dem Arbeitsamt zur Verfügung stellte, die diesen Voraussetzungen entsprachen, hat das Arbeitsamt Berlin diese drei Stenotypistinnen dem SD angeboten, der sie durch seine Personalabteilung eingestellt und nach Kopenhagen entsandt hat.
  Da somit nicht eine Unkorrektheit des SD, sondern höchstens des Arbeitsamtes vorliegt, das die vom Auswärtigen Amt für die Rüstung freigegebenen Arbeitskräfte, statt der Rüstung dem SD vermittelt hat, darf um Weisung gebeten werden,
1.) ob das Reichsarbeitsministerium durch Inland I gebeten werden soll, das Landesarbeitsamt Berlin wegen seines sonderbaren Vorgehens zu rügen,
2.) ob die Weisung des Herrn RAM auf sofortige Zurückziehung bei Obergruppenführer Kaltenbrunner durchgesetzt werden soll. Verneinendenfalls wird Dr. Best vom Kommandeur der Sicherheitspolizei in Dänemark entsprechend über die Zusammenhänge unterrichtet.
Berlin, den 19. Januar 1945.

Wagner

Zur Vorlage bei dem Herrn Reichsaußenminister über den Chef Pers und den Herrn Staatssekretär

29. Hans Clausen Korff an Christian Breyhan 19. Januar 1945
Korff havde hos Best spurgt til brugen af krigsskadesordning, som Rüstungsstab Dänemark via selskabet Hermes havde stået for. Der var hidtil ingen skader blevet anmeldt.
  Kilde: BArch, R 2/30.668. RA, Danica 50, pk. 91, læg 1259.

ORR Korff
Mitglied des Reg. Ausschusses für Dänemark			*Oslo, 19. Januar 1945*

Betr. Kriegsschäden in Dänemark bei Wehrmachtsaufträgen.

154 Trykt ovenfor.

1. Aktenvermerk

Nach Rücksprache mit dem Devisenprüfer Kreuz am 8. ds.Mts. sind beim Reichsbevollmächtigten bisher keine Schwierigkeiten bekannt geworden. Der Rüstungsstab Dänemark hat ein Merkblatt über die Kriegssachschädenregelung durch Vermittlung der Hermes herausgegeben.[155] Nach Erkündigungen des Devisenprüfers Kreuz beim Rüstungsstab sind bei der Hermes jedoch bisher keine Schäden angemeldet.

gez. **Korff**

Herrn Ministerialrat Dr. Breyhan
    Reichsfinanzministerium
mit der Bitte um Kenntnisnahme

30. Hans Clausen Korff: Fortbestand des Reg. Ausschusses 20. Januar 1945

Korff refererede et møde i det tyske regeringsudvalg i København 10. januar, hvor Walter havde stillet spørgsmålstegn ved udvalgets fortsatte berettigelse. Dets politik blev i rigt omfang krydset af forholdsregler truffet af WB Dänemark og HPSSF. På grund af det blev regeringsudvalget til stadighed angrebet. Udvalget måtte enten ophæves eller fra officiel side få sin politik bekræftet. Hertil føjede Ludwig, at visse kredse hos den rigsbefuldmægtigede gentagne gange havde erklæret, at udvalget var overflødigt. Det gjaldt ifølge kontorchef Peschardt bl.a. Ebner, hvilket Ebner imidlertid bestred. Der var enighed blandt de tilstedeværende om, at regeringsudvalgets beståen var en forudsætning for opretholdelse af de danske leverancer til Tyskland, og at det nu i mindre grad end tidligere var muligt at se bort fra udvalget.

    Samme dag skrev Korff til Breyhan vedrørende regeringsudvalget.
    Kilde: BArch, R 2/30.668. RA, Danica 50, pk. 91, læg 1262.

ORR Korff   *Oslo, 20. Januar 1945*
Mitglied des Reg. Ausschusses für Dänemark

Betr. Fortbestand des Reg. Ausschusses

1. Aktenvermerk

hier: Rücksprache bei Min. Dir. Dr. Walter in Kopenhagen am 10.1.1945

anwesend: Min. Dir. Walter
                   Min. Dirig. Ebner
                   Min. Rat Ludwig
                   Generalkonsul Krüger
                   ORR Korff

Dr. Walter erklärte, daß er es für notwendig halte, die grundsätzliche Frage des Regierungsausschusses in Berlin zu stellen. Die Politik des Reg. Ausschusses überschneide sich vielfach mit den Maßnahmen der Wehrmacht und des Höheren SS- und Polizeiführers.

---

155 Se RüStab Dänemarks situationsberetning 30. november 1944, hvor Merkblatt er gengivet.

Infolgedessen sei der Reg. Ausschuß wiederholt angegriffen worden. Er halte es deshalb für notwendig, daß der Reg. Ausschuß entweder aufgehoben oder von offizieller Seite die bisher eingeschlagene Politik bestätigt würde.

Min. Rat Ludwig wies darauf hin, daß auch aus den Kreisen des Reichsbevollmächtigten wiederholt erklärt worden sei, daß der Reg. Ausschuß überflüssig sei. Kontorchef Peschardt habe ihm erklärt, daß auch Min. Dirig. Ebner diese Auffassung vertreten habe. Ebner bestritt dies entschieden und erklärte sich für das Fortbestehen des Reg. Ausschusses.

Unter den anwesenden Mitgliedern des Reg. Ausschusses bestand Einigkeit darüber, daß das Fortbestehen des Reg. Ausschusses eine Voraussetzung für die Erhaltung der dänischen Lieferungen sei und daß es weniger denn je möglich sei, auf den Reg. Ausschuß zu verzichten.

gez. **Korff**

31. Hans Clausen Korff an Christian Breyhan 20. Januar 1945

Korff refererede det møde, der havde været mellem Schwerin von Krosigk, Breyhan og ham selv. Efter at have gentaget de frustrationer, som Walter havde givet udtryk for vedrørende bl.a. det tysk-danske regeringsudvalgs problemer i forhold til værnemagtens og tysk politis diktatoriske optræden, blev det på mødet slået fast, at udvalget ubetinget skulle videreføres af hensyn til de danske leverancer, der var vigtigere end nogensinde. Derfor spillede det ingen rolle, om regeringsudvalget passede ind i den i Danmark fulgte linje eller ej. Man skulle prøve at tage brodden af værnemagtens kritik ved at imødekomme dets ønske om at få en repræsentant i regeringsudvalget. Dog skulle det ske, så repræsentanten tilpassede sig de hidtidige rammer for arbejdet.

Schwerin von Krosigk skrev 22. februar til OKW om sagen. Forinden var problemerne i det tysk-danske regeringsudvalg kommet Bovensiepen for øre, og han rapporterede derom til RSHA 8. februar 1945.

Kilde: BArch, R 2/30.668. RA, Danica 50, pk. 91, læg 1262.

ORR Korff
Mitglied des Reg. Ausschusses für Dänemark

Oslo, 20. Januar 1945

Herrn Min. Rat Dr. Breyhan

Betr. Fortbestand des deutschen Regierungsausschusses in Dänemark
1. Aktenvermerk
hier: Vortrag beim Herrn Reichsminister der Finanzen am 15.1.1945

anwesend: Reichsminister der Finanzen, Graf Schwerin von Krosigk
Min. Rat Dr. Breyhan
ORR Korff

ORR Korff trug vor, Min. Dir. Walter habe gelegentlich der soeben abgeschlossenen Regierungsausschußverhandlungen erklärt, er werde nach seiner Rückkehr die Frage des Weiterbestandes des deutschen Regierungsausschusses in Dänemark aufgreifen und vom Reichsaußenminister entscheiden lassen. Die politische Lage in Dänemark habe sich so zugespitzt, daß der Reg. Ausschuß nicht in die sonstige deutsche Verwaltung hineinpasse. Auf der einen Seite werde insbesondere von der Wehrmacht und der Polizei diktatorisch regiert, auf der anderen Seite verhandele der Reg. Ausschuß mit den Dänen auf gleicher Ebene. Dadurch müßten sich notwendigerweise Überschneidungen zwischen Abmachungen des Reg. Ausschusses und Maßnahmen der Wehrmacht und der Polizei ergeben. Gleichwohl seien sich die in Kopenhagen anwesenden Mitglieder des Reg. Ausschusses, Min. Dir. Dr. Walter, Min. Rat Ludwig, Generalkonsul Krüger und ORR Korff, darin einig gewesen, daß der Fortbestand des Reg. Ausschusses Voraussetzung für die Erhaltung der dänischen Lieferungen sei. Dr. Walter sei aber gleichwohl der Meinung gewesen, daß er die bisherige Linie nur dann weiterverfolgen könne, wenn die Haltung des Reg. Ausschusses von den maßgebenden Stellen im Reich erneut ausdrücklich bestätigt werde.

Der Reichsfinanzminister bemerkte dazu, er halte den Weiterbestand des Reg. Ausschusses unbedingt für erforderlich. Die dänischen Lieferungen seien wichtiger denn je. Deshalb könne es keine Rolle spielen, ob der Reg. Ausschuß systematisch in die im übrigen in Dänemark verfolgte Linie hineinpasse oder nicht. Er rate deshalb dringend, die Frage des Reg. Ausschusses in Dänemark nicht zur Debatte zu stellen. Dadurch würde man etwaigen Gegnern des Reg. Ausschusses nur Gelegenheit zur Stellungnahme geben. Alle zuständigen Ressorts dürften sich darin einig sein, daß der Reg. Ausschuß fortbestehen müsse. Um der Kritik der Wehrmacht die Spitze abzubrechen, sei es erwägenswert, deren Antrag zu entsprechen, einen Vertreter in den Reg. Ausschuß zu entsenden. Es müßte dann allerdings dafür Sorge getragen werden, daß der Wehrmachtvertreter sich auch äußerlich dem bisherigen Rahmen anpasse.

gez. **Korff**

32. Operatives Kriegsspiel des WB Dänemark am 20.-21. Januar 1945

Der blev 20. og 21. januar gennemført et krigsspil i det tyske militære hovedkvarter i Silkeborg, hvor von Hanneken gik ud fra, at der blev foretaget en allieret invasion på Jyllands østkyst. Konklusionen var, at en invasion af militære grunde ikke ville finde sted dér. Som hidtil ville Vestkysten omkring Esbjerg være tyngdepunktet for et invasionsforsvar (Andersen 2007, s. 251).

Kilde: KTB/WB Dänemark 20. januar 1945 med bilag 6.

20.1.45:

Am 20./21.1.45 findet unter der Leitung des Herrn Wehrmachtbefehlshaber in Silkeborg ein operatives Kriegsspiel statt, mit dem Ziel, die Abwehrbereitschaft im dänischen Raum zu überprüfen.

Der Verlauf des Kriegsspiels mit einer alliierten Großlandung an der Ostküste Jütlands und der Gegenoperation des WB Dän. zeigt auf, daß eine feindliche Unternehmung in den Wintermonaten an der Ostküste wohl möglich ist, der Abwehrschwerpunkt Dänemark aber nach wie vor die Westküste um Esbjerg bleibt,

Gründe:
1.) Das Räumen und Durchfahren der Skagerrak-Sperre sowie das Umschiffen Skagens ist nicht zu verschleiern. Luftaufklärung, Meldungen von U- und Vorpostenbooten und günstigenfalls die Sicht bei Skagen geben jeweils Aufschluß über die Lage und sichern die ostjütische Küste vor Überraschungen.
2.) Die geringe Wassertiefe längst der Ostküste verwehrt schweren Schiffseinheiten die Beteilung am Landkampf.
3.) Das verhältnismäßig enge Kattegat ist nicht zu Operationen größerer Flottenverbände geeignet, weil diese ständig von den günstig gelegenen Basen aus von Kleinkampfmitteln der Kriegsmarine und von der Luftwaffe angegriffen werden können. Das gleiche trifft für die Versorgung auf dem Seewege zu.
4.) Fallschirm- und Luftlandeverbände sind nach einem 3½ stundigem Flug in ungeheizten Lastenseglern und gegebenenfalls nach dem Absprung bei Frostwetter nicht mehr frisch und nur bedingt einsatzfähig.
5.) Der Einsatz der Luftwaffe sowie die Versorgung auf dem Luftwege mit Schwerpunkt Ostküste führt über den abwehrbereiten dänischen Raum und ist daher verlustreicher,

Diese aufgezeigten militärischen Gründe sprechen gegen eine feindliche Anlandung an der Ostküste. Es bleibt die Frage offen, ob die demonstrative Wirkung Schweden zu der Aufgabe seiner Neutralität führt und mit einer schnellen englischen Besetzung zum Abwehrblock gegen den gefährlich näherrückenden Bolschewismus wird.

Am Kriegsspiel nehmen als Zuschauer teil:

OKW/WFSt:	Obstlt. d. G. Kleyser
OKH/ObdE:	Gen. Major Kühne
Sd. Stab IV OKH:	Gen. d. Inf. Frederici
Insp. d. Pz. Tr.:	Gen. d. Pz. Tr. Frhr. Geyer v. Schweppenburg
Befh. i. W.K.X:	Gen. d. Inf. Wetzel.
Luftflotte "Reich":	Gen. Lt. Nielsen
Reichsbevollmächtigter:	Dr. Best
MOK Ostsee:	Gen. Admiral Kummetz
2. Jagd-Div.:	Gen. Maj. Ibel
Führungsst. Nordküste:	Kpt. z. S. Marx
Luftgau XI:	Oberst Nöldeke
MOK Nord u. Adm. Dt. Bucht:	Kpt. z. S. Aschmann
Landesgruppenleiter:	Dalldorf

[Anlage 6]

Operatives Kriegsspiel
des WB Dän. am 20. u. 21.1.45
Schlußbesprechung

I.) Allgemeine Lagebetrachtung.
Lage "Rot"
Nachdem an der Front zwischen Schweiz und Holland keine operative Entscheidung erreicht werden konnte, hat sich die alliierte Führung zu einer Invasion in Dänemark entschlossen, um eine neue Front zu errichten, mit dem Ziel, die deutschen Truppen in Norwegen abzuschließen, den deutschen Seestreitkräften die Ausfahrt zur Nordsee zu verwehren, die reichen wirtschaftlichen Hilfsquellen in Dänemark den Deutschen zu entziehen, Schweden zur Aufgabe seiner Neutralität zu zwingen und später in Zusammenarbeit mit den Verbündeten durch einen Angriff in die Nordflanke des Reiches den Krieg schnell siegreich zu beenden.

Kräftegliederung "Rot"
wurde im Kriegsspiel den tatsächlichen Verhältnissen angepaßt. Die Verschiebung der z.Zt. mit Masse in Süd-England stehenden Verbände in die schottischen Häfen trat im Vorspiel vom 15. – 19.1. in Erscheinung.

Im einzelnen stehen dem Gegner für eine Operation zum sofortigen Einsatz im Nordraum zur Verfügung:

a.) Heer:
- 4 (e) Inf. Di T.
- 2 (e) Pz. Div.
- 2 (e) Pz. Brigaden
- 1 (e) selbst. Inf. Brigade
- 1 (e) Sturm-Brigade
- 2 (a) L L Div.

} mit ausreichendem Transportraum

unter dem Kommando AOK 4
mit dem Gen. Kdo. IV und VII.

b.) Marine:

5	Schlachtschiffe	2	U-Boot Jäger-Flottillen
1	Flugzeugträger	13	M.S.- u. R.-Flottillen
2	Hilfsflugzeugträger	4	Schnellboot-Flottillen
10	schw. Kreuzer	30	U-Boote
12	le. Kreuzer	2	Monitore
5	Flak Kreuzer	12	Tanker (15 in Reserve)
9	Zerstörer-Flottillen		

Transportraum etwa 2.000.000 BRT (Schiffe zwischen 5 und 8.000 BRT).
Landungsfahrzeuge sämtlicher moderner Typen in ausreichender Menge, um in einem Umlauf etwa l0.000 Mann, 200 Panzer und 200 sonstige Fahrzeuge zu landen.

c.) Luftwaffe:
- 2.000 Bomber
- 900 Jäger
- 1.100 Transporter
- 300 Mehrzweckflugzeuge.

Die Stärke der roten Luftwaffe ist so groß, daß "Rot" den Kampf mit Bombern und Jägern längere Zeit führen kann, ohne daß seine Kampfkraft durch die "blaue" Abwehr nachhaltig geschwächt wird. "Blau" kann zunächst nur seine Nordseeaufklärung, die nicht bis an die englische Ostküste reicht, durchführen und infolgedessen bleibt auch das Bild für die "Blaue" Führung über die feindliche Lage und Absicht noch sehr unklar. Lediglich stehen schwache Nachtjagdkräfte zum Einsatz zur Verfügung, die die nächtliche Verminung der Geleitwege westl. Ostsee und der Belte stören können.

Der Plan "Rot" geht dahin, mit Schwerpunkt seine Kräfte nach Zerstörung der Luftwaffen-Bodenorganisation in Südnorwegen, die Verkehrswege und Anlagen zu verschlagen. Angesichts der hierfür eingesetzten starken Kampfkräfte gegen die Engpässe der Verbindungen nach Dänemark mit insgesamt 3 Tagen (vom 17. bis 19.1.) rund 3.000 viermot. Kampfflugzeugen, begleitet von starken Jagdkräften und der nächtlichen Verminung der Geleitwege mit 600 Flugzeugen ist "Rot" zuzubilligen, daß der Nachschub nach Dänemark sowohl auf dem Landwege wie auch Seewege aufs empfindlichste gestört ist.

Dies ist für die "Blaue" Luftwaffe, die nach Zuführung von anderen Fronten mit insgesamt 450 Tagjägern und 100-120 Nachtjägern von den Flugplätzen Dänemarks eingesetzt werden soll und täglich dafür rund 1 Million Liter Betriebsstoff braucht, der, da keine Vorräte vorhanden, erst noch zugeführt werden muß, ein empfindlicher Schlag, der sich noch unangenehmer auswirkt als die Luftwaffenangriffe auf die Haupt-Flugplätze von "Blau" am Tage der Anlandung.

Lage "Blau":
Nach der im Juni des verg. Jahres erfolgten Invasion im Westen und dem damit verbundenen starken Kräfteeinsatz der Alliierten in den folgenden Sommermonaten trat die Möglichkeit einer Gross-Operation gegen den norwegisch-dänischen Raum vorübergehend in den Hintergrund.

Die Folge hiervon war der Abzug kampfkräftiger Verbände (20. Lw. Feld-Div. als einzige infanteristische Reserve des WB Dän., später 416. I.D. und 2 SS-Brigaden, starke Rekrutenabgaben der Res. Div.).

Bei den im Raum verbliebenen Verbänden wurde weiter an der Verbesserung der Abwehrkraft gearbeitet.

a.) Teilweise Umgliederung der Res. Pz. Div. zu einem Kampfverband,
b.) Verstärkung der Artl. und Pz.-Abwehr beider Res. Div. durch Neuaufstellungen,
c.) durch Aufstellung der Fest. Stamm-Truppe Dänemark mit z.Zt. 15 Kp. und 2 Battrn.
d.) Zusammenfassung aller Ost-Einheiten zu einem organischen, gegliederten Verband.
  Seine Umwandlung in eine Brigade steht unmittelbar bevor.
Der Ausbau der ständigen Befestigungsanlagen an der Küste wurde weiter nach vorliegendem Programm vorwärts getrieben. Trotz Abgabe von über 50 % des Fest. Pi. Stabes an OB West.

Riegelstellungen Gudrun und Kriemhild wurden zusätzlich mit Truppen aller Wehrmachtteile in Angriff genommen. Reichsdeutsche Arbeiter sind z.Zt. am Ausbau beteiligt. Infolge Transport- und Tonnageschwierigkeiten ist der ständige Ausbau z.Zt. im Absinken begriffen.

Der Befehl zur Sicherung der Ostküste Jütlands und der Inseln Seeland und Fünen unter Beibehaltung des Schwerpunktes an der Westküste brachte eine weitere Aufsplitterung der Kräfte.

Aushilfen werden durch Einsatz verschiedener Magen-Btl. zur Sicherung an der Ostküste Jütlands und durch Zusammenfassung der auf den Inseln liegenden Genesenen-Btl. zu einem organisch gegliederten Verband geschaffen.

Trotz Verlegung der 233. Res. Pz. Div. hinter die Ostküste Mittel-Jütlands bleibt ihr Einsatz im bisherigen Schwerpunktsabschnitt bei Esbjerg gewährleistet (kein Einsatz zur Küstensicherung).

Da den Alliierten durch den Aufbau der deutschen Abwehr im Westen der entscheidungssuchende Erfolg versagt blieb, muß nunmehr wieder in verstärktem Maße mit fortschreitendem Frühjahr damit gerechnet werden, daß der Feind durch eine Operation gegen Dänemark mit einem späteren Stoß in die Nordflanke des Reiches den deutschen Widerstand zu brechen sucht.

Der Einsatz der im dänischen Raum vorhandenen Kräfte ist im Verlauf des Kriegsspiels zum Tragen gekommen.

II.) Der Verlauf des Kriegsspiels:
Lage "Blau"
a.) Das Vorspiel vom 15. bis 19.1.45 hatte dem Zweck, den Wehrmachtbefehlshaber "Blau" personell aufeinander einzuspielen und der Kriegslage entsprechend auf das Spiel vorzubereiten.

15.1.
Verstärkte Sabotage an Verkehrsanlagen, die nicht auf starken Wehrmachtverkehr zurückzuführen sind. Erstmalig stärkerer Angriff von 100 Mann auf Middelfart-Brücke und Kabelzerstörung Aarhus-Viborg. Zum Schutz des Transportraumes zieht "Blau" Wehrmacht-Kfz., OT-Kolonnen und ermietet dänische Fahrzeuge zusammen. Auswirken auf Bevölkerung!

Ic-Meldungen über Schiffsansammlungen in England und Wehrmachtzugverkehr von Süd-England nach Norden.

16.1.
Weiter verstärkte Sabotage auf Ost- und West-Strecken. Engl. Warnung an die Schifffahrt, zur Rückkehr in die Häfen.

Mangelnde Luftaufklärung. Versorgungslage der Luftwaffe mit Betriebsstoff nicht ausreichend. "Blau" ist sich klar, daß er mit Überraschungen rechnen muß.

17.1.
"Blau" beurteilt Lage dahin, daß im Falle Landung sowohl mit Angriff gegen Westküste

und – wenn da starke Kräfte gebunden – dann auch Landung an Ostküste gerechnet werden muß. Daher neue Kampfanweisung für 233. Res. Pz. Div., die bisher nur West- oder Ostküste vorgesehen hat, jetzt auch Ost-West-Fall vorzusehen. Im Falle Landung Ost beurteilt "Blau" die Lage dahin, daß Landung auf Grenaa wahrscheinlich, weil von hier aus beste Bewegungsmöglichkeit nach Süden, Westen und Norden und dadurch Abschneiden Nord-Jütlands.

18.1.
Auf Grund Beurteilung hinsichtlich einer Landung in Grenaa wird teilweise Umgruppierung 233. Res. Pz. Div. befohlen. Zu frühzeitig!! Zum Zeitpunkt dieser Verlegung konnte "Blau" auf Grund des bisher vorliegenden Feindbildes noch nicht mit Sicherheit eine Operation gegen die Ostküste annehmen.

Verminung von Großem- und Kleinem-Belt sowie Sund und Fehmarn-Belt mit kurzfristiger Mineneinstellung verstärken bei "Blau" den Eindruck eines bevorstehenden feindlichen Unternehmens. Auf Grund dieses Eindrucks und im Hinblick auf die Gefahr der Überraschung (unsichtiges Wetter, fehlende Luftaufklärung) befiehlt "Blau" um 12.50 Uhr Bereitschaftsstufe I. Durchgabe der Stichworte dauert zu lange.

Unterbrechung des gesamten Bahnverkehrs zum Reich veranlaßt O.Qu., beim WFSt Gross-Raumtransport zu beantragen, der zugesagt wird.

19.1.
Durch V-Leute zugegangene Meldungen über Truppenverschiebungen von Süd-England nach Norden in die Räume der Schiffsansammlungen und Beginn von Truppenverladungen sowie verstärkte Angriffe auf Verkehrsziele in Schleswig-Holstein bestärken "Blau" weiter in der Ansicht, daß bald eine Unternehmung bevorsteht. "Blau" glaubt jedoch, B II mit seinen tiefgreifenden Auswirkungen auf das gesamte dänische Gebiet noch nicht anordnen zu können, da noch keine deutlichen Anzeichen, ob das feindliche Unternehmen sich gegen Dänemark oder Norwegen richtet. Erst auf Anfrage bei OKW / WFSt, der mit einer Bedrohung Dänemarks in jedem Fall rechnet, befiehlt "Blau" B II ab 16.30 Uhr.

Der rechtzeitige Entschluß zur Ausgabe von B II von entscheidender Bedeutung, da
aa.) Admiral Skagerrak Anlaufzeit zur Versammlung der ihm zur Verfügung gestellten Seestreitkräfte braucht,
bb.) die B II des WB Dän. Einfluß auf Ausgabe des Stichwortes "Dr. G. Nord" durch Luftflotte Reich ausübt.
cc.) Die Umgliederung der Ausbildungstruppenteile in Kampfverbände und die Durchführung der Beweglichkeit kampfkräftiger Reserven mit dänischen mot-Fahrzeugen erhebliche Zeit in Anspruch nimmt.

Stand der Bevorratung bei B II:
Heer:
Die Versorgung der Heerestruppen ist für die ersten 10 Tage aus der Bevorratung gesichert. Am günstigsten ist Verpflegung mit 28 Tagen (Ausnahme: Frischbrot – 3 Tage).

Munition mit   3-5   Ausst. für ca. 14 Tage.
Betriebsstoff: 5,5   VS Heeresbestände
                     <u>4,4</u>   VS dänische Wirtschaft
                = 9,9   VS für etwa 10 Tage.

Marine:
Die Versorgung der Land- und Seeverbände ist für die ersten 10 Tage aus der Bevorratung gesichert.
Verpflegung wie Heer.
Munition für 10 Tage.
Betriebsstoff für Kfz. u. schwimmende Verbände) für 10 Tage

Luftwaffe:
An Betriebsstoff sind: Für Kfz. ca. 20 VS vorhanden.
         –   Für Fliegende Verbände nur für Nachtjagd mit 2 Großeinsätzen.
Sperrbestände an Flugbenzin sind nicht vorhanden.
Munition: Bordwaffen   13 mm   0,2 Einsätze (Fehl 13-15 Mill)
                            2 cm   2 Einsätze
                            2 cm   15 Einsätze.

Verpflegung wie bei Heer.

Luftlage entwickelt sich bis 18.1. so, daß "Blauer" Führer Luft infolge der fehlenden Versorgung an Betriebsstoff der Flugplätze in Jütland und Fünen glaubte, nicht mehr den von OKL für Dr. G. N. vorgesehenen Aufmarsch durchführen zu können, da fast alle Bahnstrecken zerstört waren.

     Er beantragt daher, Zurverfügungstellung der Flugplätze in Nordschleswig, deren Bevorratung auf Grund der gegebenen Lage noch möglich war.

     Dem Antrag wird stattgegeben und "Blau" für Luftaufmarsch alle Flugplätze in Nordschleswig zur Verfügung gestellt.

     Außerdem war es trotz der Zerstörung der Bahnen gelungen, bis 20.1. mittags einen Betriebsstoffzug mit 1.000 cbm Betriebsstoff und einen Zug mit Bordwaffen- und Abwurfmunition bis in den Raum Hadersleben-Vejle auf mühsamen Umleitungen durchzuschleusen. Ebenso sind 2 Tankdampfer mit je 400 cbm von Heiligenhafen nach Svendborg unterwegs mit Räumgeleit, mit deren Eintreffen im Laufe des 20.1. gerechnet wird.

Verfügbare Kräfte bei "Drohende Gefahr Nord" (Dr. Gustav Nagel)[156]
JG 1 Raum Seeland
   I. Gruppe   (Jabo) Kopenhagen-Kastrup   36   Jabo
  II.   –   Värlöse   63
III.   –   Avedöre-Aunö   <u>64</u>
                                                                   = 163

---

156 "Dr. Gustav Nagel" var dæknavnet for den tyske operationsplan i tilfælde af en allieret invasion af Danmark og Norge.

JG 11
   I. Gruppe   Lübeck-Blankenese   41 Jabo
   II. –   Kaltenkirchen   44
   III. (Jabo)   Neumünster   36
                                              = 121

JG 27 (Raum Flensburg-Hadersleben)
   I. Gruppe   Hadersleben   22 Jabo
   II. –   Vejle   21
   III. –   Stens-Hoven-Eggebeck   23
   IV. –   Eggebeck-Flensburg   27
                                              = 93

Jäger 337 // 94 Jabo
   I. NJG 3   Nachtjäger
   1. Staffel   Grove
   2. –   Grove   } = 31
   3. –   Kastrup

Nachtschlachtverbände
   NSG   1   Odense   22
   NSG   20   –   35
   NSG   2   Bogense-Varde   39
                                              = 96

Kampfverbände
   I./LG 1   Fassberg   26
   II./LG 1   Wesendorf   24
   I./KG 66   Dedelsdorf   27
   III./KG 26   Flensburg   19
   III./KG 100   Parschim   23
                                              = 119

Aufklärer
   3. (F)/122   Quakenbrück-Grove   6
   1. (F)/33   Schleswig-Grove   7
   1. NAG 6   Rye   9
   2. NAG 6   Rye   11
                                              = 33

Verfügbare Kräfte der Marine bei B II
Als WB Dän. "Blau" B II gab:

2 Kreuzer
4 Zerstörer
5 Torpedoboote
2 Schnellboot-Flottillen
4 Kleinkampf-Flottillen

b.) Die Vorbereitungen des roten Landungsunternehmens
1.) Verlegung aller Heeresverbände in die Räume der Absprunggegend Nordenglands und Schottlands und Bereitstellung der Transportverbände von Süd-England in die Einladehäfen.
2.) Beginn der Einschiffung am 16.1. in den Häfen New-Castle, Edinburgh, Dundee und Aberdeen.
3.) In der Nacht 18./19. Auslaufen der Kampfgruppen 1 und 2 zum Kommando-Unternehmen Esbjerg-Börsmose-Hansted.

Durchführung:
1.) Zwischen 19.1., 18.00 Uhr und 21.1.,18.00 Uhr Räumen der Minensperre Skagerrak.
2.) Die alliierten Bombenangriffe zwischen dem 17. und 20.1. gaben "Blau" kein klares Bild der roten Absicht.
Schwerpunkt der Angriffe lag im südnorwegischen Raum und in Norddeutschland. "Blau" schloß *nicht* daraus, daß ein Angriff auf Dänemark bevorstand.
3.) Am 20.1., 3.00 Uhr Kommando-Unternehmen Esbjerg und Börsmose, 5.00 Uhr Kommando-Unternehmen gegen Hansted, überraschende Anlandung, Einbruch in schwerer (38 cm) Battr.

Die Landung im Raum Börsmose stieß auf abwehrbereite Truppe und Eingreifreserven waren schnell zur Stelle. Da die Landung an der Trennungslinie der Inf. Rgt. 290 und 58 erfolgte, war zunächst eine Absprache zwischen beiden Kommandeuren über die Führung des Gegenangriffes erforderlich.

Entgegen den Befehlen des Führers "Rot" setzten sich die gelandeten Kräfte beider Unternehmen nicht wieder zeitgerecht von Land ab. Da die die Landung und den Kampf an Land deckende Seestreitkräfte abgezogen werden mußten, um Sicherungs- und Begleitaufgaben bei der Transportflotte zu versehen, entstand für beide Kommando-Unternehmen eine schwierige Situation.

Der weitere Verlauf der Kämpfe um Börsmose und Hansted konnte wegen Zeitmangel im einzelnen nicht durchgespielt werden, dies bleibt den Divisionen für eigene Übungsvorhaben überlassen. Im wesentlichen sind die Maßnahmen beider Parteien zu billigen.

Der Spielverlauf ab 20.1., 8.30 Uhr:
Die Schwierigkeiten für Operationen einer starken Flotte im Skagerrak und Kattegat traten im weiteren Verlauf des Spiels deutlich zu Tage.
Unterstützung durch schwere Einheiten an den Hauptlandeplätzen *nicht* möglich, Absicht des "Roten" Seebefehlshabers war daher auch, die schweren Einheiten sobald

wie möglich wieder herauszuziehen, zum Schutz der Geleitwege in der Nordsee.

Einsatz "Blauer" Kleinkampfmittel in den Gewässern vor der Ostküste Jütlands besonders günstig.

Ein rechtzeitiges Erkennen feindlicher Unternehmungen gegen die Ostküste kann als gegeben hingenommen werden (Ortungsgeräte, Luftaufklärung und u. U. Sicht).

"Blau"
Auf Grund der vorliegenden Meldungen vom 20.-22.1. etwa 17.00 Uhr waren daher auch bei WB Dän. die Absichten "Rot" im wesentlichen erkannt. Auch das Täuschungsunternehmen gegen Seelandsodde und die Überfliegung Seelands durch starke rote Transportverbände am 23.1. früh konnte die Auffassung WB Dän. "Blau" nicht ändern.

Daher am Abend des 22.1. Entschluß zur Herauslösung je einer verstärkten Rgts. Gruppe aus dem Abschnitt der 166. und 160. Res. Div.

Die Versammlung dieser Teile im Raum westlich und nordwestlich Silkeborg am 23.1. etwa 9.00 Uhr kann als gegeben angenommen werden.

a.) Stärke Rgts. Gruppe 166. Res. Div.:
   Rgt. Stab 69
   Btl. 18
   Btl. 159
   Btl. 236   } voll mot.
   Artl. Abt. 1066 (3 Battr. 12,2 r)
   Div. Pz. Jg. Kp.
   3 Inf. Pz. Jg. Kpn. (Pz. Schreck)

b.) Stärke Rgt. Gruppe 160. Res. Div.:
   Rgt. Stab Esbjerg (Maj. Fredebold)
   Btl. 469 (fahrradbeweglich)
   Btl. 376 (voll mot)
   Artl. Abt. 290 (mit 3 s. Battr.)
   Div. Pz. Jg. Kpn. (voll mot)   } voll mot.
   schw. Kampfgruppe   (3 s. Gr. W
                         8 m Gr. W
                         2 s. M.G.
                         3. 3,7 Pak)

Zweckmäßig wäre hier die Einteilung eines gemeinsamen Führers für beide Kampfgruppen gewesen.

Eine frühere Herauslösung beider Kampfgruppen hätte den gegebenen Verhältnissen noch mehr entsprochen und voraussichtlich einen Einsatz dieser Teile gegen die im Raum westlich Aarhus gelandete 21. (a) Luftlande-Div. ermöglicht.

Bewegliche Teile der 233. Res. Pz. Div. wären damit zum sofortigen Einsatz gegen den auf der Grenaa-Halbinsel gelandeten Feind verfügbar gewesen.

"Roten" Luftwaffe bei der Sicherung der Luftlandung Aufgabe für "Rote" Luftwaffe mit 1200 Flugzeugen 2 Luftlandediv. auf Grenaa-Halbinsel im frühesten Morgengrauen abzusetzen nicht einfach und bisher im Kriege noch nicht durchgeführt. Start aller Flugzeuge bei Nacht, einschl. der Schleppflugzeuge Nachtanmarsch im Bomberstom. 3½ Stunden langer Flug in 3.000 m in ungeheizten Schleppflugzeugen.

Verbände kommen mit Sicherheit durcheinander und es wird sicher große Schwierigkeiten geben, auf der Erde die Einheiten zusammenzufassen. Dieser Schwächemoment der Fallschirm- und luftgelandeten Truppen wird sehr lange dauern.

Sicherung der Fallschirmspringer bzw. der Luftlandung durch rote Jagdkräfte frühestens 2 Stunden nach Helligkeitsbeginn nur bis zu 2 Stunden vor Anbruch der Dunkelheit möglich, da Jagdverbände nachts nicht geschlossen fliegen, starten und landen können.

Das gilt auch für Sicherung der Flotte bzw. der Anlandung. Die langen Anflug- und Abflugwege (je 1½ Stunden) sind für die "Rote" Führung eine große Schwäche, da laufend alle 1 ½ Stunden die über Jütland eingesetzten "Roten" Jägerverbände abgelöst werden müssen, d.h. bei 1.000 roten Jägern über die "Rot" verfügt, können laufend nur 60-100 Jäger über dem Kampfgebiet sein.

Entschluß "Rot", erst am Tage der Anlandung mit seinen Bombenkräften die "Blau" Luftwaffen-Bodenorganisation anzugreifen, erscheint doch sehr gefährlich. Erstens mußte "Rot" damit rechnen, daß "Blau" so in der Lage ist, während des Anlaufens der Operation bereits Kräfte zur Abwehr, wie es ja auch tatsächlich geschehen ist, nach Jütland zu verlegen und es daher zu schweren Luftkämpfen bei dem Angriff auf die Bodenorganisation bzw. bei der Anlandung kommt und zweitens, daß der einmalige Angriff von 1.000 Bombern auf 10 Flugplätze, d.h. je Flugplatz l00 Bomber nicht genügt, die "Blaue" Bodenorganisation zu zerschlagen. Es handelt sich dabei um Flugplätze, die eine sehr große Ausdehnung haben

Und drittens konnten immer Wetterlagen eintreten, die gerade einen schlagartigen Angriff auf die Bodenorganisation am Anlandungstage nicht zuließen.

Die operative Überraschung war nach den dreitagelang dauernden Angriffen auf die Verkehrsanlagen in Schleswig und Südjütland doch nicht mehr gewährleistet.

Im Westen hat der Anglo-Amerikaner viele Wochen lang die schwersten Angriffe auf die Flugplätze durchgeführt.

Beeinflußt ist der Entschluß sicherlich dadurch, daß "Rot" bessere Kenntnisse über die Bevorratung der "Blauen" Bodenorganisation hatte, wie es im Wirklichkeit wohl der Fall ist.

Die "Roten" Anlandungen an der Ostküste

a.) 148. (e) Brigade in der Aalbäk-Bucht Landung durch flankierendes Feuer der 1. und 2./509 behindert. –

"Blau" beurteilt diese Landung sehr richtig als Teilunternehmen.

Feindliche Absicht, Skagen auszuschalten, scheitert.

"Blaue" Eingreifreserven (ukr. Btl.) 683 und Teilkräfte aus Frederikshavn) bereits nach 3 Stunden zum Gegenangriff bereit (21.00 Uhr).

Bei ausreichenden Kräften ist infanteristische Sicherung von Küst.-Battr. eine Selbstverständlichkeit. Stehen nur schwächere Inf.-Kräfte zur Verfügung, wie das im dänischen Raum allgemein der Fall ist, so müssen diese als Gegenstoß-Reserven geschlossen zum Einsatz kommen. -

Die Küsten-Battr. sichern sich infanteristisch mit eigenen Kräften.

b.) Das Unternehmen Själlandsodde beurteilt Führer "Blau" richtig als Ablenkungsmanöver.

Die vom Höh. Kdo. Kopenhagen getroffenen Gegenmaßnahmen entsprachen den taktischen Möglichkeiten.

In vorausschauender Beurteilung der Lage wurde festgestellt, daß die Frage der Beweglichkeit für die weit auseinanderliegenden D-Batl. von entscheidender Bedeutung ist.

Für eine Verteidigung Kopenhagens sind die vorhandenen Kräfte zu schwach.

Der Vorschlag des Adm. Skagerrak, Hafen Kopenhagen unter allen Umständen zu halten, wird z.Zt. geprüft.

Dem Standpunkt, daß die Widerstandsbewegung – ähnlich wie in Frankreich – erst dann aktiv wird, wenn die Invasion als gelungen bezeichnet werden kann, wird beigetreten.

c.) Die Landung der 80. (e) Div. mit Schwerpunkt nördl. des Mariager-Fjordes gelang infolge der schwachen Küstensicherungen ohne große Schwierigkeiten. Verluste auf "Roter" Seite können durch Einsatz eigener Kleinkampfmittel der Marine angenommen werden. Der Vorstoß "Roter" Landungskräfte in den Fjord hinein kann als gescheitert bezeichnet werden, da hier starker Minenschutz vorhanden ist und abwehrbereite Truppen an Land.

Die Notwendigkeit des sofortigen Einsatzes aller verfügbaren Kräfte zum Gegenangriff kam besonders bei dieser Landung zum Tragen.

Die Luftlandung der 17. und 21. (a) Luftlandedivision erfolgte nach dem vom Führer "Rot" festgelegten Plan.

17. (a) Luftlande-Div. springt am 23.1., 6.00 Uhr nach 3-stündigem Flug im Raum Thorsager-Mörke-Fölle ab. Eine Rgts.-Gruppe landet westlich Grenaa beim Flugplatz Tirstrup und wird sehr bald vom Pz. Gren. Btl. 413, das von Osten gegen den Flugplatz vorgeht, angegriffen. In die sich sammelnde Kampfgruppe, die während des langen Fluges und des Absprungs einer starken Kälte ausgesetzt war, vorstoßend, kann das Btl. 413 anfänglich Erfolge erringen, wird aber im Verlauf des 23. auf Grenaa zurückgedrängt und am 24.1. in Grenaa vernichtet.

Die 2. Gruppe, weiter westl. landend, springt mit Teilen in das in diesem Raume nicht vermutete Panzer-Gren. Rgt. 3 und wird von dieser gut ausgerichteten und bewaffneten Truppe mit Masse bald zerschlagen.

Der 21. (a) Luftlande-Div. gelingt am 23.1. morgens, eine unbehinderte Landung im Raume Sabro (westl. Aarhus). Sie kann sich auch unbehelligt sehr schnell versammeln und sichern und kampfkräftigen Teilen nach Süden, Westen und Norden vorstoßen. Erst gegen Mittag werden die nach Norden vorgeprellten Teile von Panzerkräften des W. Bef. Dan. aus der Gegend der Straße Randers-Aarhus – gestellt. Auch von Westen her von der Straße Hammel-Randers werden die Fallschirmtruppen angepackt.

Am Abend sind die Vorteile der L.L. Div. im wesentlichen verlorengegangen. Die Div. ist zwar noch absolut kampfkräftig, sieht sich aber einem starken von drei Seiten angreifenden Gegner gegenüber.

Am Morgen des 24.1. erfolgt ein überlegener Angriff gepanzerter Kräfte der 233. Res. Pz. Div. von Norden her auf Sabro, der die Front unter hohen Verlusten nach Süden zurückdrängt. In Verbindung mit Angriffen aus Richtung Aarhus wird die 21.(a) L.L. Div. im Verlauf des Tages immer weiter zusammengedrängt und gegen Abend vollständig aufgerieben.

Luftwaffe:
Auf Grund der Schwierigkeiten der Unterbringung und Versorgung im südjütl. Raume hat der Komm. Gen. d. Dt. Lw. i. Dänemark nach Einholung der Genehmigung bei Luftflotte Reich einen neuen Aufmarsch seiner Kräfte, vor allem im südholsteinischen Raum, befohlen. Bis zum 20.1. abends sind LG 1 und eine Gruppe KG 26 einsatzbereit; ab 21.1. sind 2 Gruppen JG 27 und das JG 1 einsatzbereit. Wegen schlechter Wetterlage und Schwierigkeiten beim Herauslösen aus anderen Frontabschnitten ist bei JG 11 erst ab 23.1. mit der Einsatzbereitschaft zu rechnen. Ab 22.1. ist eine Nachtschlachtgruppe einsatzbereit. Der Stand der Nachtjagdverbände im dänischen Raum ist nicht verändert. In Grove ist zur Verstärkung der Aufklärung eine Ar 234 eingetroffen. Die Wetterlage am 20.1. und in der Nacht zum 21./22.1. im dän. und nordwestdeutschen Raume ist einwandfrei.

Nach Anfrage wird von Luftflotte Reich befohlen, daß das KG 26 (LT) dem Komm. Gen. d. Dt. Lw. i. Dän. unterstellt ist und daß ab 21.1. abends 30 LT Flugzeuge einsatzbereit wären.

Komm. Gen. d. Dt. Lw. i. Dän. "Blau"
Am Abend des 20. sind die Meldungen über den herannahenden Gegner erst so spät zur Kenntnis gelangt, daß ein wirksamer Einsatz des zu dieser Zeit schon bereitstehenden LG 1 nicht mehr möglich war. Es findet infolgedessen in der Nacht vom 20. zum 21.1. gegen den Gegner oben im Skagerrak, wie auch gegen den Gegner westlich Blaavands Huk kein Kampfeinsatz statt. Kräfte dafür sind noch nicht zur Verfügung.

Am 21. selbst ist noch kein Einsatz möglich.

Wetterlage ist gut. Die Jäger sind erst eingetroffen.

Befehlshaber der "Blauen" Luftstreitkräfte beabsichtigt, am 21. abends auf Grund der inzwischen eingegangenen Meldungen einen starken Angriff mit dem bereitstehenden LG l, mit der bereitstehenden II./KG 100 und möglicherweise auch mit dem zur Verfügung gestellten Torpedogeschwader gegen das durch das Skagerrak marschierende Gros des Feindes anzusetzen. Der Angriff wird in der letzten Abenddämmerung durchgeführt mit dem LG 1, 2 Kampfgruppen und 1 Beleuchten-Gruppe und FK-Einsatz.

Torpedogeschwader wird mit seinen eigenen Beleuchtungsflugzeugen zum Einsatz gegen den Verband kommen, Betriebsstoff von Frederikshavn und Feldflugzeugen zusammenbringen lassen, ausschließlich zur Verwendung der genannten Kampfgruppen. Geschlossener Angriff in einem kurzen Zeitraum. Der Anflug für das Lehrgeschwader 1 erfolgt über die Ostküste Jütlands im Steilflug auf 4.000 m. Der Verband greift in geschlossener Formation vom Osten her an. Der Jagdabschnittsführer ist informiert. Nachtjagd ist nicht angeordnet, da zwecklos.

Die Zuführung von Verstärkungskräften aus dem Reich wurde durch die Leitung (WFSt) spielmäßig zum frühestmöglichen Zeitpunkt durchgeführt. Es ist zweifelhaft, ob dieser Befehl in Wirklichkeit bereits am 20.1. ergangen wäre.

WB Dän. muß damit rechnen, mindestens 3 Tage nach erfolgter Invasion mit eigenen Kräften auszukommen.

Die Beweglichkeit, Waffen- und Geräteausstattung der eigenen Reserven spielt daher eine entscheidende Rolle, desgl. die Versorgung auf allen Gebieten, wobei hierbei zwar verpflegungsmäßig im Lande die wenigsten Schwierigkeiten bestehen, um so mehr aber auf anderen Gebieten. Hierbei sei bemerkt, daß z.Zt. der Brotversorgung der Truppe bereits nach etwa 3 Tage zu Ende ist, da hier mit dänischen Bäckereien gearbeitet wird und die Truppe keine Versorgungseinrichtungen besitzt.

Die dem WB Dän. aus dem Reich mobmäßig zufließenden Kräfte sind in ihrer Zusammensetzung nicht mit vollwertigen Verbänden gleichzusetzen.

Infolge der feindlichen Luftüberlegenheit muß auch schon bei Anmarsch dieser Verstärkungsverbände mit erheblichen Ausfällen gerechnet werden.

Eine genaue Berechnung der Eintreffzeiten der Verstärkungsverbände ist erforderlich, um Ansatz der Kräfte zum Gegenangriff richtig befehlen zu können.

Der Verlauf der Kämpfe des 23.1. hat gezeigt, daß die einzigste bewegliche und kampfkräftige Bef. Reserve bei kombinierter See- und Luftlandung im Kampf gegen den luftgelandeten Gegner sofort gefesselt wird, ohne ihre eigentliche Aufgabe, den von See gelandeten Feind im Gegenangriff zu zerschlagen, durchführen zu können.

Trotzdem kann dem Entschluß von "Blau" zugestimmt werden. Wäre von vornherein eine straffe Führung der gegen die 21. Luftlande-Div. eingesetzten "Blauen" Teile und ein planmäßiges Zusammenarbeiten vorhanden gewesen, so wäre es mit großer Wahrscheinlichkeit gelungen, diese Division so schnell zu zerschlagen, daß die eigenen Teile rechtzeitig wieder zu anderen Aufgaben verfügbar gewesen wären.

Der Angriff war für den Abend aus verschiedenen Richtungen befohlen, wozu Truppen verschiedener Div. angesetzt wurden. In der Dunkelheit fuhren die Verbände zum Teil in Unkenntnis der Lage in den Feind hinein. Zum Teil gerieten sie miteinander ins Gefecht. Kampfungewohnte Truppen – wie Rekruten und Alarmeinheiten – sind derartigen Kampfeindrücken nicht gewachsen.

Es trat Verwirrung ein, der Angriff konnte erst ab 24.1. mittags erneuert werden.

Es wäre Zeit gewonnen worden, wenn er von vornherein für den Morgen des 24.1. angesetzt und unter einheitliche Führung gestellt worden wäre.

Der Verlauf des 24.1.1 hat gezeigt, daß die rechtzeitige Heranführung von Reserven aus dem Bereich des WB Dän. den auf breiter Front erstrebten Durchbruch der feindlichen Hauptkräfte nach Westen verhindern konnte. Das Vordringen eines Pz. Keils vom Südteil der Grenaa-Halbinsel in Richtung auf Aarhus konnte jedoch nicht verhindert werden.

Dem letzten Entschluß des "Roten" Führers, für diesen Stoß alle verfügbaren Pz. Kräfte zusammenzufassen, wird zugestimmt.

Zu den Entschlüssen der als WB "Blau" eingeteilten Kdr. kann ich nur folgender Lösung zustimmen.

Entschluß 24.1. abends:
Vernichten des auf Aarhus durchgebrochenen Feindes durch Angriff aus NW.
Dazu Zusammenfassen einer gepanzerten Stoßgruppe im Räume südostwärts Hadsten, bestehend aus:
gepanzerten Teilen 233. Res. Pz. Div.
Gruppe Putlos
Teile Gruppe Hoffmann (2 mot Rgt. u. Art. u. A.A. 3)
H. Flak-Abt. 280
unter Führung 233. Res. Pz. Div.
Verteidigung bei Aarhus durch Gruppe Hoffmann (ohne abgestellte Teile), in 2. Stellung durch 233. Res. Pz. Div. ohne gep. Gruppe, evtl. unter Zurückbiegung der Front.

Marine:
1.) Den Maßnahmen des "Roten" Seebefehlshabers wird im großen gesehen zugestimmt, daß es unzweckmäßig erscheint, schwere Schiffe ostwärts des Skagerrak-Minengebietes operieren zu lassen. Jedoch ist die durch diesen Einsatz entstehende demonstrative Wirkung, die ja effektiv überschattet, zweifellos von Wert. Wenn ein solcher Einsatz geschieht, dann muß er nach den ersten Auslandungsaktionen beendet werden. Im Laufe der Zeit steigen nämlich für "Blau" die Chancen, seine Kleinkampfmittel-Schnellboote und K-Verbände zur Geltung zu bringen.
2.) Die vom Seebefehlshaber "Blau" veranlaßten Maßnahmen waren im ganzen gesehen richtig. Die Aufstellung der Schnellboote und U-Boote erwies sich als wirksam. Richtig war es ferner, nach den ersten Feindmeldungen, nämlich in der Nacht vom 19. zum 20., noch nicht die Kreuzer und Zerstörer anzusetzen. Dies war erst nach Klärung der Lage erfolgbringend. Stattdessen wurde richtigerweise die in Hirtshals klarliegende Schnellboot-Flottille eingesetzt.
   Als falsch erwies sich Dislozierung der 2-K-Flottillen nach Esbjerg. Nachdem der Seebef. "Blau" sagte, er rechne mit einer Landung an der Ost-Küste, war dieser Verlegungsbefehl nicht verständlich.
3.) Der "Rote" Verband wäre vom Hansted in die eigenen Minen hineingekommen. Dies ist jedoch der Zeitverkürzung halber nicht gespielt worden, zumal die Schiffe, die ja Minensuchgeleit hatten, nicht in die Grundminensperre liefen.
   Vor Esbjerg jedoch geriet der Verband in die Alarmsperre und erlitt auch den entsprechenden Ausfall.

III.) Zusammenfassung:
Die Frage der Bedrohung der dänischen Ostküste – vor allem während der Wintermonate – hat in den Lagebeurteilungen aller Wehrmachtteile in letzter Zeit eine zunehmende Rolle gespielt.
Zweck des Kriegsspiels war, diesem Umstand Rechnung zu tragen und trotz Festhaltens des Schwerpunktgedankens Westküste durch den WFSt. eine alliierte Großlandung an der Ostküste durchzuspielen.

Dabei hat sich gezeigt:
1.) Das Durchbrechen starker Kampf- und Transportverbände durch Skagerrak und Kattegat ist infolge der absoluten Überlegenheit des Feindes zu Wasser und in der Luft zwar möglich, einer Landung an der Westküste gegenüber aber erheblich erschwert.
   a.) Wegfall des für eine Anlandung wichtigen Überraschungsmomentes.
   b.) Heranführung schwerer Einheiten, vor allem Flugzeugträger, in ein enges und flaches Seegebiet, vor allem, so lange dieses ungesichert ist (Kleinkampfmittel der eigenen Marine),
   c.) lange Nachschubwege,
   d.) nach der Anlandung zunächst keine Aussicht, schnell und auf kurzem Wege das operative Ziel zu erreichen. Dementsprechend erhöhter Kräftebedarf.
2.) Die Landbrücke zwischen Kolding und Esbjerg mit den für eine Landung günstigen Voraussetzungen (Landbrücke nördl. Esbjerg und der Hafen Esbjerg selbst) und dem schnell und mit Verhältnismäßig geringen Kräften zu erreichenden operativen Ziel der Abschnürung bildet weiterhin die Grundlage für die Aufrechterhaltung des bisherigen Schwerpunktgedankens.

Gerade im Hinblick auf die derzeitige Lage an anderen Fronten muß es dem Feind darauf ankommen, schnell zu einem operativen Erfolg zu kommen. Die Nähe der Reichsgrenze wird weiterhin die Alliierten in dem Entschluß bestärken, den Einbruch in den Nordraum gerade im Raum Esbjerg zu suchen.

Die Haltung Schwedens im Falle einer alliierten Großoperation mit Schwerpunkt an den dänischen Ostküsten kann nicht mit Sicherheit vorausgesagt werden.

Auf jeden Fall wird in einer Situation, wie sie das Kriegsspiel gebracht hat, der Feind die Öffnung der schwedischen Häfen und Bereitstellung von Flugplätzen im schwedischen Raum zu erwirken suchen.

Es braucht hier nicht weiter erwähnt zu werden, welche Bedeutung die Benutzung von Häfen und Flugplätzen in Schweden durch die Anglo-Amerikaner für den weiteren Verlauf der Kriegsführung im Nordraum besitzt.

Wenn auch alle zuverlässigen Nachrichten bisher dafür sprechen, daß Schweden sich aus dem Krieg herauszuhalten sucht, so kann man doch annehmen, daß sich Schweden in einer Lage, wie sie hier durchgespielt wurde, einem Ansuchen zur Bereitstellung von Häfen und Flugplätzen gegenüber nachgiebig zeigt.

Mit aus diesem Grunde muß der Betrachtung einer Anlandung an der Ostküste aus rein politischen Gründen besondere Bedeutung zugebilligt werden.

Eine Teiloperation nur gegen Nordjütland vielleicht im Zusammenhang mit einem gleichzeitigen Unternehmen gegen Süd-Norwegen zur Blockierung der Ostseeausgänge kann ebenfalls erwartet werden, vor allem dann, wenn der Kampf im Westen zu weiterem Kräfteeinsatz der Anglo-Amerikaner zwingt und entsprechende Verbände für eine Gross-Operation im nordischen Raum nicht mehr zur Verfügung stehen.

Der Schwerpunktgedanke Westküste, an dem festzuhalten ist, sei es in der Annahme eines Großunternehmens gegen den Raum von Esbjerg oder eine Teiloperation in Nord-

Jütland, wird vom Komm. Gen. d. Dt. Lw. i. Dän. geteilt.
Anlandung Granaa wird vom Standpunkt der Luftwaffe für ungünstiger gehalten als eine Landung an der Westküste, da

a.) Längere Flugzeit (Anflugzeit Fallschirmjäger und Lastensegler 3½ Stunden).
b.) Längere Erfassung durch "Blauen" Flugmeldedienst und daher auch längere Zeiten zur Bekämpfung durch "Blaue" Jagdverbände über eigenem Raum.
c.) "Blau" hat besser Gelegenheit, die durch Luft herangeführte Versorgung der luftgelandeten Truppen zu stören.
d.) "Rot" braucht wesentlich mehr Jagdkräfte zum Abschirmen der Luftlandung und zum Schutz der Nachschubflüge.
e.) Der längere Anmarsch der "roten" Landungsflotte ergibt sich für ihre Bekämpfung mit Lufttorpedo und Bomben, insbesondere aus dem norwegischen Raum, günstigere Möglichkeiten als bei einer Anlandung an der jütländischen Westküste.

Das Kriegsspiel hat die Abwehrbereitschaft der Truppen aller Wehrmachtteile im dänischen Raum aufgezeigt und Anregungen auf allen Gebieten für die weitere Erhöhung der Kampfkraft unter Ausnutzung aller im Lande vorhandenen Mittel gebracht. Es hat aber auch die Schwierigkeiten der Verteidigung von etwa insgesamt 1.000 km Küstenstrecke mit den im Raum befindlichen schwachen z.T. unbeweglichen, mit Versorgungseinrichtungen, Waffen und Material nicht voll ausgerüsteten Kräften dargelegt.

Die Bedrohung der wenigen Eisenbahnstrecken sowie der Nachschubstraßen ins Reich auf dem Lande und zu Wasser durch die Überlegenheit der feindlichen Luftwaffe trat besonders in Erscheinung.

Die bei dem Kriegsspiel gesammelten Erfahrungen werden bei den Truppen aller Wehrmachtteile ausgewertet.

Es wird in enger Zusammenarbeit unter Ausnutzung aller vorhandenen Mittel weiter an der Erhöhung der gemeinsamen Einsatzbereitschaft gearbeitet werden.

33. Adolf Hitler an WB Dänemark u.a. 21. Januar 1945

Hitler befalede en række værnemagtsøverstbefalende at give nøje meldinger om operative bevægelser, forestående angreb, forventede tilbagetrækninger, opgivelse af støttepunkter og fæstninger så betids, at han kunne nå at gribe ind. De øverstbefalendes ansvar blev i den forbindelse indskærpet: De skulle melde den usminkede sandhed. Endelig skulle kommunikationsforbindelserne med alle midler opretholdes.

Med befalingen lagde Hitler så snærende bånd på de øverstbefalende i en grad, at egeninitiativet blev meget begrænset. I praksis lod den sig i den kaotiske situation ikke opretholde.

Kilde: Hubatsch 1962, s. 300.

Fernschreiben von + KR GWBBL 01066 21/1 02.00 = M AUE = KR OKM/ Ski = Gltd = KR Ob West == KR Ob Südwest = KR Ob Südost = KR Geb AOK 20 (WB Norwegen) = KR WB Dänemark = KR Chef GenStdH = KR Ob. Ersatzheer = KR OKM/Skl = KR OKL/Fü Stab =gKdos

Ich befehle:

1.) Die Oberbefehlshaber, Kommandierenden Generale und Divisions-Kommandeure sind mir persönlich dafür verantwortlich, daß mir
   a.) jeder Entschluß zu einer operativen Bewegung,
   b.) jeder beabsichtigte Angriff vom Divisionsverband an aufwärts, der nicht im Rahmen von allgemeinen Weisungen der obersten Führung liegt,
   c.) jedes Angriffsunternehmen an ruhigen Fronten über die normale Stoßtrupptätigkeit hinaus, das geeignet ist, die Aufmerksamkeit des Gegners auf diesen Frontabschnitt zu ziehen,
   d.) jede beabsichtigte Absetz- oder Rückzugsbewegung,
   e.) jede beabsichtigte Aufgabe einer Stellung eines Ortsstützpunktes oder einer Festung so frühzeitig gemeldet wird, daß mir ein Eingreifen in diese Entschlußfassung möglich ist und ein etwaiger Gegenbefehl die vorderste Truppe noch rechtzeitig erreicht.
2.) Die Oberbefehlshaber, Kommandierenden Generale und Divisions-Kommandeure, die Chefs der Generalstäbe und jeder einzelne Generalstabsoffizier oder in Führungsstäben eingesetzte Offiziere sind mir dafür verantwortlich, daß jede an mich unmittelbar oder auf dem Dienstweg erstattete Meldung die ungeschminkte Wahrheit enthält. Ich werde künftig jeden Versuch einer Verschleierung, sei sie absichtlich oder fahrlässig oder durch Unachtsamkeit entstanden, drakonisch bestrafen.
3.) Ich muß darauf hinweisen, daß das Halten der Nachrichtenverbindungen, vor allem bei schwierigen Kampfhandlungen und in Krisenlagen, die Voraussetzung für die Führung des Kampfes ist. Jeder Truppenführer ist mir dafür verantwortlich, daß diese Verbindung sowohl zu der vorgesetzten Kommandobehörde als auch zu der untergeordneten Kommandostelle nicht abreißt und daß unter Ausschöpfung *aller* Mittel und unter Einschalten der eigenen Person die ständige Nachrichtenverbindung nach oben und unten in jeder Lage sichergestellt ist.

gez. **Adolf Hitler**
OKW/WFSt/Op (H) Nr. 0068SI43 gKdos

34. Wilhelm Keitel an Josef Terboven 21. Januar 1945

Hitler havde på grund af den anspændte kulsituation befalet, at 10 % af kullagrene i Danmark, dog mindst 30.000 tons, straks skulle stilles til rådighed for Norge. Best skulle i forståelse med Terboven og Kaufmann sørge for transporten og melde en tidsplan tilbage til Keitel med henblik på at orientere Hitler.

UM fik officielt besked 23. januar om de 30.000 tons (*Information* 22. til 25. januar 1945, *Daglige Beretninger*, 1946, s. 658f. (om Bests henvendelser til UM i sagen 23. januar og 19. februar 1945), Skade 1945, s. 6ff., Brøndsted/Gedde, 2, 1946, s. 909, Knutzen 1948, s. 138, Bohn 2000, s. 458 note 6.). Den danske modstandsbevægelse reagerede ved at sabotere en række kulkraner, efter at Danmarks Frihedsråd i et kommuniké 24. januar havde omtalt tyveriet (bl.a. RA, BdO Inf. Nr. 14, 15, 17, 21, 24, 30 og 33, *Information* 26. januar, 13. februar 1945, *Daglige Beretninger*, 1946, s. 606, 610, 638, 646, 649, 671, KB, Bergstrøms dagbog 30. januar, 23. februar 1945). Best svarede igen på sabotagerne af kulkranerne 19. februar med en skrivelse til UM, hvorefter han beordrede kullene taget fra "kulpladser med mere egnede Afskibsindretninger" og udpegede fire private firmaers kullagre (*Daglige Beretninger*, 1946, s. 658f.).

Best nævnte i *Politische Informationen* både 1. februar og 1. marts 1945, hvilke problemer kulrekvisitionen gav, og hvilke indskrænkninger den medførte. Det samme gjorde Rüstungsstab Dänemark i situationsberetningen 28. februar.

I anden halvdel af april begyndte besættelsesmagten yderligere beslaglæggelser af store mængder kul på Frederiksberg (11.000 tons) og i Københavns Sydhavn (18.000 tons fra Statens Beredskabslager), hvoraf dog de 11.000 tons igen blev frigivet efter få dage (*Daglige Beretninger*, 1946, s. 814, 816, 820, Knutzen 1948, s. 139).

Kilde: RA, Danica 50, pk. 91, læg 1274.

Fernschreibstelle AOK Norwegen Lfd. Nr. 2502 Geheim

FRR GWBBL 01056 21.1. 0035: QEM

Reichskommissar Norwegen
GLTD: Reichbevollmächtigten Dänemark. Reichskommissar Norwegen. Reichskommissar f d Seeschiffart. Nachr. Ausw. Amt, z.Hd. Botschafter Ritter. Nachr. Reichsminister und Chef d Reichskanzlei. Nachr. Reichvereinigung Kohle. Staatsrat Pleiger. Nachr. RUK/Planungsamt. Nachr. OB der Kriegsmarine. Nachr. W. Befh. Norwegen zgl. F. Kpt Z S Hülsmann.
Nachr. W. Befh. Dänemark. Nachr. Seetransportchef f.d. Wehrmacht. Nachr. Heimatstab Skandinavien. Nachr. F Wi Amt.

Geheim
Der Führer hat im Hinblick auf die angespannte Kohlenlage befohlen, daß 10 proz. der z.Zt. in Dänemark befindlichen Kohlenvorräte, mindestens jedoch 30.000 to. sofort für Norwegen zur Verfügung zu stellen sind. Ich bitte den Reichbevollmächtigten Dänemark, im Benehmen mit Reichskommissar Norwegen und Reichskommissar f d Seeschiffahrt die beschleunigte Überführung nach Norwegen zu veranlassen und mir die geplante Durchführung mit Mengenangabe und voraussichtlichen Terminen zwecks Meldung an den Führer mitzuteilen.

gez. **Keitel**
Generalfeldmarschall
OKW/WFSt/Qu 3 (Wi) Nr. 0474/44 geh.

35. Das Auswärtige Amt an OKM 22. Januar 1945

AA ville gerne vide, hvad resultatet blev med hensyn til beslaglæggelse af kraner og dokker i Danmark. RKS havde skrevet til AA, at det var af den opfattelse, at beslaglæggelser ikke skulle finde sted, og at RKS ventede, at Hauptausschuß Schiffbau hos OKM ville være af samme opfattelse. Nu havde Hauptausschuß Schiffbau meddelt, at man var blevet enige om at beslaglægge en dok.

I Seekriegsleitung var man af den opfattelse, at sagen vedrørende beslaglæggelse af dokker og kraner i Danmark var afgjort efter indstillingen fra RKS og Hauptausschuß Schiffbau, hvorefter der var aftalt beslaglæggelse af en enkelt dok.

Det fremgår af to påtegninger, at AA havde brug for at få at vide, hvilken beslutning der skulle sendes videre til Best. Det interne svar i Seekriegsleitung forelå 6. februar.

Seekriegsleitung sendte svaret til AA 8. februar 1945.

Kilde: BArch, Freiburg, RM 7/1816.

	JANUAR 1945	
Geheim		Dringend
S Berlin Nr. 134	22.1. [1945]	23.30 [Uhr]

An OKM 1 Skl I ca Koralle =

Ministerialdirektor Bergemann, Reichskommissar Seeschiffahrt drahtet aus Hamburg folgendes:
"Nach Rückkehr aus Kopenhagen und nach gestrigem Vortrag bei Reichsstatthalter Teile ich mit, daß der RKS sich nachdrücklich gegen eine Überführung von Kränen und Docks aus Dänemark ins Reich ausspricht. Eine derartige Maßnahme würde die für uns außerordentlich wichtige Reparatur- und Bautätigkeit in Dänemark zum Erliegen bringen.
Ein gleichwertiger Nutzen der Kräne und Docks ist bei einer Verwendung im Reich nicht zu erwarten. Zudem würden sie hier gerade nach den Erfahrungen der letzten Wochen außerordentlich gefährdet sein. Ich nehme an, daß Hauptausschuß Schiffbau OKM sich heute im gleichen Sinne äußern werden."
Telegrammschluß.
Nach Mitteilung Hauptausschusses Schiffbau, Oberbaurat Schulz, ist Angelegenheit zwischen Direktor Merker und Ministerialdirektor Bergemann im Sinne der früheren Entscheidung der Beschlagnahme zunächst eines Docks bereits geregelt.[157]
    Auswärtiges Amt
      [Theodor] von Knoop

[håndskrevne påtegninger:]
1.) Vermerk: Das AA möchte wissen, was nun eigentlich los ist, um Best Bescheid sagen zu können, die Angelegenheit scheint damals bei RKS, bzw. Hauptausschuß ziemlich ungegoren gewesen zu sein.
2.) Zunächst an Ib

An Ic
Ich habe mit [?] Rust Rücksprache genommen. Die Angelegenheit ist erledigt. Bitte deshalb dem AA mitteilen, daß die Forderungen auf Docks und Kräne aus Dänemark durch die bereits erfolgten Verlegungen befriedigt sind.
        Ib 6/2

---

157 Det er uvist, hvilken dansk dok, der skal være beslaglagt og ført til Tyskland. I Kriegsmarines krigsdagbøger i Danmark ses en sådan beslaglæggelse ikke i foretaget i januar 1945. Duckwitz nævner i sine erindringer, at to dokker blev slæbt til Tyskland, dog uden at angive tidspunktet, men det kan passe med årsskiftet 1944/45 (Duckwitz' erindringer u.å. kap. IV, s. 31f. (PA/AA, Nachlass Georg F. Duckwitz, bd. 29)). Havnekommandanten i København diskuterede 19. januar 1945 beslaglæggelse af danske handelsskibe med Wurmbach og tog andre detaljer vedrørende værftssikringen op, så der var stor fokus på området. Der kan være beslaglagt en mindre betydende dok nær en tysk havn for at have imødekommet førerordren.

36. Joseph Goebbels an Hans-Heinrich Lammers 22. Januar 1945

Goebbels havde 30. december 1944 foreslået Hitler, at der blev foretaget en inspektion i Danmark vedrørende den totale krigsindsats. Hitler gav sin tilladelse, der blev bekræftet af Martin Bormann 6. januar 1945. Goebbels gav Philipp Bouhler fuldmagt til at gennemføre opgaven, der skulle fjerne alle ikke absolut nødvendige foretagender og aktiviteter og indskrænke alle andre mest muligt.

Lammers havde 16. januar bedt Goebbels om en nærmere orientering om indholdet af Bormanns meddelelse 6. januar om inspektion vedr. den totale krigsindsats i Danmark, og brevet af 22. januar var et svar på det. Goebbels' brev blev 25. januar forelagt Lammers med følgende bemærkning: "MinRat Herrmann, Partei-Kanzlei, mit dem ich fernmündlich über die Angelegenheit gesprochen habe, teilte mit, die Partei-Kanzlei habe bei Ankündigung der Absichten von Reichsminister Dr. Goebbels die Auffassung vertreten, daß es zweifelhaft sei, ob die Inspektion in Dänemark auf die vorhandenen Vollmachten (Führererlass vom 25. Juli 1944 und Erlaß über die Überprüfung der Wehrmacht) gestützt werden könne.[158] Daraufhin habe Reichsminister Dr. Goebbels einen Sonderauftrag des Führers erwirkt. Wir werden an der Angelegenheit weiteres Interesse nicht zu nehmen brauchen." (kilde som nedenfor). Denne bemærkning understreger, at det havde været Goebbels meget magtpåliggende at få Danmark inddraget i kampagnen for den totale krigsindsats, og at han med den særlige bemyndigelse fra Hitler ville forebygge enhver indsigelse imod det fra AA eller andre.

Om Bouhlers inspektion i Danmark, se Goebbels dagbog 28. januar 1945, *Politische Informationen* 1. februar 1945, Bouhlers afsluttende drøftelse med Lindemann og stab 4. februar og Goebbels' dagbog 13. februar 1945.[159] Werner Best erindrede 1951 inspektionen på følgende måde: "Als im Januar 1945 eine "Auskämmkommission" unter der Leitung des Reichsleiters Bouhler nach Dänemark kam und in der deutschen "Zivilverwaltung" einen Personalbestand von etwa 2.000 Köpfen vermutete, konnte ich aufzeigen, daß ich ganze 137 Personen beschäftigte, und zwar einschließlich aller Stenotypistinnen, Kraftfahrer usw. und mit Einbeziehung nicht nur meiner Gesandtschaft, sondern auch aller Konsulate und Außenstellen!" Best udtrykte samtidig sin stolthed over at have været den, der stod i spidsen for den tyske administration med færrest ansatte uden for riget (BArch, B 120/359, Werner Best: Erinnerungen aus dem besetzten Frankreich 1940-1942, ms. 1951, s. 50).

Kilde: NHWE, Dok-id:APK-008238.

Der Reichsminister   *Berlin W 8, 22. Januar 1945*
für Volksaufklärung und Propaganda

Herrn Reichsminister und Chef der Reichskanzlei Dr. Lammers
   Berlin W 8

Sehr verehrter Parteigenosse Dr. Lammers!
Mit einer Vorlage vom 30. Dezember 1944 hatte ich dem Führer vorgeschlagen, ebenso wie in Italien so auch in Dänemark eine Inspektion durchzuführen, die eine völlige Anpassung aller deutschen Stellen an die Erfordernisse des totalen Krieges zum Gegenstand haben sollte. Mit der Durchführung der Inspektion sollte Reichsleiter Bouhler beauftragt worden.

Nach der Ihnen in Abschrift zugegangenen fernschriftlichen Mitteilung des Herrn

---

158 Goebbels var 25. juli 1944 blevet rigsbefuldmægtiget for den totale krigsindsats (Bramsted 1965, s. 351f., Orlow 1973, s. 468f., Nolzen 2004, s. 172. Jfr. Berndt til Brandt 2. juli 1944, trykt ovenfor).
159 WB Dänemark var 13. januar orienteret om, at Bouhler ville komme til København, og Bouhler indhentede 16. januar det første materiale, mens WB Dänemark 27. januar orienterede sine kommandanter om rigsinspektionen og gjorde klart, at alle ønskede dokumenter uden videre skulle stilles til rådighed (KTB/WB Dänemark anf. datoer).

Reichsleiters Bormann hat der Führer sich mit meinen Vorschlägen einverstanden erklärt.

Reichsleiter Bouhler ist inzwischen in Kopenhagen eingetroffen und hat die Überprüfung aufgenommen. Über den Umfang seines Auftrages darf ich Sie durch Beifügung einer Abschrift der ihm von mir erteilten Vollmacht in Kenntnis setzen.
Heil Hitler
Ihr
[underskrift]

Abschrift.
Der Reichsbevollmächtigte für den totalen Kriegseinsatz.

Vollmacht

Auf Grund des mir erteilten Führerauftrages zur Überprüfung der deutschen militärischen und zivilen Dienststellen in Dänemark bevollmächtige ich Reichsleiter Philipp Bouhler, in allen deutschen Verwaltungsstellen einschließlich aller öffentlichen Anstalten, Einrichtungen und Betriebe sowie bei der gesamten Wehrmacht, Waffen-SS und Polizei den Stand der Anpassung an die Erfordernisse des totalen Krieges zu ermitteln.

Nach den mir vom Führer gegebenen Weisungen soll Reichsleiter Bouhler bei der Erfüllung seines Auftrage dafür sorgen, daß durch rationellsten Einsatz von Menschen und Mitteln, durch Stillegung oder Einschränkung minderkriegswichtiger Aufgaben und durch möglichste Vereinfachung der Organisation und des Verfahrens ein Höchstmaß von Kräften für Front und Rüstung freigemacht wird.

Alle deutschen Dienststellen sind gehalten, meinem Bevollmächtigten jede zur Durchführung dieses Führerauftrags notwendige Unterstützung zuteil werden zu lassen und ihm alle notwendigen Unterlagen zur Verfügung zu stellen.
gez. **Dr. Goebbels**

37. Festungs-Pionierstab 31: Bericht über den Ausbaustand und weitere Absichten für den Ausbau Dänemarks 22. Januar 1945

Festungs-Pionierstab 31 afgav beretning om udbygningen af landbefæstninger i Danmark for 1944, samt hvad der endnu manglede og skulle med i byggeprogrammet for 1945. Der var betydelige problemer med både materialeanskaffelserne og transporten. Det havde været en ulempe, at personer i nøglestillinger i staben, som havde været to år i Danmark, var blevet udskiftet i efteråret. Ulemperne var først løst ved årsskiftet, så stabens fulde styrke nu var genoprettet. Der havde i løbet af 1944 været stigende uro gennem sabotage, strejker og øget arbejdsulyst hos de danske arbejdere. Erfaringen havde vist, at tvangsforanstaltninger ikke virkede, men det gjorde til gengæld lønningerne, der igen kunne få arbejdet i gang (Brandenborg Jensen 2005, s. 377 med fejldatering til 15. januar).
Kilde: RA, Danica 1069, sp. 13, nr. 15.993ff.

Geheime Kommandosache
Festungs-Pionierstab 31   Q.U., den 22.1.1945
Gr. V Ausbau Nr. …… /45. g.Kdos

B e r i c h t
über den Ausbaustand und weitere Absichten für den Ausbau Dänemarks.

Zur Orientierung über die Tätigkeit des Festungs-Pionierstabes 31 beim Ausbau der Landesbefestigung in Dänemark im Jahre 1944 wird folgender Bericht vorgelegt:

I. Ständiger und feldm. Ausbau in Stahlbeton:
1.) Bauleistung im Jahre 1944:
    a.) Ständiger Ausbau:
         620 Bauwerke mit 450.680 m³ Stahlbeton
    b.) Feldm. u. verst. feldm. Ausbau:
         2475 Bauwerke mit 100.395 m³ Stahlbeton
    c.) Sperrausbau mit Stahlbeton:
         206 Bauwerke mit 36.980 m³ Stahlbeton
    d.) Ausbaustand des Bauprogramms 1944:

Geplant:	1.969	Bauw. m.	1.440.000 m³	Stahlb.
davon betoniert:	1.712	–	1.281.500	– –
außerdem im Bau:	205	–	130.500	– –
noch nicht begonnen:	52	–	28.000	– –

II. Feldmäßiger Ausbau ohne Stahlbeton:
1.) Ausbau der Riegelstellung "Gudrun":
     Ausbaustand am 31.12.1944:

	geplant:	fertig:	im Bau:
Pz.-Hindernisse	73 km	58 km	8 km
Inf.-Hindernisse	81 –	81 –	
B-Stellen	94 Stck.	94 Stck.	
l. Mg- Stellungen	581 –	581 –	
s. MG- –	218 –	218 –	
m. Pak- –	50 –	50 –	
s. Pak- –	109 –	109 –	
G.W.- –	117 –	117 –	
Artl.- –	42 –	15 –	12 Stck.

2.) Ausbau der Riegelstellung "Krimhild":
     Ausbaustand am 31.12.1944:

	geplant:	fertig:	im Bau:
Pz.-Hindernisse	64 km	50 km	12 km
Inf.-Hindernisse	87 –	87 –	

B-Stellen	84 Stck.	82 Stck.	2 Stck.
1. Mg- Stellungen	490 –	490 –	
s. MG- –	200 –	197 –	
m. Pak- –	37 –	37 –	
s. Pak- –	128 –	124 –	4 Stck.
G.W.- –	73 –	73 –	
Artl.- –	47 –	5 –	21 Stck.

3.) Ausbau der Riegelstellung "Brunhild":
   Ausbaustand am 31.12.19944:

	geplant:	fertig:	im Bau:
Pz.-Hindernisse	85 km	9 Km	16 km
Inf.-Hindernisse	212 –		
B-Stellen	153 Stck.		
1. Mg- Stellungen			
s. MG- –	123 –		
m. Pak- –	76 –		
s. Pak- –	66 –		
G.W.- –	59 –		
Artl.- –	27 –		

4.) Ausbaustand der sogenannten 2. Stellung
   an der Westküste Jütlands (Landseite):

	geplant:	fertig:	im Bau:
Pz.-Hindernisse	175 km	8 km	30 km

5.) Feldm. Ausbau von Marine-Küsten-Batterien:

An der Ostküste Jütlands	geplant:	18	Batterien
	Schießklar:	5	–
	außerdem im Bau:	7	–
An der Nordküste von Fünen	geplant:	3	Batterien
	Schießklar:	–	
	außerdem im Bau:	1	–
An der Nordküste Seelands	geplant:	13	Batterien
	Schießklar:	8	–
	außerdem im Bau:	2	–

III. Minen- und Sperreinsatz:
1.) Mineneinsatz:
   Im Jahre 1944 wurden verlegt

	Schützenminen	850.000	Stück
	Panzerminen	490.000	–
Insgesamt verlegt:		1.340.000	Stück

Die eigene Minenfabrikation in Vejle läuft weiter. Neben den "Panzerminen Dänemark" und "Schützenminen Dänemark" werden Minen aus umgebauten Beutegranaten bzw. alter deutscher Granatmunition gefertigt.

2.) Sperreinsatz:

Straßensperren werden im Zuge der Pz.-Hindernisse jeweils sofort begonnen. Es wird angestrebt, mit der Fertigstellung der Pz.-Hindernisse auch die dazu gehörigen Straßen- und Eisenbahnsperren abwehrbereit zu machen.

3.) Luftlandehindernisse:

Es ist nur möglich, an den wichtigsten Geländeteilen Luftlandehindernisse zu bauen, weil

a.) die Baustoffe (Holz-u. Stahlbetonpfähle, Spanndraht, u. Minen) beschränkt sind,

b.) die zahlreichen Luftlandemöglichkeiten zu ihrer Ausschließung einen zu hohen Truppeneinsatz erfordern.

4.) Küstenvorfeldhindernisse:

Das Verlegen von Küstenvorfeldhindernissen wird nach wie vor durch die Marine durchgeführt.

IV. Weitere Ausbauabsichten:

1.) Ständiger und feldm. Ausbau in Stahlbeton:

Bei der Aufstellung des neuen Bauprogramms für das Baujahr 1945 kann folgende Ausbaulage zu Grunde gelegt werden:

a.) Die Zementfertigung in Dänemark läuft nach Zuführung fehlender Kohlenmengen weiter. Sie kann einen Halbjahres-Bedarf von rund 200.000 bis 250.000 m³ Stahlbeton mit Zement befriedigen.

b.) Die im Lande liegenden bzw. im Anrollen befindlichen Baustahlmengen lassen die Herstellung von etwas 200.000 m³ zu. Diese Menge schlüsselt sich z.Zt. wie folgt auf:

Restmenge aus Bauprogramm 1944 etwa 150.000 m³ Stahlbeton, davon konnten zahlreiche betonierreife Bauwerke mit rund 30.000 m³ seit Monaten wegen fehlender Kraftfahrzeugreifen nicht betoniert werden. 50.000 m³ Stahlbeton, die für das Bauprogramm 1945 zunächst zur Verfügung stehen.

Aus dieser Lage ergaben sich für das Bauprogramm 1945 folgende Konsequenzen:

Wie bereits auf Grund einer ähnlichen Lage bei Anlauf des Sofortprogramms im Frühjahr 1943 notwendig wurde, ist für die Erfüllung der vordringlichen Truppenforderungen für Baujahr 1945 auch in diesem Jahre die vorläufige Zurückstellung von weniger dringlichen Bauwerken aus dem Bauprogramm 1944 erforderlich.

Im Bauprogramm 1945 werden vor allen Dingen weitere Geschütz-Schartenstände (die Entscheidung der Erforderlichkeit steht noch aus), rund 70 MG-Schartenstände und 20 Einschartentürme (t) neben einer Anzahl von Leitständen als besonders vordringlich betrachtet werden.

Ferner wird versucht, die Ausbauforderungen für die 38 cm-Batterie "Vogelnest" (bereits im Bau) und die 30,5 cm-Battr. "Nibelung" auf Läsö (in der Baustellen-Erschließung), zu erfüllen.

2.) Feldm. Ausbau ohne Stahlbeton:
Auch im Jahre 1945 wird der Ausbau der Riegelstellungen "Gudrun", "Krimhild", "Brunhild" und der 2. Stellungen an der Westküste fortgesetzt.

Daneben wird, besonders auf den zunächst feldmäßigen Ausbau der Ostküste Jütlands und der Nordküste von Fünen und Seeland, Wert gelegt. Die Erkundung für die letztgenannte Aufgabe ist teilweise abgeschlossen, die Arbeiten haben begonnen.

3.) Minen und Sperreinsatz:
a.) Die Eigenfertigung von Minen wird bis zur Erschöpfung der vorhandenen Sprengstoffmengen (Donarit und Trotyl) fortgesetzt.

Die Ausbildung von Politischen Informationen.-Kommandos im Bereiche Nordjütlands, Südjütlands und auf den dänischen Inseln wird fortgesetzt, um diese Dienststellen, die keine Pi. Batl. haben, in die Lage zu setzen, die in ihrem Bereich anfallenden Aufgaben (Mineneinsatz, Sprengvorbereitungen an Objekten) zu erfüllen.

Nach Abzug zweier Pi.-Bataillone befindet sich neben dem Pi. Ldg. Lehr-Ers- u. Ausb. Rgt. nur noch ein Pi. Batl. im Raume.

b.) Der Schwerpunkt im Sperrausbau wird auch im Jahre 1945 auf der beschleunigten Fertigstellung der Panzerhindernisse, Straßen- und Eisenbahnsperren liegen. Die für Straßensperren vorgeschlagenen Durchstiche können aus Holz- und Eisenmangel für die erforderlichen Brücken nicht gemacht werden. Es werden deshalb die verbreiterten Höckersperren mit Einsteckträgern gebaut.

V. Allgemeines:
1.) Zusammenarbeit mit taktischen Dienststellen im Jahre 1944 war reibungslos. Großes Verständnis und die vorzügliche Unterstützung durch den Wehrmachtbefehlshaber Dänemark haben die Erfüllung der Aufgaben des Fest. Pi. Stabes 31 beim Ausbau Dänemark wesentlich erleichtert und beschleunigt.

Die Vereinigung der Aufgaben des Fest. Pi. Stabes 31 und des Marine-Fest. Pi. Stabes sowie die Aufgaben der Truppen-Pioniere in eine Hand stellt sich nach den Erfahrungen als zweckmäßig heraus.

2.) Personelle Lage:
Der durch Abzug von wesentlichen Teilen des Fest. Pi. Stabes 31 an die Westfront im Herbst 1944 entstandene personelle Engpaß ist bis Ende 1944 durch Zuführung von Offizieren, Beamten, Fachpersonal uns Fest. Pi. Komp. beseitigt worden. Die volle Arbeitskraft des Fest. Pi. Stabes 31 ist damit wiederhergestellt.

Lediglich der Abzug von Schlüsselkräften, die über 2 Jahre im Raume sind, wirkt sich nachteilig aus. Abschnittsgruppen-Kommandeure, Leiter der Gruppe Ausbau und Nachschub müßten hier eine Ausnahme bilden, da die zweijährige Erfahrung an diesen Stellen nicht durch eine kurzfristige Übergabe ersetzt werden kann.

3.) Materielle Lage:
Die Transportverhältnisse sind nach wie vor durch fehlende Kraftfahrzeug-Bereifung ungünstig. Um baldmögliche Zuführung weiterer 1.000 Stück Reifen wird, um zunächst noch günstige Nachschubverhältnisse für Zement, Zuschlagstoffe usw. aus-

nutzen zu können, gebeten.

Die Ablehnung der zur Verbesserung der schwierigen Transportverhältnisse zum Bau erbeten Feldbahn bedeutet eine starke Verzögerung.

VI. Zusammenfassung und Erfahrungen:

Die Beeinträchtigung des Baufortschrittes durch fehlende Baustoffe und Einbauteile ist im Jahre 1944 nur verhältnismäßig gering gewesen. Da jedoch die Zuführung dieser Baustoffe zu den Baustellen wegen der schwierigen Transportverhältnisse sehr verzögert wurde, konnten sich diese verhältnismäßig günstigen Baustoffverhältnisse in der Stahlbetonleistung nicht voll auswirken.

Das Jahr 1944 brachte in zunehmendem Maße Störungen des innerpolitischen Friedens durch Sabotageakte, Streiks, steigende Arbeitsunlust dänischer Arbeiter. Mit weiteren größeren Unruhen ist zu rechnen.

Die Erfahrung hat gezeigt, daß trotzdem der dänischen Mentalität am besten Rechnung getragen wird, wenn jeder äußere Zwang weitgehend vermieden wird. Durch die Tarifgestaltung ist es bisher stets gelungen, dem dänischen Arbeiter einen Anreiz zur Wiederaufnahme der Arbeit zu bieten.

[underskrift]

38. Oberstleutnant Kleyser: Bemerkungen zum Kriegsspiel 23. Januar 1945

Det 20. og 21. januar gennemførte krigsspil hos WB Dänemark med det udgangspunkt, at de allierede foretog en storstilet invasion af østkysten af Jylland, blev kommenteret af oberstløjtnant Kleyser: Det gjaldt for forsvarerne om straks at finde ud af, hvor tyngdepunktet i den fjendtlige landgang var for at kunne sætte ind der. Det var klart, at der kun kunne være tale om at holde stillingen få dage, mens der blev ventet på forstærkninger fra Tyskland. Der ville straks opstå forsynings- og forplejningsproblemer. Den danske befolknings holdning ville være absolut positiv over for de angribende, og der kunne forventes et øget antal sabotager, ligesom der måtte regnes med en åben opstand i København.

Kilde: BArch, Freiburg, RW 4/652. RA, Danica 1069, sp. 1, nr. 658-662.

Geheime Kommandosache
Oberstlt. d.G. Kleyser
Op (H) Nr. 00819/45 gK.

F.H.Qu., den 23.1.45
6 Ausfertigungen
6. Ausfertigung

B e m e r k u n g e n
zu dem am 20. und 21. Januar 1945 in Silkeborg unter Leistung des Wehrm. Bef. Dänemark, Gen. d. Inf. v. Hanneken, durchgeführten operativen Kriegsspiel.

I. Zweck des operativen Kriegsspiels:
Durchführung einer alliierten Großlandung an der Ostküste Jütlands unter Zugrundelegung der augenblicklichen militärischen, politischen, wirtschaftlichen und Witterungsverhältnisse.

Die Absicht der Leitung war, während dieses Spieles aufzuzeigen,

a.) daß ein Durchbruch starker feindlicher Kampf- und Transportverbände durch das Skagerrak in das Kattegat und eine alliierte Großlandung an der Ostküste Jütlands infolge der großen Überlegenheit des Gegners zu Wasser und in der Luft möglich ist.
b.) daß sich aber einer Landung an der Ostküste erheblich größere Schwierigkeiten entgegenstellen als einer Landung an der Westküste.
Gründe:
– längerer Anmarschweg für Kampf- und Transportverbände der Flotte sowie für Luftlandsverbände,
– Überwindung des Minengürtels im Skagerrak (Zeitverlust) dadurch Ver[z]icht auf die operative Überraschung,
– größere Angriffsmöglichkeiten der eigenen Luftwaffe u. Marine gegen die feindlichen Kampf- und Transportverbände, vor allem im Skagerrak und Kattegat,
– Schwierigkeiten des Hereinführens und des Einsatzes von schweren Einheiten in dem engen Seegebiet, erheblich längere Nachschubwege.
– Darüber hinaus hat der Gegner bei einer Landung an der Ostküste zunächst keine Aussicht, schnell und auf kürzestem Wege sein operative Ziel an erreichen, das für ihm im der Inbesitznahme der Landbrücke Kolding – Esbjerg und damit den wichtigen Hafens Esbjerg liegt.

Die Leitung kam im Laufe den Kriegsspiels aus den o.a. Gründen zu dem Schluß, daß bei einer etwaigen Invasion in erster Linie mit einer Landung an der Westküste zu rechnen sei und daß hier der Abwehrschwerpunkt liege. Für eine Landung an der Ostküste sprechen bessere Wetter- und Landebedingungen und politische Momente (Schweden!).

II. Durchführung des Kriegsspiels:
Durchführung der Feindoperationen gegen die Ostküste Jütlands gemäß Spielsverlauf:
 Am 20.1.: Kommandounternehmen mit starker Schiffs-Artl.-Unterstützung nördlich Esbjerg und im Laufe der Minenräumung gegen Hansted (also gegen die Westküste), um die deutsche Abwehr zu zersplittern und den für den Durchbruch durch das Skagerrak hinderlichen Stützpunkt Hansted auszuschalten,
 Am 22.1.:
a.) Anlanden mit Teilkräften an der Aalbäk-Bucht zur Inbesitznahme und Ausschaltung Skagens,
b.) Großlandung der Masse der Kräfte zwischen Langerak und Ebeltoft mit Schwerpunkt Nord- und Südostküste der Halbinsel Grenaa.
Absicht: Gewinnen der Linie Aalborg-Hobro-Randers-Aarhus, um von dort mit Schwerpunkt aus der Linie Randers-Aarhus nach Westen und später nach Südwesten anzugreifen.

Die Großlandung auf Grenaa wurde unterstützt durch gleichzeitige Luftlandung von 2 Luftlandeverbänden im Raum Nordostwerts und westlich Aarhus. Im Verlauf der Kämpfe bis zum 24.1. früh gelang dem Feind, der auf der Halbinsel Grenaa mit 2 Inf.- und 2 Pa. Div. von See her landete, im wesentlichen die Inbesitznahme der Halbinsel Grenaa. Die Gewinnung des Hafens Aarhus war ihm zu dieser Zeit (Abschluß des Spiels) noch nicht gelungen.

III. Einzelheiten:

Bei diesem Kriegsspiel, das eine Fülle von Anregungen auf allem Gebieten brachte und in bemerkenswerter Weise alle Vertreter der 3 Wehrmachtteile, der politischen, parteipolitischen und wirtschaftlichen Führung in den Spielverlauf als handelnde [Personen] einbezog, erscheinen folgende Punkte für die Wehrmachtführung wichtig:

1.) Entscheidend ist, daß der WB Dänemark im Falle einer feindlichen Invasion sich rechtzeitig über den Schwerpunkt des Feindangriffes (Ost- oder Westküst) klar wird und daß es ihm möglichst frühzeitig gelingt, alle Kräfte zu einheitlich geführtem Angriff zusammenzufassen.

2.) Da der WB Dänemark gerade in den ersten Tagen einer Invasion durch die umfangreichen Aufgaben der Wehrmachtführung erheblich gebunden ist, wird er gezwungen, die örtliche Führung der ersten Kampfhandlungen einer unterstellten Kommandobehörde zu übertragen. Da ihm kein Generalkommando zur Verfügung steht, ist die Notlösung vorgesehen, einen der nicht von Anfang gebundenen Div. Stübe hierfür einzusetzen. Frühzeitige und schnelle Zuführung eines Generalkommandos (wenigstens des Gefechtsstabes) erscheint daher erforderlich.

3.) Die einzige bewegliche und vollkampfkräftige Reserve des WB Dänemark, die 233. Res. Pz. Div., wurde durch den Kampf mit luftgelandetem Feind gefesselt und ihrer eigentlichen Aufgabe, dem Angriff gegen angelandeten Panzerfeind, entzogen.

4.) Verstärkung aus dem Reich:
Die ersten Verstärkungen aus dem Reich (Kampfgruppen aus dem Bereich Wehrkr. Kds. X) waren nach Annahme der Leitung bereits am 20.1. durch OKW/WFSt freigegeben worden, also zu einer Zeit, als die ersten Kommandounternehmen gegen die Westküste liefen. Eine Freigabe zu diesem Zeitpunkt erscheint verfrüht, da sich weder WB Dänemark noch OKW zu dieser Zeit über die endgültigen Absichten des Feindes klar sein werden (gegebenenfalls Absichten gegen Deutsche Bucht).

5.) Auf jeden Fall ist aber – und das kam auch in dem Spiel zum Ausdruck – mit erheblicher Vorzögerung der Zuführungen aller Verstärkungen und auch Versorgungstransporte aus dem Reich in den dänischen Raum zu rechnen, da die überlegene feindliche Luftwaffe Bewegungen bei Tage sehr stark behindern wird. Mit Großangriffen der feindlichen Luftwaffe auf die Brücken und Übergänge über den Kaiser-Wilhelm-Kanal ist spätestens mit Beginn der Invasion zu rechnen.

Die Frage der Versorgung wird daher zu einem entscheidenden Problem, umsomehr, da der WB Dänemark nur über behelfsmäßig aufgestellte Versorgungseinrichtungen verfügt und infolge Fehlens von Bäckerei- und Schlächterei-Kpm., auf die Unterstützung dänischer Firmen angewiesen ist, mit der er im [uæseligt] falls nicht mehr rechnen kann. (z.B. ist mit Beginn der Invasion nur für 3 Tage Brot vorhanden). Es ist daher zu prüfen, ob nicht für den Gesamtbereich WB Dänemark eine gewisse Bevorratung vorgesehen werden muß.

Die gleichen Gesichtspunkte ergeben sich für die bei einer Invasion vorgesehene Verlegung von Verbänden der Luftwaffe in den Bereich des WB Dänemark. Die für ihren Einsatz erforderlichen Betriebsstoffmengen sind nicht vorhanden, müssen also erst im Bedarfsfalle herangeführt werden und können voraussichtlich nicht rechtzeitig eintreffen. Nach Rücksprache mit Op (I) ist eine vorausschauende Bevorratung

mit Betriebsstoff zur Zeit aber nicht möglich.
6.) Verhalten der dänischen Bevölkerung:
Nach Auffassung des WB Dänemark ist mit einem schlagartigen Anwaschen der Sabotagefälle und mit einer absolut feindseligen Haltung der Masse der dänischen Bevölkerung mit dem Augenblick der Invasion zu rechnen. Vor allem in Kopenhagen ist die Möglichkeit des offenen Aufstandes gegeben.

In diesem Zusammenhang wurde auch die Frage der Verteidigung Kopenhagens gegenüber feindlichem Angriff berührt. Nach Auffassung der WB Dänemark ist ein Halten der Stadt Kopenhagen bei nicht ausreichender Zuführung von Kräften (etwa 1 Div.) nicht möglich. Die Frage der Verteidigung der Stadt und des Hafens wird zur Zeit noch mit den örtlichen militärischen Führern geprüft.[160]

39. Gottlob Berger an Heinrich Himmler 24. Januar 1945

Best havde flere gange åbent udtalt sin utilfredshed med Schalburgkorpset. På den baggrund var Best, Pancke, Bovensiepen og Germanische Leitstelle blevet enige om at opløse Schalburgkorpset. Det var også Bergers opfattelse, at det ville give DNSAP mulighed for at udvikle sig (Birn 1986, s. 297).

At dømme efter Bests udsagn omkring 1. januar 1945 var beslutningen om opløsningen truffet før årsskiftet. Det er bemærkelsesværdigt, at Berger tilsyneladende var så dårligt underrettet om forholdene i Danmark, at han troede, at det var Schalburgkorpset, der stod bag den tyske modterror.

Kilde: BArch, NS 19/247. RA, Danica 1069, s. 6, nr. 7045f. RA, pk. 443.

Der Reichsführer-SS　　　　　　　　　　　　　　　　　　　*Berlin-Grunewald 24.1.45*
SS-Hauptamt　　　　　　　　　　　　　　　　　　　　　　　Geheim
Amtsgruppe D
VS-Tgb. 1424 /45 Geh.
D. Tgb. 392 /45 Geh.

An den Reichsführer-SS und Reichsminister des Innern
　Heinrich Himmler
　Berlin SW 11
　Prinz-Albrecht-Straße 8

Reichsführer!
Nachdem im Einvernehmen mit SS-Obergruppenführer Dr. Best der Germanischen Leitstelle Kopenhagen die Betreuung aller nationalsozialistischen Organisationen in Dänemark übergeben wurde, konnte im Einvernehmen mit dem Höheren SS- und Polizeiführer in Dänemark und der Leitung des Schalburg-Korps der monatliche Etat des Führungsstabes des Schalburg-Korps wesentlich reduziert werden. Im Zusammenhang damit ließ SS-Obergruppenführer Dr. Best offen seine Unzufriedenheit mit der Arbeit des Schalburg-Korps durchblicken. Seitens des Schalburg-Korps wurde daraufhin gemeldet, daß man ohne die hundertprozentige Unterstützung des Reichbevollmächtigten

---

160 Se om Københavns havns skæbne von Hanneken til OKW 15. januar 1945 og der anf. henv.

nicht weiterarbeiten könne. Der Reichbevollmächtigte, der Höhere SS- und Polizeiführer Dänemark, der Befehlshaber der Sicherheitspolizei und die Germanische Leitstelle Kopenhagen waren einheitlich der Ansicht, daß jetzt der günstigste Augenblick gekommen sei, diese Organisation in anständiger Form abzubauen.

Im einzelnen wurde festgelegt:
1.) Der Führungsstab des Schalburg-Korps löst sich auf.
2.) Der stellv. Kommandeur, Kaptajn T.I.P.O Madsen, geht zum nächsten Lehrgang zur SS-Junkerschule Tölz.[161]
3.) Der Landstormen unter Führung von Major Arilskow bleibt als Wehrformation bestehen, jedoch auf neutraler Basis ohne Bindung an eine NS-Gruppe.[162]
4.) Das bisherige "Hauptquartier des Schalburg-Korps"[163] wird dem Höheren SS- und Polizeiführer zur Verfügung gestellt.
5.) Die Arbeit des Dansk National-Samling wird ohne jegliche finanzielle Unterstützung fortgesetzt.
6.) Das SS-A. Btl. "Schalburg" bleibt von diesen Vorgängen unberührt.

Somit konnte endlich ein politisches Gebilde beseitigt werden, dessen Existenz eine ständige Belastung für eine Entwicklung der DNSAP geworden war und das durch seine allgemein bekanntgewordene Art der Gegensabotage und Clearingmorde dem Ansehen des Nationalsozialismus in Dänemark allgemein wie der SS insbesondere Abbruch tat. Durch diese Auflösung des politischen Apparates das Schalburg-Korps ist die Möglichkeit zu einer klaren Entwicklung der alten dänischen nationalsozialistischen Partei (DNSAP) gegeben.

G. Berger
SS-Obergruppenführer

40. Kriegstagebuch/Kriegsmarinedienststelle Kopenhagen 24. Januar 1945

For at imødegå skibssabotage havde Wurmbach indført registrering af hver enkelt arbejder, der arbejdede på et skib under reparation. Arbejderne på B&W, der arbejdede med skibet MS "Telde", gik da i strejke, hvilket fik Kriegsmarine i København til at ophæve registreringen, indtil spørgsmålet var afklaret.

Se KTB/Kriegsmarinedienststelle Kopenhagen 25. januar 1945.
Kilde: KTB/Kriegsmarinedienststelle Kopenhagen 24. januar 1945, RA, Danica 628, sp. 6, nr. 4336.

[...]
"Mar del Plata" repariert.
Zwecks Sabotageabwehr auf Grund Befehls Adm. Skag. an Bord der Reparaturschiffe eingeführte Anwesenheitsliste für Arbeiter führte auf MS "Telde" zum Streik. Zur Verhinderung Arbeitsstockung Listenführung bis zur Klärung der Frage aufgehoben.
[...]

---

161 T.I.P.O. Madsen blev likvideret af Holger Danske 22. januar 1945 efter at have været stærkt eksponeret i den illegale presse (John T. Lauridsen i *Hvem var hvem 1940-1945*, 2005, s. 247f., Birkelund 2008, s. 691)
162 Om Max Arildskov se Lauridsen 2002a, s. 475f.
163 Frimurerlogen, København.

41. Adolf Hitler: Lagevorträge 25. Januar 1945
På et møde i førerhovedkvarteret tog Dönitz enkelte punkter af von Hannekens seneste krigsspil op. Han pegede først og fremmest på, at England med en begrænset indsats kunne erobre Sjælland. Det ville i praksis lukke for adgangen til Østersørummet, ligesom tabet af København ville være et betydeligt politisk og prestigemæssigt slag (Andersen 2007, s. 253).
    Se KTB/WB Dänemark 1. februar 1945.
    Kilde: KTB/OKW, 4:2, s. 1602. Wagner 1972, s. 639.

Seekriegsleitung
B. Nr. 1/SkJ. Ib 191J45 Chefs.   *Den 25.1.45*

Niederschrift
über Teilnahme des Ob.d.M. an den Führerlagen
am 24. und 25.1.45, 16.00 Uhr

1.) 24.1. Keine besonderen den Seekrieg betreffenden Besprechungen oder Vorträge.
2.) 25.1. a.) […]
     b.) Chef WFSt trägt einzelne Punkte aus dem Ergebnis eines Kriegspiels des Wehrmachtbefehlshabers Dänemark vor. Der Ob.d.M. weist bei dieser Gelegenheit auf die Bedeutung von Seeland hin. Durch die Eroberung dieser Insel kann der Engländer bei dem geringsten Einsatz von Landstreitkräften unter Ausnutzung seiner Überlegenheit an Seestreitkräften den größten Nutzen für sich erzielen, da Seeland die Einfahrten zur Ostsee praktisch restlos absperrt und der Verlust von Kopenhagen für uns eine bedeutende politische und prestigemäßige Einbuße bedeutet. Es wird sehr schwer sein, ihm die Insel wieder zu entreißen, wenn er sich einmal auf ihr festgesetzt hat. Wenn ein Nelson oder Lord Fisher die englische Marine führten, würden sie sicher die strategische Bedeutung dieses Raumes erkennen und mit Kühnheit danach handeln. Wenn auch diese Kühnheit des Handelns dem Engländer z.Zt. fehlt und die Lage im Westen im Augenblick neue englische Operationen unwahrscheinlich macht, so muß diese Frage doch für spätere Zeit im Auge behalten werden und beim weiteren Ausbau der Verteidigung des dänischen Raumes Berücksichtigung finden. Außerdem ist anzustreben, im Skagerrak und Kattegat stärker zu erscheinen, als es tatsächlich der Fall ist. Die Kriegsmarine hat daher entsprechende Nachrichten in den Nachrichtendienst des Auslandes einfließen lassen. Auch die Verlegung von Kleinkampfmitteln in den dänischen Raum, die nicht geheim bleiben kann, wird im gleichen Sinne wirken.
gez. **Dönitz**

Für die Richtigkeit:
Neumann
Kapitänleutnant

42. Kriegstagebuch/Kriegsmarinedienststelle Kopenhagen 25. Januar 1945

Årsagen til arbejdsnedlæggelsen på B&W var, at handelsskibet MS "Telde" var det eneste, ved hvilket de ombordværende arbejdere blev registreret. Wurmbach havde 21. januar givet ordre om en lignende kontrol for krigsskibene på værftet. RKS Dänemark, Raul Mewis, var af den opfattelse, at man til enhver tid skulle kunne afgøre, hvem der arbejdede om bord på skibene. Wurmbach blev bedt om en afgørelse.

Se KTB/Kriegsmarinedienststelle Kopenhagen 28. januar 1945

Kilde: KTB/Kriegsmarinedienststelle Kopenhagen 25. januar 1945, RA, Danica 628, sp. 6, nr. 4336.

[...]

Besprechung mit Werft Burmeister und Wain und OWSt und Bauaufsicht betr. Arbeiterkontrolle auf MS "Telde".

Die Tatsache, daß auf "Telde" als einzigstes Schiff in der Werft die Arbeiter an Bord listenmäßig erfaßt werden, führt zu gemeldeten Schwierigkeiten.

In der Werft liegende Kriegsschiffe haben diesbezügl. Befehl Adm. Skag. G 38 v. 21.1. noch erhalten. RKS begnügt sich für Schiffe der freien Fahrt mit Angabe der Werft, daß sie jederzeit namhaft machen kann, wer an Bord gearbeitet hat. Adm. Skag. um Entscheidung gebeten. D. "Duisburg" wegen Wetterlage Kompensieren und Bunkern verschoben. Eintreffen Seetr.-Chef in Kopenhagen.

[...]

43. Hans Clausen Korff an Alex Walter 25. Januar 1945

Korff skrev til Walter, at han havde haft en samtale med RFM om situationen i Danmark og bl.a. også om det tysk-danske regeringsudvalgs beståen. Da havde Schwerin von Krosigk spontant talt for udvalgets videreførelse, da de danske leverancer var vigtigere end nogensinde. Spørgsmålet burde end ikke tages op for ikke at give modstandere af udvalget anledning til at ytre sig. I stedet kunne det måske komme på tale at optage en repræsentant fra værnemagten for at tage brodden af værnemagtens kritik af udvalgets beslutninger. Korff havde erklæret sig betænkelig ved dette, da udvalget var en organisation, der hidtil havde stået ved siden af de andre tyske tjenestesteder i Danmark, men tog i øvrigt ikke stilling dertil, da han ikke havde drøftet spørgsmålet med Walter. Korff bad om, at Walter tog stilling til optagelse af en repræsentant for værnemagten i udvalget, så RFM kunne få besked derom.

Walters svar trak ud, og Korff kunne i et knapt maskinskrevet notat 2. marts meddele, at det tysk-danske regeringsudvalg endnu ikke havde truffet en beslutning, hvortil han i to omgange 22. marts og 5. april i håndskrift tilføjede, at en beslutning stadig ikke forelå (samme arkiv som nedenfor). Det vil sige, at den tyske kapitulation gjorde videre diskussion af spørgsmålet overflødig.

Kilde: RA, Danica 50, pk. 91, læg 1262 (gennemslag).

Oberregierungsrat Korff *Oslo, 25. Januar 1945*
Mitglied des Regierungsausschusses für Dänemark

1.) Herrn Ministerialdirektor Dr. Walter, Reichsernährungsministerium
Berlin W 8
Wilhelmstr. 72

Betr. Fortbestand des Regierungsausschusses

Sehr geehrter Herr Ministerialdirektor!
Nach meiner Rückkehr aus Kopenhagen war ich zum Vortrag beim Herrn Reichsminister der Finanzen. Dabei habe ich auch erwähnt, daß Sie im Hinblick auf die Gesamtlage in Dänemark die Frage nach dem weiteren Bestand des Regierungsausschusses stellen würden. Der Herr Reichsfinanzminister erklärte spontan darauf, er halte ein Fortbestehen des deutschen Regierungsausschusses in Dänemark für unbedingt erforderlich. Die dänischen Lieferungen seien wichtiger denn je, und es sei ganz unmöglich, es dabei auf ein Experiment ankommen zu lassen, ob es auch ohne Regierungsausschuß gehe. Die Frage, ob der Regierungsausschuß in die sonstige deutsche Politik in Dänemark hineinpasse oder nicht, dürfe dabei keine Rolle spielen. Er halte es deshalb für am besten, an der Frage des Regierungsausschusses erst gar nicht zu rühren, um etwaigen Gegnern erst gar keine Gelegenheit zur Stellungnahme zu geben. Erwägenswert wäre lediglich, ob dem Antrag der Wehrmacht stattzugeben sei, einen Vertreter in den Regierungsausschuß zu entsenden, um dadurch einer etwaigen Kritik der Wehrmacht an Maßnahmen des Regierungsausschusses von vornherein die Spitze abzubrechen.

Ich habe erklärt, daß ich persönlich letzteres für bedenklich halte, da dadurch der heutige Rahmen des Regierungsausschusses als eine Einrichtung, die neben den örtlichen deutschen Dienststellen in Dänemark stehe, gesprengt werde. Im übrigen könne ich aber hierzu keine abschließende Stellung nehmen, da ich mit Ihnen über diese Frage nicht gesprochen habe.

Der Herr Reichsfinanzminister bat mich noch besonders, Ihnen, Herr Ministerialdirektor, seine Auffassung über die Notwendigkeit eines Fortbestandes des Regierungsausschusses mitzuteilen.

Ich wäre dankbar, wenn Sie mir Ihre Auffassung über die Aufnahme eines Wehrmachtvertreters in den Regierungsausschuß mitteilen würden, damit ich sie im Reichsfinanzministerium geltend machen kann.

Heil Hitler!
Ihr
Korff

2.) Wv. 25. ds.Mts.

44. Werner Best an das Auswärtige Amt 26. Januar 1945

Den 12. december 1944 havde Kriegsmarine afgivet ansvaret for værfts- og skibssabotagen til sikkerhedspolitiet. 11 danske værfter var derefter under konstant politibevogtning. Efter godt en måned blev den nye ordning vurderet af den særligt befuldmægtigede hos RKS, admiral Raul Mewis. Hans rapport var til søfartsrigskommisær Karl Kaufmann, men Best fik et eksemplar og sendte det til AA. Det var givetvis ikke alene på grund af emnets betydning. Mewis fremsatte synspunkter på sabotagebekæmpelsens metoder, der var ganske sammenfaldende med de tidligere af Best udtrykte. Det var ifølge Bests erindringer også ham, der havde skrevet udkastet til rapporten. De to havde været bekendte, siden Mewis blev Marinebefehlshaber i Danmark.

Værftsbevogtningen blev betegnet som en afgjort succes. Der var ikke længere værftssabotager. Denne defensive forholdsregel blev betegnet som de offensive overlegen. Modterror havde ikke bragt resultater, i værste fald havde den kun øget forbitrelsen, ikke mod sabotørerne, men mod dem, der foranstaltede modterroren.

Her, som i Bests *Politische Informationen* 1. januar 1945, blev der klart udtryk synspunkter, der gik på tværs af Hitlers opfattelse af den mest effektive sabotagebekæmpelse. Hitler anså fortsat modterror som det mest effektive middel til sabotagebekæmpelse. Hverken Mewis eller Best blev udsat for sanktioner i den anledning. Det er et spørgsmål, om disse synspunkter overhovedet nåede frem til Hitler på dette tidspunkt. Mewis' foresatte, Karl Kaufmann, indtog heller ikke modterror-synspunktet.[164]

I marts 1945 overtog Kriegsmarine igen ansvaret for bekæmpelsen af værfts- og skibssabotagen i Danmark. Bevogtningen af værfterne blev opretholdt (KTB/WB Dänemark 13. marts 1945, Thomsen 1971, s. 208, Rosengreen 1982, s. 154f., Best 1988, s. 68, 97).

Kilde: PA/AA R 101.041. PKB, 13, nr. 777. Best 1988, s. 68f.

T e l e g r a m m

Kopenhagen, den	26. Januar 1945	19.45 Uhr
Ankunft, den	26. Januar 1945	20.45 Uhr

Nr. 97 vom 26.1.[45.] zu Inl. II S 360g 752gRs

Als Beitrag zu dem Problem der Sabotagebekämpfung im dänischen Raum teile ich mit, daß der Sonderbeauftragte des Reichskommissars für die Seeschiffahrt Admiral z.V. Mewis am 19.1.45 dem Reichskommissar für die Seeschiffahrt über Schiffssabotageabwehr in Dänemark den folgenden Bericht erstattet hat:

"Die im Dezember durchgeführte polizeiliche bezw. militärische Besetzung der Werften ist ohne Frage ein Erfolg. Ob die augenblickliche Ruhe in der Schiffssabotage darauf zurückzuführen ist, daß von der Feindseite die Methode geändert und für die Umstellung eine gewisse Zeit gebraucht wird, muß abgewartet werden.

Die von der Dienststelle des RKS angewandten Sabotageabwehrmaßnahmen sind defensiver Natur. Maßnahmen offensiver Art gehören zum Aufgabengebiet des Sicherheitsdienstes.

Die Bekämpfung des Sabotageterrors mit Gegenterror hat bisher zu keinem Ergebnis geführt, im Gegenteil, es wurden nicht die Saboteure selbst, sondern Bevölkerungskreise getroffen, die mit der Sabotage selbst nichts zu tun haben. Diese Erfolgslosigkeit ist m.E. ein Zeichen dafür, daß der Gegenterror nicht scharf genug war oder überhaupt zwecklos ist.

Ich halte auf Grund der bisher gesammelten Erfahrungen einen noch schärferen Gegenterror nicht für richtig. Es ist erwiesen, daß sich die Saboteure, die ihre Befehle aus England erhalten, durch keinerlei Gegenterrormaßnahmen von den ihnen befohlenen Aufgaben abbringen lassen. Ein verschärfter Gegenterror würde nur den Personenkreis der unschuldig Betroffenen vergrößern und die Erbitterung, die sich nicht etwa gegen die Saboteure, sondern gegen die Veranstalter des Gegenterrors richtet, vergrößern.

Erreicht wird letzten Endes nur eine Minderung der Arbeitsleistung der Bevölkerung, eine Arbeitsleistung, auf die wir angewiesen sind, und eine Verschärfung, keineswegs aber ein Aufhören der Sabotage.

Ein Verzicht auf den Gegenterror bezw. eine Anwendung in seltenen ganz beson-

---

164 Se Kaufmann til Ribbentrop 14. december 1944.

ders gelagerten Fällen in Verbindung mit scharf durchgeführten Untersuchungen und gerichtlichen Verurteilungen würde m.E. zu besseren Erfolgen führen. Die sofortige Liquidierung eines Saboteurs bringt zudem den Nachteil mit sich, daß man von ihm nichts mehr erfährt, und an die Gruppe selbst schwerer herankommt. Eine Aburteilung in großem Umfange auf Grund der Kriegsgesetze wird bei der großen Zahl der gefaßten Saboteure gerade die Gruppenorganisation treffen und eine abschreckende Wirkung haben.

Es kommt hinzu, daß die Bevölkerung Dänemarks mit ihrer ausgeprägten Rechtsauffassung die Anklageerhebung gegen und die Verurteilung eines Saboteurs als eine mehr oder weniger natürliche Angelegenheit betrachtet. Sie sieht in einem Saboteur einen Menschen, der gegen die Besatzungsmacht kämpft und sich über die Konsequenzen eines solchen Kampfes klar ist. Wird er verurteilt, so denkt niemand daran, ihn als Märtyrer zu betrachten. Er ist ordnungsgemäß von der Besatzungsmacht verurteilt worden und muß die Strafe auf sich nehmen. Als Märtyrer werden nur diejenigen angesehen, die im Zuge des Gegenterrors, also einer gesetzlosen Maßnahme, ihr Leben verlieren."
(Schluß des Berichtes des Admirals Mewis).

Dr. Best

45. WFSt: Stellungnahme zu den Bemerkungen über das operative Kriegsspiel des WB Dänemark am 20. u. 21.1.45, 26. Januar 1945

I anledning af det gennemførte krigsspil hos WB Dänemark slog WFSt fast, at det var fuldkommen udelukket, at Danmark kunne forsynes med forråd fra Tyskland pga. den anspændte ernæringssituation. I tilfælde af en invasion kunne tropperne i Danmark uden problemer forsørges, da Danmark var et overskudsområde. De nødvendige forsyninger kunne fremskaffes med passende tvangsmidler som i Holland (Wagner 1972, s. 632, 639, 653, Andersen 2007, s. 395).

Kilde: BArch, Freiburg, RW 4/652. RA, Danica 1069, sp. 1, nr. 00657.

Geheime Kommandosache
WFSt/Qu. 1 *F.H.Qu., den 26.1.1945*
Nr. 00910/45 g.Kdos. 2 Ausfertigungen
... Ausfertigung

S t e l l u n g n a h m e
zu den Bemerkungen über das operative Kriegsspiel des
W. Befh. Dänemark am 20. u. 21.1.45.

Zu III.5.): Eine Bevorratung des Gesamtbereichs des WB Dänemark ist mit Rücksicht auf die angespannte Ernährungslage des Reiches völlig ausgeschlossen. Dänemark ist Überschußgebiet, aus dem die Truppe im Falle einer Invasion ohne Schwierigkeiten versorgt werden kann. Die Brot- und Fleischversorgung durch dänische Firmen wird auch in Spannungszeiten, wie es auch in Holland möglich gewesen ist, mit entsprechenden Zwangsmaßnahmen durchzuführen sein. Die Brotbevorratung (bisher nur 3 Tage) kann durch vermehrtes Backen schon jetzt erhöht werden. Darüber hinaus ist in Stützpunkten, Verteidigungsbereichen usw. eine Bevorratung von 44 Tagen im Bereich des WB Dänemark niedergelegt worden, die sich wie folgt gliedert:

a.) Verteidigungsbereiche und Stützpunkte, auch festungsmäßig ausgebaute einzelne Stützpunkte, 4 Wochen
b.) einzelne Stützpunkte und Widerstandsnester (feldmäßig ausgebaut), 2 Wochen
c.) Tiefenbevorratung und Bevorratung für die nicht in den Stützpunkten eingesetzten Truppenteile, z.Zt. 28 Tage.

Verteiler:
Op. (H)   1. Ausf.
Qu. (Entwurf)   2.   –

46. Büro RAM an Horst Wagner 27. Januar 1945

Ribbentrop besluttede at lade sagen med de tre kvindelige ansatte hos Best, der blev overført til Bovensiepen, falde, idet han dog i en venskabelig form lod Landesarbeitsamt vide, at fremgangsmåden var urimelig.[165]

Wagner har kunnet orientere Best om dette resultat, men AAs skrivelse til Best er ikke lokaliseret.

Forløbet var et fuldstændigt nederlag for Best og en ydmygelse, som Ribbentrop kun halvhjertet pustede sig op for at gøre noget ved.

Kilde: PA/AA R 69.205.

Geheim   zu Inl. II 2624g
BRAM
    Über St.S. VLR Wagner vorgelegt.

Der Herr RAM bittet, die Sache betr. den Personalabbau beim Reichsbevollmächtigten in Kopenhagen laufen zu lassen und nur das Landesarbeitsamt im Einvernehmen mit der Personalabteilung auf die Unmöglichkeit einer solchen Vorgangsweise, jedoch in freundschaftlicher Form, hinzuweisen.

Berlin, den 27.1.1945

[uden underskrift]

47. Adolf Hitler an WB Dänemark u.a. 28. Januar 1945

Der var sat betydelig energi ind på oprettelsen af en folkestorm og organiseringen af særskilte alarm- og indsatsenheder i tilfælde af en invasion (se von Hanneken 17. januar 1944). De havde vist sig at have ringe kampkraft, og Hitler beordrede derfor, at de skulle indgå i blandede kampgrupper med de regulære hærenheder.

Ordren fik næppe større betydning i Danmark, hvor de kampklare og erfarne tropper var udskiftet med troppeenheder under uddannelse, ligesom der havde fundet en betydelig udtynding i forsynings- og andre enheder sted.

Kilde: Hubatsch 1962, s. 301.

165 Se forud Wagner til Ribbentrop 19. januar 1945.

Fernschreiben von + KR GWBBL 01606 28.1. 21.45 = an Nachr. OKM/Skl. = Gltd: Chef Gen.St.d.H. = Reichsf.-SS-Feld. Kdo. Stelle = Ob.d.E. / Stab. = Ob.d.E / AHA/ Stab. Ob. West. = Ob. Südwest. = Ob. Südost. = Reichsleiter Bormann. = Ob.d.E / Führungsstab Volkssturm. = SS-Hauptamt z.Hd. SS-Obgruf. Berger. = Nachr. OKM/ Skl = KR Nachr. OKL/Lw Fü Stab. = Nachr. WB Dänemark. = Nachr. Geb. AOK 20 (zugl. WB Norwegen). = gKdos. –

Betr.: Einsatz des Volkssturms.

Die Erfahrungen im Osten zeigen, daß Volkssturm-, Alarm- und Ersatzeinheiten, auf sich allein gestellt, nur geringe Kampfkraft haben und schnell zerschlagen werden können. Die Kampfkraft dieser zahlenmäßig meist starken, aber für das neuzeitliche Gefecht nicht ausreichend bewaffneten Einheiten ist ungleich höher, wenn sie im Rahmen von Truppen des Feldheeres eingesetzt werden. Ich befehle daher: – Stehen in einem Kampfabschnitt Volkssturm-, Alarm- und Ersatzeinheiten neben Truppenteilen des Feldheeres zur Verfügung, so sind gemischte Kampfgruppen (Brigaden) unter einheitlicher Führung zu bilden, die den Volkssturm-, Alarm- und Ersatzeinheiten Rückhalt und Anlehnungsmöglichkeiten geben.

gez. **Adolf Hitler**
OKW/WFSt/Op-Org. Nr. 00937/45 g. K.

48. Kriegstagebuch/Kriegsmarinedienststelle Kopenhagen 28. Januar 1945

Wurmbach havde besluttet foreløbigt at ophæve registreringen af de arbejdere, der reparerede MS "Telde" for at få strejken ophævet. Spørgsmålet var blevet drøftet mellem de involverede tyske instanser og sikkerhedspolitiet. Wurmbach ville have registreret alle værftsarbejdere beskæftiget på krigs- og handelsskibe fra en fast dato, foreløbig sat til 15. februar. Det endelige tidspunkt ville blive fastsat, når politiet havde afsluttet forarbejderne. Listerne over arbejdere skulle føres af skibsbesætningen, mens visiteringen af arbejderne skulle foretages af militær eller politi.

Tysk politis visitering af arbejdere på B&W havde tidligere fundet sted i november 1944, da to handelsskibe havde været udsat for sabotage og blev forsøgt indført permanent 12. december (se Rüstungsstab Dänemarks situationsberetning for november 1944 og KTB/ADM Dän 13. december).

Kilde: KTB/Kriegsmarinedienststelle Kopenhagen 28. januar 1945, RA, Danica 628, sp. 6, nr. 4336f.

[…]

Zur Beilegung Streik auf MS "Telde" befohlene Listenführung auf Befehl Adm. Skag. vorläufig aufgehoben.

16.00 Uhr Besprechung zwischen Adm. Skag., OWSt, Sicherheitspolizei, Seetr.- Chef.

Adm. Skag. befiehlt namentliche Erfassung an Bord arbeitender Werftarbeiter, einheitliche Einführung der Listen auf allen Kriegs- und Handelsschiffen zu einem vorläufig auf den 15.2. festgesetzten Termin wird festgelegt.[166] Endgültiger Termin von Poli-

---

166 Den 15. februar 1945 indførte tysk politi et nyt legitimationssystem hos B&W på Refshaleøen. Hver arbejder skulle, før han gik ombord på et skib, afgive navn og nummer, og desuden skulle tidspunktet noteres. Den samme kontrol skulle finde sted, når arbejderen forlod skibet (*Daglige Beretninger*, 1946, s. 647).

zei bestimmt, sobald diese mit Vorarbeiten zur Durchführung fertig. Listen sind von Schiffsbesatzung zu führen, dagegen Körper- und Gepackuntersuchung nur durch milit. oder polizeiliche Posten.

Befehl OKM Reikosee- Schiff "Tijuca" als Truppentransporter ausbauen. Notwendige Entmagnetisierung durch Wetterlage unmöglich. Vorarbeiten eingeleitet.
[…]

49. Joseph Goebbels: Tagebuch 28. Januar 1945

Goebbels havde talt med Philipp Bouhler om Danmark. Bouhler var i gang med en inspektion af civilt tysk personales beskæftigelse i Danmark, et arbejde han ville fortsætte, når den nyudpegede WB Dänemark, generaloberst Lindemann, var tiltrådt.[167] Lindemann ville modtage sine ordrer personligt af Hitler med henblik på at få renset kraftigt ud i Danmark. Goebbels ventede sig meget af ham.

Kilde: *Die Tagebücher von Joseph Goebbels*, Teil II:15, s. 249f.

[…]

Mit Bouhler Bespreche ich noch einmal die Frage Dänemark durch. Der Führer hat jetzt Generaloberst Lindemann zum Militärbefehlshaber in Dänemark ernannt. Er will ihn am Montag Nachmittag empfangen und ihm persönlich Richtlinien für die Ausmistung des Augias-Stalles in Dänemark geben. Bouhler wird dann seine Arbeit mit der Reichsinspektion wieder aufnehmen.
[…]
Die Abstellung von Generaloberst Lindemann nach Dänemark soll am kommenden Montag erfolgen. Ich verspreche mir von einer Bestanpunktung Lindemanns durch den Führer persönlich sehr viel.
[…]

50. G.W. Müller an Dr. Flügel 30. Januar 1945

Müller var ikke tilfreds med de vilkår, der blev givet ham for at virke for propagandaen i Danmark og som efter hans opfattelse heller ikke var acceptable for RMVP. Først og fremmest ønskede han en højere status. For at opnå denne ønskede han en forespørgsel til Werner Best eller i det mindste til Pancke.

Af en håndskrevet påtegning fremgår det, at sagen derefter indtil videre ikke skulle følges op.

Müller havde med de ønskede lederbeføjelser og underlæggelsen af Standarte "Kurt Eggers" gjort det umuligt for RMVP at komme videre med sagen. Dertil kommer, at Müller ikke viste nogen forståelse for de komplicerede forhold i København, som Walter von Kielpinski 4. december havde formuleret det.

Kilde: BArch, R 55/219.

Oslo 30.1.45, 00.35 [Uhr]

Ts. Nr. 23003

Herrn Min. Rat Dr. Flügel

Betr.: Einsatz in Dänemark.

---

167 Om Bouhlers inspektion i Danmark, se Goebbels til Lammers 22. januar 1945.

Die vorgeschlagene Lösung scheint mir wenig glücklich und m.E. auch für das Ministerium gar nicht tragbar.[168] Es ist doch nicht möglich, daß man einen Beamten, der in einem anderen Land unser Aufgabenbereich sehr umfassend wahrnimmt, dann in Dänemark einer doch im Endeffekt stark untergeordneten Dienststelle zuteilt. M.E. wäre die Lösung nur so möglich, daß man Dr. Best selbst befragt und mit ihm ein entsprechendes Abkommen trifft, wozu er sicher bereit ist, oder aber, daß man dann die Kommandierung wenigstens zum Höheren SS- und Polizeiführer vornimmt. Vorher müßte aber, wie ich schon betonte, natürlich das Einverständnis des Reichskommissars hier in v nn [!] in Norwegen eingeholt werden.

Heil Hitler
Ihr **G.W. Müller**

51. Rüstungsstab Dänemark: Lagebericht für Monat Januar 1945 und zugleich eine Jahresübersicht für 1944, 31. Januar 1945

Forstmann indledte den første månedsindberetning for 1945 med en årsoversigt for 1944, der kunne holdes i samme positive tone som decemberindberetningen 1944. Der var i 1944 sket en fremgang i værdien af rustningsleverancerne på 8 % i forhold til 1943. Til gengæld var de krigsvigtige civile leverancer gået tilbage, men det havde givet kapacitet til rustningsordrer. Der blev opregnet en række forudsætninger, der skulle til for at holde gang i rustningsaftalerne med danske virksomheder.

Den fortsat spændte politiske situation virkede skadeligt ind på det rustningsindustrielle område. Der var tilbageholdenhed fra både tyske og danske virksomheders side. Dertil kom de stærkt faldende tyske leverancer af råstoffer og brændstof. Der var endnu ikke kommet et resultat ud af forhandlingerne om bevogtning af vigtige danske virksomheder, der havde rustningskontrakter. Sabotage havde ramt en række krigsvigtige leverancer til Tyskland.

Kilde: Moskva, Osobyj Archiv, 1458/21/124.

Rüstungsstab Dänemark   *Kopenhagen, den 31.1.1945.*
des Reichsministers für Rüstung und Kriegsproduktion   Geheim
ZA/Ia Az. 66 d 1/Wi-Ber. Nr. 48/45 g

Bezug: OKW/ WI Rü Amt/ Rü IIIb Nr. 21755/42 v. 9.5.42
Betr.: Lagebericht.

An General z.b.V. des Reichsministers für Rüstung und Kriegsproduktion,
    Berlin NW 7,
    Unter den Linden 36.

Rü Stab Dänemark übersendet in der Anlage den Lagebericht für Monat Januar 1945 und zugleich eine Jahresübersicht für 1944.
Forstmann

Rüstungsstab Dänemark   *Kopenhagen, den 31.1.1945.*
des Reichsministers für Rüstung und Kriegsproduktion
ZA/Ia Az. 66 d 1/Wi-Ber. Nr. 48/45 g

---

168 Se Flügel til Müller 18. januar 1945.

Jahresübersicht 1944

I. Rüstungsaufträge.

Vom 1.5.40-31.12.43 wurden über den Rü Stab Dän. Rüstungsaufträge (reine Fertigungsaufträge, also ohne Frachten, Mieten etc.) im Werte von   RM 488.406.000,-
verlagert.

1944 kamen an Rüstungsaufträgen hinzu   RM 112.783.000,-

Vom 1.5.40-31.12.44 sind demnach Rüstungsaufträge im Werte von   RM 601.189.000,-
verlagert worden.

Wertveränderungen durch Auftragserhöhungen bzw. Auftragsermäßigungen im Jahre 1944   – RM 10.802.000,-

= RM 590.387.000,-

Die Auslieferungen betrugen vom 1.5.40-31.12.1944   RM 449.448.000,-
Auftragsbestand am 31.12.1944   RM 140.939.000,-
Die Gesamtauslieferungsquote beträgt somit 76 %.

Trotz aller Erschwerungen durch zunehmende Sabotage, Streiks, passiven Widerstand dänischerseits sowie Material-, Betriebsmittel- und Transportschwierigkeiten deutscherseits ist eine Steigerung der Auslieferung von Rüstungsaufträgen auch im Jahre 1944 erreicht worden. Dies ist darauf zurückzuführen, daß

a.) Neue Firmen mit deutschen Rüstungsaufträgen belegt werden konnten, z.B.

	Auslieferung erstmalig 1944:
Nordvärk A/S, Kopenhagen	RM 2.400.000,-
Waffen- u. Mun. Arsenale, Kopenhg.	RM 2.400.000,-

b.) bereits beschäftigte Firmen ausgebaut und erweitert wurden, z.B.

	Auslieferung 1943	Auslieferung 1944
Philips A/S, Kopenhagen	RM 217.000,-	RM 591.000,-
Nordisk Solar, Kolding	RM 303.000,-	RM 980.000,-
Dän. Werften (Hansa-Progr.)	RM 5.900.000,-	RM 10.700.000,-
Liefergemeinschaft d. DBN	RM 4.300.000,-	RM 7.700.000,-

c.) sabotierten Firmen (Aage Pedersen, Johannsens Maskinfabrik, Ambi, Bohnstedt-Petersen, Globus-Cykler und Asra) durch Schaffung von Ausweichbetrieben in den früheren dänischen staatlichen Betrieben (Waffen- und Mun. Arsenale und Orlogswerft) in verhältnismäßig kurzer Zeit durch Rü Stab Dän. geholfen werden konnte.[169]

Vergleicht man die Auslieferungen der beiden letzten Jahre, so ergibt sich:

	Gesamtauslieferung	Monatsdurchschnitt
1943:	RM 115.792.661,-	RM 9.649.000,-
1944:	RM 124.702.291,-	RM 10.392.000,-

---

169 De nævnte fem firmaer er tidligere omtalt (se registret), og Forstmann havde i løbet af 1944 gjort rede for overflytningen af deres produktion til de særligt sikrede områder.

1944 ist demnach eine um 8 % höhere Auslieferung als im Jahre 1943 erzielt worden.

Die Liefergemeinschaft der DBN (Deutschen Berufsgruppen in Nordschleswig) hat sich, wie bereits angeführt, besonders bemüht, die in Nordschleswig zerstreut liegenden kleinen volksdeutschen Betriebe immer mehr zusammenzufassen und deutsche Verlagerungsaufträge unterzubringen. Die folgende Übersicht zeigt, wie erfolgreich die Liefergemeinschaft der DBN gearbeitet hat:

Anzahl d. Betriebe	Gefolg. Anzahl	Art der Betriebe	Auslieferungen in RM
		1943	
69	400	Holzbearbeitung	1.723.000,-
25	200	Textil und Leder	287.000,-
56	700	Eisen und Metall	1.932.000,-
2	120	Schiffsreparaturen	392.000,-
152	1.420		= 4.334.000,-
		1944	
76	600	Holzbearbeitung	2.292.000,-
26	150	Textil und Leder	224.000,-
81	1.300	Eisen und Metall	3.821.000,-
2	350	Schiffsreparaturen	1.462.000,-
185	2.400		= 7.799.000,-

Außer der eisen- und holzverarbeitenden Industrie arbeiten auch die Konfektionsfirmen in Dänemark weitgehend für deutsche Rechnung. Es waren 1944 durchschnittlich 30 Konfektionsfabriken mit Uniformanfertigung beschäftigt, die insgesamt 1.273.000 Uniformstücke fertigten, darunter

299.000	Stck.	Tuchhosen
153.000	–	Feldblusen
224.000	–	Drillichröcke
228.000	–	Drillichhosen.

Von lederverarbeitenden Betrieben in Dänemark wurden 1944 u.a. gefertigt:

145.000	Stck.	Patronentaschen
100.000	–	Koppeltragegestelle
400.000	–	Stahlhelmkinnriemen
200.000	–	Seitengewehrtaschen

II. Kriegswichtige zivile Aufträge.
Die Verlagerung von Kriegswichtigen zivilen Aufträgen nach Dänemark erfolgt über den Rü Stab Dän. seit dem 1.1.41.

Vom 1.1.41-31.12.43 wurden über den Rü Stab Dän. Kriegswichtige zivile Aufträge im Werte von   RM 70.232.000,-
verlagert.
1944 kamen an kriegswichtigen ziv. Aufträgen hinzu   RM 7.102.290,-
Vom 1.1.41-31.12.44 sind demnach kriegswichtige zivile Aufträge im Werte von   = RM 77.334.290,-
verlagert worden.

Wertveränderungen durch Auftragserhöhungen bzw. Auftragsermäßigungen im Jahre 1944   – RM 1.545.122,-
= RM 75.789.168,-

Die Auslieferungen betrugen vom 1.1.41-31.12.44   – RM 51.093.591,-
Auftragsbestand am 31.12.1944   RM 24.695.577,-

Die Gesamtauslieferung beträgt somit 70 %.
Vergleicht man die Auslieferungen der beiden letzten Jahre, so ergibt sich folgendes Bild:

	Gesamtauslieferung	Monatsdurchschnitt
1943:	RM 20.519.291,-	RM 1.710.000,-
1944:	RM 17.649.800,-	RM 1.471.000,-

Dieser Rückgang in der Auslieferung ist darauf zurückzuführen, daß
1943 Aufträge im Werte von   RM 13.263.494,-   eingingen, dagegen
1944 Aufträge im Werte von nur   RM 7.102.290,-
Die dadurch freiwerdenden Fertigungskapazitäten wurden mit Rüstungsaufträgen belegt.

III. Allgemeines.

1.) Die Gesamtauslieferung an Rüstungsaufträgen und Aufträgen des kriegswichtigen zivilen Bedarfs wäre noch günstiger gewesen, wenn vor allem Rohstoffe und Zulieferungen aus dem Reich nicht so schleppend eingegangen wären. Hierdurch sind wesentliche Herabsetzungen der an sich in der dänischen Industrie guten Durchlaufgeschwindigkeiten bei vielen Aufträgen eingetreten.

2.) Ferner kann eine Steigerung der dänischen industriellen Fertigung auch dadurch erreicht werden, daß von den deutschen Auftraggebern
 a.) die Zeit für die Auftragsvorbereitung und Rohstoffsicherung im Reich abgekürzt wird und
 b.) die eingegangenen Zahlungsverpflichtungen pünktlich eingehalten werden, weil wiederholt dänische Firmen wegen Mangel an Zahlungsmitteln zu Einschränkungen der Fertigung schreiten mußten.

3.) Ganz besonders aber ist die weitestgehende Verhinderung von Sabotage in den dänischen Betrieben die Voraussetzung für eine weitere erfolgreiche Auftragsverlagerung nach Dänemark, da anderenfalls die Aufnahmebereitschaft der dänischen Industrie und die Verlagerungsfreudigkeit der deutschen Unternehmer leiden. Rü Stab Dän. ist von sich aus dauernd bemüht, von den zuständigen militärischen und polizeilichen Dienststellen Schutz für die wichtigsten dänischen Rüstungsbetriebe zu bekommen.

4.) Im Jahresdurchschnitt waren 325 dänische Betrieben mit Aufträgen über den Rü Stab Dän. belegt. Die Zahl der Unterlieferanten ist bedeutend höher und beträgt allein bei der Liefergemeinschaft der DBN (Deutschen Berufsgruppen in Nordschleswig) 185.

5.) Vom 1.5.40-31.12.44 wurden über den Rü Stab Dän.
 11.001 Rüstungsaufträge und
  1.263 Aufträge des Kriegsw. zivilen Bedarfs
an die dänische Industrie vergeben.

Für die Entscheidungen aller Streitigkeiten, die sich aus den über den Rü Stab Dän. erteilten deutschen Aufträgen an dänische Firmen zwischen den Partnern ergeben können, ist das paritätische deutsch-dänische Schiedsgericht in Kopenhagen zuständig. Es wurde bisher in keinem Falle in Anspruch genommen, ein Beweis dafür, daß Deutsche und Dänen auf wirtschaftlichem Gebiet durchaus zusammenarbeiten können.[170]

6.) Die vom Rü Stab Dän. im Einvernehmen mit dem Reichbevollmächtigten in Dänemark, Hauptabteilung II, und dem Dän. Außenministerium ab 1.9.44 getroffene Neuregelung über die Versicherung der mit der Auftragsverlagerung verbundenen Risiken, wonach bei den Verlagerungsgeschäften die deutsche und dänische Seite ihre Risiko jeweils im Reich bzw. in Dänemark versichern, hat auf Seiten der deutschen und dänischen Firmen Beruhigung ausgelöst.[171]

Lagebericht
Januar 1945

Beurteilung der gesamtrüstungswirtschaftlichen Lage
Die unverändert gespannte politische Lage wirkt sich auf rüstungswirtschaftlichem Gebiet insofern in zunehmendem Maße störend aus, als ein Teil der mit deutschen Aufträgen belegten Firmen zurückhaltend ist, was sich in einer schleppenden Abwicklung der Aufträge oder in dem Wunsche, von den erteilten Aufträgen befreit und nicht mehr mit deutschen Aufträgen belegt zu werden, äußert. Wenn die Sabotageakte auch nicht zahlenmäßig zugenommen haben, so ist unverkennbar, daß die geheimen Organisationen sehr systematisch bei ihren Unternehmen vorgehen. So ist z.B. festzustellen, daß man im Januar ds.Jrs. vornehmlich solche Fabriken sabotiert hat, die mit Fertigungen für die Luftwaffe und für das Nachrichtenwesen belegt sind.[172] Auch auf dem Transportgebiet ist eine Verschärfung festzustellen. Einige Waggons mit deutschem Rüstungsgut wurden zerstört.

Zu diesen Schwierigkeiten kommen neuerdings solche hinzu, die sich durch das Ausbleiben oder die nur sehr schleppende Zufuhr von Rohstoffen und Kohle bemerkbar machen. Speziell die Energieversorgung, die von der Einfuhr der deutschen Kohle abhängig ist, wird, wie schon jetzt vorauszusehen ist, zu ernsten Rückschlägen in der Rüstungsfertigung führen müssen. Eine unter "Energieversorgung" aufgestellte Übersicht über die Kohlenlieferungen nach Dänemark in den Jahren 1941-1944 gibt ein eindeutiges Bild über die Lage.

---

170 Se *Politische Informationen* 1. marts 1945, afsnit IV.3.
171 Se *Politische Informationen* 1. januar 1945, afsnit III.2.
172 Forstmanns karakteristik af fabrikssabotagen i januar synes ikke at være videre præcis, selv med forbehold for, at hans opmærksomhed primært var på de virksomheder, der arbejdede for Tyskland. Der var ikke en forøget sabotageindsats mod fabrikker med leverancer til det tyske luftvåben. Til gengæld var der forøget sabotage mod alle former for kommunikationsmidler. Det gik ud over radiofabrikker o.lign., som led i et udbredt forsøg på at ødelægge de tyske kommunikationslinjer (radiomaster, telefonkabler o.a. (se RA, BdO Inf. for hele januar)).

Auf dem Gebiet der Roh- und Betriebsstoffversorgung kommt neben den Anlieferungsschwierigkeiten noch hinzu, daß bei der gegenwärtigen politischen Stimmung die dänischen Firmen nicht mehr die Bereitwilligkeit haben, die erteilten deutschen Rüstungsaufträge rohstoffmäßig zu bevorschussen, da sie befürchten, die Rohstoffe nicht zurückzuerhalten.

Es ist [nicht] zu übersehen, daß eine gewisse rückläufige Bewegung in der gesamten rüstungswirtschaftlichen Lage eintreten wird.

Vordringliches
Die im Bericht von Dez. 1944 erwähnten Verhandlungen über die Bewachung und Sicherung der Rüstungsbetriebe gegen Sabotage konnten noch zu keinem positiven Ergebnis geführt werden.[173] Die z.Zt. in Dänemark weilende Kommission Reichsleiter Bouhler hat sich dieser Frage ebenfalls angenommen.[174] Genaue Unterlagen über vordringlich zu bewachende Betriebe sind von der Kommission verlangt worden, die ihrerseits die Verhandlungen mit den zuständigen Führungsstellen einleiten will.

Die unter "Versorgung der Betriebe mit Roh- und Betriebsstoffen" angeführten Zahlen zeigen, daß es dringend notwendig ist, die Versorgung des Raumes Dänemark mit Eisen und Stahl, Kohlen und sonstigen Roh- und Betriebsstoffen trotz der im Reich bestehenden Transportschwierigkeiten durchzuführen, da davon die Ausbringung wichtigster Fertigungen maßgeblich beeinflußt wird.

1a. Stand der Fertigung
a.) *Mittelbare und unmittelbare Wehrmachtaufträge (A-Aufträge)*

Gesamtverlagerung nach Dänemark vom 9. April 1940 – 31. Dezember 1944	RM 590.387.453,-
Auftragsbestand am 30.11.1944 an noch zu erledigenden Aufträgen	RM 152.042.520,-
Wertveränderungen durch Auftragserhöhung bzw. Auftragsermäßigung im Dezember 1944	– RM 4.303.330,-
	RM 147.739.190,-
Auftragszugang im Dezember 1944	+ RM 4.683.111,-
	RM 152.422.301,-
Auslieferungen im Dezember 1944	– RM 11.484.045,-
Auftragsbestand am 31.12.1944 an noch zu erledigenden Aufträgen	= RM 140.938.256,-

b.) *Aufträge des kriegswichtigen zivilen Bedarfs (C-Aufträge)*

Gesamtverlagerung nach Dänemark vom 1. Januar 1941 – 31. Dezember 1944	RM 75.789.168,-

---

173 Bevogtningsspørgsmålet blev i 1944 drøftet med tysk politi. I februar 1945 vendte Forstmann sig til den nye WB Dänemark, se Rü Stab Dänemarks situationsberetning for februar 1945.
174 Bouhler nævnte kort i sin beretning 4. februar 1945, afsnit III.2. (trykt nedenfor) bevogtningsspørgsmålet som et problem for den tyske hær, og der blev foreslået indsættelse af f.eks. kaukasiske tropper.

Auftragsbestand am 30.11.1944 an noch zu erledigenden Aufträgen	RM 25.271.583,-
Wertveränderungen durch Auftragserhöhung bzw. Auftragsermäßigung im Dezember 1944	– RM 1.703,-
	RM 25.269.880,-
Auftragszugang im Dezember 1944	+ RM 104.592,-
	RM 25.410.472,-
Auslieferungen im Dezember 1944	– RM 714.895,-
Auftragsbestand am 31.12.1944 an noch zu erledigenden Aufträgen	= RM 24.695.577,-

Fertigungslage

Durch Sabotage bei 2 Firmen in Kopenhagen, welche die Fertigung von Zweibeinen für Granatwerfer durchführten, ist eine Auslieferungsverzögerung eingetreten, sodaß das Liefersoll von 500 Stück pro Monat nicht gehalten werden kann.[175] Es gelang jedoch, die Aufträge zu anderen Firmen zu verlagern, sodaß schon im Februar wieder mit vollem Ausstoß des Liefersolls gerechnet werden kann.

An nennenswerten größeren Aufträgen wurden erteilt: 1 Auftrag über Gewehrpatronen, 2 Aufträge über Gruppen von Flak-Richtgerät.

Durch Sabotage am 2.1.45 bei der Firma Torotor ist die dort untergebrachte Fertigung von wichtigen feinmechanischen Teilen für verschiedene deutsche Firmen des Nachrichtenmittelwesens völlig ausgeschaltet.[176] Die dort lagernden deutschen Rohstoffe, Werkzeuge und Vorrichtungen konnten gerettet werden. Eine anderweitige Unterbringung der Aufträge im Raume Dänemark ist jedoch nicht möglich.

Auch die Firma Helweg Mikkelsen, die ebenfalls feinmechanische und elektrische Meßinstrumente herstellt, wurde am 12.1.45 durch Sabotage so zerstört, daß eine erhebliche Verzögerung in der Auslieferung eingetreten ist.[177]

Energieversorgung

Im Januar sind Schwierigkeiten in der Energieversorgung der Rüstungsbetriebe noch nicht in nennenswertem Maße aufgetreten.

1c. Versorgung der Betriebe mit Roh- und Betriebsstoffen

Der deutsche Lieferungsrückstand an Eisen und Stahl für in Dänemark untergebrachte Verlagerungsaufträge betrug per 30.11.44 = 15.919 to und hat sich demnach gegenüber dem Vormonat mit 16 to nur unwesentlich erhöht. Für NE-Metalle ist der Lieferungsrückstand per 30.11.44 = 209.668 kg, somit 2.000 kg mehr als im Vormonat.

---

175 Der blev saboteret adskillige maskinfabrikker i København i januar 1945, men den ene af dem, der leverede kanondele, var K. Larsens Maskinfabrik, Nørre Allé, der blev saboteret af BOPA 24. januar 1945 (RA, BdO Inf. nr. 12, 26. januar 1945, tilfælde 7, Kjeldbæk 1997, s. 477).
176 Sabotagen mod Torotor, Kollegievej 6, Charlottenlund, blev udført af BOPA. Erstatningssummen androg 1.569.000 kr. (RA, BdO Inf. nr. 1, 2. januar 1945, tilfælde 16, Kjeldbæk 1997, s. 477).
177 Firmaet H. Mikkelsen, Strandboulevarden, København, blev 12. januar udsat for sabotage af Holger Danske (RA, BdO Inf. nr. 7, 16. januar 1945, tilfælde 1, Birkelund 2008, s. 690).

Wie sehr die Eisenlieferungen aus dem Reich in den letzten Monaten zurückgegangen sind, erweist sich aus folgender Gegenüberstellung:

Bei einem Monatsdurchschnitt vom 1.1.44 -30.11.44 in Höhe von 1.742 to betrugen die Lieferungen im

September	915 to
Oktober	464 to
November	1.075 to

Wenn auch auf die zahlreichen schriftlichen und fernschriftlichen Vorstellungen des Rü Stab Dän. bei den Eisenlieferanten und Verbänden jetzt wieder Antworten eingehen, was bis Mitte Dezember nur ausnahmsweise der Fall war, besagen sie doch zumeist, daß in absehbarer Zeit mit der Fertigstellung des Auftrages nicht zu rechnen sei, oder daß die Partien fertiggestellt wären, mangels Transportmittel jedoch nicht auf den Weg gebracht werden könnten.

Durch die jüngste Entwicklung an der Ostfront und die damit eingetretene Gefährdung des Oberschlesischen Industriegebiets, sowie das scharfe Frostwetter, wodurch z.Zt. die Wasserstraßen ausgeschaltet sind, wird sich die Lage noch weiter erheblich verschärfen.

Für Schiffsbau- und Reparaturzwecke ist bis zur Stunde für I/45 noch kein Eisenkontingent überwiesen worden.

In Kautschuk bzw. Buna ist das hiesige Bereitschaftslager zur Deckung des Kleinbedarfs der Besatzungstruppe bereits seit Mitte Dezember völlig erschöpft. Die Zuteilung für III/44 wurde trotz wiederholter Bemühungen und Zusagen durch OKW-Fwi Amt bisher nicht geliefert. Zuteilung für IV/44 wurde gestrichen. Für I/ und II/45 sind wieder je 500 to bewilligt, jedoch ist zu befürchten, daß mit der Auslieferung in absehbarer Zeit nicht gerechnet werden kann.

2b. Lage der Treibstoffversorgung

Es wurden im Monat Dezember

	Dieselöl	Benzin
angefordert:	67.500 kg	1.570 ltr.
zugewiesen:	67.500 kg	1.570 ltr.

2c. Lage der Kohlenversorgung

Im Monat Dezember wurden eingeführt:

Kohle	106.100	to	(November 161.900 to)
Koks	15.600	to	(− 25.000 to)
Sudetenkohle	15.200	to	(− 17.400 to)
Braunkohlenbriketts	18.000	to	(− 25.000 to)

Eine Übersicht über die in den Jahren 1941-1944 nach Dänemark gelieferten Mengen ergibt:

Kalenderjahr	Kohle	davon f. Staatsbahn	Koks
	in 1.000 to	in 1.000 to	in 1.000 to
1941	2.497	439	1.054
1942	1.892	370	697
1943	2.030	448	520
1944	2.242	373	431

Nach der Jahresaufstellung war die Versorgung mit Kohle im Jahre 1944 besser als 1942 und 1943. Es muß jedoch berücksichtigt werden, daß die dänische Regierung auf Veranlassung des Reichbevollmächtigten in Dänemark sich einen eisernen Bestand für etwa 2 Monate aus der Jahreslieferung 1944 hat zurücklegen müssen und die sortenmäßige Lieferung aus dem Reich nicht mit dem dänischen Bedarf in Einklang stand.

Im Januar 1945 trat eine ausgesprochene Verschärfung der Kohlenlage ein. Deshalb werden ab 1.2.45 große Einschränkungen im öffentlichen Leben (vorzeitiges Schließen der Lokale und Vergnügungsstätten, früherer Betriebsschluß der Verkehrsmittel und einschneidende Beschränkung des Stromverbrauchs in den Haushaltungen) angeordnet.[178]

In der Industrie werden nichtlebenswichtige Fertigungen von der Dän. Regierung stark gedrosselt werden, um lebenswichtige Betriebe mit möglichst geringen Störungen in Gang halten zu können.

Rü Stab Dän. wird sich bei der Zuweisung von Energie und Brennstoff besonders für Betriebe mit bereits fortgeschrittener deutscher Fertigung einsetzen.

---

178 Se Skade 1947 for de talrige indskrænkninger i foråret 1945 på snart sagt alle samfundslivets områder.

FEBRUAR 1945

52. Politische Informationen für die deutschen Dienststellen in Dänemark 1. Februar 1945

Bekæmpelsen af modstandsbevægelsen blev kun omtalt ganske kort. Til gengæld blev der givet fyldig plads til emner, der demonstrerede Det Tyske Gesandtskabs aktiviteter og nytte på trods af, at det havde blot 131 ansatte. Gesandtskabet tog sig af at skaffe husly til tilkomne tyske tropper og at give erstatning for sabotage mod værnemagtsejendom. Best gav indtryk af, at der var et gnidningsfrit samarbejde med de danske myndigheder, men det er spørgsmålet, om en del af de påberåbte anordninger var andet end ord bestemt for øjeblikket. Finansieringen af og støtten til NSU havde Best fra 1943 satset meget på. De unge bar på fremtiden og var potentielle frivillige i den tyske hær. Afsnittet "Fjendtlige stemmer" blev fortsat brugt til at lægge afstand til den tyske modterror og dele af Gestapos virksomhed, men de meningsløse allierede bombninger med talrige døde og sårede til følge fandt også plads.

Kilde: RA, Centralkartoteket, pk. 681.

Der Reichbevollmächtigte in Dänemark   *Kopenhagen, den 1. Februar 1945.*
Nur für den Dienstgebrauch!

P o l i t i s c h e I n f o r m a t i o n e n
für die deutschen Dienststellen in Dänemark.

Betr.: I. Die politische Entwicklung in Dänemark im Januar 1945.
   II. Mitteilungen aus der Außenpolitik.
   III. Mitteilungen aus der Verwaltung.
   IV. Mitteilungen aus der Wirtschaft.
   V. Arbeitsvermittlung in das Reich.
   VI. Deutsch-dänische Jugendarbeit.
   VII. Feindliche Stimmen über Dänemark.

I. Die politische Entwicklung in Dänemark im Januar 1945

1.) Die Lage in Dänemark war im Monat Januar 1945 weiterhin von der seit langem bestehenden latenten Spannung und von der Überzeugung der Bevölkerung bestimmt, daß Deutschland in absehbarer Zeit – wenn es auch noch Monate dauern sollte – zusammenbrechen werde. Der Annäherung der Russen sieht man mit Ruhe entgegen, zumal von Schweden aus Nachrichten über ein außerordentlich korrektes Verhalten der russischen Besatzung in Finnland verbreitet werden.

2.) Der Kleinkrieg des Feindes wurde etwa in dem gleichen Umfange wie im Monat Dezember 1944 fortgesetzt und richtete sich weiter in erster Linie gegen Bahngleise und Bahnanlagen. Daneben wurde die Sabotage gegen Fabriken, die Verlagerungsaufträge ausführen, wieder aufgenommen. Die Werften sind seit der am 12.12.1944 erfolgten Sicherung durch polizeiliche und militärische Wachen nicht mehr angegriffen worden.[1]

---

1 Se *Politische Informationen* 1. januar 1945.

3.) Die deutsche Sicherheitspolizei hat in der Bekämpfung des feindlichen Kleinkrieges im Januar 1945 festgenommen:[2]

wegen Sabotageverdachts 478 Personen
wegen Spionageverdachts 47 Personen
wegen illegaler Tätigkeit 497 Personen
(Kommunismus und nationale
Widerstandsgruppen).

Durch die Festnahme sind 38 Sabotageakte aufgeklärt worden.

Bei polizeilichen Aktionen sind wegen Widerstandes gegen die Festnahme, wegen Widersetzlichkeit gegen Polizeistreifen usw. 18 Personen erschossen worden.

Anläßlich der Überprüfung der deutschen Dienststellen in Dänemark durch den unter der Leitung des Reichleiters Bouhler stehenden Sonderstab Dänemark des Reichbevollmächtigten für den totalen Kriegseinsatz[3] wurde festgestellt, daß die Behörde des Reichbevollmächtigten in Dänemark ihre Aufgaben mit einem deutschen Personal von 131 Köpfen[4] wahrnimmt, das sich – einschließlich der Außenstellen und Konsulate – wie folgt zusammensetzt:

24 höhere Beamte
19 mittelbare Beamte
3 untere Beamte
32 männliche Angestellte
53 weibliche Angestellte
131 Personen insgesamt.

II. Mitteilungen aus der Außenpolitik
1.) Der bisherige ungarische Militärattaché in Stockholm Oberstleutnant Kóber, der sich nicht wie die übrigen Mitglieder der ungarischen Vertretung in Stockholm der probolschewistischen ungarischen Regierung in Debrechen sondern der Szlassi-Regierung angeschlossen hat, ist zur ungarischen Vertretung in Kopenhagen versetzt und im Januar hier eingetroffen.
2.) Das Programm der am 21.10.1944 neu gebildeten isländischen Regierung, der u.a. zwei Kommunisten angehören, liegt jetzt vor. Danach beabsichtigt die isländische Regierung, die außerordentlichen Gewinne, die Island unter der amerikanischen Besetzung erzielt hat, dazu zu verwenden, die isländische Wirtschaft völlig umzuformen und insbesondere eine bodenständige Industrie zu schaffen. Es soll von den ausländischen Guthaben, die Island zur Zeit besitzt, ein Betrag von 300 Mill. Kronen ausschließlich für Beschaffung von Schiffen, Werft- und Industrieanlagen zur Verfügung gestellt werden.

---

2 Tallene er fra Bovensiepens aktivitetsrapport for januar 1945, som ikke er lokaliseret.
3 Se Goebbels til Lammers 22. januar 1945. *Information* ville 8. januar 1945 vide, at Best havde været i Berlin for at undgå at få udskiftet alle sine embedsmænd, hvilket er muligt, men ikke kan bekræftes, selv om Best var i Berlin i de sidste dage i december og førte drøftelser i AA, bl.a. om en afløser for Barandon (Bests kalenderoptegnelser december 1944).
4 Det var et antal, som Best gentog 2. marts 1945. Et let afvigende antal opgav han i 1951 i erindringerne fra sin tid i Frankrig (137).

Das Bedürfnis Islands besonders an Fischereifahrzeugen ist sehr groß, da die Zahl dieser Schiffe sich während des Krieges ständig verringert hat und das Durchschnittsalter der gegenwärtig in Betrieb befindlichen Trawler 26,5 Jahre beträgt.

Die isländische Landwirtschaft hatte im Jahre 1944 besonders unter dem Mangel an Arbeitskräften zu leiden. Zweifellos ist dieser Mangel auf die mit der amerikanischen Besetzung im Zusammenhang stehenden größeren Verdienstmöglichkeiten in anderen Berufszweigen zurückzuführen.

Die Bemühungen der isländischen Regierung, eine Preissteigerung im Lande zu verhindern, führten dazu, daß die amtliche Preiszahl von Juni bis September 1944 nur von 268 auf 272 Punkte stieg. Die Niederhaltung der Preiszahl wurde jedoch nur durch die Zuschüsse ermöglicht, die die isländische Regierung aus Staatsmitteln bei bestimmten Bedarfsgütern gewährte. Die echte Preiszahl liegt nach isländischen Schätzungen ungefähr bei 330 Punkten.

Ein Industriearbeiterstreik, der im Sommer 1944 über 2 Monaten andauerte, führte zu geringfügigen Lohnerhöhungen.

III. Mitteilungen aus der Verwaltung
1.) Die Beschaffung von Truppenunterkünften
Die Belegung des dänischen Raumes mit neuen Truppenteilen und der ständige Wechsel von Truppenteilen innerhalb Dänemarks haben es mit sich gebracht, daß die Frage der Beschaffung geeigneter Truppenunterkünfte mehr als bisher akut geworden ist. Da die Führer von neu an einen Ort verlegten Einheiten die örtlichen Verhältnisse nicht kennen, und da auch die Standortältesten mit diesen Verhältnisse nicht immer ausreichend bekannt sind, hängt die Wahl der Unterkünfte in vielen Fällen von Zufälligkeiten ab, es erfolgen dann leicht Eingriffe in das dänische öffentliche Leben und in die dänische Wirtschaft, die letzten Endes auch deutsche Interessen belasten und die sich bei richtiger Planung vermeiden ließen.

Diese Gesichtspunkte haben dazu geführt, daß in Zukunft gemäß Vereinbarung zwischen dem Wehrmachtsbefehlshaber Dänemark und dem Reichbevollmächtigten folgender Weg beschritten werden soll:

Die an einen Ort neu verlegten Einheiten werden angewiesen, sich wegen der Beschaffung ihrer Unterkünfte an die zuständige Außenstelle des Reichbevollmächtigten zu wenden. Die Außenstelle ist dann in der Lage, solche Unterkünfte vorzuschlagen, die den Ansprüchen der Truppe genügen und deren Inanspruchnahme sich mit den berechtigten öffentlichen und Wirtschaftsinteressen vereinbaren läßt.

Um dieses Verfahren so wirksam wie möglich zu gestalten, werden die Außenstellen des Reichbevollmächtigten zusammen mit den zuständigen dänischen Behörden für diejenigen Orte, die für die Belegung mit Truppen normalerweise in Betracht kommen, vorweg geeignete Unterkünfte festlegen.[5]

---

5 Endnu i begyndelsen af februar 1945 deltog danske myndigheder i fremskaffelsen af husly til de tyske tropper (jfr. Indenrigsministeriets skrivelse 9. november 1944 (Alkil, 1, 1945-46, s. 128f.)), men det samarbejde ophørte, da strømmen af tyske flygtninge begyndte (KB, Herschends dagbog februar 1945, Hæstrup, 2, 1966-71, s. 220-223).

2.) Die Entschädigung für Sabotageschäden an Wehrmachtgut.
Die dänische Regierung hatte sich im Mai 1943 nach Verhandlungen verpflichtet, Sabotageschäden an Wehrmachtgut aus Mitteln des dänischer Staates zu ersetzen. Der Ersatz sollte – soweit von Wehrmachtseite gefordert und praktisch möglich – in natura, im übrigen in Geld erfolgen.[6]

Dieses Verfahren ist nur schleppend durchgeführt worden, da die Überprüfung der einzelnen Fälle durch die dänische Polizei übermäßig viel Zeit in Anspruch nahm.

Die dänische Zentralverwaltung hat nach der Auflösung der dänischen Polizei erklärt, daß ihr nunmehr die Möglichkeit fehle, die gemeldeten Ersatzansprüche zu prüfen und daß sie sich deshalb nicht mehr in der Lage sähe, in dem vereinbarten Verfahren Ersatzleistungen durchzuführen.

Der Reichbevollmächtigte wird deshalb die Vereinbarung vom Mai 1943 durch eine förmliche Anordnung ersetzen, nach welcher der dänische Staat verpflichtet wird, alle Sabotageschäden an Wehrmachtgut in Geld zu ersetzen.[7] Soweit die Wehrmacht auf Ersatz des Schadens in natura angewiesen ist, wird die Beschaffung dieses Ersatzes durch Beschlagnahmen auf Grund der Lieferung- und Leistungsverordnung erfolgen. Diese Regelung ist insofern vorteilhafter als die frühere, als eine langwierige Prüfung durch dänische Stellen wegfällt und die Ersatzleistungen deshalb sehr viel schneller als bisher erfolgen werden.

IV. Mitteilungen aus der Wirtschaft
1.) Landwirtschaft.
Der starke Viehauftrieb, insbesondere an Rindern, hält weiterhin an. Die Menge, die für Deutschland abgenommen werden kann, hängt jedoch weitgehend von den Transportmöglichkeiten ab, die für die Ausfuhr nach Deutschland nach wie vor unzureichend sind.

Der Eieranfall hat, durch die Witterung begünstigt, bereits wieder zugenommen, und es ist, wenn keine besonders starken und anhaltenden Fröste eintreten, mit einer laufenden Steigerung zu rechnen.

Die Erträge in der Fischerei waren im Januar infolge sehr unbeständigen Wetters schlecht. Vor Beginn der Frühjahrsfischerei ist kaum noch mit größeren Fängen zu rechnen.

2.) Gewerbliche Wirtschaft.
Bei den Verhandlungen der deutsch-dänischen Regierungsausschüsse über den Warenverkehr Deutschland-Dänemark im 1. Vierteljahr 1945 war auf dem gewerblichen Sektor die Versorgung Dänemarks mit Kohlen sowie Eisen und Stahl von besonderer Bedeutung. Der Rückgang der deutschen Lieferungen beruht zum Teil auf dem gesteigerten Eigenbedarf der deutschen Kriegswirtschaft und zum Teil auf den immer stärker in Erscheinung tretenden Transportschwierigkeiten.

---

6 Se Bests telegram nr. 562, 12. maj 1943.
7 Denne anordning er ikke offentliggjort af Best eller videregivet til de danske myndigheder. Sandsynligvis er den ikke kommet videre end de anordninger, Best omtalte i *Politische Informationen* måneden før.

Bei Kohle und Koks hatten zwar die deutschen Lieferungen im Jahre 1944 mit insgesamt 2,8 Mill. to eine geringe Mehrlieferung gegenüber dem Vorjahre erreicht. Sortenmäßig fiel aber die Ruhrkohle seit Oktober 1944 fast völlig aus, ohne daß dieser Ausfall durch eine stärkere Belieferung mit oberschlesischer Kohle ausgeglichen werden konnte.[8] In den Monaten November und Dezember trat in den Lieferungen ein sehr starker Rückgang ein. Im Januar 1945 sanken sie auf rund 40.000 t Kohle und Koks gegenüber den vordem über 200.000 t betragenden Monatslieferungen ab. Zur Zeit sind die Lieferungen völlig eingestellt. Die letzten dänischen Kohlenschiffe mußten ihre Ladungen in den deutschen Häfen wieder löschen oder sie nach anderen deutschen Häfen verbringen. Von den an sich schon unzulänglichen dänischen Staatsvorräten müssen noch 30.000 t Kohle auf Anordnung der Reichregierung nach Norwegen abgegeben werden.[9]

Die an sich schon schwierige Versorgungslage wird dadurch weiter erschwert, daß bei Benutzung ungeeigneter Kohlen ein erheblicher Mehrverbrauch eintritt. Insbesondere gilt dies für die Eisenbahnkohle, da aus Oberschlesien eine für den normalen Bedarf der dänischen Eisenbahn geeignete Kohle nicht bezw. in nur ungenügenden Mengen geliefert werden konnte. Die Aufrechterhaltung der Gasversorgung ist bisher dadurch möglich gewesen, daß geeignete Gaskohle aus Reservelägern mit oberschlesischer Kohle gemischt wurde.

Nachdem jetzt übersehen werden kann, daß Dänemark auf unbestimmte Zeit seinen Kohlen- und Koksbedarf aus seinen Beständen decken muß, wird die Versorgung Dänemark mit den auf der Kohle beruhenden Leistungen sehr schwierig werden. Am schärfsten wird diese Mangellage sich bei der Versorgung der Staatsbahnen und der Gaswerke auswirken. Die Vorräte werden in wenigen Wochen aufgebraucht sein und damit werden Eisenbahnen wie Gaswerke zum Erliegen kommen. Von der dänischen Zentralverwaltung sind neue sehr einschneidende Rationierungen des Verbrauchs von Kohle, Elektrizität und Gas verfügt worden,[10] durch die unvermeidbar auch die für deutsche Interessen arbeitenden Betriebe der Landwirtschaft und der gewerblichen Wirtschaft einschließlich der Rüstungswirtschaft sowie der Güterverkehr getroffen werden. Die nach Möglichkeit zur Streckung eingesetzten einheimischen Brennstoffe wie Torf und Braunkohlen können den Kohlen- und Koksbedarf bei manchen Verwendungszwecken nicht decken.

Ähnlich liegen die Verhältnisse bei den Lieferungen von Eisen und Stahl aus dem Reich. Die dänische Wirtschaft hatte in der Vorkriegszeit einen Eisen- und Stahlnormalbedarf von rund 43.000 to monatlich. Für die Deckung des dringenden Bedarfs ist auch deutscherseits während des Krieges eine Lieferung von 14.000 t monatlich als erforderlich angesehen worden. Dieser Bedarf ist jedoch im Jahre 1944 nicht gedeckt worden. Nachdem die Lieferungen von Eisen und Stahl aus Deutschland bis auf 5.000 t monatlich zurückgegangen waren, hat man deutscherseits auf Grund einer Führerweisung, daß nach Dänemark insbesondere die für die dänische Landwirtschaft erfor-

---

8 Se Rü Stab Dänemarks månedsberetninger for andet halvår 1944.
9 Se Keitel til Terboven 21. januar 1945.
10 Besparelser og rationeringer gik hånd i hånd. Der blev foretaget yderligere rationering af hele energiforsyningen, el, gas, kul. F.eks. sparede DSB yderligere ved helt at undlade at opvarme personvogne.

derlichen Produktionsmittel geliefert werden sollen, die Lieferung von 10.000 t Eisen und Stahl monatlich in Aussicht genommen. Diese Mengen konnten indessen nicht geliefert werden. Im Oktober 1944 sind insgesamt 4.900 t, im November 1944 3.200 t geliefert worden und im Dezember haben die Lieferungen insgesamt noch nicht 1.000 t erreicht.[11] Durch diesen Ausfall ist die dänische Wirtschaft in allen ihren Zweigen in eine äußerst schwierige Lage gekommen. Auch das Transportwesen ist dadurch betroffen, da z.B. Ausbesserungsarbeiten bei den dänischen Staatsbahnen nicht in dem nötigen Umfange ausgeführt werden können. Das Fehlen von Walzeisen (Bandeisen und Draht) führt zunehmend zu einem Mangel an Verpackungsmaterial, wegen dessen die Verpackung der dänischen Exportwaren für Deutschland in kürzester Zeit größte Schwierigkeiten bereiten wird, zumal geeignetes Papier sowie Kisten- und Faßholz nach dem Wegfall der Einfuhren aus Finnland und Schweden ebenfalls fehlen.

3.) Der Jahresabschluß der Dänischen Nationalbank.
Die Bilanzsumme der Dänischen Nationalbank ist im Jahre 1944 um 2,8 Milld. Kronen auf 7,5 Milld. Kronen gestiegen. Die Steigerung ist in erster Linie auf die Erhöhung des Clearing-Kontos um rund 785 Mill. Kronen (Vorjahr 870 Mill. Kronen) und des Kontos "Verschiedene Debitoren" (auf welchem die Besatzungsmittel ausgewiesen werden) um 1.953 Mill. Kronen (Vorjahr 1 Milld. Kronen) zurückzuführen.

An der Zunahme der Clearing-Guthaben ist Deutschland im vergangenen Jahr mit 768 Mill. Kronen beteiligt. Der Clearingsaldo zu Lasten des Reiches betrug am Jahresschluß 2.694 Mill. Kronen.

Das Konto der Hauptverwaltung der Reichkreditkassen (Besatzungsvorschüsse) hat sich im Laufe des Jahres auf 4.292 Mill. Kronen erhöht.

Der Notenumlauf stieg nur um 299 Mill. Kronen. Die Erhöhung ist, verglichen mit der sprunghaften Steigerung der Bilanzsumme um 2,8 Milld. Kronen, als außerordentlich gering zu bezeichnen, besonders wenn man in Betracht zieht, daß sich im Vorjahr bei einer Steigerung der Bilanzsumme um 1,9 Milld. Kronen der Notenumlauf um 376 Mill. Kronen erhöht hat. Die geringe Erhöhung ist auf die von der dänischen Verwaltung getroffenen Maßnahmen zur Bindung und Abschöpfung der unbeschäftigten Gelder und auf die in den letzten Monaten des Jahres bei der Bevölkerung zu bemerkende Neigung, sich wegen der unsicheren Verhältnisse mit so wenig Bargeld wie möglich zu belasten, zurückzuführen; auch wurde auf dem Wehrmachtsektor infolge der von der Verbindungsstelle der Hauptverwaltung der Reichkreditkassen und dem Wehrmachtintendanten durchgeführten Kontingentierung der Barzahlungen erheblich weniger Bargeld benötigt. Diese zahlungstechnischen Maßnahmen auf dem Gebiete des Wehrmachtzahlungsverkehrs haben damit wesentlich zur Erleichterung der währungspolitischen Situation beigetragen. Die Verlagerung der Wehrmachtzahlungen auf den Weg der bargeldlosen Zahlungen kommt in einer weiteren Steigerung der Einlieferungen in die "Scheckabrechnung" der Nationalbank zum Ausdruck, die im Dezember 1944 der höchsten Stand mit 2.165,4 Mill. Kr. (Vorjahr 1.916 Mill. Kr.) erreicht hat.

Am Schluß des Jahres wurden als wesentlichste Posten ausgewiesen:

---

11 Jf. Rü Stab Dänemarks situationsberetninger for de pågældende måneder.

Clearingkonto	2.774	Mill. Kr.
Verschiedene Debitoren	4.345	Mill. Kr.
Notenumlauf	1.658	Mill. Kr.
Foliokonto	2.925	Mill. Kr.
Konto des Finanzministeriums	2.327	Mill. Kr.

Die gesamte finanzielle Leistung Dänemark zu Gunsten des Reiches betrug bis Ende 1944 6.986 Mill. Kronen.

Auf Grund der dänischen Geldbindungs- und Abschöpfungsmaßnahmen sind bis Ende des Jahres etwa 4,1 Milld. Kronen als gebunden bezw. abgeschöpft zu verzeichnen. Diese Maßnahmen haben es zusammen mit den Maßnahmen auf dem Gebiet der Lohn- und Preisüberwachung und mit den oben erwähnten Beschränkungen der Barzahlungen auf dem Wehrmachtsektor bisher vermocht, die Währung vor Erschütterungen zu bewahren.

4.) Der dänische Außenhandel im Jahre 1944.
Nach dem 1. Heft des Jahrgangs 1945 der "Statistiske Efterretninger" des Statistischen Departements ist der Gesamtwert der dänischen Einfuhr im Jahre 1944 mit etwa 1.155 Mill. Kronen (gegenüber 1.225 Mill. Kronen im Jahre 1943), der Gesamtwert der Ausfuhr mit etwa 1.340 Mill. Kronen (gegenüber 1.338 Mill. Kronen im Jahre 1943) zu veranschlagen. Der Warenverkehr mit dem Ausland hat sonach auch im abgelaufenen Jahr einen Ausfuhrüberschuß ergeben, welcher sich auf ungefähr 185 Mill. Kronen (gegenüber 113 Mill. Kronen im Jahre 1943) beläuft.

V. Arbeitsvermittlung in das Reich
Für die Arbeitsvermittlung dänischer Staatsangehöriger in das Reich und in andere deutsche Einflußgebiete ergibt sich im Jahre 1944 ein starkes Absinken der Vermittlungsziffern gegenüber dem Jahre 1943. Er liegt auf der Hand, daß die Gestaltung der Kriegslage unmittelbar auf die Bereitwilligkeit zur Arbeitsaufnahme in Deutschland zurückwirkt hat.[12]

Es haben im Jahre 1943
21.603	Männer
3.706	Frauen
= 25.309	

Arbeitsstellen in Deutschland angenommen. Für das Jahr 1944 betragen diese Zahlen
7.719	Männer
2.107	Frauen
= 9.826	

---

12 De følgende tal kan sammenholdes med opgivelserne i Rü Stab Dänemarks situationsberetninger. Der bliver opgivet noget lavere tal i den danske litteratur: 21.731 udrejste til Tyskland i 1943 og 7.733 i 1944 (Schmidt 1948a, s. 72, Jensen 1971, s. 239).

Ein Tiefpunkt ist im Dezember 1944 erreicht gewesen mit
  94 Männern
  43 Frauen
 = 137

Der Januar 1945 brachte im Vergleich hierzu eine sprunghafte Zunahme mit
 341 Männern
 158 Frauen
 = 499

VI. Deutsch-dänische Jugendarbeit
Neben einer sehr engen Zusammenarbeit mit der Dänischen Nationalsozialistischen Jugend (NSU) ist es gelungen, an weitere dänische Jugendkreise heranzukommen, die nicht von vornherein als deutschfreundlich oder gar nationalsozialistischen anzusprechen sind.

1.) Die NSU, die keiner politischen Partei oder Organisation angeschlossen ist,[13] ist eine kompromißlose nationalsozialistische Jugendorganisation, die in ihrer Haltung und in ihrem Auftreten in vielen Zügen der "Hitler-Jugend" der deutschen "Kampfzeit" entspricht. Wenn die Organisation auch klein ist, so verfügt sie doch über eine Führer- und Führerinnenschaft, die so gutausgebildet ist, daß sie sofort in der Lage wäre, das Vielfache von Mitgliedern zu führen. Alle älteren Mitglieder der NSU haben eine längere fachliche Ausbildung im Reich erfahren (vierwöchige Germanische Wehrertüchtigungslager, politische und fachliche Führer- und Führerinnen-Lehrgänge, Reichsakademie für Jugendführung, Adolf-Hitler Schulen u.a.m.). Diese Ausbildung ist bedeutungsvoll für eine in der Zukunft zu erwartende Konjunktur, für die geeignete Führungskräfte bereitgestellt werden müssen.

Es ist selbstverständlich, daß bei der augenblicklichen politischen Lage in Dänemark ein Ansteigen der Mitgliederzahl der NSU nicht erwartet werden kann, ja sogar ein Rückgang absolut verständlich wäre. Es ist erstaunlich, daß es der NSU gelingt, ihren Mitgliederstand zu halten, obwohl ihre älteren Mitglieder von einem gewissen Alter ab ausnahmslos abgegeben werden für andere Aufgaben (Waffen-SS, Arbeitseinsatz für deutsche Dienststellen in Dänemark und in Deutschland, Übertritt in andere Organisationen). Es gelingt der NSU immer wieder, ihren Mitgliederstand durch junge Dänen – in der letzten Zeit besonders aus Arbeiterkreisen – zu ergänzen.[14]

Hervorgehoben werden muß, daß die NSU im Dezember 1944 die Namen von 48 bisher festgestellten gefallenen NSU-Führern bekannt geben konnte.

---

13 Selv om Best understregede NSUs selvstændighed, var det kun formelt korrekt. NSU bevarede forbindelsen til DNSAP, og NSUs leder Hans Jensen deltog ikke i forsøgene på at danne nye organisationer til erstatning for DNSAP. I stedet fik NSU fra 15. september 1943 direkte tysk støtte som et led i Bergers og Germanische Leitstelles planer (hertil Kirkebæk 2004 og 2007 (om Hans Jensen)).
14 NSUs medlemstal var i tilbagegang fra 1944, selv om frafaldet muligvis var mindre end for voksne nazister (Kirkebæk 2004, s. 373).

2.) Da eine Kampforganisation wie die NSU zur Zeit nicht in die Breite arbeiten kann, mußten neue Wege beschritten werden, um an weitere Kreise der dänischen Jugend heranzukommen.

a.) Seit Mai 1944 erscheint monatlich eine hochwertige, 36 Seiten starke dänische Jugend-Zeitschrift "Fremad." Diese Zeitschrift soll die dänische Jugend nicht in nationalsozialistischem Sinne sondern lediglich in deutsch-freundlichem Sinne beeinflussen. Sie hat bereits 4.732 feste Abonnenten. Der Rest der Auflage von 12.000 ist jeweils einige Tage nach Erscheinen in den Kiosken vergriffen. Die Kartei der "Fremad"-Abonnenten ist besonders wichtig, weil die Jugendlichen nach ihr zusätzlich mit Werbematerial versorg werden können. Die Zusendung von Werbematerial erfolgt niemals von "Fremad" oder einer anderen Dienststelle aus sondern immer ohne Angabe eines Absenders. Auf diese Weise kann unter den Beziehern Gegenpropaganda geleistet, aber auch Werbung für germanische Wehrertüchtigungslager u.a.m. durchgeführt werden.

Auf Anregung von "Fremad" wurde der sogenannte "Condor-Club" gegründet. In dessen bis jetzt 11 Unterabtretungen haben sich 529 dänische Jugendliche zusammengefunden, um – zum Teil schon in eigenen Lokalen – Modellbastelarbeiten vorzunehmen. "Fremad" liefert auf Bestellung hierzu ausgezeichnete und fachlich durchgearbeitete Modellbögen für Flugzeug-, Schiff- und Panzermodelle.[15]

b.) In Zusammenarbeit mit der "Sozialen Arbeiterberatung" von Jens Ström wurde außerdem am 30.11.1944 im Konzert-Palais in einer Versammlung zur Gründung von Freizeitgruppen für Jugendliche aufgerufen. Die Gründungsversammlung war ein durchschlagender Erfolg. An ihr nahmen über 2.000 Personen teil und 500 bis 700 Personen konnten keinen Einlaß mehr finden.[16]

Zur Zeit haben sich bereits 452 dänische Jugendliche in Fachgruppen zusammengeschlossen unter Anleitung von 13 zum Teil in der dänischen Öffentlichkeit recht bekannten Fachkräften. Die Gruppen umfassen Jugendliche von 10 bis 14 Jahren oder von 15 Jahren aufwärts.

Bis jetzt sind gebildet:
2 Spielscharen
2 Chöre
1 Tanzgruppe
3 Gymnastikgruppen
2 Musikgruppen

Weitere Gruppen für Segelflugmodellbau, Handball, Fußball, Akrobatik und Geländesport (WE) sind für Februar und März in Vorbereitung.[17]

---

15 Tidsskriftet *Fremad* var endnu et af Best støttet initiativ. Gennem de talrige tyskfinansierede publikationer og tidsskrifter forsøgte den rigsbefuldmægtigede at påvirke opinionen og at skabe en offentlighed i det nazistiske miljø i Danmark, som var uafhængig af DNSAP og dets fåtallige periodiske skrifter, hvoraf kun *National-Socialisten* havde betydning, og selv heri kunne partiet ikke få lov til at skrive om eller imod sine nazistiske kritikere og modstandere.
16 Det angiveligt store arrangement blev negligeret af den danske presse og også af *National-Socialisten*.
17 De Unges Fritidsgrupper blev stiftet af Jens Strøms medarbejder A.P. Thorndal. Formålet var fritidsaktiviteter for Tysklandsarbejderes større børn. Det hele blev finansieret af Det Tyske Gesandtskab (Alkil, 2, 1945-46, s. 1156).

c.) Pläne zur Errichtung von Heimen für Kinder deutschfreundlicher Eltern – insbesondere von Freiwilligen und von Deutschlandarbeitern – sind in Vorbereitung und nähern sich ihrer Verwirklichung.[18]

VIII. Feindliche Stimmen über Dänemark
1.) Der englische und der schwedische Rundfunk.

London 1.1.1945
Der britische Premierminister Winston Churchill hat mit großer Aufmerksamkeit und Bewunderung den wohlgeglückten Widerstand des dänischen Volkes gegen die deutschen Unterdrücker verfolgt. Churchill sendet folgende Botschaft an die dänischen Widerstandsgruppen: Ich kann Ihnen bei Beginn des neuen Jahres nicht versprechen, daß ein Abschluß nahe ist, aber das kann ich Ihnen sagen, daß die nazistische Bestie in eine Ecke gedrängt ist, und daß ihre Vernichtung unvermeidlich ist. Die Wunden, die die bewaffneten Verbände der Großen Alliance ihr zugeführt haben, sind tödlich. Wenn wir in Großbritannien von der Großen Alliance sprechen, meinen wir nicht nur die Heere, Flotten und Luftflotten der Vereinigten Nationen, sondern wir meinen auch die Widerstandsbewegungen in ganz Europa, deren Mitglieder eine so tapfere Rolle in diesem totalen Krieg gegen einen brutalen und gewissenlosen Feind gespielt haben. Zu Euch, die Ihr in der dänischen Widerstandsbewegung unter der mutigen Führung des Freiheitsrates steht, sage ich dieses: Wir wissen, welchen Platz Ihr bezahlt habt und bezahlt, indem Ihr es ablehnt, Euch von den Locktönen oder von den Drohungen der Nazisten in Versuchung führen zu lassen. Wir kennen einen Teil von dem, was Ihr erreicht habt, indem Ihr die deutsche Kriegsmaschine, die vor fast 5 Jahren über Eure verteidigungslosen Grenzen rollte, verheert und zerstört habt. Wir bewundern Eure Standhaftigkeit und Eure Tüchtigkeit. Euer Widerstand ist ein wertvoller Beitrag zu der Sache der Alliierten und zu dem zukünftigen Glück eines freien Dänemark. Nun, da der Feind kurz vor seiner Niederlage steht, und der Kampf immer heftiger wird, müssen alle feststehen. Wir müssen unseren Griff stärken, um den Abschluß zu beschleunigen. Laßt uns mit kaltem Kopf und mutigem Herz dem Sieg entgegenmarschieren, der die alte Freiheit des dänischen Volkes wiederbringen soll.

London 4.1.1945
Im Laufe des letzten Jahres erreichte die Ausplünderung Dänemarks durch die Deutschen ihren bisherigen Höhepunkt, indem die Guthaben auf dem Clearing-Konto und dem Wehrmachtskonto um insgesamt 2.700 Mill. Kronen gestiegen sind, von denen 1.900 Mill. das Wehrmachtskonto belasten. Ende des Jahres 1940 betrugen die gesamten Guthaben 820 Mill. Kronen, aber während der folgenden 3 Jahre ist der Betrag um 880, 820 bzw. 1.930 Mill. Kronen gestiegen. Die gesamten Guthaben übersteigen jetzt 7 Milliarden oder mehr als das jährliche dänische Nationaleinkommen. Im Laufe des verflossen Jahres ist der Betrag mit 7-8 Millionen Kronen pro Tag gestiegen. Der größte Betrag des Wehrmachtskontos ist die direkte, bare Auszahlung an die Wehrmacht, in

---

18 Om Lebensborn-planerne se Wagners notat 12. januar 1945 og *Politiske Informationer* 1. marts 1945.

Höhe von etwa 850 Millionen und Auszahlungen für Bauarbeiten in Höhe von 750 Millionen. Die offizielle Ausfuhr hat die Einfuhr um rund 100 Millionen übersteigen, hinzu kommen aber die "Extraordinären Industrielieferungen" in Höhe von 250 Millionen plus Unkosten in Höhe von 150 Millionen Kronen. Der Rest des Betrages des Clearing-Kontos ist für die Gesandtschaft, die Gestapo, für Propaganda, Unterstützung der Angehörigen der SS-Leute, für dänische Arbeiter in Deutschland sowie für Miete und Bergkosten ausgegeben worden. Der dänische Verbrauch an Lebensmitteln ist während des vergangenen Jahres im großen und ganzen aufrecht erhalten worden, allein die ganze Steigerung der landwirtschaftlichen Produktion auf Grund der guten Ernte ist den Deutschen zugute gekommen und ebenso während der letzten Monate der frühere dänische Export nach Finnland und anderen Ländern. Da der Import aus diesen Ländern jetzt aufgehört hat, und da die Lieferungsfähigkeit der Deutschen ständig abnimmt, hat man Grund zu der Annahme, daß unsere Clearing-Guthaben im Jahre 1945 sich noch schneller steigern werden.

London 5.1.1945
Der sogenannte "Antikommunismus" scheint im Königreich Dänemark schwierige Bedingungen zu haben. Der arge Feind, der Kommunismus, ist jetzt während der ganzen Besatzungsjahre von den besten Namen des Landes bekämpft worden, wie z.B. Schalburg, Bangsted, Sommer, Olga Eggers, Frits Clausen und Wilfred Petersen, und man hat trotzdem nichts erreicht. Es ist daher kein Wunder, daß man sich an eine andere große Führergestalt, Axel Höyer, gewandt hat, der, wie er selbst behauptet, gegen seine Neigungen die Riesenaufgabe auf sich genommen hat, alle antikommunistische Tätigkeit in Dänemark zu organisieren.[19] Höyer hat bereits viele Anhänger, behauptet er selbst. Sie haben nur die bedauerliche Eigenschaft, daß sie anonym sind, und Höyer verspricht, daß auch die Namen neuer Mitglieder nicht veröffentlicht werden. Soweit sind wir also doch gekommen, daß die Bajonette der deutschen Besatzungsmacht als genügender Schutz der Feinde des Volkes angesehen werden können. Höyer selbst ist von vornherein zur Genüge bekannt, und sein Name allein bürgt dafür, daß jeder den neuen antikommunistischen Verein als einen neuen törichten Versuch, das dänische Volk in seinem einigen Widerstand gegen den Feind im Lande zu zersplittern, durchschauen wird.

London 10.1.1945
Der von den Deutschen kontrollierte dänische Rundfunk hat die Anzahl der bei Aarup im Schnellzug nach Jütland Getöteten und Verwundeten bekanntgegeben. Der Schnellzug wurde von MG-kugeln von Flugzeugen getroffen. Die deutschen Zensurbehörden haben jedoch verboten, die Tatsache zu erwähnen, daß viele der Kugeln, die den Zug trafen, deutsch waren. Der Dänische Pressedienst teilt nämlich mit, daß über Aarup und dem Getroffenen Schnellzug ein Luftkampf zwischen 16 amerikanischen und einigen deutschen Jägern stattfand. Während des Luftkampfes wurden mehrere deutsche Jäger

---

19 Høyer var medlem af forskellige højregrupper og partier, men blev mest kendt i slutningen af besættelsen som radiomedarbejder (Lauridsen 2002a, s. 506f., Lundtofte 2008). Se også den meget rosende omtale af Høyer i "Meldungen aus Dänemark" nr. 10 (Best til AA 10. januar 1945)

abgeschossen.[20] Übrigens betont die illegale Presse, daß man darauf gefaßt sein muß, daß ähnliche Aktionen mit dem Herannahen der Kriegshandlungen häufiger werden, und sie schärfen der Bevölkerung ein, nur die notwendigsten Eisenbahnreisen zu unternehmen und sich in allen Fällen nach dem Warnungszeichen der alliierten Flieger zu richten, daß darin besteht, daß die Flieger vor Beginn der Beschießung über den Zug tauchen.

London 13.1.1945
Der Dänischer Pressedienst berichtet über einen Doppelmord in Aalborg, der dem Tierarzt Aksel Möller aus Brönderslev und seinem Assistenten Orla Vang Larsen das Leben kostete. Der Doppelmord wurde von örtlichen nazistischen Terrorgruppen verübt als "Clearing" für die Liquidierung zweier berüchtigter Spitzel Ejnar Laursen und Malermeister S.P. Andersen.[21]

London 19.1.1945
Es ist vielleicht Grund vorhanden, auch in Dänemark noch einmal vor Unvorsichtigkeit und vor deutschen Gerüchten zu warnen. Z.B. rief die Neujahrsbotschaft Churchills an Dänemark Gerüchte hervor, wonach diese Botschaft als ein Wink über eine bevorstehende Invasion aufzufassen wäre. Es ist offensichtlich und wohlbekannt, daß die Deutschen an diesen Gerüchten Interesse haben. Sie stellen einen Versuch dar, die Widerstandsbewegung vorzeitig hervorzulocken. Außerdem haben die Deutschen ein Gerücht hervorgerufen, wonach die Botschaft Churchills an Dänemark ein Glied in einer Reihe von Grüßen an alle anderen Widerstandsbewegungen wäre. Das letzte Gerücht widerspricht eigentlich dem ersten, aber die Deutschen hofften, die Botschaft auf diese Weise in den Augen der Dänen weniger bedeutungsvoll zu machen. Die Wahrheit ist, daß Dänemark das einzige Land war, das einen solchen Neujahrsgruß erhielt.

London 24.1.1945
In Dänemark hat die Gestapo jetzt angefangen, auch Kinder als Geiseln zu verhaften. Die Mitteilung über diese ernste Verschärfung der Verhältnisse in Dänemark wird durch ein Beispiel von den Ereignissen der letzten Zeit in Odense bewiesen. Die Gestapo hatte rund ein Jahr vergeblich einen Freiheitskämpfer gesucht, und da sie ihn immer noch nicht finden konnte, sprengte sie als Rache das Gebäude in die Luft, wo er gewohnt hatte, sowie ein Haus, in dem ein Anderer gefangen wurde. In derselben Nacht verhaftete die Gestapo die Frau des Verhafteten, seine beiden Söhne, die 8 und 2 Jahre alt sind, und seine neugeborene Tochter als Geiseln. Ferner wurde der Vater, die Schwiegereltern und der Schwacher des Verhafteten verhaftet. Am nächsten Tage ließen die Deutschen

---

20 Søndag 7. januar blev otte danske persontog beskudt af amerikanske fly ved Vojens Station, Haderslev, Hovslund Station og Sommersted i Sønderjylland og ved Ejby Station, Snestrup og Aarup Station på Fyn. Der blev dræbt 27 mennesker og såret 47. Alene ved Aarup dræbtes 12 og 31 såredes (Skov Kristensen m.fl. 1988, s. 428. *Information* 8. januar 1945 opgiver hverken antal dræbte eller sårede, men undskylder i stedet det passerede; bl.a. ved at fortælle, at der blev afgivet varselsskud!).
21 Dyrlæge Møller og hans assistent blev likvideret af Peter-gruppen 12. januar 1945, mens sysselleder i DNSAP Ejnar Laursen og malermester Andersen blev likvideret 4. januar af modstandsbevægelsen (Bøgh 2004, s. 192f., Lauridsen 2002a, s. 516f., tillæg 3 her).

die Schwiegermutter und die beiden Kleinsten Kinder wieder frei, behielten aber die übrige Familie als Geiseln im örtlichen Gestapohauptquartier. Man weiß daß der 8-jährige Junge einem Verhör unterworfen wurde.[22] Die Antwort der Freiheitskämpfer bestand darin, Villen, die den örtlichen Nazis gehörten, die an der Gestapoaktion beteiligt waren, in die Luft zu sprengen.[23]

Schwedischer Rundfunk 25.1.1945
In Dänemark entwickeln sich die Zustände immer schneller zu völligem Chaos: Reichtagsabgeordneter Großhändler Prieme wurde vor seinem Büro niedergeschossen; es handelte sich zweifellos um einen Clearing-Mord.[24]

London 25.1.1945
Seit einiger Zeit sind Gerüchte über zunehmende Streitigkeiten zwischen dem Sommer-Korps und dem Schalburg-Korps in Umlauf, die die Auflösung des Schalburg-Korps mit sich geführt haben sollen. Der Mord an dem früheren Leutnant T.I.P.O. Madsen und seinem Begleiter Kaj Krogh Nielsen ist daher vielleicht auf diese Streitigkeiten zurückzuführen.[25]

London 26.1.1945
Der Dänische Pressedienst teilt mit, daß die Deutschen jetzt gefordert haben, daß Dänemark zwischen 50.000 und 60.000 t Kohlen aus den vorhandenen, sehr kleinen Vorräten ausliefern soll. Diese Forderung wurde von deutschen militärischen Kreisen gestellt, und es ist wahrscheinlich, daß die Lage, die dadurch in Dänemark entsteht, sehr ernst werden wird.[26] Nicht nur werden die Bahnen nach dem sogenannten Katastrophenplan arbeiten müssen, sondern es ist auch wahrscheinlich, daß die Gaswerke in Kürze ihren Betrieb einstellen müssen. Es wird jetzt mitgeteilt, daß die Einstellung der Kohlen und Koksausfuhr nach Dänemark auf Veranlassung von deutschen Militärkreisen geschah. Die deutschen Zivilbehörden in Dänemark wissen überhaupt nicht, was sie tun sollen, und sind nicht im Stande, Anfragen zu beantworten, ob es stimme oder nicht, daß die Militärbehörden in Deutschland auch die Ausfuhr von sämtlichen anderen Waren aus Deutschland verboten haben.

22 Denne historie er sandsynligvis hentet fra *Information* 13. januar, men er derpå blevet en del forvansket i London og trykt i *Frit Danmark*, Londonudgaven 26. januar. Bl.a. interesserede Gestapo sig ikke for de to småbørn iflg. *Information*, men huset (Bjerregårdsvej i Odense) blev sprængt i luften. Småbørn til modstandsfolk havde enkelte gange tidligere været anholdt med moderen. Det var ikke nogen almindelig Gestapopraksis i Danmark, men udsprang af den konkrete situation (se f.eks. Inge Lippmanns flugt fra Gestapo 10. maj 1944, da hun måtte forlade begge sine børn, og Gestapo holdt vagt over det mindste barn i forventning om, at hun ville vende tilbage (Barfoed 2005, s. 117-121)).
23 Der er enkelte eksempler på, at modstandsbevægelsen sprængte bygninger i luften tilhørende danske i tysk politis tjeneste, danske nazister, frivillige i Waffen-SS eller med anden tilknytning til besættelsesmagten (se *Information* 15. januar og 6. april 1945, *Daglige Beretninger*, 1946, s. 729).
24 William Priemé blev likvideret af Peter-gruppen 24. januar 1945 (Bøgh 2004, s. 200f., tillæg 3 her).
25 Schalburgmændene T.I.P.O. Madsen og Kaj Krogh Nielsen blev likvideret i Nordre Frihavnsgade i København 22. januar 1945 af Holger Danske (Birkelund 2008, s. 691). Det havde intet med de påståede stridigheder mellem de to korps at gøre.
26 Se Keitel til Terboven 21. januar 1945.

2.) Die schwedische Presse.

Zur Frage einer eventuellen Verschiebung der dänischen Grenze in Schleswig nach Süden schreib "Aftontidningen" vom 2.1.1945: "Wenn der Krieg sich seinem Ende nähert, und auch für Dänemark endlich die Stunde der Befreiung schlägt, wird man sich sicher auch wieder mit dem alten umstrittenen Grenzland Nordschleswig beschäftigen. Das Interesse daran wird sich insofern vergrößern, als die Frage um den Kieler Kanal, der von hier seinen Ausgang nimmt, aus vielen Gründen brennend werden muß. Es ist zwar noch eine offene Frage, bis zu welchem Grade sich die Großmächte für diese Verkehrsader interessieren, aber man hat doch Grund zu der Annahme, daß das enorme Rußland mit seinen wenigen Häfen hier ein Wort mitreden will. Besonders da Rußland nun gute Häfen an der Ostsee erhalten hat, kann man wohl mit Recht annehmen, daß es großen Wert auf eine möglichst freie Einfahrt in die Ostsee legt.

Falls aber der Landstrich nördlich des Kanals Dänemark zugesprochen würde, könnte man damit gleichzeitig eine Reihe von Problemen lösen, welche schon seit langem die Atmosphäre im südlichen Skandinavien beschwert haben. Vor tausend Jahren sind ja die Eider und das Danewerk Dänemarks Südgrenze gewesen, und das Land dort kann eher dänisch als deutsch genannt werden. Zur Zeit ist die Mehrheit der Bevölkerung deutsch, aber das beruht zum größten Teil auf rein administrativen Maßnahmen, welche Deutschland nach der Eroberung dieses Gebietes durch Bismarck traf. Durch Zuzug ist altes dänisches Land eingedeutscht worden.

Wie aber will man diese Frage lösen? Es gibt eine Lösung, welche nicht auf unüberwindliche Schwierigkeiten stoßen sollte. Man kennt ja aus frischer Erfahrung die Umsiedlung ganzer Volksgruppen, und sie hat sich als durchführbar erwiesen. Dazu kommt, daß die Deutschen im Laufe der letzten Jahre bei der Dänen stark verschuldet sind; nach letzten Angaben bis zur Höhe von 4 Milliarden Kronen. Daß die Dänen auf diese bedeutende Summe ganz verzichten würden, läßt sich kaum denken, so vielgerühmt auch die dänischer "Gemütlichkeit" ist. Man sollte ganz einfach den Besitz, welchen die Deutschen nicht mit sich in das nach dem Kriege übrigbleibende "Reich" überführen dürfen, als Bezahlung für das ansehen, was die Deutschen Dänemark auf verschiedenste Weise geraubt haben. Daß die Dänen nicht dafür einstehen können, daß die nach Deutschland Umgesiedelten Ersatz für das Verlorene bekommen, ist eine Sache für sich."

"Die deutsche Gewaltherrschaft in Dänemark und Norwegen entwickelte sich lange nach ungleichen Linien," schreib Dagens Nyheter vom 4.1.1945 in einem Leitartikel. "Die Ausgangspunkte waren nicht die gleichen. Eigene psychologische Züge teils beim Volk, teils bei den zufälligen Machthabern trugen wohl auch dazu bei, einen gewissen Unterschied zu markieren. Nun sieht es aber inzwischen so aus, als ob die Verschiedenheiten weniger wesentlich und die Gleichheiten hervorstechender werden wollten. Das ist das Gesetz der Okkupation! Die Deutschen bewegen sich im gleichen Schraubengang, wo sie sich auch niederlassen. Es nützt nicht, daß sie mit wechselnden Methoden den Geist der Freiheit niederzuschlagen versuchen, die Widerstandsbewegung wächst trotzdem. Die Schrauben werden härter angezogen. Die Unterdrücker erfahren, daß auch sie und ihre Handlanger bedroht sind. "Detonationen von einem kriegswichtigen Unternehmen nach dem anderen, wirkungsvolle aber äußerst konzentrierte Zerstörungen deutscher Anlagen – der Reihe nach. Planmäßige Liquidierung gefährlicher Angeber und anderer Verräter!" So stand es neulich in einem Bericht aus Oslo zu lesen. Diese Mitteilung hätte ebenso gut aus Kopenhagen kommen können. Das Bild ist im Ganzen gleich – und wenn es zum Schlußakt kommt, werden gewisse Übereinstimmungen noch stärker hervortreten. Die Deutschen werden ihrem Schicksal nicht entgehen. Sie und ihre Helfershelfer werden in keinem Lande, das sie vergewaltigt haben, ihrem Schicksal entgehen. Es ist schon alles genauestens vorbereitet. Alle Gegner des nazistischen Systems werden einander beistehen – auf verschiedene Weise. Auch Nichtkriegsführende werden dazu beitragen, daß die Schuldigen nicht entkommen. Eine vollkommenere Einkreisung hat die Welt nicht gesehen."

"Dagens Nyheter" vom 14. Januar 1945 meldete: "Der dänische Rat in London hat eines seiner 50 Mitglieder, Redakteur Sten Gudme, nach Stockholm entsandt, um – wie er selbst sagt, – eine möglichst enge Verbindung zwischen den Dänen in England und in Schweden und dadurch zwischen England und der dänischen Heimatfront zu schaffen. Redakteur Gudme, früher Redaktionschef von "Politiken" hat dreieinhalb Jahre in London gelebt.

In dem "Dänischen Haus" nahe der Gesandtschaft des Ministers Reventlow versammelt sich der dänische Rat zu seinen monatlichen Besprechungen, außerdem tritt dort sein Arbeitsausschuß einige Male zusammen, berichtete Redakteur Gudme. Dem Rat haben sich praktisch alle Dänen und Dänischstämmigen in England und in vielen anderen Ländern angeschlossen. Ehrenpräsident ist der Gesandte Reventlow, Präsident der bekannte Industrielle Kröyer-Kielberg (der übrigens einen großen Teil der englischen Whiskey und Zinn-Industrielle kontrolliert) und Wortführer der bekannte dänische Rechtspolitiker Christmas Möller. Im Rat sind alle Kategorien vertreten, und sobald irgendeine bedeutende Persönlichkeit ankommt, wird sie als Mitglied aufgenommen. Letzthin waren es der frühere Chef des dänischen Flüchtlingskontors in Stockholm Professor Stephan Horwitz und der Abgeordnete Robert Störmose. Der letztere kam eines Tages aus Dänemark als Vertreter der dänischen Partei "Dansk Samling", – er ist auch der erste Folketingsmann, welcher im Rat Sitz und Stimme erhalten hat.

Redakteur Gudme unterstrich, daß der Rat wirtschaftlich sich selbst trägt. Er nimmt keine Anliehen auf, er benutzt keine im Auslande placierten dänischen Staatsmittel, er wird auf durchaus freiwilliger Basis von Dänen in aller Welt unterhalten. Die größte politische Aufgabe des Rates kann als gelöst betrachtet werden: das geschah im Herbst, als man von alliierter Seite verschiedene Erklärungen erhielt, Dänemarks Stellung während und nach der Befreiung betreffend. Wie der stellvertretende Premierminister Attlee am 16. November erklärte, soll Dänemark an dem Tage unter die vereinigten Nationen aufgenommen werden, da ein freier König, eine freie Regierung und ein freier Reichstag darum ersuchen. Dänemark, sagte Herr Gudme, sei das erste Land, welches nach dem polnischen Blitzfeldzug besetzt und gleichseitig das einzige Land, dessen Befreiung noch nicht in Angriff genommen wurde. Es sähe auch so aus, als ob die Befreiung bis zuletzt auf sich warten lassen würde.

Der dänische Rat in London arbeitet mittels verschiedener Komitees, eines davon ist das Rekrutierungskomitee. Die Dänen im unmittelbaren Kriegseinsatz haben keinen eigenen Verband, sie gehören zu den regulären britischen Truppen, u.a. den "Buffs", wo König Christian Ehrenoberst ist. Dänen kämpf im Stillen Ozean und in Indien, aber auch in Italien, Holland, Belgien und Deutschland. Als Dänemark noch neutral war, und als es Schwierigkeiten bereitete, in die britische Armee aufgenommen zu werden, gingen viele Dänen zu den norwegischen Verbänden in England, besonders Flieger. Die Flotte macht eine Ausnahme: eine kleine Minensucherflottille fährt mit dänischer Besatzung unter dänische Flagge. Die tausende von dänischen Seeleuten, welche am 9. April den Deutschen etwa eine halbe Million Tonnage entzogen, stehen in der Transportflotte im Einsatz.

Den besten Beweis für den starken Anteil Dänemarks erhielt man neulich durch die Nachricht, daß drei der ersten Fahrzeuge, welche vor dem ersten Konvoy die gefährliche Fahrt nach Antwerpen unternahmen, zwei dänische Dampfer und ein norwegischer waren.[27]

Eine wichtige Aufgabe des dänischen Rates ist die Verbreitung von Nachrichten über die Heimat, nicht nur über das kämpfende Dänemark, sondern auch über das zukünftige, welches seinen Beitrag zum europäischen Wiederaufbau liefern soll. In diesem Zusammenhang erwähnte Redakteur Gudme die nützliche Arbeit des "Dansk Pressetjänst" in Stockholm, sachverständige Engländer sagten, daß aus keinem besetzten Lande so viele "News" für Presse und Rundfunk einliefen, wie aus Dänemark. Sobald in Kopenhagen etwas geschieht, tickt am gleichen Tage der Fernschreiber in Fleetstreet. Großen Antrieb erhielt die Widerstandsbewegung auch durch Churchills Neujahrgruß; es war das erste deutliche Wort von dieser Seite."

Über dänische wirtschaftliche Schwierigkeiten schreib "Stockholms Tidningen" am 22.1.1945: "Die Dänen haben großen Kummer mit den Kartoffellieferungen an die Deutschen, welche nun damit gedroht haben, alle Kartoffelvorräte zu beschlagnahmen, falls ihre Forderungen nicht freiwillig erfüllt werden. Die Kartoffelernte lag im Vorjahr 30-33 % unter normal. Nur die Hälfte von dem, was die Deutschen haben sollten, konnte geliefert werden, und von den 20.000 Tonnen, welche nach Norwegen gehen sollten, wurden nur 13.000 Tonnen geschickt. Infolge der deutschen Drohung haben die Dänen nun ein Futterverbot erlassen. Außerdem wird ein Maximalpreis für Kartoffeln erwartet, sowie eine Herabsetzung der Kartoffelmengen für die Industrie. In diesem Zusammenhang darf erwähnt werden, daß die deutsche Wehrmacht in Dänemark monatlich 30.000 Liter Aquavit bezieht. Die dänische Butterproduktion für das laufende Jahr ist auf 120.000 Tonnen geschätzt worden, wovon 40.000 Tonnen nach Deutschland gehen. Bisher konnten 10.000 Tonnen exportiert werden, hauptsächlich nach Schweden, wofür Dänemark eine Reihe von wichtigen Waren bekam. Nun haben die Deutschen als Bedingung für eine Fortsetzung dieses Exports verlangt, daß ein Verbot für Sahneherstellung erlassen wird und daß der Fettgehalt der Milch auf 2,7 % herabgesetzt werden soll. Die deutschen Soldaten nennen Dänemark die "Schlagsahnefront." Die Dänen haben die deutsche Forderung in Bezug auf die Sahne mit dem Hinweis abgelehnt, daß ein Sahneverbot den Milchpreis um 6-7 Öre pro Liter erhöhen würde, wodurch der am schlechtsten gestellte Teil der Bevölkerung am meisten betroffen werden würde."[28]

---

[27] Denne konvojsejlads var en af hovedhistorierne i *Frit Danmark*, Londonudgaven 15. december 1944. De to danske skibe var "Fanø" og "Thyra III."
[28] Se Korff til Breyhan 7. februar.

53. Kriegstagebuch/WB Dänemark 1. Februar 1945

Det havde været på tale at opgive forsvaret af Københavns havn, men nu lå der en førerordre om, at København havde en betydning, så byen skulle forsvares. Derfor skulle bykommandanten senest 10. februar levere en plan for sammenlægning af besættelsesmagtens tjenestesteder i byen omkring bestemte støttepunkter, samt oplyse hvor stor en styrke der skulle til til byens forsvar.

Dermed var von Hannekens plan for København totalt afvist. Det er et vidnesbyrd om i hvor høj grad von Hanneken og hans stab fejlbedømte den militære situation og Danmarks placering i tysk strategi (Andersen 2007, s. 251).

Kilde: KTB/WB Dänemark 1. februar 1945.

[…]

1.) Die Behauptung der Insel Seeland, des Hafens und der Stadt Kopenhagen ist für die Verteidigung des dän. Raumes, die Verbindung nach Norwegen und die Aufrechterhaltung des Ausganges aus der Ostsee von entscheidender Bedeutung. Eine Aufgabe von Kopenhagen kommt somit nach Entscheidung des Führers nicht in Frage. Es sind alle Maßnahmen auf eine Verteidigung des Hafens und der Stadt abzustellen.

2.) Z.Zt. rechnet OKW nicht mit englischen Landungsabsichten in dän. Raum. Daher ist die Stärke der Besatzung Kopenhagen z. Zt. ausreichend.

Sie muß derartig untergebracht und vorbereitet sein, daß sie innerhalb eines geschlossenen Stützpunktes in erster Linie die Ausnutzung des Hafens für den Feind im Falle einer überraschenden Landung verhindern kann. Sie hat sich hierzu bis zum äußersten zu verteidigen.

Höh. Kdo. Kopenhagen reicht W. Bef. Dän. zum 10.2. einen Vorschlag ein
a.) wie ein stützpunktartige Zusammenlegung der Besatzung Kopenhagens gemäß 2.) unter Berücksichtigung der bisherigen Wachgestellung erreicht werden kann. Zu Erfassen sind alle 3 Wehrmachtteile sowie sonstigen dtsch. Dienststellen und Organisationen,
b.) welche Kräfte für die Verteidigung der Stadt und des Hafens benötigt werden.

[…]

54. Wilhelm Casper: Besprechung mit Peder Herschend 2. Februar 1945

Bests repræsentant hos WB Dänemark, Wilhelm Casper, benyttede von Hannekens afgang til at stille Herschend nogle spørgsmål om, hvordan han, Herschend, og den danske administration o.a. ville forholde sig i tilfælde af et fjendtligt angreb, og om man kunne regne med, at de danske tjenestemænd ville fortsætte deres arbejde. Han spurgte også, hvordan de danske tjenestemænd ville forholde sig i tilfælde af en militær undtagelsestilstand. Casper understregede, at han spurgte på egne vegne og erklærede, at han sluttede op om den af Best førte politik. Herschends svar var henholdende og upræcise. Påfølgende søgte han direktiver hos Saurbrey og Svenningsen i København.

Caspers henvendelse til Herschend skete givetvis ikke på eget initiativ. Casper havde på intet tidspunkt forud spillet nogen selvstændig rolle, men havde bestandigt optrådt som "postbud" (Herschends formulering 1980, s. 34) mellem danske og tyske myndigheder. Det var givetvis Best, der på den måde havde en føler ude i forbindelse med chefskiftet. Han ville sondere mulighederne i tilfælde af en krisesituation, herunder indførelse af en militær undtagelsestilstand. Det sidste ville han undgå for enhver pris, så han skulle have begrundelserne i orden, hvis den nye WB Dänemark ville true dermed.

Herschend fik et skriftligt svar fra Svenningsen 5. februar, men da var spørgsmålene allerede blevet uaktuelle, da Lindemann, ifølge Casper til Herschend samme dag, ikke var interesseret i svarene (KB, Herschends dagbog nr. 362).

"Telefontelegram Herschend Nr. 110. Fredag d. 2. Februar 1945 Kl. 8.45.
til Departementschef Saurbrey og Direktør Svenningsen.

Efter at Dr. Casper d. 30. f.M. gennem mine Medarbejdere havde anmodet mig om at meddele ham, hvornaar jeg kunde modtage ham til en personlig Drøftelse af nogle principielle Spørgsmaal, indfandt Dr. Casper sig efter Aftale hos mig i Gaar Kl. 17.

Dr. Casper indledte med at meddele, at General von Hanneken har afgivet sin Kommando her i Danmark og vil blive efterfulgt af Generaloberst Lindemann. Dr. Casper oplyste, at Generaloberst Lindemann ventedes til Silkeborg i Løbet af Dagen i Gaar, samt at General von Hanneken endnu ikke har forladt Danmark, men for Tiden opholder sig i København for at tage Afsked der. Maaske vil General von Hanneken endnu en Gang komme til Silkeborg og aflægge Afskedsvisit hos mig, ved hvilken Lejlighed han sikkert vil forestille sin Efterfølger. I modsat Fald vil Generalobersten blive mig forestillet af Dr. Casper.

Dr. Casper forespurgte mig, hvorvidt jeg er villig til at optage Forbindelse med Generaloberst Lindemann, hvortil jeg svarede, at Forudsætningen for min Tilstedeværelse her i Silkeborg hidtil har været, at jeg i givet Fald skulde optage personlig Forbindelse med General von Hanneken, hvorfor jeg maa gøre Spørgsmaalet om min fortsatte Forbliven her i Silkeborg til Genstand for Forhandling med Centraladministrationen.

Dr. Casper meddelte derefter, at han i Anledning af det stedfundne Personskifte ønskede at drøfte visse principielle Spørgsmaal med mig. Han indledte med at fremhæve, at han er Dr. Best's Repræsentant her i Jylland og kun Dr. Best's Repræsentant, samt at han i eet og alt deler Dr. Best's Synspunkter, i hvilken Forbindelse han oplyste, at disse Synspunkter har fundet Udtryk i Dr. Best's Memorandum af 9. April 1943[29], hvilket Memorandum navnlig skal forstaas saaledes, at den tyske Besættelsesmagts Indtrængen her i Landet skyldtes en militær Nødvendighed, nemlig Nødvendigheden af at foregribe et fjendtligt Angreb mod Norge. Dr. Best godkender kun tyske Indgreb her i Landet, som er dikteret af tvingende militær Nødvendighed, og specielt er Drøftelser vedrørende det sønderjyske Spørgsmaal stillet i Bero til efter Krigen.

Dr. Casper bemærkede, at foranstaaende Betragtninger ogsaa deles af Rigsregeringen, og at det er hans Hensigt overfor Generaloberst Lindemann at give Udtryk for, at han kun vil kunne fortsætte sit Arbejde under disse Forudsætninger.

Herefter stillede Dr. Casper mig følgende to Spørgsmaal:

I.) Dr. Casper forespurgte, hvorvidt jeg vil være villig til at fortsætte mit Arbejde her i Silkeborg under et fjendtligt Angreb.

Jeg svarede, at Besvarelsen af dette Spørgsmaal vil afhænge af de nærmere Omstændigheder, hvorunder Arbejdet skal udføres.

Jeg oplyste, at jeg, hvis Forbindelsen bliver afbrudt saa vidt muligt vil forblive her i Silkeborg og udøve den mig for dette Tilfælde tillagte Myndighed som Administrator for det jyske Omraade, men at jeg maatte forbeholde mig min Stilling, for saa vidt angaar det Tilfælde, at Forbindelsen ikke skulde være afbrudt, idet jeg meddelte, at jeg bl.a. i givet Fald maa forhandle med Centraladministrationen om dette Spørgsmaal.

Paa Forespørgsel om, hvorledes jeg vil udøve den mig tillagte Myndighed som Administrator, meddelte jeg, at jeg vil udøve Myndighed efter Konduite i Overensstemmelse med den gældende danske Lovgivning og Retsopfattelse.

Dr. Casper bemærkede yderligere, at han gerne ser, at jeg allerede nu søger min Stilling klaret med Henblik paa Spørgsmaalet om en Fortsættelse af min Virksomhed, uden at Forbindelsen med Centraladministrationen er afbrudt.

II.) Dr. Casper meddelte dernæst, at Generaloberst Lindemann antagelig vil forespørge ham om, hvorvidt det kan paaregnes, at de danske Tjenestemænd vil fortsætte deres Virksomhed under et fjendtligt Angreb, og at han derfor gerne ønsker en Udtalelse herom fra mig.

Hertil bemærkede jeg, at Spørgsmaalet næppe kan besvares paa Forhaand, men at der, hvis militær Undtagelsestilstand bliver indført, næppe bliver Brug for mange af de danske Tjenestemænd.

Hvis der derimod ikke indføres militær Undtagelsestilstand, sagde jeg, at Tjenestemændene formentlig

---

29 Der er ikke kendt et sådant memorandum 1943. Casper tog givetvis fejl mht. memorandummet 9. april 1940.

vil fortsætte deres Virksomhed i den danske Befolknings Interesse, som det er Tilfældet nu.

Dr. Casper spurgte særlig om, hvorvidt jeg mener, at Personalet ved Banerne, Postvæsenet og lignende Institutioner vil nedlægge Arbejdet i Tilfælde af et fjendtligt Angreb.

Jeg bemærkede hertil, at dette vel vil afhænge af Forholdene, og at jeg tror, at de nævnte Tjenestemænd, hvis Forholdene tillader det, vil fortsætte deres Arbejde i den danske Befolknings Interesse, men at en militær Undtagelsestilstand mulig vil blive betragtet med Uvilje af Tjenestemændene.

Paa Forespørgsel, om jeg ikke kunde give Udtryk for mere end min personlige Opfattelse, meddelte jeg Dr. Casper, at jeg vanskeligt vil kunne indhente nærmere Oplysning om dette Spørgsmaal, da Tjenestemændene næppe vil give noget Tilsagn om deres Stilling, uden at de faar nærmere Oplysning om, under hvilke Omstændigheder Arbejdet skal udføres, og saadanne Oplysninger jo ikke vil kunne gives paa Forhaand.

Dr. Casper betonede til sidst, at han ikke har rejst disse Spørgsmaal paa Foranledning af sine Foresatte, men at det udelukkende er sket paa egen Haand.

Dr. Casper kunde ikke meddele helt konkrete Oplysninger om Generaloberst Lindemanns tidligere Virksomhed, men han oplyste, at Generalobersten i den allerseneste Tid har tilhørt Førerreserven og tidligere været ved Østfronten.

Under Henvisning til foranstaaende skal jeg udbede mig Meddelelse om, hvorledes jeg yderligere bør besvare Dr. Caspers Spørgsmaal, idet jeg tilføjer, at jeg, for saa vidt en Samtale med mig personlig skulde ønskes af Dem, er villig til at komme til København, og at i saa Fald Torsdag d. 8. d.M. efter Kl. 12 vilde passe mig bedst.

Herschend Nr. 110."

Kilde: KB, Peder Herschends arkiv (gennemslag. Her tillige gennemslag af Svenningsens svar 5. februar).

55. Aktennotiz über Ferngespräch Georg Lindemann-Werner Best 3. Februar 1945

Best tilsluttede sig en koncentration af de tyske tropper i København, ligesom han var indforstået med, at de tyske tropper blev forplejet ved køb af tjenesteydelser fra danske lagre i stedet for ved selvforplejning. Tilbagegivelsen af Lille Amalienborg (direktør Harald Simonsens palæ på Østerbrogade, som havde været beboet af von Hanneken) blev planlagt.

Palæet blev i marts indrettet til lazaret (*Information* 2. marts 1945, *Daglige Beretninger*, 1946, s. 745).

Kilde: KTB/WB Dänemark 3. februar 1945.

[…]

Aktennotiz über Ferngespräch OB – Reichsbevollmächtigter:

1.) Zur Zusammenlegung und Unterbringung von Splitterverbänden [indføjet i håndskrift: in K'hagen] sagt Reichsbevollmächtigter seine Unterstützung zu. Reichsbevollmächtigter erbittet dazu Vorschläge und Wünsche.

2.) Die Selbstverpflegung fällt in Zukunft in Dänemark fort, an ihre Stelle tritt Unternehmer bzw. Truppenverpflegung. Unternehmerverpflegung wird den dänischen Beständen entnommen, die nicht auf das Reichskontingent angerechnet werden und spart den Transport der Truppenverpflegung ein. Reichsbevollmächtigter äußert gegen die Gewährung von Unternehmerverpflegung keine Bedenken.

3.) Die Rückgabe des Bef.-Hauses in Kopenhagen wird geplant.

[…]

56. Adolf Hitler: Rückführungstransporte aus dem Osten nach Dänemark 4. Februar 1945

Hitler befalede, at de tyske flygtninge fra øst foruden i Tyskland skulle anbringes i Danmark. Best skulle stå for organiseringen i Danmark bistået af værnemagten (Hæstrup, 2, 1966-71, s. 217, Havrehed 1987, s. 15, 18f., Herbert 1996, s. 397).[30]

Førerordren kunne have fået endnu mere uoverskuelige konsekvenser for Danmark, end tilfældet blev. Der lå indbygget en begrænsning i det antal tyske flygtninge, der kunne blive tale om at overføre til Danmark, idet de løbende troppebevægelser og forsyningstransporter til enhver tid havde første prioritet (jfr. pkt. 1 i førerordren). Dette var aftalt ved møder mellem Hitler og Dönitz 22. og 28. januar, og inkluderede transporterne mellem Norge og Danmark. Denne aftale og prioritering blev fastholdt af Dönitz til 6. maj 1945 med det resultat, at hundredetusinder af tyske flygtninge ikke fik mulighed for at undslippe Den Røde Hær, og der blev lagt låg på det antal, der havde mulighed for at komme til Danmark (Schwendemann 2002, s. 12f., 22 og samme 2004, s. 138, 140).

Kilde: BArch, Freiburg, RW 4/647 og 754. RA, Danica 1069, sp. 1, nr. 236-238 (den lange adressatliste er udeladt, på hvilken – efter Martin Bormann og Dr. Stuckart – Werner Best var). Hubatsch 1962, s. 302, Moll 1997, s. 384 (begge uden OKWs tilføjelse). *Kriegstagebuch der Seekriegsleitung 1939-1945*, Teil A, 66, 1996, s. 39f.

WFSt/Qu. 1 (Trsp.)/Qu. 2 Nr. 0874/45 geh.   *4.2.1945*
    Geheim

Betr.: Rückführungstransporte aus dem Osten nach Dänemark.

Der Führer hat am 4.2.1945 befohlen:

Zur sofortigen Entlastung der Transportlage im Reich befehle ich:

Aus dem Osten des Reiches vorübergehend rückgeführte Volksgenossen sind außer im Reich auch in Dänemark unterzubringen. – Nach Dänemark sind insbesondere diejenigen Volksgenossen zu evakuieren, welche:

1.) die Kriegsmarine ohne Beeinträchtigung der laufenden Truppen- und Versorgungstransporte über See transportieren kann,
2.) in den westlichen Häfen der Ostsee einschl. Stettin und Swinemünde angelandet sind und von hier mit der Bahn weiterbefördert werden müssen.

Reichsbevollmächtigter organisiert in Zusammenarbeit mit den örtlichen dänischen Dienststellen die zweckmäßige Unterbringung der rückgeführten Volksgenossen. Die Wehrmacht leistet hierbei jede nur erdenkliche Unterstützung.

    gez. **Adolf Hitler**

Zusatz OKW den Bereich der Wehrmacht:
Die Unterstützung der Wehrmacht hat sich insbesondere zu erstrecken auf Ausnutzung aller in Westrichtung zurücklaufender Transportmittel auf Schiff, Schiene und Straße,

---

30 Lylloff 2006, s. 38 betvivler med uhjemlet henvisning til Havrehed 1987 førerordrens proveniens med den begrundelse, at Best ikke kendte den (!). Havrehed 1987, s. 19 skriver blot, at Best oplyser, at han ikke modtog førerordren af 4. februar, hvilket ikke er det samme. Af det samtidige materiale fremgår det klart, at Best var bekendt med førerordren (se f.eks. *Politische Informationen* 1. marts), som er udgivet flere gange i tyske kildeudgaver.

Aushilfe mit Verpflegung, sanitäre und Zurverfügungstellung von Zwischenunterkünften.

I.A.
gez. **Winter**
Generalleutnant u. Stellv. des Wehrmachtführungstabes

57. Ergebnis der Ermittlungen der Reichsinspektion Dänemark im Bereich Heer 4. Februar 1945

Philipp Bouhlers undersøgelse af forholdene i Danmark mht. den totale krigsindsats gik hurtigt, da han udbad sig alle nødvendige oplysninger 27. januar, og Best allerede kunne notere sig et positivt resultat for sit vedkommende i *Politische Informationen* 1. februar. Bouhler havde foretaget sin undersøgelse, mens von Hanneken endnu var WB Dänemark, mens den afsluttende drøftelse for værnemagtens vedkommende kom til at foregå med Lindemann og dennes stab 4. februar i Silkeborg.

Bouhler og Lindemann var enige om, at der ikke kunne fjernes flere tyske tropper fra Danmark; situationen var allerede kritisk. I tilfælde af en invasion ville der ikke være de fornødne forsyningstropper til rådighed. Til gengæld var Danmark et fortrinligt område at nyuddanne og rekreere soldater i. Der var også enighed om, at der burde sættes kvinder ind til varetagelse af en række opgaver, også selv om det krævede, at de bar våben. Der var det problem med de russiske enheder i Nordjylland, at de blev omfattet med en sådan sympati af befolkningen, at deres værdi i tilfælde af en invasion var tvivlsom.[31] Der var klager over det enorme omfang af tjenesterejser til Danmark, som RFSS havde lovet at gøre noget ved.

Lindemann fulgte op på inspektionen, se hans fjernskriverbrev til Jodl 27. februar (KTB/WB Dänemark 13., 16. og 27. januar, 4. februar 1945). Ønsket om indsættelse af tyske kvinder blev taget op igen i marts (se Toepkes referat af en drøftelse hos WFSt 7. marts og Keitel 23. März 1945).

Kilde: KTB/WB Dänemark 4. februar 1945, Anlage 9.

Ergebnis der Ermittlungen
der Reichinspektion Dänemark im Bereich Heer.

Zusammenfassende Besprechung beim W. Bef. Dän. am 4.2.1945.

I. Aufgaben:

a.) Die durch F.S. OKW/WFSt/OP (N) Nord Nr. .../45 vom ... 1945 (siehe Anlage)[32] erneut gestellt Doppelaufgabe, Dänemark gegen den Angriff zu vereidigen sowie möglichst viel Ersatz für die Kampffronten auszubilden, läßt sich nur unter größten Schwierigkeiten durchführen. Dazu kommt als 3. Aufgabe die Bewachung dänischer Betriebe, die für die deutsche Rüstung arbeiten.

Ob von der Führungsseite der Hinweis im ersten und zweiten Zwischenbericht der Reichsinspektion bereits berücksichtigt wurde, ist nicht bekannt.

---

31 Der var utvivlsomt i den danske befolkning en udbredt sympati for Sovjetunionen på dette tidspunkt af krigen, men det konkrete møde med de sovjetiske soldater i Danmark var ikke uproblematisk. De var i visse tilfælde meget udisciplinerede, stjal og begik mord, hvis de ikke fik, hvad de krævede (som regel alkohol). Der er et par dramatiske eksempler fra Hirtshals i Herschends dagbog 8. februar 1945 (KB, nr. 365 anf. dato). Der var også problemer med de ungarske tropper, se OKH: Entwaffnung ... 9. april og Lindemann: Besprechung ... 24. april 1945.

32 Bilagene er ikke lokaliseret.

Die Tatsache, daß seit Beginn der Winterschlacht vom W. Bef. Dän. befehlsgemäß bis 2.2.45 39.269 Mann abgegeben wurden (dafür 15.000 Mann Ersatz von der Marine) läßt jedoch darauf schließen.

II. a.) Reichsinspektion Dänemark stellt bezüglich der Versorgungs- und Nachschubeinheiten folgendes fest:

Ein weiteres Auskämmen gemäß Führerbefehl vom 10.1. bis zu den Jahrgängen 01 in den Versorgungs- und Nachschubtruppen ist nicht mehr möglich, wenn kein Ersatz zugeführt wird, da die Zahl der vorhandenen Versorgungstruppen sehr gering und die Zuführung neuer Versorgungseinheiten mit F.S. ... vom ... (siehe Anlage) abgelehnt wurde.

Unter Berücksichtigung der Möglichkeiten einer Invasion in Dänemark muß festgestellt werden, daß das, was überhaupt an Versorgungstruppen und Einrichtungen vorhanden ist, nicht ausreicht, um die Truppe im Ernstfalle entsprechend zu versorgen (siehe Anlage).

Er erscheint notwendig, darauf hinzuweisen, daß dem W. Bef. Dän. für die befohlene Improvisation von Versorgungseinrichtungen jegliche Unterstützung, insbesondere die des Reichbevollmächtigten in Dänemark, zuteil wird. Dän. Wehrwirtschaftkraftfahrzeugwesen.

b.) Eine Überschreitung der K-Notstärken ist nirgends festgestellt worden, ebenso haben die Einheiten die die Aufgaben der Rekrutenausbildung durchzuführen haben, kein über die KStN hinausgehendes Personal.

c.) Der Personalaustausch muß gegliedert werden in:

1.) Den Rekrutenaustausch:

Dieser geht glatt und laufend vor sich, was aus den Zahlen der von den Ausbildungseinheiten abgestellten Uffz. und Mannschaften hervorgeht. Z.B. hat die 233. Res. Pz. Div. im Lauf des 2. Halbjahres 1944 bei einer eigenen Stärke von 20.955 (davon 4.795 Stamm-Personal) 20.639 Uffz. und Mannschaften entweder zu Feldeinheiten oder zu anderen Truppenteilen, Stäben und Schulen des Ersatzheeres usw. abgestellt. Ähnlich liegen die Verhältnisse bei der 166. Res. Div., nicht so glücklich bei der 160. Res. Div., wo der Rekrutennachschub aus dem Heimat-Wehrkreis X nur schleppend ging.

2.) Den Austausch von Genesenden bzw. Genesenen u. Stammpersonal, der Austausch von Genesenden in den D-Batl. Wurde nur durch 2 Wehrkreise in der vorgesehenen Zeit einigermaßen befriedigend erfüllt (siehe Anlage). Entsprechende Vorschläge und Eingaben des W. Bef. Dän. an die zuständigen Stellen blieben ohne Wirkung (siehe Anlage beim Akt 1.) bzw. beim 2. Zwischenbericht.

Seitens des W. Bef. Dän. bzw. seiner zuständigen Einheiten kein Versäumnis dergestalt, nicht alle Möglichkeiten den Umlauf zu beschleunigen, ausgeschöpft zu haben, festzustellen.

Der Austausch des Stammpersonals leidet ebenfalls darunter, daß die Heimatwehrkreise nicht ausreichend bemüht sind, daß zugestandenermaßen auch bei ihnen nur knapp anfallende Ausbilder-Personal zum Austausch den Ersatztruppenteilen beim WB Dän. anzubieten, sondern für ihre eigenen Ersatzgestellungen verbrauchen. Dies wirkt sich nun wieder besonders nachteilig dahingehend aus, daß Ausbilder mit jüngster und neuester Fronterfahrung nicht den Res. Div. beim W. Bef. Dän. nicht in genügendem Maße zur Verfügung stehen (siehe Anlage).

d.) Fraueneinsatz:

Reichsinspektion Dänemark vertritt grundsätzlich die Auffassung, daß eine erhebliche Anzahl von Funktionen, die derzeit noch von Soldaten wahrgenommen werden, durch Frauen ebenso ausreichend erfüllt werden können. Es wird im Einvernehmen mit allen Wehrmachtteilen daran gedacht, vorzuschlagen, über den bisherigen Rahmen der Wehrmacht- und Nachrichtenhelferinnen hinaus, in Küchen, Kantinen, Schneidereien, Kammern weibliche Hilfskräfte heranzuziehen, sowie die Stellen der 2. gegebenenfalls auch 1. Rechnungsführer und der 2. Schreiber durch Frauen zu ersetzen (siehe Anlage).

Antrag W. Bef. Dän., an Stelle des abgelehnten Armee-Nachrichten-Rgt. ein weibliches Nach. Rgt. aufzustellen, wurde abgelehnt. W. Bef. Dän. vertritt aber den Standpunkt, daß auf Grund der Lage auf Verstärkung der Nachrichtentruppe nicht verzichtet werden kann, daß dies aber mangels Soldaten mit weiblichen Personal geschehen muß. Da diese nicht alleine einsatzfähig sind, ist beabsichtigt, einzusetzende Bau- und Störtrupps gemischt zusammenzustellen. Die zu diesem Dienst einzusetzenden Frauen müßten zu ihrem Schutz im sabotagegefährdeten Dänemark bewaffnet werden. Dem steht bislang noch eine grundsätzliche Entscheidung des Führers entgegen.

Darüber hinaus wird besprochen, daß einheitliche Tarife für alle im Wehrmachtdienst eingesetzten Frauen endlich erwirkt werden müssen.

Grundsätzlich stehen W. Bef. Dän. und Reichsinspektion Dänemark einheitlich auf dem Standpunkt, daß es auch im Falle einer Invasion gleichgültig sei, ob eine deutsche Frau im Heimatkriegsgebiet des Westens bei den täglichen Terrorangriffen der Engländer oder gegebenenfalls im Operationsgebiet Dänemark gefährdet ist. Voraussetzung ist allerdings, als Gegner der Engländer und nicht der Russe.

III. Außerdem werden folgende Einzelfragen besprochen und erörtert:
1.) Die Nordspitze Jütlands ist z.Zt. durch den im Monat Oktober 1944 erfolgten Abzug der 416. I.D. geschwächt, sie ist z.Zt. im wesentlichen infanteristisch nur durch russ. Verbände gesichert.

Diese Einheiten sind von der dänischen Bevölkerung mit einer auffallenden Freundlichkeit aufgenommen worden und werden weiterhin bevorzugt behandelt.[33]

Es ist daher anzunehmen, daß diese Truppenteile im Falle einer Invasion nicht als unbedingt sicher gewertet dürfen. Eine Auflockerung bzw. Untermischen der Einheiten in anderen Stellungen und Ersatz durch deutsche Einheiten wird z.Zt. geprüft.

---

33 Den russiske brigade 599 blev opstillet i Nordjylland i januar 1945 (KTB/WB Dänemark 19. januar 1945). Den danske befolknings sympati omfattede såvel sovjetiske soldater som krigsfanger. Sidstnævnte betegnede *Information* 23. marts 1945 som "overmåde populære."

2.) Im Zuge der Besprechung über die Entlastung der Truppe vom Wachdienst wurde erwogen, die Gestellung einiger Turk-Batl. bzw. anderer Batl. aus kaukasischen Volksstämmen vorzuschlagen.
3.) Alle Wehrmachtteile klagen einheitlich über einen abnorm starken Dienstreiseverkehr aus dem Reich nach Dänemark ("Jeikos" = jeder einmal in Kopenhagen, "Schwikos" = schon wieder in Kopenhagen).

Die vom Reichführer SS geplante Errichtung einer Besprechungsbaracke an der Grenze mit Feldküchenverpflegung wird von allen Wehrmachtteilen begrüßt (siehe Anlage).[34]
4.) Zur Unterbindung von Schiebereien nach dem Reich erhält der neue Kommandeur des Wehrmachtstreifendienstes Anweisung zu zahlreichen Stichproben an den Grenzübertrittgängen. Darüber hinaus muß gefordert werden, entgegen den bisherigen Bestimmungen das Kuriergepäck zu überprüfen.
5.) Anliegende Terminliste (siehe Anlage) enthält Termine, die teilweise zusammengelegt, teilweise ganz ausfallen können. Die Reichsinspektion Dänemark schlägt im Einvernehmen mit W. Bef. Dän. vor, die in gesonderter Liste (siehe Anlage) aufgeführten Termine zu streichen bzw. zusammenzulegen.
6.) Unter Berücksichtigung der dem W. Bef. Dän. durch Reichinspektion Dänemark genannten geringen Zahlen des WHW-Aufkommens hat der NSFO als Mindestsätze für zukünftige WHW-Spenden Beträge lz. anliegender Liste festgesetzt (siehe Anlage).
7.) W. Bef. Dän. wird überprüfen, ob die zu den Feldpostämtern kommandierten Landesschützen ihren eigenen Bewachungsaufgaben wieder zugeführt werden können und durch Kommandierte der Einheiten, für die die Feldpostämter zuständig sind, im Wechsel ersetzt werden können.
8.) W. Bef. Dän. hat keine eigene Bekleidungswirtschaft. Das bei einzelnen D-Batl. festgestellte Übersoll an Kammerbeständen (Unterwäsche) ist nur auf entsprechende Regelung einzelner Heimatwehrkreise zurückzuführen. Eine überplanmäßige Ausstattung der Truppe erfolgt mit den Überbeständen nicht.

Abschließend wird festgestellt, daß der dänische Raum für alle Wehrmachtteile, insbesondere für das Heer, die beste Grundlage zur Auffrischung abgekämpfter Truppen bietet.

Außerdem hat sich gezeigt, daß aus den im Raum stehenden Einheiten trotz ihrer Doppelaufgabe laufend vollwertiger Ersatz dem Feldheer zugeführt werden kann.

Dabei sind die günstigen Ernährungsverhältnisse für die heutigen jüngsten Jahrgänge und für die Genesenden besonders wertvoll. Es liegt daher im Interesse der Ausbildung und der Ersatzgestellung für das Feldheer, daß die Aufnahmefähigkeit der in Dänemark befindlichen Truppen, sowohl der Ausbildungseinheiten für Rekruten als der D-Einheiten für Genesende, auf möglichst hohem Stand gehalten und voll ausgenutzt wird. Es ist sogar zu erwägen, ob die Gesamtaufnahmefähigkeit des Raumes noch vermehrt für diese Zwecke ausgeschöpft werden kann.

---

34 Det enorme omfang af de tyske tjenesterejser til Danmark var tidligere taget op som et problem, se Keitel til von Hanneken og andre 27. oktober 1944 og blev det nu igen, se OKW/WFSt 22. februar 1945.

58. Kriegstagebuch/Seekriegsleitung 4. Februar 1945

Fra OKW havde Seekriegsleitung fået besked om, at Københavns by og havn var af afgørende betydning for forsvaret af Danmark, forbindelsen til Norge og for adgangen til Østersøen. Der skulle efter Hitlers ordre gøres alt for at forsvare byen. Der blev for tiden ikke regnet med en invasion af Danmark, men der skulle i givet tilfælde forberedes en ødelæggelse af Københavns havn. For det tilfælde, at der måtte regnes med en engelsk invasion på Sjælland, skulle forsvaret af København forstærkes. Om der ville komme forstærkning fra Tyskland ville afhænge af situationen. Blev Jylland angrebet kunne WB Dänemark regne med forstærkning fra OKW/WFSt. Der kunne ikke tilføres yderligere forsyningstropper til Danmark og en forøgelse af forplejningen kunne heller ikke komme på tale.

Kilde: KTB/Skl 4. februar 1945, s. 31f.

[...]

II.) Betr. Nordraum:
OKW hat zur Frage der Verteidigung Seelands folgende Unterrichtung gegeben:
"1.) Die Behauptung der Insel Seeland, des Hafens und der Stadt Kopenhagen ist für die Verteidigung des dänischen Raumes, die Verbindung nach Norwegen und die Aufrechterhaltung des Ausgangs aus der Ostsee von entscheidender Bedeutung. Eine Aufgabe von Kopenhagen kommt somit nach Entscheidung des Führers nicht in Frage. WB Dänemark hat alle Maßnahmen auf eine Verteidigung des Hafens und der Stadt abzustellen.

2.) Z.Zt. rechnet OKW nicht mit englischen Landungsabsichten im Bereich Jütlands und der dänischen Inseln. Die Stärke der Besatzung Kopenhagen ist daher z.Zt. ausreichend.

Sie muß derartig untergebracht und vorbereitet sein, daß sie innerhalb eines geschlossenen Stützpunktes in erster Linie die Ausnutzung des Hafens für den Feind im Falle einer überraschenden Landung verhindern kann. Sie hat sich hierzu zum Äußersten zu verteidigen.

3.) Für den Fall, daß auf Grund der Gesamtlage mit bevorstehenden engl. Landungsunternehmen gegen Seeland gerechnet werden muß, ist die Besatzung von Kopenhagen rechtzeitig in dem erforderlichen Umfange zu verstärken. Inwieweit hierzu dem WB Dänemark zusätzliche Kräfte aus dem Reich zugeführt werden können, wird von Fall zu Fall entschieden werden.

4.) Zu den Erkenntnissen aus dem am 20. auf 21/1. durchgeführten Kriegsspiel wird mitgeteilt:
   a.) Für den Fall eines Feindangriffes gegen den jütländischen Raum ist die Zuführung eines Gen. Kdos. in den Bereich des WB Dänemark durch OKW/WFSt vorgesehen.
   b.) Die Ausstattung des WB Dänemark mit Versorgungstruppen über das bisherige Ausmaß ist auf Grund der Gesamtlage nicht möglich. WB Dänemark bleibt auf Improvisationen angewiesen.
   c.) Eine stärkere Bevorratung des Befehlsbereiches WB Dänemark mit Versorgungsgütern ist z.Zt. ausgeschlossen."

[...]

59. Kriegstagebuch/WB Dänemark 4. Februar 1945

Lindemann godkendte en ny formulering af det opråb, der skulle udsendes til det tyske mindretals mandlige medlemmer i tilfælde af en invasion: De skulle melde sig ved nærmeste tyske militære tjenestested for at være med i kampen for føreren.

Det skete på et tidspunkt, hvor mindretallet var begyndt at bakke ud af samarbejdet med besættelsesmagten, selv om mindretalsledelsen 18. januar 1945 havde udsendt et opråb om at melde sig til Zeitfreiwilligendienst med truslen om eksklusion af NSDAP/N, hvis medlemmerne undlod at melde sig (Noack 1975, s. 170). Men Zeitfreiwilligendienst var trods alt langt fra det samme som at melde sig hos en af de tyske kampenheder. Lindemanns opfordring til mindretallet var et brud med den tidligere aftale om, hvordan mindretallet skulle forholde sig i tilfælde af en invasion.

Kilde: KTB/WB Dänemark 4. februar 1945.

[...]

Der W. Bef. Dän. genehmigt nachstehende Neufassung des Aufrufes an die Volksdeutschen Nordschleswigs: "Aufruf! Deutsche Männer aus Nordschleswig. Der Feind steht im Lande! Die Stunde der Entscheidung ist damit gekommen! In dieser schicksalsschweren Stunde rufe ich zu den Waffen. Die letzte Entscheidung fordert letzten Einsatz! Ich erwarte daher die Meldung jedes wehrfähigen Deutschen bei der nächstliegenden militärischen Dienststelle. Kameraden! Folgt dem Gebot der Stunde, der Stimme des Blutes und des Herzens! Mit dem Führer durch Kampf und Not zum Sieg! Es lebe der Führer! Es lebe unser deutsches Volk!

Heil Hitler!
gez. Lindemann
Generaloberst"

[...]

60. Kriegstagebuch/WB Dänemark 5. Februar 1945

I forlængelse af tidligere givne ordrer blev der instrueret om, at der skulle organiseres større sammenlægninger af troppeforlægninger og etableres forsvarsblokke på bataljons- eller i det mindste kompagnistyrke. Best havde givet sin tilslutning.

Se endvidere Lindemann til OKW 30. marts 1945.
Kilde: KTB/WB Dänemark 5. februar 1945.

[...]

In Verfolg des Befehls über die Zusammenlegung von Truppenteilen in Kopenhagen (KTB vom 1.2.45)[35] und der Verfügung OKW über Bildung von Kampfblocks in großen Städten legen die territorialen Befehlshaber im Einvernehmen mit allen beteiligten Wehrmachtteilen und Organisationen erneut noch engere Zusammenlegung der Truppen und Dienststellen aller Wehrmachtteile und Organisationen fest. Verteidigungsblocks in Batl.- oder mindestens Kp.-Stärke unter einem Führer und mit einheitlicher Verpflegung sind erforderlich. Hierzu hat der Reichsbevollmächtigte Unterstützung zugesagt.

[...]

---

35 Trykt ovenfor.

61. Kriegstagebuch/Admiral Skagerrak 6. Februar 1945

MOK Ost gav Wurmbach besked på at komme med forslag til, hvilke danske havne der var egnet til landsætning af flygtninge. Endvidere skulle han undersøge om flygtninge udskibet i Kiel eller Flensborg ad landvejen kunne komme til Danmark. Wurmbach svarede, at alle danske havne var egnede, særlig København og Århus. Jernbaneforbindelsen mellem Tyskland og Danmark gav ikke i tilstrækkeligt omfang mulighed for at transportere flygtninge. I givet fald måtte der indsættes særtog.

Kilde: KTB/ADM Dän 6. februar 1945, RA, Danica 628, sp. 3, s. 3857.

[...]
MOK Ost Qu gibt mit B. Nr. G 4412 III an mich folgendes:

"Zum Führerbefehl, daß ab sofort Flüchtlingstransporter aus Ostraum dän. Häfen anlaufen dürfen, meldet Adm. Skag. umgehend Vorschläge, welche Häfen für Anlandungen am geeignetsten. Um Prüfung gebeten, wieweit Zuführung Flüchtlinge auf Landweg nach Dänemark möglich, wenn Ausschiffung in Kiel oder Flensburg."

Dazu nahm ich mit Adm. Skag. G 61 214 folgende Stellung:
1.) Für Anlaufen Flüchtlingstransporter aus Ostraum alle Häfen Dänemarks nach Maßgabe Größenverhältnisse der Transporter geeignet, insbesondere Kopenhagen und Aarhus.
2.) Jetziger Stand Eisenbahnverbindung Deutschland-Dänemark bietet keine Möglichkeit, in nennenswertem Umfange Flüchtlinge zu befördern. Zur Lösung Aufgabe daher Einlegen von Sonderzügen erforderlich.

[...]

62. Kriegstagebuch/WB Dänemark 6. Februar 1945

Straks efter sin ankomst til Danmark blev Lindemann konfronteret med jernbanesabotagen, som generede de tyske troppebevægelser. Dertil kom en ordre fra Hitler om at slå ned på jernbanesabotagen i Danmark med alle midler. Lindemann foreslog som ny på posten Pancke og Best en række forholdsregler, der skulle dæmme op for sabotagen. De fleste af forslagene blev afvist af mangel på ressourcer eller af politiske grunde. Dog kom han igennem med, at fangne sabotører skulle medføres på togene – deri var ikke noget nyt – og at de skulle kunne sættes til udbedringsarbejder. Det sidste var noget nyt, men ikke nogen indrømmelse af betydning, og nogen praktisk betydning fik det næppe.

Panckes svar på ønsket om øget bevogtning er ikke bevaret, men det har været en afvisning af mangel på det nødvendige mandskab. Lindemann lod sig dog ikke gå på og havde flere forslag til foranstaltninger mod sabotagen, da han næste dag skrev til OKW/WFSt (Rosengreen 1982, s. 157).

Kilde: KTB/WB Dänemark 6. februar 1945.

Der Führer erwartet, daß weitere Eisenbahnsabotageanschläge mit allen Mitteln unterbunden werden.[36] Hierzu befiehlt W. Bef. Dän.:

---

36 Jfr. OKW/KTB 4:2, s. 1341: "Die Sabotage, besonders die gegen die Eisenbahnen, störte, da sie u.a. die Transporte erschwerte; aber ihre Auswirkung blieb doch in begrenztem Rahmen. Am 6.2. wurde dem Wehrm. = Befehlshaber mitgeteilt, der Führer erwarte, daß alle Maßnahmen ergriffen würden, um eine Verzögerung des Abtransports durch Sabotage zu verhindern." Lindemann forklarede 27. august 1946 i Nürnberg, at den forstærkede jernbanesabotage havde tvunget ham til at øge bevogtningen og i perioder havde haft op til 12.000 mand sat på opgaven (*Records of the United States Nuremberg War Crimes Trials Interrogations, 1946-1949*, Roll 42, Washington 1976, s. 286).

1.) Die Sicherung abrollender Truppenteile durch nicht verladende Einheiten.
2.) Den Einsatz der an der Küste liegenden Kräfte zum Bahnstreckenschutz.
3.) Die Kontrolle des Kraftfahrzeug- und Radfahr-Verkehrs in allen Unterkunftsorten.
4.) Einsatz der Durchgangslager Aalborg und Aarhus.
5.) Den Einsatz der Feldgendarmerie in Straßenkontrollen. Höh. SS- und Polizeiführer wird gebeten, in Jütland Gendarmeriestreifen schwerpunktmäßig gemäß täglicher Sabotage- Lagemeldung einzusetzen.

Reichsbevollmächtigter wird gebeten, BdS in unmittelbarer Zusammenarbeit mit T.K. Aarhus anzuweisen:
a.) Verstärkt verhaftete Saboteure in den Transporten mitzuführen,
b.) Häftlinge zu Instandsetzungsarbeiten heranzuziehen.
Diese Maßnahmen meldet W. Bef. Dän. fernschriftlich an OKW / WFSt zusätzlich mit der Bitte um Genehmigung gegebenenfalls an festgenommenen Saboteuren die Todesstrafe vollstrecken lassen zu dürfen.

Zusatz zum 6.2.45:
Ferngespräch Reichsbevollmächtigter – Chef d. Gen. St. beim W. Bef. Dän.
Zur Vermeidung weiterer Sabotageanschläge schlägt Generalmajor Reinhardt eine Veröffentlichung in der Presse über verstärkte Überwachung der Bahnanlagen und rücksichtsloses Durchgreifen gegenüber Saboteuren vor.[37] Reichsbevollmächtigter sieht eine solche Veröffentlichung als nicht erwünscht an, weil sie die friedliche Bevölkerung beunruhigt und die illegale Partei davon so wie so orientiert sei. Mit der gleichen Begründung lehnt er eine frühere Polizeistunde ab; dagegen erklärt sich der Reichsbevollmächtigte einverstanden:
a.) Gefangene Saboteure in den Transportzügen mitzuführen,
b.) diese Häftlinge zu Instandsetzungsarbeiten einzusetzen.
[…]

63. Adolf von Steengracht: Notizen 6. Februar 1945

Gesandt Mohr havde været i AA og bedt om, at de danske fanger i Neuengamme blev holdt for sig og fik den lægehjælp og de medikamenter, der blev fremsendt dem fra Danmark. Fra dansk side var man villig til at betale for en særlig sygebarak til de danske fanger. Da Stutthoflejren skulle opgives, bad Mohr om, at de 145 danske fanger måtte blive overført til arbejde i den danske virksomhed "Amada" i Danzig.

Svarene på spørgsmålene er ikke lokaliseret, men de danske fanger i Neuengamme blev ikke samlet og fik ikke egen sygebarak før i slutningen af marts, og Stutthoffangerne kom på dødsmarch med alle de øvrige fanger fra 25. januar 1945, så Mohrs henvendelse var for deres vedkommende blevet overhalet af udviklingen (Thygesen 1945, s. 136, 141f., Kaienburg 1997, Nielsen 1947, s. 142).
Kilde: RA, pk. 284. PKB, 13, nr. 762.

---

37 Helmuth Reinhardt tiltrådte som generalstabschef hos WB Dänemark 9. januar 1945, en stilling han beholdt til maj 1945 (KTB/WB Dänemark 9. januar 1945, afhøring af Reinhardt 18. marts 1948 (LAK, Best-sagen)).

St.S. Nr. 66   *Berlin, den 6. Februar 1945*

Der Dänische Gesandte erklärte, daß in Neuengamme im Konzentrationslager die dortigen wegen politischer Vergehen internierten Dänen mit den Insassen aller übrigen Nationen gemeinsam interniert seien. Er bat, diesen Dänen doch nach Möglichkeit eine eigene, von den übrigen getrennte Unterbringung zu ermöglichen und sie durch die dort befindlichen fünf dänischen Ärzte betreuen zu lassen. Er glaube, daß dies im Interesse der Hygiene und zur Vermeidung von Krankheiten auch im deutschen Sinne liegen dürfte.

Ich sagte dem Gesandten, daß dieses voraussichtlich schon auf technische Schwierigkeiten stoßen würde. Ich würde die Sache jedoch prüfen.

Hiermit Inland II mit der Bitte um weitere Veranlassung,

gez. **Steengracht**

Durchdruck an: U.St.S. Pol., Dg. Pol., Pol. VI, Abt. R.

St.S. Nr. 67   *Berlin, den 6. Februar 1945*

Der Dänische Gesandte berichtete mir, daß man dänischerseits für die kranken Dänen ärztliches Material gesandt habe. Dieses Material jedoch sei nicht für die Dänen sondern für die etwa 70.000 sonstigen internierten verwandt worden. Unter diesen Umständen sei die Hilfe für die Dänen außerordentlich gering. Er bäte, daß das speziell für die Dänen bestimmte Material auch diesen ausschließlich zukäme. Darüber hinaus bestünde wohl die Möglichkeit, daß man dänischerseits auch für die Übrigen Medikamente beschaffe. Die Dänische Regierung sei bereit, für die kranken Dänen eigene Krankenbaracken zu stellen und diese auch an Ort und Stelle aufschlagen zu lassen.

Der Gesandte bat um wohlwollende Prüfung dieser humanitären Angelegenheit.

Hiermit Inland II mit der Bitte um entsprechende weitere Veranlassung. Ich bitte baldmöglichst um Nachricht über das Ergebnis.

gez. **Steengracht**

Durchdruck an: U.St.S. Pol., Dg. Pol., Pol. VI, Abt. Recht.

St.S. Nr. 68   *Berlin, den 6. Februar 1945.*

Der Dänische Gesandte machte mich darauf aufmerksam, daß das Konzentrationslager Stutthof verlegt werden solle. In diesem befänden sich 145 dänische Staatsangehörige. In einer Verbalnote vom 5. Februar habe er darum gebeten, diesen Dänen die Möglichkeit zu geben, im dänischen Betrieb "Amada" in Danzig zu arbeiten. Die örtlichen Behörden seien damit einverstanden. Unterbringung würde dänischerseits gestellt. Bewachungskräfte müßten deutscherseits gestellt werden. Das Ergebnis würde sein, daß kein zusätzlicher Platz benötigt würde.

Der Gesandte bat um wohlwollende Prüfung dieser Angelegenheit.

Hiermit Inland II mit der Bitte um entsprechende weitere Veranlassung. Ich bitte um Benachrichtigung über das Ergebnis.

gez. **Steengracht**

Durchdruck an: U.St.S. Pol., Dg. Pol., Pol. VI, Abt. R.

64. Georg Lindemann an OKW/WFSt 7. Februar 1945

Lindemann orienterede OKW om sine trufne foranstaltninger mod jernbanesabotagen og foreslog som det mest virksomme middel i fællesskab med Pancke og Best brugen af dødsstraf mod fængslede sabotører.

Ideen havde han givetvis fået fra Best, der hermed formåede at forene Tysklands tre øverste myndigheder i Danmark om forslaget. Når både Lindemann og Pancke kunne tilslutte sig forslaget, hang det givetvis sammen med, at det gav endnu et magtmiddel uden at det lagde bånd på andre.

OKW turde imidlertid ikke påtage sig at give denne tilladelse. Det ville i stedet kræve en ny førerordre og i givet tilfælde blev det betragtet som mest formålstjenligt, at justitsmyndigheden tilfaldt Pancke og ikke Best.

Best tog imidlertid spørgsmålet op igen. Se Best til AA 25. februar 1945.

Når ønsket om brugen af dødsstraf kom op igen netop på dette tidspunkt, hang det næppe alene sammen med Lindemanns ankomst, den stigende jernbanesabotage eller Bests vedholdenhed. Terboven havde på dette tidspunkt henvendt sig til Hitler og havde fået fuldmagt til igen at lade SS- und Polizeigericht Nord træde i funktion og gennemføre standretter. Den første henrettelse i henhold hertil fandt sted 8. februar 1945, men der er ikke tvivl om, at Best har fået kendskab til den af Terboven opnåede fuldmagt. Det er i det perspektiv, udviklingen i Danmark senere på måneden skal ses (Bohn 2000, s. 112).

Kilde: BArch, Freiburg, RW 4/754. RA, Danica 1069, sp. 1, nr. 272f.

Geheime Kommandosache

F e r n s c h r e i b e n

KR HXSI/FF 0173/74 7/2 00.20 – (HZPH FF 2 – 0181)
OKW WFSt Op   GKDOS

Bezug: FS 001325/45 GK v. 6.2.45.[38]

W. Befh. Dänemark meldet:
1.) Weitere Verdichtung des bereits um 4 Btln. verstärkten Eisenbahnstreckenschutzes auch unter stellenweiser Entblößung der Küstensicherung und Beteiligung von abzutransportierenden Truppen bis zu deren Einladung (Stärken werden nachgemeldet).
2.) Straßenüberwachungen durch Wehrm. Streifen, Feldgend. Gend. Trupps (Pol) u. durch Truppen.
3.) Im Einvernehmen mit Reichsbevollmächtigten Vermehrung der bereits bisher erfolgten Mitführung von dänischen Häftlingen in den Transportzügen und ihre Heranziehung zu instandsetzungsarbeiten an Eisenbahnstrecken,

---

38 Se KTB/WB Dänemark 6. februar 1945.

4.) Weiterhin wird im Einvernehmen mit Reichsbevollmächtigten u. Höh. SS- u. Pol. Fhr. als wirksamste Maßnahme gegen weitere Eisenbahnsabotagen um Genehmigung gebeten, gegen verhaftete Saboteure die Todesstrafe verhängen und vollstrecken zu dürfen.
W. Befh. Dänemark I A Nr. 433/45 GK Gez. Reinhardt Gen. Maj.+

Stellungnahme Qu zu Ziffer 4.)
Der Führer hat im Anschluß an 7 Todesurteile des Höheren SS- u. Pol.-Gerichts Kopenhagen, deren Vollstreckung einen Generalstreik in Kopenhagen ausgelöst hatte, am 1.7.44 befohlen, daß in Zusammenhang mit Streikbewegungen, Terror oder Sabotageakten keine kriegsgerichtlichen Urteile mehr ergehen sollen. Dadurch soll die Schaffung von Martyrern verhindert werden. Wehrmacht war auch vor diesem Zeitpunkt für Aburteilung von Zivilisten in Dänemark nicht zuständig, sondern die Höheren SS- und Polizei-Gerichte. Seit Ergehen des Führerbefehls werden von der Wehrmacht sämtliche Saboteure, sofern sie nicht auf frischer Tat [ertappt] werden, dem SD überstellt.
Wenn dies verfahren geändert werden soll, erscheint erneuter Führervortrag erforderlich. Es ist aber auch dann zweckmäßig, diese Ziviljustiz nicht dem WB Dänemark, sondern wieder dem Höheren SS- und Polizeiführer zu übertragen.

65. OKW/WFSt an Georg Lindemann 7. Februar 1945
Lindemann havde 3. februar bedt om tilførsel af mere bevogtningsmandskab på grund af den anspændte situation, men fik afslag. Der ville tidligst i marts komme forstærkning til den russerbrigade, som var planlagt opstillet i Nordjylland.
Opstillingen af den russiske brigade (nr. 599) var et resultat af bestræbelserne på at få de russiske enheder i Nordjylland samlet til en større enhed (Andersen 2007, s. 265f.).
Kilde: BArch, Freiburg, RW 4/754. RA, Danica 1069, sp. 1, nr. 276.

Geheim
WFSt/Op (H) Nord   F.H.Qu., den 7. Februar 1945

S S D - F e r n s c h r e i b e n
an W. Befh. Dänemark

Betr.: Zuführung von Bewachungskräften nach Dänemark.

Dem Antrag W. Bfh. Dänemark Ia Nr. 734/45 geh. vom 3.2.45 auf Zuführung von Bewachungskräften kann bis auf weiteres infolge angespannter Kräftelage nicht entsprochen werden.
Zuführung der zur Verstärkung Russen-Brigade Nordjütland vorgesehenen Osttruppen frühestens im März.

I.A.
gez. [underskrift]
OKW/WFSt/Op (H) Nord Nr. 0945/45 geh.

66. Hans Clausen Korff an Christian Breyhan 7. Februar 1945

Korff refererede de den 9. januar stedfundne tysk-danske regeringsudvalgsforhandlinger, hvor Walter var fremkommet med minister Herbert Backes ønske om, at fedtrationen i Danmark blev formindsket med 50 g, så der blev noget til overs til eksport til tredjelande. Det skulle muliggøre eksport af 10.000 t fedt til Finland. Selv om situationen nu havde ændret sig, blev ønsket ikke trukket tilbage.[39] Produktionen af smør til eksport var steget i det sidste år, men på den anden side var flødeforbruget steget med ca. 45 % siden 1940. Ved at indstille flødeproduktionen kunne der teoretisk fremstilles 8.000 t smør. Endvidere kunne man ved at sænke fedtindholdet i mælk få 3.000 t fedt til overs, i alt 11.000 t smør kunne sikres på den måde til tredjelandseksport. Eksport til Sverige kom dog ikke på tale, da man måtte regne med, at det ville blive videreleveret til Finland.

Kontorchef Peschardt svarede på danskernes vegne, at sådanne krav til den danske landbrugsproduktion nok kunne stilles, men ikke gennemføres og håndhæves, da der ikke var dansk politi til at kontrollere, at påbuddene blev fulgt. Forbuddet mod produktion af fløde ville derfor blive virkningsløst. Desuden ville forringelsen af mælken især ramme den arbejdende befolkning. Der måtte regnes med en stærk folkelig modstand og en opblussen af sabotagen. At det gav politiske problemer i Tyskland, at der i Danmark stadig var fløde og sødmælk, havde ikke noget med den danske regering at gøre. Forhandlingerne blev derefter afbrudt uden resultat.[40]

Korff sendte sin notits om regeringsudvalgsforhandlingerne med et knapt følgebrev til Breyhan 7. februar med den ene bemærkning, at det kastede et karakteristisk lys over den nuværende situation i Danmark. Hermed var underforstået, at ikke alene den tid, hvor man på tysk side kunne forvente dansk imødekommenhed over for tyske ønsker, var forbi, men også at enhver dansk forståelse for den politiske situation i Tyskland var bortfaldet.

Den åbne danske afvisning af Backes ønske førte ikke til krav om nogen form for sanktioner mod Danmark fra REMs side, det være sig tvangsinddrivelser eller rekvisitioner af fødemidler. Mens Backe skrev den ene betænkning mere dyster end den foregående om ernæringssituationen og nedskæringerne af rationerne i Tyskland, affandt han sig med en helt anderledes ernæringssituation nord for grænsen (referater af betænkningerne, den seneste fra 25. januar 1945, hos Corni/Gies 1997, s. 576, 579). Det kan have været i erkendelsen af, at det selv i krigens slutfase ville være en meget kortsigtet løsning, men på den anden side havde REM under hele besættelsen haft for øje, at den tysk-danske samhandel byggede på en balancegang, der ikke ensidigt kunne tippe i tysk favør, hvis der fortsat skulle opnås positive resultater.[41]

Kilde: BArch, R 2/30.668.

ORR Korff Oslo, 7. Februar 1945
Mitglied des Reg. Ausschusses für Dänemark

Betr. Regierungsausschußverhandlungen am 9.1.1945

1. Aktenvermerk

Min. Direktor Dr. Walter trug vor:

---

39 Her hentydes til, at Finland ikke længere var en tysk allieret.
40 Det er bemærkelsesværdigt, hvor godt *Information* 18. januar 1945 var orienteret om indholdet af forhandlingerne.
41 Best forklarede 6. august 1945, at man gang på gang i Berlin havde rejst spørgsmålet om at nedsætte de danske levnedsmiddelrationer, idet man ikke ville erkende berettigelsen af, at Danmark havde så meget større rationer end andre besatte lande og også end Tyskland. Særligt stærkt blev kravet fremsat af REM den sidste vinter, men det lykkedes Best ved sine protester at hindre det (LAK, Best-sagen). Med henvisning til Korffs notat ovenfor er der intet, der indikerer, at nogen protest fra Best var afgørende på dette tidspunkt. Den danske modstand gjorde det alene, men det udelukker ikke, at Best har blandet sig i spørgsmålet.

Minister Backe habe seinerzeit die Erklärung abgegeben, daß die Buttermengen, die durch Kürzung der Fettrationen in Dänemark um 50 g erübrigt werden, zur Ausfuhr nach 3. Ländern freigegeben würden. Die Maßnahme sei seinerzeit durchgeführt worden, um einen Export von 10.000 to Fett nach Finnland zu ermöglichen. Es sei vorläufig nicht beabsichtigt, diese Erklärung zurückzuziehen, obwohl die Verhältnisse sich inzwischen geändert hätten. Es sei anzuerkennen, das die Butterproduktion für die Ausfuhr in den letzten Jahren gestiegen sei, aber auf der anderen Seite habe der Sahneverbrauch seit 1940 um rd. 45 % zugenommen. Bei Einstellung der Sahneproduktion könnte theoretisch eine Buttermenge von 8.000 to hergestellt werden. Nach deutscher Auffassung seien daher folgende Maßnahmen notwendig:
1.) Verbot der Herstellung von Sahne.
2.) Herabsetzung des Fettgehalts der Vollmilch vom 3,4-3,6 % auf 2,4-2,7 %.

Durch die letztere Maßnahme könnten theoretisch 3.000 to Fett erübrigt werden.

Es sei sicher, daß durch diese beiden Maßnahmen nicht die theoretische Menge von 11.000 to Butter sichergestellt werden könnte. Durch beide Maßnahmen könnte aber doch eine beträchtliche Mehrmenge erzielt werden, die dann für den Export nach 3. Ländern freigegeben werden könne. Ein Export nach Schweden käme allerdings nicht in Frage, da damit gerechnet werden müßte, daß die Butter nach Finnland weitergeliefert würde.

Der Vorsitzende der Dänischen Delegation, Kontorchef Peschardt, erklärte, es sei richtig, daß auch in Dänemark auf die Tatsache Rücksicht genommen werden müsse, daß man sich im 6. Kriegsjahr befände. In der dänischen Bevölkerung sei aber dafür kein Verständnis vorauszusetzen, daß der Umsatz von Produkten der Landwirtschaft verboten oder eingeschränkt werde, die in genügender Menge im Lande hergestellt würden. Die dänische Verwaltung sei heute nicht in der Lage, derartige Einschränkungen anzuordnen, da sie sie infolge des Verbots der Polizei nicht kontrollieren und durchführen könnte. Das Sahneverbot würde deshalb nur auf dem Papier stehen. Außerdem würde es ebenso wie die Verschlechterung der Vollmilch insbesondere die arbeitende Bevölkerung treffen. Es müsse daher mit einem starken Widerstand der Bevölkerung und dem Auftauchen von Sabotageparolen gerechnet werden. Dies sei umso bedenklicher, als im Lande keine Ordnungsmacht vorhanden sei. Mit den politischen Schwierigkeiten, die im Reich dadurch entstünden, daß es in Dänemark noch Sahne und Vollmilch gebe, habe die dänische Regierung nichts zu tun.

Die Verhandlungen wurden darauf ohne Ergebnis abgebrochen. Im übrigen müsse die dänische Delegation sich eine eingehende Prüfung der vorhandenen Möglichkeiten vorbehalten.

gez. **Korff**

67. Kriegstagebuch/Admiral Skagerrak 7. Februar 1945

Wurmbach modtog telefonisk besked fra Dönitz om, at Hitler lagde den største vægt på, at et større kontingent tyske tropper i Oslo på kortest mulig tid med samt deres udrustning blev udskibet til Danmark. Wurmbach skulle ved personligt initiativ og ved alle tænkelige midler søge at undgå, at troppeoverførslen blev forsinket. Wurmbach svarede udførligt samme dag og gjorde det klart, at han hverken havde midler til eller muligheder for at imødekomme anmodningen (Skov Kristensen et al. 1988, s. 623f.).

Den 15. februar tog Seekriegsleitung både Hitlers ordre og Wurmbachs svar til efterretning uden kommentarer (KTB/Skl. 15 februar). Se endvidere rejseberetningen afgivet 11. april 1945, trykt nedenfor.

Kilde: KTB/ADM Dän 7. februar 1945, Danica 628, sp. 3, s. 3858-61.

Allgemeines:
Oberbefehlshaber der Kriegsmarine gibt im Anschluß an ein Telephonat am heutigen Tage mit Gkdos 83/45 an mich folgendes:

1.) Am 7.2. 1700 h stehen in Oslo klar zur Einschiffung 4174 Mann, 1382 Pferde, 1386 Fahrzeuge der 163. I.D. Die Auffassung, daß in Oslo eine Stau nicht vorhanden sei, ist demnach unzutreffend.
2.) Der Führer legt größten Wert auf beschleunigte Überführung der Kampfdivisionen aus Norwegen. Truppe muß mit ihrem Gerät zusammenbleiben, um von Ankunftsort gleich einsatzfähig zu sein, Transport der Menschen allein, der in kürzerer Zeit durchführbar wäre, bringt keinen Nutzen.
3.) Stockende Überführung liegt z.Zt. nicht an Zuführung durch Eisenbahn, sondern allein an laufenden Verzögerungen der Geleite.
4.) Ich ersuche den Kom. Adm. Skag. durch persönliche Initiative alle erdenklichen Mittel auszuschöpfen, um jede vermeidliche Verzögerung der Truppentransporte auszuschalten. Die Zuführung von Kampfdivisionen in das Reich bildet z.Zt. die Schwerpunktaufgabe im Bereich des Kom. Adm. Skag."

Ich gebe dazu folgende Stellungnahme:

"Auf Grund o.a. Vorgänge melde ich gehorsamst folgendes:
1.) Die Ansammlung von 4174 Mann mit entsprechendem Gerät in Oslo entspricht der normalen Verladung von 2 Tagen und ist folgendermaßen entstanden:
 a.) Grundminengeleite für Transporter mußten wegen Sturm, Seegang und anschließendem Nebel im Raum Kattegat wiederholt ankern. (Im Januar wurden an 17 Tagen Sturmwarnungen von der Wetterwarte Aarhus für hiesiges Gebiet verbreitet). Unvermeidbare Verzögerungen hierdurch bis zu 48 Std.
 b.) Im hies. Raum stehen im Augenblick nur 2 Sperrbrecher als Wetterfeste Grundminengeleitfahrzeuge zur Verfügung. Grundminengeleite müssen infolgedessen in den meisten Fälle durch M-Boote durchgeführt werden. Nachteil M-Boote: Bedingte Wetterfestigkeit, Gerätfahren nur bis Windstärke 16 möglich. Weiterhin laufender Geräteausfall durch Kabelschäden und Aggregatausfälle. Durch Überholung seitens Sperrwaffenkommandos in kurzer Hafenzeit wird versucht, Ausfälle zu verhindern.
2.) Zur Abstellung bezw. möglichsten Reduzierung der Verzögerung gemäß Ziff. 1 ist

es notwendig, Geleite gerätmäßig wie schiffsmäßig weitgehend wetterunabhängig zu machen. Dies nur dadurch möglich, daß sämtliche Truppentransporter Grundminengeleit durch Sperrbrecher erhalten. Zur Durchführung dieser Maßnahmen werden im hies. Raum 5 Sperrbrecher benötigt, d.h. zusätzlich noch 3 Sperrbrecher. Diese 3 Sperrbrecher bis 15.2. aus eigenem Fahrzeugbestand wieder K.B. sodaß eine Zuteilung von Sperrbrechern aus fremden Räumen nicht notwendig ist, sondern nur ein Abzug von Sperrbrechern aus meinem Bereich nicht erfolgen darf.

3.) Auch nach Durchführung Maßnahme gem. Ziff. 2) werden M-Boote weiterhin dringend benötigt, um als HFG-Boote zum Schutz gegen stumpfe Grundminen auf flachen Wasser vor die Sperrbrecher gesetzt zu werden. Zur Durchführung dieser Aufgaben bitte ich um

a.) Zuteilung von 2 M-40er Booten

b.) Abstellung soweit Materiallage erlaubt, der laufenden Materialversager bei den Geräten (Kabelschäden, Kupplungsschäden am Hohlstab, Aggregatsausfälle). In obiger Fahrzeugforderung sind dringend Minenaufgaben Skagerrak mit berücksichtigt.

4.) Durchführung Truppentransporte entscheidend abhängig von Nachschub an KKG, ZKK und NHL-Munition. Augenblicklicher Bestand im hiesigen Raum ausreichend für Minenbekämpfung von nur noch 4 feindlichen Mineneinflügen.

5.) Beanspruchung Grundminengeleitfahrzeuge, also Sperrbrecher und M-Boote im hiesigen Bereich außerordentlich stark. Fahrklare Sperrbrecher und M-Boote seit langem größtenteils 27 Seetage im Monat. Daher auch sehr herabgewirtschaftete Geräte.

6.) Durchführung Truppentransporte erfolgt abwechselnd in Tag- und Nachfahrt, in möglichst unregelmäßigem Zeitplan. Nachdem in der Nacht vom 3. zum 4.2. Luftangriffe auf Truppentransporter in Skagerrakraum nach längerer Unterbrechung erfolgte, wurde für 3 Tage befristet nur Tagmarsch im Skagerrak befohlen.

7.) Der durch Ausfall "Donau", "Rolandseck", "Ulanga", "Darss", "Winfrid von Kniprode" und "Gijon" auf z.Zt. nur 4 berabgeminderte Transportbestand wird durch Zuführung von "Tijuaca", "Mar del Plata" und "Argamos" etwa 12.2. erhebliche Beschleunigung in Truppentransport herbeiführen. Weiterhin wird angestrebt Werftliegezeit des etwa am 9.2. in Kopenhagen zu erwartenden Flüchtlingstransportes "Wartheland" hinauszuschieben, um auch dieses Schiff im Norwegentransport für einige Fahrten einzusetzen. "Gijon" wurde ab 21.1. trotz mehrmaliger Anträge von hier aus als Truppentransporter abgezogen und an Reikosee zurückgegeben.

8.) Einsatz von dänischen Fährschiffen und MFP's wegen Februar-Wetterlage im Skagerrak bzw. wegen Nichtvorhandenseins leider nicht durchführbar."

MOK Ost teilt mit, daß Dampfer "Wartheland" mit 2500 Verwundeten und 200 Flüchtlingen, die ursprünglich für Flensburg bestimmt, in Durchführung des Führerbefehls nach Kopenhagen umdirigiert, wo Ausschiffung stattfinden soll. Schiff soll 9.2. eintreffen.

Die näheren Vorschläge bezgl. Abtransport der Verwundeten und Flüchtlinge werden von mir befehlsgemäß an Ost eingereicht. Zur Aufnahme kommen sämtliche Häfen Ostjütlands und später Fünens in Betracht.

68. Seekriegsleitung an das Auswärtige Amt 8. Februar 1945

Seekriegsleitung meddelte AA, at der efter de foretagne forlægninger af dokker og kraner til Tyskland, hvad Kriegsmarine angik, ikke længere var grund til at forfølge sagen.

Seekriegsleitungs meddelelse er lidt kryptisk, da der ikke kendes eksempler på, at danske flydekraner og dokker er blev overført til Tyskland indtil 8. februar 1945. Det er klart, at Seekriegsleitung ikke gik videre med spørgsmålet, da begge parter kun ønskede at få lagt sagen død, så Hitlers ordre og Dönitz' ønske formelt ville være imødekommet. Reelt blev de det næppe, og det ville også under hensyn til årstiden have været et teknisk kompliceret og risikabelt projekt.

Best skrev to optegnelser henholdsvis 31. juli og 2. august 1945, ifølge hvilke han var blevet beordret til at beslaglægge alle danske skibe, kraner og dokke, men havde afværget det (RA, Bests personarkiv, pk. 9). Den 6. august 1945 gentog han det under en forklaring og angav tidspunktet til begyndelsen af 1945 (LAK, Best-sagen). I erindringerne fra 1950 er han mere præcis og skriver, at han i slutningen af 1944 fik en førerordre om at overføre en del af de danske flydedokke og kraner til tyske havne. Han havde afværget det ved at påpege, at de meget sikkert ville gå tabt for Tyskland under overførslen til tysk havn, hvorved det ville være slut med de omfattende reparationsarbejder i Danmark. Derpå fik han ikke noget svar (Best 1988, s. 83). Bests fremstilling lader sig stort set verificere, dog undlod han at omtale repræsentanten for Hauptausschuß Schiffbau, der spillede en ikke uvæsentlig rolle, selv om det sikkert i Bests optik var en birolle, hvortil han selv havde skrevet manuskriptet.

Kilde: BArch, Freiburg, RM 7/1816 (koncept).

Seekriegsleitung   den 8.2.1945
B. Nr. 1/Skl. I ca 1579/45 g.   Geheim

An das Auswärtige Amt
    z.Hd. von Herrn Gesandten Martius
    Berlin

Betr.: Beschlagnahme von Kränen und Docks in Dänemark.
Vorg.: Fernmündliche Rücksprache Gesandter Martius/Oblt. Pfeiffer am 23.1.45.[42]

Nach den inzwischen durchgeführten Verlegungen von Docks und Kränen aus Dänemark nach Deutschland ist, soweit es sich um Belange der Kriegsmarine handelt, eine Weiterverfolgung der oben bezeichneten Angelegenheit nicht mehr erforderlich.

Chef/Skl.
i.A.
1/Skl

69. Otto Bovensiepen an RSHA 8. Februar 1945

Bovensiepen lod indberette, hvad en af deltagerne i det tysk-danske regeringsudvalgs forhandlinger havde fortalt, hvilket efter BdS' opfattelse var et meget træffende udtryk for den øjeblikkelige situation. Der skulle være tale om et rent "forhandlingsteater", hvorefter forhandlingerne reelt ikke havde noget formål, da de tyske krav alligevel ville blive gennemtrumfet ved beslaglæggelser. Det var angiveligt en opfattelse, som både dr. Walter og ledende repræsentanter i det tyske gesandtskab stod for, herunder Best. En undtagelse var forhandlerne fra Danmarks Nationalbank, som i finansieringsanliggender gav efter for de tyske krav, selv om det var under protest.

42 Se AA til OKM 22. januar 1945.

Der er ikke tvivl om, at forhandlerne på dansk og tysk side i foråret 1945 fandt, at det var et "forhandlingsteater", som det for tyskernes vedkommende fremgår af Korffs referater af møderne i det tysk-danske regeringsudvalg (se bl.a. 20. januar og 7. februar 1945). Tyskland havde ikke længere noget at tilbyde – heller ikke de mest nødvendige forsyninger – mens de akutte tyske behov samtidigt var stærkt stigende, og værnemagten og tysk politi handlede efter forgodtbefindende. BdS ville med indberetningen til RSHA give enten det indtryk, at de tyske forhandlere ikke udførte deres arbejde, som de burde, eller i værste fald, at disse forhandlinger nu var helt overflødige. Det var givetvis det sidste.

En kopi af BdS' indberetning blev sendt til OKW, hvor den er lokaliseret.

Kilde: RA, Danica 1069, sp. 6, nr. 7326f.

Der Befehlshaber der Sicherheitspolizei 8.2.1945.
und SD in Dänemark
III D – Ei/P. 950/44.

An das Reichssicherheitshauptamt
 – Amt III – III D-W,
 – Amt III – III B 1
 Berlin

Betr.: Deutsch-dänische Regierungsverhandlungen.
Vorg.: ohne.

Nachstehend wird Auszug aus einem Gespräch mit einem Teilnehmer an den Sitzungen des deutsch-dänischen Regierungsausschusses wiedergegeben, das treffend die augenblicklichen Verhältnisse schildert:

" … Er kam u.a. auf das deutsch-dänische Verhältnis zu sprechen und brachte seine Entrüstung über das "Theater", das man sich gegenseitig vorspiele, zum Ausdruck. Am besten komme dieses bei den deutsch-dänischen Regierungsverhandlungen zum Ausdruck. In den Verhandlungen würde von seiten des Leiters des Regierungsausschusses, Min. Dir. Dr. Walter, mit einer Ernsthaftigkeit mit den Dänen "verhandelt", die von dänischer Seite keineswegs ernst genommen werde. Man habe Dr. Walter auf den Verhandlungen wiederholt erklärt, daß es ja nicht viel Zweck hätte, Kontingente festzusetzen, da sie von deutscher Seite doch nicht eingehalten würden. Man verspreche den Dänen Lieferungen, die auf das Kilogramm genau in seitenlangen Katalogen und in wochenlangen Verhandlungen festgelegt würden, liefere aber doch nur das, was im Augenblick in Deutschland zur Verfügung stehe. Auf der anderen Seite handele man mit den Dänen die Kontingente aus, die sie an Lebensmitteln liefern sollen. Wenn sich nachher herausstelle, daß größere Mengen zur Verfügung stehen, so beschlagnahme Deutschland einfach den Überschuß. Bei der Ausschußsitzung vor Weihnachten habe Dr. Walter zum größten Erstaunen der Dänen erklärt, daß man nach Weihnachten über die strittigen Punkte weiter verhandeln wolle. Die Dänen hätten daraufhin zum Ausdruck gebracht, daß es doch nichts mehr zu verhandeln gäbe, da man die deutschen Forderungen kenne und dänischerseits nichts dagegen unternehmen könne, weil sonst eine Beschlagnahme zu befürchten sei. Trotzdem habe Dr. Walter auf einer Fortführung der Verhandlung bestanden und dann auch nach Neujahr noch etwa 10 Tage "das Verhandlungstheater" mit den Dänen fortgesetzt."

Der Gesprächspartner brachte weiter zum Ausdruck, daß leider der maßgebenden Herren der Dienststelle des Reichsbevollmächtigten die Politik Dr. Walters restlos unterstützen. Dieses gelte insbesondere für Dr. Ebner (Leiter der Wirtschaftsabteilung) und auch für den Reichsbevollmächtigten selbst.

Eine Ausnahme von der angedeuteten Politik machen die Verhandlungen über die Finanzierungsseite des deutsch-dänischen Verhältnisses. Auf diesem Fachgebiet werden alle paar Monate einmal kurz Verhandlungen mit den Maßgebenden Fachleuten der dänischen Nationalbank abgehalten. Hier bringt der zuständige deutsche Beamte jeweils klar zum Ausdruck, daß die deutschen Forderungen so und so hoch sind, die Dänen erheben ihre Gegenargumente und zum Schluß werden die deutschen Forderungen – wenn auch unter Protest – angenommen.

Bovensiepen
SS-Standartenführer

70. Kriegstagebuch/WB Dänemark 8. Februar 1945

For at dæmme op for jernbanesabotagen befalede Lindemann øget bevogtning og patruljering. Målet var at troppetransporterne skulle forløbe uden forsinkelser. De lokale kommandanter blev gjort personligt ansvarlige, og dem, der ikke tog sig deraf, ville blive stillet til regnskab.

Kilde: KTB/WB Dänemark 8. februar 1945.

[...]

Eisenbahnsabotage noch immer hoch. "Ich befehle daher weitere Verstärkung der Wachen und Streifen unter Heranziehung aller Stäbe, Dienststellen und Einheiten aller Wehrmachtteile und unter Zurückstellung andere Aufgaben. Es muß erreicht werden, daß die Truppentransporte ohne Verzögerung abrollen. Ich mache die territorialen Befehlshaber persönlich dafür verantwortlich. Vorgesetzte, die sich nicht persönlich um die ihnen zugeteilten Abschnitte kümmern – vor allem nachts – sind zur Rechenschaft zu ziehen. Posten und Streifen sind in ihre Aufgabe ständig einzuweisen. Von der Waffen ist rücksichtslos Gebrauch zu machen.

gez. **Lindemann**
Generaloberst

[...]

71. Kriegstagebuch/Seekriegsleitung 8. Februar 1945

Seekriegsleitung fik oplyst, at det efter en samtale med statssekretær Stuckart ikke var ønskeligt at udskibe tyske flygtninge i København. De skulle i stedet til Sønderborg eller Flensburg. Der stod 60.000 senge klar i Danmark til at modtage tyske sårede. Damperen "Wartheland" var på vej med 2.500 sårede til København, mens det første flygtningeskib var på vej med 4.000 flygtninge til Flensborg.

Det synes på dette tidlige tidspunkt af flygtningeudskibningen, som om Bests ønske om ikke at udskibe flygtninge i København havde vundet gehør. Se Bests telegram 9. februar 1945.

Om København som udskibningshavn for flygtninge se OKW/WFSt til Lindemann u.a. 8. marts 1945.

Kilde: KTB/Skl 8. februar 1945, s. 69.

8.2.45
Betr. Ostraum:
[…]
c.) Zur Frage Unterbringung von Verwundeten und Flüchtlingen in Dänemark hat sich auch MVO beim Genstb. d.H. geäußert; Adm. Qu VI gibt abschließend folgende Unterrichtung:

"1.) Nach Rücksprache mit Staatsekretär Stuckardt ist Ausschiffung von Flüchtlingen Kopenhagen unerwünscht. Ersatz Sonderburg und Flensburg vorgesehen. Fassungsvermögen Nordschleswig 30.000 Flüchtlinge.

2.) Heeresarzt hat hierher mitgeteilt, daß 60.000 Betten für Verwundeten in Dänemark bereitgestellt werden.

3.) Als 1. Verwundetentransport einläuft Dampfer "Wartheland" etwa 9/1.[43] mit 2.500 Verwundeten Kopenhagen. Aufnahme ist sichergestellt. Als 1. Flüchtlingsschiff einläuft Flensburg Dampfer "Gotenland" mit 4.000 Flüchtlingen. Aufnahme sichergestellt."
[…]

72. Werner Best an das Auswärtige Amt 9. Februar 1945

Best havde modtaget førerordren om de tyske flygtninges anbringelse i Danmark og gjorde sin indstilling hertil klar i otte punkter. Flygtningene skulle holdes i lejre, og det skulle kun være i Jylland. Kun for det tyske mindretals vedkommende kunne der være tale om familieanbringelse. Værnemagten kunne tage sig af forplejningen og indtil videre finansiere flygtningenes dagpenge. Best ville alene tage sig af ledelsen af organiseringen; andre tyske instanser kunne kun være behjælpelige. Han sluttede af med at gøre opmærksom på, at de hjælpeløse tyske flygtninges tilstedeværelse var en svær belastning. De ville blive mødt med fjendtlighed af en befolkning, der havde fået sendt tusinder af medborgere som fanger til tyske koncentrationslejre. Det ville være umuligt at beskytte de sårede og flygtningene med de midler, der var til rådighed.

Best fandt støtte for sine synspunkter både hos Lindemann og i AA, men punkt for punkt gjorde den kaotiske og uoverskuelige situation efterhånden opretholdelsen af dem alle umulig. Se von Behrs optegnelse 12. februar 1945.

Det er det sidste længere telegram, der er bevaret fra den rigsbefuldmægtigede, skønt der må være blevet kommunikeret indgående om bl.a. flygtningespørgsmålet.

Best havde gennem sin nye stedfortræder Hans Bernard 8. februar officielt orienteret UM om ankomsten af tyske flygtninge. Nils Svenningsen havde påfølgende 10. februar sendt Best en protestnote, og 17. februar havde Walter og Ebner drøftet sagen med Nils Svenningsen, hvorpå Svenningsen 20. februar på ny sendte en note til Best. Hver gang blev det fra dansk side afvist at bidrage til underholdet af de tyske flygtninge i Danmark eller at medvirke ved indkvarteringen. Anbringelsen af flygtningene i Danmark var dels et folkeretsbrud, dels ville man have de internerede danske politifolk ført tilbage til Danmark (KB, Herschends dagbog nr. 365, 8. februar 1945, *Aktstykker vedrørende de tyske flygtninge i Danmark*, 1950, nr. 2-4, 7, 9, Hæstrup, 2, 1966-71, kap. 9, Lylloff 1999, s. 38).

Se Best til AA 27. februar 1945.

Kilde: BArch, R 2/11.598. RA, Danica 1069, sp. 1, nr. 458f. og RA, Danica 201, pk. 81, læg 1083.

---

43 Fejlskrivning for 9. februar.

Abschrift

Telegramm

Kopenhagen, den   9. Februar 1945

Nr. 145 vom 9.2.[45.]

Auf Telegramm vom 6. Nr. 155[44] berichte ich:
1.) Für die Unterbringung von Flüchtlingen in Dänemark habe [ich] im Einvernehmen mit Befehlshaber Dänemark alle Vorbereitungen getroffen.
2.) Die Flüchtlinge müssen in Dänemark grundsätzlich in großen geschlossenen Gruppen untergebracht werden. Eine Unterbringung in Hausgemeinschaften mit dänischer Bevölkerung ist unmöglich, weil sie wegen des Fehlens einer dänischen und wegen der Unzugänglichkeit der deutschen Exekutive nicht durchgesetzt werden kann und weil sie angesicht der feindseligen Haltung der dänischen Bevölkerung zu schwersten Komplikationen führen könnte. Deshalb werden Lager und Sammelunterkünfte benutzt oder neu geschaffen.
3.) Für die Unterbringung von Flüchtlingen kommt nur in Frage Jütland, da von den Inseln ein Abtransport im Falle Invasion nicht mehr möglich wäre. Erinnere in diesem Zusammenhang an die noch in Geltung befindlichen Evakuierungsbefehle vom September 1944 auf Grund deren ich z.B. die Familien meiner Behörden-Angehörigen vom den Inseln in das Reich oder nach Nordschleswig evakuieren mußte.
4.) Deutsche Volksgruppe in Nordschleswig ist in der Lage, etwa 10.000 Flüchtlinge in volksdeutschen Familien unterzubringen. Weitere Flüchtlingsmenge werde von Nordschleswig nach Norden fortschreitend in jütländischen Lagern und Sammelunterkünften untergebracht werden. Die Beschlagnahme der hierfür erforderlichen Gebäude erfolgt durch Wehrmachts-Intendant auf Grund meiner Verordnung über die Beschlagnahme von Grundstücken und Gebäuden für die deutsche Wehrmacht vom 23.5.1944.
5.) Die Verpflegung der in Lagern und Sammelunterkünften untergebrachten Flüchtlinge kann durch die Verpflegungsämter der Wehrmacht erfolgen. Da die Wehrmachtsverpflegung aus Clearingsmitteln bezahlt wird, entsteht hinsichtlich der Finanzierung insoweit kein Problem.
6.) Soweit die Geflüchteten mit Geldmitteln zur Selbstverpflegung und mit Taschengeld ausgestattet werden müssen, wird eine grundsätzliche neue Regelung erforderlich. Ich bitte daher dringend um sofortige Herbeiführung einer Entscheidung, ob die hierfür erforderlichen Mittel aus Wehrmachtsvorschüssen bezahlt werden sollen, oder ob ihre Bereitstellung aus Clearing-Mitteln beabsichtigt ist: im letzten Fall müßten unverzüglich Verhandlungen des deutschen Regierungsausschusses mit dänischem Regierungsausschuß aufgenommen werden.

Bis zur Entscheidung über diese Frage veranlasse ich vorschußweise Zahlung aus Besatzungsmitteln der Wehrmacht.

---

44 Telegrammet er ikke lokaliseret.

7.) Von hiesiger Landesgruppe der Auslandsorganisation der NSDAP ist mir mitgeteilt worden, das die Reichsleitung der NSV für die Unterbringung und Betreuung der Flüchtlinge in Dänemark Anordnungen erlassen habe, als ob es sich um einen deutschen Gau handele. Ich bitte, die Reichsleitung der NSV darauf hinzuweisen, daß Dänemark Ausland ist und daß hier allein der Reichsbevollmächtigte über Unterbringung und Verpflegung der Flüchtlinge zu verfügen hat. Selbstverständlich werde ich die hiesige AO der NSDAP für die Betreuung der Flüchtlinge weitgehend einsetzen.

8.) Abschließend mitteile ich, das die Unterbringung von Flüchtlingen in Dänemark dadurch schwieriger gestandet wird, daß gleichzeitig die Unterbringung von 20.000 Verwundeten in Dänemark angeordnet worden ist. Es wird versucht, beide Maßnahmen so aufeinander abzustimmen, daß möglichst geringe Schwierigkeiten eintreten. Ich halte es aber für meine Pflicht, darauf hinzuweisen, daß die Anwesenheit von 10.000den wehr- und hilfslosen deutschen Menschen in Dänemark eine starke Belastung und vielleicht sogar Behinderung der Verteidigung dieses Räumes darstellt. Insbesondere rechne ich damit, daß in gegebenen Augenblick der Feind und aufständische Illegale sich deutscher Geiseln bemächtigen werden, um die Herausgabe der tausende dänischer Häftlinge aus deutschen Gefangenen- und Konzentrationslagern zu erzwingen. Die Verwundeten und Flüchtlinge hiergegen zu schützen, ist mit den im dänischen Raum stehenden deutschen Kräften unmöglich. Eben deshalb beschränke ich die Unterbringung der Flüchtlinge auf Süd- und Mittel-Jütland, von wo gegebenenfalls im Fußmarsch Reichsgebiet erreicht werden kann.

Dr. Best

73. OKW/WFSt an das Auswärtige Amt 9. Februar 1945

Lindemann, Pancke og Best havde bedt om at måtte indføre dødsstraf for jernbanesabotage. OKW lod sin stillingtagen til anvendelse af dødsstraf gå videre til AA for på den måde at få en afgørelse, idet der blev henvist til Hitlers ordre af 1. juli 1944.

AAs svar er ikke lokaliseret. OKW/WFSts stillingtagen fremkom i en notits 20. marts 1945.
Kilde: BArch, Freiburg, RW 4/754. RA, Danica 1069, sp. 1, nr. 269f.

Geheime Kommandosache
WFSt/Qu 2 (II)   9.2.1945.
                                                                    1 Ausfertigung.
SSD-Fernschreiben
An
1.) Auswärtigen Amt z.Hd. Botschafter Ritter
nach:
2.) Reichsführer SS u. Chef d. Dt. Polizei
    – Reichssicherheitshauptamt –
3.) WB Dänemark
4.) WR

Mit Anschriftenübermittlung!
WB Dänemark hat im Einvernehmen mit Reichsbevollmächtigtem und Höh. SS- und Pol. Führer als wirksamste Maßnahme gegen Eisenbahnsabotage die Genehmigung erbeten, gegen verhaftete Saboteure die Todesstrafe verhängen und vollstrecken zu dürfen.

Hierzu wird bemerkt, daß der Führer im Anschluß an 7 Todesurteile des Höh. SS u. Polizei-Gerichts Kopenhagen, deren Vollstreckung einen Generalstreik in Kopenhagen ausgelöst hatte, am 1.7.44 befohlen hat, daß in Zusammenhang mit Streiks, Terror oder Sabotageakten keine kriegsgerichtlichen Urteile mehr ergehen sollen (Verhinderung der Schaffung von Märtyrern), daß vielmehr Saboteure usw., sofern sie nicht auf frischer Tat niedergekämpft werden, an den SD zu überstellen sind.

Es wird ferner darauf hingewiesen, daß, auch abgesehen von dieser Sonderregelung, für die Aburteilung von Zivilisten in Dänemark nicht die Gerichte des W.B. Dänemark, sondern die Höh. SS- u. Polizei-Gerichte zuständig sind, die nach Auffassung des OKW auch in Zukunft für die vom WB Dänemark erbetenen Maßnahmen in Frage kämen.

Um Herbeiführung einer Entscheidung wird gebeten.

I.A.
gez. [underskrift]

OKW/WFSt/Qu. 2 (II)
Nr. 001375/45 g.Kdos.

74. Kriegstagebuch/Admiral Skagerrak 9. Februar 1945

Wurmbach noterede en række forholdsregler i forbindelse med Hitlers ordre om, at tyske flygtninge skulle føres til både Tyskland og Danmark. Kriegsmarine skulle transportere flygtninge i det omfang, det ikke forhindrede troppetransporter, og de vestlige havne i Østersøen skulle benyttes til udskibning, og flygtningene viderebefordres med tog. Best skulle stå for organiseringen af flygtningearbejdet i samarbejde med de lokale danske myndigheder, og Lindemann havde meddelt, at indkvarteringen ville blive ordnet i samarbejde med Best. Der blev indrettet et stort antal sengepladser i København og på Als.

Kilde: KTB/ADM Dän 9. februar 1945, RA, Danica 628, sp. 3, s. 3864f.

[...]
Der Führer hat zur sofortigen Entlastung der Transportlage im Reich befohlen, daß aus dem Osten des Reiches zurückgeführte Volksgenossen außer im Reich auch in Dänemark unterzubringen sind.

Nach Dänemark sollen insbesondere diejenigen Volksgenossen evakuiert werden, die
1.) die Kriegsmarine ohne Beeinträchtigung der laufenden Truppen- und Versorgungstransporte über See transportieren kann,
2.) in den westlichen Häfen der Ostsee einschl. Stettin und Swinemünde angelandet sind und von hier mit der Bahn weiterbefördert werden müssen.

Der Reichsbevollmächtigte ist damit beauftragt, in Zusammenarbeit mit den örtlichen dänischen Dienststellen die zweckmäßige Unterbringung der rückgeführten Volksgenossen zu organisieren. Die Wehrmacht hat hierbei jede nur erdenkliche Unterstützung zu leisten.

Der Wehrm. Bef. Dänemark hat hierzu mitgeteilt, daß die Unterbringung der rückgeführten durch den Reichsbevollmächtigten in Zusammenarbeit mit Wehrm. Bef. Dänemark geregelt wird.

In Verfolg des Führerbefehls habe ich den Seekommandant Dänische Inseln angewiesen, in Kopenhagen bei Marinedienststellen etwa 600 Unterkunftplätze für einfache, vorübergehende Unterkunft für Flüchtlinge zunächst bereitzustellen.

Ferner wurde der Kommandeur der Sperrschule Sonderburg auf Wunsch des Wehrmachtsbefehlshabers Dänemark angewiesen, auf der Insel Alsen die Regelung der Flüchtlingsfrage in die Hand zu nehmen, wobei damit zu rechnen ist, daß etwa 4.000 Flüchtlinge auf Alsen unterzubringen sind.

Von Seekommandant Dänische Inseln wird außerdem geprüft, welche Unterbringungsmöglichkeiten außerhalb von Kopenhagen noch zu schaffen sind. Es wird mit der Möglichkeit gerechnet, hier noch weitere 500 Flüchtlinge, zumindest vorübergehend unterzubringen.

75. Kriegstagebuch/WB Dänemark 10. Februar 1945

Militærkommandanten for København havde i henhold til føreranvisning nr. 40 ansvaret for det samlede forsvar af København. Derfor var alle tyske instanser, også politiet, underlagt ham i forhold til den opgave.

Kilde: KTB/WB Dänemark 10. februar 1945.

[...]

Wehrmachtortskommandant Gross-Kopenhagen wird mit der Gesamtverteidigung Kopenhagens an Land beauftragt. Im Rahmen dieser Aufgabe hat er entsprechend der Führerweisung 40. Abschnitt III. Ziffer 4.) die unmittelbare Befehlsbefugnis gegenüber den in Kopenhagen liegenden Wehrmachtteilen, der Polizei, Verbänden und Gliederungen außerhalb der Wehrmacht und den eingesetzten deutschen zivilen Dienststellen in allen die Vorbereitung und Durchführung der taktischen Verteidigung betreffenden Fragen.
[...]

76. OKH: Militärpolitische Lage im skandinavischen Raum 10. Februar 1945

I OKH gav man den udeblevne angloamerikanske invasion i Danmark skylden for radikaliseringen af modstandsbevægelsen, der skulle være mere modtagelig for den kommunistiske propaganda end nogensinde. Der blev henvist til det tidligere så fredelige København, hvor der nu var begået 37 mord i løbet af den sidste uge. Generelt fandt OKH, at Sovjetunionen fik en stigende overvægt af indflydelse i det skandinaviske område, og at der ikke var tegn på fra vestlig side at gøre noget for at ændre det.

Det skal bemærkes, at OKH havde sine oplysninger om jernbanesabotagen i Danmark fra svensk presse og på grundlag heraf havde fået lavet et Danmarkskort med markering af sabotagerne! Muligvis er det udtryk for et manglende samarbejde med det tyske politi i Danmark eller også blev sådanne oversigter ikke udarbejdet. De optræder ikke i forbindelse med Bovensiepens månedsindberetninger.

Kilde: RA, Danica 1069, sp. 2, nr. 1988-91.

Oberkommando des Heeres 10. Februar 1945
Generalstab des Heeres
Abt. Fremde Heere Ost (IV)

Vortragsnotiz
Betr.: Militärpolitische Lage im skandinavischen Raum

1.) Verlautbarungen der schwedischen Führung.
In einer am 6.2.1945 in Lund gehaltenen Rede erklärte Außenminister Günther u.a., daß die Sowjets offenbar keine Absicht hätten, in Norwegen weiter vorzurücken. Anderseits sprach er die Vermutung aus, daß die deutschen Truppen nach und nach den Norden verlassen würden. Die damit zusammenhängenden Probleme müßten schwedischerseits genau überdacht werden, doch veranlaßte die militärische Lage im Augenblick keine besonderen schwedischen Vorkehrungen, die über das normale Maß hinausgingen.

Generalmajor Graf Ehrenvärd, der schwedische Generalstabschef, zog nach verschiedenen Mittlungen in der geheimen Pressekonferenz am 17.1.1945 einen Vergleich zwischen der deutschen und russischen Führungen einerseits, sowie den angloamerikanischen Leistungen auf militärischem Gebiet anderseits, ein Vergleich der durchaus zu Ungunsten der Angelsachsen ausfiel. Er hielt angeblich eine Stabilisierung der Front sowohl im Westen wie im Osten für möglich und befürchtete, daß danach der Norden, vor allem Dänemark, wieder in die Kriegsanstrengungen der Alliierten miteinbezogen würde.

Das dem Ministerpräsidenten nahestehende sozialdemokratische Parteiorganisation Morgon Tidningen brachte in einem Leiterartikel am 27.1.1945 seine Enttäuschung darüber offen zum Ausdruck, daß infolge der Zersplitterung der angloamerikanischen Kräfte durch den Krieg in Ostasien die Westmächte in Europa im letzten Akt des Krieges nur eine zweite Rolle spielen könnten. Ein Bruchteil der Tonnage im Stillen Ozean hätte das befreite Frankreich vor dem Hunger und die USA vor einem bedeutenden Prestigeverlust in Europa bewahren können.

2.) Verhältnis Schweden – Dänemark – Norwegen.
Nach den wiederholten Ministerbesuchen der norwegischen Exilregierung erschien jetzt auch der Führer des "Freien Dänemark", der ehemalige Minister Christmas Möller, zu Besprechungen in Stockholm. Über seine dortige Tätigkeit ist noch nichts bekannt geworden. Es hat jedoch den Anschein, daß der Wunsch nach engerem Zusammenschluß mit Schweden auf Grund der inneren und äußeren Lage Dänemarks vorherrschend ist. Außerdem dürfte er persönliche Einflußnahme auf die dänische Widerstandsbewegung ("Den Danske Brigade" u. dänische Polizeitruppe) suchen.

Der Versuch, die deutschen Truppen in Norwegen zu fesseln, hat sowohl in Norwegen wie in Dänemark zu laufenden Sabotage-Akten, insbesonders an sämtlichen Verkehrsmitteln, geführt (siehe Anl. 1 und 2).[45] Zugleich hat aber die Enttäuschung über

---

45 Bilag 1 er et Norgeskort (ikke medtaget), mens bilag 2 er et kort over udbredelsen af jernbanesabotagen i Danmark oktober/november 1944 på grundlag af oplysninger fra den svenske presse (!).

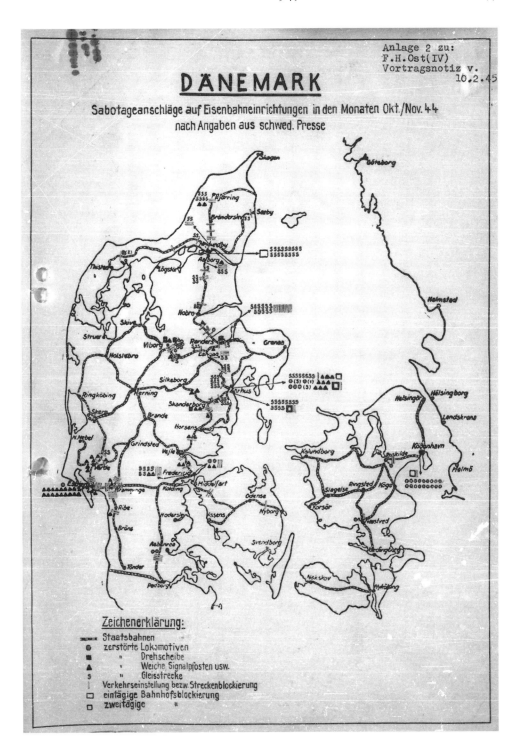

das Ausbleiben einer angloamerikanischen Invasion im nordischen Raum der bolschewistischen Propaganda in diesen Ländern Tor und Tür geöffnet und zu einer Radikalisierung der Widerstandsbewegungen geführt, die sich in einer Reihe von Gewalttaten und Morden Luft macht. So wurden in dem ehemals so friedlichen Kopenhagen, in dem noch keinerlei Not gelitten wird, allein in der letzten Woche 37 Morde begangen, darunter 9, die nicht rein politischer Natur waren.

Zwischen der norwegischen und schwedischen Regierung soll es neben wirtschaftlichen Abkommen bereits zu einer weitgehenden Verständigung bezüglich der Begegnung der für beide Staaten bestehenden bolschewistischen Gefahr gekommen sein. (Überwältigung Finnlands durch die SU, Eindringen der russischen Truppen in Lappland, zunehmende Verarmung und damit wachsende Empfänglichkeit der Bevölkerung für den Bolschewismus, insbesondere in Norwegen).

3.) Wirtschaft.
Die Abschnürung vom Weltmarkt macht sich nach Aufhören des wirtschaftlichen Austausches mit Deutschland auf manchen Gebieten für Schweden unangenehm bemerkbar. Hierzu gehören u.a.: mangelhafte Brennstoffversorgung (Einschränkung der Küstenschiffahrt, damit Verschlechterung der Fischversorgung, Koksmangel in der Stahlindustrie, drohende Gasrationierung usw.), Salzmangel (Verknappung der Bleichmittel), Gummimangel, Mangel an verschiedenen NE-Metallen.

Die Arbeitseinschränkungen in den Erzgruben, der Zellulose- und Textilindustrie konnten bisher durch andere Wirtschaftszweige ausgeglichen, die unter Führung der kommunistisch beeinflußten Gewerkschaften auf der ganzen Linie aufflammenden Lohnkämpfe, mehr oder weniger neutralisiert werden; letztere sind jedoch noch keineswegs zu Ende und machen für die Zukunft große Sorgen.

Das Fehlen jeden Absatzes nach Deutschland und den westlichen Ländern bewirkt eine einseitige Verlagerung der Handelstätigkeit nach dem Osten. D.h. nach Finnland und Rußland, wobei jedoch der Gewinn bisher außerordentlich gering, das Risiko umso größer sein dürfte.

4.) Militärische Übungen.
Die Winterübungen, die am 3.2.1945 begonnen haben und mehrere Wochen dauern, sollen in erster Linie der Ausbildung der Rekruten dienen; auch Heimwehr ist beteiligt. Die Behauptung General Kellgrens, des militärischen Vertreters im Wehrministerium, gegenüber dem deutschen Militärattaché, daß keine mobilen Verbände an den Übungen teilnehmen würden, steht jedoch im Widerspruch zu den Angaben eines seit Jahren erprobten und bewährten V-Mannes, der Zusammenziehungen von 3-4 Divisionen in Dalarne meldet.

Die Winterübungen spielen sich zum Teil im norwegischen Grenzgebiet, jedoch nicht in einem Schwerpunktbereich des schwedischen Aufmarschgebietes ab. Im übrigen liegen Einzelheiten über Aufmarsch und Verteilung der mobilen Verbände des schwedischen Heeres zur Zeit wegen mangelnder Beobachtungsmöglichkeiten nicht vor.

5.) Zusammenfassung.
Bezeichnend für die militärpolitische Lage im skandinavischen Raum ist einerseits die Enttäuschung über die inaktive Haltung und den Prestigeverlust der Angloamerikaner, die auch in der schwedischen Presse offen zum Ausdruck kommt, anderseits das ohnmächtige Gefühl gegenüber der auf allen Gebieten wachsenden Macht der SU sowie die Unsicherheit bezüglich der weiteren sowjetischen Pläne.

Unter diesen Verhältnissen versuchen sich Schweden, Norwegen und Dänemark aneinander zu schließen, um eine möglichst selbständige Haltung zwischen Ost und West zu gewinnen. Langsam beginnt das Bewußtsein zu wachsen, daß eine Niederlage Deutschlands für die selbständige Politik der skandinavischen Staaten eine große Gefährdung bedeuten würde, ohne daß diese Erkenntnis im augenblicklichen Zeitpunkt noch zu praktischen Konsequenzen führen könnte. Immerhin ist anzunehmen, daß die schwedische Regierung so lange wie möglich die diplomatischen Beziehungen mit Deutschland aufrecht erhalten wird.

Anderseits muß darauf hingewiesen werden, daß der fehlende Rückhalt der skandinavischen Staaten an England und der USA das wachsende Übergewicht der SU verstärkt und daß dieses nach Lage der Dinge nur durch ein rechtzeitiges militärisches Eingreifen der Westmächte im skandinavischen bzw. im norddeutschen Raum auszugleichen wäre. Konkrete Anzeichen für derartiger Pläne konnten jedoch bisher weder in Schweden noch in Dänemark und Norwegen festgestellt werden.

77. Kriegstagebuch/Seekriegsleitung 10. Februar 1944
Tyske flygtninge blev fragtet bl.a. på lazaretskibe, hvilket stred mod Røde Kors-konventionen. Det faldt særligt i øjnene ved udskibning af flygtninge i Danmark. Derfor skulle lazaretskibe med flygtninge kun udskibe dem i tyske havne.
Kilde: KTB/Skl 10. februar 1944, s. 89.

10.2.45
Lagebesprechung bei Chef Skl 10.30
[…]
b.) Beförderung von Flüchtlingen auf Lazarettschiffen verstößt gegen Rot-Kreuz-Konvention; besonders augenfällig wird dies bei Ausladen der Flüchtlinge in Dänemark.

Wenn auch Rußland die Genfer Konvention nicht anerkennt, so könnte doch England Schwierigkeiten machen bzw. die Angelegenheit gegen uns ausnutzen.

Da Adm. Qu VI einverstanden ist, daß Flüchtlinge auf Lazarettschiffen nur in deutsche Häfen befördert werden, soll entsprechend Beschränkung angeordnet, Ob.d.M. und OKW benachrichtigt werden.

[…]

78. Georg Lindemann an Alfred Jodl 11. Februar 1945

Lindemann anmodede om straks at få general Friderici afløst, da hans opgave var løst og en slutberetning affattet. Friderici var en belastning for Lindemann i forhold til staben og indskrænkede hans autoritet. Endvidere bad han om, at der blev rettet henvendelse til Himmler om at få to politibataljoner til vagtopgaver i Danmark for at forebygge sabotage.

Lindemann fik svar 12. og 14. februar (førstnævnte svar er ikke lokaliseret). General Erich Fridericis opgave i Norge og Danmark var at rapportere til OKH om forholdene hos værnemagten i de to lande. Se for Danmarks vedkommende beretningen trykt nedenfor 15. februar.

Kilde: BArch, Freiburg, RW 4/754. RA, Danica 1069, sp. 1, nr. 403f.

Fernschreiben 274 11.2. 11.15   Geheim
+ HXSI/FF

An Gen. Oberst Jodl
Wehrmachtsführungsstab OKW

Mit Rücksicht auf die schlechte Verständigung am Fernsprecher wiederhole ich nochmals meine gestern Abend vorgebrachten Wünsche Fernschriftlich.
1.) Sonderstab Friderici.
Der Auftrag ist erledigt und Schlußbericht erstattet. Will noch bis 15.3. hierbleiben, da vorher Anwesenheit in Norwegen nicht genehm. Da General Friderici gerichtsherrliche Befugnisse in meinem Befehlsbereich sogar über Angehörige meines Stabes in Anspruch nimmt, bedeutet er eine untragbare Belastung für mich und eine Beschränkung meiner Autorität. Ich bitte daher, seine sofortige Ablösung zu erwirken.
2.) Infolge der sich mehrenden Sabotagefälle gegen für Deutschland arbeitende Industrie-Unternehmen in Dänemark habe ich vor allen Dingen in Kopenhagen Wachen in Industrieanlagen erheblich verstärken müssen, eine Aufgabe, die eigentlich der Sicherheitspolizei zufällt, die hierzu aber zu schwach ist. Da diese starke Wachgestellung in sehr erheblichem Maße Verteidigungsmöglichkeit und Ausbildung beeinträchtigt, bitte ich, bei Reichsfhr. SS die Zuführung von 2 Polizeibatl. erwirken zu wollen.

W. Befh. Dänemark
gez. **Lindemann**
Gen. Oberst
BR B Nr. 8/45 geh.

79. Kriegstagebuch/Admiral Skagerrak 11. Februar 1945

Fra OKM havde Wurmbach modtaget Hitlers ordre vedrørende indkvarteringen af flygtningene. Værnemagtens kaserner og køkkeninstallationer skulle i videst muligt omfang stilles til rådighed for flygtningene, og en tilsvarende ordre gik til søkommandanterne, hvorved sommerhuse, der havde været benyttet af batteribesætninger, skulle overlades flygtningene. MOK Ost havde befalet, at der skulle opstilles modtagelseskommandoer for flygtninge i en række danske byer.

Kilde: KTB/ADM Dän 11. februar 1945, RA, Danica 628, sp. 3, s. 3867.

Allgemeines:
[…]
II.) Vom OKM wird der Befehl des Führers übermittelt, daß für die Flüchtlingsunterbringung die Einrichtungen der Wehrmacht, insbesondere Kasernen- und Küchenanlagen, in weitgehendstem Maße mit herangezogen werden. Dabei sind, soweit es sich ermöglichen läßt, auch Unterkunftsmöglichkeiten der Wehrmacht für längere Zeit gegebenenfalls zur Verfügung zu stellen. Entsprechende Weisungen gehen an die Seekommandanten, wobei vor allen Dingen zu prüfen sein wird, ob eine Anzahl von Wochenendhäusern, die bei der Errichtung von Batterien für die erste Unterbringung der Batteriebesatzungen gedient haben, nunmehr für Aufnahme von Flüchtlingen verfügbar gemacht werden kann.

Auf Grund einer Verfügung MOK Ost sind inzwischen Auffangskommandos für Marineangehörige, die mit Flüchtlingsschiffen nach Dänemark kommen sollten, in Kopenhagen und Aarhus sowie Apenrade, Kolding, Vejle und Horsens eingerichtet worden. Entsprechend ist an weitere infragekommende Hafenkommandanten Anweisung über Kontrollen dort ankommender Marineangehöriger ergangen.
[…]

80. Kriegstagebuch/Seekriegsleitung 12. Februar 1945

Seekriegsleitung og MOK Ost havde overvejet, hvad Sveriges krigsindtræden på fjendens side ville betyde. Det havde ført til opstilling af en række spørgsmål og forslag til forstærkning af kystforsvaret en lang række steder og forøgelse af blokeringsforanstaltningerne. Der skulle især ske en udbygning af Bornholms forsvar. Ved Øresundskysten blev det ikke betragtet som formålstjenligt at opstille faste kystbatterier. I stedet skulle anvendes bevægelige batterier (Andersen 2007, s. 246f.).

Kilde: KTB/Skl 12. februar 1945, s. 118f.

[…]
Neuaufstellungen des BdE bezieht.
Während das Heer demnach seine Ausbildung fortsetzt, kann auf die unausgebildeten und dazu noch mangelhaft bewaffneten Marineeinheiten ohne Einschränkung zurückgegriffen werden.
f.) Für den Fall eines Kriegseintritts Schwedens auf der Seite unserer Gegner sind bei Skl und MOK Ost Vorüberlegungen angestellt worden, aus denen folgende grundsätzliche Fragen herauszuheben sind:
1.) Von vornherein ist es erforderlich gewesen, die zu treffenden Vorbereitungen einerseits auf Grund der Forderung unbedingter Geheimhaltung der Tatsache, daß gegen Schweden gerichtete Maßnahmen getroffen werden, andererseits infolge der geringen Zahl der z.Zt. verfügbaren materiellen Mittel und Kräfte stark einzuschränken. Insbesondere lassen sich die Voraussetzungen für einen Einsatz der Seestreitkräfte im voraus nicht übersehen da sie von der jeweiligen Gesamtlage abhängig gemacht werden müssen.
2.) Gedankliche Vorarbeiten für ggf. kurzfristig zu treffende Maßnahmen werden im Sinne der gestellten Forderungen getroffen. Sie sind im Wesentlichen abgeschlossen.

Besonders wird auf die günstigen Bedingungen hingewiesen, die sich für den Einsatz von Kleinkampfmitteln von der ostjütischen Küste und den dänischen Inseln aus ergeben. den Kleinkampfmitteln wird bei der notwendigen Ausschaltung bzw. Blockierung der schwedischen Seestreitkräfte an der westschwedischen Küste besondere Bedeutung zukommen.

Wie weit innen gleiche Aufgaben in der Ostsee gestellt werden können, wird noch überprüft.

3.) Über die gedanklichen Vorarbeiten hinausgehend ist es möglich gewesen, einige langfristige Vorbereitungen schon jetzt zu treffen, die nicht nur für einen etwaigen Kriegseintritt Schwedens, sondern in gleicher Weise für andere operative Belange des Ostseeraumes Bedeutung besitzen und daher vordringlich durchgeführt werden müssen.

Es sind dies im Einzelnen:

a.) Ausbau der Küstenverteidigung, insbesondere im dänischen Raum, sowie der Inseln Läsö und Bornholm.

b.) Verstärkung der Sperrmaßnahmen im Skagerrak.

Zu a.): Die artilleristische Verteidigung der ostjütischen Küste und der Nordausgänge der Belte und des Sundes ist in der Planung auf Grund der zugewiesenen Mittel abgeschlossen, der Aufbau der leichten und mittleren Batterien ist zum großen Teil beendet. Stand des Ausbaues im Einzelnen wird als bekannt vorausgesetzt. Der Einbau fester Batterien an der Küste des Sundes ist wegen der Nähe der gegenüberliegenden Schwedenküste nicht zweckmäßig. Es wird daher erforderlich sein, die Verteidigung an dieser Stelle bei gegebener Lage durch Zuführung beweglicher Batterien des Heeres und der Luftwaffe kurzfristig aufzubauen. Neben einem Ausbau der Insel Läsö ist ein Ausbau der Verteidigung der Insel Bornholm neuerdings der Weisung des OKW/WFSt entsprechend beabsichtigt. Einzelheiten hierzu werden gesondert gemeldet. Ausbau der Insel Anholt kann mangels verfügbarer Mittel vorläufig nicht erfolgen.

[…]

81. Paul von Behr: Aufzeichnung 12. Februar 1945

Bests indstilling til overførslen af et stort antal tyske flygtninge til Danmark, og hvilke foranstaltninger det ville kræve, blev drøftet i AA med repræsentanter for andre ministerier og instanser. Der var enighed om, at Best skulle stå for organiseringen og oprette et særligt organ til opgaven. Man var også enige om, at flygtningene skulle placers i Midt- og Sydjylland, ligesom danskerne skulle have opgavens fulde omfang oplyst: Ankomsten af anslået 150.000 flygtninge. Finansieringen ville man skaffe via clearingkontoen og ikke ved optagelse af en kredit hos danskerne, som foreslået af Best. Flygtningene skulle fratages deres tyske valuta ved ankomsten for at undgå, at de vekslede den til danske penge.

Der blev holdt et nyt møde den følgende dag i AA, hvorfra et referat ikke er kendt, men en notits fra OKW samme dag angiver delvis drøftelsens resultat (trykt nedenfor), men hertil skal føjes Feldwirtschaftsamt til OKW/WFSt 21. februar (trykt nedenfor). Med hensyn til inddragelsen af de tyske flygtninges penge, se Walter Haensch til Best 3. marts 1945.

Kilde: BArch, Freiburg, RW 4/754. RA, Danica 1069, sp. 1, nr. 454-456 (svært læselig).

Reg. Rat Baron von Behr   Ha Pol 481/45 g

Aufzeichnung
über eine Besprechung im Auswärtigen Amt am 12.2.1945
über die Durchführung des Führerbefehl betreffend Evakuierung von
reichsdeutschen Rückgeführten nach Dänemark.

Anwesende:
VLR Ripken
Leg. Rat Baron v. Behr   } Auswärtiges Amt
Leg. Rat Gerben
Oberstleutn. Radtke   OKW, Feldwirtschaftsamt
Min. Dirig. Schultze-Schlutius, RWM
Amtsrat Fause [?]   RWM
Min. Dir. Walter,   REM
Ob. Reg. Rat Briesewitz,   REM
Min. Dirig. Litter,   RFM
Ob. Reg. Rat Fischer,   R. Inn. Minist.

VLR Ripken verliest den Bericht des Reichsbevollmächtigten in Dänemark von 9. Februar[46] über die von ihm bereits getroffenen bezw. vorbereitenden Maßnahmen für die Unterbringung der Flüchtlinge in Dänemark. Ob. Reg. Rat Fischer berichtet, daß St.S. Stuckert sich fernmündlich mit dem Reichsbevollmächtigten in Dänemark in Verbindung gesetzt hat; gedacht sei, die Flüchtlinge vorwiegend in Nord-Schleswig unterzubringen, wohin Vertreter der NSV zur Vorbereitung aller erforderlichen Maßnahmen entsandt wurden.

VLR Ripken betonte, das die ganze Aktion einer einheitlichen Führung unterstellt werden müsse und diese Führung – soweit Maßnahmen in Dänemark zu treffen sind – beim Auswärtigen Amt liegen müsse, das im Einvernehmen mit den beteiligten Ressorts, der AO und der NSV, die erforderlichen Weisungen dem Reichsbevollmächtigten in Dänemark erteilen wird. Hiermit erklärten sich die anwesenden Ressortvertreter einverstanden, ebenso auch damit, daß eine zentrale Betreuungsstelle bei den Reichsbevollmächtigten in Kopenhagen geschaffen werde, in der das REM durch den bereits in Kopenhagen befindlichen Dr. Hemmersam, das RWM durch Reg. Rat Meulemann das RFM durch Ob. Reg. Rat Korff, ferner durch einen noch zu bestimmenden Abgesandten des Reichsinnenministeriums sowie voraussichtlich auch die NSV vertreten sein werden. Diese Zentralstelle soll durch Abgesandten in den Aufnahmegebieten, als welche Mittel- und Südjütland (Nordschleswig) in Frage kommen, die Auffang-Organisationen so schnell wie möglich ins Leben rufen.

Es herrschte Übereinstimmung, daß den Dänen möglichst bald der voraussichtliche Umfang der Aktion mitgeteilt werden muß; hierbei wird von einer Schätzung der Flüchtlingszahl bis zu 150.000 auszugehen sein. Die Bezahlung der Unterhaltskosten,

46 Trykt ovenfor.

die bei einer angenommenen Flüchtlingszahl von 150.000 und einem durchschnittlichen Verpflegungssatz von täglich 10 d.Kr. rund 45 Mill. d.Kr. monatlich ausmachen würden, soll über Clearing erfolgen. Der Vorschlag des RBM, einen Kredit bei den Dänen aufzunehmen, wurde nach eingehender Erörterung abgelehnt und zwar, weil die Dänen aller Voraussicht nach nicht geneigt wären, einen solchen Kredit zur Verfügung zu stellen und die schnell mit den Dänen zum Abschluß zu bringen Verhandlungen durch die Kreditfrage außerordentlich erschwert würden.

Um zu verhindern, daß die Flüchtlinge ihre nach Dänemark mitgenommenen Reichsmarkbeträge zu Schlenderkursen in dänische Kronen umwechseln, ebenso aber auch, um nicht zuzulassen, daß die Flüchtlinge Lebensmittel und Waren in Dänemark aufkaufen, wurde in Aussicht genommen, daß Maßnahmen zu treffen sind, um den Flüchtlingen diese Reichsmarkbeträge sogleich bei Betreten dänischen Bodens abzunehmen und sie daran die Zentralstelle nach dem Reich zurückzusenden.

An den Verhandlungen mit den Dänen und zur Besprechung aller sich noch ergebenden Fragen wird Min. Dir. Walter sich baldmöglichst nach Kopenhagen begeben. Ob. Reg. Rat Fischer sagte zu, baldmöglichst genauere Angaben über die voraussichtliche Zahl der zu evakuierenden Rückgeführten zu machen.

Eine weitere Besprechung wurde für Diensttag, den 13. d.M. 11 Uhr 30, bei VLR Ripken anberaumt.

Berlin, den 12. Februar 1945

gez. **von Behr**

82. Fritz Litter: Vermerk 12. Februar 1945

RFMs repræsentant ved mødet i AA, dr. Litter, udarbejdede sit eget notat om drøftelserne. Der blev ikke alene drøftet flygtningespørgsmålet og finansieringen af underholdet af flygtningene i Danmark, men også Danmarks kulforsyning, hvor OKW indtrængende havde bedt om, at der blev stillet 10.000 tons kul fra Danmark til rådighed for Kriegsmarine. Endvidere blev den svensk-danske samhandel berørt. Walter erklærede, at det fra tysk side havde været umuligt at få aftaler i stand med Sverige. Nu skulle Best have lov til at forsøge at få aftaler i stand for at afbøde vareknapheden i Danmark. Ligesom Best gik Ripken og Walter ind for, at de internerede danske politifolk blev sat fri. Ripken betonede dog, at Ribbentrop havde det sidste ord i sagen.

Kilde: BArch, R 2/11.598. RA, Danica 201, pk. 81, læg 1083.

Min. Dirig. Dr. Litter   *Berlin, 12. Februar 1945*
5104 – 113

Besprechung
im Auswärtige Amt (VLR Ripken) am 12.2.45
über die Weisung des Führers über die Flüchtlinge aus dem Osten,
insbesondere aus Ost- und Westpreussen in Dänemark unterzubringen

I. Vermerk:
1.) Das anliegende Telegramm des Reichsbevollmächtigten Dr. Best vom 9. d.M. wurde

bekanntgegeben.[47]

Nach einer Mitteilung Min. Rats Fischer vom RIM soll Dr. Best glauben, nicht mehr als 30.000 Köpfe unterzubringen, dagegen besteht durchaus die Möglichkeit, 150.000 Köpfe in Dänemark unterbringen zu müssen. Die Zahl soll bis zu einer morgen stattfindende Besprechung möglichst genauer festgestellt werden.

MinDir Walter begibt sich am 14. d.M., falls Flugzeug verfügbar, nach Kopenhagen zur Erörterung der Angelegenheit mit den Dänen. Er weist auf die entstehende neue hohe finanzielle Inanspruchnahme Dänemarks hin (bei 10 Kr. täglicher Kosten auf 150.000 Köpfen monatl. 45 Mio. Dänenkronen). Ripken und Walter, ebenso wie Schulze-Schultius gehen davon aus, daß diese Kosten den Dänen im Clearingwege erstattet werden.

Ich habe angeregt, entsprechend der für die Aufnahme von Flüchtlingen in Deutschland getroffenen Regelung, die Dänen zur Bewilligung eines Kredits zu veranlassen. Dies wird als den Dänen nicht zuzumuten allseitig abgelehnt. Walter weist besonders darauf hin, daß die Verpflegung, die Flüchtlinge verzehren, selbstverständlich von den deutschen Kontingenten abgehen würden, daß also ein Unterschied gegen jetzt lediglich darin bestehe, daß ein Teil dessen, was von Dänemark geliefert und über Clearing bezahlt würde, nicht in Deutschland, sondern in Dänemark verzehrt würde. Im Hinblick auf die Haltung der übrigen Ressortvertreter habe ich auf meiner Anregung nicht insistiert.

Gedacht ist, in Kopenhagen eine Zentralstelle für die Flüchtlinge unter dem Reichsbevollmächtigten zu errichten. Die Aufnahmestellen für die Flüchtlinge müßten dieser Zentralstelle unterstehen. Eine davon unabhängige Betreuung, wie sie nach Äußerung Fischers durch die Entsendung von Vertretern der NSV gedacht war, soll nicht in Betracht kommen.

Die Zentralstelle hätte jeweils für den kommenden Monat den Kronenbedarf festzustellen, ihn in einer Summe dem Reichsinnenministerium zwecks Einzahlung in das Clearing mitzuteilen und danach den Kronengegenwert in Empfang zu nehmen. Die Zentralstelle soll fortlaufend die Verwendung der Mittel kontrollieren. Zuwendung von Mitteln an die einzelnen Flüchtlingslager zwecks selbständigen Ankaufs von Lebensmitteln usw. soll zur Vermeidung von Preissteigerungen tunlichst unterbunden werden.

Die Zentralstellen soll mit den in Kopenhagen befindlichen Ressortvertretern besetzt werden. Ich habe dafür Korff benannt. Auch nach Walter's Meinung wird sich empfehlen, ihm einen mittleren Beamten zur Durchführung der laufenden Kontrolle beizugeben.

2.) Ripken teilte mit, daß das OKW dringendst gebeten habe, 10.000 t Kohle für die Marine in Dänemark zur Verfügung zu stellen.[48] Nach Walter bedeutet dies eine Verminderung der den Dänen für März noch zur Verfügung stehenden 70.000 t bei einem – eingeschränkten – Monatsbedarf von 125.000 t.

3.) Den Dänen ist bisher nicht gestattet worden, in Wirtschaftsverhandlungen mit Schwe-

---

47 Telegram nr. 145, 9. februar 1945 er trykt ovenfor.
48 Se KTB/Skl 3. marts 1945.

den einzutreten. Der Grund war die Ausübung eines Druckes auf Schweden, um dieses zur Fortsetzung der Wirtschaftsbeziehungen zu uns zu veranlassen.[49]

Nach Walter ist ausgeschlossen, mit Schweden zu Verhandlungen zu kommen. Der Warenmangel in Dänemark ist groß. Von einer Einfuhr schwedischer Waren würden auch wir, mindestens mittelbar, Vorteil haben. Er – Walter – möchte daher dem Reichsbevollmächtigten an die Hand geben, jetzt den Dänen das Zugeständnis der Aufnahme von Verhandlungen mit Schweden zu machen. Er glaubt, daß Norwegen daraus kein berechtigtes Präjudiz ableiten könne.

4.) Ripken und Walter sind auch dafür, die internierten dänischen Polizisten jetzt freizugeben. Ripken behält aber insofern, wie auch über die Verhandlungen Dänemark/Schweden, das letzte Wort dem Außenminister vor.

Fortsetzung der Besprechung am 13. d.M.

x x

83. OKW: Unterbringung von aus dem Osten des Reiches rückgeführten Volksgenossen in Dänemark 13. Februar 1945

Der ville komme 150.000 tyske flygtninge til Danmark; Best havde modtaget brev derom. AA skulle have at vide, hvor mange flygtninge Kriegsmarine allerede havde transporteret til Danmark, og marinen skulle have besked om at undgå at anløbe de danske øer med flygtningene.

Kilde: BArch, Freiburg, RW 4/754. RA, Danica 1069, sp. 1, nr. 452-453.

W 3. Abteilung   13.2.1945
Eilt!

A u f z e i c h n u n g

Bezug: Aufzeichnung W 3. Abteilung vom 12.2.1945.
Betr.: Dänemark.
       Unterbringung von aus dem Osten des Reiches rückgeführten Volksgenossen in Dänemark.

Im Anschluß an die gestrige Aufzeichnung werden in der Anlage beigefügt:
1.) Abschrift des Telegramms des Reichsbevollmächtigten Dr. Best aus Kopenhagen Nr. 145 vom 9.2.1945.[50]
2.) Abdruck der Aufzeichnung HA Pol VI vom 12.2.1945 über die gestrige Sitzung.[51]

Heutige nochmalige Sitzung hat folgendes ergeben:
1.) Es wird sich tatsächlich um 150.000 unterzubringende Personen handeln (nach An-

---

49 Det var i januar 1945 blevet forbudt Danmark at indgå handelsaftaler med Sverige. Det var et tysk forsøg på at presse Sverige vedrørende den svensk-tyske samhandel. (*Information* 20. januar 1945, Jensen 1971, s. 246, Müller 1999, s. 511).
50 Trykt ovenfor.
51 Trykt ovenfor.

sicht der Sachverständigen eine außerordentlich große Zahl für das Aufnahmevolumen Dänemarks).
2.) Staatssekretär Stuckart/Reichsinnministerium hat an den Reichsbevollmächtigten Dr. Best einen Brief gerichtet, in dem er diesem mitteilt, daß es sich um die Überführung von 150.000 Personen handele.
3.) Die NSV wird auf zu erfolgende Anordnung der Parteikanzlei die Betreuung der Flüchtlinge in den Auffanglägern übernehmen.
4.) Der Vorsitzende des deutschen Regierungsausschusses für die Wirtschaftsverhandlungen mit Dänemark, Ministerialdirektor Walter, fliegt morgen 14. d.Mts., nach Kopenhagen, um mit der dänischen Regierung die finanzielle Seite der Angelegenheit zu regeln.
5.) Vorgesehen als Auslädehafen sind Flensburg (deutsch) und Sonderburg (dänisch).
6.) Das Auswärtige Amt benötigt von Fwi Amt folgende Angaben beschleunigt:
   a.) Wieviel Flüchtlinge transportiert die Marine z.Zt. schon in den dänischen Raum? oder
   b.) Wann läuft die Aktion Seitens der Marine an?
   c.) Die Marine wäre zu unterrichten, das möglichst die dänischen Inseln (Seeland usw.) nicht angelaufen werden.
   [underskrift]

84. Joseph Goebbels: Tagebuch 13. Februar 1945

Bouhler var vendt hjem fra sin inspektionsrejse til Danmark og havde givet Goebbels sin slutrapport. Lindemann førte et strengt og hårdt regime i Danmark, og det kunne nok betros ham hurtigt at få afskaffet korruptionen og de fredelige tilstande. Bouhler havde gjort ret i at overlade Lindemann det videre arbejde med at ændre forholdene.

Det var på baggrund af Bouhlers inspektion, at Lindemann efterfølgende rettede henvendelser til andre værnemagtsdele for at få dem til at foretage udskiftninger i deres personale (se henvisningerne i indledningen til inspektionsrapporten 4. februar 1945).

Kilde: *Die Tagebücher von Joseph Goebbels*, Teil II:15, s. 375.

[…]

Bouhler kommt von Dänemark zurück. Er hat dort seine Inspektion zu Ende geführt u[nd] erstattet mir Abschlußbericht. Im großen und ganzen kann man jetzt die Verhältnisse in Dänemark als dem totalen Kriegseinsatz entsprechend ansehen; wenigstens sind dazu die nötigen Ansätze und Voraussetzungen geschaffen. Generaloberst Lindemann, der jetzt General Hanneken als Militärbefehlshaber für Dänemark abgelöst hat, führt ein sehr strenges und hartes Regiment. Es ist ihm zuzutrauen, daß er die korruptiven [!] Erscheinungen und die Friedenszustände in Dänemark sehr schnell abschaffen wird. Bouhler hat recht daran getan, die weiteren Arbeiten ihm zu überlassen. Das, was die Inspektion in Dänemark zu tun hatte, ist ja damit getan. Bouhler wird nun für den Führer einen Abschlußbericht erstellen. Ich hoffe, daß der Führer mir daraufhin die Erlaubnis gibt, ihn als Inspekteur nach Norwegen zu schicken.

[…]

85. Günther Pancke: Sicherung des Stadtgebietes von Groß-Kopenhagen bei inneren Unruhen 13. Februar 1945

Pancke lod en detaljeret slagplan for sikringen af det storkøbenhavnske område i tilfælde af indre udarbejde. Forholdsreglerne faldt i fem dele: Der skulle for det første oprettes støttepunkter rundt omkring i byen, disse blev specificeret, og der blev også taget højde for en skærpet situation, hvor yderligere støttepunkter måtte oprettes. Dernæst skulle der være udvidet patruljering, patruljerne skulle have en styrke og bevæbning, der svarede til situationerne og skulle hele tiden holde sig i kontakt med støttepunkterne. For det tredje skulle gas-, vand- og elforsyning afbrydes. Her var stikordet "Monsun". Lukningen skulle ske under ledelse af TN-fagfolk fra BdO. For det fjerde skulle adgangen til og fra byen afbrydes, og endelig som det femte kunne det komme på tale at besætte jernbaneanlæggene, iværksætte en indskrænkning eller ophævelse af jernbanetrafikken, afbrydelse af telefon og telegraf, foretage indstilling af postfordelingen, indskrænkninger i den øvrige trafik, forsamlingsforbud, indførelse af spærretid, indskrænkninger i pressen eller presseforbud. Alle forholdsregler skulle iværksættes i forståelse med den rigsbefuldmægtigede og kommandanten i København. Det var udelukkende politistyrker, der blev opregnet som stående til rådighed for aktionen: vagtbataljonerne, gendarmeriposterne i Lyngby og Glostrup, havnepoliti, styrker fra SS-tjenestesteder og sikkerhedspolitiet i København. Imidlertid var det forudset, at værnemagtsstyrker skulle tage sig af bemandingen af alle støttepunkter uden for bykernen (fire af de fem afsnit).

Planen viser, at erfaringerne med afspærring af storbyen og lammelse af bylivet fra generalstrejken i København og generalstrejkerne i enkelte byer i efteråret 1944 havde været enten positive set fra et tysk synspunkt eller, at der ikke længere var noget alternativ dertil. Det skulle sætte en stopper for indre uro sammen med tysk patruljering. Der var ingen eskalering af forholdsreglerne i forhold til juli 1944. Danskerne skulle ikke trues med hverken luftbombardementer eller beskydning af byen af artilleri eller krigsskibe. Heller ikke gidseltagning blev nævnt, som tidligere forudset ved operation "Taifun".

To dage senere fremkom Pancke med en lignende plan for resten af Danmark. Se endvidere de af Pancke udsendte retningslinjer for lukning af offentlige værker 20. marts 1945.

Kilde: BArch, R 70 Dänemark 11.

Der Höhere SS- und Polizeiführer in Dänemark   *Kopenhagen, den 13.2.1945.*
Abt. IA – Tgb. Nr. /45 (g).

Betrifft: Sicherung des Stadtgebietes von Groß-Kopenhagen bei inneren Unruhen.

I.) a.) Zur Sicherung des Stadtgebietes von Groß-Kopenhagen bei inneren Unruhen ordne ich folgende Maßnahmen an:
    A.) Einrichtung von Stützpunkten.
    B.) Streifen.
    C.) Stillegung der Versorgungsbetriebe.
    D.) Abriegeln der Stadt.
    E.) Besondere Maßnahmen.
b.) Folgende Polizeikräfte stehen hierzu zur Verfügung:
    I. Pol. Wach-Batl. Dänemark,
    II. Pol. Wach-Batl. Dänemark,
    Gend.-Posten Lyngby und Glostrup,
    Wasserschutzpolizei,
    Kräfte der SS-Dienststellen in Kopenhagen,
    Kräfte der Sicherheitspolizei.

A.) Stützpunkte

1.) Stützpunkte der Polizei.
Die Stützpunkte 1-9[52] des Pol.-Überwachungsbereichs (II. Pol. Wach-Batl. Dänemark) bleiben bei inneren Unruhen zunächst in ihrer jetzigen Art und Stärke bestehen. Als weitere Stützpunkte kommen das Dagmarhaus (Besatzung: Hauswache und Sabotageabwehrkommando) und die Unterkunft des I. Pol. Wach-Batl. Dänemark, Amager, Artillerievej, hinzu.

Zu jedem Stützpunkt tritt im Bedarfsfalle uniformierte Sicherheitspolizei nach entsprechender Vereinbarung mit dem BdS.

2.) Andere Stützpunkte.
Die im Stadtkern liegenden Dienststellen der SS und Wehrmacht (Shellhaus, Persilhaus, Wehrmachtortskommandantur, Wehrmachtübernachtungsheim, Fluko) gelten ebenfalls als Stützpunkte. Die Sicherung dieser und der näheren Umgebung übernehmen die betreffenden Dienststellen mit eigenen Kräften.

Die Sicherheitspolizei versieht ihren Dienst, ausschließlich der zu den Stützpunkten abgestellten Kräfte, wie bisher weiter.

Die Noch außerhalb des Stadtkerns liegenden Unterkünfte und Dienststellen der Wehrmacht werden durch diese mit eigenen Kräften geschützt.

3.) Stützpunkte bei Verschärfung der Lage und Abschnittseinteilung.
a.) Sollte die Lage einen weiteren Einsatz von Kräften erforderlich machen, werde ich, falls Polizeieinheiten nicht mehr zur Verfügung stehen, die eingesetzten Kräfte der SS und Polizei im Stadtkern zusammenziehen. Für die Außenbezirke wird dann, falls notwendig, im Einvernehmen mit dem Höheren Kommando Kopenhagen Wehrmacht eingesetzt, die dort die Aufrechterhaltung der Ruhe und Ordnung sowie Niederkämpfung auftretender Sabotage- und Bandengruppen übernimmt.

Folgende Abschnittseinteilung ist in diesem Falle vorgesehen:

Abschnitt:	*Grenzen:*	*Kräfte:*	*Führung:*
aa.) Stadtkern	Hafen von Nordre Toldbod bis Kalvebod Brygge – Ved Hallerne – Polititorvet – Bernstoffsgade – Tietgensgade – Reventlowsgade – Vesterbrogade – Skt. Jörgensgade – Vestersögade – Nörresögade – Östersögade – Classensgade.	Polizei	Kdr. II. Pol. Wach-Batl. Dänemark
bb.) Nord-West	Classensgade – Östersögade – Nörresögade – Gyldenlövesgade – Rosenörnsallé – bis Rolighedsvej – N.J. Fjords Allé – bis Falkoner Allé – Bahnlinie bis Vanlöse Stat. – Herlufsholmvej – Frederiksdalvej.	Wehrmacht (Heer)	von den betr. Wehrmachtstellen zu bestimmender Offizier

---

52 9-tallet er overstreget og i hånden er påført "4".

cc.) Süd-West	Grenze ergibt sich aus Südgrenze "Nord-West" und Westgrenze "Stadtkern". Südgrenze: Hafen.	Wehrmacht (Heer)	von den betr. Wehrmachtstellen zu bestimmender Offizier
dd.) Amager-Nord	Hafengrenze von Svanegrund bis Südhafen. Südgrenze: Öresundsvej – Englandsvej – Lerdalsgade – Glommensgade – Raagaardsgade – Grönjordsvej – Schießstandgrenze bis Südhafen.	Wehrmacht (Marine) übernimmt zugleich Sicherung der Brücken nach Amager	[von den betr. Wehrmachtstellen zu bestimmender Offizier]
ee.) Amager-Süd	Anschließend an Südgrenze Amager-Nord.	Wehrmacht (Luftwaffe)	[von den betr. Wehrmachtstellen zu bestimmender Offizier]

b.) Im Abschnitt Stadtkern werden durch das II. Pol. Wach-Batl. Dänemark folgende Stützpunkte besetzt:

Dagmarhaus   (Rathausplatz)
Stützpunkt   1   (Politigaarden)
    –   2   (Klerkegade)
    –   4   (Nörrebro)
    –   5   (Triangel)
    –   9   (Alsgadeschule)

c.) Falls Wehrmacht die folgenden Stützpunkte nicht zu übernehmen beabsichtigt oder Außenbezirke nicht besetzt, werden aufgegeben:

Stützpunkt   3   (Amager-Landevej),
    –   6   (Frederikssundsvej)
    –   7   (Howitzvej)
    –   8   (Molbechsvej).

Die Besatzungen der aufgegebenen Stützpunkte haben die gesamte Ausrüstung, sämtliche Waffen, Munition, Dienststempel, Geheimakten und sonstige wichtigen Akten sowie den Verpflegungsvorrat mitzunehmen. Die Nachrichtenmittel sind unbenutzbar zu machen, aber nicht zu zerstören.

Kraftfahrzeuge zum Abtransport stellt II. Pol. Wach-Batl. Dänemark. Nach Verlassen sind die Stützpunkte zu verschließen, die Schlüssel sind mitzunehmen.

Über Heranziehung des I. Pol. Wach-Batl. Dänemark und der Gend.-Stützpunkte Lyngby und Glostrup ergeht besonderer Befehl. Die Gend.-Posten werden dem II. Wach-Batl. Dänemark zugeteilt.

Welche Objektwachen geräumt, welche gehalten und welche verstärkt werden, wird je nach Lage besonders befohlen.

4.) SS- und Pol.-Wohn- und Sicherungsbereich.
Verschärft sich die Lage noch weiter und wird Besetzung des SS- und Pol.-Wohn- und Sicherungsbereichs befohlen (Stichwort "Rummel"), so sind die Stützpunkte Alsgadeschule, Nörrebro, Triangel und Unterkunft Artillerievej aufzugeben. Kräfte werden im Sich.-Bereich zusammengezogen. Die hierzu im einzelnen zu treffenden Maßnahmen

siehe Befehl des Kommandanten des SS- und Pol.-Wohn- und Sicherungsbereichs –
BdO Tgb. Nr. 891/44 (g) vom 12.9.44 – und Zusatzbefehl Tgb. Nr. 125/45 (g) vom
13.2.1945.

5.) Kräfteverteilung und Führung der Stützpunkte.
a.) Kräfte der Stützpunkte zunächst wie normale Besetzung. Werden Stützpunkte aufgelöst, verstärken Kräfte dieser die verbleibenden Stützpunkte. Wichtige Stützpunkte sind dabei entsprechend stärker zu machen.
b.) Als Stützpunktführer sind Offiziere einzuteilen.

6.) Bewaffnung und Ausrüstung.
Allen Stützpunkten sind genügend schwere Waffen, Panzerfaust und Handgranaten zuzuteilen. Die Munitionsbestände (mindestens 2 Ausstattungen) sind laufend zu ergänzen.
Auf Ausrüstung mit Leuchtpistolen, Scheinwerfern, Taschenlampen, Notbeleuchtung, Verbandszeug weise ich besonders hin.

7.) Versorgung.
Für Sicherstellung ausreichender Verpflegung (für mindestens 42 Tage) ist jetzt schon zu sorgen. Kochgelegenheiten zur Zubereitung von Gemeinschaftsverpflegung sind vorzubereiten. Küchen-Feuerungsmaterial ist für mindestens 28 Tage sicherzustellen. Gas und elektr. Strom fallen vermutlich aus! Für die Abschnitte sind Brot-Bäckereien unauffällig zu erkunden und vorzumerken. Reserve-Trinkwasserversorgung sicherstellen. Auf Wasserwagen zwecks später Sicherstellung Obacht gehen.
Für die Stützpunkte, deren Aufhebung vorgesehen ist, genügt Bereitstellung der Vorräte für 14 Tage. Die weiteren Vorräte für diese Stützpunkte sind im Sicherungsbereich einzulagern.
[…] verschiedenen Wegen der Streifenbezirke, die von Fall zu Fall festgelegt werden, zu fahren. Zuteilung von Kraftfahrzeugen für die SS und Polizei regelt II. Pol. Wach-Batl. Dänemark.
Die Streifen sind je nach Lage entsprechend stark zu machen und zu bewaffnen. Die Stützpunkte sind immer wieder zum Austausch von Nachrichten zu berühren.[53]

C.) Stillegung der Versorgungsbetriebe (Gas, Wasser, E-Werke)
nur auf besonderen Befehl unter Leitung der TN-Fachkräfte des BdO gemäß festgelegten Richtlinien. Stichwort für Auslösung: Monsun.
D.) Abriegeln der Stadt
erfolgt ebenfalls je nach Lage auf besonderen Befehl. Die hierbei im einzelnen zu treffenden Maßnahmen, Verschärfungen und Erleichterungen (z.B. für Krankenwagen, Milchzufuhr usw.) werden je nach Lage von Fall zu Fall angeordnet.

---

53 Der optræder ikke et udbygget punkt B i planen. Muligvis drejer det sig alene om disse to linjer, men det kan også være en fejl ved en rettelse i dokumentet, da der er foretaget en indklipning på dette sted.

E.) Besondere Maßnahmen.
1.) Besetzung und Sperrung von Eisenbahnanlagen. Einschränkung und Aufhebung des Eisenbahnverkehrs.
2.) Sperrung des privaten Fernsprech-, Fernschreib- und Telegraphenverkehrs. Bewachung der Schränke, Schließung der Fernschreib- und Telegraphenbüros. Festlegung von Sprechberechtigungen. (Bei Nachrichtensperre sind nur rot- und orangefarben gekennzeichnete Teilnehmer sprechberechtigt!)
3.) Stillegung des privaten Postverkehrs. Eventl. Besetzung der Postämter.
3.) Verkehrseinschränkungen, soweit überhaupt noch Verkehr vorhanden. (Ausnahmen für Feuerwehr, Krankenwagen usw.).
5.) Verbot von Ansammlungen, Umzügen, Versammlungen, öffentlichen Lustbarkeiten usw.
6.) Sperrzeit für die Bevölkerung.
7.) Presseeinschränkungen, Presseverbot.
Alle vorstehenden Maßnahmen werden im Einvernehmen mit dem Reichsbevollmächtigten und dem HKK besonders befohlen.

II. Aufgaben der Stützpunkte und Streifen
Die Stützpunkte und Streifen haben in ihren Bezirken für Ruhe und Ordnung zu sorgen, Zusammenrottungen von Terrorgruppen zu verhindern, bestimmte Objekte zu schützen, Sabotageakte und Eindringen auswärtiger Terrorgruppen zu verhindern, Plünderungen zu verhüten sowie Deutsche und deutschfreundliche Personen zu schützen. Durch Zeigen der Waffen ist der Bevölkerung die deutsche Macht von Augen zu führen, wenn erforderlich, ist von der Waffe rücksichtslos Gebrauch zu machen. Im übrigen ergehen je nach Lage besondere Anweisungen.

Die Stützpunkte und Streifen sind das Auge der Höheren Führung. Wichtige Vorkommnisse und Beobachtungen sind sofort der vorgesetzten Einheit zu melden.

Weiterhin haben die Stützpunkte und Streifen untereinander und mit den Wehrmachtdienststellen ständig Fühlung zu halten und sich gegenseitig über wichtige Vorkommnisse zu orientieren.

III. Reserven
I. Pol. Wach-Batl. Dänemark und SS-Dienststellen.

IV. Wasserschutzpolizei
Wird im Einvernehmen mit Admiral Skagerrak eingesetzt. Sonst Schutz des Hafenviertels.

V. Nachrichtenmittel
Vorhandene Nachrichtenmittel. Über die Zuteilung weiterer erfolgt je nach Lage Befehl. Bei Ausfall der Fernmeldeeinrichtungen Funk oder Melder einsetzen.

VI. Versorgung der Deutschen und Deutschfreundlichen
Für die Versorgung der Deutschen und Deutschfreundlichen sind die örtlichen Parteidienststellen einzuschalten.

VII. Vorbereitende Maßnahmen
a.) Truppenverbandsplätze, Sammelstellen für Deutsche und Deutschfreundliche, Gefangenensammelstellen sind vom II. Pol. Wach-Batl. Dänemark vorzubereiten.
b.) Für notwendige Bekanntmachungen durch Plakatanschlag sind deutschfreundliche Druckereien vorzumerken. Klebematerial (Eimer, Pinsel, Leim) ist bereitzuhalten. Erfahrungen haben gezeigt, daß derartiges bei Streiks usw. nicht zu bekommen ist.
c.) Alle erforderlichen Erkundungen sind sofort durchzuführen und in einem Kalender "Innere Unruhen" vom II. Pol. Wach-Batl. Dänemark festzulegen. Bei den Erkundungen muß vermieden werden, die Aufmerksamkeit der Bevölkerung und dänischen Behörden auf die geplanten Maßnahmen zu lenken. Alle Erkundungen daher unauffällig. Werke und Betriebe hierzu nicht betreten.

VIII. Auslösung der Maßnahmen
Das Inkrafttreten der in diesem Befehl niedergelegten Maßnahmen bei inneren Unruhen in Kopenhagen erfolgt auf das Stichwort "Bienenstock".

IX. Aufhebung früherer Befehle
Der Befehl BdO Ia Tgb. Nr. 667/44 (g) vom 24.8.1944, betr. Sicherung des Stadtgebietes von Groß-Kopenhagen bei inneren Unruhen, ist aufzuheben.[54]
SS-Obergruppenführer und General der Polizei
[uden underskrift]

86. Alfred Jodl an Georg Lindemann 14. Februar 1945

Jodl meddelte, at general Friderici med stab ville forlade Danmark i løbet af få dage, og at det ikke var muligt at forstærke tysk sikkerhedspoliti i Danmark med to politibataljoner.
Kilde: BArch, Freiburg, RW 4/54. RA, Danica 1069, sp. 1, nr. 402 (koncept med overstregninger).

WFSt/Qu./Op (H)   14.2.1945
                                                          Geheim
S S D - F e r n s c h r e i b e n

An W. Befh. Dänemark

Bezug: FS WB Dänemark Nr. 8/45 geh. vom 11.2.45.[55]

1.) Sonderstab Friderici.
Wie bereits durch FS. vom 12.2.[56] mitgeteilt, hat Gen.St. d.H. Abtransport des Sonderstabes Friderici in den nächsten Tagen veranlaßt.

---

54 Denne ordre er ikke lokaliseret. Se dog Pancke: Maßnahmen ... 24. august 1944.
55 Trykt ovenfor.
56 Fjernskrivermeddelelsen er ikke lokaliseret.

2.) Anforderung von 2 Polizei-Batl.
Eine Verstärkung der Deutschen Sicherheitspolizei in Dänemark ist nicht möglich. Es muß daher bei der Wachgestellung durch die Wehrmacht verbleiben. Die Truppe im kriegsmäßigen Wachdienst zu schulen, wodurch bei richtiger Ausnutzung der gegebenen Möglichkeiten anstelle einer Störung eine Förderung der Ausbildung erzielt werden kann.

I.A.
gez.: **Jodl**
WFSt/Qu./Op (H) Nr. 01115/45 geh.

87. Bericht des Sonderstabes IV OKH in Dänemark (Auszug) 15. Februar 1945

Under OKH udarbejdede en særstab under ledelse af general Friderici en omfattende beretning om forholdene i Danmark. Her er alene gengivet en del af indledningen (del 1), som beskriver de særlige forhold (Sonderverhältnisse) i Danmark, som de blev opfattet fra tysk side.

Det blev straks konstateret, at Danmark var skånet for krigens byrder, befolkningens levevis var næsten som i fredstid. Den militære betydning var blevet afstemt herefter til fordel for andre krigsskuepladser. Danmark blev betragtet som et område, der var ligestillet med hjemstavnen og skulle beskyttes derefter. Befolkningen var tyskfjendtlig og under indflydelse af engelsk propaganda. I tilfælde af en invasion ville befolkningen støtte modstandsbevægelsen og muligvis gå over til aktiv modstand i byerne. Det tyske politi var for svagt. Den militære ledelse regnede med en fjendtlig invasion, og Danmark var erklæret for operationsområde. Hærenhederne var ikke udrustet til en operativ indsats, der manglede de nødvendigste forsyningstropper og materiel. Føreren havde befalet, at det var forbudt at føre personer og materiel under WB Dänemark ud af landet. Derefter gik staben over til en detaljeret gennemgang af de militære styrker i Danmark.

Særstabens vurderinger må ses på baggrund af forholdene i Tyskland og andre tyskbesatte lande. Det var ingen overdrivelse at karakterisere forholdene i Danmark som særlige, selv om det dog ikke var sådan, at levevilkårene var næsten som i fredstid. Der var sket indskrænkninger og forandringer, der var ubehagelige, men stadig var der en verden til forskel mellem Warszawa, Berlin og København (Umbreit 1999, s. 17).

OKW/WFSt fulgte op på indberetningen 21. februar 1945.

Kilde: BArch, Freiburg, RH 2/921a. RA, Danica 1069, sp. 2, nr. 1879-88.

Geheime Kommandosache	Entwurf
Oberkommando des Heeres	*H.Qu., den 15. Februar 1945*
GenStdH/Org-Abt.	Fernspr. Zeppelin 2646
Nr. II/80231/45 g.Kdos.	3 Ausfertigungen
	… Ausfertigung

Bezug: Sonderstab IV OKH Chef Az. Nr. A 7/45 g.Kdos. vom 2.2.45

A u s z u g
aus dem abschließenden Bericht des Sonderstabes IV OKH in Dänemark.

In dem 1. Teil des Berichtes (Seite 1-6) werden die Sonderverhältnisse in Dänemark geschildert.

Das Land blieb von den Belastungen des Krieges verschont, die Lebensweise der

Bevölkerung mutet auch heute noch nahezu friedensmäßig an.

Die militärischen Belange konnten vorerst zu Gunsten anderer Kriegsschauplätze zurückgestellt werden. Ihre organisatorische Gliederung der Besatzungstruppen blieb auf den nahezu friedensmäßigen Zustand abgestellt, ebenso die Art der Unterbringung und der Lebensweise. Dänemark wurde einem Heimatwehrkreis gleichgestellt.

Mit Veränderung der innenpolitischen Verhältnisse häufen sich die Schwierigkeiten und Sabotageakte. Im Jahre 1943 Auflösung der dänischen Wehrmacht, 1944 der dänischen Polizei. Heute ist eine sich dauernd steigende englische Agitation bemerkbar. Die Masse der Bevölkerung steht den Deutschen völlig ablehnend gegenüber. Es vergeht kein Tag, an den nicht deutschfreundliche Personen überfallen werden. Neuerdings häufen sich die Angriffe auf Personen und Einrichtungen der Wehrmacht. Die Saboteure sind im englischen Sold stehende Terrorgruppen, die sich im wesentlichen aus den Angehörigen der aufgelösten Wehrmacht und Polizei und der nationalen Jugend zusammensetzen. Außerdem soll es auch kommunistische Gruppen geben.

Es ist damit zu rechnen, daß die Bevölkerung die Aktivisten deckt und daß sie bei einer etwaigen Invasion sicher zum passiven Widerstand, möglicherweise in den Städten zum aktiven Widerstand übergeht.

Die deutschen Polizeikräfte sind zu schwach.

Die Oberste militärische Führung rechnet mit einer feindlichen Invasion. Dänemark ist zum Operationsgebiet erklärt.

Der WB Dänemark ist Gesamtführer im Invasionsfalle.

Die Einheiten des Ersatzheeres sind für operativen Einsatz nicht ausgestattet. Es fehlen die notwendigsten Versorgungstruppen und -Einrichtungen.

Gemäß Führerbefehl ist jeder Abzug von Personen und Material aus dem Bereich des WB Dänemark verboten, mit Ausnahme des planmäßigen personellen Austausches der Ersatzeinheiten, der Wehrmacht und der Waffen-SS.

Stärken:

Gesamtstärke der Wehrmacht am 1.1.45 etwa Mann,
211.800

davon Luftwaffe 31.000 Mann
Marine 58.700 Mann

Gesamtstärke der Heeresverbände: 122.100 Mann.

Hiervon werden z.Zt. auf Grund der Frontlage rund 39.200 Mann abgegeben (Anlage 4).

Weitere Stärke-Angabe der Heeresverbände Seite 4 und 5, an Kfz., Waffen, Gerät und Pferden Seite 4.

Die Kriegsgliederung aller in Dänemark eingesetzten Wehrmachtteile nach den Stand vom 15.1. zeigt Anlage 1.

Die operativen Gliederung zeigt die Kartenanlage.[57]

---

57 Bilagene er ikke lokaliseret.

[s. 2] Im 2. Teil (Seite 6-19) werden die Prüfungsergebnisse geschildert. [ikke medtaget]

[s. 5] Der 3. Teil (Seite 19-54) gibt Einzelheiten, er weist nochmals auf die unbedingt notwendige organisatorische Zusammenfassung hin. [ikke medtaget]

[s. 10] Im 4. Teil des Berichtes (Seite 54-58) wird über Etappenerscheinungen berichtet. [ikke medtaget]

88. Günther Pancke: Bekämpfung innerer Unruhen in Dänemark 15. Februar 1945

Planen for bekæmpelse af indre uro i Danmark uden for København var stort set identisk med den for København. Blot var den i sagens natur ikke så detaljeret, men det var de samme forholdsregler (afspærring af byen/stedet, lukning af offentlige værker osv.), der skulle sættes i værk. Strejker og uro skulle søges bekæmpet ved de første tilløb, og kunne tysk politi ikke klare opgaven alene, skulle værnemagtstropper tilkaldes. Stikordet var "Wespennest" ("Hvepsebo") for at angive alarmniveauet og de styrker, der skulle indsættes. Det blev i denne plan nævnt, at oprørere og strejkehetzere skulle anholdes og overlades til sikkerhedspolitiet, og at der skulle være sørget for opsamlingssteder til fangerne. Blandt de forberedende foranstaltninger var tilkaldelse af de tekniske specialister (TN) og sikring af proviantlagre, ligesom der skulle sørges for beskyttelse af tyskere og tyskvenlige danskere.

Det sidste var ikke en forholdsregel, der blev anført for Københavns vedkommende.

Forud for udsendelsen af disse retningslinjer var gået forberedelser, hvor TN-officerer havde besigtiget de kommunale værker i de byer, hvor iværksættelsen af "Wespennest" kunne komme på tale, og havde udbedt sig planer over værkerne. Fra dansk side modsatte man sig for enkelte byers vedkommende dette, men blev fra centraladministrationen pålagt at lade en besigtigelse finde sted, men ikke at udlevere planer eller give oplysninger om den tekniske drift (eks. fra Randers i KB, Herschends dagbog nr. 306 og 308, 18. og 20. december 1944, nr. 328, 329 og 331, 9.-11. januar 1945, endvidere Herschends telefontelegram til Saurbrey m.fl. nr. 105, 10. januar 1945 i bd. med telegrammer sst.).

Kilde: BArch, R 70 Dänemark 11.

Der Höhere SS- und Polizeiführer in Dänemark   *Kopenhagen, den 15.2.1945.*
Abt. Ia – Tgb. Nr. /45 (g).

Geheim!
Betrifft: Bekämpfung innerer Unruhen in Dänemark.

Bei inneren Unruhen oder Generalstreik (Streik in mehr als 60 % aller Betriebe und Schließen einer größeren Anzahl von Läden)[58] hat die Ordnungspolizei, im Zusammenwirken mit der Sicherheitspolizei, die Ruhe und Ordnung in den betroffenen Gebieten mit allen zu Gebote Stehenden Mitteln so schnell wie möglich wiederherzustellen. Hierzu befehle ich:

I. Führung und Kräfte
1.) Jeder Streik, jede Unruhe und jeder Aufstand sind sofort zu bekämpfen bezw. wenn möglich, sofort schon im Keime zu ersticken. Die Bekämpfung führen die Befehls-

---
58 Det var den definition på en generalstrejke, som WB Dänemark havde anvendt siden sommeren 1944, se KTB/WB Dänemark 3. juli 1944.

haber nach meinen Richtlinien durch. BdO bedient sich hierbei der SS- und Pol.-Gebietsführer, die auftretende Unruhen zunächst mit den ihnen zur Verfügung stehenden Kräften bekämpfen. Reichen diese nicht aus, erfolgt Verstärkung durch andere Formationen der Ordnungspolizei und SS. Stehen solche nicht mehr zur Verfügung, können Truppen der Wehrmacht angefordert werden. Die Anforderungen um zusätzliche Kräfte der SS und Wehrmacht sind mir zuzuleiten.
2.) Bei plötzlich auftretenden örtlich begrenzten Unruhen ist jeder am Ort befindliche Polizeiführer berechtigt und verpflichtet, unter gleichzeitiger Meldung an mich a.d.D. aus eigenem Entschluß sofort zu handeln.
3.) Der Einsatz der Kräfte erfolgt auf Stichwort "Wespennest". Bei notwendiger Ansetzung von Alarmstufen ist gem. Alarmanweisung zu verfahren.

II. Allgemeine Maßnahmen
1.) Ordnungspolizei und Sicherheitspolizei sofort gegenseitig und mit den örtlichen Dienststellen der Wehrmacht Verbindung aufnehmen.
2.) An wichtigen und beherrschenden Punkten der Aufruhrgebiete Stützpunkte einrichten, diese ausreichend stark besetzen und bewaffnen.
   Einrichtung verstärkten Streifendienstes.
   Die Durchführung der Streifen und Einrichtung der Stützpunkte hat in erster Linie demonstrativen Charakter. Wenn erforderlich, ist jedoch zur Aufrechterhaltung der Ruhe und Ordnung rücksichtslos von der Waffe Gebrauch zu machen.
   Zur Unterstützung der Stützpunktführer, insbesondere zur Erfüllung sicherheitspolizeilicher Aufgaben, sind nach Möglichkeit Kräfte der Sicherheitspolizei (uniformiert) in entsprechender Stärke im Einvernehmen mit dem BdS zuzuteilen. Die taktische Führung bleibt grundsätzlich in den Händen des Polizeiführers.
3.) Aufrührer und Streikhetzer sind festzunehmen und der Sicherheitspolizei zu übergeben. Für die Einrichtung von Gefangenensammelstellen ist rechtzeitig Sorge zu tragen.
4.) Für notwendige Bekanntmachungen durch Presse oder Rundfunk sind die Vorbereitungen mit den hierfür maßgebenden deutschen Dienststellen rechtzeitig zu treffen. Zusammenarbeit mit meiner Pressestelle ist erforderlich.

III. Besondere Maßnahmen
Zur Bekämpfung innerer Unruhen sind in den betroffenen Gebieten bezw. Orten außerdem folgende Maßnahmen vorzusehen und je nach Lage durchzuführen:
1.) Die Zufahrtsstraßen zu den betroffenen Gebieten oder Orten sind für jeden zivilen Verkehr in beiden Richtungen zu sperren. Ausnahmen in besonders dringenden Fällen nur mit schriftlichem Ausweis des örtlichen Polizeiführers.
2.) Innerhalb des gesperrten Bezirks ist der Kraftfahrzeugverkehr und der Verkehr mit Fahrrädern verboten. Ausnahmen können je nach Lage gemacht werden mit Kfz. der Feuerwehr, Kranken- und Rettungswagen. Weitere Ausnahmen in Einzelfällen durch zuständigen Polizeiführer.
3.) Der private Fernsprech-, Fernschreib- und Telegraphenverkehr ist durch Bewachung der Fernsprechzentralen und Schließung der Fernschreib- und Telegraphenbüros zu

sperren. Durchführung der Sperrung und Festlegung der Sprechberechtigungen im Einvernehmen mit den örtlich zuständigen Nachrichtenführern der Polizei und Wehrmacht.

4.) Bahnhofsanlagen besetzen, um Sabotage sowie Plünderung und Ausladungen von Gütern zu verhindern, die der Versorgung der Bevölkerung dienen.

5.) Sämtliche Versorgungsbetriebe (Gas-, Wasser-, Elektrizitäts- und Fernheizwerke) besetzen und stillegen. Die Leiter der Betriebe und das zur Wartung der Anlagen unbedingt erforderliche Personal sind ggf. zu weiterer Dienstleistung unter deutscher Aufsicht zu zwingen. Zur Durchführung der Stillegung sind deutsche technische Kräfte (TN- und Fachführer der Wehrmacht) verantwortlich einzusetzen. Die Möglichkeit, die Werke schnell wieder in Betrieb zu setzen, muß sichergestellt sein. Für die eigene Truppe sowie für deutsche Wehrmacht oder andere deutschen Dienststellen ist Notversorgung aus Brunnen, Bereitstellung von Wasserbehältern und Sprengwagen sowie Stromversorgung durch Notaggregate vorzusehen. Die von mir (BdO Abt. TN) herausgegebenen Richtlinien sind zu beachten.

6.) Privater Postverkehr ist, soweit er nicht schon durch Streik eingestellt worden ist, durch Besetzen der Postämter und Entfernen des Personals stillzulegen.

7.) Sperrzeit für die Bevölkerung.

8.) Umzüge und Ansammlungen demonstrativer Art auf Plätzen und Straßen sowie alle Versammlungen sind zu verbieten. Die Maßnahmen zu Ziffer 5-7 dürfen nur auf meinen besonderen Befehl durchgeführt werden.

IV. Vorbereitende Maßnahmen

1.) Die vorstehenden Maßnahmen sind in den Sicherungsbereichen, insbesondere in größeren Orten, durch Erkundung, Heranziehung und Einweisung von technischen Fachkräften, Errichtung ausreichender Proviantläger sicherzustellen. Die technischen Fachkräfte sind nach Möglichkeit aus der Polizeitruppe zu nehmen. Die technische Einweisung führt BdO (Abt. TN) durch.

2.) Die Versorgung und der Schutz Deutscher und deutschfreundlicher Dänen durch die örtlichen Parteidienststellen ist sicherzustellen.

3.) Die für die Sicherungsbereiche und Standorte vorgesehenen Maßnahmen sind von den SS- und Pol.-Gebietsführern in Zusammenarbeit mit den örtlichen Polizeiführern festzulegen und zum Mob-Ordner zu nehmen. Vollzugsmeldung bis 15.3.45.

V. Maßnahmen für Kopenhagen
Die Maßnahmen für Kopenhagen regelt mein Befehl Höh. SS- und Pol.-Führer Ia Tgb. Nr. …/45 (g) vom 13.2.45, betr. Sicherung des Stadtgebiets von Groß-Kopenhagen bei inneren Unruhen.[59]

VI. Aufhebung früherer Befehle
Alle diesem Befehl entgegenstehenden früheren Anordnungen und Befehle werden hiermit aufgehoben.

---

59 Trykt ovenfor.

89. Hans Clausen Korff: Finanzierung der deutschen Flüchtlinge in Dänemark 15. Februar 1945

Den 15. februar var der en drøftelse af finansieringen af de tyske flygtninge i Danmark hos Walter mellem repræsentanter for REM og den rigsbefuldmægtigede, som Korff tog et referat af. Gruppen udgjorde en del af den rigsbefuldmægtigedes nye Flüchtlingszentralstelle, der havde Stalmann som leder. Der manglede en repræsentant for HSSPF, mens Walter ikke selv var medlem (om Flüchtlingszentralstelle, se *Politische Informationen* 1, marts 1945, afsnit III).

Walter refererede kort mødet i AA 12. februar, hvorefter flygtningetallet blev sat til 150.000, og hvor det blev besluttet, at finansieringen skulle finde sted over clearingkontoen. Stalmann refererede Bests synspunkter i flygtningespørgsmålet, hvorefter man gik over til at fastsætte de konkrete pengesatser, der skulle til for hver enkelt flygtning pr. dag. Tallene skulle anvendes ved de forestående forhandlinger med danskerne.

Den 17. februar fandt samtalen mellem Nils Svenningsen og Walter og Ebner i København om flygtningeanbringelsen sted. Den er udførligt refereret af Svenningsen samme dag (*Aktstykker vedrørende de tyske flygtninge i Danmark*, 1950, s. 33-36). Han fastholdt den danske protest og ville ikke medvirke ved løsningen af de praktiske spørgsmål før de danske politifolk og gendarmer i Tyskland blev hjemført og deportationerne ophørte (jfr. Hæstrup, 2, 1966-71, s. 225f., Lylloff 1999, s. 38f.).

Drøftelserne i Flüchtlingszentralstelle blev fortsat 20. februar. Se Korffs referat samme dag.

Kilde: BArch, R 2/30.668.

ORR Korff
[Flüc]htlingszentralstelle
[den] Reichbevollmächtigten in Dänemark

Oslo, 15. Februar 1945

Betr. Finanzierung der deutschen Flüchtlinge in Dänemark

Aktenvermerk
hier: Verhandlung bei MinDir Walter am 15.2.1945

Anwesend:	MinDir Walter	REM
	MinDirig Ebner	
	RegDir Stalmann	
	GenKonsul Krüger	RB
	Dr. Hemmerson[60]	
	OStabsInt Kirchhof	

MinDir Walter erklärte, die Frage der Unterbringung von Flüchtlingen in Dänemark sei Gegenstand einer Ressortbesprechung in Berlin gewesen.[61] Das Reichsinnenministerium sei zunächst von einer Flüchtlingszahl von 300.000 ausgegangen. Man habe sich dann aber schließlich auf 150.000 geeinigt. Weiter habe Einverständnis darüber bestanden, daß die Finanzierung über Clearing erfolgen solle. MinDirigent Litter vom RFM habe sich zwar hiergegen gewandt und Finanzierung aus einem dänischen Kredit vorgeschlagen, sei hiermit jedoch nicht durchgedrungen. Bei den Verhandlungen des Regierungsausschusses mit den Dänen wegen der Finanzierung und Verpflegung der Flüchtlinge

---

60 Fejlskrivning for dr. Hemmersam.
61 Se von Behrs og Litters optegnelser 12. februar om det samme dag i AA afholdte møde.

müsse deshalb eine Zahl von 150.000 genannt werden.

RegDir Stalmann bemerkte hierzu, der Reichbevollmächtigte habe sich immer wieder dagegen ausgesprochen, eine feste Zahl zu nennen. Stattdessen wolle er Schritt für Schritt vorgehen und versuchen, bis zu 50.000 Flüchtlinge auf Jütland unterzubringen. Von der Unterbringung auf den Inseln, insbesondere Seeland sei nach Anordnung des Reichbevollmächtigten bisher abgesehen worden, da die persönliche Sicherheit der Flüchtlinge dort noch geringer als in Jütland sei. Wie die Flüchtlinge, soweit sie nicht in Nordschleswig oder in Wehrmachtlagern untergebracht würden, überhaupt polizeilich gesichert werden können, sei völlig offen. Im übrigen sei der Reichbevollmächtigte der Auffassung, die er auch Berlin gegenüber vertreten habe, daß eine Unterbringung von 150.000 Personen auch unter Einbeziehung der Inseln ausgeschlossen sei. Bereits die Unterbringung von 50.000 stoße auf die allergrössten Schwierigkeiten, da es aus polizeilichen Gründen untragbar erscheine, privaten dänischen Wohnraum in Anspruch zu nehmen. Die Lage der Flüchtlinge, die in derartigen Räumen untergebracht würden, würde ganz unhaltbar sein.

Bei der Unterbringung von Flüchtlingen bei volksdeutschen Familien in Nordschleswig sei vorgesehen dem Quartiergeber 3 Kr. je Person täglich zu zahlen. Diese Entschädigung werde nicht zu hoch sein. Außerdem sei ein Taschengeld für den Haushaltsvorstand von 1 Kr. und für jedes weitere Familienmitglied von 50 Ören vorgesehen. Daneben solle die Möglichkeit, Reichsmark umzuwechseln, nicht eröffnet werden. Es sei bereits Anordnung getroffen, daß alle Reichsmarkbeträge abzuliefern und gutzuschreiben seien. Die Unterbringung in Nordschleswig habe die Deutsche Volksgruppe übernommen. Im übrigen erfolge die technische Durchführung der Unterbringung in Lagern außerhalb Nordschleswigs durch die NSV. MinDir Walter erklärte, zur Durchführung der Finanzierungsverhandlungen mit den Dänen sei es erforderlich, sich auf einen Durchschnittssatz je Person und Tag zu einigen. Dieser Durchschnittssatz müßte so berechnet werden, daß er einerseits den Dänen gegenüber vertretbar erscheine, andererseits gewisse Reserven enthalte, um unter allen Umständen zu vermeiden, mit Nachforderungen zu kommen.

Nach längerer Erörterung fanden folgende Sätze die Zustimmung sämtlicher Anwesenden:

a.) Flüchtlinge, die bei den Volksdeutschen
in Nordschleswig untergebracht sind:
Unterbringung und Verpflegung   3,50 Kr.
Taschengeld   1,- –
= 4,50 –

b.) Flüchtlinge, die in Lagern untergebracht sind:
Unterbringung und Verpflegung   4,- Kr.
Lagerkosten   1,- –
Taschengeld   1,- –
= 6,- Kr.

Auf der Grundlage von 6 Kr. täglich sind für je 50.000 Flüchtlinge 9 Mio. Kr. monatlich anzufordern. Hierzu sind dann auch sämtliche Beschaffungen, insbesondere die Lagereinrichtungen, zu bestreiten.

MinDir Walter wies noch darauf hin, daß die Beschaffungen auf das unbedingt notwendige Mass beschränkt werden müßten und Schwarzkäufe von vornherein ausschieden. Die Beschaffungen dürften nur im Benehmen mit dem betr. Sachbearbeiter des Reichbevollmächtigten durchgeführt werden. Im übrigen sei die NSV dem Reichbevollmächtigten gegenüber rechnungslegungspflichtig. Hierauf habe das RFM besonderes Gewicht gelegt.

Im weiteren Verlauf der Besprechung wurden noch eingehend die Verpflegungssätze und die Beschaffung der Verpflegung mit Hilfe der Wehrmacht erörtert. Es bestand grundsätzlich Einverständnis darüber, daß den Flüchtlingen die dänischen Verpflegungssätze zu gewähren sind.

Korff

90. Helmuth Reinhardt an OKW 15. Februar 1945

På vegne af Lindemann stillede stabschef, generalmajor Reinhardt en række spørgsmål vedrørende de tyske flygtninge i Danmark. Heraf fremgår igen, at Best ikke ville have privat indkvartering, mens Lindemann ud fra et militært synspunkt var mod en stærk belægning med flygtninge på øerne og i Nordjylland. Lindemann tilsluttede sig Bests forholdsregler for indkvartering af flygtninge hos det tyske mindretal.

Kilde: BArch, Freiburg, RW 4/754. RA, Danica 1069, sp. 1, nr. 450f.

Fernschreiben

HXSI/FF 387 15/2 20.40 = (DG HZPH)/FF2 907) =

An OKW/Führungsstab   Geheim

Betr.: Rückgeführte aus den Ostgebieten.

1.) W Befh Dän bittet um Angabe? Mit wie viel Rückgeführten insgesamt zu rechnen ist.
2.) Bisherige Vorbereitungen:
   a.) 20.000 sofort Süd-Jütland (Wehrm. Quartiere).
   b.) 15.000 in Vorbereitung Mittel- und Nord-Jütland (Wehrm. Quartiere).
   c.) 11.000 Privatquartiere bei Volksdeutschen in Südjütland.
   Bis zum 15. Febr. sind eingetroffen:
   Rund 7.000 Rückgeführte, davon in Privatquartieren bei Volksdeutschen untergebracht rund 4.500.
3.) Damit ist Jütland ausgelastet, soweit die Flüchtlinge nicht in Einzelquartieren bei dänischen Familien untergebracht werden sollen, Reichsbevollmächtigter hält diese z.Zt. für undurchführbar, da dänische Exekutive fehlt und deutsche zivile Exekutive

nicht ausreichend ist.
4.) Vom militärischen Gesichtspunkt bestehen gegen eine Belegung von Seeland und Fünen und eine stärkere Belegung von Nord- und Mitteljütland folgende Bedenken: Bei den beschränkten und den wenigen Verkehrsmitteln besteht keine Möglichkeit, die Flüchtlinge aus diesen Gebieten wieder Ordnungsgemäß abzutransportieren, wenn die Gebiete im Invasionsfalle Kampfgebiet werden. Daneben besteht die Gefahr, daß unregelmäßig einstehende Fluchtbewegungen Straßen und Bahnen blokkieren und dadurch militärische Bewegungen behindern. Aus denselben Gründen hat sich auch der Reichsbevollmächtigte gegen eine weitere Belegung insbesondere der Inseln, ausgesprochen.
5.) W Befh. Dän schließt sich Forderungen des Reichsbevollmächtigten an, Rückgeführten Satz III der Truppenverpflegung zu gewähren. Etwa 11.000 Rückgeführte werden bei Volksdeutschen untergebracht und erhalten in deren Haushalt selbstverständlich die Sätze der dänischen Zivilbevölkerung, die wesentlich höher sind, als die Deutschen.
6.) Entscheidung zu 3.) bis 5.) erbeten.

W. Befh. Dän. O. Qu. Nr. 398/45
gez. **Reinhardt**
Gen. Maj.

91. Adolf Hitler: Lagevorträge 15. Februar 1945

Ved et møde i førerhovedkvarteret spurgte Hitler Dönitz om hans vurdering af en eventuel invasion i det norsk-danske område. Admiral Dönitz ansä en invasion for lidet sandsynlig på grund af årstiden og vejrforholdene. Risikoen for en invasion ansä Dönitz fortsat for at være størst på Jyllands østkyst og den nordsjællandske kyst. Derfor skulle minespærringen i de næste dage forstærkes ved Skageraks vestudgang.
Kilde: Wagner 1972, s. 653.

Admiral z.b.V. beim Ob.d.M.
B. Nr. 58J45 Chefs. *O.U., den 16.2.1945*

Teilnahme des Ob.d.M.
an der Führerlage am 15.2.45, 16.00 Uhr

1. [...]
2. Aufgrund von Meldungen über feindliche Landungsabsichten im norwegisch/dänischen Raum fragt der Führer den Ob.d.M. nach seiner Beurteilung über das Bevorstehen solcher Landungen. Der Ob.d.M. erwidert, daß er im Augenblick die Gefahr feindlicher Landungen im Hinblick auf die jahreszeitlich bedingte Wetterlage und auf die Konzentration aller Feindkräfte an der Landfront im Westen für gering ansehe, zumal der Engländer bisher bewiesen habe, daß er zu kühnen und riskanten Unternehmungen nicht geneigt oder befähigt sei. Die Hauptgefährdung sieht der Ob.d.M. weiterhin im Kattegat an der Ostküste Jütlands und an der Nordküste See-

lands. Aus diesem Grunde werde das Minensperrsystem am Westausgang des Skagerraks in den nächsten Tagen erneut durch eine weitere Minensperre verstärkt. Auch seien in Dänemark und Norwegen an verschiedenen Stellen Kleinkampfmittel zum Zwecke der Landungsabwehr disloziert.

3. [...]

Dönitz

92. Kriegstagebuch/Seekriegsleitung 15. Februar 1945

Den tyske krydser "Nürnberg", der lå i København, var blevet søgt beskadiget ved sabotage, men det var kun gået ud over to kraner på forskibet. Der var indført forøget bevogtning.

Det var BOPA, der stod bag sabotageforsøget (RA, BdO Inf. Nr. 24, 19. februar 1945, tilfælde 15, Kjeldbæk 1997, s. 400-402, 479).

Kilde: KTB/Skl 15. februar 1945, s, 155.

[...]

II. Betr. Nordraum:

[...]

b.) Am 15.2. abends erfolgte neben dem an der Pier liegenden Kreuzer "Nürnberg" in Kopenhagen eine Detonation, durch die der Kai in 50 m Länge zerstört und 2 Kräne auf das Vorschiff "Nürnberg" gestört wurden.

Es ist nach Meldung Adm. Skagerrak festgestellt, daß die Sprengladung in einem unbekannten Kabelkanal angebracht wurde. Verschärfte Überwachungsmaßnahmen sind getroffen.

93. WB Dänemark: Tagesmeldung 18. Februar 1945

Lindemanns dagsmelding indeholdt meddelelser om en række sabotager. Endvidere var der foretaget et bombeattentat mod en værnemagtsbiograf i København, hvorved adskillige værnemagtsrepræsentanter var blevet såret. De af RFSS beordrede modforanstaltninger skulle tages i brug.

Den pågældende biograf var "Dagmar-Bio", bomben var kastet fra en sporvogn, og fra tysk side blev gaden påfølgende spærret af med spanske ryttere. Der var fire sårede soldater, to politifolk og to tyske kvinder, alle kun såret i let grad iflg. BdO. De af RFSS beordrede modforanstaltninger lod vente på sig. Gengældelsen ramte ikke København før 23. februar, da endnu et angreb på værnemagtsrepræsentanter havde fundet sted. Det foreliggende tyder på, at RFSS reagerede på det konkrete tilfælde (det var relativt sjældent med vilkårlige angreb på værnemagtsrepræsentanter), og at der ikke var tale om en generel RFSS-ordre, som WB Dänemark hentydede til (KB, Bergstrøms dagbog 18. februar 1945, RA, BdO Inf. nr. 25, 21. februar 1945, *Information* 19. februar 1945, tillæg 3 her).

Kilde: KTB/WB Dänemark 18. februar 1945.

[...]

Tagesmeldung: 1 Sabotageanschlag auf Oststrecke. Transporte nicht verzögert. 4 Sabotageanschläge, Wehrmachtinteressen betroffen. In Kopenhagen wurde auf aus Wehrmachtkino kommende Soldaten von unbekannten Tätern Sprengkörper geworfen. 4

Wehrmachtangehörige, 2 Pol. Angehörige und 1 Däne verletzt. Die vom Reichsführer SS angeordneten Maßnahmen werden durchgeführt. 1 Überfall auf dän. Wächter der Kriegsmarine (Waffenraub). 1 Sabotageanschlag auf Eisenbahnstrecke abgewehrt.
[…]

94. Kriegstagebuch/Admiral Skagerrak 19. Februar 1945

Der var meddelelser i dansk presse om et stort søslag ud for Göteborg. Wurmbach bad Best om at få den meddelelse kaldt tilbage. Han havde underrettet MOK Ost og Seekriegsleitung om det rette forhold.

Meddelelsen om "Stort Konvoj-Slag ved den svenske Kyst" stod bl.a. på *Politikens* og *Berlingske Tidendes* forsider 19. februar, hvor artiklerne var forsynet med et kort over det område, hvori søslaget skulle have stået. Ringe sigtbarhed hindrede, at man fra land kunne se, om konvojen blev truffet. Oplysningerne var hentet fra *Göteborgposten*.

Best reagerede resolut. Begge aviser måtte 20. februar på forsiden dementere, at der havde fundet et søslag sted. Der havde overhovedet ikke været kamp mellem søstridskræfter, men en tysk konvoj var blevet angrebet af fjendtlige flyvemaskiner (*Udenrigsministeriets Pressebureaus ugentlige Meddelelser*, Nr. 211, 24. februar 1945. *Politiken* og *Berlingske Tidende* 19. og 20. februar 1945).

Kilde: KTB/ADM Dän 19. februar 1945, RA, Danica 628, sp. 3, s. 3886.

[…]

In der dänischen Presse erscheint eine Nachricht über eine angeblich große Geleitzugsschlacht in der Nacht vom 17. zum 18.2. in der Höhe von Gotenburg, in die angeblich auch alliierte Seestreitkräfte eingegriffen haben. Ich veranlasse beim Reichsbevollmächtigten, daß diese Meldung widerrufen wird und gebe mit Fernschreiben an MOK Ost und 1. Skl die wahren Vorgänge. Es handelt sich lediglich um die üblichen Angriffe bewaffneter Aufklärer gegen den Geleitverkehr Oslo-Aarhus ohne Erfolg für den Gegner.
[…]

95. Hans Clausen Korff: Unterbringung deutscher Flüchtlinge in Dänemark 20. Februar 1945

Korff refererede mødet i den rigsbefuldmægtigedes Flüchtlingszentralstelle, hvor repræsentanter for NSV og værnemagten denne gang også deltog. Walter refererede indledningsvis den danske holdning til flygtningeanbringelsen. Man gjorde en medvirken afhængig af, at de til Tyskland deporterede danske politifolk og gendarmer blev hjemført, og at deportationerne ophørte. Der var opstået problemer, især i Nordslesvig, da det tyske mindretal havde stillet levnedsmiddelkort til rådighed for flygtningene. Ville danskerne ikke medvirke ved udstedelsen af levnedsmiddelkort, kunne det blive nødvendigt at lade værnemagten foretage beslaglæggelser. Stalmann foreslog, at man gjorde alt for at presse på for en hjemførsel af de deporterede. Walter var skeptisk med hensyn til resultatet deraf. Finansieringen samt dens organisering og overvågning blev igen diskuteret. NSVs opgaver og placering blev lagt fast. Indtil videre blev de nødvendige midler taget over værnemagtskontoen.

Der var samme dag et møde i det tysk-danske regeringsudvalg (dansk referat samme dag, *Aktstykker vedrørende de tyske flygtninge i Danmark*, 1950, nr. 10). Fra dansk side blev ethvert samarbejde ved flygtningeanbringelsen fortsat afvist, hvilket fik Walter til at erklære, at den holdning ville føre til, at hjemførelsen af de deporterede danske ville mislykkes, og at den tyske værnemagt selv ville begynde opkøb af de nødvendige levnedsmidler til flygtningene (Hæstrup, 2, 1966-71, s. 226).

Korff sendte 2. marts 1945 kopi af sine mødereferater 15. og 20. februar til Breyhan i RFM.
 De følgende forhandlinger om flygtningespørgsmålet er ikke dokumenteret fra tysk side, men der foreligger udførlige danske referater deraf (for møderne 15., 17. og 20. marts, se *Aktstykker vedrørende de tyske flygtninge i Danmark*, 1950, s. 44-55. Jfr. Hæstrup, 2, 1966-71, s. 230-233, Lylloff 1999, s. 38f.).
 Kilde: BArch, R 2/30.668.

ORR Korff
[Flüch]tlingszentralstelle   Oslo, 20. Februar 1945
[den]Reichbevollmächtigten in Dänemark

Aktenvermerk

Betr. Unterbringung deutscher Flüchtlinge in Dänemark
hier: Verhandlung am 20.2.1945 in Kopenhagen

anwesend:	MinDir Walter	
	ORR Briesewitz	RegAusschuß
	[ORR] Korff	
	MinDirig Ebner	RB
	RegDir Stalmann	
	OfeldInt Grossmann	Wehrmacht
	OStabsInt Kirchhoff	
	Sonderbeauftragter Petz	NSV
	Gaukassenwalter Thie	

MinDir Walter teilte einleitend mit, daß die Dänen es abgelehnt hätten, bei der Durchführung der Flüchtlingsaktion, insbesondere hinsichtlich der Finanzierung, Verpflegung und Bereitstellung der Lebensmittelkarten mitzuwirken. Die Dänen hätten ihre Mitwirkung davon abhängig gemacht, daß die Polizeibeamten und Grenzgendarme, die nach Deutschland deportiert seien, nach Dänemark zurückgeführt würden und die Verhaftungen und Deportationen eingestellt würden. Hierdurch seien insbesondere in Nordschleswig Schwierigkeiten entstanden, da die Volksdeutschen Flüchtlinge auf Grund der Zusage aufgenommen hätten, daß ihnen Lebensmittelkarten zur Verfügung gestellt würden. Es erhebe sich daher die Frage, ob Lebensmittelkarten beschlagnahmt oder hergestellt werden können oder ob es möglich sei, die Lebensmittel in natura über die Wehrmacht zu beschlagnahmen und zu verteilen. Wenn die Dänen die Mitwirkung ablehnten, bestehe kein Anlaß, sich hinsichtlich der Beschaffung Beschränkungen aufzuerlegen.
 RegDir Stalmann bemerkte hierzu, die Freigabe der Grenzgendarmerie sei von Berlin bereits zugesagt.[62] Dies sei immerhin schon ein Verhandlungsobjekt. Weiter schla-

---

[62] Mohr havde 29. november 1944 i Berlin fået Steengrachts tilsagn om, at de deporterede danskere ville blive hjemført bortset fra dem, der var skyldige i illegal virksomhed (Hæstrup, 2, 1966-71, s. 188). Stalmann arbejdede påfølgende for en forbedring af de danske deporterede fangers forhold og deres hjemførsel (Lylloff 2003, s. 212f.).

ge er vor, daß alle beteiligten Stellen einschl. des Reg. Ausschusses und der NSV sich gemeinsam mit dem Reichsbevollmächtigten darum bemühten, die Überführung der Polizeibeamten aus den deutschen Konzentrationslägern zu erreichen.

MinDir Walter beurteilte diese Möglichkeit sehr skeptisch, da Staatssekretär Steengracht vom Auswärtigen Amt dem dänischen Gesandten in Berlin bereits vor 2 Monaten die Überführung der Polizeibeamten nach Dänemark in Aussicht gestellt habe, ohne daß dies bisher verwirklicht worden sei.[63]

ORR Korff wies darauf hin, daß es für die Volksdeutschen in Nordschleswig unmöglich sei, die Flüchtlinge mehrere Wochen ohne zusätzliche Lebensmittelkarten durchzuschleppen. Wenn die Kartenfrage nicht gelöst werden könne, müsse eine provisorische Verteilung eingerichtet werden.

MinDir Walter nahm darauf nochmals zu der Frage der Finanzierung Stellung und betonte, daß die Durchführung und Überwachung der Finanzierung bei der Flüchtlingszentralstelle beim Reichsbevollmächtigten liegen müsse. Hierauf hätten die Berliner Ressorts, insbesondere das RFM, ganz besonderes Gewicht gelegt. Aus diesem Grunde sei ORR Korff als Vertreter des RFM Mitglied der Flüchtlingszentralstelle. Die Kosten der gesamten Aktion trage der Reichsminister des Innern. Es handele sich daher um Reichsmittel, die auch der Kontrolle des Reichs unterstehen müßten.

Sonderbeauftragter Petz bemerkte hierzu, die NSV unterliege auf Grund von Abreden des Reichsschatzmeisters und des Rechnungshofs der Rechnungsprüfung der NSDAP. Das müsse auch in diesem Fall gelten. Unabhängig davon sei er jedoch damit einverstanden, daß die Überwachung der Anforderung und Verwendung der Mittel durch die Flüchtlingszentralstelle erfolge. Nach seinen Erfahrungen seien 6 Kr. je Person und Tag ausreichend. Daraus könnten auch die Beschaffungen gedeckt werden. Für die Verwaltungskosten der NSV beabsichtige er die Mittel heranzuziehen, die aus Sammlungen der NSDAP in Dänemark aufgebracht seien. Die Beschaffungen sollten auf das unbedingt notwendige Mass beschränkt bleiben und selbstverständlich nur zu Normalpreisen erfolgen. Vorläufig seien zur Deckung des ersten Bedarfs Einkäufe für rd. 200.000 Kr. getätigt worden.

ORR Korff wies darauf hin, daß das RFM ihm zur Überwachung der Finanzgebarung einen Zollinspektor beigeben werde, der voraussichtlich in den nächsten Tagen eintreffen werde. S. E. müsse die Kassenführung und Abrechnung bei der NSV liegen, während der Flüchtlingszentralstelle die Zuweisung der Mittel und die Überwachung der Ausgaben vorbehalten bleiben müsse. Entsprechende Grundsätze für die Finanzierung seien bereits ausgearbeitet.

Der NSV-Vertreter erklärte sich hiermit einverstanden.

MinDir Walter hob noch hervor, daß die Finanzierung vorläufig aus Vorschüssen der Wehrmacht erfolgen muß, solange dänischerseits eine Mitwirkung abgelehnt werde.

Korff

---

63 Mohr havde 20. februar 1945 indberettet, at Steengracht endnu engang havde henvist til, at han arbejdede på sagen med hjemførelsen af de deporterede danskere og samtidigt havde slået på det "humanitære formål" med at hjælpe de tyske flygtninge (Hæstrup, 2, 1966-71, s. 223f.).

96. Besprechung Chef des Stabes Günther Toepke – Kpt. Freymadl 20. Februar 1945

En drøftelse mellem repræsentanter for den tyske hær og Kriegsmarine viste uenighed vedrørende sammenlægning af kommandostationer og indsættelsen af alarmenhederne i tilfælde af en invasion. Til gengæld var der enighed om, at Københavns havn ville skulle ødelægges og Jylland opdeles i forsvarsområder, samt at hverken Lindemann eller Wurmbach havde nogen interesse i Bornholm.

Kilde: KTB/WB Dänemark 1945, Anlage 19.

B e s p r e c h u n g
Chef des Stabes – Kpt. Freymadl am 20.2.1945.

1.) Zusammenlegung der Gefechtsstände der Div. Kdre. Mit den Seekommandanten.

Marine lehnt auf Weisung MOK Ostsee eine Zusammenlegung der Gefechtsstände ab, da Plätze der Seekommandanten an bisherige Gefechtsstände wegen seetaktischer Aufgaben gebunden.

Inwieweit Art. Abschn. Führer der Marine ihre Gefechtsstände zu den Div. Kdren. verlegen können, wird noch geprüft werden. Bestimmend dabei ist die Frage des Personals und der Nachr. Mittel.

2.) Bezüglich Alarmeinhalten I und II bestanden verschiedene Auffassungen darin, daß Marine annahm, Alarmeinheiten I müßten grundsätzlich aus gut ausgebildeten und bewaffneten Soldaten bestehen, die aus ihrem Marine-Ausb. Abteilung nicht zu stellen sind. Demgegenüber werden Befehle Ia – Nr. 110/44 und 111/44 g.Kdos. vom 17.1.44 erläutert, daß W. Bef. Dän. unter Alarmeinheiten I keineswegs voll ausgebildete Soldaten meint, sondern lediglich nicht am bisherigen Standort unbedingt benötigte Soldaten, falls ein unmittelbarer Angriff auf diesen Standort bzw. die Unterkunft nicht erfolgt.

Die Absicht des W. Bef. Dän. bleibt weiterhin, Alarmeinheiten I an nicht bedrohten Küstenabschnitten einzusetzen, um dort kampfkräftige Verbände für jeden Angriff pp. Freizumachen.

Chef des Stabes der Marine wird erneut Frage der Alarmeinheiten I überprüfen und die für die Marine infrage kommenden Zahlen melden.

3.) Gemeinsame Auffassung, daß der Hafen Kopenhagen zerstört werden muß. Zuführung von Kräften z.Zt. nicht möglich. Marine sorgt für Sprengmittel und wird die Vorbereitung zur Sprengung mit eigenen Kräften durchführen.[64]

4.) Als Verteidigungsbereiche werden bestimmt werden:
   Esbjerg
   Aalborg
   Hansted

Frederikshavn wird Ortsstützpunkt mit einem Kampfkommandanten. Kampfkommandant ist der Seekommandant. Ein ständiger Vertreter wird ebenfalls vereidigt.

5.) Über Bornholm wird dahin Übereinstimmung erzielt, daß weder W. Bef. Dän. noch Admiral Skagerrak Interesse an der Insel haben. Entscheidung WFSt über Zugehörigkeit der Insel Bornholm wird von W. Bef. Dän. nochmals angefordert.

---

64 Trods dette rekvirerede Lindemann 6. marts 550 tons sprængstof til ødelæggelse af havnen (KTB/WB Dänemark anf. dato).

97. OKW/WFSt: Betr. Dänemark 21. Februar 1945

I forbindelse med en drøftelse af general Fridericis indberetning om Danmark, blev spørgsmålet rejst i OKW/WFSt, om man skulle anmode RFSS om mere politi til Danmark. Det blev opgivet med henvisning til, at AA ikke var interesseret i politispørgsmålet efter ikke at være orienteret om aktionen mod det danske politi. I stedet skulle Lindemann tale direkte med Pancke om spørgsmålet.

Det svar som Pancke har givet, kan der ikke være tvivl om: Det har været et afslag. RFSS havde større bekymringer andre steder og kunne ikke støtte sin HSSPF i Danmark yderligere.

Notitsen er et vidnesbyrd om den virkning, Himmlers fremfærd i forbindelse med bl.a. politiaktionen i Danmark fremkaldte i AA, og at AA var på det rene med, at magtforholdene var grundlæggende ændret.

Kilde: BArch, Freiburg, RW 4/754. RA, Danica 1069, sp. 1, nr. 401.

WFSt/Qu. 2 (II)   21.2.1945.
Geheim

Notiz
Betr.: Dänemark

In der Besprechung über den Bericht General Friderici über Dänemark[65] kam zur Sprache, ob angesichts des Mangels an deutschen und zuverlässigen dänischen Polizeikräften nicht der Versuch gemacht werden sollte, dänische Polizei mit deutschem Rahmenpersonal aufzustellen. Es wurde vorgeschlagen, dieserhalb nochmals an Reichsführer SS heranzutreten.

An diesen Punkt einer entsprechenden Notiz von Op. (H) hat Stellv. Chef an den Rand geschrieben: "Politische Angelegenheit, Ausw. Amt."

Im Zusammenhang mit dem soeben herausgegangenen Fernschreiben des Chef WFSt, daß zusätzliche Polizeikräfte nach Dänemark nicht zugeführt werden könnten, wird es nicht für zweckmäßig gehalten, erneut an Reichsführer SS heranzutreten, der zurzeit andere Sorgen hat. Es erscheint auch nicht geboten, sich dieserhalb an das Ausw. Amt zu wenden, da das Ausw. Amt an der Frage der dän. Polizei uninteressiert ist, da seinerzeit die Verhaftung aller Polizeibeamten ohne Wissen des Ausw. Amtes durchgeführt worden ist; vielmehr erscheint es richtig, diese Anregung an den Ia/WB Dänemark, der zur Besprechung aller sich aus dem Bericht Friderici ergebenen Fragen hierherkommen soll, weiter zu geben mit der Weisung, darüber in Dänemark selbst unmittelbar mit dem Höheren SS- und Polizeiführer zu sprechen, der das größte Interesse an jeder Möglichkeit einer Vermehrung seiner Polizeikräfte haben dürfte.

Verteiler: Chef Qu
Nach Abgang: Op (H) Nord

---

65 Trykt delvis ovenfor under 15. februar 1945.

98. OKW/WFSt: Zementversorgung Dänemark und Norwegen 21. Februar 1945

WFSt havde på opfordring af Lindemann drøftet anvendelsen af 78.000 tons cement oplagret i Danmark. Der forelå forslag til anvendelsen fra både generalen for pionertropperne og fra Speers ministerium. WFSt fulgte i sin indstilling pionertropperens behov, så landforsvaret i Danmark kunne blive styrket.

Bilagene foreligger ikke. Indstillingen blev ifølge en påskrift ikke afsendt og blev beordret tilintetgjort (Andersen 2007, s. 331, note 49).

Kilde: BArch, Freiburg, RW 4/754.

Nicht absenden! Vernichten![66]

WFSt/ Qu. 3 (Wi)   21.2.1945.
Nr. 01246/45 geh.   Geheim

Vortragsnotiz

Betr.: Zementversorgung Dänemark und Norwegen.

Gem. Fernschreiben W. Bfh. Dänemark (Anlage 1 und 2) ist sofortige Entscheidung über die Verwendung in Dänemark lagernder 78.000 to Zement notwendig.

Gemäß Anlage 3 hat General der Pioniere und Festungen dahingehend Stellung genommen, daß von den ursprünglich für Norwegen bestimmten 50.000 to Zement (Transportmöglichkeit in Frage gestellt) 16.000 to für Festungsbau Dänemark abgezweigt werden sollen, sodaß für Dänemark 44.000 to, für Norwegen 34.000 to zur Verfügung stehen würden.

Nach Mitteilung der OT ist mit Zementfertigung im Februar nicht zu rechnen.

Reichsminister Speer hat durch Chef Amt Bau OT am 19.2. folgende Verteilung vorgeschlagen (Anlage 4):

    Dänemark   28.000 to
    Norwegen   30.000 to   } U-Boot-Programm
    Reich   20.000 to

Stellungnahme WFSt:

Gen. d. Pi. verlangt 16.000 to für betonierreife Bauvorhaben in Dänemark. Hierfür eingesetzt, wird eine wesentliche Stärkung der Landverteidigung erreicht.

I.A.
Bobrik

Verteiler:
Stellv. Chef WFSt
Op. (H)/Nord/(M)/Kriegstagebuch.
V.O. RuK, Oberstlt. Koch
V.O. Gen. d. Pi.
Qu. 3 (Wi) (Entw.)

---

66 Denne linje er tilføjet med håndskrift.

99. Feldwirtschaftsamt an OKW/WFSt 21. Februar 1945

AA havde telegraferet, at der var opstået uoverensstemmelse om de forplejningsrationer, de tyske flygtninge i Danmark skulle have. WB Dänemark ville ikke give de rationer, der var aftalt på mødet i AA 12. og 13. februar. Walter havde søgt at klare sagen på stedet, og Best havde nu bedt værnemagtsintendanten om at give flygtningene rationer på forplejningssats 3, der nogenlunde svarede til danskernes. AA ville gerne have, at OKW konfirmerede dette.

OKWs svar er ikke lokaliseret, men givetvis har fjernskrivermeddelelserne krydset hinanden, da OKW/WFSt samme dag bl.a. meddelte WB Dänemark, at flygtningene i Danmark skulle have rationer efter forplejningssats 3 (se flg. skrivelse).

Kilde: BArch, Freiburg, RW 4/754.

HOKW 31793 21.2., 23.24

An OKW/WFSt/Qu. 1 (Trsp) Qu 2

1.) Ausw. Amt telegrafiert wie folgt.
"Fernschreiben OKW/WFSt/Qu 1 (Trsp) Qu 2 vom 5. Febr. 1945 in der Frage der Verpflegung der nach Dänemark zu evakuierenden Reichsangehörigen war im Einvernehmen mit Reichsernährungsministerium und in Übereinstimmung mit Ressortbesprechungen im Auswärtigen Amt am 12. und 13. d.M.[67], an denen seitens des OKW Oberstleutnant Radtke vom Feldwirtschaftsamt teilgenommen hat, dem Reichbevollmächtigten in Dänemark als Richtlinie gegeben worden, daß die evakuierten in Dänemark die gleichen Rationssätze wie die dänische Zivilbevölkerung erhalten sollten. Nach Mitteilung des Reichbevollmächtigten vom 13. d.M.[68] hat der Wehrmachtsbefehlshaber Dänemark jedoch vom OKW die Weisung erhalten, daß die in Sammelunterkünften untergebrachten deutschen Flüchtlinge nur nach Rationssätzen des Reiches verpflegt werden dürfen. Der Eilbedürftigkeit wegen war daraufhin der Reichbevollmächtigte von hier aus angewiesen worden, diese Frage im Benehmen mit dem nach Kopenhagen entsandten Min. Dir. Walter vom Ernährungsministerium an Ort und Stelle zu klären. Entsprechend einem soeben eingegangenen Drahtbericht hat nunmehr der Reichbevollmächtigte den Wehrmachtsintendanten gebeten, den Flüchtlingen bei Lagerverpflegung den Pflegsatz 3 zu gewähren, der mit unbedeutenden Abänderungen den Rationssätzen der dänischen Zivilbevölkerung entspricht. Das Auswärtige Amt bittet, diese Regelung nachträglich gutzuheißen und den Wehrmachtintendanten, der von sich aus Genehmigung des OKW zu vorstehenden einholen wird, entsprechend anweisen zu wollen. Für Mitteilung über das Veranlaßte wäre das Auswärtige Amt dankbar."
2.) Um Mitteilung vom Veranlaßten zum Zwecke der Unterrichtung des Auswärtigen Amtes wird gebeten.

OKW/FWI Amt/W 3. Abt
I.A. **Radtke**
Oberstleutnant

---

[67] Se referaterne af møde i AA 12. februar 1945, trykt under samme dato.
[68] Bests telegram til AA 13. februar 1945 er ikke lokaliseret. Heller ikke den påfølgende kommunikation mellem AA og Best.

100. OKW/WFSt an Georg Lindemann 21. Februar 1945

Lindemann blev orienteret om, hvad der var besluttet med hensyn til de tyske flygtninge i Danmark. De mellem 80.000 og 150.000 flygtninge skulle anbringes i lejre og hos tyske familier både på øerne og i Jylland. Selv om de kunne komme i fare under kamphandlinger, ville de være i større sikkerhed i Danmark end under kommunistisk styre. Den rigsbefuldmægtigede havde den øverste ledelse af flygtningeanbringelsen, som værnemagten foreløbig stod for.

Kilde: BArch, Freiburg, RW 4/54. RA, Danica 1069, sp. 1, nr. 448f.

WFSt/Qu. 2 (II)   21.2.1945.
                                                                                                                                                                                                      Geheim

S S D - F e r n s c h r e i b e n

An   1.)   W. Befh. Dänemark/O.Qu.
nachr.: 2.)   Auswärtiges Amt, z.Hd. Geheimrat Ripken
           3.)   Leiter der Parteikanzlei Standartenführer Zander (durch Kurier!)
           4.)   Generalbevollm. f.d. Reichsverwaltung z.Hd. Staatssekretär
                 D. Stuckart (durch Kurier)
           5.)   Gen.St. d.H./Gen.Qu. (durch Kurier)
           6.)   AWA/WV.
Mit Anschriftenübermittlung!

Bezug: Unterbringung und Versorgung Rückgeführter aus den Ostgebieten in Dänemark.

1.) Parteikanzlei und Reichminister des Innern haben Zuführung von zunächst 80.000, später bis zu 150.000 deutschen Flüchtlinge aus dem Osten nach Dänemark vorgesehen. Unterbringung soll in deutschen Familien und in Hotels, Pensionen, Schulen, Heimen, Lagern usw. durchgeführt werden. Die dänischen Inseln sind ebenso wie Jütland als Aufnahmegebiet vorgesehen. Die Voraussetzungen, die zu dem früheren Befehl über Freimachung Dänemarks von deutschen Familien geführt haben, treffen nicht mehr zu.

2.) Belegung Dänemark mit deutschen Flüchtlingen geschieht unter bewußter Inkaufnahme der Gefahr, daß im Falle von Kampfhandlungen ein Abtransport nicht möglich ist. Gefährdung deutscher Bevölkerung im Invasionsfall in Dänemark ist wesentlich geringer als durch Bolschewismus.

    Etwa unregelmäßig einsetzende Fluchtbewegungen im Invasionsfall müssen verhindert werden. Die sich in diesem Fall ergebende Lage ist nicht anders als im Westen des Reiches, wo aus den gleichen Erwägungen bei Feindbedrohung grundsätzlich ebenfalls nicht mehr geräumt wird.

3.) Verpflegung der zunächst noch durch die Wehrmacht versorgten Flüchtlinge nach Verpflegungssatz III ist inzwischen durch OKW/VA befohlen worden.

4.) Auswärtiges Amt hat zur Regelung aller sich aus der Zuführung von deutschen Flüchtlingen nach Dänemark ergebenden Fragen, insbesondere ihrer Überleitung aus der Betreuung durch die Wehrmacht (Übergangsmaßnahme) in die zivile Betreuung beim Reichbevollmächtigten einen Sonderstab eingesetzt, der unter Leitung von Min. Dir. Walter, dem Vorsitzenden des deutsch-dänischen Regierungsausschusses, steht.[69]

Vertretung des W. Befh. Dänemark in diesem Sonderstab ist geboten und wird vom Auswärtigen Amt begrüßt.

5.) OKW/WFSt ist über alle wesentlichen Flüchtlingsfragen, die die Wehrmacht berühren, laufend zu unterrichten.

I.A.
gez.: OKW/WFSt/Qu. 2 (II)
Nr. 01259/45 geh.

101. Besprechung Werner Best – Nils Svenningsen 21. Februar 1945

Den 21. februar var Nils Svenningsen hos Best for at aflevere en adresse underskrevet af de deporterede politimænds pårørende for at få Bests bistand til at få hjemsendt og frigivet de deporterede. Mødet gav anledning til en "generaldebat" (Hæstrups udtryk) om henholdsvis tysk politis og den danske modstandsbevægelses rolle i "lillekrigen", som Best karakteriserede modstandskampen og bekæmpelsen af den. Best fastholdt sit længe forfægtede standpunkt, at modstandsbevægelsen var skyld i modterroren: Hørte sabotagen og likvideringerne op, ville modterroren også ophøre. Modstandskampen havde ikke længere nogen mening, modstandsbevægelsen havde vundet, Scavenius-Best-politikken var ødelagt. Hvorfor så fortsætte? Det førte kun til yderligere ødelæggelser.

Der kendes kun Svenningsens referat af mødet, nedskrevet dagen efter. Svenningsen fulgte op 23. februar med en skarp protestskrivelse til Best over modterroren (Hæstrup, 2, 1966-71, s. 227-229, Sjøqvist 1995, s. 120f.).

I brevet 23. februar skrev Svenningsen bl.a.: "Bei mehreren Gelegenheiten, zuletzt vor einigen Tagen, haben wir uns über verschiedenen von deutschorientierten Kreisen benutzten Terrormethoden unterhalten, die geeignet sind, das Gegensatzverhältnis zwischen der dänischen Bevölkerung und der Besetzungsmacht zu vertiefen und somit das künftige Verhältnis zwischen Dänemark und Deutschland erschwerend zu belasten. Sie haben in dieser Verbindung den Ausdruck "Gegenterror" benutzt. Ich habe Sie gebeten, Ihren Einfluß geltend machen zu wollen, um dem "Gegenterror", von dem Sie selbst Abstand genommen haben, Einhalt zu gebieten. Ich verwies u.a. auf unsere eingehende Besprechungen am 27. April 1944[70] und 21. ds.Mts. [...] Wie oben angedeutet, haben Sie mir erklärt, daß Sie selber den Gegenterror nicht billigen. Indem ich mich auf diese Ihre Erklärung berufe, erlaube ich mir nun – nachdem sich erneut eine Reihe von schwerwiegenden Fällen dieser Art ereignet hat – Sie in eindringlichster Form zu bitten, sich einschalten zu wollen, um eine Fortsetzung des Gegenterrors zu verhindern." (KB, Herschends arkiv (afskrift)).

Bests reaktion på brevet er ubekendt, og Svenningsen mente efter 1945 ikke at have afsendt brevet, hvilket der hersker uenighed om. Imidlertid er gengivelsen af Bests opfattelse af modterroren sammen med Svenningsens referat af mødet 21. februar vidnesbyrd om, hvordan Best søgte at distancere sig i forhold til modterroren også til dansk side. Det kunne samtidig være med til at anspore ham til at få tysk domsudøvelse genoptaget.

---

69 Walter blev leder af særstaben til behandling af flygtningeproblemet, men Friederich Stalmann blev leder af gesandtskabets "Flüchtlingezentralstelle." Se *Politische Informationen* 1. marts 1945. Det var Walter (sammen med Franz Ebner), der varetog forbindelsen til UM, mens Stalmann havde kontakterne ude i landet.
70 Svenningsen havde 27. april 1944 opsøgt Best i anledning af den pludselige henrettelse af en modstandsmand, hvor samtalen udviklede sig til at omfatte modterroren, herunder clearingmordene og Schalburgkorpset. Best lod her forstå, at tingene var unddraget hans kontrol og medgav Svenningsen, at sporvognsattentatet, der var gengæld for Lerches nedskydning 20. april var "scheusslich", men i øvrigt var danskerne selv skyld i udviklingen (Hæstrup, 1, 1966-71, s. 457-459).

Fortroligt
Notits

Onsdag den 21. Februar indfandt jeg mig efter Aftale Kl. 17.30 hos Dr. Best paa Dagmarhus. Jeg havde anmodet om at blive modtaget for at overrække en adresse, underskrevet af Paarørende til 1458 deporterede Polititjenestemænd, hvorved der anmodedes om den Rigsbefuldmægtigedes Bistand til at opnaa Hjemsendelse og Frigivelse af de Deporterede.

Dr. Best modtog denne Adresse, der fremtraadte som en tyk indbundet Bog i Folioformat, og som blev overgivet ham med en Følgenote fra Udenrigsministeriet, med megen Forstaaelse. Han udtalte, at denne Henvendelse kom paa et beleiligt Tidspunkt, og kom i denne Forbindelse med nogle Bemærkninger om de tyske Flygtninge og Saarede, der nu blev evakueret til Danmark. Han gik ikke nærmere ind paa denne sidstnævnte Sag, men det fremgik af den Maade, han omtalte den paa, at han selv var indstillet paa at udnytte Flygtningesagen til Opnaaelse af de deporterede Politibetjentes Hjemførelse. Han erklærede rent ud, at han arbejdede herpaa og tilføjede, at Sagen efter hans Mening ikke laa haabløst. Imidlertid havde som bekendt det tyske Politi stadig modsat sig de deporterede Politibetjentes Tilbagevenden, og dette skyldtes Frygten for, at de paagældende, naar de kom hjem til Danmark, vilde blive tvunget ind i den illegale Bevægelses Rækker. Det drejede sig her om en 14 à 1500 veltrænede og vaabenøvede Mænd, altsaa et ret stort Kontingent. Dr. Best gav Udtryk for den Tanke, at et saadant Kontingent ingenlunde kunde betragtes som en "quantité négligeable" for det tyske Politi, dersom det tilførtes den illegale Bevægelse. Det var en Kendsgerning, at de danske Politifolk, der her i Landet levede under Jorden, var under et meget stærkt Pres fra illegal Side. Dr. Best mente, at disse Politifolk var blevet truet med at miste deres Stillinger i Fremtiden, dersom de ikke gik ind i Modstandsbevægelsen. Et lignende Forhold gjorde sig i øvrigt gældende for de danske Officerers Vedkommende. Det var derfor ikke ubegrundet af det tyske Politi at nære en vis Frygt for, at Frigivelse og Hjemførelse af de deporterede Betjente vilde blive ensbetydende med et Tilskud til Modstandsbevægelsen. Af den største Betydning vilde det være, om man kunde kontrakarrere det tyske Politis Betænkeligheder. En eventuel Hjemførsel burde efter Dr. Bests Formening kunne udnyttes til at paavirke Stemningen her i Landet positivt. Der burde kunne skabes en Garanti for, at de Hjemvendte Politibetjente ikke gik med i den illegale Bevægelse. De fik jo alle deres Løn og stod saaledes i Tjenesteforhold til Justitsministeriet. Dette burde kunne udstede en Befaling om, at alle Politibetjente skulde føre et normalt Liv paa deres Bopæl. Eventuelt maatte der trues med, at de mistede Lønnen, dersom de ikke rettede sig efter en saadan Befaling. En anden Ting, der vilde være af Betydning, var om der kunde skaffes dem normal Beskæftigelse.

Forholdene var jo, fortsatte Dr. Best, efterhaanden her i Landet blevet saadanne, at der kun arbejdedes med voldsomme Midler fra begge Sider. Under saadanne Tilstande var hans Muligheder for at gribe resultatrigt ind svindende. Det vilde være ønskeligt, om man igen kunde komme ind paa at virke med politiske Midler. Hvad udretter Modstandsbevægelsen, spurgte Dr. Best, hvad opnaar den af reelle Resultater? Intet, overhovedet intet, hævdede han, hverken militært eller økonomisk. En undersøgelse havde godtgjort, at de ekstraordinære Industrileverancer til Tyskland faktisk kun i minimal Grad var blevet paavirket af Sabotagen, og militært var det jo ganske klart, at den Guerilla, Modstandsbevægelsen førte, ikke var af nogen som helst Betydning. Politisk havde jo Modstandsbevægelsen sejret og opnaaet, hvad den ønskede, nemlig Ødelæggelsen af Scavenius-Best Politiken. En Fortsættelse af de hidtidige Voldshandlinger fra Modstandsbevægelsens Side kunde kun føre Landet i Ulykke og fremkalde voldsomme Reaktioner fra det tyske Politis Side. Man burde dog paa dansk Side kunne indse dette og træffe de fornødne Forholdsregler for at undgaa, at Landet blev fuldstændig hærget af den Udvikling, der var i Gang. Det var Frihedsbevægelsens Terror, der fremkaldte Modterror. Noget maatte kunne gøres for at bremse dette. Dr. Best vidste udmærket Besked med Administrationens Forbindelse med Politikerne og med disses Kontakt med den illegale Bevægelse. Ad disse Kanaler burde man fra dansk Side arbejde paa en Afblæsning af Sabotagen. Dr. Best kunde virkelig ikke tænke sig, at det i de Allieredes Øjne vilde være afgørende for Danmarks fremtidige Stilling, om Sabotagen fortsattes eller ej. Det eneste, der hver Dag blev rapporteret fra de tyske Tjenestesteder til de højere Myndigheder i Tyskland var Mord og Sabotage, og saaledes havde det nu været i lange Tider. Disse stadige daglige Rapporter om Voldshandlinger bevirkede Ophidselse hos de højere tyske Myndigheder, der fandt det for galt, at der ikke kunde skabes Ro og Orden i Danmark. Der blev foretaget Sammenligninger mellem Danmark og Norge, der absolut faldt ud til Norges Fordel. Udviklingen havde givet Terboven Ret i, at Ro og Orden kunde opnaas ved drastiske Midler, medens Dr. Best, der havde været imod Anvendelsen af

Voldsmetoder, nu stod som den, hvis Politik var mislykkedes, og som var udsat for Kritik.[71]

Efter at Dr. Best havde afsluttet sin temmelig lange Udvikling, bemærkede jeg, at hans Spørgsmaal om, hvad Modstandsbevægelsen tilstræbte, formentlig maatte besvares derhen, at det, man sigtede paa, var at skabe en gunstig politisk Stilling for Danmark i Fremtiden. Det vilde efter min Formening overstige baade Administrationens og Politikernes Kræfter at gribe regulerende ind i disse Forhold. Stemningen var i hele Landet i højeste Grad ophidset over alle de tyske Overgreb, vi stadig var Genstand for. Af disse Overgreb nævnte jeg først Deportationerne, som vi uden Held havde kæmpet imod fra dansk Side. Der sad nu 4.500 danske Statsborgere i tyske Fængsler og Koncentrationslejre, og der skete stadig nye Deportationer, saaledes den 16. Februar af 250 Fanger fra Frøslev og den 19. Februar af 106 Fanger fra Vestre Fængsel.[72] Dette var fuldstændig utaaleligt, samtidig med at Tyskerne sendte Tusinder af Flygtninge og Saarede her til Landet og derved beslaglagde Huse i et fantastisk Omfang. De Mennesker, der havde været Genstand for Deportation og var kommet tilbage til Danmark, var opfyldt af et glødende Had mod Tyskland over den Behandling, de havde været Genstand for. Jeg havde selv hørt forskellige Beretninger om fuldstændig umenneskelig Behandling i de tyske Koncentrationslejre. Jeg gik dernæst ind paa den tyske Terror, der gav sig Udtryk i Mord og Ødelæggelse af materielle Værdier. Vi var paa dansk Side rystede over disse Metoder, og det var frygteligt, at disse Voldshandlinger stadig tog til i Omfang. Fra de seneste Dage kunde af Mord blandt forskellige andre nævnes Mordet paa Havnedirektør Laub og Mordet paa de fire Læger, den svenske Konsul Christgau og Løjtnant Tang i Odense, og af Attentater var der Sprængningen af en Række Huse i Odense om Morgenen den 21. Februar.[73] Jeg stillede mig ikke uforstaaende overfor, at Besættelsesmagten maatte bekæmpe Sabotagen. Sabotørerne havde frivilligt givet sig ind i Kampen og maatte naturligvis tage Kampens Vilkaar, hvilket de utvivlsomt var forberedt paa. Det, vi fra dansk Side vendte os imod, var derimod den fuldstændig meningsløse Terror, der gav sig udslag i Mord af Uskyldige og Ødelæggelse af materielle Værdier uden nogen som helst Forbindelse med Sabotagen. Jeg havde aldrig fremført nogen Klage over, at det tyske Politi forfulgte Sabotørerne, men den tyske Terror mod Sagesløse og den planløse Tilintetgørelse af Fabriker etc. kunde vi ikke finde os i. Dette maatte kunne forhindres. Disse Ugerninger blev udført af de Kredse, hvor det tyske Politi søgte sine Hjælpere. Det var kredse, der burde kunne kontrolleres af de tyske Myndigheder. Det maatte efter min Mening være anderledes let for det tyske Politi at stoppe denne Terror. Der udkrævedes sikkert kun, at der udstedtes en Befaling. Mordene paa de Sagesløse og Uskyldige kunde ikke paa nogen Maade sammenlignes med Mord af Stikkere. Den Virksomhed, disse sidstnævnte udfoldede, var den mest foragtelige Gerning, man overhovedet kunde tænke sig. Saaledes saa man utvivlsomt paa Stikkere i alle Lande, ogsaa i Tyskland. (Dr. Best modsagde mig ikke). Jeg omtalte derefter de Overgreb, der blev begaaet af det officielle tyske Hjælpepoliti (Hipo), henviste til en Række Skrivelser, jeg herom havde sendt Dr. Best og gentog specielt min Besværing over, at Hjælpepoliti optraadte selvstændigt, hvilket var ganske i Strid med de Forsikringer, Dr. Best hele Tiden havde givet om, at Hjælpepolitiet kun maa optræde i Forbindelse med regulære tyske Politistyrker. Gang paa Gang var dette blevet forsikret os af Dr. Best, men til Stadighed modtog vi Rapporter om, at Hipo optraadte selvstændigt. Man havde afgjort Indtryk af, at Reglen var den stik modsatte af, hvad Dr. Best havde erklæret. I hvert fald blev den ikke overholdt. Specielt syntes Hipo at tilsigte at genere de kommunale Vagtværn. Det kunde næsten se ud, som om man bevidst derigennem vilde umuliggøre Vagtværnenes fortsatte Bestaaen. Dr. Best burde kunne gennemføre, at den Regel, han selv havde meddelt os, blev efterlevet.

Til dette sidste Spørgsmaal om Hjælpepolitiet kunde Dr. Best blot svare, at den Højere SS- og Politifører hele Tiden havde erklæret overfor ham, at Reglen var, at Hipo ikke maatte optræde selvstændigt. Vore Klager var gaaet videre til det tyske Politi, og Dr. Best vilde nu igen tale med dette om Hipo.

Dr. Best imødegik svagt min Paastand om, at det tyske Politi let vilde kunne stoppe Modterroren. Dertil krævedes Indsættelse af Politimandskab, erklærede han, og saa svækkedes i samme Grad Bekæmpelsen af Modstandsbevægelsen. Dette det tyske Politis Standpunkt forfægtede han dog ikke med nogen større

---

71 En sådan kritik blev rettet mod Best af bl.a. Terboven (Bests telegram nr. 1864, 14. december 1942), Ribbentrop (Paul Otto Schmidts optegnelse 10. april 1943) og Goebbels (dagbog 8. september 1943), men også af Hitler med RFSS' tilslutning (se bl.a. situationsdrøftelsen 19. november 1943).
72 Se om de to deportationer Barfod 1969, s. 356-360.
73 Se tillæg 3 under dagene 16. til 21. februar 1945.

Styrke, og i Virkeligheden erkendte han indirekte ved Tavshed overfor mine gentagne Anbringender om det tyske Politis Ansvar for Terroren Rigtigheden heraf. Men han hævdede, at man med Rette kunde spørge: Hvem var det, der begyndte? Det var visseligt ikke Tyskerne, der var begyndt, men Modstandsbevægelsen. Jeg indrømmede, at Sabotagen var begyndt fra dansk Side, men gjorde gældende, at det var Tyskerne, der var begyndt med at rette Hævnakter mod Sagesløse. Og det var dette, vi beklagede os over. En Stikker maatte finde sig i at være udsat for Likvidation, men hvad havde f.Eks. Havnedirektør Laub gjort? Havnedirektøren var Embedsmand og havde naturligvis i sin Embedsførelse forfægtet danske Interesser, men paa loyal Maade, overfor Tyskerne. Mordet var sandsynligvis en Hævnakt for Sabotageforsøget paa Krydseren "Nürnberg".[74] (Dr. Best bemærkede intet hertil). Paa Baggrund af alt, hvad der var sket i Retning af Overgreb fra tysk Side, var det efter min Formening umuligt at paavirke Stemningen positivt og influere paa Modstandsbevægelsen.

Dr. Best vilde ikke forsvare den tyske Terror, som ogsaa han fandt forkastelig, og som han tilskrev "Desperados", men hævdede at den nuværende Tilstand skyldtes Modstandsbevægelsen, der ved sin fortsatte Aktivitet fremkaldte Modterror. Han blev ved med at anbefale, at der blev gjort noget for at stoppe Modstandsbevægelsens "Kleinkrieg", som efter hans Formening ikke kunde være til nogen som helst reel nytte. Det var jo næsten komisk, at Jernbanesabotagen fortsatte, samtidig med at vi talte paa Fingrene, hvor længe der under Hensyn til Kulmangelen overhovedet kunde køres! Jeg gentog paa min Side, at Tyskerne maatte stoppe Angrebene paa de Sagesløse og hævdede, at naar Sabotagen ikke skadede Tyskerne, burde disse kunne lade være med at blive nervøse derover.

I Samtalens Løb kom vi flere Gange tilbage til Spørgsmaalet om Deportationer. Da jeg beklagede mig over, at disse Deportationer stadig fortsatte og bemærkede, at Dr. Best formentlig selv var ganske uvidende om den sidste Deportation af 106 Fanger den 19. Februar (hvilket han bekræftede), gjorde han gældende, at jeg her jo ikke kunde tale om Angreb mod Sagesløse. Det var tværtimod et Middel til Uskadeliggørelse af de Skyldige. Jeg svarede, at Deportationer overhovedet var folkeretsstridige, og at vi havde godtgjort dette i en Række Udredninger, der var tilstillet Dr. Best. Jeg havde skrevet Dusinvis af Breve og Noter om disse Sager, men aldrig nogensinde faaet Antydning af et Svar. Fra tysk Side havde man aldrig prøvet paa at imødegaa vore Redegørelser, som derfor stadig stod uimodsagte. Dr. Best bemærkede hertil, at han ikke gerne vilde indlade sig paa at tilskrive os om disse Forhold uden højere Ordre.

Den 22. Februar 1945.

Nils Svenningsen

Kilde: RA, UM, 84.A.23, Svenningsens mødereferat 22. februar 1945 bilagt D.-M. Nr. 158.

102. Lutz Schwerin von Krosigk an OKW 22. Februar 1945

Schwerin von Krosigk svarede på OKWs ønske om at få en repræsentant i det tysk-danske regeringsudvalg. Det havde af forskellige grunde vist sig nødvendigt at videreføre udvalget, men optagelse af en repræsentant fra OKW fandt ministeren ikke hensigtsmæssig. I stedet skulle der være en tættere kontakt mellem Walter og de militære tjenestesteder i Danmark.

Om brevet er blevet afsendt, er uvist: Det foreligger kun i udkast, og dets indhold står i modsætning til den beslutning, der blev truffet i RFM 20. januar 1945 (se Korffs notits anf. dato), men da der ikke kom en repræsentant for værnemagten i udvalget, har OKW på den ene eller den anden vis fået meddelelse derom. I betragtning af den negative indstilling Walter havde givet udtryk for i januar i forhold til værnemagten og det tyske politi, kunne det synes som en ekstra svær opgave at pålægge ham at intensivere samarbejdet til den side. Imidlertid er der noget, der tyder på, at han var blevet sat på plads fra højere sted, for ved de følgende forhandlinger i det tysk-danske regeringsudvalg i marts var det Ludwig, der i sin egenskab af næstformand forestod dem og udviste en optimisme, som stod i skarp modsætning til Walters forudgående udtrykte indstilling til hele udvalgets nytteværdi (se Jensen 1971, s. 251-253).

Kilde: BArch, R 2/30.668 (udkast).

---

74 Se KTB/Skl 15. februar 1945.

DRfF
Y 5104 – 1i4 V und
Y 5104/1 – 357 V g

Berlin, 22. Februar 1945

1.) An das OKW
    Berlin W 35

Entsendung eines Vertreters des OKW in den deutsch-dänischen Regierungsausschuß
Ihr Schreiben vom 5.12.44[75] 3 f 31/4836/44 g Ag WV 3 (III/VIII)

Es erweist sich aus verschiedenen Gründen als notwendig, daß der deutsch-dänische Regierungsausschuß weiterbesteht. Die von Ihnen angeschnittene Frage einer Beteiligung des OKW am Regierungsausschuß wird m.E. besser durch eine laufende Fühlungnahme zwischen dem Vorsitzenden des Regierungsausschusses einerseits und den militärischen Dienststellen in Dänemark und dem OKW anderseits, als durch offizielle Entsendung eines Vertreters des OKW erreicht.

2.) Unter Abschrift – von 1 – ist zu setzen:
a.) an das Auswärtige Amt
b.) an den Reichsminister für Ernährung und Landwirtschaft,
    z.Hd. von Herrn MinDirig Walter
    Berlin

3.) Herr Min R. Dr. Breyhan auf Rück[ulæseligt][76]
                                  I.A.
                                 (Dir 5)

103. OKW/WFSt: Dienstrejser nach Dänemark 22. Februar 1945

For at dæmme op for antallet af tjenesterejser til Danmark var der på søfartsskolen i Flensburg blevet etableret et mødelokale, hvor tyske militære repræsentanter fra Danmark kunne holde møder. Dermed blev det tjenstligt unødvendigt at rejse til Danmark fra Tyskland.

    RSHA Amt VI gjorde 28. marts 1945 opmærksom på, at der måtte gøres en undtagelse for dets vedkommende på grund af det hemmelige efterretningsvæsen (kilde som nedenfor).

    Beslutningen om mødelokalet vidner om, at Keitels tidligere ordre vedrørende tjenesterejser til Danmark af 27. oktober 1944 ikke havde virket, samt at den trufne forholdsregel både skulle nedbringe antallet af unødvendige tjenesterejser og spare på de knappe transportressourcer. Det var fortsat meget attraktivt at finde et påskud til en tjenesterejse til Danmark og hjembringe nogle af de fødevarer, der var stor mangel på i Tyskland.

    Kilde: BArch, Freiburg, RW 4/754.

---

75 Skrivelsen er ikke lokaliseret, men deri blev det ønske, der blev fremsat ved mødet i OKW 1. december 1944 (se referatet fra samme dag), videregivet til bl.a. RFM.
76 Punkt 3 påført med håndskrift.

Oberkommando der Wehrmacht   F.H.Qu., den 22.2.1945.
WFSt/Qu 2 (II) Nr. 191/45.

Bezug: OKW/WFSt/Qu 2 (Nord) Nr. 09740/44 g vom 30.1.44.
Betr.: Dienstreisen nach Dänemark.

Für Besprechungen mit Angehörigen deutscher militärischen Dienststellen in Dänemark steht ab sofort bei der Frontleitstelle Flensburg, Munketorstr. (Seefahrtschule), ein Besprechungsraum zur Verfügung.

Damit ist eine dienstliche Notwendigkeit für Reisen nach Dänemark grundsätzlich nicht mehr als gegeben anzusehen. Anträge auf Dienstreisegenehmigung sind abzulehnen und die Antragsteller auf Inanspruchnahme des Besprechungsraumes in Flensburg zu verweisen.

Ausnahmen sind nur noch zulässig, wenn die Einreise in den dänischen Raum wegen Ortsgebundenheit des Besprechungsinhaltes unabweisbar notwendig ist. Die zur Genehmigung von Dienstreisen nach Dänemark befugten Persönlichkeiten werden gebeten, bei Zulassung von Ausnahmen einen besonders strengen Maßstab anzulegen, um in Zukunft jeden Mißbrauch dienstlichen Reisens nach Dänemark zu verhindern. Die Notwendigkeit der Reisen wegen Ortsgebundenheit des Besprechungsinhaltes ist in etwaigen Genehmigungsverfügungen ausdrücklich zu bestätigen.

Bei Inanspruchnahme des Besprechungsraumes in Flensburg ist WB Dänemark frühzeitig von der Ankunft der aus dem Reich kommenden Besprechungsteilnehmer zu unterrichten, um die Inmarschsetzung der Besprechungsteilnehmer aus Dänemark zeitgerecht veranlassen zu können.

                        I.A.
                 [uden underskrift]

104. Georg Lindemann an OKW/WFSt 23. Februar 1945
Lindemann bad om, at arbejdet med anbringelsen af de tyske flygtninge hurtigst muligt overgik til den civile sektor. Fra dansk side stillede man krav om tilbageføring af danske fanger i tyske KZ-lejre for at medvirke ved flygtningeanbringelsen, og ifølge AA lå beslutningen om tilbageføringen hos RSHA.
    Kilde: BArch, Freiburg, RW 4/754. RA, Danica 1069, sp. 1, nr. 274, 446f.

Geheim
                      F e r n s c h r e i b e n
HOJC 53 23.2., 18.30

An OKW/WFSt Qu

Betr.: Deutsche Ostflüchtlinge.

Wehrmachtdienststellen in Dänemark leisten einstweilen zum Auffangen der Flüchtlinge Hilfe durch vorläufige Unterbringung, Verpflegung, Transport, Betreuung und

Ausstattung mit Landeszahlungsmitteln in Höhe Reisefreigrenze soweit Maßnahmen von Partei ziviler Verwaltung und Polizei nicht ausreichen. Dieser Einsatz der Wehrmacht in Betreuungsaktion aus Gründen der Schlagkraft nur kurzfristig möglich. Auswärtigen Amt hat daher Sonderdelegation nach Dänemark entsandt um tätige mithilfe der Dänen zu erreichen und Betreuung der Flüchtlinge zur Entlastung der Wehrmacht schnellstens auf zivilen Sektor zu verlagern.[77] Verhandlungen scheitern zur Zeit an der von Dänen bestellten Vorfrage der Zurückverlegung von Besatzungsmacht gefangene Dänen nach Dänemark. Entscheidung dieser politischen Frage liegt nach Auskunft Auswärtigen Amt bei Reichssicherheitshauptamt. OKW/AWA bittet dringend um baldige Entscheidung, damit Übergang der Flüchtlingsbetreuung auf zivilen Sektor umgehend durchgeführt werden kann.

OKW 3 F/400/ 45G AWA/AG Wv 3 (VIII)
I.A.
gez. **Lindemann**
Gen Maj. U. Stellv. Chef AWA

105. WB Dänemark: Tagesmeldung 23. Februar 1945

Der var bl.a. af danske modstandsfolk blevet foretaget et skudoverfald på marcherende tyske soldater, hvorved 3 var blevet dræbt og syv såret (hvoraf fem senere døde). Lindemann krævede af HSSPF omfattende gengældelsesforanstaltninger i den anledning.

Episoden fandt sted ved Roskildevej i København om eftermiddagen og foreligger i to stærkt afvigende versioner med lidt forskellige detaljer for den anden versions vedkommende. Det tyske ordenspolitis version er flg.:

"Am 23.2. gegen 14.35 Uhr wurde in Kopenhagen eine marschierende Wehrmachtskolonne des Btl. D 3 in Stärke 1/15 aus dem Hinterhalt überfallen. In Höhe der Tankstelle des Roskildevej 145 trat plötzlich ein Mann hinter einem Baum hervor, der mit der Pistole in der Hand "Hände hoch" rief. Gleichzeitig wurde von der Flanke her die Kolonne mit MP- und Pistolenfeuer überschüttet. Die Schützen feuerten aus Deckung hinter der Schutzmauer der Tankstelle. Weitere Terroristen feuerten aus dem Gelände des Nachbargrundstückes durch einen Lattenzaun. 3 Soldaten wurden bei dem Überfall getötet, 5 schwer und 2 leicht verletzt. Von den unverwundeten Soldaten wurde das Feuer erwidert. Verluste auf der Gegenseite sind nicht festgestellt. Täter, die vorher 8 dänische Arbeiter, die sich in der Nähe der Tankstelle aufhielt, eingesperrt hatten, entkamen auf mitgeführten Lkw und Pkw."[78]

Den anden version stedfæster episoden til Roskildevej i rundkørslen ved nr. 184: Her blev fire personer i en lille grå bil forfulgt af tyske politifolk eller Hipofolk (der er ikke enighed derom) i to andre vogne. I Rundkørslen sprang de forfulgte ud af bilen, da den gik i stå, gik i dækning bag den og fyrede løs med deres maskinpistoler. I det samme kom et hold tyske soldater marcherende på vej til Carltorp-fabrikken forbi for at afløse et andet vagthold. Soldaterne kom i skudlinjen og fire blev straks dræbt, to såredes. Antallet af faldne varierer. Om alle de forfulgte undslap er der også usikkerhed, ligeledes om nogle af dem blev såret. Det illegale politi opgav, at en modstandsmand blev såret i lysken, men blev bragt i sikkerhed.

Det tyske politis version gør det til et overlagt bagholdsangreb på de marcherende tyske soldater, der

---

77 Det var Walter, der ledede særdelegationen til Danmark. Se Behrs og Litters mødereferater 12. februar 1945 og Hæstrup, 2, 1966.-71, s. 224f.

78 RA, BdO Inf. nr. 228, 1945. Abwehr i Danmark vurderede 1. marts 1945 i sin oversigt over den generelle situation, at angrebet på de marcherende tyske soldater 23. februar var bevis på, at den danske modstandsbevægelses ledelse ikke betænkte sig på også at sætte deres folk ind direkte mod de tyske soldater og planmæssigt trænede dem i det (RA, Danica 203, pk. 46, læg 547).

bliver mejet ned. I version to er der i alle varianter tale om en forfølgeseshistorie, hvor de tyske soldater ved en tilfældighed kommer i skudlinjen. De var ikke i sig selv målet, og der var ikke tale om et skudoverfald.

Hvilken version, der er den rigtige, lader sig nok afgøre, selv om version tos informanter er indbyrdes afhængige, og der samtidig fra tysk side kan have været en interesse i at udelade tysk politis/Hipos andel i episoden og både at gøre soldaternes rolle mere heroisk og det større antal modstandsfolks bagholdsangreb mere fordømmelig. Det korte af det lange er, at denne situation blev *udvalgt* til at udløse en voldsom reaktion fra tysk side. Tidligere episoder i februar med mange døde og sårede kunne lige så godt være brugt, når der alligevel efterfølgende skulle konstrueres en historie, der kunne bruges som begrundelse for noget drastisk. Tysk politi lod 27. februar da også underhånden UM vide, hvad der var gået for sig: "der var skudt paa en tysk Troppeafdeling, som var paa Vej til Fabrikken Karltorp, *da Sabotører var i Ildkamp med Gestapo*" (udgiverens udhævelse). Der var med andre ord ikke tale om et baghold.[79]

Lindemann kunne næste dag indberette til OKW/WFSt, hvilke foranstaltninger der blev tale om.
Kilde: KTB/WB Dänemark 23. februar 1945.

[...]

Tagesmeldung: 4 Sabotageanschläge, davon 3 auf Eisenbahnanlagen. 1 Sabotage an Fernsprechleitungen und 2 Überfälle auf Wehrmachtangehörige (Waffenraub).

An 3 Stellen Schüsse auf Posten und vorbeimarschierende Truppe.

In Kopenhagen Feuerüberfall mit M. Pi. aus Hinterhalt auf marschierende Wachablösung. Eigene Verluste: 3 Tote, 7 Verwundete.

Bei Höh. SS- und Pol. Führer durchgreifende Maßnahmen beantragt.

[...]

106. Reinhard Gehlen: Lage in Dänemark 23. Februar 1945

Gehlen fra den tyske hærs generalstab vurderede ikke, at en allieret invasion i Danmark var forestående, men skulle den finde sted, måtte man regne med, at den danske befolkning ville støtte fjenden, både gennem passiv og aktiv modstand. Hertil kom de hastigt voksende problemer for dansk erhvervsliv, som også ramte tyske interesser.
Kilde: BArch, Freiburg, RH 2/2169. RA, Danica 1069, sp. 2, nr. 1985-87. EUHK, nr. 151.

Fremde Heere Ost IV 23.2.1945

V o r t r a g s n o t i z
Betr.: Lage in Dänemark.

Seit dem Abschluß der Konferenz in Jalta und der Veröffentlichung des Schlußkommuniqués, in dem von einem bevorstehenden konzentrischen Angriff auf Deutschland von

---

[79] *Information* 24. februar 1945, *Daglige Beretninger* 1946, s. 670f., KB, Bergstrøms dagbog 23. februar 1945, Redaktionsavisen 23. februar 1945 (indsat i Bergstrøms dagbog s. 66.717 og 66.723), *Udenrigsministeriets Pressebureaus Situationsmelding*, Nr. 128, 24. februar (indsat hos Bergstrøm s. 66.774f.), *Meddelelser* Nr. 212, 24. februar 1945 (Det illegale danske politis version indsat hos Bergstrøm s. 66.790 (her opgives at forfølgerne var Hipomænd), KB, Herschends dagbog nr. 388, 27. februar 1945, Svenningsen til Herschend (jfr. Rosengreen 1982, s. 158, der alene holder sig til BdOs fremstilling og ikke gengiver den korrekt. F.eks. står der ikke noget om antallet af modstandsfolk, selv om Rosengreen skriver ca. 10 (ej heller var det Informationsblatt nr. 228, men nr. 28)).

Osten, Westen, Süden und Norden die Rede ist, mehren sich die Stimmen, die eine Landung der Engländer und Amerikaner in Dänemark voraussagen. Die schwedische Presse hat darüber unter Berufung auf militärische Sachverständige in Washington eingehend berichtet. Aber auch Reuter bringt entsprechende Meldungen und führt aus, daß der umfangreiche Abzug von deutschen Truppen Dänemark und Schleswig-Holstein für einen alliierten Angriff reif gemacht habe.

Irgendwelche besondere Anzeichen dafür, daß solche Absichten tatsächlich bestehen und die Vorbereitungen für eine Landung in Dänemark bereits begonnen hätten, liegen indessen nicht vor. Vertrauensleute aus England haben im Gegenteil berichtet, daß Zusammenziehungen von Landungsbooten und Transportschiffen in den Häfen der englischen Westküste nicht beobachtet seien. Abgesehen davon, daß ein solches Landungsunternehmen wohl auch kaum vor dem Frühjahr zu erwarten wäre, kann es sich bei den erwähnten Meldungen wie auch bei dem Jalta-Kommuniqué um eine bewußte Irreführung handeln, die lediglich den Zweck verfolgt, deutsche Truppen in Dänemark und Norwegen zu binden.

Immerhin bleibt die Möglichkeit einer Invasion bestehen und im Zusammenhang hiermit ist die Lage in Dänemark von besonderem Interesse.

1.) Der Kurswechsel in Dänemark, der im Jahre 1943 die Beziehungen zum Reich aus der diplomatisch-politischen Sphäre mehr in die militärisch-polizeiliche gerückt hat, hat eine allmähliche Verschärfung der Situation mit sich gebracht und Spannungen hervorgerufen, die sich unter dem Einfluß der Ereignisse auf den Kriegsschauplätzen in den letzten Monaten mehr und mehr gesteigert haben. Die dänische Bevölkerung steht heute in ihrer erdrückenden Mehrheit Deutschland ablehnend gegenüber und ist zudem davon überzeugt, daß Deutschland den Krieg nicht mehr gewinnen könne. Sie hat daher ihr Interesse und ihre Sympathien der Gegenseite zugewandt. Auch deutschfreundliche Kreise machen diese Wandlung mit und erklären, daß ein kleines Volk wie Dänemark keine eigene Politik treiben könne, sondern gezwungen sei, sich dem Stärkeren zu beugen. Man dürfe es daher dem dänischen Volk nicht verargen, wenn es lieber mit den Engländern leben als mit den Deutschen sterben wolle.

2.) Eine gewisse psychologische Bedeutung kommt bei der bereits bestehenden Stimmung dem Umstand zu, daß Dänemark nach einer Erklärung des Wortführers des dänischen Rates in London, Christmas Möller, vor der internationalen Presse in Stockholm (schwedische Presse v. 4.2.45) von den Vereinigten Nationen als alliierter Staat anerkannt worden ist. Wenn auch der "dänische Rat" keine eigentliche Regierung ist, die im Namen des dänischen Volkes sprechen und Beschlüsse fassen könnte, so wird er doch von der englischen politischen Führung unterstützt, zu der er in engen Beziehungen steht. Seine politischen Aktionen werden daher in Dänemark bei der vorherrschenden anglophilen Einstellung der Bevölkerung Beachtung finden und den Eindruck erwecken, daß Dänemark in die alliierte Front eingereiht und zum kriegführenden Staat gemacht worden sei.

3.) Ein weiteres Zeichen ungünstiger Entwicklung ist das Zunehmen der Sabotageakte. In den letzten Monaten haben sich besonders die Anschläge gegen Eisenbahnlinien und

Elektrizitätswerke vermehrt.[80] Nach den Feststellungen der deutschen Polizei handelt es sich um wohlorganisierte Widerstandsgruppen, die von englischen Offizieren dänischer Abstammung geleitet und von militärischen Stellen in England gesteuert werden.

4.) Neben diesen ungünstigen Faktoren tritt neuerdings auch eine sehr ungünstige Entwicklung auf wirtschaftlichem Gebiete hervor. Infolge des Ausfalles des oberschlesischen Kohlengebietes und der großen Schwierigkeiten im Verkehrswesen haben die deutschen Kohlenlieferungen an Dänemark gänzlich eingestellt werden müssen. Dänemark ist daher gezwungen, aus seinen knappen Lagerbeständen zu leben, bzw. auf seine eigenen, nur beschränkt verwendbaren Brennstoffe, Torf und Braunkohle, zurückzugreifen. Die vorhandenen Vorräte an Steinkohle und Koks reichen nur für einige Wochen. Alsdann werden alle hierauf angewiesenen Betriebe, insbes. Eisenbahn und Gaswerke zum Erliegen kommen. Die dänische Zentralverwaltung hat bereits einschneidende Rationierungsmaßnahmen hinsichtlich des Verbrauchs von Kohle, Elektrizität und Gas getroffen, die auch eine nachteilige Auswirkung auf die für deutsche Interessen arbeitenden Betriebe der Landwirtschaft, der gewerblichen Wirtschaft einschl. der Rüstungswirtschaft haben werden. Aber auch mit diesen Maßnahmen ist der Ausfall der deutschen Lieferungen nicht auszugleichen. In gleicher Richtung wirkt sich der starke Rückgang der deutschen Lieferungen an Eisen und Stahl aus. Von den auch nach deutscher Auffassung notwendigen 14.000 t monatlicher Lieferung haben nach einem allmählichen Rückgang in den Vormonaten im Dezember noch nicht 1.000 t geliefert werden können. Hierdurch gerät die dänische Wirtschaft in all ihren Zweigen in äußerste Bedrängnis. Betriebsstillegungen oder Einschränkungen, Arbeitslosigkeit, Rückgang oder Ausfall der für Deutschland bestimmten Lieferungen werden die unausbleiblichen Folgen sein.

Zusammenfassung:
Die gegenwärtige Lage in Dänemark zeigt in militärischer Hinsicht gewisse Gefahrenpunkte. Sollte es zu einer Invasion kommen, so muß mit der Unterstützung des Gegners durch die einheimische Bevölkerung gerechnet werden, wobei nicht allein Anschläge aller Art zu erwarten sind, sondern auch ein passiver Widerstand unter Berufung auf technisch-wirtschaftliche Schwierigkeiten möglich erscheint. Nach den vorliegenden Berichten ist zudem zu befürchten, daß in einigen Wochen das Eisenbahnnetz für Truppenverschiebungen und Nachschub ganz oder teilweise ausfallen wird.

Gehlen
Generalmajor und Abteilungschef

---

80 Det kan ikke bekræftes, at elværker var blevet særlige mål for sabotagen.

107. Werner Best: Grundsätze für die Finanzierung der deutschen Flüchtlinge in Dänemark 24. Februar 1945

Da den danske administration ikke ville medvirke til hverken de tyske flygtninges placering, underhold eller bespisning lod Best ud over værnemagten NSV og det tyske mindretal bidrage til løsning af opgaven. Projektet finansierede han ved at hente midlerne på værnemagtskontoen, der igen fik midlerne fra clearingkontoen i Danmarks Nationalbank. På den måde kom finansieringen ikke til direkte drøftelse med de danske myndigheder.[81] Som det tidligere var ønsket af AA (se Behrs notits 12. februar), skulle flygtningene aflevere deres tyske valuta ved ankomsten til Danmark.

Kilde: KB, Peder Herschends arkiv. LAÅ, Det tyske Mindretals arkiv, pk. 616 (gennemslag).

Grundsätze
für die Finanzierung der deutschen Flüchtlinge in Dänemark.

1.) Bei Danmarks Nationalbank ist ein Sonderkonto "E" zu errichten, das durch Clearingüberweisungen des Reichsministers des Innern gespeist wird.

   Verfügungsberechtigt über das Konto ist der Vorsitzende der Flüchtlings-Zentralstelle beim Reichbevollmächtigten oder dessen Vertreter.[82]

2.) Solange mangels Mitwirkung der dänischen Regierung Clearingüberweisungen nicht möglich sind, leistet die Wehrmacht aus Besatzungskostenmitteln der Flüchtlings-Zentralstelle Vorschüsse zur Bestreitung der erforderlichen Ausgaben.

3.) Der monatliche Geldbedarf ist bis zum 10. des vorhergehenden Monats durch die Flüchtlings-Zentralstelle beim Reichsminister des Innern über das Auswärtige Amt anzufordern.

   Solange Clearingüberweisungen nicht stattfinden, sind die Vorschüsse dem Reichsminister des Innern über das Auswärtige Amt monatlich zu melden.

4.) Die einzelnen Läger der NSV und das Volksgruppenamt der Deutschen Volksgruppe in Nordschleswig fordern ihren monatlichen Geldbedarf über den Beauftragten der NSV bei der Flüchtlings-Zentralstelle an. Dabei ist folgende Aufgliederung vorzunehmen:

   a.) Zahl der betreuten Flüchtlinge,
   b.) Taschengeld,
      aa.) Zahl der Familienvorstände je Kr. 1,-
      bb.) Zahl der sonstigen Erwachsenen und Kinder je Kr. 0,50
   c.) Verpflegungskosten für:
      aa.) Erwachsenen und Kinder über 6 Jahre,
      bb.) Kinder von 1-6 Jahre
      cc.) Kinder bis zu 1 Jahr,
   d.) Lagerkosten (Heizung und Beleuchtung),
   e.) Hotelmiete,
   f.) Entschädigung für Unterbringung bei Volksdeutschen Kr. 3,- je Kopf,
   g.) Beschaffungen
   h.) Verwaltungskosten der NSV und des Volksgruppenamts, soweit sie nicht aus Mit-

---

[81] Rudolf Stehr sendte 5. marts 1945 Best en opgørelse over, hvad det tyske mindretals flygtningearbejde havde kostet i marts måned: 1.076.500 kr. (LAÅ, Det tyske Mindretals arkiv, pk. 616).
[82] Se om Flygtningecentralkontoret *Politische Informationen* 1. marts 1945, afsnit III.

teln der NSV oder der Deutschen Volksgruppe in Nordschleswig bestritten werden.

Eine Änderung der Taschengeldsätze durch die Flüchtlingszentralstelle bleibt vorbehalten.

5.) Die Auszahlung und Abrechnung der Reichmittel erfolgt durch den Beauftragten der NSV, der in Kopenhagen eine Abrechungsstelle einrichtet.

Das Volksgruppenamt erhält die erforderlichen Mittel für die von der Deutschen Volksgruppe in Nordschleswig betreuten Flüchtlinge durch den Beauftragten der NSV.

Die rechnungsmäßige Verantwortung für die ordnungsmäßige Verwendung der Reichsmittel trägt der Beauftragte der NSV und, soweit die Mittel vom Volksgruppenamt übernommen sind, das Volksgruppenamt.

6.) Lebensmittel sind grundsätzlich nur durch die Wehrmacht zu beschaffen und mit dieser abzurechen. Zu diesem Zweck wird ein Verbindungsmann der NSV zum Wehrmachtintendanten bestellt.

Die einzelnen Lagerführer und das Volksgruppenamt haben grundsätzlich keine Berechtigung, Gebrauchsgegenstände und Lebensmittel einzukaufen, Ausnahmen hiervon bedürfen Genehmigung der Flüchtlings-Zentralstelle.

7.) Die Lagerführer und das Volksgruppenamt haben die verausgabten Beträge monatlich mit dem Beauftragten der NSV abzurechen, der der Flüchtlings-Zentralstelle auf Grund dieser Unterlegen eine Monatsabrechnung unter Beifügung der Abrechnung des Volksgruppenamt vorlegt. Dabei sind die unter Ziffer 4.) aufgeführten Posten kenntlich zu machen.

8.) Das Abrechnungswesen ist so auszubilden, daß die Leistungen an die einzelnen Flüchtlingsfamilien jederzeit feststellbar sind. Bei Sammel- und Hotelunterkünften müssen für Unterbringung und Verpflegung Durchschnittssätze festgelegt werden.

9.) Die sparsame Mittelbewirtschaftung ist durch die Flüchtlings-Zentralstelle zu überwachen. Die Flüchtlings-Zentralstelle kann Richtlinien für die Abrechnung und Belegung der Ausgaben aufstellen.

Der Beauftragte der NSV und des Volksgruppenamts sind verpflichtet, der Flüchtlings-Zentralstelle alle Auskünfte über die Verwendung der Reichmittel, die Art der Abrechnung und Verbuchung zu erteilen.

10.) Die Devisenstellen in Reich werden angewiesen, Transferanträge zu Gunsten der Flüchtlinge in Dänemark abzulehnen. Die Flüchtlinge sind entsprechend zu unterrichten.

11.) Die in Händen der Flüchtlinge befindlichen Reichsmarkzahlungsmittel sind durch die Lagerführer der NSV und das Volksgruppenamt an Hand von Listen einzusammeln.[83] Über den abgelieferten Betrag ist dem Flüchtling eine Quittung auszustellen. Der Flüchtling hat in der Liste oder auf einem Beleg zu quittieren.

Sämtliche Familienvorstände haben die schriftliche Erklärung abzugehen, daß weder sie noch ihre Angehörigen im Besitz weiterer Reichmark-Zahlungsmittel sind.

12.) Ein Doppel der Liste ist mit den Reichmark-Zahlungsmittel an die Flüchtlings-

---

83 Se herom Haensch til Best 3. marts 1945.

Zentralstelle zu übersenden. Die eingesammelten Geldzeichen sind sodann von der Flüchtlings-Zentralstelle an die Reichbank abzuliefern.

Die Flüchtlinge können über die abgelieferten Beträge im gleichen Umfang wie andere Devisenländer, die beim Grenzübertritt Reichsmark-Zahlungsmittel deponieren, verfügen.

Kopenhagen, den 24. Februar 1945

gez. **Dr. Best**

108. Kriegstagebuch/WB Dänemark 24. Februar 1945

Lindemann lod notere de foranstaltninger, som Pancke og Bovensiepen enten allerede havde sat i værk eller ville sætte i værk senest 26. februar som gengæld for "nedskydningen" af den tyske patrulje dagen før.

Når gengældelsen faldt så prompte og blev så drastisk, hænger det givetvis sammen med, at Pancke og Bovensiepen netop var på besøg i Silkeborg hos Lindemann 23. februar. Beskeden om "nedskydningen" af den tyske patrulje nåede dem alle der. Der var i forvejen ophobet frustrationer over ikke at kunne dæmme op for især de talrige jernbanesabotager. Lindemann havde fra sin ankomst stået for en skærpet kurs mod sabotagen, og måske spillede det også ind, at Pancke og Bovensiepen ville gøre indtryk på østfrontkæmperen Lindemann. I hvert fald blev Best ikke inddraget i beslutningen om sanktionerne. I stedet blev en i forvejen af Erich Bunke udarbejdet plan for repressalier ved drab på danske statsborgere taget i anvendelse med det samme (det sidste var Bovensiepens efterkrigsforklaring (PKB, 13, s. 204, 222)[84].

Gengældelsesaktionens første del blev udført af tysk politi tidligt om morgenen 24. februar og ikke af de ellers benyttede tilknyttede terrorgrupper. Erik Edmundt Andreassen blev afhentet i sit hjem, Istedgade 14 og bragt til Shellhuset, hvor han blev skudt. Kontorassistent Keld Jeppesen blev afhentet på sin illegale adresse og nogle timer senere fundet dræbt ved Roskildevej 33A. Kontorassistent Christian Cuno Odde var blevet arresteret dagen før og fandtes nu dræbt i Ny Adelgade. Skomager Anders Christian Olsen blev afhentet i sit hjem på Sydkærsvej og umiddelbart dræbt, hvorpå liget blev kørt til Shellhuset. Arbejdsmand Svend Erik Jensen blev arresteret, skudt og efterladt ved Refsnæsgade 36. Sporvejsfunktionær Eigil Kirstein Vistisen blev arresteret på sin bopæl og dræbt, liget blev efter den tyske kapitulation fundet i Ryvangen. Reservepolitibetjent Skjold Leo Jensen blev afhentet af tysk politi på sin bopæl i Skovshoved og dræbt. Der var tale om 7 døde danskere til gengæld for de 8 døde tyske soldater, idet en dansker på Bunkes liste, Helge Ulrichsen, slap med livet i behold.

Panckes videre foranstaltninger – gengældelsesaktionens anden del – fandt sted 26. februar, da 10 fangne sabotører blev henrettet.[85] Meddelelsen om deres henrettelse fremkom først 11. marts ved en pressemeddelelse fra Pancke, hvori det blev fortalt, at henrettelserne skete efter dom. Når meddelelsen kom så mange dage senere, hænger det givetvis sammen med to omstændigheder.

For det første skulle tilladelsen til at henrette ifølge dom indhentes i førerhovedkvarteret. Domfældelser

---

84 I sin efterkrigsforklaring skød Bovensiepen Kaltenbrunner ind som det mellemled, der straks blev rådspurgt, og som krævede drastiske modforanstaltninger gennemført øjeblikkeligt. Kaltenbrunners ordre skulle ikke have været til at komme uden om. Den forklaring afviste Pancke under retssagen som urigtig, idet Bovensiepen allerede havde fortalt ham, at den forklaring kun var afgivet for at dække over andre (PKB, 13, s. 227). Der er næppe tvivl om, at aktionen 24. februar blev gennemført på lokalt tysk initiativ i Danmark, og omfangsmæssigt var den ikke mere omfattende end så mange andre modterroraktioner, så der var ikke nogen særlig grund til at konsultere Kaltenbrunner i den anledning.

85 Det bragte antallet af danske ofre for den tyske gengældelsesaktion op på 18 personer. Der blev denne gang svaret igen i forholdet mere end to til en. Hertil kan føjes, at Best i sine erindringer skrev, at han havde fået at vide, at de fra Silkeborg var blevet førerhovedkvarteret at skyde 20 fanger danskere som repressalie (Best 1988, s. 132). Hvorfor det skulle være nødvendigt at fremkomme med et sådant forslag, er uforståeligt, da retten dertil for længst forelå, og fremgangsmåden tidligere var benyttet i bl.a. august 1944. Bests fremstilling tjente det formål at stille hans egen indgriben i relief.

og henrettelser havde Hitler jo strengt forbudt 1. juli 1944 og senere ladet indskærpe flere gange. Bjørn Rosengreen er af den opfattelse, at henrettelserne først fandt sted efter at tilladelsen fra førerhovedkvarteret forelå, dvs. at den må have foreligget 26. februar om aftenen. Det er udgiveren ikke så sikker på. Henrettelserne kan udmærket have fundet sted 26. februar som aftalt i Silkeborg 24. februar, uden at der forelå nogen tilladelse til at offentliggøre, at det skete efter dom. Tilladelse til at foretage henrettelser uden dom og i dølgsmål forelå jo allerede, det var en direkte førerordre, at det skulle foregå på den måde, og det foregik på den måde i Danmark f.eks. 24. februar, men det var benarbejdet med at få lov til at proklamere, at det skete efter dom, der var det første problem.

Og hvem ønskede, at det skulle ske efter dom? Det var Best, der hele tiden havde ønsket denne formelle procedure. Om den også var reel, var af underordnet betydning. Det var opinionen og den danske centraladministration, der skulle påvirkes, og ikke nogen retssikkerhed, der skulle garanteres. Det var sikkert Best, der satte sig i bevægelse for at få den allerede af Pancke/Bovensiepen trufne beslutning om henrettelsen af et antal fangne sabotører 26. februar tilføjet, at det skete efter rettergang og dom. Når Terboven allerede havde fået Hitlers fuldmagt til at genoptage henrettelserne i Norge, var opnåelsen af fuldmagten hertil ikke slet så usandsynlig, som det ellers ville have været. Tillige var ønsket om rettergangsprocedure helt i overensstemmelse med Bests hidtidige politik. Han havde 7. februar været enig med Lindemann og Pancke om at få dødsstraf for jernbanesabotage indført, men havde fået afslag. Nu skulle forsøget gøres igen. Tilladelsen fik han givetvis af Hitler ved mellemmænd fra AA på et tidspunkt før 1. marts, muligvis allerede 26. februar (se Bests mulige henvendelse til AA 25. februar).

Imidlertid kan der vedrørende dette spørgsmål ikke ses bort fra Lindemanns efterkrigsforklaring 20. oktober 1947,[86] da Lindemann godt nok ikke kunne tidsfæste forløbet på dato, men til gengæld huskede indholdet af den meddelelse, han 24. februar 1945 sendte til OKW – og som er refereret i krigsdagbogen – nogenlunde punkt for punkt (LAK, Best-sagen). Der er dog en væsentlig afvigelse. I 1947 påstod han, at man var blevet enige om at føre en krigsretssag mod syv sabotører og efter domfældelse og henrettelse at offentliggøre besked om dommene og henrettelserne. Der står imidlertid ikke et ord om anvendelse af krigsret i krigsdagbogen, hvorfor Lindemanns påstand om, at der dagen efter fra OKW kom besked om, at krigsret ikke måtte anvendes, har liden troværdighed. Forklaringen bestyrkes heller ikke af, at Lindemann påstod at have ført flere samtaler med Jodl i førerhovedkvarteret for alligevel at få lov til at gennemføre krigsret og til sidst havde opnået denne tilladelse. Lindemann skulle angiveligt være gået op i lige dette spørgsmål, da han fra Best vidste, at det gjaldt om at få krigsretten genindført og at blot og bar nedskydning af sabotører var uheldig. Forklaringens troværdighed svækkes først og fremmest af, at der ikke er et samtidigt vidnesbyrd om, at Lindemann og de andre deltagere i Silkeborg havde udtrykt noget ønske om anvendelse af krigsret 23.-24. februar 1945. Det var *ikke* blandt forslagene til repressalier 24. februar. Heller ikke selv om Bovensiepen 1946 påstod det, nu med den variant, at det var Pancke, der ønskede krigsretten genoprettet. Det var så tydeligt, at de direkte involverede i de voldsomme repressalier lige efter 23. februar ønskede at mindske ansvaret herfor ved at henvise til, at de i stedet havde ønsket anvendelse af en krigsret. Frem til 7. februar havde Best været ene om at være fortaler derfor, hvad der alvorligt svækker de øvriges forklaring, ikke mindst når den forklaring sammenholdes med Lindemanns fjernskrivermeddelelse til OKW/WFSt kl. 21.15 den 24. februar 1945, trykt efterfølgende (LAK, Best-sagen, afhøring 10. december 1946, s. 68).[87]

Best oplyste 27. februar Svenningsen om, at henrettelserne havde fundet sted efter at sagerne havde været behandlet ved en politiret, men dog kunne der ikke blive tale om at offentliggøre dem, da man fra tysk side endnu ikke havde taget stilling dertil. Som påpeget af Svenningsen, og som pointe her: Hvis henret-

---

86 Afhøringen af Lindemann 27. august 1946 i Nürnberg ses der stort set bort fra, da han i det store og hele ville vride sig ud af at være involveret i eller have tilskyndet til kraftige gengældelsesforanstaltninger, men lagde ansvaret hos Pancke, hvorfor udsagnene er af ringe værdi (*Records of the United States Nuremberg War Crimes Trials Interrogations, 1946-1949*, Roll 42, Washington 1976, s. 289).

87 På mødet hos Lindemann i Silkeborg 23. februar skulle foruden Pancke og Bovensiepen også major Adolf Emil Horst Müller, Oberkriegsgerichtsrat Ernst Kanter og "vistnok" (Müllers udsagn) også oberstløjtnant Günther Toepke fra Lindemanns stab have været til stede. Af disse afgav Müller 23. februar 1948 en forklaring, der faldt sammen med den af Lindemann konstruerede, mens Kanter afhørt 6. marts 1948 afviste at have været til stede (LAK, Best-sagen).

telserne skulle gøre nogen virkning i offentligheden, måtte dommene også offentliggøres.

Her er jeg fremme ved den anden omstændighed, der først og fremmest trak offentliggørelsen af dødsdommene i langdrag. Skulle det være Best eller Pancke, der offentliggjorde dem, og hvem skulle have benådningsretten? Dødsdommene i juni 1944 og tidligere var blevet offentliggjort på baggrund af Bests officielle meddelelse om, at sabotager ville blive fulgt af henrettelser. Best har givetvis kæmpet for at være den, der meddelte henrettelserne til offentligheden, ligesom han ville have benådningsretten. Det havde været hans tidligere standpunkt. Han fik ingen af delene, offentliggørelsen af henrettelserne kom alene fra Panckes pressekontor, og det var også hans pressekontor, der senere meddelte de få givne benådninger. Men det var ikke sket uden en magtkamp, der havde forhalet offentliggørelsen.

Yderligere er det sandsynligt, at Best med genindførelsen af retsanvendelsen over for sabotører ville have modterroren nedtonet eller indstillet. De to ting var to sider af samme sag for ham. Heller ikke det fik han, tværtimod, når der medtages den terror, der blev foretaget af Hipo og ET-grupperne, og han svarede igen med at hænge modterroren og dens bagmænd ud i *Politische Informationen* (alle oplysninger om de dræbte fra *Faldne i Danmarks frihedskamp*, 1970, *Information* 7. marts 1945. Hæstrup, 2, 1966-71, s. 235-237, Rosengreen 1982, s. 160).

Kilde: KTB/WB Dänemark 24. februar 1945.

[...]

Der Überfall auf eine marschierende Wache in Kopenhagen löst nachstehende deutsche Gegenmaßnahmen aus:

1.) Bei der Festnahme einer Bandengruppe sind bereits 9 Saboteure erschossen worden.

2.) Am 26.2. werden auf Weisung des Höh. SS- und Pol. Führers weitere in Haft befindliche Saboteure erschossen.

3.) Es ist beabsichtigt, 400 dänische Häftlinge in deutsche KZ zu überfuhren.[88]

4.) Bekanntgabe in der Presse ist vorgesehen.[89]

[...]

109. Georg Lindemann an OKW/WFSt 24. Februar 1945

Lindemann lod meddelelsen om de af BdS gennemførte og planlagte gengældelsesaktioner for nedskydningen af de marcherende tyske soldater gå videre til OKW/WFSt med den kommentar, at han anså dem for fyldestgørende og virksomme. Ni sabotører var ved anholdelsen blevet skudt i henhold til RFSS' ordre. Der ville følge flere lignende nedskydninger. Den 26. februar ville de til fængsel overførte sabotører blive skudt. Det var endelig hensigten at overføre 400 fanger til KZ-lejre.

Der er ikke antydning af, at der blev arbejdet på at få genindført anvendelse af dødsstraf ved dom. I stedet blev RFSS' ordre direkte nævnt. Der skulle med foranstaltningernes voldsomhed gøres indtryk såvel i Berlin som i København.

Bjørn Rosengreen gengiver denne fjernskrivermeddelelse på dansk (1982, s. 160) og indlæser under pkt. 2 til sidst linjen "når der forelå fældende beviser mod de pågældende." Denne linje findes som påpeget

---

88 Der blev overført et mere begrænset antal danskere til Tyskland efter 24. februar. Det drejede sig om 106 den 2. marts og otte politimænd 13. marts (*Information* 17. marts 1945, Barfod 1969, s. 361-363, 396). Afhørt i Nürnberg 27. august 1946 forklarede Lindemann, at OKW skulle have afvist at lade et større antal deportationer finde sted (*Records of the United States Nuremberg War Crimes Trials Interrogations, 1946-1949*, Roll 42, Washington 1976, s. 289). Hertil er at føje, at OKW ikke havde bemyndigelse i den slags spørgsmål.

89 Der udgik først en officiel meddelelse om henrettelser efter dom fra HSSPFs pressekontor 11. marts (trykt hos Alkil, 2, 1945-46, s. 928f.).

af Rosengreen sst. note 22 ikke i KTB/WB Dänemark, men hvad mærkeligere er, den findes heller *ikke* i fjernskrivermeddelelsen 24. februar 1945 kl. 21.15. Det er en konstruktion fra Rosengreens side, der ikke er uden betydning for tolkningen af hele forløbet.

Kilde: BArch, Freiburg, RW 4/754. RA, Danica 1069, sp. 1, nr. 274.

F e r n s c h r e i b e n

Geheime Kommandosache
+ KR HXSI / FF 589 24/2 21.15 = (HZPH FF 2 – 0732) =
KR OKW WFST / OP (H) NORD – GKDOS –

Bezug: Tagesmeldung vom 23.2.1945
B NR 1243 /45 Geh. –

Betr: Maßnahmen Kopenhagen

1.) BdS hat gem. bestehender Weisung des Reichsführers-SS bereits 9 Saboteure bei Festnahme erschießen lassen. Weitere Erschießungen dieser Art werden folgen.
2.) Am 26.2. werden auf Weisung des Höh. SS- u. Pol. Fhr. in Haft befindliche überführte Saboteure erschossen werden.
3.) Es ist beabsichtigt, etwa 400 dän. Häftlinge in deutsche KZ überführen.[90]
4.) Diese Maßnahmen werden als ausreichend und wirksam angesehen.

Gez. **Lindemann**
Gen. Oberst u. Befh. dän. I A
Nr. 693/65 Gkdos, F.d.R. Gez. Toepke, Maj. i G

110. Günther Toepke an OKW/WFSt 24. Februar 1945

Toepke kunne meddele, at der havde fundet otte jernbanesabotager sted, hvoraf en havde ramt general Lindemanns særtog. Han var på vej tilbage til Silkeborg fra en inspektionsrejse. Der var ingen personskader, men to huse ved banen var blevet nedbrændt. Et afsporet troppetransporttog havde haft 5 døde og 25 sårede. For foranstaltningerne i København henviste han til en særskilt meddelelse.

Lindemanns særtog var ved sabotagen, der fandt sted ved Struer, blevet afsporet. Generalen var så vred, at han umiddelbart lod det gå ud over en nærliggende gård og et ledvogterhus, hvis beboere han beskyldte for at stå i ledtog med sabotørerne. Begge bygninger blev brændt uden at beboerne kunne redde indbo eller besætning. Denne form for repressalie var enestående i Danmark og vakte betydelig opsigt både i og uden for Danmark. Best sørgede også for at få den passende negativt omtalt i *Politische Informationen* under "Fjendtlige stemmer", hvor udådens ophavsmand med henvisning til den illegale presse blev døbt "Pyromangeneralen" (*Information* 26. februar 1945, *Politische Informationen* 1. april 1945, afsnit VII. Hos Herschend 1980, s. 102 er trykt en beretning fra Gimsing sogneråd 15. marts 1945 om afbrændingshændelsen (hentet fra Herschends dagbog nr. 415, 16. marts 1945). Mouritzsen 2003, s. 124-127).

Kilde: BArch, Freiburg, RW 4/754. RA, Danica 1069, sp. 1, nr. 275.

---

[90] Se om deportationerne KTB/WB Dänemark 24. februar 1945.

Fernschreiben

KR – HXSI/FF 581/82 24.2., 21.15

An KR OKW/WFSt.   Geheim

8 Sab. Anschläge auf Eisenbahnstrecken, davon 1 auf Sonderzug mit dem O.B. von Besichtigungsreise zurückkehrte.

Keine Personenverluste, nur Sachschaden.

2 danebenliegende Häuser, aus denen Zugzündung erfolgte, niedergebrannt. Im zweiten Fall Wehrm. Transport in Nordjütland entgleist. Verluste: 5 Tote, 25 Verletzte.

2 Anschläge auf Eisenbahnlinien abgewährt.

Maßnahmen für Kopenhagen siehe FS W. Befh. Dän. I A Nr. 653/45 G.K.

W. Befh. Dän. Abt. 1 A Nr. 1273/45 Geh.[91]

gez. **Toepke**
Maj. I. G.

111. Werner Best an das Auswärtige Amt 25. Februar 1945

Best skriver i sine erindringer, at han fortroligt fik besked fra Lindemanns hovedkvarter om, at der var sendt et forslag til førerhovedkvarteret om at skyde 20 fangne sabotører som repressalie for "terroristangrebet" på værnemagtspatruljen. Det fik ham til at sende et "heftigt" telegram til AA 25. februar, hvori han vendte sig mod gidselnedskydning og krævede domfældelse af terrorister, som ellers generelt var blevet forbudt, taget i anvendelse igen.

Telegrammet lader sig ikke lokalisere, men blev, uanset indholdets begrundelser og formuleringer, afsendt. På den ene eller den anden måde fik Best en accept af genindførelsen af domfældelsen af sabotører i Danmark fra førerhovedkvarteret. Hitlers tidligere ordre kunne kun ændres af ham selv. Ifølge Best lod AA hans telegram gå videre til førerhovedkvarteret, hvor det blev forelagt ved en "Lagebesprechung." Her skulle Hitler efter hånlige udtalelser om Best have givet sin tilladelse.[92]

Best fortæller i erindringerne ikke, at Terboven forud havde opnået en lignende fuldmagt til at genoptage henrettelserne. Det skyldes næppe hverken en forglemmelse, eller at han betragtede det som irrelevant. Ved kun at fortælle om sin egen henvendelse til Hitler via AA, stillede han sig selv i det bedst mulige lys: Han alene havde fået omgjort en af Hitlers forbryderiske ordrer. Til gengæld huskede Bovensiepen 1946, at Terboven havde fået tilladelse til at genoptage henrettelserne forud (LAK, Best-sagen, afhøring 10. december 1946, s. 66. Best 1988, s. 132. Jfr. også Rosengreen 1982, s. 161 med Bests redegørelse 15. maj

---

[91] Gengivet i KTB/WB Dänemark 23. februar 1945.

[92] Steengracht blev 3. maj 1948 afhørt i Bests sag og støttede også på dette punkt Bests forklaring: "Anfang 1945 berichtete Dr. Best in einem sehr erregten Telegramm, er habe erfahren, daß wegen eines Attentats gegen die deutsche Wehrmacht 20 dänische Häftlinge als Geiseln erschossen werden sollten. Er bat dringend, das zu verhindern und statt dessen zu erwirken, daß wieder normale Kriegsgerichtsverfahren gegen die Terroristen durchgeführt werden dürfen, die Hitler seit Mitte 1944 verboten hatte. In diesem Falle hat der Reichsaußenminister bei Hitler erreicht, daß die Erschießung der Dänen unterblieb und daß für Dänemark die Wiederaufnahme von Kriegsgerichtsverfahren gegen Terroristen erlaubt wurden." (LAK, Best-sagen). Bortset fra, at det ikke var korrekt, at gidselskydningerne blev undgået, var det væsentlige for Bests forsvar, at det blev bekræftet af Steengracht, at han havde sendt et oprevet telegram til AA og hos Hitler havde fået tilladelsen til at gennemføre henrettelser efter dom. I sig selv er Steengrachts vidneudsagn uden værdi, da det tydeligvis var et af forsvarets bestillingsarbejder.

1948 som kilde). Hvornår spørgsmålet blev behandlet i førerhovedkvarteret, i hvilken form (skriftligt eller mundtligt), og hvornår Best modtog et svar, er åbne spørgsmål. Tilladelsen forelå dog senest 1. marts, da Best fortalte om henrettelserne efter dom i *Politische Informationen*.
Se også Bests optegnelse 2. marts 1945.

112. Kriegstagebuch/WB Dänemark 26. Februar 1945
Der blev givet anvisninger mht. forsvaret af København. Det var Wurmbach, der skulle forberede ødelæggelsen af Københavns havn, men det var søkommandoen, der skulle forestå kystartilleriets ledelse.
Se kommentaren til den angivelige drøftelse mellem Best og Wurmbach 24. april 1945.
Kilde: KTB/WB Dänemark 26. februar 1945.

[…]
Zur Verteidigung von Kopenhagen wird folgendes festgelegt:
1.) Der Hafen von Kopenhagen ist durch Admiral Skagerrak zur Zerstörung vorzubereiten. Die zur Durchführung notwendiger Sprengmittel und Geräte stellt Admiral Skagerrak, Fehlbedarf ist bei Fest. Pi. Stab 31 anzufordern.
2.) Für die Kampfführung der Küst. Artl. in Kopenhagen ist der Seekommandant verantwortlich. Der Wehrmachtkdt. kann dessen Unterstützung anfordern bzw. Befehle im Einvernehmen mit dem Seekdt. erlassen.
[…]

113. Kriegstagebuch/WB Dänemark 27. Februar 1945
Modstandsbevægelsens offensiv og de episoder, som Lindemann erfarede med angreb på medlemmer af værnemagten, fik ham til at indskærpe, at man skulle komme hinanden til hjælp og skyde først. Hellere begå en fejltagelse end undlade at gøre noget.
Kilde: KTB/WB Dänemark 27. februar 1945.

[…]
Der OB hat verfügt:
1.) Wird ein Wehrmachtangehöriger von Terroristen angegriffen, so haben ihm alle in der Nähe befindlichen Wehrmachtangehörigen beizuspringen und unverzüglich das Feuer auf die Täter zu eröffnen. Bei entschlossener Gegenwehr deckt der OB eher ein Fehlgreifen, als ein Untätigsein.
2.) Jeder im Wach- oder Streifendienst eingesetzte Offz., Uffz. und Mann hat seine Waffe derart schußbereit zu führen, daß ein sofortiges Eingreifen mit der Waffe in der Hand gewährleistet ist. Der OB wird rücksichtslos gegen jeden vorgehen, der sich gegen Angriffe nicht in schärfster Form mit der Waffe zur Wehr setzt und dabei jeden decken, der bei tatkräftiger Abwehr fehlgreifen sollte.
[…]

114. Werner Best an das Auswärtige Amt 27. Februar 1945

Best havde ikke kunnet opnå en aftale med den danske centralforvaltning om finansieringen af de tyske flygtninges ophold i Danmark. Indtil det skete måtte de nødvendige kroner stilles til rådighed fra Reichskreditkassens konto i Danmarks Nationalbank. Best havde derfor bedt WB Dänemark yde et forskud på 1 million kroner, der senere skulle afregnes med rigsindenrigsministeren, som Best bad AA om at underrette.

Det fremgår ikke af det knappe telegram, hvor store problemer Best havde med at få UM til at samarbejde i flygtningespørgsmålet. Han troede stadig på en løsning, og hvori den skulle bestå, løftede han sløret for i sin optegnelse af 2. marts 1945.

Kilde: BArch, R2/30668.

Abschrift HA RdVI 404/45
Der Reichsbevollmächtigte in Dänemark   *Kopenhagen, den 27.2.1945*

Betr.: Finanzierung der deutschen Flüchtlinge in Dänemark.

An das Auswärtige Amt

Solange ein Einverständnis mit der dänischen Zentralverwaltung über die Finanzierung der deutschen Flüchtlinge in Dänemark nicht erzielt ist, müssen die erforderlichen Kronenmittel zu Lasten des Kontos der Hauptverwaltung der Reichskreditkassen bei der Nationalbank bereitgestellt werden.

Ich habe deshalb den Wehrmachtbefehlshaber Dänemark auszuschließende, zur Bestreitung der Ausgaben für die deutschen Flüchtlinge in Dänemark zunächst einen Vorschuß von 1 Million Dänenkronen zu leisten.

Der Vorschuß wird später mit dem Herrn Reichsminister des Innern zu verrechnen sein. Die Art der Verrechnung hängt von dem Ergebnis der noch schwebenden Verhandlungen mit der dänischen Zentralverwaltung ab.

Ich bitte, den Herrn Reichsminister des Innern entsprechend zu unterrichten.

gez. **Best**

115. Georg Lindemann an Alfred Jodl 28. Februar 1945

Et af resultaterne af Bouhlers rigsinspektion i Danmark blev, at OKW og OKH befalede, at alle soldater, der havde været i Danmark henholdsvis to og et år skulle udskiftes (ordren er ikke lokaliseret på anden vis). Lindemann gennemførte for sit vedkommende ordren strengt, som han skrev, men han anmodede om også at få den effektueret for de andre dele af værnemagten.[93]

Lindemanns fremfærd gjorde ham næppe populær blandt sine egne underordnede, og heller ikke hos de andre værnschefer og deres soldater. Han fulgte anmodningen op 22. marts for Kriegsmarines vedkommende (se nedenfor) og Keitel svarede 24. marts.

Kilde: BArch, Freiburg, RW 4/754. RA, Danica 1069, sp. 1, nr. 274, 446f.

F e r n s c h r e i b e n

HXSI / FF 1009 23/2 19.00 (= DG HZPH FF [1009] 10.39) =

An OKW /WFSt HD Gen Oberst Jodl.

---

93 Om Bouhlers inspektion, se Goebbels til Lammers 22. januar 1945.

Der von OKW und OKH befohlene Austausch aller in Dänemark über 2 Jahre bzw. ein Jahr eingesetzten Soldaten wird von mir bezügl. des Heeres rigoros durchgeführt.

Ich wäre dankbar, wenn auch auf die anderen Wehrmachtteile bzw. OT, auch bezl. des Wehrmachtgefolges, entsprechend eingewirkt würde.

Ferner halte ich es für unbedingt erforderlich, daß auch die Reichsbahn, deren Beamte und Angestellte z.T. schon fast Jahre in Dänemark eingesetzt sind, schnellstens einen, den für Soldaten geltenden Bestimmungen angepaßten, Austausch ihrer Beamten usw. vornimmt.

Ich bitte um entsprechende Veranlassung.
B. Dän. BR B Nr. 813,
gez. **Lindemann**
Gen Obst

116. OKW/WFSt: Staatssekretärbesprechung am 28.2.1945, 28. Februar 1945
På et statssekretærmøde blev bl.a. flygtningeanbringelsen i Danmark drøftet. Best ville fortsat af sikkerhedsgrunde kun have flygtningene i Jylland, mens de danske myndigheder ikke ville levere levnedsmiddelkort til flygtningene, før de deporterede danske politifolk blev givet fri. Lindemann ønskede heller ikke Danmark belagt med et stort antal flygtninge.

Det blev besluttet at give Best besked om at sørge for ordnede forhold for flygtningene, dvs. at beslaglægge pensioner og hoteller m.v., at lade anbringelse ske også på øerne og at fremme anbringelsen af flygtninge hos danske familier.

Kilde: BArch, Freiburg, RW 4/754. RA, Danica 1069, sp. 1, nr. 498f. (kun indledning og afsnit vedr. Danmark er medtaget).

WFSt/Qu.   28.2.1945
Nr. 002045/45 gKdos.   6 Ausfertigungen
Geheime Kommandosache   1. Ausfertigung

V o r t r a g s n o t i z
Betr.: Staatssekretärbesprechung am 28.2.1945

1.) Flüchtlingsbewegung:
Aus Ostpreußen sind noch 150.000 herauszubringen. Aus Raum Danzig/Westpreußen müssen noch 400.000 Flüchtlinge abgeschoben werden. Große Sorgen bei Abschnürung der Landverbindung über Köslin-Kolberg.

Selbst bei Offenhalten der einzigen dort vorhandenen festen Straße, die voraussichtlich in erster Linie für die Wehrmacht freigehalten werden muß, wird Abschub über See auf unüberwindliche Schwierigkeiten stoßen.

In Niederschlesien Lage entspannt, Abtransport über das Gebirge flüssig.

In Sudetenland starker Stau, Abtransport durch die Protektoratsbahn jedoch befriedigend angelaufen.

2.) Flüchtlingsunterbringung:
a.) Dänemark

Immer noch unüberwindliche Schwierigkeiten, da der Reichsbevollmächtigte aus Sicherheitsgründen nur Jütland belegen will.

Z.Zt. liegen dort etwa 30.000 Flüchtlinge äußerst behelfsmäßig auf Stroh in Sammellagern (!!).

Die Dänen lehnen die Ausgabe von Lebensmittelkarten an die Flüchtlinge ab, ehe nicht die 2.000 dänischen Polizisten und Gendarmen freigegeben werden, die sich z.Zt. im Reich in Haft befinden.

Wehrmachtbefehlshaber Dänemark soll ebenfalls gegen eine höhere Belegung Dänemarks mit Flüchtlinge sein, da hierdurch die militärische Verteidigung behindert würde.

Es wurde eine klare Weisung an den Reichsbevollmächtigten für notwendig gehalten, diesem unwürdigen Zustand sofort ein Ende zu machen, sämtliche Pensionen, Gasthäuser usw. für die Flüchtlinge zu beschlagnahmen, die Unterbringung auch auf die Inseln auszudehnen und die freiwillige Aufnahme in dänischen Familien mit allen Mitteln zu fördern. Hierzu ist für den 1.3.45 eine abschließende Besprechung bei Staatssekretär Steengracht anberaumt und der Reichsbevollmächtigte und der Höhere SS- und Polizeiführer aus Kopenhagen für den 2.3. nach Berlin berufen.[94]

Chef Qu. sagte eine sofortige Weisung des Chefs OKW an den Wehrmachtbefehlshaber zu, daß genau so wie im Reich in erster Linie die Flüchtlinge ein Dach über den Kopf erhalten und die Truppe notfalls biwakieren muß (Anlage 1).[95]

[...]

117. Wilhelm Keitel an Georg Lindemann 28. Februar 1945

Lindemann fik ordre om, at de tyske flygtninge skulle modtages og anbringes over hele Danmark. Lindemanns og Bests beslutning om kun at anbringe dem i Jylland af sikkerhedsgrunde blev afvist.
Kilde: BArch, Freiburg, RW 4/754. RA, Danica 1069, sp. 1, nr. 441.

WFSt/Qu 2 (II) 28.2.1945.
  Geheim

KR-Fernschreiben

An 1.) W.B. Dänemark
nachr.: 2.) Leiter der Parteikanzlei z.Hd. Standartenführer Zander
  3.) G.B.V. z.Hd. Staatssekretär Stuckart

Wie mir die der Unterbringung der deutschen Flüchtlinge aus den Ostgebieten beauftragten Obersten Reichsbehörden mitteilen, lehnt die Wehrmacht in Dänemark im Einvernehmen mit dem Reichsbevollmächtigten eine Belegung der dänischen Inseln

---

94 Mødet, hvori bl.a. Best og Pancke deltog, fandt sted 5. marts i Berlin (se nedenfor anf. dato).
95 Bilaget er ikke lokaliseret. WFSt fulgte 9. marts 1945 op på kravet om, at de tyske tropper om nødvendigt skulle i bivuak for at give de tyske flygtninge tag over hovedet. Se WB Dänemark til WFSt 28. marts 1945.

überhaupt sowie eine stärkere Belegung Jütlands aus militärischen und Sicherheitsgründen ab.

Hierzu stelle ich fest: Der Führer hat die Belegung Dänemark mit Flüchtlingen in der bereits mitgeteilten Belegungsstärke befohlen. Die Bemühungen der verantwortlichen Dienststellen um Unterbringung der Flüchtlinge sind daher mit allen Mitteln zu unterstützen. Bei Unterbringungsschwierigkeiten gilt auch für Dänemark der für das Reichsgebiet bereits befohlene Grundsatz, daß eher die Truppe behelfsmäßig, notfalls im Freien, unterzuziehen hat, als daß deutsche Flüchtlinge ohne ausreichendes Quartier bleiben.

Der Chef OKW
Keitel

118. Rüstungsstab Dänemark: Lagebericht 28. Februar 1945

På så godt som alle områder måtte Forstmann konstatere en betydelig tilbagegang: Det gjaldt såvel råstof- og brændstofleverancerne fra Tyskland som tilgangen af nye rustningskontrakter. Til gengæld var sabotageaktiviteten taget til, først og fremmest trafik- og havnesabotagen. Det var til gengæld lykkedes at få den nye WB Danmark til at stille vagtmandskab til vigtige virksomheder, hvorved en nøgleindustri, iltfabrikkerne, endelig var kommet under bevogtning.

Der er ikke lokaliseret hverken månedsindberetninger eller udviklingsoversigter af Forstmann efter februar 1945, men de blev udarbejdet til det sidste. Han forblev i Danmark til den tyske kapitulation, men synes at have været noget desillusioneret. Sammen med bl.a. Wassard, Odel og Ludwig deltog han i et sidste møde 2. maj 1945, hvor han argumenterede for at placere nye tyske ordrer. Det blev mødt med reservation fra dansk side (Giltner 1998, s. 167).

Kilde: Moskva, Osobyj Archiv, 1458/21/112.

Rüstungsstab Dänemark *Kopenhagen, den 28. Febr. 1945.*
des Reichsministers für Rüstung und Kriegsproduktion
ZA/IA Az. 66 dl/Wi-Ber. Nr. 119/45 geh.

Beurteilung der gesamtrüstungswirtschaftlichen Lage
Die stockende Zufuhr an Kohle, Eisen und anderen unentbehrlichen Rohstoffen und Waren, sowie Zulieferungen aus dem Reich (siehe Januar-Lagebericht) hat bereits ihre nachteiligen Auswirkungen auf die Auslieferung deutscher Aufträge gezeigt, (vergl. 1a) Stand der Fertigung). Die im Reich und in Dänemark äußerst angespannte Transportlage hat ferner dazu beigetragen, die Schwierigkeiten zu erhöhen.

Diese rückläufige Bewegung wird sich weiter fühlbar machen, nachdem seit Anfang des Berichtsmonats – neben allen anderen Faktoren – die Energieversorgung, durch Brennstoffmangel bedingt, scharf gedrosselt werden mußte. Neben rigorosen Einschränkungen für den privaten Verbrauch und im Verkehrswesen wurde für die Industrie – mit Ausnahme der Lebensmittelbetriebe – eine 50 %ige Kürzung, bezogen auf den Verbrauch im gleichen Zeitraum des Vorjahres, verfügt.

Die schwierige Brennstofflage mit ihren Auswirkungen auf die Energie ist durch den deutscherseits erzwungenen Abzug von 30.000 to Kohle aus dänischen Reservebeständen noch weiter erschwert worden,[96] während andererseits die Anlieferungen aus dem Reich einen nie gekannten Tiefstand erreicht haben.

Die Sabotagetätigkeit gegen deutsche Fertigungen sowie vor allem gegen Verkehrs- und Hafenanlagen hat eine Zunahme erfahren. Die illegalen Kräfte wagen sich immer weiter vor und scheuen selbst nicht zurück vor Angriffen gegen Wehrmachtwachen, Truppenunterkünfte und marschierende Kolonnen.[97] Die Terrorisierung aller irgendwie deutschfreundlicher Einstellung verdächtiger Dänen nimmt ihren Fortgang.

Andererseits hat Rü Stab Dän. dank seiner unablässigen Bemühungen, einen stärkeren militärischen oder polizeilichen Werkschutz zu erhalten, erreicht, daß auf Anordnung des neuen Wehrmachtbefehlshabers Dänemark, Generaloberst Lindemann, weitere Wachmannschaften in Stärke von 8/110 für Jütland-Fünen und 9/98 für Seeland gestellt wurden, wodurch auch der Schutz der Sauerstoffwerke als Schlüsselbetriebe endlich durchgeführt werden konnte.[98]

Vordringliches
Da die gesamte industrielle Produktion, die Energieversorgung und das Verkehrswesen von der Zufuhr an Kohle und Koks abhängen, ist z.Zt. das beherrschende Problem, ob es möglich ist, die seit Ende vorigen Jahres stockenden Brennstoffzulieferungen aus dem Reich wieder aufzubessern.

Gelingt es nicht, erheblich größere Brennstoffmengen wieder nach Dänemark hereinzubringen und die Ausbeutung der dänischen Braunkohlenvorkommen zu steigern, so wird für die nächste Zukunft ein weiteres Absinken der industriellen Gesamtproduktion und damit auch der deutschen Fertigungen unausbleiblich sein.

1a. Stand der Fertigung
a.) *Mittelbare und unmittelbare Wehrmachtaufträge (A-Aufträge)*

Gesamtverlagerung nach Dänemark vom 9. April 1940 – 31. Januar 1945	RM 598.253.846,-
Auftragsbestand am 31.12.44 an noch zu erledigenden Aufträgen	RM 140.938.256,-
Wertveränderungen durch Auftragserhöhung bzw. Auftragsermäßigung im Januar 1945	RM + 1.658.982,-
	=RM 142.597.238,-
Auftragszugang im Januar 1945	RM + 6.207.411,-
	=RM 148.804.649,-
Auslieferungen im Januar 1945	RM − 9.572.302
Auftragsbestand am 31.1.1945 an noch zu erledigenden Aufträgen	=RM 139.232.348,-

---

96 Se Keitel til Terboven 21. januar 1945.
97 Der hentydes hermed bl.a. til episoden 23. februar 1945, hvor adskillige marcherende tyske soldater blev dræbt.
98 Bevogtningsmandskab til iltindustrien blev kun midlertidigt afgivet af WB Dänemark, men overgik senere til tyske SS-politibataljoner under Pancke (se I. Pol. Wachbataill. Dänemark…: Stärkemeldung 4. Mai 1945).

b.) *Aufträge des kriegswichtigen zivilen Bedarfs (C-Aufträge)*
Gesamtverlagerung nach Dänemark vom 9. April 1940 – 31.
Januar 1945   RM   77.538.269,-
Auftragsbestand am 31.12.44 an noch zu erledigen Aufträgen   RM   24.695.577,-
Wertveränderungen durch Auftragserhöhung bzw. Auftragsermäßigung im Jan. 45   RM   – 126.121,-

                                                                 =RM   24.569.456,-
Auftragszugang im Januar 1945   RM + 1.875.222,-
                                                                 =RM   26.444.678,-
Auslieferungen im Januar 1945   RM   – 537.667,-
Auftragsbestand am 31.1.1945 an noch zu erledigenden Aufträgen   =RM   25.907.001,-

Fertigungslage:
An schweren Sabotagefällen mit ganzen oder teilweisen Ausfall der Fertigung auf längere Zeit sind zu verzeichnen:
1.) Dansk Automobil Byggeri, Silkeborg
(Von 65 Maschinen sind nur noch 3 brauchbar. Betroffen werden Rohrwagen und Protzenteile für Ardeltwerke, Eberswalde, Vorrichtungen für Büssing NAG, Braunschweig und H.K.P.-Reparaturen)[99]
2.) Nikro Verchromungsanstalt, Kopenhagen
(Einer der leistungsfähigsten Betriebe zur Oberflächenbearbeitung)[100]
3.) Köbenhavns Ilt Fabrik, Kopenhagen
(Versorgung – insbesondere der Werften auf Seeland – mit Sauerstoff)[101]
4.) Fa. Drenck und Tochterfirma Dreco, Kopenhagen
(Röntgenteile für Fa. Seifert, Hamburg und Drehteile für Bachmann Flugzeugbau K.G.)[102]
5.) Fa. Julius Tafdrup, Kopenhagen
(Große Konfektionsaufträge, 130 Maschinen zerstört)[103]
Die Umlagerung der notleidend gewordenen Aufträge ist in die Wege geleitet.
Für in Kopenhagen sabotierte Betriebe der Bekleidungs- und Lederverarbeitenden Industrie wurden in zwei großen Packhäusern im Freihafen – wo ständiger militärischer Schutz gewährleistet ist – 5 Ausweichbetriebe aufgemacht.

99 Sabotagen fandt sted 16. februar (RA, BdO Inf. nr. 25, 21. februar 1945, tilfælde 3).
100 Sabotagen mod forkromningsanstalten, Vesterbrogade 60, fandt sted 8. februar og blev udført af BOPA (RA, BdO Inf. nr. 22, 15. februar 1945, tilfælde 8, Kjeldbæk 1997, s. 479).
101 Sabotagen mod Københavns Iltfabrik, Fiskerihavnsgade 2, har ikke sat sig spor hos BdO eller andetsteds.
102 Maskinfabrikken Dreco, Blågårdsgade 34-38 (bagbygning), blev sprængt af BOPA 16. februar (RA, BdO Inf. nr. 25, 21. februar 1945, tilfælde 4, Kjeldbæk 1997, s. 480).
103 Den 6. februar blev maskinerne hos konfektionsfirmaet Julius Tafdrup, Vesterbrogade 9 B, ødelagt med mukkerter af medlemmer af Holger Danske (RA, BdO Inf. nr. 18, 9. februar 1945, tilfælde 7, *Daglige Beretninger*, 1946, s. 626, Birkelund 2008, s. 693. Sabotagen er hos Kjeldbæk 1997, s. 479 fejlagtigt tillagt BOPA og med forkert adresse).

Geklagt wurde über vielfach stockende Geldüberweisungen aus dem Reich. Durch Vermittlung Rü Stab Dän. konnten jedoch aus einem vom Reich zur Verfügung gestellten Sonderkredit Vorschüsse an dänische Betriebe gezahlt werden.

Eine weitere Voraussetzung für ein besseres Ausbringen der in Dänemark laufenden Fertigungen ist die Lockerung der z.Zt. bestehenden totalen Transportsperre, weil weder Material noch Zu- und Unterlieferungen bzw. Werkzeuge hereinkommen.

1c. Versorgung der Betriebe mit Roh- und Betriebsstoffen
Der deutsche Lieferungsrückstand an Eisen und Stahl für in Dänemark untergebrachte Verlagerungsaufträge betrug per 31.12.1944 = 17.848 to und hat sich demnach gegenüber dem Vormonat mit 1.929 to weiter nicht unbeträchtlich erhöht. Für NE-Metalle ist der Lieferungsrückstand per 31.12.44 = 220 to, somit 11 to mehr als im Vormonat.

Angeliefert wurden im Januar 1945 aus dem Reich für Verlagerungsaufträge 625 to (Monatsdurchschnitt 1944: 1.742 to), während Eisengutschriften für neue Aufträge in Höhe von 1.104 to ausgestellt wurden. Für die innerdänische Versorgung, aus der deutsche Aufträge bevorschußt werden, wurden nur 1.639 to (Monatsdurchschnitt 1944 = 4.800 to) geliefert.

Rü Stab Dänemark hat sich in den letzten Wochen fortgesetzt bei den deutschen Lieferwerken und Eisenverbänden – vielfach unter Einschaltung der heimischen Rüstungs- und Transportdienststellen – bemüht, wenigstens die fertiggestellten Parteien zur Verladung zu bringen, doch sind nach den Bescheiden, die aus dem Reich gegeben werden, alle Anstrengungen zum Scheitern verurteilt. Eine Änderung dieses Zustandes kann angesichts der Gesamtlage vorerst nicht erwartet werden, führt jedoch zu immer fühlbareren Erschwernissen bei der Ausführung deutscher Aufträge.

Abgesehen von den ausbleibenden Lieferungen erfolgt auch die Zuteilung von neuen Kontingenten aus dem Reich in äußerst schleppender Weise. So hat z.B. der Hauptausschuß Schiffbau für I/45 keine Kontingente hergegeben, und es erscheint mehr als fraglich, ob damit noch gerechnet werden kann. Eine gewisse Reserve für Schiffsbauten und Reparaturen ist in Lieferungen vorhanden, die aus dem Reich für die einzelnen Schiffe des Hansa-Programms erfolgten, welche aber noch nicht in Angriff genommen wurden, ebenso in den Bereitschaftslägern, deren Zusammenfassung und einheitliche Lenkung nunmehr durchgeführt wird.

Durch Beschädigung des Trennapparates bei einer der drei Sauerstoff-Fabriken in Kopenhagen durch Sabotage vor Einrichtung des militärischen Schutzes,[104] ist die Versorgung – insbesondere der Werften auf Seeland – mit Sauerstoff nicht mehr gewährleistet. Die provisorische Behebung des Schadens ist nicht vor vier Wochen möglich. Darüber hinaus sind in der Sauerstoffversorgung aller dänischen Betriebe Schwierigkeiten zu erwarten, weil durch die Transportlage und die Betriebseinschränkungen durch Strommangel die Umlaufgeschwindigkeit der Flaschen erheblich absinkt.

Selbst die für Dänemark bestimmten geringen Karbidmengen können aus Mangel an Schiffsraum aus Norwegen nicht eingeführt werden. Es sind nur noch geringe Vorräte im Lande.

---

104 Hvilken iltfabrik, der var tale om, og hvornår sabotagen fandt sted, er uvist.

2b. Lage der Treibstoffversorgung
Besondere Schwierigkeiten sind nicht aufgetreten.

2c. Lage der Kohlenversorgung
Im Monat Januar wurden eingeführt:
Kohle	43.500 t	(Dezember 106.100 to)
Koks	13.700 t	(– 15.600 to)
Sudetenkohle	7.300 t	(– 15.200 to)
Braunkohlenbriketts	18.000 t	(– 18.000 to)

Die Gesamtkohlenbestände Ende Februar belaufen sich auf etwa 300.000 to, und zwar einschl. der Reserven für die öffentlichen Versorgungsbetriebe und der Staatsreserve. Ab Mitte Januar sind nur noch wenige tausend to eingeführt worden.

Energieversorgung
Bei der Vorratslage an Steinkohle und der zusätzlichen Eigenproduktion an Torf und Braunkohle – wenn die Transportlage ihren Einsatz gestattet – wird es möglich sein, dem Betrieb der Elt und Gaswerke bei Durchführung der bereits erwähnten Einsparungen etwa bis zum Frühjahr aufrecht zu erhalten.

Abgesehen von den scharfen Einsparmaßnahmen des Strom- und Gasverbrauchs für Haushaltungen (für eine Familie von 6 Personen etwa ½ kwh Strom und etwa 0,8 cbm Gas pro Tag), Kleingewerbe, Landwirtschaft, Lokale, Vergnügungsstätten und Verkehrswesen, sind für die Industrie folgende Einschränkungen angeordnet.
1.) Lebenswichtige Betriebe und hierfür arbeitende Zu- und Unterlieferanten wurden auf 85 %,
2.) alle andern Betriebe, d.h. auch diejenigen der Eisen- und Metallverarbeitenden Industrie auf zunächst 50 % des Verbrauchs in der gleichen Zeit des Vorjahres herabgesetzt.
Dazwischen besteht die Möglichkeit der individuellen Behandlung einzelner Betriebe.

Rü Stab Dän. ist bemüht, durch starke Kürzung bzw. völlige Stillegung nicht unbedingt kriegswichtiger Fertigungen (Kennzeichen: Wehrmacht-Auftrags-Nr. und Dringlichkeitsstufe) Notprogramme, sowie Fertigungen höchster Dringlichkeit und kurzfristig fertigzustellende Geräte mit möglichst geringen Terminverzögerungen auszuliefern.

MARTS 1945

119. Politische Informationen für die deutschen Dienststellen in Dänemark 1. März 1945

Bests *Politische Informationen* foråret 1945 har karakter af rekapituleringer af og fastholdelse af den tyske politik i Danmark, som den havde været ført i hans embedsperiode. Der blev gjort meget nøje rede for forhold og emner, som tidligere kun var blevet sporadisk eller slet ikke berørt. Der var også igen i marts talrige statistiske oplysninger, denne gang bl.a. om tyske rustningsordrer i Danmark siden april 1940, som man kunne tro skulle forblive hemmeligheder eller i hvert fald forblive i en langt snævrere tysk kreds. Det var naturligvis Forstmann, der havde leveret materialet til dette afsnit, hvis konklusion han og Best også var enige om. Det meddeltes også, at sabotører var blevet stillet for retten og dømt til døden og henrettet for første gang siden juni 1944, men hverken dette eller at Best tog æren for det blev på nogen måde gjort til en stor nyhed. For det første var nyheden pga. Pancke ikke nået til den danske offentlighed endnu, for det andet havde genindførelsen af domsanvendelsen ikke ført til modterrorens ophør.

Afsnittet "Fjendtlige stemmer" var fortsat et instrument, der gennem sit udvalg af oplysninger tjente Bests politik. Herigennem tog han igen afstand fra modterroren (Pancke og Lindemann og deres morderbander), og her blev den nye WB Dänemark, Georg Lindemann, præsenteret for første gang, og det var ikke på en sympatisk måde. Det skete ikke i Bests egen tekstdel eller med hans egne ord. Her var også udvalgt et afsnit fra svensk presse om den fremtidige danske grænse til Tyskland, der var en klar understregning af, at Best også tænkte fremad.

Kilde: RA, Centralkartoteket pk. 681.

Der Reichsbevollmächtigte in Dänemark *Kopenhagen, den 1. März 1945.*
Nur für den Dienstgebrauch!

P o l i t i s c h e   I n f o r m a t i o n e n
für die deutschen Dienststellen in Dänemark.

Betr.: I. Die politische Entwicklung in Dänemark im Februar 1945.
II. Mitteilungen aus der Außenpolitik.
III. Mitteilungen aus der Verwaltung.
IV. Mitteilungen aus der Wirtschaft.
V. Feindliche Stimmen über Dänemark.

I. Die politische Entwicklung in Dänemark im Februar 1945

1.) Die Lage in Dänemark war im Monat Februar 1945 durch ein fühlbares Anwachsen der Spannung auf verschiedenen Gebieten gekennzeichnet. Die allgemeine Kriegsentwicklung läßt die Bevölkerung überraschende Ereignisse als möglich ansehen, die auch für Dänemark unüberraschende Ereignisse als möglich ansehen, die auch für Dänemark unübersehbare Auswirkungen zeitigen können. Die Mangellage wichtigster Wirtschaftsgüter – insbesondere die Einstellung der Kohlenlieferungen aus dem Reiche, die zu starken Einschränkungen des Bahnverkehrs, der Gas- und Stromversorgung usw. führte; weiter die Rationierung des Salzes und des Kaffeeersatzes[1] – und

---

1 Saltet blev rationeret 10. februar, og kaffeerstatningen 16. februar (Jensen 1971, s. 247).

die wegen Rohstoffmangels zu erwartende Arbeitslosigkeit erwecken Befürchtungen um die nächste wirtschaftliche Zukunft Dänemarks, des rohstoffärmsten Landes Europas. Von dem Hereinströmen von Zehntausenden deutscher Ostflüchtlinge befürchtet man Nachteile gesundheitlicher und wirtschaftlicher Art. Schließlich hat die Verschärfung des Kleinkrieges gerade im Monat Februar zu einer besonderen Beunruhigung und Erregung des Bevölkerung geführt. Selbst innerhalb der deutschfeindlichen und illegalen Kreise scheint die Spannung zwischen dem nationalen und dem kommunistischen Flügel im Hinblick auf die möglicherweise nahe Entscheidungsstunde erneut zu wachsen.[2]

2.) Der Kleinkrieg des Feindes ist im Monat Februar 1945 verstärkt worden. An der Spitze steht weiter die Bahnsabotage.[3] Auch die "Stikker-Morde" ("Spitzel"-Morde an dänischen Hilfskräften deutscher Dienststellen) und die Überfälle auf Wehrmachtangehörige nahmen zu. Die Ermordung von 6 angesehenen Personen in Odense und die Sprengung von 14 Geschäftslokalen, Cafés und Zeitungsgebäuden daselbst, die Sprengung zahlreicher Geschäftshäuser in Aarhus (mit 6 Toten) sowie die Detonation einer Bombe in einem dänischen Schnellzug (mit 10 Toten) wurden von der Bevölkerung als "Clearing-Morde" und "Gegenterror" bezeichnet und lösten eine große Erregung im ganzen Lande aus.[4] Ein Feuerüberfall auf eine deutsche Wehrmachtwache in Kopenhagen gab den Anstoß dazu, daß – zum ersten Male seit Juni 1944 – 10 Terroristen gerichtlich zum Tode verurteilt und hingerichtet wurden.[5]

3.) Die deutsche Sicherheitspolizei hat im Monat Februar 1945 festgenommen:[6]

    wegen Sabotageverdachts   472   Personen
    wegen Spionageverdachts   41   Personen
    wegen illegaler Tätigkeit   516   Personen
    (Kommunismus und nationale
    Widerstandsgruppen)

Durch die Festnahmen sind 38 Sabotageakte aufgeklärt worden.

Bei polizeilichen Aktionen sind wegen Widerstandes gegen die Festnahme, wegen Widersetzlichkeit gegen Polizeistreifen usw. 21 Personen erschossen worden.

II. Mitteilungen aus der Außenpolitik

1.) Der dänische Gesandte in Rumänien Biering, dessen Tochter mit einem deutschen Diplomat verheiratet ist, befindet sich noch in Bukarest. Aus seinen Telegrammen, die über Stockholm an das Dänische Außenministerium gelangen, geht hervor, daß er offenbar in seiner Bewegungsfreiheit nicht behindert wird.

2.) Der neue ungarische Geschäftsträger in Kopenhagen Gesandter von Reviczkty hat in der Berichtzeit dem Dänischen Außenministerium ein Schreiben des Ungarischen

---

2 Som Bovensiepen ville Best gerne se en så væsentlig modsætning mellem den nationale og kommunistiske modstandsbevægelse, at det kunne svække den.

3 Jernbanesabotagen tog meget kraftigt til februar 1945, og omfanget af den type sabotage var det hidtil højeste under hele besættelsen (Trommer 1971, s. 43. Jfr. *Information* 26. og 28. februar 1945).

4 Der var i alle de nævnte tilfælde tale om tysk terror.

5 Se Lindemanns Tagesmeldung 23. februar 1945.

6 Bovensiepens aktivitetsberetning for februar er ikke lokaliseret.

Außenministeriums übergeben können, in dem die Abberufung des (nach Schweden emigrierten) Gesandten von Kristóffy und die Bestellung des neuen Geschäftsträgers mitgeteilt wird. Übrigens besteht zwischen ihm und der vor ihm bereits in Kopenhagen eingetroffenen Handelsdelegation (Dr. von Varsányi und Dr. Szabó) Streit um die Zuständigkeiten und um die politische Zuverlässigkeit. Die Handelsdelegierten erkennen ihre Abberufung durch das Ungarische Außenhandelsministerium nicht an, weil für sie allein das Ungarische Außenministeriums zuständig sei, dessen Stellungnahme noch aussteht. Bemerkenswert ist, daß auch der dem ungarischen Geschäftsträger als Gesandtschaftsrat zugeteilte Baron von Kemény, ein Bruder des derzeitigen ungarischen Außenministers, sich als "Sonderbeauftragter für Wirtschaftswesen" bezeichnet.

3.) Die Alliierten hatten – wie an andere Staaten, die sich noch nicht im Kriegszustand mit Deutschland befanden (Türkei, Ägypten, Syrien, Libanon, usw.) – an die Regierung von Island die Aufforderung gerichtet, sie möge bis zum 1.3.1945 an Deutschland den Krieg erklären. Dies sei die Voraussetzung dafür, daß Island an der Konferenz der "Vereinigten Nationen" in San Francisco teilnehmen könne. In Isländer-Kreisen in Dänemark hat das Bekanntwerden dieser Nachricht erhebliche Unruhe ausgelöst. Die isländische Gesandtschaft in Kopenhagen hat die isländische Gesandtschaft in Stockholm dringend gebeten, bei der Isländischen Regierung vorstellig zu werden und auf die Besorgnisse der in Dänemark ansässigen Isländer hinzuweisen, die sämtlich aufs höchste daran interessiert seien, daß die bisherige isländische Neutralitätspolitik fortgesetzt werde. Bis zum 1.3.1945 vormittags lag die isländische Antwort auf das neue Erpressungsmanöver der Alliierten nicht vor. Nach schwedischen Rundfunkmeldungen hat diese Tatsache in den USA erhebliche Verstimmung ausgelöst.[7]

III. Mitteilungen aus der Verwaltung
Die Unterbringung von deutschen Flüchtlingen aus den Ostgebieten in Dänemark.
Am 4.2.1945 wurde befohlen, daß deutsche Flüchtlinge aus den Ostgebieten außer im Reich auch in Dänemark unterzubringen sind.[8] Die Behörde des Reichbevollmächtigten wurde beauftragt, die Unterbringung der Flüchtlinge durchzuführen, wofür die Wehrmacht jede nur erdenkliche Unterstützung leisten soll. Bei der Behörde des Reichbevollmächtigten ist eine "Flüchtlingszentralstelle" gebildet worden, in der auch der Wehrmachtsbefehlshaber Dänemark, der Höhere SS- und Polizeiführer und die NSV vertreten sind.[9]

Bis zum 28.2.1945 waren insgesamt 18.069 Flüchtlinge nach Dänemark transportiert. Hiervon wurden bei der Deutschen Volksgruppe in Nordschleswig 7.369 in volksdeutschen Familien untergebracht, während sich 10.700 in Sammelunterkünften befinden.

---

7 Se *Politische Informationen* 1. april 1945.
8 Se førerordren 4. februar 1945.
9 Flygtningecentralkontoret blev ledet af Friedrich Stalmann (også stavet Stahlmann), der blev bistået af den rigsbefuldmægtigedes Außenstellen. Det var ham, der førte de fleste forhandlinger med danske myndigheder.

Weitere Sammelunterkünfte werden laufend erkundet und vorbereitet.

Im allgemeinen vollzog sich der Transport und die Unterbringung in den Unterkünften reibungslos. Der Gesundheitszustand der Rückgeführten ist – im ganzen gesehen – trotz der beschwerlichen Reise nicht schlecht. 20 Todesfälle, die sich bis jetzt ereignet haben, betreffen überwiegend Alte und Gebrechliche. Ein Fall von Flecktyphus in einem Sammellager scheint vereinzelt zu bleiben.[10] Die Betreffende Unterkunft mit ihren 2.000 Insassen wurde sofort unter Quarantäne gestellt.

IV. Mitteilungen aus der Wirtschaft
1.) Landwirtschaft.
Die Witterung war auch im Monat Februar günstig für die Entwicklung der Feldbestände. Bisher sind kaum Auswinterungsschäden aufgetreten.

Das Ergebnis der Schweinezählung vom 10.2.1945 zeigte erwartungsgemäß einen weiteren Rückgang des Schweinebestandes, der besonders stark bei den Zuchtschweinen in Erscheinung tritt. Nur bei den schweren Mastschweinen ist der Stand der gleiche wie bei der letzten Zählung am 30.12.1944. Begründet ist der Rückgang insbesondere in dem bereits früher erwähnten Futtermangel, der durch die schlechte Hackfruchternte hervorgerufen ist. Es ist daher anzunehmen, daß die Schweinefleischerzeugung wieder ansteigen wird, wenn sich die Futterverhältnisse bessern. Auch die Schwarzschlachtungen und die Schwarzaufkäufe zwecks Bevorratung, die einen immer größeren Umfang annehmen, wirken sich ungünstig auf die Schweinefleischlieferungen aus. Der Rinderlieferungen werden nach wie vor durch die Transportschwierigkeiten nachteilig beeinflußt. Die Höhe der Ausfuhr hängt allein von der Möglichkeit des Abtransportes ab. Ebenso mußten die Pferdeaufkäufe zeitweise eingestellt werden, weil die angekauften Pferde z.T. tagelang herumstanden, da die erforderlichen Waggons nicht bereitgestellt werden konnten.

Der Kohlenmangel wirkt sich auf weiteren Gebieten der Landwirtschaftlichen Erzeugung hemmend aus. So mußten bereits verschiedene Fleischwarenfabriken auf Seeland und Fünen die Konservenherstellung für die Ausfuhr einstellen, und es ist zu erwarten, daß über kurz oder lang noch andere Zweige der landwirtschaftlichen Veredelungsindustrie – z. B. Molkereien – starke Einschränkungen durchführen müssen. Auch die erschwerte Einfuhr landwirtschaftlicher Betriebsmittel (Düngemittel, landwirtschaftliche Maschinen und Ersatzteile, Erntebindegarn usw.) muß sich in einer Verminderung der landwirtschaftlichen Erzeugung und damit in einem Absinken der Ausfuhrmengen auswirken.

2.) Gewerbliche Wirtschaft.
Auf dem Gebiet der gewerblichen Wirtschaft sind die Liefermöglichkeiten des Reiches infolge des ständig steigenden Bedarfs der deutschen Kriegswirtschaft und der erhöhten Transportschwierigkeiten auf ein Minimum zusammengeschrumpft. Die dänische

---

10 Der var indført karantæne i Kolding 28. februar for flygtningene pga. opdagelsen af forekomsten af et tilfælde af plettyfus samme dag, og et aflusningstog var på vej dertil, hvorefter såvel flygtninge som soldater ville blive afluset. Dette var iværksat allerede før der kom en højere dansk myndighed til stede (KB, Herschends dagbog nr. 389 og 390, 28. februar 1945, *Daglige Beretninger*, 1946, s. 686).

Wirtschaft muß sich auf vielen Warengebieten darauf einstellen, mit den vorhandenen Beständen weitmöglichst auszukommen. Dänischerseits hat man nunmehr eine Liste derjenigen Güter zusammengestellt, die auf Grund früherer Vereinbarungen nach Dänemark geliefert werden sollten, infolge von Transportschwierigkeiten aber bis jetzt noch nicht geliefert sind. Deutscherseits wird man alles tun, um diese Güter nach Dänemark zu bringen, wozu auch der Lastkraftwagen-Transportraum, der im Warenverkehr Deutschland/Dänemark eingesetzt ist, in steigendem Umfange herangezogen werden soll. Weiter hat man dänischerseits in Verhandlungen der deutsch-dänischen Regierungsausschüsse eine Liste übergeben, die diejenigen Waren enthält, auf deren Lieferung die dänische Wirtschaft nicht verzichten kann, wenn nicht sofort Rückschläge eintreten sollen, deren Verhütung auch im deutschen Interesse liegt. Es handelt sich hierbei besonders um Schmieröle, Autoreifen, Buna, Benzol und Salz sowie einige andere Rohstoffe, bei denen auch schon die Lieferung kleiner Mengen eine Überbrückung der augenblicklich akuten Notlage bedeuten würde. Deutscherseits hat man eine sofortige Prüfung und dementsprechende Lieferungen in Aussicht gestellt.

Am schwierigsten gestaltet sich nach wie vor die Lage auf dem Gebiete der Kohlenversorgung, durch welche insbesondere die öffentlichen Versorgungsbetriebe und das Verkehrswesen empfindlich beeinträchtigt werden. Nachdem im Monat Februar nur wenige tausend Tonnen Kohle nach Dänemark geliefert werden konnten, steht das Land nunmehr vor der Tatsache, daß die Zufuhren aus Deutschland bis auf weiteres praktisch aufgehört haben.[11]

Die dänischen Bestände können Ende Februar 1945 mit rund 300.000 t beziffert werden. Hierin sind auch die Reserven für die öffentlichen Versorgungsbetriebe und die und die Staatsreserven enthalten. Für die dänischen Eisenbahnen sind besondere Bestände nicht vorhanden: sie müssen aus der Staatsreserve, die gegenwärtig rund 100.000 t beträgt, mitversorgt werden. Im Hinblick auf die Erfahrung in den Wintermonaten 1941/42, in denen die Insel Seeland von der laufenden Zufuhr abgeschnitten war, sind die dänischen Staatsreserven auf Seeland gelagert worden. Es ist infolgedessen jetzt notwendig, täglich die für die Eisenbahnen in Jütland benötigten Kohlenmengen von der Insel Seeland heranzuschaffen. Dies kann nicht in vollem Umfange durchgeführt werden, weil nach der deutscherseits ausgesprochenen Beschlagnahme von 30.000 t für Norwegen,[12] eine Reihe von Umschlagseinrichtungen sabotiert worden sind. Diese Lage hat über die allgemeinen Beschränkungen hinaus zu einer Einschränkung des Güter- und Personenverkehrs in dem Landesteil Jütland geführt, die auf die Dauer wichtige deutsche Interessen erheblich schädigt.

Bei der Versorgung Dänemarks mit Brennstoffen spielt auch der Einsatz von dänischer Braunkohle und Torf eine erhebliche Rolle. Mit den deutschen Brennstoffen lassen sich nur dann die wichtigsten Versorgungsbetriebe aufrecht erhalten, wenn gleichzeitig diese dänischen Brennstoffe zum Einsatz gelangen können. Beispielsweise werden für die Versorgung der dänischen Elektrizitätswerke monatlich rund 110.000 t Braunkohle

---

11 Ifølge Jensen 1971, s. 245 indførte Tyskland udførselsforbud for kul og koks fra slutningen af januar 1945.
12 Se Keitel til Terboven 21. januar 1945.

benötigt. Da die größten Braunkohle- und Topfvorkommen in Jütland liegen, wirkt sich auch hier die erschwerte Transportlage nachteilig aus.

Die im ganzen Lande durchgeführten und noch ständig weiter verschärften Verbrauchsbeschränkungen sind außerordentlich einschneidend. Als Beispiel für die Auswirkung der Rationierungen in den Haushalten sei erwähnt, daß für eine Familie von 6 Personen etwa ½ kWh Strom und etwa 0.8 cbm Gas pro Tag zugeteilt werden. Bei Überschreitungen wird dem Verbraucher die weitere Zufuhr abgeschnitten. Die Rationierung für gewerbliche Verbraucher ist so geregelt, daß kleine Betriebe mit einem jährlichen Gesamtverbrauch von nicht mehr als 300 kWh Strom bzw. 20.000 cbm Gas noch 50 v.H. der bisherigen Zuteilung erhalten. Größere gewerbliche Verbrauchter erhalten nach strengster Prüfung im Einzelfall durch das Warendirektorat die Energiemengen zugeteilt die zur Durchführung von lebenswichtigen Arbeiten benötigt werden.

Besonders dringend wäre, daß die Einschränkungen im Eisenbahntransportwesen wieder gelockert werden könnten. Dafür wäre erforderlich, daß von Deutschland aus den dänischen Eisenbahnen in Jütland laufend geeignete Kohlenmengen zugeführt werden.

3.) Deutsche Auftragsverlagerung.
Vom 1.5.1940 – 31.12.1944 sind über den Rüstungsstab Dänemark des Reichsministers für Rüstung und Kriegsproduktion (Rü Stab Dän.) Rüstungsaufträge (reine Fertigungsaufträge, also ohne Frachten, Mieten usw.) im Werte von RM 590.387.000 verlagert worden. Es wurden hiervon im gleichen Zeitraum für RM 449.448.000 ausgeliefert. Der Auftragsbestand am 31.12.1944 war demnach noch RM 140.939.000. Die Gesamtlieferungsquote beträgt somit 76 %.

Trotz aller Erschwerungen durch zunehmende Sabotage, Streiks, passiven Widerstand dänischerseits sowie Material-, Betriebsmittel- und Transportschwierigkeiten deutscherseits ist eine Steigerung der Auslieferung von Rüstungsaufträgen auch im Jahre 1944 erreicht worden. Dies ist darauf zurückzuführen, daß
a.) neue Firmen mit deutschen Rüstungsaufträgen belegt werden konnten.
b.) bereits beschäftigte Firmen ausgebaut und erweitert wurden.
c.) sabotierten Firmen durch Schaffung von Ausweichbetrieben in den früheren dänischen Staatlichen Betrieben (Waffen- und Munitionsarsenal und Orlogswerft) in verhältnismäßig kurzer Zeit durch Rü Stab Dän. geholfen werden konnte.
Vergleicht man die Auslieferungen der beiden letzten Jahre, so ergibt sich, daß 1943 für RM 115.792.661,- (Monatsdurchschnitt RM 9.649.000) und 1944 für RM 124.702.291,- (Monatsdurchschnitt 10.392.000) ausgeliefert wurden. Im Jahre 1944 ist demnach eine um 8 % höhere Auslieferung als im Jahre 1943 erzielt worden.

Außer der eisen- und holzverarbeitenden Industrie arbeiten auch die Konfektionsfirmen in Dänemark weitgehend für deutsche Rechnung. Es waren 1944 durchschnittlich 30 Konfektionsfabriken mit Uniformfertigung beschäftigt, die insgesamt 1.273.000 Uniformstücke fertigten.

Von lederverarbeitenden Betrieben in Dänemark wurden 1944 u.a. 145.000 Stck. Patronentaschen, 100.000 Stck. Koppentragegestelle, 400.000 Stck. Stahlhelmkinnriemen und 200.000 Stck. Seitengewehrtaschen gefertigt.

Auch die Verlagerung von kriegswichtigsten zivilen Aufträgen nach Dänemark erfolgt über den Rü Stab Dän. Vom 1.1.41 – 31.12.44 wurden derartige Aufträge im Werte von RM 75.789.168 verlagert. Im gleichen Zeitraum wurden davon ausgeliefert für RM 51.093.591, sodaß am 31.12.44 noch ein Auftragsbestand von RM 24.695.577 vorhanden war. Die Gesamtlieferungsquote beträgt somit 70 %.

Vergleicht man die Auslieferungen der beiden letzten Jahre, so ergibt sich, daß 1943 für RM 20.519.291 (Monatsdurchschnitt 1.710.000) ausgeliefert wurden. Dieser Rückgang in der Auslieferung ist darauf zurückzuführen, daß 1943 Aufträge im Werte von RM 13.263.494 eingingen, dagegen 1944 Aufträge im Werte von nur 7.102.290. Die dadurch frei gewordenen Fertigungskapazitäten wurden mit Rüstungsaufträgen belegt.

Die Gesamtauslieferung an Rüstungsaufträgen und Aufträgen des kriegswichtigsten zivilen Bedarfs wäre noch günstiger gewesen, wenn vor allem Rohstoffe und Zulieferungen aus dem Reich nicht so schleppend eingegangen wären. Hierdurch sind wesentliche Herabsetzungen der an sich in der dänischen Industrie guten Durchlaufsgeschwindigkeiten bei vielen Aufträgen eingetreten.

Im Jahresdurchschnitt waren 325 dänische Betriebe mit Aufträgen über Rü Stab Dän. belegt. Die Zahl der Unterlieferanten ist bedeutend höher und beträgt allein bei der Liefergemeinschaft der deutschen Berufsgruppen in Nordschleswig 185. Vom 1.5.40 – 31.12.44 wurden über den Rü Stab Dän. 11.001 Rüstungsaufträge und 1.263 Aufträge des kriegswichtigen zivilen Bedarfs an die dänische Industrie vergeben.

Für die Entscheidung aller Streitigkeiten, die sich aus den über Rü Stab Dän. erteilten deutschen Aufträgen an dänische Firmen zwischen den Partnern ergeben können, ist das paritätische deutsch-dänische Schiedsgericht in Kopenhagen zuständig. Es wurde bisher in keinem Falle in Anspruch genommen, – ein Beweis dafür, daß Deutsche und Dänen auf wirtschaftlichem Gebiete durchaus zusammen arbeiten können.[13]

4.) Schiffbau und -reparatur.
Die Leistungen der dänischen Werften für deutsche Rechnung haben sich im Jahre 1944 gegenüber dem Jahre 1943 weiterhin erhöht. Dieses Resultat konnte trotz verschiedener störender Faktoren wie Materialmangel, "Telefonbomben", Teilstreiks usw. erzielt werden.

Es wurden im Jahre 1944
77 Handelsschiffe mit 76.497 BRT
repariert. In dieser Zahl sind nur diejenigen Schiffe enthalten, die über 8 Tage Reparaturzeit hatten. Die Vergleichszahlen für das Jahr 1943 lauten:
73 Handelsschiffe mit ca. 86.837 BRT.
Wenn die BRT-Zahl hiernach etwas geringer ist als im Vorjahre, so muß berücksichtigt werden, daß im Jahre 1943 größtenteils Schiffe mit geringeren Arbeiten, die verhältnismäßig schneller fertiggestellt wurden, bearbeitet worden sind, während im Jahre 1944 Schiffe mit sehr langwierigen Arbeiten, die z.T. 6-8 Monate erforderten, fertiggestellt wurden.

Außer diesen Handelsschiffen wurden 400 Einheiten der Kriegsmarine repariert.

---

13 Det var for forligsrettens vedkommende en ordret gentagelse af, hvad Forstmann havde skrevet 31. december 1944 i Darstellung der rüstungswirtschaftlichen Entwicklung.

Auch in dieser Zahl sind nur diejenigen Schiffe enthalten, die mehr als 8 Tage Reparaturzeit hatten. Die Steigung der tatsächlichen Arbeitsleistung geht aus der Zahl der geleisteten Arbeitsstunden hervor. Im Jahre 1943 wurden 9.314.328 Arbeitsstunden geleistet und im Jahre 1944 11.040.039 Arbeitsstunden.

Auch auf dem Neubausektor konnten die Leistungen von 2.049.975 Arbeitsstunden auf 3.773.821 Arbeitsstunden erhöht werden. Es kamen insgesamt 6 Schiffe des Hansa-Neubauprogramms zur Ablieferung.[14]

Während die Reparaturkapazität der dänischen Werften nur noch unwesentlich erhöht werden kann, so ist die Neubaukapazität wegen des Mangels an Materialien noch nicht voll ausgenutzt.

Nachdem im vergangenen Jahr die dänische Werftkapazität durch Wiederinbetriebnahme der der dänischen Kriegsmarine gehörenden Orlogswerft erhöht werden konnte,[15] wird nunmehr eine weitere dänische Werft auf dem Gelände des Seeminenamtes im Kopenhagener Hafen eröffnet. Es handelt sich um die Schiffswerft Andersen & Blom, die über 2 Slips von ca. 250 ts verfügt. Die nötigen Werkzeugmaschinen konnten beschafft werden. Die Werft ist zunächst nur für Reparaturen von Kriegs-Fischkuttern vorgesehen, soll jedoch nach Vervollständigung der Anlage auch größere Schiffe aufnehmen. Die Belegschaft, die heute aus ca. 60 Mann besteht, wird auf 150 Mann erhöht werden.

V. Feindliche Stimmen über Dänemark
1.) Der englische und der schwedische Rundfunk.

London 3.2.1945
Der Dänische Rat teilt mit: Der Vorsitzende des Dänischen Rates Christmas Möller ist in Stockholm. Christmas Möller wird in Stockholm den Vertreter des kämpfenden Dänemark Minister Th. Dössing treffen, der vor einigen Tagen nach Stockholm kam. Als Th. Dössing im Juli v.J. nach Moskau fuhr, geschah dies via London. Er konferierte damals mit Christmas Möller, welcher in dem am 10. Juli von dem Dänischen Freiheitsrat und der Sowjetregierung herausgegebenen Kommuniqué über die Ernennung Dössing als Vertreter des kämpfenden Dänemark in London erwähnt wurde. Christmas Möller wird selbstverständlich während seines Aufenthaltes in Schweden die Gelegenheit benutzen, außer Minister Dössing auch andere Dänen zu treffen, die sich in Schweden befinden. Vor seiner Abreise aus London wurde Christmas Möller von Vizepremierminister Attlee empfangen und hatte außerdem ein Gespräch mit dem norwegischen Außenminister Trygve Lie.

London 4.2.1945.
Der deutsche Oberbefehlshaber in Dänemark, General von Hanneken, ist von Generalmajor Lindemann abgelöst worden, dessen Name von Leningrad-Front her bekannt ist. Die Ursache dieser Veränderung ist nicht bekannt. Es ist jedoch laut Dänischem Presse-

---

14 Her nævner Best ikke, hvilken stand, de – efter forsinkelser – blev afleveret i.
15 Ved den tyske overtagelse af Orlogsværftet efteråret 1943 blev det aftalt, at værftet ikke længere skulle benyttes til nybyggeri (se Forstmann 29. november 1943). Den aftale løb besættelsesmagten fra i 1944.

dienst möglich, daß die Deutschen damit rechnen, daß Dänemark in dem Augenblick, in dem sie das Land zu verlassen suchen, Kriegsschauplatz wird, und die militärische Begabung Hannekens wird nicht besonders hoch geschätzt. Er ist als Schreibtisch-General bekannt, während Generalmajor Lindemann Rückzugsexpert ist. Es wird angedeutet, daß die Auswechslung auf Unstimmigkeiten innerhalb des deutschen Stabes zurückzuführen ist.

London 15.2.1945.
Die dänischen Zeitungen veröffentlichen am Sonntag zwangsweise einen seitenlangen Aufsatz über die Verbrechen näher bezeichneter Personen.[16] Der Artikel war mit 5 Bildern versehen, die sozusagen eine unheimliche Entlarvung der Behandlung der Gefangenen durch die Gestapo darstellen. Der Inhalt des Artikels ist eine Mischung von Verdrehungen und direkten Lügen über private Diebstähle, Ermorderungen von Spitzeln und Sabotageakte, die im Laufe des letzten Jahres stattgefunden haben.[17] Die Überschrift lautet: "Die Tätigkeit einiger aktiven Gruppen innerhalb der dänischen Freiheitsbewegung." Er ist bemerkwert, daß die rund 10 Morde, deren die erwähnten Gruppen angeklagt werden, ausschließlich an berüchtigten Nazisten und Spitzeln verübt wurden, die als gefährlich für die Tätigkeit der Widerstandsbewegung liquidiert wurden. Ein einzelnes Beispiel ist Direktor Fritz Due Petersen, der Ende November getötet wurde. Er war ein bösartiger Spitzel und Leiter einer Unterabteilung des deutschen "Nordwerkes" in Kopenhagen.[18]

London 17.2.1945.
Christmas Möller hat während seines Aufenthaltes in Schweden eine Erklärung dem Blatte "Danskeren" gegenüber die Stellung dänischer Basen an die Alliierten nach dem Kriege abgegeben. Christmas Möller sagte: Ich bin der Ansicht, daß die drei Großmächte nach dem Sieg mit Recht hervorheben werden, daß wir alle ohne ihren Einsatz unterdrückte Nationen sein würden. Die Großmächte haben nicht nur die alliierten Länder und Dänemark sondern z.B. auch Schweden gerettet. Ich glaube, daß man sich auf einen ganz anderen Gedankengang als vor dem Kriege einstellen muß. Falls die neue internationale Weltorganisation Basen in der Ostsee und um die Ostsee herum haben will, müssen wir uns vergegenwärtigen, daß die alte Neutralitätspolitik tot ist, und daß kein Land, auch keine Großmacht, im Besitze seiner vollen Selbständigkeit im gleichen Sinne wie früher ist. Die neue Weltorganisation wird selbstverständlich bedeuten, daß ein Teil der Souveränität verloren geht. Falls die künftige Weltorganisationen und die Militärmächte, die hinter ihr stehen, es aus Sicherheitsgründen für notwendig halten, Basen in Dänemark – wie in einer Reihe anderer großer, sowohl wie kleiner Länder –

16 Artiklen fra 11. februar 1945 er genoptrykt hos Alkil, 2, 1945-46, s. 922-925.
17 Artiklen er ikke fyldt med fordrejninger og løgn, men med visse fejl, der bl.a. kan tilskrives at en fuldstændig opklaring af tilfældene ikke kunne finde sted.
18 Der foreligger intet om, at Fritz Due Petersen (likvideret af Holger Danske 24. november 1944) var stikker, men hans virksomhed som fremtrædende fabrikant og værnemager for besættelsesmagten var fuldt ud tilstrækkelig grund til hans likvidering (Henrik Lundbak i *Hvem var hvem 1940-1945*, 2005, s. 87f., Birkelund 2008, s. 686).

anzulegen, müssen diese Basen zur Verfügung gestellt werden. So müssen z.B. die Flugplätze von russischen, britischen und französischen Militärflugzeugen verwendet werden können. Ich finde, man müßte es so einrichten, daß zwar die Basen zur Verfügung gestellt werden, daß aber das für die Bewachung und als Bodenpersonal notwendige Militär ausschließlich aus Soldaten besteht, die zu den Streitkräften des Landes gehören, das die Basen zur Verfügung gestellt hat.

London 24.2.1945.
Terkel M. Terkelsen: Die Generäle Pancke und Lindemann haben ihre Mörderbanden und Sprengkommandos auf ein Blitztournee durch Dänemark geschieht. Auf ihrem Wege durchs Land hinterlassen sie rauchende Ruinen von Geschäftsgebäuden, Theatern und Häuserblocks, und viele dänische Familien trauern heute über den Verlust eines Mannes oder Vaters, der den Kugeln der Mörder zum Opfer gefallen ist. Dieser wahnsinnige Bluttanz durch das Land wird von einem Blutkommentar über den dänischen SS-Rundfunk begleitet, der jeden Abend treu und brav ausführliche Beschreibungen der deutschen Schandtaten während der vorhergehenden Nacht bringt. Das Vorgehen der Deutschen ist dermaßen sinnlos, daß es unmöglich wäre, das Geschehene zu erklären; allein die Tatsachen sprechen für sich. Es begann Dienstag morgen in Odense mit der Ermordung von 6 Menschen, darunter 4 Ärzten, die auf der Schwelle ihrer Haustür erschossen wurden. In der folgenden Nacht explodierten die deutschen Bomben in einer Reihe Gebäude, darunter in den Gebäuden von 3 Zeitungen der Stadt.[19] Der dänische SS-Rundfunk berichtet, daß der durch die Bombenexplosionen angerichtete Schaden leider – leider – größer als zuerst angenommen zu sein scheint. Das Bedauern der Deutschen war jedoch nicht größer, als daß sie in Aarhus ihr Vernichtungswerk fortsetzten, wo das Theater, Wohngebäude und ein so kriegswichtiges Ziel wie ein Spielzeuggeschäft mit hochexplosiven Bomben in die Luft gesprengt wurden.[20] Weiter geht es nach Grenaa, dann nach Silkeborg, wo das Theater zerstört wird, niemand kann wissen, wo das wahnsinnige Treiben seinen Abschluß findet.[21] Ist es die Kombination der Generäle Pancke und Lindemann, die diese Welle von Verbrechen über das Land gebracht hat? Ist ein Versuch, das gewöhnliche Bild der eigentlichen Sabotage, des Kampfes der Patrioten gegen den deutschen Kriegseinsatz zu verwirren, oder ist es einfach darauf zurückzuführen, daß der Feind mit dem schnellen Herannahen der Niederlage immer grausamer wird? Zur selben Zeit, wo ihre Mörderbanden durchs Land ziehen, schicken sie verwundete Soldaten nach dänischen Krankenhäusern und Tausende von Flüchtlingen, bald werden es wohl Zehntausende sein, finden zu Schiff, mit der Eisenbahn oder zu Fuß den Weg nach Dänemark. 3.000 werden in Aarhus erwartet, wo man von denselben Menschen, die in den Ruinen die Leichen ihrer Landsleute suchen, erwartet, daß sie ihre Türen den notleidenden deutschen Flüchtlingen öffnen sollen. Alles muß mal ein Ende haben, auch der Mißbrauch der dänischen Humanität durch die Deutschen.

---

19 Om clearingmordene og schalburgtagerne i Odense begået af Peter-gruppen, se Hæstrup 1979, s. 408f., Bøgh 2004, s. 205-216 og tillæg 3 her.
20 Om clearingmordene og schalburgtagerne i Århus begået af Peter-gruppen, se Andresén 1945, s. 310, 315, Bøgh 2004, s. 216-218 og tillæg 3 her.
21 Hertil Bøgh 2004, s. 218, Lauritzen 1947, s. 1393 og tillæg 3 her.

Die Hand, die heute den Dolch gegen uns führt, kann sich uns nicht morgen flehend entgegen strecken.

London 28.2.1945.
Der Dänische Freiheitsrat hat am 24. Februar eine Erklärung herausgegeben:[22] Im verdunkelten Dänemark sind verschiedene Verhältnisse z.Zt. der Kontrolle der Öffentlichkeit entzogen; dies gilt erstens für den unterirdischen Freiheitskampf gegen die Deutschen, zweitens für die notorische Zusammenarbeit der Besatzungsmacht mit dänischen Verbrechern, die leider unheimlich erweitert worden ist, nachdem wir die Polizei verloren haben. Trotz der Verdunklung der Presse und des Rundfunks aber ist das dänische Volk in der Lage, zwischen diesen Verbrechen zu unterscheiden: das Vertrauen zur Freiheitsbewegung ist so groß, daß keiner daran denken würde, sie mit den Diebstählen und Morden der Verbrecher zu vermischen, ganz gleich, wie viele Lügen die Presse zu veröffentlichen von den Deutschen gezwungen wird, umgekehrt aber, ist sich jeder Mann in klaren, daß die lange Reihe abscheulicher Clearingmorde, von Kaj Munk angefangen bis zu der Ermordung des Hafendirektors Laub, von den Handlangen der Deutschen verübt worden sind. Die Freiheitsbewegung und der übrige Teil des dänischen Volkes sind sich darin einig, daß man, falls man die nazistischen Diebe und Mörder bekämpfen soll, sich derselben verbrecherischen Methoden wie diese nicht bedienen kann, sondern in allen Sachen unser Rechtserbe verwalten muß. Um so bedauerlicher ist es, daß die Freiheitsbewegung 2 Fälle von Räubereien festgestellt hat, die von organisierten Mitgliedern der Widerstandsgruppen verübt wurden. Ganz gleich ob es aus mißverstandenem Patriotismus oder in privater Bereicherungsabsicht geschieht, sind solche Handlungen mit der Teilnahme an der Freiheitsbewegung unvereinbar, und in solchen Fällen wird schnell und schonungslos eingegriffen werden. Es wird kein mildernder Umstand sein, daß die Betreffenden die Räuberei etwa zu Gunsten der Freiheitsbewegung verübt haben. Erstens können wir solche Methoden nicht gebrauchen, und zweitens hat die dänische Freiheitsbewegung große freiwillige Beiträge erhalten. Die Erklärung ist unterschrieben: Danmarks Frihedsraad, Köbenhavn, den 24. Februar.

2.) Die schwedische Presse.
"Aftonbladet" vom 12. Januar 1945 widmet Nordschleswig einen längeren Artikel, in dem es u.a. heißt: "Die Diskussion über Dänemarks südliche Grenze beginnt Form anzunehmen und hat schon einige Wochen lang die illegale dänische Presse beschäftigt. Sie hat auch die halbillegalen Blätter in Schweden erreicht, und es besteht kein Zweifel darüber, daß – nachdem nun auch der dänische Rundfunk in Schweden sich beteiligt hat – das alte brennende Problem wieder einmal Stoff für unzählige Gespräche unter Dänen abgegeben hat. Frischen Wind in die Diskussion des dänischen Grenzproblems haben außerdem die Äußerungen Thomas Dössing hineingetragen, welche anläßlich seines Stockholmer Besuchs in der Zeitung "Danskeren" veröffentlicht wurden. Herr Dössing sagte dort u.a., man müsse "auf jeden Fall daran festhalten, daß die dänische Auffassung des deutsch-dänischen Grenzproblems vor den Friedensverhandlungen fixiert vorliegen

---

22 Trykt hos Alkil, 1, 1945-46, s. 276f.

müsse". Eine andere dänische Zeitung in Schweden, "Friheden", hat auf Grund der Äußerungen Dössings und der verschiedenen illegalen Zeitungen die Frage zur weiteren Behandlung aufgenommen. Sie widmet ihre letzte Nummer ganz der nordschleswigschen Frage, was umso natürlich ist, als sich am 10. Februar zum 25. Mal der Tag jährt, da Nordschleswig sich mit überwältigender Mehrheit (75 %) in einer Volksabstimmung für Dänemark erklärte. "Friheden" bringt eine Anzahl Leserbriefe zu der neuen Grenzfrage und geht u.a. auf ihre historischen Grundlagen zurück. Die Zeitung weist nach, daß die Bevölkerung südlich der heutigen Grenze – sowohl in Mittelschleswig (bis zum Danewerk) wie in Südschleswig (vom Danewerk bis zur Eider) – größtenteils eine alte jütländische Bevölkerung ist, wenn sie sich auch mit deutschen eingewanderten Elementen vermischt hat. Wenn diese Bevölkerung, welche so viele Jahre lang treu zu Dänemark und zum Dänentum hielt, schließlich den Kampf aufgab, so beruhte das auf kurzsichtiger Politik des Absolutismus. Damals nahm man überhaupt keine Rücksicht auf das Volk. Die Bauern in Angeln und auf der Halbinsel Svans südlich von Angeln mußten sich darein schicken, daß ihre Pastoren deutsch predigten und daß auf Deutsch Recht gesprochen wurde, obwohl sie diese Sprache nicht verstanden. Sie klagten vergeblich bei der Regierung, die "Kanzleien" in Kopenhagen kamen zu dem Ergebnis, daß, wenn Pastor, Richter und Bevölkerung einander nicht verstanden, dies die Schuld der Bevölkerung sei und deshalb der deutsche Schulunterricht erweitert werden müsse. Einer solchen Bürokratie gegenüber mußte die Bevölkerung schließlich aufgeben. Sie wurde langsam eingedeutscht – umso mehr, als die dänische Regierung eigentümlicherweise von allen dänischen Beamten in Südjütland verlangte, daß sie mindestens zwei Jahre an der Universität Kiel studierten und vor einer deutschsprachigen Kommission in Gottorp eine Prüfung ablegten. Da Dänemark außerdem damals was Kultur, Fortschritt und Landwirtschaft anging, weit hinter Deutschland zurückstand, so war es sehr natürlich, daß auch die bessern Bauern in Angeln nach Süden hinneigten. Damals war es zum Beispiel Sitte, von Angeln Vieh auf die dänischen Inseln zu schicken, um dem dortigen magern und schlechten Viehstand aufzuhelfen. Heute ist es umgekehrt. Dänemark ist kulturell und wissenschaftlich ein waches und tüchtiges Land. Seine Landwirtschaft steht höher als die Deutschlands und nach dem Weltkriege fuhren die Angelbauern oft nach Dänemark, um gutes Zuchtvieh zu kaufen. Darum fragt man sich heute in gewissen Kreisen in Dänemark, ob die Bevölkerung in Mittel- und Südschleswig verlangen soll, nach Kriegsende in ihre alte Heimat Dänemark zurückzukehren. Für diese Bevölkerung wird die Lage auf alle Fälle schwer werden. Es ist sicher anzunehmen, daß die Großmächte, jedenfalls die Sowjetunion eine Internationalisierung des Kieler Kanals und des umliegenden Gebiets fordern werden. Südschleswig und Mittelschleswig mit ca. 300.000 Einwohnern würden dann in eine ähnliche Stellung kommen wie Ostpreußen zwischen den beiden Kriegen. Das Land wird von Deutschland abgetrennt, das nach zwei gewaltigen Kriegen und furchtbaren Heimsuchungen verarmt und zerstört daliegen wird. Nördlich werden die beiden Provinzen an ihre alte Heimat grenzen, deren Kultur ihnen niemals völlig fremd geworden ist und deren Lebensart ihnen im Blute liegt. Sie sprechen zwar ein schleswigsches Plattdeutsch, sie haben die dänische Sprache vergessen, welche ihre Vorväter sprachen und welche noch bei der ersten Wahl unter deutscher Herrschaft im Jahre 1867 tief in Angeln, Flensburg und Flensburgs Umgebung und im Lande des mittelschleswigschen Hochplateaus von einer großen Mehrheit gesprochen wurde. ... Aber viele kleine Geschehnisse der letzten Kriegsjahre scheinen darauf hinzudeuten, daß eine Orientierung nach Dänemark hin stattfindet."

Unter der Überschrift "Linie eines dänischen Staatsmannes" widmet "Expressen" vom 21. Februar 1945 Christmas Möller den folgenden Leitartikel: "Im Winter 1942-43 war der Name Christmas Möller unter denen, welche Dänemark realpolitisch beurteilen zu können glaubten, nicht weiter hoch im Kurs. Seine von Abenteuerglanz umstrahlte Reise nach England im Frühjahr 1942 wurde zwar allgemein als politisch richtig angesehen, – da ihn der Druck der Okkupationsmacht von aller öffentlichen Wirksamkeit zu Hause abgeschnitten hatte, war sein Platz in der bisher über Dänemark ziemlich schlecht unterrichteten englischen Hauptstadt. Aber als im Londoner Rundfunk seine Aufrufe zu aktivem Widerstand kamen, wurden sie als unverantwortlich, provozierend und der Stimmung des gemeinen Mannes in Dänemark wenig angepaßt angesehen. Der frühere Führer der Rechten, hieß es, sei schnell Emigrant geworden, isoliert von dem Kontakt mit der Heimatfront. Alle meinten, daß schon seine trotzige Haltung während seiner Gastrolle in der Stauningschen Sammlungsregierung von 1940 schädlich und wirklichkeitsfremd gewesen sei.

Heute, wo Christmas Möller im Februar 1945 seine Tätigkeit eine Zeit lang zu den dänischen Organisationen auf schwedischem Boden verlegt hat, sieht die Lage ganz anders aus. Er hat Recht behalten. Das kämpfende Dänemark, für das er gearbeitet hat, ist Wirklichkeit geworden. Er hat dazu beigetragen, diesem kämpfenden Dänemark bei den Alliierten als kriegsführende Macht Anerkennung zu verschaffen. Seine Landsleute haben ihn wie den führenden Staatsmann einer im Krieg befindlichen freien Nation empfangen. Über seine Stellung in Dänemark nach der Befreiung braucht man sich noch nicht zu äußern. Wie er es selbst gewollt hat, wird sie von der Heimatfront im weitesten Sinne abhängen, also teils von der Vertretern der politischen Traditionen des freien Dänemarks in den Reichstagsparteien. Aber die Geschichte hat diese Gruppen einander immer näher gebracht. Und niemand wird heute noch Christmas Möller mangelnden Kontakt mit irgendeinem wesentlichen Teil der Heimatfront vorwerfen. Es wäre verwunderlich, wenn heute noch irgendeiner daran denken würde, nach dem Siege einen Mann seines Formats, welcher selbst den Sieg organisieren half, aus einer leitenden Stellung herauszumanövrieren.

Es war also etwas überteilt, ihm politischen Wirklichkeitssinn abzusprechen. Christmas Möller ist ein Erzpolitiker der sich schon seit seinen Studentenjahren ganz der Politik gewidmet hat. Erfahrungen wie Temperament haben ihn gelehrt, daß man im Rahmen der Möglichkeiten immer am sichersten zum Ziele kommt, wenn man die einmal eingeschlagene Linie hartnäckig auch in dunkeln Zeiten verfolgt.

Die Stellung, welche er auf seinem Wege erreicht hat, gibt seinen offenherzigen Äußerungen über die Fortsetzung dieses Weges doppeltes Gewicht. Was am meisten in die Augen fällt, ist seine starke Unterstreichung von Dänemarks Verpflichtungen als alliierte Nation. Dänische Truppen, meint er, sollen nicht nur alliierten Basen auf oder bei dänischem Gebiet bemannen, sondern auch am Schlußkampf gegen Japan teilnehmen. – Und hier zieht er kühne Parallelen mit einem britischen Dominion wie Neuseeland. Rechtzeitig ein Billet kaufen, wenn man einen guten Sitzplatz haben will, immer etwas mehr tun, als die Mächtigen erwarten – was nun, denkt vielleicht mancher, sind das nicht etwa die Grundsätze seines Feindes Scavenius? Sie sind es formal, aber sie unterscheiden sich dadurch, daß sie gegen die Unterdrücker angewandt werden. Dänemark als Muster einer alliierten kleinen Nation – das ist eine Zukunftsperspektive, an die man ernsthaft denken muß.

Hier muß bemerkt werden, daß die von Christmas Möller geforderten Verpflichtungen Dänemark zwingen werden, sein Militärgut instand zu halten. Das ist ihm immer Herzenssache gewesen und war seinerzeit der Grund, warum der junge Jurist Rechtspolitiker wurde. Auch hierin hat er seine Linie eingehalten. Ebenso gut paßt es zu seiner Linie, daß er nur eine einzige Verfassungsänderung wünscht, nämlich die Herabsetzung des Wahlalters. Mit seinem jugendlichen Temperament hat er immer für eine Verjüngung des politischen Lebens gearbeitet, diese fordert seiner Ansicht nach aktivistische Strömungen.

Christmas Möller träumt von einem recht veränderten Dänemark – er hat auch gesagt, daß er nicht davor zurückscheut, materielle Opfer zu verlangen, um sein Ziel zu erreichen, z.B. einen auf lange Sicht gesenkten Lebensstandard. Das wäre beängstigend, wenn er nicht gleichzeitig stark und im Einvernehmen mit seiner früheren Tätigkeit betonen würde, wie nötig er es findet, die sozialen Reformen und die bürgerliche Tradition seines Landes fortzusetzen. Man kann nur hoffen, daß in dem Konflikt, welcher auf Dänemarks zukünftigem Wege sicher nicht ausbleiben wird, dies Motiv sich mit ganzer Kraft geltendmacht. – Sowohl die Sozialpolitik wie der bürgerliche Geist haben in großem Maße dazu beigetragen, das Volk in seinen Unglücksjahren zu stärken.

Auf jeden Fall wird die nächste Zukunft Dänemarks von Christmas Möllers Träumen beeinflußt werden. Es ist wichtig, daß man auch überall in Schweden die Gelegenheit benutzt, sich mit seinen Gedankengängen vertraut zu machen."

120. BdS: Meldungen aus Dänemark Nr. 18, 2. März 1945

Bovensiepens stemningsberetning i begyndelsen af marts havde sabotagen og modterroren som et af hovedtemaerne, og det blev taget op under tre forskellige overskrifter. På den ene side demonstrerede han ved et eksempel, at diskussionen og fordømmelsen af modterroren i grove tilfælde byggede på fejlagtige antagelser, som modstandsbevægelsen stod bag, og på den anden side at egentlige tyske politiaktioner med dødelig udgang blev fremstillet i pressen på en måde, så det kunne udlægges som clearingmord. Forholdene var ikke så klare, som de blev fremstillet. Trods det havde især mordene på de fire læger i Odense vakt dyb bekymring hos den socialdemokratiske ledelse, der mente at mordene havde vendt de bredeste dele af arbejderklassen mod Tyskland, hvilket ikke hidtil havde været tilfældet. Det gav øget tilslutning til kommunisterne. Det blev uden henvisning refereret, at det var en udbredt opfattelse, at der var en vis forståelse for at fuldbyrde henrettelser af dødsdømte sabotører. Det blev fulgt op af gengivelsen af et "rygte" om, at 10 danske modstandsfolk var blevet henrettet i hemmelighed i Shellhusets kælder uden domfældelse, og at de tyske myndigheder ikke ville meddele det i pressen. Den danske presses håndtering af krigsudviklingen var som tidligere et fast tema, hvor der kun punktvis fremkom kritik, men den var der.

Bovensiepen satte ikke spørgsmålstegn ved modterroren. Eksempelvis gjorde han opmærksom på, at resultatet af ophævelsen af spærretiden i Odense var flere politiske mord og attentater, men han stod i en ny situation, hvor der var givet tilladelse til genoptagelsen af domfældelse og henrettelse af sabotører. I den situation kunne det være hensigtsmæssigt at lade den socialdemokratiske ledelse lægge stemme til, hvad der blev resultatet af modterroren (øget tilslutning til kommunismen), og at citere den almene befolkning for at have en vis forståelse for brug af henrettelser efter dom. Alligevel udstillede Bovensiepen problemerne i forholdet mellem Best og det tyske politi ved at gengive et rygte om, at henrettelser allerede fandt sted uden dom.

Best var også under pres med hensyn til gesandtskabets pressehåndtering, som han vidste uge efter uge blev kommenteret af Bovensiepen direkte til bl.a. RSHA med "Meldungen…". Det var hele tiden en balancegang for gesandtskabet at føre en pressepolitik, der var så indgribende over for aviserne, at der ikke kom krav eller indgreb udefra. Bag BdS' gengivelse af dansk presses dækning af krigsudviklingen netop i begyndelsen af marts skjulte sig en igangværende konflikt om værnemagtsberetningernes anbringelse, opsætning og omfang i aviserne; en konflikt, der sluttede 10. marts med gesandtskabets diktat til pressen, hvorefter beretningerne skulle trykkes i deres helhed på forsiden i de angivne afsnit, ikke måtte sættes i kompres og skulle placeres straks efter deres modtagelse. Det var en skærpelse af det krav, der var blevet stillet mht. værnemagtsberetningen 23. december 1944[23] (*Udenrigsministeriets Pressebureaus ugentlige Meddelelser til Pressen*, Nr. 213, 10. marts 1945, Bindsløv Frederiksen 1960, s. 449).

Kilde: BArch, R 58/875. RA, Danica 203, pk. 82, læg 1112. RA, Danica 1000, sp. 12, nr. 15.821-832.

Der Befehlshaber der Sicherheitspolizei und des SD in Dänemark

Kopenhagen 2. März 1945
Geheim!

Meldungen aus Dänemark
Nr. 18

Verteiler: [se Meldungen … Nr. 3 (Best til AA 22. november 1944)][24]

1.) Allgemeine Stimmung:
Die Bevölkerung hat augenblicklich eine gewisse Kriegsmüdigkeit ergriffen, die die Anspannung der letzten Wochen ablöst. In dieser Stimmung nimmt man die Kriegserklärungen der Türkei und Egyptens uninteressiert hin und mißt ihnen keine weitere Bedeutung bei.

Aus den militärischen Ereignissen an der Westfront schöpft man erneut die Hoffnung, daß die Kriegsentscheidung durch die Briten und Amerikaner erzwungen wird. Eine Aufgabe des Ruhrgebietes wird für weitaus folgenschwerer gehalten als der Verlust von Oberschlesien. Der Vormarsch auf Köln und Düsseldorf wird mit größter Spannung verfolgt.

Bei der Beurteilung des deutschen Widerstandes und der Deutschen überhaupt gehen die Meinungen, insbesondere in letzter Zeit, stark auseinander. Auf der einen Seite zollt man dem deutschen Heldenmut und Widerstandsgeist vielfach Bewunderung. Die Rede des Führers hat Diskussionen über die Möglichkeit des Einsatzes neuer deutscher Waffen ausgelöst.[25] Auf der anderen Seite wird dem Haß und Abscheu gegen alles Deutsche Ausdruck gegeben.

Obwohl man die Haltung der Flüchtlinge bewundert und mit ihnen Mitleid empfindet, gibt ihre Anwesenheit ständig Anlaß zu Gerüchten.[26] Die bei der Wehrmacht be-

---

23 Se Meldungen aus Dänemark Nr. 10, afsnit 2 (Best til AA 10. januar 1945).
24 Fordelingslisten er ikke med ved Meldungen aus Dänemark Nr. 18.
25 Se om Hitlers tale afsnit 2 nedenfor.
26 Der er ikke noget, der tyder på, at de tyske flygtninge først og fremmest fremkaldte medlidenhed hos den danske befolkning. Se den stærkt negative holdning til flygtningene i den illegale presse, KB, Bergstrøms dagbog 1945 og Lundtofte 2007a, s. 422-425.

schäftigten Arbeiter haben Angst, sie würden zugunsten der Neuankömmlinge aus ihren Stellungen verdrängt. Infolge der Knappheit an Medikamenten, die nicht einmal für die Dänen reichten, befürchtet man Seuchen. Unruhe unter der dänischen Bevölkerung hat ein Flecktyphusfall in Kolding hervorgerufen. Den verantwortlichen Stellen wird von den Flüchtlingen der Vorwurf gemacht, daß man es unterlassen habe, den Transport zu entlausen. Der Wehrmachtsarzt in Kolding hat im Einvernehmen mit dem Standortkommandanten die Quarantäne über die Flüchtlinge und die mit ihnen in Berührung kommenden Soldaten im gesamten Standortbereich verhängt. Weiter wurde im Einvernehmen mit dem dänischen Regierungsmedizinalrat die vorübergehende Schließung sämtlicher Kinos und Theater verfügt.[27] Ein bezeichnendes Beispiel für die Einstellung der dänischen Bevölkerung wurde Mitte Februar in Hadersleben gegeben, als 750 ehemalige italienische Gefangene (Badoglio-Soldaten, die umgeschult werden sollen) dort ankamen. Auf dem Marsch zur Kaserne warfen viele Dänen den Gefangenen Brot, Kuchen und Zigaretten zu. Das gleiche Bild war schon vor einigen Monaten beim Einrükken ukrainischer Einheiten beobachtet worden. Wie später festgestellt wurde, hatte ein Teil der Bevölkerung angenommen, es handele sich um englische Kriegsgefangene.[28]

In der vergangenen Woche explodierte bei Hobro in einem 1. Klasse-Abteil des Jütlandexpresses eine Bombe. Zehn Dänen kamen dabei ums Leben. Die Unglücksnachricht löste zunächst große Empörung in der Bevölkerung aus, da man die Tat als Racheakt gegen eine Eisenbahnsabotage bezeichnete, die einige Tage vorher auf den Schlaf- und Funkwagen des Generalobersten Lindemann verübt worden war. Als aber bekannt wurde, daß die Sabotage bei Hobro sich wiederum gegen den im Zuge befindlichen Wagen des Stabes Lindemann gerichtet habe, erschien die Angelegenheit in einem anderen Licht.[29]

Die Vorfälle lösten wieder einmal Diskussionen über die sogenannte Clearingsabotage aus, die von allen Kreisen der Bevölkerung, seien sie deutschfreundlich oder -feindlich, aufs heftigste verurteilt wird.

Hinsichtlich der Ereignisse in Odense und Aarhus ist die Bevölkerung immer noch der Meinung, es handele sich um Racheakte der Gestapo gegen die Ermordung deutschfreundlicher Dänen.[30] Diese Ansicht findet in dem Gerücht Unterstützung, daß nach den Bombenexplosionen in Odense zwei "Terrorwagen" nach Aarhus gefahren seien, um dort in ähnlicher Weise zu wüten. Recht eigenartig hat die am 28. Februar erfolgte Aufhebung der Sperrzeit in Odense gewirkt. Noch am Abend vor Inkrafttreten dieser Maßnahme fand in der Stadt eine Sabotage und ein Mord statt.

---

27 Se *Politische Informationen* 1. marts 1945, afsnit III.
28 Der var ikke engelske krigsfanger i Danmark, hvilket den danske befolkning heller ikke troede. Trods det søgte Bovensiepen over for de tyske tjenestesteder at svække indtrykket af den danske befolknings positive syn på krigsfanger og soldater fra Sovjetunionen. Værnemagten i Danmark var på det rene med, hvordan det forholdt sig og handlede derefter (se bl.a. WFSt til OKM 12. november 1944 og Ergebnis der Ermittlung ... 4. februar 1945 (med der anf. henvisninger)).
29 Se om terroraktionen ved Hobro udført af Peter-gruppen Toepke til OKW 24. februar 1945 og tillæg 3. Aktionen var *ikke* rettet mod Lindemanns stab, så BdS valgte bevidst en misinformation. Her med den hensigt at demonstrere, at den heftige diskussion og fordømmelse af modsabotagen i alle kredse af befolkningen fandt sted på et forkert grundlag.
30 Se *Politische Informationen* 1. marts 1945, afsnit V.

2.) Presse und Rundfunk:

Wie zu erwarten stand, widmet sich die gesamte Presse nunmehr in größter Aufmachung den Ereignissen an der Westfront. Erleichtert stellte "Nationaltidende" am 23. Februar fest: "An der Westfront lösen Angriffe Gegenangriffe ab." Weiter bemerkt die Zeitung, daß die schweren Bunkerkämpfe am Sauer-Brückenkopf zu beachten sind. "Politiken" und "Nationaltidende" schreiben am 25. Februar: "Die Westoffensive wird unter großen Luftkämpfen fortgesetzt", "Größte alliierte Angriffsaktion seit der Invasion." Es wird hervorgehoben, daß man in Berlin den gesamten alliierten Einsatz auf 40 Divisionen schätzt. "Socialdemokraten" läßt ebenfalls am 25. Februar unter der Überschrift: "Ungeheurer Materialeinsatz von Cleve bis Urft" durchblicken, daß die alliierten Truppen auch in dieser Beziehung überlegen sind. Obwohl die Zeitungen bisher noch keine entscheidenden Erfolge der Alliierten melden konnten, wird doch bei dem Leser der Eindruck erweckt, daß Briten und Amerikaner ständig an Boden gewinnen. "Die Schlacht an der Westfront rast mit größter Heftigkeit", "Kampf um jede Ruine in Jülich" schreibt "Nationaltidende" am 26. Februar. Vorsichtiger in der Beurteilung der Lage ist "Börsen" in ihrem Artikel vom 23. Februar: "Am Rhein und an der Oder." Hierin heißt es, daß die Kämpfe, die sich augenblicklich im Osten und Westen abspielen, kaum zu einer Entscheidung in sich selber führen werden, sondern als ein Glied in den kommenden großen Frühjahrsoperationen zu betrachten sind.

Die gleiche Haltung wie die Kopenhagener Blätter nehmen die Provinzzeitungen in der Beurteilung der Westoffensiven ein. Wie auf Kommando schreiben am 24. Februar alle Zeitungen: "Der Großangriff an der Westfront hat begonnen."

Da an der Ostfront keine sensationellen Veränderungen vor sich gegangen sind, wurden diese Frontberichte erst auf der Innenseite der Blätter gebracht.[31] "Westpreußen ist heute ein wichtiger Schwerpunkt, es besteht aber keine zusammenhängende russische Angriffsfront" schreibt "Nationaltidende" am 23. Februar. Als positive Überschrift ist die von "Vestkysten" vom 20. Februar bemerkenswert: "Die große deutsche Gegenoffensive an der Ostfront hat jetzt begonnen." Die Kriegserklärung der Türkei und Ägypten gaben alle Zeitungen auf der ersten Seite wieder. Aufsehen erregt haben die Mitteilungen nicht. Dagegen erwartet die große Anzahl der in Dänemark lebenden Isländer besorgt eine diesbezügliche Erklärung Islands.

Die Rede des Führers zum 25. Jahrestag der Verkündung des Parteiprogrammes erschien in würdiger Aufmachung.[32] Die Worte das Führers haben die Presse allgemein zu der Feststellung veranlaßt, daß seiner Ankündigung zufolge der historische Wendepunkt und damit der Sieg Deutschland in diesem Jahr eintreten müsse. Eines weiteren Kommentars enthält man sich.

In ungünstiger Aufmachung und Kommentierung brachte die Morgenpresse auf Fünen am 1. März die Rede von Dr. Goebbels vom 28. Februar. "Fyns Stiftstidende" gibt z.B. in diesem Zusammenhang die Überschrift: "Schwächung der deutschen Kriegsindustrie." In den Kopenhagener Blättern erschien die Rede erst am 2. März in nicht

---

31 Bag BdS' gengivelse af dansk presses dækning af krigsudviklingen skjulte sig en igangværende konflikt om værnemagtsberetningerne (jfr. kommentaren ovenfor).
32 Talen blev holdt 24. februar og var tvangsindlagt på forsiden i dansk presse med trespaltet overskrift (*Udenrigsministeriets Pressebureaus ugentlige Meddelelser til Pressen* Nr. 212, 3. marts 1945).

zu beanstandender Form. Die meisten Blätter heben den Ausspruch: "Lieber tot als kapitulieren" hervor.³³

Am 23. Februar brachte die gesamte Fünische Presse die Mittelung, daß der Schulvorsteher Steffensen-Hansen in Gelsted von einigen in seiner Wohnung eingedrungenen Männern durch Maschinenpistolenschüsse getötet worden sei. Es wurde dabei nicht erwähnt, daß es sich um eine Aktion der deutschen Sicherheitspolizei handelte, und daß Steffensen-Hansen beim Fluchtversuch erschossen wurde.³⁴

Es erregt allgemein Verwunderung in der Bevölkerung, daß der deutsche Wehrmachtbericht absolut objektiv ist, so daß der englische Rundfunk in seinen Sendungen nichts Neues bringt, sondern die deutschen Meldungen wiederholt.

Radio London versuchte, die Bevölkerung vor der Aufnahme von Flüchtlingen zu warnen, die stark verlaust und mit ansteckenden Krankheiten behaftet seien. In diesem Zusammenhang meldet der Sender den Ausbruch von Typhus in einem Flüchtlingslager, London erfreut sich zwar noch eines größeren Zuhörerkreises, verliert aber zugunsten des schwedischen und amerikanischen Rundfunks an Beliebtheit. Die Sendungen werden nicht mehr kritiklos hingenommen. Ein in der letzten Woche übertragenes "Interview mit russischen Soldaten" bezeichnete man sogar als Blödsinn.

Der "Sozialistische Freiheitssender" setzte seine Sendungen mit einigen Betrachtungen über die Ziele der Roten Armee fort. Trotzdem der Sender Tass-Meldungen bringt, weiß man nach wie vor nicht, ob man ihn als deutsche Propaganda zu betrachten hat und behauptet, der Sender sei besonders gut in der Nähe vom Dagmarhaus zu hören. Der Londoner Rundfunk bemerkte kürzlich, es sei einwandfrei festgestellt worden, daß es sich bei dem "Sozialistischen Freiheitssender" um ein deutsches Propagandamittel handele. Als nämlich der Kopenhagener Rundfunk seine Sendung wegen eines Fliegeralarms unterbrach, habe dieser Sender auch abgeschaltet.³⁵

3.) Innerpolitisches:
Die große Anzahl von Sabotageakten und Morden in Odense, Aarhus usw. hat auch in politischen Kreisen stärksten Eindruck hervorgerufen, wobei man sich natürlich einmütig darüber "klar" ist, daß diese Attentate direkt oder indirekt von deutscher Seite ausgehen.³⁶ Wie aus sozialdemokratischen Parteiführerkreisen bekannt wird, sollen diese

---

33 Goebbels' tale havde titlen "Die Bewährung in der Krise" og sammenlignede bl.a. det tyske folk med en marathonløber (om talen Bramsted 1965, s. 361f.). Den blev bragt som tvangsartikel i de københavnske dagblade 2. marts på forsiden med trespaltet overskrift, mens provinsblade, der ikke allerede havde bragt den, skulle gøre det 3. marts (*Udenrigsministeriets Pressebureaus ugentlige Meddelelser til Pressen* Nr. 212, 3. marts 1945).

34 Modstandsmanden, forstander Christian Steffensen Hansen, blev skudt 20. februar under flugtforsøg, da tyske soldater og medlemmer af Birkedal-Hansen-gruppen omringede Gelsted Ungdomsskole (*Daglige Beretninger*, 1946, s. 668 (som pressegengivelsen), *Faldne i Danmarks frihedskamp*, 1970, s. 147). Der var ikke tale om en tysk modterroraktion, men det kunne fremstå som sådan på grundlag af den fynske presses dækning af hændelsen.

35 Den socialistiske Frihedssender havde begyndt sin virksomhed i februar 1945 og blev også af *Information* 26. februar betegnet som et tysk propagandaprodukt. Samme bureau kunne 13. marts fortælle, at senderen var lukket.

36 Med to eksempler forud (Hobro-attentatet og Steffensen Hansens nedskydning under flugtforsøg) havde Bovensiepen signaleret, at situationen ikke var helt så klar, som den fremstod i offentligheden.

Attentate, insbesondere aber auch die Morde an den vier jungen Ätzten in Odense, in breitesten Arbeiterkreisen erregend gewirkt haben. Der Eindruck dieser Morde soll noch tiefer und, wie man sich ausdrückt, gefährlicher gewesen sein als der des Mordes an Kaj Munk. Bisher hätten die breiten Arbeitermassen, so meint man, kaum in nennenswerter Weise an der Hetze gegen Deutschland und an dem sogenannten dänischen Freiheitskampf Anteil genommen. Innerhalb der sozialdemokratischen Parteiführerschaft ist man hierüber bedrückt, da man damit rechnet, daß diese Stimmungswandlung von den Kommunisten gegen die Sozialdemokratie ausgenutzt werden wird.[37]

Auch der dänische Kronprinz hat vor einigen Tagen in einer Audienz in sehr ernsten Worten sein tiefstes Bedauern über die Ereignisse der allerletzten Zeit zum Ausdruck gebracht. Auch der König, so erklärte er, sei aufs tiefste erschüttert. Der Kronprinz meinte ferner, daß diese Ereignisse jedes Bestreben für eine Verständigung in irgendeiner Form, an der man, wie er meinte, von verschiedenen Seiten arbeite, unmöglich mache.

Wie aus Aarhus gemeldet wird, vertritt man dort in Studentenkreisen die Ansicht, daß es den Deutschen durch derartige antiterroristische Akte bestimmt nicht gelingen werde, die Tätigkeit der Freiheitskämpfer einzuschränken. Diese würden im Gegenteil noch mehr zuschlagen. Anderseits wird jedoch die Ansicht vertreten, daß man die Sabotage nur stoppen könne, wenn von deutscher Seite endlich daran gegangen würde, die erlassenen Verordnungen betreffend Waffenbesitz durchzuführen. Es wird allgemein die Todesstrafe als gerechte Strafe anerkannt. Ebenso bringt man einer Vollziehung von Urteilen an gefangenen Saboteuren ein gewisses Verständnis entgegen.[38] Weiterhin glaubt man, daß man durch eine Einführung der Sperrzeit und scharfe Kontrollen der Landstraßen Möglichkeiten habe, das Handwerk der Saboteure zu legen. In diesem Zusammenhang wird die Meinung vertreten, daß die Deutschen nach Entfernung der dänischen Polizei verpflichtet wären, alles daran zu setzen, um die Sabotage niederzuhalten. Man verweist auch darauf, daß die deutsche Wehrmacht im Rahmen der Sabotagebekämpfung ebenfalls eingesetzt werden müßte.

Innerhalb dänischer Behörden, insbesondere im dänischen Außenministerium, wird das Gerücht verbreitet, daß die am 27. Februar 1945 erschossenen zehn dänischen Staatsbürger nicht aufgrund eines Gerichtsurteilens hingerichtet, sondern hinterrücks in den Kellern des Shell-Hauses ermordet worden seien. Das Gerücht stützt sich insbesondere auf die Tatsache, daß die Deutschen nicht wagen, das angebliche Gerichtsurteil und seine Vollstreckung offiziell in der Presse mitzuteilen.[39]

---

37 Den socialdemokratiske partiledelse var stærkt bekymret over den øgede tilslutning, som kommunisterne havde vundet blandt arbejderne, men det var ikke ensbetydende med, at det *først og fremmest* var mordene på de fire læger i Odense 20. februar 1945, der påvirkede de bredeste arbejderkredse og vendte dem mod Tyskland. Når Bovensiepen tillagde den socialdemokratiske ledelse den opfattelse, at de brede arbejdermasser hidtil ikke havde ladet sig påvirke i nævneværdig grad af hetzen mod Tyskland og ikke havde deltaget i den såkaldte frihedskamp, var det med den hensigt forsigtigt at vise, at modterroren havde konsekvenser for Tyskland.

38 Bovensiepen udpegede ikke en bestemt befolkningsgruppe, som bærer af den refererede opfattelse, men gjorde det til en udbredt holdning, at henrettelse af sabotører efter dom havde en vis forståelse. Dermed havde han åbnet for, at det fremover ville være en anvendelig fremgangsmåde. Det var så meget mere opportunt, som han vidste, at der fra Hitler igen var givet tilladelse til at retsforfølge og henrette terrorister efter dom.

39 Se KTB/WB Dänemark 24. februar 1945. Det er bemærkelsesværdigt, at Bovensiepen viderebragte dette

In der letzten Zeit haben, wie vertraulich in Erfahrung gebracht wurde, Verhandlungen zwischen Ole Björn Kraft, als Vertreter der Konservativen Partei, und einigen führenden Sozialdemokraten, genannt werden dabei der Parteivorsitzende Alsing Andersen und Professor Hartvig Frisch, stattgefunden. Das Ziel dieser Verhandlungen war, die Grundlage für eine weitere Zusammenarbeit zwischen diesen Parteien zu schaffen. Dabei ist man sich jedoch von konservativer Seite darüber klar, daß die Zusammenarbeit dieser beiden Parteien zurzeit einer starken Belastung ausgesetzt ist, insbesondere sind die Gewerkschaften infolge Auftretens das Arbeitgeberverbandes Gegner einer solchen Zusammenarbeit. Wenn man trotzdem auf beiden Seiten versucht, eine politische Zusammenarbeit aufrechtzuerhalten, ist der Grund darin zu suchen, daß man bei den Konservativen eingesehen hat, daß die kommende Zeit ein weitgehenderes soziales Verständnis erfordere als bisher, während man auf Seiten der Sozialdemokratie sich darüber klar ist, daß die Konservative Partei wegen ihres effektiven Wiederstandes gegenüber der deutschen Besatzungsmacht eine gute Stellung in der öffentlichen Meinung hat. Beide Parteien haben gleichermaßen Besorgnis gegenüber der Ausbreitung des Kommunismus, beide Parteien werden gleichermaßen von den Kommunisten angegriffen wegen ihrer Beteiligung am antikommunistischen Gesetz. Zwar verteidigt man sich, insbesondere von sozialdemokratischer Seite, gegenüber den kommunistischen Angriffen mit dem Argument, die Annahme des antikommunistischen Gesetzes hätte verhindert, daß die Kommunisten schon von Anfang an in die deutschen Gefängnisse hätten überführt werden können. In diesem Falle hätten auch nicht so viele Kommunisten am 29. August 1943 flüchten können.

Im Kopenhagener Rathaus werden zur Zeit Besprechungen zwischen führenden Sozialdemokraten aus Stadt und Land durchgeführt, um Richtlinien wirtschaftlicher Art für die kommende Zeit auszuarbeiten. Viele der Verhandlungsteilnehmer erklären, daß Dänemark für die kommende Zeit außerordentlich schlecht gerüstet sei, und daß all die großen Zukunftspläne, von denen die Zeitungen berichteten, sehr schlecht durchdacht seien.

In einer sozialdemokratischen Parteiführerbesprechung ist auch das Problem des sogenannten "Sozialistischen Freiheitssenders" erörtert worden. Man ist dabei einmütig der Ansicht gewesen, daß der Sender ein deutscher Propagandasender ist und hat behauptet, daß der Redakteur der Sendungen ein gewisser Harald Henriksen sei. Ferner wurde auch

---

"rygte", som kun kunne være med til at underminere Bests stilling. Det understreges yderligere af, at det var tysk politi, der først 27. februar underrettede UM om, at tyske standretter (!) skulle genoptage deres virksomhed, og at der allerede var afsagt dødsdomme. Best orienterede først påfølgende samme dag kl. 18 Nils Svenningsen derom (KB, Herschends dagbog nr. 388, 27. og nr. 389, 28. februar 1945. *Udenrigsministeriets Pressebureaus Situationsmelding* Nr. 133, 2. marts 1945 gav meldinger om de første 10 henrettelser, en nyhed *Information* endnu samme dag kunne videregive med angivelse af de henrettedes navne, idet bureauet dagen i forvejen havde kunnet oplyse, at der var foretaget 10 henrettelser). Dermed blev nyheden kendt over det ganske land. Alligevel fremkom den officielle tyske meddelelse først 11. marts. Grunden til forhalingen kan kun være at finde hos HSSPF. Endnu 28. februar kl. 15.30 var det i henhold til Svenningsens besked til Herschend *ikke afgjort*, om henrettelserne ville blive offentliggjort, og de måtte foreløbigt ikke omtales med den begrundelse, at de pårørende skulle underrettes først. Endvidere blev det korrigeret, at der var tale om oprettelse af standretter, "men at Tyskerne gaar tilbage til den gamle Praksis, som de havde i Maj og Juni 1944, hvorefter der af Militærdomstole samt SS- und Polizeigerichte skal afsiges Domme. En SS- und Polizeigericht har afsagt Dødsdomme, i Henhold til hvilke der i Gaar er foretaget 10 Henrettelser af unge Mennesker." (KB, Herschends dagbog nr. 389, 28. februar 1945).

gelegentlich dieser Besprechung die illegale Zeitung "Forum" für deutschen Ursprungs erklärt.

Am 20. Februar 1945 hatte C.O. Jörgensen eine geschlossene Führerversammlung der DNSAP nach Fredericia einberufen. Hauptpunkte der Tagung waren Organisationsfragen. Es war vorschlagen worden, den sogenannten Führerrat der Partei auszulösen. Der Vorschlag wurde einstimmig angenommen und C.O. Jörgensen zum Parteileiter ernannt, während Theophilius Larsen das Amt des Organisationsleiters bekleidet. Hierbei erklärte C.O. Jörgensen, daß er die Partei, als er sie übernahm, nur als eine Konkursmasse betrachtet habe. Er hätte deshalb einige Zeit benötigt, um die Partei wieder zu konsolidieren.[40] Diese Konsolidierung wäre nun beendet, und er gehe nun wieder zu einer aktiven Parteiarbeit über. Hinsichtlich der NSU wurde vereinbart, diese Jugendorganisationen der Partei einzugliedern. Kaptajn Jensen bleibt weiterhin Leiter der NSU, während die Organisation als solche, genau wie die SA, den Sysselleitern unterstellt wird.[41]

Im Laufe der Tagung wurde weiterhin eine Zuschrift von Dr. Popp-Madsen, dem Leiter der "Dansk National Samling", behandelt. Der Vorschlag Popp-Madsens ging dahin, die "Dansk National Samling" mit der Partei zu vereinigen. Aufgrund einer längeren Aussprache wurde dann festgelegt, daß eine geschlossene Aufnahme der DNS nicht stattfinden könne, sondern daß sich deren Mitglieder einzeln in die Partei übernehmen lassen müssen. Auch sei es notwendig, daß die politisch wichtigen Stellen innerhalb der Partei vorläufig mit alten DNSAP-Anhängern besetzt würden, wobei immerhin die Möglichkeit offen gehalten wurde, daß bedeutende Mitglieder der DNS künftig Parteiämter bekleiden könnten. Hinsichtlich der Neuaufnahme in die DNSAP forderte C.O. Jörgensen die Sysselleiter auf, bei den Neuaufnahmen großzügig zu verfahren und niemandem wegen seiner bisherigen ablehnenden Haltung gegenüber der Politik der DNSAP Schwierigkeiten zu machen. Er erklärte sich sogar trotz Wiederspruchs einiger Sysselleiter bereit, Einar Jörgensen wieder in die Partei aufzunehmen.

Auf der Tagung wurde ebenfalls das Problem der deutschen Flüchtlinge behandelt. Die Anwesenden erklärten sich von vornherein bereit, deutsche Flüchtlinge aufzunehmen. Jedoch könne die freiwillige Einquartierung von Flüchtlingen nicht durchgeführt werden, da sonst die Nationalsozialisten wegen ihrer deutschfreundlicher Haltung mit Terrormaßnahmen der Illegalen zu rechnen hätten.[42]

4.) *Kulturelles:*
Einzelne Pfarrer der dänischen Volkskirche haben in ihren Predigten sich gegen die Aufnahme von deutschen Ostflüchtlingen gewandt und eine Unterstützung deutscher Flüchtlinge als eine unnationale Tat gebrandmarkt. Teilweise haben diese Predigten die Wirkung gehabt, daß Familien ihr Angebot zur Aufnahme von Flüchtlingen wieder zurückgezogen haben.

---

40 Da hverken *Fædrelandet* eller *National-Socialisten* bragte så udførligt et referat af mødet, må det formodes, at BdS har haft en informant til stede.
41 NSUs genforening med DNSAP understreger, at besættelsesmagten fremmede samlingsbestræbelserne.
42 Det var på en gang en tilslutning til Bests politik og en måde at undgå at komme til at stå i en alvorlig konflikt.

5.) Wirtschaftliches:
Die Transport- und Kohlenschwierigkeiten prägen mehr und mehr das Gesicht der Wirtschaft. Der nur noch dreitätige Verkehr der Züge hat doch zu einer wesentlichen Einschränkung des Gesamten wirtschaftlichen Lebens geführt. Zur Auflockerung der Transportschwierigkeiten wurden jetzt regelmäßige Paketdampfer zwischen den Inseln und Jütland eingeführt. Die Privatbahnen versuchen vielfach, die Verkehrsbeschränkungen durch Einlage von Güterzügen zu umgehen, die fast zur selben Seit wie die bisherigen Personzüge fahren und Personen mitnehmen. Der Kraftwagenverkehr wird wahrscheinlich auch mehr und mehr zum Stocken kommen, da neuerdings Motoröl rationiert wurde. Das wenige noch vorhandene Öl würde dadurch vollständig aus dem offiziellen Verkauf verschwinden und nur noch im Schwarzhandel vertrieben werden. Man wundert sich bei der bestehenden Reifenknappheit, daß die dänische Verwaltung noch keine Anordnungen über die Abgabe von Reifen von aufgebockten Kraftwagen erlassen hat. Auch hier wird wahrscheinlich der größte Teil des Bedarfs auf dem Schwarzmarkt gedeckt, da von den aus Deutschland eingeführten Reifen nachgewiesenermaßen 70 bis 90 % von den Saboteuren geraubt werden.

Die Kartoffelknappheit bereitet der Bevölkerung Sorge und gibt Anlaß, alle übrigen erreichbaren Lebensmittel, wie z.B. Hafergrütze, Gerste usw., einzukaufen. Die Gerüchte über Kürzung der Lebensmittelrationen in Dänemark halten sich nach wie vor. Neuerdings wird behauptet, daß eine Rationierung von Käse, Eiern, Streichhölzern und Waschmitteln bevorstünde.

Wegen des zunehmenden Terror und der häufigen Erschießungen von dänischen Angestellten bei deutschen Dienststellen ist eine gewisse Abwanderung dieser Arbeitskräfte von den deutschen Dienststellen zu beobachten. Die Weiterbeschäftigung von Fuhrunternehmen usw. bei Wehrmachtsbauten wird häufig abhängig gemacht von einer Klärung der Entschädigungsfrage bei Sabotagen, über die sich die Unternehmer größtenteils nicht im klaren sind. So drohen z.B. die Fuhrunternehmer, vom Flugplatz Grenaa abzuwandern, nachdem etwa zwanzig Gespanne von Saboteuren vernichtet wurden und die Frage des Schadenersatzes von den Versicherungsgesellschaften bisher teilweise abschlägig beschieden wurden.

Allgemeine Beachtung fand ein kleinerer Artikel in der gesamten Tagespresse unter der Überschrift: "Der Tanz um das goldene Kalb bald zu Ende."[43] Man schreib darin, daß seit mehreren Jahren an der Westküste zum ersten Mal wieder von einer beginnenden Arbeitslosigkeit, hauptsächlich im Lemvig und Thisted, gesprochen werden müsse. Es ist jedem Leser klar geworden, daß es sich dabei am Andeutungen über die Wehrmachtsbauten an der Westküste handelt.

gez. **Bovensiepen**
SS-Standartenführer

---

43 "Dansen om Guldkalven paa Vestkysten snart forbi" stod i *Social-Demokraten* 26. februar 1945. Tak til Henrik Lundtofte for henvisningen.

121. Werner Best: Aufzeichnung über die politischen, verwaltungsmäßigen und wirtschaftlichen Probleme Dänemarks Anfang März 1945, 2. März 1945

I forbindelse med at Best blev kaldt til Berlin, udarbejdede han et notat om Danmarks aktuelle politiske, forvaltnings- og erhvervsmæssige problemer. Det fremgår både af overskriften og indholdet, at det ikke var bestemt for det møde, som Pancke og han var indkaldt til i AA til drøftelse af flygtningeproblemerne i Danmark (se notatet 28. februar). Flygtningeproblemet var kun et blandt flere spørgsmål, der blev taget op i notatet.

OKWs dagbog for 2. marts har denne indførsel: "Am 5.3. wird im FHQu. der Reichsbevollm. Dr. Best zum Vortrag beim Führer über die Fragen der Flüchtlinge in Dänemark erwartet."[44] Det er klart, at notatet var bestemt for dette møde, og at Best havde valgt at tage en række andre presserende emner op, da denne lejlighed bød sig. Notatet havde en opbygning med en række konkrete forslag, som gjorde, at der kunne blive truffet afgørelser på stedet. Muligvis blev notatet fremsendt forud.

Initiativet til mødet kom givetvis fra førerhovedkvarteret, da Danmark var kommet i centrum pga. flygtningeproblemerne, og da Best havde markeret sig med klare holdninger til deres håndtering. Dertil kom, at han også havde markeret sig med hensyn til retsforfølgelse af fangne sabotører, hvilket han også tog op i notatet, hvor han på en hastig, bagvendt måde fik nævnt den trufne beslutning i det spørgsmål. Mødet blev af en eller anden grund aflyst,[45] og Best havde i stedet notatet med til mødet i AA 5. marts (se referatet af dette møde nedenfor). Senere holdt han 13. marts foredrag for Lindemanns stab på grundlag af notatet, som den øverstbefalende havde modtaget forud 9. marts. Det fortæller, hvilken vægt Best lagde på notatets indhold.

Best foreslog for det første, at Danmarks status forblev uændret, og at der f.eks. ikke blev indført et rigskommissariat. Med blot 131 medarbejdere overvågede Best den danske forvaltning og erhvervslivet. Han mente bl.a. ikke, at der kunne forventes et betragteligt fald i Danmarks erhvervsmæssige ydelser. Der blev med de givne forudsætninger opnået det optimale.

Når Best tog Danmarks stilling op, var det givetvis fordi han frygtede, at førerhovedkvarteret ville skære igennem alle forvaltningsmæssige problemer i forbindelse med flygtningeanbringelsen og ændre på magtforholdene. Det var dog samtidig en anledning til at stille den rigsbefuldmægtigedes fortræffelige ledelse i relief.

For det andet foreslog han videreførelse af de forholdsregler mht. flygtningeanbringelse, som hidtil havde været anvendt, dvs. at flygtningene skulle anbringes samlet på steder, hvor de var mindst muligt til gene i en kampsituation. Kun hos det tyske mindretal kunne der blive tale om privat indkvartering.

Det var en fastholdelse af den linje, han havde lagt sig fast på siden flygtningespørgsmålets opståen.

Som tredje punkt tog han afværgeforanstaltninger mod "lillekrigen" (læs: sabotagen) og fangespørgsmålet op i sammenhæng. Det fremgår, at der var genindført retsforfølgelse af sabotører, at de deporterede danske politifolk og gendarmer skulle tilbage til Danmark, og at de øvrige danske koncentrationslejrfanger blev samlet i én lejr og behandlet der. Disse forslags gennemførelse ville komme de tyske flygtninge i Danmark til gode.

Det var dristigt at ville forelægge disse forslag direkte for Hitler. Ikke alene var der allerede opnået en ændring af en førerordre på et centralt område, men nu foreslog Best også KZ-fanger tilbageført uden anden modydelse end en mulig bedring i den danske indstilling til de tyske flygtninge. Samtidigt talte han om, at de danske KZ-fanger døde i "usædvanligt" stort tal i de tyske lejre. Det var en ejendommelig vending i en rigsbefuldmægtigets mund og ret enestående for en fremtrædende repræsentant for tysk besættelsespolitik.

Best havde ikke alene taget Svenningsens sammenkædning af de tyske flygtninge og de danske fanger i Tyskland til sig, men også ladet sig presse af Svenningsen til at forsøge at komme den tyske modterror til livs ved at foreslå rettergang af sabotører i stedet. Den sammenkædning havde Svenningsen fastholdt gennem hele februar ved deres møder, og 23. februar havde han også skriftligt med en opregning af talrige eksempler fordømt den tyske modterrorpolitik.[46]

44 KTB/OKW, 4, 1961, s. 1138.
45 I et tillæg til KTB/OKW, 4, s. 1341 bliver det fremstillet, som om Best mødtes med Hitler 5. marts. Havde det været tilfældet, ville Best med sikkerhed have berettet derom i sine erindringer. Det samme dag afholdte møde i AA er derimod fyldigt omtalt.
46 Hæstrup, 2, 1966-71, s. 234f., Sjøqvist 1995, s. 120f. Jfr. referatet af drøftelsen Best-Svenningsen 21. februar 1945, trykt ovenfor.

Endelig skildrede Best den danske eksports store betydning for Tyskland og foreslog, at der ikke blev ændret i samarbejdsforholdet.

Fremstillingen af det dansk-tyske erhvervssamvirke var så overdrevent positivt som nogensinde og forestillingerne om dets fremtid så urealistiske, at det må have stået de fleste klart, også uden for ekspertkredse. De forudsætninger og forventninger Best lagde for dagen med hensyn til de danske leverancer til Tyskland frem til september 1945, var selv med en uændret krigssituation uden forbindelse med virkeligheden omkring 1. marts. Mangelen på brændstof og transportmidler havde allerede i februar gjort sig så kraftigt gældende, at den danske Tysklandseksport gik kraftigt tilbage.

Selv om Best ikke fik foretræde for Hitler og kunne forelægge sine forslag selv, blev der alligevel taget stilling til dem alle inden for 14 dage. For flygtningespørgsmålets vedkommende skete det på mødet i AA (se nedenfor 5. marts), mens notatet af 2. marts muligvis blev drøftet i førerhovedkvarteret 5. marts for at blive videregivet til detaildrøftelser i RSHA. I hvert fald skete der ingen ændring i Danmarks status, Best fik lov til at retsforfølge sabotører, det skulle som nævnt af Best være besluttet i førerhovedkvarteret, mens drøftelserne om de danske fanger i KZ-lejre blev drøftet med Kaltenbrunner, hvorunder de sorterede. Jens Møller fra det tyske mindretal nævnte november 1945, at Best og han traf Kaltenbrunner i Berlin 5. marts, og at Kaltenbrunner lovede, at gendarmerne skulle komme hjem. Best henfører 1945 og 1949 drøftelsen med Kaltenbrunner til mødet i AA 5. marts, men der deltog Kaltenbrunner ikke, så når Best forklarede, at Kaltenbrunner på dette møde gik imod hjemførelsen af de danske politifolk, holder det ikke (Bests forklaring 31. august 1945 (LAK, Best-sagen), PKB 13, nr. 139).[47] Det må være sket ved et eller flere andre møder. Vi ved fra Alex Walter 15. marts 1945, at Best forhandlede i Berlin om de danske KZ-fangers forhold og hjemførsel, men også at det ikke blev Best, men Walter, der forelagde resultatet af drøftelserne for UM den nævnte dato. Grænsegendarmerne kunne straks hjemføres, en mindre del af politifolkene også, og endelig blev der givet tilladelse til, at danske læger tilså de danske fanger i Neuengamme (Hæstrup, 2, 1966-71, s. 230).

Bests sidste store initiativ kunne således opvise nogle positive resultater, selv om der skulle føje sig betydelige skuffelser til.

Kilde: BArch, Freiburg, RW 38/185. KTB/WB Dänemark marts 1945, Anlage 21.

Der Reichsbevollmächtigte in Dänemark *Kopenhagen, den 2. März 1945.*

Aufzeichnung
über die politischen, verwaltungsmäßigen und wirtschaftlichen
Probleme Dänemarks Anfang März 1945.

I. Der Status Dänemarks
1.) Die Lage.
Die Erklärung der Reichsregierung vom 9.4.1940, daß die staatliche Souveränität und die territoriale Integrität des Königsreich Dänemark durch die deutsche Besetzung nicht beeinträchtigt werden sollen, ist formell bis heute eingehalten worden. Dennoch sind alle im Reichsinteresse notwendigen Maßnahmen in Dänemark durchgeführt worden,

---

47 Der er den oplagte mulighed, at der samme dag også blev holdt et møde i AA, som ikke blev refereret af Bobrik, da Best både 1945 og 1949 var meget sikker på datoen og blev støttet af Jens Møller. Best forklarede 31. august 1945 konfrontationen med Kaltenbrunner således: "Dette var i og for sig ogsaa faldet i god Jord og egentlig besluttet [hjemførelsen af det deporterede danske politi], da Kaltenbrunner imidlertid pludselig dukkede op med en Beretning (antagelig fra Bovensiepen), hvorefter det tyske Sikkerhedspoliti i Danmark havde afsløret en Modstandsgruppe paa 8.000 Mand. Denne Beretning, som Internerede [Best] forud ingen Kendskab havde til, var blevet forelagt Hitler, der straks var eksploderet og havde forbudt at bringe saa meget som en eneste dansk interneret tilbage til Danmark. Der lagdes saaledes Internerede alle mulige Hindringer i Vejen for ham fra det tyske Politis Side." (LAK, Best-sagen).

indem der Reichsbevollmächtigte diese als faktische Akte auf Grund Kriegsnotstands, durch die der Status Dänemarks nicht berührt wird, bezeichnet hat. Auch weiterhin werden in dieser Form alle im Reichsinteresse notwendigen Maßnahmen tatsächlicher oder rechtlicher Art – die letzteren auf Grund des dem Reichsbevollmächtigten zustehenden Verordnungsrechtes – durchgeführt werden können, ohne daß das außenpolitische Aktivum der formellen Einhaltung der Erklärung der Reichsregierung vom 9.4.1940 aufgegeben zu werden braucht.

Eine Status-Änderung – z.B. die Einsetzung eines Reichskommissars würde die Wahrung der Reichsinteressen in Dänemark nicht verbessern sondern verschlechtern, weil in diesem Falle die dänische Verwaltung weitgehend durch deutsche Kräfte ersetzt werden müßte, die gegen den Widerstand der Bevölkerung nur sehr viel geringere Ergebnisse erzielen würden als bisher. Der Reichsbevollmächtigte lenkt und beaufsichtigt die dänische Verwaltung und Wirtschaft zur Zeit mit einem Apparat von 131 reichsdeutschen Kräften (einschließlich der Schreibkräfte usw.) und hält mit Hilfe des dänischen Verwaltungsapparates das öffentliche Leben und die Wirtschaft im Gang. Im Falle einer Status-Änderung würden der notwendig werdende vermehrte Einsatz reichsdeutscher Kräfte und der verminderte Erfolg im umgekehrt proportionalen Verhältnis stehen.

Die Formelle Aufrechterhaltung des bisherigen Status und die Ausnützung der dänischen Verwaltung für deutsche Zwecke bedingt, daß mit der dänischen Verwaltung über die von ihr durchzuführenden Maßnahmen verhandelt wird, statt ihr zu befehlen, und daß ihr zur Erhaltung ihrer Durchschlagskraft im Lande hier und da gewisse Konzessionen eingeräumt werden. Soweit die dänische Verwaltung mangels gesetzlicher Befugnisse oder aus anderen Gründen zur Durchführung solcher Maßnahmen außerstande ist, müssen eigene deutsche Maßnahmen getroffen werden, die ihre Grenzen in den vorhandenen eigenen Vollzugsmöglichkeiten bzw. Vollzugskräften finden.

2.) Vorschlag.
Solange nicht
a.) die außenpolitischen Folgen einer Aufhebung der Erklärung der Reichsregierung vom 9.4.1940 als gleichgültig angesehen werden,
b.) die deutschen Verwaltungs- und Vollzugskräfte in Dänemark vervielfacht werden können,
c.) eine beträchtliche Minderung der wirtschaftlichen Leistungen Dänemarks als tragbar angesehen wird,
muß vorgeschlagen werden, den bisherigen Status und die bisherige Form der politischen, verwaltungsmäßigen und wirtschaftlichen Lenkung und Beaufsichtigung Dänemarks beizubehalten, die bis jetzt ein – unter Berücksichtigung des deutschen Kräfteaufwands und der erzielten Leistungen – optimales Ergebnis gezeigt hat.

II. Die Unterbringung von Rückgeführten aus den Ostgebieten in Dänemark
1.) Die Lage.
Nachdem die Unterbringung von Rückgeführten aus den Ostgebieten in Dänemark angeordnet worden war, sind vom Reichsbevollmächtigten gemeinsam mit dem Wehrmachtbefehlshaber alle Möglichkeiten geprüft und alle Vorbereitungen getroffen worden.

Die Hereinnahme und Unterbringung der ersten Rückgeführten erfolgte aus Dringlichkeitsgründen ohne vorherige Fühlungnahme mit der dänischen Zentralverwaltung.

Nach übereinstimmender Auffassung des Reichsbevollmächtigten und des Wehrmachtbefehlshabers kommt für die Unterbringung von Rückgeführten in erster Linie Jütland südlich des Limfjordes in Frage. Soweit Rückgeführte auf den Inseln untergebracht werden, sollen es nach Möglichkeiten solche Gruppen sein, die die Verteidigung der Inseln im Invasionsfalle nicht – wie Frauen und Kinder, die sich zur Truppe flüchten, – behindern sondern sie womöglich – wie Wehrmacht-Schulen, Wehrertüchtigungslager und leichter Verwundete – verstärken.

Unterbringung von Rückgeführten ist – außer bei der Deutschen Volksgruppe in Nordschleswig – nur in Sammelunterkünften möglich, da für die Durchführung einer Zwangsunterbringung in Privathäusern jede dänische oder deutsche Exekutive fehlt und da eine freiwillige Aufnahme in dänischen Familien angesichts der im Lande herrschenden Erbitterung über das Massensterben dänischer Häftlinge in deutschen Konzentrationslagern, über den Gegenterror usw. nicht in Frage kommt.

In Volksdeutschen Familien in Nordschleswig und in Sammelunterkünften (beschlagnahmten Hotels, Pensionen, Schulen usw.) werden bis zum 10.3.45 auf dänischem Boden etwa 80.000 Rückgeführte untergebracht werden, die sich wie folgt zusammensetzen:

Zivile Rückgeführte:	30.000
Rückgeführte Verwundete:	20.000
Rückgeführte Wehrertüchtigungslager der H.J.:	10.000
Rückgeführte Wehrmachteinheiten (Schulen usw.):	20.000

Die Erkundung von Unterkünften wird fortgesetzt; endgültige Angaben über die Unterbringungsmöglichkeiten können noch nicht gemacht werden.

Die Finanzierung des Aufenthalts der Rückgeführten in Dänemark muß aus Kronen-Vorschüssen der dänischen Nationalbank erfolgen. Durch das Abkommen über die Besatzungsvorschüsse werden nur die Ausgaben für die der Wehrmacht zuzurechnenden Rückgeführten gedeckt. Im übrigen besteht keine vertragliche Grundlage für die Erhebung von Kronen-Vorschüssen für die Rückgeführten. Deshalb werden zur Zeit von dem deutschen Regierungsausschuß Verhandlungen über Vorschüsse, die auf das deutsch-dänische Clearing verrechnet werden sollen, geführt. Inzwischen tritt der Wehrmachtintendant mit Besatzungsmitteln in Vorlage. Eine weitere Vereinbarung mit der dänischen Zentralverwaltung muß über die Bereitstellung von Rationierungskarten für die Rückgeführten, die in Privatquartieren in Nordschleswig untergebracht werden, getroffen werden. Zu beiden Mitwirkungen – Bereitstellung von Kronen-Vorschüssen und von Rationierungskarten – hat die dänische Zentralverwaltung Gegenwünsche geäußert, die sich auf die Behandlung der in deutscher Haft befindlichen dänischen Staatsangehörigen beziehen. Die Einzelheiten sind unter III. erörtert.

2.) Vorschlag.
Um zu verhüten, daß durch deutsche Maßnahmen zur Unterbringung von Rückgeführten in Dänemark schädliche Rückwirkungen auf andere wichtige Reichsinteressen im Lande eintreten (Widerstand der Bevölkerung, Lieferstreik, Rücktritt der Zentralver-

waltung o.ä.), wird vorgeschlagen,

a.) daß die Unterbringung von Rückgeführten in der von dem Reichsbevollmächtigten in Zusammenarbeit mit dem Wehrmachtbefehlshaber begonnenen Weise fortgesetzt wird, bis nach übereinstimmender Feststellung die Unterbringungsmöglichkeiten erschöpft sind,

b.) daß die Verhandlungen des deutschen Regierungsausschusses mit der dänischen Zentralverwaltung fortgesetzt werden mit dem Ziele einer gütlichen Mitwirkung derselben.

III. Die Kleinkriegsabwehr und die Häftlingsfrage
1.) Die Lage.
Seit etwa 1½ Jahren ist von englischer Seite unter Führung englischer Offiziere (dänischer Freiwilliger) in Dänemark ein Kleinkrieg eingeleitet worden mit dem Ziele, die deutsche Verteidigungskraft im dänischen Raum zu beeinträchtigen und die politischen, verwaltungsmäßigen und wirtschaftlichen Verhältnisse im Lande zu erschweren. Zur Bekämpfung der feindlichen Kleinkriegsgruppen ist auf Antrag des Reichsbevollmächtigten seit September 1943 deutsche Polizei in Dänemark eingesetzt worden. Diese hat seit 1½ Jahren mit Erfolg die Abwehr des feindlichen Kleinkrieges betrieben und zahlreiche Angehörige der Kleinkriegsgruppen festgenommen. Von diesen sind nur wenige von den Feldgerichten der Wehrmacht und der Polizei nach Kriegsrecht abgeurteilt worden, während die meisten in Polizeihaft genommen und behalten wurden. Zur Zeit befinden sich 6.000 dänische Staatsangehörige in deutscher Polizeihaft, hiervon 2.200 in deutschen Konzentrationslagern, der Rest in Crafträumen auf dänischem Boden. Dazu kommen etwa 2.000 dänische Polizeibeamte, die aus Anlaß der Auflösung der dänischen Polizei im September 1944 interniert und in das Reich verbracht wurden.

Das Rechtsempfinden der dänischen Bevölkerung erkennt Gerichtsverfahren und Gerichtsurteile auch deutscher Gerichte an, während es in jeder Freiheitsentziehung ohne Gerichtsverfahren eine rechtswidrige Willkür sieht. Hieraus ergibt sich, daß die Todesurteile deutscher Feldgerichte gegen dänische Staatsangehörige zwar als hart aber als rechtmäßig angesehen werden, während das Festhalten eines gleich Schuldigen in der Polizeihaft als rechtwidrig und willkürlich angesehen wird. Als nun zu dieser Beurteilung der deutschen Maßnahmen hinzutrat, daß dänische Häftlinge in den deutschen Haftlagern in ungewöhnlich großer Zahl starben, entwickelte sich in der dänischen Bevölkerung eine beträchtliche Erregung über diese deutsche "Grausamkeit" an Menschen, deren Schuld nicht gerichtlich festgestellt worden war.[48]

Unter dem Druck dieser Erregung der dänischen Bevölkerung handelt die dänische Zentralverwaltung, wenn sie versucht, als Gegenleistung für ihre Mitwirkung bei der Finanzierung und Versorgung der deutschen Rückgeführten in Dänemark Erleichterungen für die dänischen Häftlinge zu erwirken. Sie wünscht an sich die vorbehaltlose Freilassung aller internierten oder in Haft befindlichen Polizeibeamten, da diesen überhaupt keine individuelle Schuld vorgeworfen werde, und die Rückführung sämtlicher

---

48 Ifølge Jens Møllers efterkrigsforklaring kom Best frem til det "usædvanligt" høje antal døde danske KZ-fanger (gendarmer) ved en sammenligning med værnemagtens tabstal gennem 5½ års krig (PKB, 13, nr. 139).

dänischer Häftlinge aus dem Reich in Hafträume auf dänischem Boden sowie die Unterlassung weiterer Deportationen in das Reich. Zweifellos würde aber auch ein wesentlicher Teilerfolg das Ansehen und die Wirkungsmöglichkeiten der Zentralverwaltung in der Bevölkerung stärken.

2.) Vorschlag.
Nachdem mit der Wiederaufnahme der Verurteilung und Hinrichtung von Angehörigen der feindlichen Kleinkriegsgruppen das einzig wirksame – weil auf den Feind selbst und nicht auf unbeteiligte Dritte wirkende – Mittel der Kleinkriegsabwehr wieder zur Anwendung gelangt[49] und deshalb im übrigen nur noch Zweckmäßigkeits- und Sicherheitsfragen zu berücksichtigen sind, wird vorgeschlagen,
a.) daß unverzüglich die im Konzentrationslager Neuengamme befindlichen Grenzgendarmen aus Nordschleswig, die wegen Krankheit im Konzentrationslager Buchenwald verbliebenen Polizeibeamten und – nach beschleunigtem Abschluß der Laufenden Untersuchungen – die in Kopenhagen festgehaltenen leitenden Polizeibeamten freigelassen werden,
b.) daß die im Kriegsgefangenenlager Mühlberg an der Elbe internierten Polizeibeamten – wie schon in der Ressorts-Besprechung am 30.10.44 vereinbart[50] – in größeren Gruppen – etwa 200 Mann – in den nächsten Monaten entlassen werden,
c.) daß alle übrigen im Reich befindlichen dänischen Häftlinge in einem "Germanischen Internierungslager" zusammengefaßt und dort so behandelt werden, daß die schädlichen Rückwirkungen in Dänemark möglichst gering bleiben,
d.) daß künftig alle schwer belasteten Personen gerichtlich abgeurteilt und die leichter belasteten im Haftlager Fröslev an der dänisch-deutschen Grenze untergebracht werden.

IV. Die wirtschaftlichen Leistungen Dänemarks für das Reich
1.) Die Lage.
Die landwirtschaftlichen Lieferungen aus Dänemark in das Reich haben in den ersten 5 Monaten des Wirtschaftsjahres 1944/45 den zu Beginn des Wirtschaftsjahres aufgestellten Schätzungen entsprochen. Seit dem 1.10.44 sind von den Haupterzeugnissen geliefert worden:
a.) Fleisch: 72.000 to.
   Mit der Lieferung weiterer 80.000 to. bis Ende September ist zu rechnen.
b.) Butter: 15.000 to.
   Mit der Lieferung weiterer 35.000 to. bis Ende September ist zu rechnen.
c.) Fische: 12.000 to.
   Da die Hauptfangzeit erst jetzt einsetzt, ist für das ganze Wirtschaftsjahr mit der Lieferung von etwa 100.000 to Fischen und Fischerzeugnissen zu rechnen, wovon allein von jetzt ab etwa 60-70.000 to Frischfisch in das Reich gelangen werden.
d.) Pferde: 14.000 Stück.

---

49 Her fremgår det, at spørgsmålet om domsanvendelsen overfor sabotører forud var foreslået (via Bests telegram til AA 25. februar (?)), men at afgørelsen ikke var meddelt ham.
50 Se Steengracht til Ribbentrop 1. november og Bobriks notat 4. december 1944.

Mit der Lieferung weiterer 21.000 Stuck bis Ende September ist zu rechnen. Voraussetzung dafür, daß bis zum Ende des Wirtschaftsjahres (30.9.) die erwarteten Lieferungen in der angegebenen Höhe erfolgen, ist, daß die Produktion während dieser Zeit nicht gestört wird. Die Produktion würde insbesondere gestört durch deutsche Maßnahmen, die die Produzenten – vor allen Dingen Bauern und Arbeiter – äußerlich oder in ihrer inneren Haltung nachteilig beeinflussen würden. So würde jede Art von Arbeitszwang zur Massenflucht der Arbeitskräfte und damit zur Zerstörung der Produktion führen. Innere Hemmungen für die Produktionsfreudigkeit könnten durch politische Maßnahmen – z.B. eine Status-Änderung für das Land Dänemark – oder durch wirtschaftliche Maßnahmen – z.B. durch Rationskürzungen – verursacht werden und zu einem Produktions- und Lieferstreik führen, der weder mit den vorhandenen noch mit verstärkten deutschen Kräften gebrochen werden könnte. Denn die für Deutschland wichtigste Produktion der Ernährungsgüter wird von etwa 210.000 mittleren Bauern geleistet, die selbst durch eine gleiche Zahl von deutschen Aufsichtskräften nicht zu den bisher erbrachten Höchstleistungen gezwungen werden könnten. Wenn hingegen in Dänemark keine deutschen Maßnahmen getroffen werden, die die Bevölkerung – insbesondere auf dem Lande – aus den bisher gewohnten Gleisen des Lebens und der Arbeit werfen, besteht die Aussicht, daß trotz des Rückgangs der Lieferungen von Produktionsmitteln aus dem Reich die landwirtschaftliche Produktion Dänemarks für das Reich auch weiterhin auf der erreichten Höhe gehalten werden kann.

2.) Vorschlag.
Es wird vorgeschlagen, der Lenkung der dänischen Wirtschaft keine Änderungen eintreten zu lassen.

gez. **Dr. Best**

122. Walter Haensch an Werner Best 3. März 1945

Haensch orienterede om, hvordan man ville organisere indkrævningen af de ankomne flygtninges penge, ligesom man ville forsøge at få pengene fra de allerede ankomne. Dog stillede han sig tvivlende til, om den i sig selv hensigtsmæssige ordning ville lade sig realisere på grund af det store antal ankomne flygtninge. Der var lavet en ordning, hvorefter flygtningene kunne overføre deres penge til pårørende i Tyskland. Også disse flygtninge skulle aflevere deres penge ved ankomsten og fik en check i stedet.

Det er utvivlsomt, at konfiskationen af de tyske flygtninges rede penge var ømtålelig og en langtfra populær foranstaltning hos mennesker, der var på flugt og i forvejen havde måttet efterlade det meste. På den ene side kom det danske samfund til fuldt og helt at betale for flygtningenes ophold, på den anden side forsøgte Det tredje Rige at stjæle sine flygtede borgeres penge i krigens sidste uger.

Officielt blev inddrivelsen af pengene foretaget, men lige så sikkert er det, at mange flygtninge beholdt både tysk og anden valuta for at kunne købe i danske butikker.[51]

Kilde: LAÅ, Det tyske Mindretals arkiv, pk. 616 (gennemslag).

---

51 Se eks. *Daglige Beretninger*, 1946, s. 748 (21. marts 1945).

Der Reichsbevollmächtigte in Dänemark　　　　　　　　　　3. März 1945
Außenstelle Apenrade
AZ: XVI/85/45.

An den Reichsbevollmächtigten in Dänemark
　in Kopenhagen

Betr.: Aktuelle Fragen zum Flüchtlingsproblem.
　　　Einziehung von Reichsbanknoten.

Im Nachgang zum hiesigen Schreiben XVI/82/45 vom 23. Februar 1945[52] berichte ich in obiger Angelegenheit folgendes:
Mit dem Hauptzollamt in Flensburg wurden am 2.3.45 die technischen Einzelheiten für die Durchführung der Deviseneinziehung besprochen.
Das Hauptzollamt wird 3 Kommissionen, bestehend aus 2 Beamten und einer weiblichen Hilfskraft, zunächst nach dem hiesigen Bereich entsenden.
Die Kommissionen nehmen die Sitze in den Standorten: Sonderburg, Apenrade, Hadersleben, Tondern, Ribe, Tingleff und Kolding. Von diesen Standorten aus wird die Einziehung der Reichsbanknoten vorgenommen in engster Zusammenarbeit mit den jeweils zuständigen Kreiskontoren, bzw. für Kolding mit dem NSV-Beauftragten. Die Kontore beginnen mit den Orten Apenrade und Sonderburg, wohin sich am 5.3.45 2 der Kommissionen begeben.
Die Quartierbeschaffung, Schlafmöglichkeit und ein Dienstraum, werden durch die jeweiligen Ortskommandanten zur Verfügung gestellt.
Es soll versucht werden nach Sicherstellung der RM-Beträge von den bisher schon untergebrachten Flüchtlingen, immer mehr dahin zu kommen, daß in jeden Flüchtlingszug an der Grenze eine Kommission zusteigt, die sofort nach Ankunft in den Sammellagern in Tätigkeit tritt. Inwieweit sich diese an sich zweckmäßigste Regelung durchführen lassen wird, ist im Hinblick auf die große Anzahl der bereits eingetroffenen Flüchtlinge fraglich.
Für die Unterkünfte außerhalb des hiesigen Bereichs ist es notwendig, daß von dem dortigen Zentral-Flüchtlings-Ausschuß mir unverzüglich die Standorte der einzelnen Lager in Mittel- und Nordjütland mitgeteilt werden, damit die Zollkommissionen anschließend an den hiesigen Bereich auch diese Gebiete bearbeiten können.
Bezüglich der Unterhaltskosten für die Kommissionen wurde im Einvernehmen mit der Volksgruppe vereinbart, daß die den einzelnen Mitgliedern gesetzmäßig zustehenden Beschäftigungstage-Gelder über die Kreiskontore aus dem Flüchtlingsfond gezahlt werden. Ich bitte um Zustimmung.
Die bei der Besprechung mit Regierungsdirektor Dr. Stalmann im Dibbernhaus vom 27.2.45 angeschnittene Frage der Überweisungsmöglichkeit von Geldbeträgen an

---

52 Brevet 23. februar er i gennemslag i LAÅ, Det tyske Mindretals arkiv, pk. 616. Heraf fremgår det, at det var mislykkedes at få Velfærdstjenestens hjælpersker, det tyske mindretals Frauenschaft og Standortskommandanturene til at stå for den opgave at indkræve flygtningenes penge.

Angehörige der Flüchtlinge im Reich wurde ebenfalls geklärt. Die Flüchtlinge können bei den Kommissionen entsprechende Überweisungsanträge für die Reichsverkehrskreditbank stellen. Der Scheck, den die Flüchtlinge erhalten, ist bereits auf derartige Fälle zugeschnitten und trägt folgenden Passus:

"Der Einzahler hat beantragt den Betrag durch die Deutsche Verkehrskreditbank entweder wieder auszuholen, oder überweisen zu lassen an ...."

gez. **Dr. Haensch**

123. Kriegstagebuch/WB Dänemark 3. März 1945
Danske modstandsfolk optrådte forklædt som jernbanefunktionærer, hvorfor det ikke længere var nok fra tysk side at kræve at se legitimationskort; der skulle nu også foretages kropsvisitation i forbindelse med færdsel ved vigtige anlæg.

Forklædte sabotører var et stigende problem for besættelsesmagten. Tidligere havde de optrådt bl.a. som danske betjente, men siden var det blevet mere udbredt at tilegne sig tyske uniformer af enhver art.

Kilde: KTB/WB Dänemark 3. marts 1945.

Die Zunahme der Fälle, in denen sich Saboteure dänischer Eisenbahner-Uniformen bedienen, macht es notwendig, sich in Zukunft nicht mit der Überprüfung von Ausweisen zu begnügen, sondern dänische Eisenbahner, die wichtige Objekte in Bahnanlagen (insbesondere Wassertürme) betreten wollen oder die verdächtig erscheinen, auch körperlich zu durchsuchen. Schlagartige Überprüfung aller Eisenbahner auf bestimmten Bahnhöfen hat sich bewährt. Die Transport-Kommandantur ist gebeten worden, die dänische Staatsbahn entsprechend zu unterrichten.
[...]
Die Anzahl der Sprengungen ist trotz des befohlenen erhöhten Bahnschutzes unverhältnismäßig hoch. Die Div. melden hierauf Stellung und melden fernschriftlich bis zum 5.3.45 an W. Bef. Dän. das Ergebnis und das Veranlaßte.
[...]
Tagesmeldung:
17 Sabotageanschläge gegen Eisenbahnanlagen (insgesamt 53 Einzelsprengungen), davon 9 auf Hauptstrecken.
2 Sabotageanschläge, Wehrmachtinteressen betroffen.
2 Sabotageanschläge abgewehrt.
[...]

124. Kriegstagebuch/Seekriegsleitung 3. März 1945
Wurmbach havde sendt endnu et nødråb til Seekriegsleitungs kvartermester på grund af manglen på kul og havde fået det svar, at der ville blive beslaglagt yderligere 10.000 tons kul i Danmark, og at der desuden var en damper med godt 2.000 tons kul klar til afsejling til Danmark.

Om kullene nåede frem til Kriegsmarine i Danmark, er ubekendt.

Kilde: KTB/Skl 3. marts 1945, s. 36.

[...]

IV.) Adm. Qu:

a.) Admiral Skagerrak hat einen neuen Notruf wegen der Kohlenlage gemacht, der von Adm. Qu III dahin beantwortet wurde, daß ein Beauftragter des Quartiermeisters zunächst z.Zt. 10.000 ts Kohlen aus Dänemark selbst beschlagnahmen soll,[53] und außerdem ein Dampfer mit 2.400 ts Kohlen für Dänemark in Bremen auslaufklar liegt.

[...]

125. Adolf Müller an Günther Toepke 4. März 1945

Günther Toepke rejste til Berlin 1. marts for dels at føre drøftelser i OKW/WFSt, dels at deltage i mødet i AA 5. marts om flygtningeanbringelsen i Danmark. Efter sin ankomst til Berlin modtog han fra Adolf Müller, leder af afdeling Ic i Lindemanns stab, de punkter, som han skulle tage op til drøftelse 5. marts. De drejede sig først og fremmest om så hurtigt som muligt at få løst opgaven med anbringelsen af tyske flygtninge og at få den bragt væk fra værnemagtens skuldre og flyttet over i civilt regi. Der var problemer med at få alle slags nødvendige remedier for at huse og bespise flygtningene.

Toepke afgav beretning om møderne i Berlin 7. marts (KTB/WB Dänemark 1. marts 1945).

Kilde: BArch, Freiburg, RW 4/754. RA, Danica 1069, sp. 1, nr. 444f.

Fernschreiben

KR HXSI 057 4.3., 10.25
KR OKW/WFSt/OP (H) Nord
z.Hd. Maj. I G Benze   gKdos

Betr.: Besprechungspunkte Obstlt. I.G. Toepke, z.Zt. Berlin, wegen Flüchtlinge.

1.) Vorschläge Leit. San. Offz. b. W. Befh. Dän.

    a.) Grundsätzliche Feststellung, daß Unterbringung und Versorgung (einschl. San. dienstl. Versorgung) der Flüchtlinge Sache des Reichsbevollmächtigten bzw. der NSV ist.

    b.) Von den maßgeblichen Stellen ist die ärztliche Versorgung und Zuführung von Arznei- und Verbandmitteln aus dem zivilen Sektor zu betreiben. Einrichtungen des Wehrm. San. Dienstes durch die erhöhte Zuführung von Verwundeten bereits überlastet.

    c.) Einrichtung befehlsmäßiger Krankenhäuser je nach Größe der Flüchtlingsgruppen muß Aufgabe der Eingesetzten oder Heranzuführenden Zivilärzte sein. Durch das Wehrm. San.-Wesen kann nur bis zur Aufrichtung der zivilen Organisationen vorübergehend geholfen werden.

2.) Besprechungspunkte des O.Qu.:

    a.) Beschaffung von Unterkunftsgerät (Betten, Großkochgerät, Eßgeschirr, Tassen, Teller usw.) stößt auf erhebliche Schwierigkeiten. Ebenfalls Lieferung von Woll-

---

53 Se Litters notat 12. februar 1945.

decken. Wurden bei OKH beantragt u. mit Schrb. OKW/v II vom 20.2. abgelehnt.

b.) Von W. Befh. Dän. wird größter Wert darauf gelegt, daß eine einheitliche Steuerung

1.) der Rückgeführten (bisher 20.999),

2.) der Verwundeten (bisher 20.000) und

3.) der Truppenverlegung (SS u. Pol – bisher 15.000), (HJ – bisher 10.000), (Ungarn – bisher 11.000), (Schulen – bisher 10.000), insgesamt 86.999 nach Dänemark erfolgt.

Vorgeschlagen wird einheitliche Steuerung entweder durch OKH/gen Qu oder OBDE/AHA/Stab.

c.) W. Befh Dän wünscht, daß Überführung der Flüchtlinge bald in Privatquartiere erfolgt. Wehrmacht kann auf Dauer Unterbringung nicht durchführen.

d.) Keine verschiedenen Verpflegungssätze Ausrufungszeichen. (Es ist vorgesehen, daß Flüchtlinge Satz der deutschen Bevölkerung erhalten, während die bei dän. Familien einquartierten den dän. Satz bekommen). Einheitliche Verpflegung erforderlich.

e.) Inhalt der Besprechung des O Qu mit den Landräten am 18.2.45.[54]
Wehrm Befh Dän I A BRBNR 728/45 gKdos
gez. **Müller**
Major[55]

126. Adolf Müller an Günther Toepke 4. März 1945

Müller meddelte Toepke i Berlin, hvad der var opnået enighed om på et møde 28. februar mellem tyske instanser. Det var informationer, som Toepke skulle medtage på mødet 5. marts i AA. Der var enighed om at holde Jylland fri for flygtninge, men man besluttede dog samtidig, at et større antal skulle anbringes i Århus og Ålborg. Flygtningene skulle ikke anbringes ved civilbefolkningen, og der skulle søges beskæftigelse til dem ved værnemagten. Man anslog, at der ville være 80.000 flygtninge i Danmark 10. marts.

Kilde: BArch, Freiburg, RW 4/754. RA, Danica 1069, sp. 1, nr. 442f.

F e r n s c h r e i b e n

KR HXSI 070 4.3., 14.50
KR an OKW/WFSt/OP (H) Nord
z.Hd. Maj. I G Benze   gKdos

Betr.: Inhalt der Besprechung des O.Qu. mit den Landräten am 28.2.1945 für Herrn Obstlt. I.G. Toepke, z.Zt. Berlin.

---

54 Se telegrammet fra samme dag kl. 14.50.
55 Adolf Müller var leder af afdeling Ic i WB Dänemarks stab fra 3. oktober 1943 til maj 1945 (afhøring 23. februar 1948 (LAK, Best-sagen)).

Über folgende Punkte wurde Übereinstimmung erzielt:

1.) Neue Lazarette sollen nur auf dän. Inseln gelegt werden, um Jütland für Flüchtlinge freizuhalten. Insbesondere soll die Verwendungsmöglichkeit der Heilanstalt Vordingborg, des Badehotels Kristiansminde und des Schlosses Hindsgavl für Verwundete geprüft werden.
2.) Zunächst sollen nur Gemeinschaftsquartiere in Anspruch genommen werden, die von Wehrmacht beschlagnahmt werden, Flüchtlingsunterbringung bei Zivilbevölkerung soll bis auf weiteres unterbleiben.
3.) Möglichkeiten des Arbeitseinsatzes bei der Wehrmacht sollen geprüft werden, insbesondere Frage der landwirtschaftlichen Arbeit bei der Luftwaffe.
4.) Familienangehörige von im Raum befindlichen Wehrmachtangehörigen dürfen nicht in räumlichen Zusammenhang mit diesen untergebracht werden.
5.) Entlassung u. polizeiliche Untersuchung der Flüchtlinge auf Volkssturm-Dienstpflicht, Arbeitspflicht usw. soll möglichst vor Grenzüberschreitung nach Dän. stattfinden (zeitersparnishalber beides bei gleichem Aufenthalt).
6.) Wurde festgestellt, daß z.Zt. sofort noch 1.500 Flüchtlinge in Aarhus, 1.000 Flüchtlinge in Aalborg untergebracht werden können.
7.) Wird festgestellt das mit den z.Zt. im Anrollen begriffenen Transporten rd. 80.000 Rückgeführte bis etwa 10.3.45 im Raum Dän. untergebracht sein werden.

Wehrm Befh Dän I A BRBNR 736/45 gKdos
gez. **Müller**
Major

127. OKW/WFSt: Besprechung über Aufnahme von Flüchtlingen in Dänemark 5. März 1945

Mødet i AA 5. marts om flygtningeanbringelsen i Danmark blev knapt refereret af Rudolf Bobrik, men trods knapheden kom standpunkterne og uenigheden tydeligt frem. Best fik lov til at lægge for på grundlag af notatet af 2. marts. Pancke vendte sig mod anbringelsen af flygtningene udelukkende i lejre og ville have et antal anbragt hos danske familier, ligesom han vendte sig mod frigivelse af de deporterede politifolk.[56] Best fastholdt sin opfattelse og fik meget stærk støtte af Jens Møller, der kraftigt kritiserede deportationen af danske politifolk og især grænsegendarmer til KZ-lejre. Mindretallet ville hjælpe flygtningene mest muligt. NSVs repræsentant foreslog, at danskerne oprettede en frivillig hjælporganisation for flygtningene, hvilket både Best og statssekretær Stuckart afviste. Stuckart fastslog, at flygtningene ikke skulle anbringes hos private, men i hoteller, skoler m.v., og at anbringelsen skulle finde sted både på øerne og i Jylland. Værnemagten måtte påtage sig at beslaglægge de nødvendige bygninger. Toepke bad om, at flygtningeanbringelsen snarest muligt måtte overgå i civilt regi for ikke at svække værnemagtens slagkraft alt for meget.

Der nævnes ikke i referatet noget om antallet af de flygtninge, der forventedes til Danmark, men både Lindemanns stab 28. februar og Best 2. marts regnede med et antal på 80.000 den 10. marts. I en meddelelse til OKW/WFSt 8. marts regnede Lindemann med et antal på op til 150.000 frem til 1. april (se nedenfor), og et tilsvarende antal skulle ankomme til videretransport fra Sjælland til Jylland i løbet af en måned, opgav Best til DSB.[57] Antallet nåede kun 100.000 ifølge Bests *Politische Informationen* 1. april, hvilket dog var i

---

56 Det er givet, at Best i sin efterkrigsforklaring 1949 husker galt, når han tillagde Kaltenbrunner denne holdning på mødet, hvor Kaltenbrunner ikke deltog.
57 *Aktstykker vedrørende de tyske flygtninge i Danmark 1945-1949*, 1950, s. 47.

underkanten af det faktiske antal.⁵⁸ Selv om det var meget høje tal, er de dog langt fra de talstørrelser, som Best i sine erindringer har fortalt at der blev lagt frem på mødet 5. marts. Han fortæller, at det var hensigten at bringe mellem 1½ og 2 millioner østflygtninge til Danmark. Man tog det som en forudsætning, at med en befolkning på 4 millioner kunne der være en belægning med flygtninge på 50 %. Ifølge erindringerne afviste han det med henvisning til, at der kun kunne være omkring 100.000 flygtninge i Danmark anbragt i lejre og opsamlingssteder. Dette var – ifølge ham selv – hans karrieres sværeste afvisning (Best 1988, s. 96f.).

Der er intet samtidigt belæg for, at der var planer om at føre flygtninge til Danmark i tilnærmelsesvis det antal, som Best senere hævdede. Hans fremstilling af mødet har dog siden fundet udbredt og ukritisk anvendelse på trods af, at det burde være åbenbart, at hans hensigt kun har haft det formål at sætte sig selv i positur (Thomsen 1971, s. 217, Havrehed 1987, s. 19f., Casper 1994, s. 381f. (der henlægger mødet til 3. marts 1945, men også følger sin tidligere foresattes fremstilling og er endnu mere upålidelig end denne), Herbert 1996, s. 398 (der henlægger mødet til 6. marts!), Gammelgaard 2005, s. 37, Lylloff 2006, s. 38. – Se også Hæstrup, 2, 1959, s. 302, der refererer et brev fra Schiødt-Eriksen til Truelsen af 21. marts 1945, hvorefter Best skulle have været til et møde i Berlin for at mildne en håbløs kurs i Danmark, og hvor Best skulle have været i audiens hos en rasende Hitler, der lige forinden af Himmler var blevet underrettet om den danske import af mere end 3.000 svenske maskinpistoler, og derfor fik lidet ud af sit forehavende. Best var ikke på noget tidspunkt hos Hitler i 1945, så efterretningskilden har været rigeligt fantasifuld).

Kilde: BArch, Freiburg, RW 4/705. RA, Danica 1069, sp. 1, nr. 263-265.

WFSt/Qu 2 (II)   5.3.1945.

Notiz
Betr.: Besprechung über Aufnahme von Flüchtlingen in Dänemark.

Leitung:	Staatssekretär Steengracht, Ausw. Amt
Anwesend:	
Aus Dänemark:	Reichsbevollmächtigter Dr. Best
	Höh. SS- u. Pol. Führer Pancke
	Dt. Volksgruppenführer Möller
	Vertreter d. Parteikanzlei f. Flüchtlingsfragen in Dänemark, Pg. Paetz
Von der Reichsregierung:	Die Staatssekretäre d. beteiligten Ressorts, in Einzelfällen deren Vertreter
Vom Ausw. Amt:	Sämtliche beteiligten Abteilungen
Vom WB Dänemark:	Obstlt. i.G. Toepke
Vom WFSt:	Hptm. Knieper

Einleitend legte der Reichsbevollmächtigte seine Auffassung über die Flüchtlingsfrage in Dänemark klar (Anlage).⁵⁹

Höh. SS- u. Pol. Führer hielt auf Grund von Zuschriften Unterbringung von Flüchtlingen in einer Anzahl dänischer Familien für möglich. Er wandte sich gegen Freigabe inhaftierter Polizeibeamte, da eine derartige Maßnahme die illegalen antideutschen Organisationen in Dänemark stärken würde.

---

58 KTB/WB Dänemark anførte 3. april, at der var ankommet 125.700 flygtninge og 80.495 sårede til Danmark, hvoraf 51.366 var transporteret videre til Tyskland.
59 Trykt ovenfor under 2. marts 1945.

Dr. Best wies demgegenüber darauf hin, daß er das Experiment, die Aufnahme deutscher Flüchtlinge in dänischen Familien anzuordnen, nicht auf sich nehmen könne, weil er davon überzeugt sei, da 99 % der dänischen Familien die Aufnahme verweigern würden; er habe nicht die Machtmittel, die Dänen zur Erfüllung dieses Befehls anzuhalten und dürfe daher nicht gegen den Grundsatz verstoßen, nichts zu befehlen, was man nicht durchsetzen könne.

Deutscher Volksgruppenführer legte überzeugend dar, daß für die deutschen Flüchtlinge ein erzwungenes Quartier in dänischen Familien wesentlich schlimmer sei als das primitivste Massenquartier in Sammelunterkünften.

Er wandte sich scharf gegen die Maßnahmen des Höh. SS- u. Pol- Führers bezüglich der Verbringung einer großen Zahl von individuell unschuldigen Polizeibeamten, insbesondere der Grenzwacht, in deutsche Konzentrationslager, wo sie eine unerhört hohe Sterblichkeitsziffer aufwiesen. Er forderte Wiedergutmachung dieses krassen Fehlers, der mit Recht die Stimmung auch der wohlwollenden Dänen und sogar der Volksdeutschen in einen entscheidenden Gegensatz zur deutschen Führung gebracht habe. Er erhofft von einer Freilassung der Polizeibeamten eine Entspannung der Lage und glaubt, daß sich allmählich eine gewisse Atmosphäre der inneren Bereitschaft der Dänen zur Aufnahme der deutschen Flüchtlinge schaffen lassen würde, sodaß diese ohne Zwang und ohne Regierungsanordnungen nach und nach aus Sammelquartieren abgezogen werden würden.

Die deutsche Volksgruppe werde mit derselben Bereitschaft wie die deutschen Familien im Reich bis an die Grenze des möglichen Flüchtlinge aufnehmen. Diese gelte auch für die innerhalb der deutschen Volksgruppe wohnenden Dänen.

Vertreter NSV regte an, die Dänen zu einem freiwilligen Hilfswerk für die deutsche Flüchtlinge zu veranlassen.

Ablehnung von Dr. Best und Staatssekretär Stuckart, da man in diesem Fälle die Dänen als gleichberechtigten Verhandlungspartner – den man um etwas bitte – ansehen und dann auch ein Nein in Kauf nehmen müsse. Diese Gefahr habe er – Best – sich bisher nie ausgesetzt.

Staatssekretär Stuckart führte aus, er habe sich davon überzeugen lassen, daß zunächst eine Einbeziehung der dänischen Familien in die Planung der Flüchtlingsunterbringung nicht möglich sei; er fordere, daß sämtliche Hotels, Pensionen, Heime, Schulen und sonstige zur Gemeinschaftsunterbringung geeigneten Gebäude restlos erfaßt und in den Dienst der Flüchtlingsaufnahme gestellt würden, und zwar sowohl in Jütland als auch auf Seeland und Fünen, und daß ferner die deutsche Volksgruppe ihr Äußerstes tue.

Eine allmähliche Auflockerung der Sammelunterbringung durch Schaffung einer Bereitschaft von Dänen zur Aufnahme deutscher Flüchtlinge soll angestrebt, jedoch im jetzigen Zeitpunkt ein Versuch, auf freiwilliger Grundlage weiterzukommen, nicht unternommen werden.

Staatssekretär Stuckart forderte weiter, daß die Wehrmacht alle Hotels, Pensionen usw. gemäß den von Chef OKW gegebenen Befehlen freimachen solle. Die Wehrmacht könne weit eher auf Grund von befohlener Quartierleistung in "Privatquartiere" ziehen, z.B. Stab aus einem Hotel auf einen größeren Bauernhof, als die Flüchtlinge, da der Soldat sich selbst schützen und seine Forderungen durchsetzen könne. Diese Forderung beziehe sich nicht auf die wehrmachteigenen Unterkünfte für Ausbildungs- usw. Zwecke.

Vertreter WB Dänemark sagte weitestgehende Räumung dem geforderten Objekte zu, in Einzelfällen wurde unmittelbare Regelung mit Reichsbevollmächtigten vorgesehen.

Es wurde an den Reichsbevollmächtigten und die Reichsressorts die Forderung der Wehrmacht gestellt, die gesamte Steuerung und Versorgung der Flüchtlinge baldmöglichst in den zivilen Bereich zu überführen, um nicht die Wehrmacht allzu sehr und allzu lange für wehrmachtfremde Aufgaben zu binden und dadurch ihre Schlagkraft zu schwächen.

Dr. Best sagte hierzu alle notwendigen Maßnahmen zu.

Sämtliche Reichsressorts erklärten mit der vorgesehenen Regelung einverstanden.

I.A.
Bobrik

128. Reichsministerium für Volksaufklärung und Propaganda: Unterbringung von Ostflüchtlingen in Dänemark 5. März 1945

Mødet i AA 5. marts 1945 om flygtningespørgsmålet blev refereret af en repræsentant for RMVP til ministeriets statssekretær Werner Naumann og sammenfattet i tre punkter. Hos den tyske folkegruppe i Nordslesvig skulle alene 10-12.000 af de ca. 120-150.000 flygtninge anbringes. Alle hoteller, pensioner og egnede bygninger over hele Danmark skulle beslaglægges til flygtningene. Værnemagten skulle afgive alle sine kvarterer og overlade dem til flygtningene og i stedet anbringes privat ved danske familier. På den måde blev flygtningene overalt anbragt samlet, og man undgik, at enkelte blev udsat for sabotagehandlinger.

Den pågældende referent havde på et væsentligt punkt misforstået, hvad der var opnået enighed om på mødet, nemlig vedrørende værnemagtens indkvartering. Det skulle ikke være hos private danske, men i teltlejre eller andre mere primitive kvarterer.

Kilde: BArch, Berlin R 55/616.

Komm. Leiter Pro
Ref.: MR Imhoff

Berlin, den 5. März 1945

An den Herrn Staatssekretär

Betr.: Unterbringung von Ostflüchtlingen in Dänemark

Heute Vormittag hat im Auswärtigen Amt mit dem Reichsbevollmächtigten für Dänemark Dr. Best und Pg. Paetz von der NSV Ausland eine Besprechung stattgefunden. In dieser Besprechung wurde folgendes festgelegt:
1.) Die deutsche Volksgruppe in Nord-Schleswig und auch die in diesem Gebiet wohnenden dänischen Familien, die aufnahmebereit sind, sollen stärkstens mit Flüchtlingen belegt werden, so daß man allein hier von ca. 120-150.000 für Dänemark vorgesehenen Flüchtlingen 10-12.000 unterzubringen hofft.
2.) Alle Hotels, Pensionen und sonstigen für Gemeinschaftunterbringung geeigneten Räume sollen in ganz Dänemark und auf den Inseln sofort unter Zuhilfenahme der Wehrmacht beschlagnahmt werden.

3.) Die gesamte Wehrmacht soll ihre dänischen Sammelunterkunfte freimachen und den Flüchtlingen überlassen. Sie selbst wird privat bei den dänischen Familien untergebracht.

Auf diese Art und Weise werden die Flüchtlinge überall in Sammelunterkünften untergebracht und dadurch Sabotageakte an einzelnen vermieden.
Heil Hitler!
[underskrift]

129. Kriegstagebuch/WB Dänemark 6. März 1945
WB Dänemark anmodede om at få tildelt det nødvendige sprængstof og et pionerkompagni til ødelæggelsen af Københavns havn.
Svaret er ikke lokaliseret.[60]
Kilde: KTB/WB Dänemark 6. marts 1945.

[...]
Zur Durchführung der Vorbereitung zur Zerstörung des Hafens Kopenhagen werden benötigt:
550 to Sprengstoff und 1 Pi. Kp.
OKW/WFSt wird um deren Zuweisung gebeten.

Tagesmeldung:
9 Sabotageanschläge auf Eisenbahnstrecken (24 Einzelsprengungen), davon 8 auf Hauptstrecken.
2 Sabotageanschläge gegen Nachrichtenmittel.
1 weiterer Sabotageanschlag (Wehrmachtinteressen betroffen).
1 Überfall auf Wehrmachtangehörige (Waffenraub).[61]
2 Sabotageanschläge auf Eisenbahnstrecken abgewehrt.
4 Saboteure festgenommen.
[...]

130. OKW/WFSt: Notiz 6. März 1945
Günther Toepke oplyste under sit ophold i Berlin 6. marts OKW/WFSt om, at Best på grund af de sidste sabotager havde fået lov til at lade gerningsmændene retsforfølge. Det foranledigede OKW til at udarbejde et notat, der konstaterede, at det i Danmark nu var tilladt igen at anvende SS-domstole. Man kendte intet til detaljerne og havde ikke selv fået det oplyst. Da der var tale om et rent politisk anliggende, der ikke berørte værnemagtsinteresser, ville man ikke forfølge sagen nærmere (Rosengreen 1982, s. 162).

Sagen kom dog op igen 20. marts. Se nedenfor.

Hvis det kan antages, at Toepke har givet meddelelsen samme dag, som notitsen er udarbejdet, kan det tages som tegn på, at Toepke også netop er blevet underrettet om dette forhold, sandsynligvis af Best ved

60 Se Lindemanns drøftelse med Kummetz 10. april 1945.
61 En tysk postordonnans blev i Århus frastjålet sin revolver (RA, BdO Inf. Nr. 34, 8. marts 1945, tilfælde 15).

mødet i AA dagen før. Det var en ikke tilfældig nyhed vedrørende situationen i Danmark, der også med Toepke nåede til Silkeborg dagen efter. I KTB/WB Dänemark for 9. marts blev det første gang nævnt, at fem sabotører blev stillet for en SS- og Politiret. Det kunne udlægges sådan, at det ikke var sket for de forudgående 10 henrettede (KTB/WB Dänemark 7. og 9. marts 1945).
Kilde: BArch, Freiburg, RW 4/754. RA, Danica 1069, sp. 1, nr. 271.

WFSt/Qu 2 (II)   *6.3.1945.*
Geheime Kommandosache
N o t i z

1.) Obstlt. i.G. Toepke teilt mit, daß anläßlich der letzten Sabotagefälle in Kopenhagen dem Reichsbevollmächtigten die Genehmigung erteilt worden sei, die ermittelten Täter gerichtlich aburteilen zu lassen.

Damit werde in Dänemark das Verbot gerichtlicher Verfahren gegen Saboteure usw. als aufgehoben angesehen und in Zukunft von Verfahren vor den Höh. SS- u. Pol.-Gerichten wieder Gebrauch gemacht werden. Einzelheiten wären nicht bekannt.

2.) Stellungnahme:

a.) Das wiedereingeführte Verfahren entspricht der Mentalität der Dänen, die es eher hinnehmen, wenn ein Saboteur gerichtlich zum Tode verurteilt und hingerichtet als ohne Gerichtsverfahren in Haft genommen wird. Wieder Einführung gerichtlicher Aburteilung wird daher, auch wenn die Urteile noch so hart sind, zu einer gewissen Entspannung der dänischen Haltung führen.

b.) Die Genehmigung zur Wiedereinführung gerichtlicher Verfahren ist hier nicht bekannt. Es handelt sich um eine ausschließlich politische Angelegenheit, bei der, wie zu a) dargelegt, Wehrmachtinteressen nicht berührt werden. Es wird daher nicht für notwendig und auch nicht für zweckmäßig gehalten, sich in die Angelegenheit von hier aus einzuschalten und dadurch möglicherweise eine Nachprüfung der Genehmigung zu veranlassen.

131. Walter Haensch an Werner Best 6. März 1945

Fra Außenstelle Åbenrå blev Best orienteret om, hvordan den lægelige undersøgelse af de ankomne tyske flygtninge blev organiseret og foretaget af tyske og danske læger i landsdelen.
Kilde: LAÅ, Det tyske Mindretals arkiv, pk. 616.

Der Reichsbevollmächtigte in Dänemark   *6. März 1945*
– Außenstelle Apenrade –
AZ: XVI/97/45.

An den Reichsbevollmächtigten in Dänemark
   in Kopenhagen.

Betr.: Aktuelle Fragen zum Flüchtlingsproblem. Ärztliche Betreuung.

Im Zusammenhang mit dem dänischerseits geäußerten Wunsch auf ärztliche Überprüfung der Flüchtlinge bei Betreten dänischen Staatsgebietes nahm ich vor Anrollen der ersten Transporte Fühlung mit dem hiesigen Amtsarzt Dr. Lausten Thomsen, der zurzeit zugleich die Amtsärzte in Hadersleben und Sonderburg vertritt sowie engste Fühlung mit dem Amtsarzt in Tondern hält. Gleichzeitig trat ich in Verbindung mit den einzelnen Truppenärzte der Standorte im hiesigen Bereich.

Es wurde folgende Vereinbarung erzielt:

Bei Ankunft der Transporte übernimmt unter Leitung des deutschen Truppenarztes und des zuständigen Amtsarztes bezw. dessen von ihm bestimmten Vertreters eine Sanitätskommission aus dänischen Schwestern und ansässigen dänischen Ortsärzten die erste Überprüfung der Flüchtlinge. Es wird hierbei in der Regel so verfahren, daß vor Entladen der Züge, welches Waggonweise geschieht, die Ärzte bereits im Waggon die erste Sichtung nach kranken- und ungezieferverdächtigen Flüchtlingen vornimmt, wobei die Letztgenannten sofort einem Isolierraum (meist Wartesaal des Bahnhofes) zugeführt und dort vor Weiterleitung in Lazarette, Krankenhäuser oder Auffanglager genauer untersucht und desinfiziert werden. Selbstverständlich zeitigt diese Methode keine 100 %ige Erfolgsmöglichkeit, dämmt aber auch nach dänischer ärztlicher Meinung die Infektionsgefahr immerhin so ein, wie es nach den gegebenen Umständen infolge des Mangels an Entlausungsstationen nur möglich ist.

Seitens der Feldkommandantur wurde allen Standort-Truppenärzten Anweisung gegeben im Sinne dieser Regelung zu verfahren.

Dem Befehl ist lediglich in Kolding in nicht genügender Weise entsprochen worden. Dort sind, wie mir von der NSV-Betrauerin berichtet wurde, die Flüchtlinge anfangs wohl ohne ärztliche Überprüfung gleich in die Unterkünfte gebracht worden, wo auch denn noch die zunächst durch die Truppenärzte vorgenommene Überprüfung äußerst lacks gehandhabt worden sei.

Die Ursache hierfür hat zum Teil auf ungenügender Fühlungnahme des leitenden Truppenarztes mit dem Vertreter des dänischen Amtsarztes Dr. Wendt beruht. Auf dem Wehrmachtsektor ist seitens der Feldkommandantur und auf dem zivilen Sektor über den hiesigen Amtsarzt Dr. Lausten Thomsen von mir eingegriffen worden.

In den alle 8-10 Tage bei meiner Dienststelle abgehaltenen gemeinsamen Aussprachen, an denen auf dem WM-Sektor ein Vertreter der Feldkommandantur, sowie alle Standortkommandeure und auf dem zivilen Sektor Vertreter der Volksgruppe, der NSV Kolding, der Frauenschaft und des Wohlfahrtsdienstes der Volksgruppe, der Deutsche Konsul und der Vertreter des SD Apenrade teilnehmen, wird der ärztlichen Betreuung laufend besondere Beachtung geschenkt. Zur Schaffung strafferer Leitung der einzelnen Truppenärzte sind diese dem leitenden Arzt der Feldkommandantur (Stabsarzt Dr. Lingnau) dienstaufsichtsmäßig im Flüchtlingsbetreuungswerk unterstellt worden.

Die Truppenärzte üben im übrigen die Aufsicht über die von der Volksgruppe bereits errichteten und noch zu errichtenden Krankenhäuser aus. Auch übernehmen sie, soweit möglich, die ambulante Behandlung von Kranken. In den Massenquartieren erfolgt die ärztliche Betreuung zunächst nur durch den Truppenarzt.

Die dänischen Ärzte im hiesigen Bereich haben sich auf Weisung der Amtsärzte, insbesondere für die Betreuung in den Bürgerquartieren auf dem Lande, zur Verfügung gestellt. Der für Überlandfahrten von den dänischen Ärzten erbetene zusätzliche Brennstoff nach Rücksprache mit Herrn Oberstleutnant von Gärtner (Silkeborg) durch die Standortkommandeure gegen entsprechenden Nachweis zur Verfügung gestellt.

Hinsichtlich der Bereitschaft der dänischen Krankenhäuser zur Aufnahme erkrankter Flüchtlinge trat nach Ankunft des 1. Flüchtlingstransportes in Apenrade insoweit ein Zwischenfall ein, als ein Krankenhaus die Aufnahme einer an Lungenentzündung lebensgefährlich Erkrankten verweigerte. Es geschah dies unter Hinweis auf eine Anordnung der zentralen dänischen Gesundheitsbehörden in Kopenhagen, wonach Flüchtlinge in dänischen Krankenhäusern nur dann Aufnahme finden dürften, wenn es sich um epidemische- oder Unglücksfälle, die im Lande passiert seien, handele. Ferner könnte Aufnahme hochschwangeren Frauen gewährt werden. Sofortiger Protest beim Amtsarzt Dr. Lausten Thomsen führte schon nach wenigen Stunden zur Abgabe der Zusicherung, daß künftig auch alle Kranken aufgenommen würden, bei denen Lebensgefahr bestehe, oder im Falle des Transportes in ein deutsches Lazarett eintreten würde.

Seit dieser Zeit sind bei auf einen Fall in Sönderborg am gestrigen Tage, der mit Anruf bei Dr. Thomsen sofort behoben werden konnte, Klagen nicht mehr zu verzeichnen gewesen.

Im Zuge der endgültigen Quartierbeschaffung ist seitens der Volksgruppe die Einrichtung weiterer eigener Behelfskrankenstationen, Entbindungsheime, Altersheime, (außer Lensnack und Laimun) ins Auge gefaßt. Als Unterkünfte hierfür sind die Volkshochschulen in Tingleff, Rostrup, Rönne und Randershof vorgesehen. Dem Vorschlag auch die dänische Volkshochschule in Askov für Flüchtlingszwecke zu verwenden, der von der Wehrmacht gebracht wurde, ist die Zustimmung von hieraus im Einvernehmen mit der Volksgruppe versagt worden, weil es sich bei dieser Schule um eine Anstalt einmaliger Art (Grundtvigsidee) handelt.

Die Beschlagnahme der übrigen obengenannten Volkshochschulen wird über die Wehrmacht nunmehr von mir veranlaßt werden, nachdem in der heutigen fernmündlichen Rücksprache mit Regierungsdirektor Dr. Stalmann seitens der Hauptabteilung II Zustimmung erteilt wurde, womit sich insoweit die Anfrage meines Schreibens vom 4.3.45 XVI/87/45 betr. "Einrichtung von Krankenhäusern ..." erledigt hat.

Unklarheit besteht noch hinsichtlich der Inanspruchnahme des Gutes Hohen Warthe als Entbindungsheim für Flüchtlinge. Das Gut war an sich für ein Kinderheim des Lebensborn vorgesehen. Seitens des Höheren SS- und Polizeiführers war bereits generell Einverständnis zur obengenannten Verwendung des Gutes zugesagt worden. In Übereinstimmung mit der Hauptabteilung II wird von hieraus die Auffassung vertreten, daß die dringend benötigte Benutzung des Objekts für Flüchtlingszwecke vorgehen sollte, zumal Lebensborn bisher nicht insoweit in Dänemark tätig geworden ist.

Eine Vorsprache der Beauftragten des Leiters von Lebensborn in Kopenhagen bei der hiesigen Dienststelle am 28.2.45 zeigte, daß offenbar nun doch Lebensborn das Gut Hohen Warthe beziehen und einrichten soll. Für baldmögliche Klärung mit dem Höheren SS- und Polizeiführer wäre ich dankbar, wobei es begrüßenswert wäre, wenn Lebensborn die Einrichtung übernimmt, dann aber das Gut leihweise der Volksgruppe für Flüchtlingszwecke zur Verfügung stellt, soweit nicht Evakuierungen von Lebensbornheimen des Reichs nach Dänemark unumgänglich sind.

Aufgrund der fernmündlichen Weisung des RB wurde nach Fühlungnahme mit der Feldkommandantur und Oberstleutnant v. Gärtner dem Beauftragten des Herrn Generalarztes in Silkeborg, Stabsarzt Dr. Stiebler für die Errichtung 2er weiterer Lazarette im hiesigen Bereich die dänische Schule in Hjordkär und das Tönderhus in Tondern zur Verfügung gestellt. Die von Dr. Stiebler angeregte Belegung des kronprinzlichen Schlosses Gravenstein war von Silkeborg zurückgezogen worden.

Die beiden Lazarette Hjordkär und Tönderhus werden einschließlich des bereits eingerichteten Lazarettes in Hadersleben je nach Belegung gegebenfalls nunmehr auch zusätzlich der Aufnahme von erkrankten Flüchtlingen zur Verfügung stehen.

Was die Versorgung der von der Volksgruppe zu errichtenden Behelfskrankenhäuser mit Sanitätsmaterial anbelangt, müßte diese nach hiesiger Auffassung wohl seitens der Wehrmacht erfolgen. Ich werde insoweit mit dem Herrn Generalarzt in Silkeborg und Herrn Oberstleutnant v. Gärtner in Verbindung treten. Soweit etwa andere generelle Abmachungen seitens des dortigen Zentralausschusses mit der Wehrmacht getroffen sein sollten, bitte ich um Weisung.

Wegen zur Verfügungstellung von Entlausungszügen hatte ich allerdings erfolglos bei Anlauf der Flüchtlingstransporte mit dem damaligen Herrn Generalarzt Eckel Rücksprache genommen, zumal verlautete, daß ein solcher Zug in Odense stände. Auch bei der Besprechung mit Oberstleutnant v. Gärtner konnte eine endgültige Zusage nicht gegeben werden. Wie bereits der Hauptabteilung II heute mitgeteilt, mußte ich bei meinem gestrigen Besuch in Kolding feststellen, daß nunmehr dort ein Entlassungszug eingetroffen ist, der allerdings sofort nach dem Lager Aarhus geleitet werden muß. Ich werde nach Rücksprache mit den einzelnen Standortärzten nunmehr beim Herrn Generalarzt in Silkeborg Termine für die zur Verfügungstellung des Zuge im hiesigen Bereich festzulegen versuchen.

gez. **Dr. Haensch**

132. Walter Haensch an Werner Best 6. März 1945

Fra den rigsbefuldmægtigedes Außenstelle i Åbenrå rapporterede dr. Haensch, at der kun var meget begrænset interesse for at optage tyske flygtninge i privat indkvartering i landsdelen, det gjaldt også det tyske mindretal. Han angav, at arrestationen af grænsegendarmerne spillede en rolle i sagen. Visse DNSAP-kredse havde dog været villige til at være værter for tyske flygtninge.

I betragtning af den kolossale flygtningetilstrømning var det praktisk uden betydning, om en eller to snese familier ville optage tyske flygtninge.

Kilde: LAÅ, Det tyske Mindretals arkiv, pk. 616.

Durchdruck
Der Reichsbevollmächtigte in Dänemark   *6. März 1945*
– Außenstelle Apenrade –
AZ: XVI/98/45.

An den Reichsbevollmächtigten in Dänemark
  in Kopenhagen

Betr.: Aktuelle Fragen zum Flüchtlingsproblem. Flüchtlingseinquartierung in dänischen Haushalten.

Im Volksgruppengebiet ist abgesehen von ganz wenigen Fällen in Sonderburger-Bereich bei dänischen Familien kaum Neigung, freiwillig deutsche Flüchtlinge aufzunehmen. Die Ursache liegt in den bekannten politischen Gründen, bei denen im hiesigen Grenzgebiet nicht zuletzt die Festsetzung der Grenzgendarmeriebeamten eine Rolle spielt.

Im altdänischen Raum von Kolding haben sich eine Anzahl dänischer Familien zur Flüchtlingsaufnahme angeboten, und es sind, wie mir heute, von der NSV-Betreuerin – Frl. Marcussen – mitgeteilt wurde, 7 Personen in dänischen Haushalten untergebracht worden. Im Hinblick auf die geringe Anzahl angebotener Bürgerquartiere beabsichtigt die NSV jedoch nicht vorerst weitere Flüchtlinge in dänischen Familien einzuquartieren, weil dies nur zur Mißstimmungen innerhalb der großen Masse der übrigen Flüchtlinge führen würde. Eine Auffassung, die wegen des Mißverhältnisses von Gesamtflüchtlings-Zahlen zu angebotenen Bürgerquartieren in diesem Raum auch von hieraus geteilt wird.

Seitens der DNSAP des "Varde Syssel" (Esbjerg) sind mir 23 dänische Familien namhaft gemacht worden, die sich zur Flüchtlingsaufnahme bereit erklärt haben. Ich habe die Anschriften der Gastgeber, die durchweg in Mitte Jütland wohnen, Landrat Dr. Casper zugeleitet.

In einer Unterhaltung mit Herrn Oberst Graf Schimmelmann sowie dessen Bruder Herrn Grafen Schimmelmann auf Lindenhof wurde mir mitgeteilt, daß in den in Mittel- und Nordjütland noch beachtlich vertretenen DNSAP-Kreisen größte Bereitwilligkeit zur Flüchtlingsaufnahme herrsche.

gez. Dr. Haensch

133. Kriegstagebuch/WB Dänemark 7. März 1945

Der blev i krigsdagbogen indført et meget summarisk referat af resultatet af Toepkes møder i Berlin. Om mødet i AA fremkom intet konkret, mens værnemagtens bureaukrati i Danmark skulle forenkles ved en større opgavedeling. Ønsket om anvendelsen af kvinder i værnemagten var taget op igen.

På trods af det knappe referat fik Lindemann en udførlig beretning af Toepke om mødet i AA, hvilket fremgår af hans telegram til OKW/WFSt næste dag.

Kilde: KTB/WB Dänemark 7. marts 1945.

[...]

Tagesmeldung:
15 Sabotageanschläge gegen Eisenbahnstrecken, davon 9 auf Hauptstrecken.
1 Sabotageanschlag gegen Nachrichtenmittel.[62]
4 weitere Sabotageanschläge, Wehrmachtinteressen betroffen.

---

62 En telegrafledning på strækningen Grove-Alderslyst blev saboteret, og tilsvarende blev værnemagtstelegrafledninger samme dag saboteret på Sjælland og Fyn (RA, BdO Inf. Nr. 35, 10. marts 1945, tilfælde 2, 5 og 6).

1 Überfall auf Wehrmachtangehörigen (Waffenraub).⁶³
1 Sabotageanschlag gegen Wache eines Güterwagens, 5 Soldaten verwundet, Waggon durch Sprengkörper beschädigt.⁶⁴
[...]
Rückkehr Oberstleutnant i.G. Toepke aus Berlin. Ergebnis der Besprechungen beim WFSt und Ausw. Amt:
Zu 1.) u. 2.): Mit Genehmigung der Kriegsleitung II wird Trennung zwischen Ausb. Truppeneinheiten und Einsatz-Truppenteilen ermöglicht und den im dän. Raum eingesetzten Div. eine allgemeine gültige KStN und KANN gegeben.
Zu 3.): Etatisierung der Armee-Waffenschule genehmigt, gleichzeitig das Armee-Bekleidigungsamt und Armee-Verpflegungsamt unter Auflösung der bodenständigen Verwaltungs-Kp.
Zu 4.): Ausrüstung der Einsatztruppen gem. I.D. 45 der Ausb. Truppenteile nach der für sie zuständigen Ausbildungsgliederung zuzügl. der für den Einsatzfall notwendigen Waffen.
Durch Maßnahmen 1.) bis 4.) Trennung der Aufgabengebiete, Aufhebung aller Kommandierungen und Entlastung der Div. von Bewachungsaufgaben. Hierzu werden vermehrt E. u. Batl. (M) zugeführt.
Zu 6.): Einsatz von Frauen im ganzen Raum (s. Anlage).⁶⁵

134. Ernst Kaltenbrunner: Besprechung mit Otto Mohr und Frants Hvass 8. März 1945

Den 8. marts mødtes den danske gesandt Mohr og Frants Hvass med Kaltenbrunner i Berlin for at drøfte de deporterede danske politifolks skæbne. Kaltenbrunner viste sig meget imødekommende. Han lovede en øjeblikkelig frigivelse af de deporterede danske grænsegendarmer. Han stillede også i udsigt, at alle de danske politifolk kunne hjemføres, såfremt man i København kunne tilslutte sig en genoprettelse af det danske politi. Henvendt til Mohr sagde Kaltenbrunner, at han uden videre kunne få de første 1.000 politifolk, og det endnu i dag, hvis han ville.

Mohr lavede et notat om mødet 12. marts 1945 og supplerede det siden efter maj 1945 (RA, UM 0002/84.G5.390a). Derimod orienterede han ikke UM, der først hørte om mødets hovedresultat 15. marts, da Walter refererede det. Se AA til gesandtskabet 13. marts 1945, trykt nedenfor. Heller ikke Hvass orienterede om forhandlingsresultatet i dets fulde omfang, da han telefonisk talte med UM 10. marts (RA, sst.). Først hjemkommet 18. marts forklarede Hvass i UM den aftale, der var stillet i udsigt med Kaltenbrunner, samt at genoprettelsen af dansk politi var prisen for hjemførelsen (sst.).

---

63 Oberleutnant i Hipo, Mogens Reholt, blev likvideret af Holger Danske og frastjålet sin revolver (RA, BdO Inf. Nr. 35, 10. marts 1945, tilfælde 8, Birkelund 2008, s. 696).
64 Det var modstandsgruppen Polyteknikerafdeling, der søgte at sabotere fire tyske hurtigbåde, der skulle fragtes med tog til Tyskland. Det lykkedes at sprænge en af de tre godsvogne, en tysk vagt blev dræbt og to såret, og den danske modstandsmand Svend Erik Mikkelsen blev dræbt (RA, BdO Inf. Nr. 35, 10. marts 1945, tilfælde 13, *Faldne i Danmarks Frihedskamp*, 1970, s. 293f.).
65 Se Keitels ordre 23. marts 1945.

135. Georg Lindemann an OKW/WFSt 8. März 1945

Lindemann gentog sine militære betænkeligheder ved at anbringe tyske flygtninge i Nord- og Midtjylland og på øerne, men det praktiske arbejde med anbringelsen skred frem. Værnemagtssoldater måtte rømme deres kvarterer til fordel for flygtningene, da der ikke var skoler nok. Det var erfaringen, at danskere forskellige steder var indstillet på at huse flygtninge, men at den danske forvaltning satte sig imod. Bests repræsentanter havde hidtil ikke kunnet overvinde denne modstand.

Kilde: BArch, Freiburg, RW 4/754. RA, Danica 1069, sp. 1, nr. 439f.

F e r n s c h r e i b e n

HXSI 167 8.3., 19.45
An OKW/WFSt   Geheim

Betr.: Unterbringung der Rückgeführten.
Bezug: FS vom 2.3.45 Nr. 011430/45 geh.[66]

1.) Militärische Bedenken gegen eine Belegung Mittel- und Nordjütland und der dänischen Inseln sind bereits auf Grund des FS WFSt/Qu 2 Nr. 01259/45 geh. vom 22.2.45 zurückgestellt.[67] Belegung von Mittel- und Nordjütland im Gange.
2.) Bisher eingetroffen und untergebracht: 21.866. Davon in Einzelquartieren der Volksgruppe Nordschleswig: 7.988. Die Volksgruppe kann nur noch wenig aufnehmen.
Durch Zusammenlegung und Räumung durch die Truppe zur Zeit noch Unterkünfte für: 10.560. Weitere Unterbringungsplanung läuft.
3.) Neben der Zusammenlegung der Unterkünfte hat die Truppe ihr Unterkunftsgerät (Betten, Tische, Bettzeug, Wolldecken pp) in weitgehendstem Umfange zur Verfügung gestellt. Die Verpflegung der im Sammellager untergebrachten Rückgeführten sowie die ärztliche Betreuung erfolgt lediglich durch die Wehrmacht. Ebenso wird der ganze Anlauf und die Verteilung und Einweisung im Befh Bereich durch die Wehrmacht gesteuert.
4.) Für Unterbringung von 150.000 Rückgeführten reichen vorhandenen Schulen pp nicht aus. Verlegung der Truppe ins Gelände zur Freimachung von Baracken wird fortgesetzt. Endtermin 1.4.45. Rückgeführte streben jedoch nach Einzelquartieren.
5.) Dänische Bevölkerung nach bisherigen Erfahrungen an verschiedenen Orten an sich bereit, deutsche Rückgeführte aufzunehmen. Widerstand fast ausschließlich bei den dänischen Behörden. Dienststelle des Reichsbevollmächtigten hat diesen Widerstand bisher nicht überwinden können.

W. Befh.
gez. **Lindemann**
gen. Oberst
Abt o Qu Nr. 610/45 geh.

---

66 Fjernskrivermeddelelsen er ikke lokaliseret.
67 Trykt ovenfor.

136. OKW/WFSt an Georg Lindemann u.a. 8. März 1945

Hitler havde givet tilladelse til, at flygtninge på grund af krigssituationen måtte udskibes i København. Best var underrettet.

    Kilde: BArch, Freiburg, RW 4/754. RA, Danica 1069, sp. 1, nr. 238.

WFSt/Qu 2 (II)   *8.3.1945.*
Geheime Kommandosache   1 Ausfertigung.

                 K R - B l i t z - F e r n s c h r e i b e n

An 1.) Partei-Kanzlei z.Hd. Standartenführer Zander
       2.) Ausw. Amt z.Hd. Staatssekretär Steengracht
       3.) G.B.V. z.Hd. Staatssekretär Stuckart
       4.) W.B. Dänemark

Der Führer hat Einverständnis zu der durch Kriegslage in mittl. und westl. Ostsee vorübergehend erforderlich gewordenen Ausschiffung von Flüchtlingen in Kopenhagen erteilt. Reichsbevollmächtigter Dänemark ist unterrichtet.
                                             I.A.
                                      gez.: [underskrift]
                                   OKW/WFSt/Qu (II)
                                      Nr. 002301/43 g.K.

137. RSHA an OKM 8. März 1945

Spørgsmålet om repressalier mod kaptajners og besætningers familier i tilfælde, hvor besætningen med deres skib undveg til Sverige, var blevet undersøgt i RSHA afdeling IV. Der blev set helt bort fra det folkeretslige aspekt, da det trådte i baggrunden til fordel for det hensigtsmæssige ved en sådan foranstaltning. Da antallet af flygtede danske skibe havde været så få, var der ingen grund til at fremkalde uro ved en sådan undertrykkelsesforanstaltning. Grundlæggende var der ikke betænkelighed ved at øve gengæld i de enkelttilfælde, hvor familiemedlemmer havde været vidende om en flugt eller medvirket dertil, men det var forkert at gøre det til en generel regel, og Bests begrundelser herfor kunne RSHA i det væsentlige tilslutte sig.
    Se Seekriegsleitungs orientering af 3. Seekriegsleitung 16. marts 1945.
    Kilde: RA, Danica 203, pk. 38, læg 462.

Der Reichsführer SS   *O.U., den 8. März 1945*
Reichssicherheitshauptamt   Verm. Belinde – 350
Militärisches Amt/Ia Marine
B. Nr. 10 707/3.45 g/O.U., den 8. März 1945

An das Oberkommando der Kriegsmarine
    1./Skl. über OKM Hauptbüro

Betr.: Repressalien gegen Angehörige dänischer Fluchtschiffe.

Vorg.: OKM B. Nr. 1./Skl. II 325/45 g vom 9.1.45.[68]

Reichssicherheitshauptamt AMT IV hat nach Prüfung zum Vorgangsschreiben wie folgt Stellung genommen:
"Die Frage der völkerrechtlichen Zulässigkeit von Repressalien gegen Angehörige von Kapitänen und Besatzungen aus dem deutschen Machtbereich geflohener Schiffe kann h.E. völlig gegenüber der Frage der Zweckmäßigkeit derartiger Maßnahmen zurücktreten. Bisher sind hier nur wenige Fluchtfälle dänischer Schiffe bekannt geworden, sodaß z.Zt. sicherheitspolizeilich keine besondere Veranlassung besteht, durch Repressivmaßnahmen Beunruhigung hervorzurufen. Im übrigen haben sich Repressalien gegen Unbeteiligte stets als eine zweischneidige Maßnahme erwiesen, die nur unter besonderen Voraussetzungen zum gewünschten Erfolg führen.
Grundsätzlich bestehen von hier aus keine Bedenken, wenn in geeigneten Einzelfällen – insbesondere wenn anzunehmen ist, daß die Angehörigen der mit ihrem Schiff geflüchteten Besatzungsmitglieder vorher Kenntnis von der Absicht dazu hatten – mit Vergeltungsmaßnahmen gegen die Angehörigen vorgegangen wird. Dabei wäre auf die Mitwisserschaft bzw. Unterstützung bei der Durchführung der Flucht hinzuweisen. Es wird jedoch für falsch gehalten, derartige Maßnahmen in jedem bekanntgewordenen Fluchtfall zu ergreifen und im wesentlichen den Ausführungen des Reichbevollmächtigten in Dänemark zugestimmt."
                                        Kpt. z.S. und Abt. Chef
                                        [underskrift]

138. Kriegstagebuch/WB Dänemark 9. März 1945

For første gang blev den genoptagne SS-domstol til strafforfølgning af sabotører nævnt. De talrige sabotager, især jernbanesabotager, var en daglig begivenhed.
    Kilde: KTB/WB Dänemark 9. marts 1945.

[…]
Tagesmeldung:
8 Sabotageanschläge gegen Eisenbahnanlagen, davon 2 auf Hauptstrecken.
2 Sabotageanschläge auf Fernsprechleitungen.
1 Wachposten der Kriegsmarine durch Saboteuren erschossen.[69]
    Verurteilung von 5 überführten Saboteuren durch ein Polizeigericht bei Höh. SS- und Pol. Führer beantragt.
[…]

---

68 Skrivelsen er ikke lokaliseret.
69 Attentatet fandt sted ved lufthavnen nær Ålborg (RA, BdO Inf. Nr. 36, 13. marts 1945, tilfælde 8).

139. Kriegstagebuch/WB Dänemark 10. März 1945

Udskibningen og ophobningen af tyske flygtninge i København gav et akut transportproblem. De fleste flygtninge blev transporteret videre med jernbane, men sabotagerne gav betydelige forsinkelser.

I en situationsoversigt to dage senere skrives om flygtningene: "Etwa 40.000 trafen laufend im Schiffstransport aus dem Raum Kolberg in Kopenhagen ein. Ausladen der Schiffe erfolgt so schnell wie möglich, da Zeit drängt. Wegen häufiger Streckensprengungen ist auch Insel Seeland zur vorläufigen Unterbringung für Flüchtlinge vorgesehen." (Anlage 18).

Kilde: KTB/WB Dänemark 10. marts 1945.

TK Aarhus sorgt unter schärfster Zusammenfassung jeden verfügbaren Transportraums für sofortigen Abtransport Verwundeter und Flüchtlinge aus Kopenhagen, Zuführungsorte gemäß mündlicher Weisung O.Qu./W. Bef. Dän., der zuständige Territorialbefehlshaber über Zulauf der Transporte rechtzeitig unterrichtet. TK meldet ETP.

OB befiehlt weitgehende Unterstützung des Reichsbevollmächtigten bei der Unterbringung und Versorgung der in Kopenhagen eingetroffenen etwa 15.000 Verwundeten und Flüchtlingen. Truppenunterkünfte sind hierfür freizumachen.

TK Aarhus sorgt für beschleunigten Abtransport aus Kopenhagen.

[...]

Tagesmeldung:
13 Sabotageanschläge gegen Eisenbahnstrecken, davon 5 auf Hauptstrecken.
2 weitere Sabotageanschläge (Wehrmachtinteressen betroffen).
1 Überfall auf Wehrmachtangehörigen.[70]
In 3 Fällen Wachtposten erfolglos beschossen.
1 Saboteur verwundet, 2 festgenommen.
2 Sabotageanschläge abgewehrt.
[...]

140. Kriegstagebuch/OKW 11. März 1945

ObdM meddelte, at han havde bedt Hitler om, at udskibningen af flygtninge kunne ske i København for ikke at forsinke processen.

Hitler gav tilladelsen, se KTB/WB Dänemark 11. marts.

Kilde: KTB/OKW, 4:2, s. 1615. Wagner 1972, s. 671f.

[...]

4.) Zur Frage der Flüchtlingstransporte meldet der Ob.d.M., daß er den Befehl des Führers zur Ausschiffung von Flüchtlingen in Kopenhagen erbeten hat, um trotz des Ausfalles von Saßnitz und der Wegesperrungen in der westlichen Ostsee die Leistungen nicht absinken zu lassen. Neben der sofortigen Abbeförderung der etwa 50.000 Flüchtlinge aus Kolberg bleibt der Raum Danzig/Gotenhafen weiterhin Schwerpunkt für den Flüchtlingstransport.

[...]

---

70 Tre værnemagtsofficerer, der opholdt sig på Ford-fabrikken i København blev beskudt, og en af officererne blev hårdt såret (RA, BdO Inf. Nr. 36, 13. marts 1945, tilfælde 13).

141. Kriegstagebuch/WB Dänemark 11. März 1945

Som svar på Hitlers ordre om, at der måtte udskibes flygtninge i København, sendte Lindemann et direkte svar til ham for at tilkendegive, at alle tyske enheder i Danmark ville stå sammen om at løse opgaven. Desuden fik enhederne besked om at medvirke.[71]

Kilde: KTB/WB Dänemark 11. marts 1945.

[…]

In Ausführung des Führerbefehls bezüglich der Unterstützung der Verwundeten und Flüchtlinge meldet Generaloberst Lindemann: "Mein Führer! Ich melde, daß von seiten der Wehrmacht in Dänemark alles, was überhaupt menschenmöglich ist, getan wird, um das Los der aus dem deutschen Osten eintreffenden Flüchtlinge zu erleichtern. Die Entladung der Schiffe wird in Kopenhagen im Zusammenwirken Heer, Marine mit größter Beschleunigung durchgeführt. Sämtliche Truppenunterkünfte stehen dort für Unterbringung der Flüchtlinge zur Verfügung." An Komm. General der deutschen Luftwaffe i. Dän., Admiral Skagerrak und Höh. SS- u. Pol. Führer ergeht Anweisung, ebenfalls ihre Truppenunterkünfte vorübergehend zur Verfügung zu stellen. Höh. Kdo. Kopenhagen ist verantwortlich für die sofortige Entladung der in Kopenhagen einlaufenden Schiffe und sorgt für schnellste Unterbringung der eintreffenden Flüchtlinge und Verwundeten.

[…]

Tagesmeldung:
22 Sabotageanschläge gegen Eisenbahnanlagen (davon 40 Einzelsprengungen), 16 auf Hauptstrecken.
2 weitere Sabotageanschläge, Wehrmachtinteressen betroffen.
1 Überfall auf Wehrmachtangehörigen.
In 2 Fällen wurden Wachen von Rüstungsbetrieben von je etwa 30 Mann starker Sabotagegruppen überfallen. 1 Gruppe führte auf LKW montierte dän. 2 cm Flak bei sich. Angriff wurde abgeschlagen. Saboteure entkamen unter Mitnahme Verwundeter. LKW mit Flak-Geschütz erbeutet.[72]

[…]

---

71 Admiral Engelhardt fra MOK Ost sendte 11. marts Best en fjernskrivermeddelelse af følgende indhold: "Führerbefehl til den rigsbefuldmægtigede, dr. Best: Anløb i Danmark skal være i orden!" Fjernskrivermeddelelsen er ikke lokaliseret. Der foreligger en forkortelse af meddelelsen gengivet efter en afskrift hos Havrehed 1987, s. 32 foretaget af en anden person.
72 BOPA angreb med en stor styrke forgæves radiofabrikken Always i Sydhavnen den 10. marts med brug af bl.a. en kanon (RA, BdO Inf. Nr. 36, 13. marts 1945, tilfælde 14, Kjeldbæk 1997, s. 418-424, 481). Holger Danske angreb 11. marts Heiber Service på Lyngbyvej 165, København (RA, BdO Inf. Nr. 36, 13. marts 1945, tilfælde 23, Birkelund 2008, s. 696), og samme dag angreb BOPA forgæves Motorfabrikken Dan, Bragesgade 10 (RA, BdO Inf. Nr. 36, 13. marts 1945, tilfælde 22, Kjeldbæk 1997, s. 481).

142. Kriegstagebuch/Seekriegsleitung 11. März 1945

På grund af cementmangel i Danmark var der opstået nye problemer med at få opstillet kystbatterier i Danmark. Cementfabrikkerne lå stille pga. mangel på kul.

Forud havde WB Dänemark vist interesse for 78.000 t cement, der var oplagret i Danmark, men var bestemt for Norge. Se OKW/WFSt notat 21. februar 1945 (Andersen 2007, s. 261).

Kilde: KTB/Skl 11. marts 1945, s. 150.

Adm. Qu:
[…]
b.) Mar. Rüst/A Wa hat mitgeteilt, daß die Fertigung schwerer Küstengeschütze im Notprogramm günstiger laufen wird, als bisher angenommen wurde. Da Material vorhanden ist, werden von den ursprünglich geplanten Geschützen noch eine Reihe gefertigt werden können.

Dagegen hat sich besonders in Dänemark als neue Schwierigkeit herausgestellt, daß für die Aufstellung der Geschütze der nötige Cement nicht mehr vorhanden ist, weil die Cementfabriken wegen Kohlenmangels stilliegen. Mit Verzögerungen muß daher gerechnet werden.
[…]

143. Werner Best: Einsatzpflicht der Reichsdeutschen in Dänemark 12. März 1945

Best udstedte 12. marts en forordning, hvorefter alle tyskere i Danmark mellem 16 og 65 år var forpligtet til at bidrage til krigsindsatsen.

Forordningen blev ikke trykt i den rigsbefuldmægtigedes forordningsblad og kendes (endnu) kun fra et brev af Rudolf Stehr. Det er også i et brev fra Stehr til Volksgruppenamt 8. marts 1945, der kan hentes nærmere oplysninger om intentionerne med flygtningenes arbejdsindsats. Retningslinjerne herfor var blevet fastlagt samme dag ved et møde mellem repræsentanter for værnemagten, den rigsbefuldmægtigedes embedsmand og NSV. Der blev regnet med ansættelse både ved værnemagten og i privat regi, det gjaldt også kvinderne og de flygtninge, der var privat indlogeret. For detaljerne henvises til brevet, der befinder sig sammen med brevet af 22. marts. Ordningen nåede næppe at få større praktisk betydning før den tyske kapitulation, når der bortses fra de flygtninge, der blev beskæftiget med flygtningearbejdet.

Kilde: LAÅ, Det tyske mindretals arkiv, pk. 616 (uddrag af brev fra Rudolf Stehr til Volksgruppenamt 22. marts 1945).

[…]
1.) Einsatzpflicht der Reichsdeutschen in Dänemark.
Der Reichsbevollmächtigte hat – veranlaßt durch die Flüchtlingsaktion – am 12. März eine Verordnung erlassen, nach der die in Dänemark ansässigen Reichsdeutschen im Alter von 16 bis 65 Jahren verpflichtet sind, in Dänemark Kriegseinsatz zu leisten.
Den Umfang des Einsatzes bestimmt der Reichsbevollmächtigte auf Vorschlag des Landesgruppenleiters. Die Verordnung ist am 12. März 1945 in Kraft getreten.
[…]

144. Werner Best: Besprechung mit Helmer Rosting 12. März 1945

Helmer Rosting blev kaldt til Best, hvor Best uofficielt bad ham om hjælp fra Dansk Røde Kors med at skaffe læger, sygeplejersker og medikamenter til de tyske flygtninge samt børnehjælpspladser til 50 diebørn, hvis mødre var dræbt eller forsvundet. Best fremhævede, at man fra tysk side havde imødekommet en henvendelse fra UM om at hjemsende en stor del af de i Tyskland internerede danske og endvidere havde skabt bedre vilkår for dem, der skulle blive, eftersom de ved Svensk Røde Kors' foranstaltning skulle føres til en nordisk samlingslejr.

Rosting medgav, at det kunne være Røde Kors' opgave at tage sig af syge og sårede, kvinder og børn, men nægtede det i den konkrete situation, da han ikke mente stemningen i den danske befolkning var sådan, at Røde Kors, som udelukkende betjente sig af frivillig hjælp, kunne regne med befolkningens støtte. Imidlertid lovede Rosting at forelægge det for Dansk Røde Kors' præsident. Et nyt møde blev aftalt til 15. marts, se nedenfor.

Der foreligger alene Rostings referat af mødet (Lylloff 1999, s. 45).

145. Das Auswärtige Amt an das Deutsche Gesandtschaft Kopenhagen 13. März 1945

Alex Walter refererede 15. marts i UM et telegram fra AA 13. marts, hvorefter der i Berlin havde fundet forhandlinger sted, som også Best havde deltaget i, og hvorved der var opnået direkte kontakt mellem den danske gesandt Mohr og de højere tyske politimyndigheder.[73] Forhandlingerne havde ført til følgende resultat:
1.) de i Neuengamme tilbageværende 74 grænsegendarmer kunne straks overføres til Danmark;
2.) de i Buchenwald tilbageværende ca. 80 politibetjente kunne straks tilbageføres til Danmark;
3.) fra Mühlberg kunne der ligeledes straks tilbageføres ca. 30 politibetjente;
4.) alle politibetjente over 50 år skulle tilbageføres efter nærmere prøvelse;
5.) der blev givet tilladelse til, at en eller par danske læger tog ophold i Neuengamme for at tilse de derværende danske internerede (*Aktstykker vedrørende de tyske flygtninge i Danmark 1945-1949*, 1950, s. 45, Hæstrup, 2, 1966-71, s. 230).

Telegrammet fra AA 13. marts 1945 er ikke lokaliseret.

146. Kriegstagebuch/Seekriegsleitung 13. März 1945

Norges kulforsyning var meget sparsom og kunne kun gennem den yderste sparsommelighed række til slutningen af april. Det var for øjeblikket ikke muligt at tilføre nye forsyninger ud over de for marts allerede planlagte. Til marinebunkring var afskibet de 30.000 tons kul, der var beslaglagt i Danmark.[74] For Danmarks vedkommende var det umuligt at tilføre nye kulforsyninger. De foreliggende lagre kunne holde til udgangen af april.

Kilde: KTB/Skl 13. marts 1945, s. 182.

[…]
II.) Betr. Nordraum:
[…]
b.) Chef Energie- und Kohlenversorgung teilt zur Kohlenlage im Bereich Norwegen mit, daß der Bevollmächtigte der Wehrmacht für Kohle, General der Infanterie Stapf, folgende Auskunft gegeben hat:

---

73 Mohr havde forhandlet direkte med Kaltenbrunner 6. og 8. marts (Hæstrup, 2, 1966-71, s. 270-272).
74 Se Keitel til Terboven 21. januar 1945.

"Mit vorhandenen Beständen ist bei äußerster Sparsamkeit bis Ende April 1945 auszukommen. Die Wünschenswerte Zuführung neuer Mengen, die zwecks Anschluß an die Bestände im März anlaufen sollte, ist bei augenblicklicher Lage unmöglich. Für Marine-Bunkerzwecke werden die in Dänemark beschlagnahmten 30.000 t jetzt abgefertigt, so daß dieses Programm bis Ende März erfüllt sein dürfte."

Bezüglich Dänemark wird im gleichen Schreiben gesagt:

"Bei gegenwärtiger Lage ist es unmöglich, neue Mengen dahin zuzuführen. Nach vorliegenden Berichten sind jedoch größere Bestände vorhanden, die eine Versorgung bis Ende April sichern."

[...]

147. Adolf Hitler [: Prioritätenfolge beim Räumungstransporten] 14. März 1945

På grund af den stærkt formindskede transportkapacitet beordrede Hitler, at de militære behov til enhver tid skulle have første prioritet ved tilbagetrækninger. Det kunne kun komme på tale at medtage flygtninge, hvis der virkelig var ledig transportkapacitet.

Med denne ordre udvirkede Hitler, at den tyske flygtningestrøm til Danmark blev mindre, end den under andre omstændigheder ville være blevet. Dönitz fulgte siden som øverstbefalende denne prioritering.

Kilde: Moll 1997, nr. 392.

Der Führer *Führerhauptquartier, den 14.3.45*

Unsere stark verminderte Transportkapazität muß unter allen Umständen zum zweckmäßigsten Einsatz kommen. Maßgebend für die Rangfolge der Transporte muß bei der gegenwärtigen Notlage ausschließlich ihr unmittelbarer Wert für die Kriegsführung sein. Dies gilt besonders bei Räumungen.

Ich ordne daher an:
bei Räumungen ist nach folgender Rangfolge zu verfahren:
Wehrmacht für operative Zwecke,
Kohle,
Ernährungsräumungsgut.

Selbst Flüchtlingstransporte können erst nach voller Erfüllung dieses Bedarfs gefahren werden, wenn nicht wirklich ungenutzter Leerraum zur Verfügung steht.

Ich verlange daher, daß alle Bedarfsträger von Partei, Wehrmacht, Staat und Wirtschaft sich mit äußerster Disziplin an diese Bestimmung halten.

gez. **Adolf Hitler**

148. Kriegstagebuch/Seekriegsleitung 15. März 1945

Wurmbach meddelte Seekriegsleitung, at det var slut med kullene i København, fordi der kom betydeligt flere skibe for at bunkre end forudset. Det skyldtes, at flygtningetransporterne var omdirigeret fra Swinemünde til København. Snart var det også slut med kullene i Århus.

Kilde: KTB/Skl 15. marts 1945, s. 204.

[...]

Adm. Qu:

[...]

Admiral Skagerrak meldete, daß in Kopenhagen die Kohlen zu Ende sind, weil erheblich mehr Schiffe zum Bunkern ankamen, als vorhergesehen war. (Dies ist eine Auswirkung der Verlagerung von Flüchtlings- und Verwundetentransporte von Schwinemünde nach Kopenhagen).

Auch in Aarhus sind die Kohlen bald zu Ende.

[...]

149. Werner Best: Besprechung mit Helmer Rosting 15. März 1945

Best mødtes med Helmer Rosting til det møde, der var aftalt 12. marts. Rosting afviste, at Dansk Røde Kors ville levere sygeplejersker, medikamenter og ambulancer, men at man ville finde veje for de 50 diebørn, selv om man fra Københavns Kommunes side fuldstændig havde afvist, at man kunne tage sig af dem på dette tidspunkt.

Siden stillede Københavns Magistrats 2. Afdeling krav om, at politiinspektør Ejnar Mellerup og syv andre personer, der lige forud var ført fra Frøslevlejren til Tyskland, blev ført tilbage til Frøslev, hvis kommunen skulle hjælpe med de 50 nyfødte tyske børn. Spørgsmålet faldt imidlertid bort ved, at besættelsesmagten fandt en anden løsning (*Daglige Beretninger*, 1946, s. 738 (19. marts 1945)).

Rostings referat af mødet marts 1945 (Lylloff 1999, s. 48).

150. Werner Best: Besprechung mit Mogens Fenger u.a. 16. März 1945

Efter februar 1945 overlod Best næsten helt forhandlingerne med de danske myndigheder om anbringelsen af de tyske flygtninge til Walter, Ebner og Stalmann. Undtagelsen gjaldt lægehjælpen til flygtningene, hvor han efter kontakten til Dansk Røde Kors 12. marts gik videre direkte til Den Danske Lægeforening, da UM ikke ville være mellemled. Han mødtes med lægeforeningens formand Mogens Fenger, Rosting og Stalmann 16. marts.

Forud var opnået en aftale om, at danske læger ville være behjælpelige med at behandle akutte og farlige tilfælde af sygdom hos de tyske flygtninge frem til 25. marts og ikke længere. Det gentog Fenger på mødet, idet han gjorde opmærksom på, at den danske lægehjælp ville ophøre derefter, hvis ikke man kunne finde forståelse for de danske synspunkter. Det tyske politis forhørsmetoder vakte særlig forbitrelse blandt danske læger. Best på sin side ville under forhandlingerne skille spørgsmålet om den danske lægehjælp og den tyske behandling af danske fanger ad og betragte dem som to sideordnede bevægelser. Man skulle fra lægeside blot vente til 25. marts, så kunne man betragte sig som frit stillede. Fenger slog fast, at der ikke efter 25. marts kunne forhandles igen, hvis der kom nye strømme af flygtninge. Stalmann spurgte, om man ville oprette danske hjælpelazaretter med dansk personale før 25. marts, hvortil svaret var nej, ligesom tyske patienter kun i undtagelsestilfælde kunne få behandling på danske institutioner, hvis de ikke tålte at blive transporteret til et tysk lazaret. Best takkede til slut for den givne hjælp, og Fenger fik det indtryk, at de tyske myndigheder fra 25. marts selv kunne påtage sig det nødvendige.

Der foreligger alene Fengers referat af mødet (*Den alm. danske Lægeforenings Forhandlinger ang. Lægehjælp til tyske Civilflygtninge*, 1945, s. 11-14, Lylloff 1999, s. 48f. og 2003, s. 210f.).

151. Seekriegsleitung an 3. Seekriegsleitung 16. März 1945
Seekriegsleitung meddelte 3. Seekriegsleitung, at Werner Best havde talt imod at indføre repressalier mod familiemedlemmer til danske kaptajner og besætninger, som undveg til Sverige med deres skibe. Seekriegsleitung var selv kommet med et kort notat derom, mens AA ikke ville tage stilling, før der kom et nyt, konkret tilfælde af flugt. Endelig havde RSHA taget stilling mod at indføre generelle gengældelsesforanstaltninger, men at de nok kunne finde sted, hvor familiemedlemmer var medvidende eller medvirkede ved skibes flugt.

Sagen var hermed afsluttet. Den blev afsluttet på et tidspunkt, hvor et stort antal danske skibe endnu ikke var flygtet til Sverige, og da det skete i april, blev sagen håndteret anderledes blandt besættelsesmagtens repræsentanter. Se Bests drøftelse med Wurmbach 24. april 1945.

Kilde: RA, Danica 203, pk. 38, læg 462.

Seekriegsleitung   Den 16.3.1945.
Zu: B-Nr. 1. Skl. I i 5386/45 geh.
hierbei lose: 1. Skl. 43 598/45 geh.   Geheim
                         Vfg.

I.) Bei 3. Skl.
mit der Bitte um Kenntnisnahme.

1.) Die Frage der Repressalien gegen Angehörige dänischer Schiffsbesatzungen, die mit ihren Fahrzeugen nach Schweden ausgewichen sind, war aus Anlaß eines vorgekommenen Einzelfalles aufgeworfen worden.
2.) Der Reichbevollmächtigte in Dänemark Dr. Best hat sich mit Schreiben vom 12.12.44[75] im wesentlichen dagegen ausgesprochen (vergl. die Anlage zu B-Nr. 1. Skl. 43 598/45 g Schreiben des Ausw. Amts vom 20.12.44.)[76]
3.) Eine kurze völkerrechtliche Beurteilung befindet sich in dem Vermerk 1. Skl. I i 43 598/44 geh. vom 24.12.44.[77] Das Ausw. Amt hat zu dem Schrb. 1. Skl. I i 43 598/44 geh. vom 17.1.45[78] gelegentlich mündlich mitgeteilt, daß eine eigene Stellungnahme solange nicht beabsichtigt ist, als nicht ein neuer praktischer Fall vorliegt.
4.) Der vorsorglich um Stellungnahme gebetene Reichsführer SS – Reichssicherheitshauptamt – hat sich nunmehr mit Schreiben vom 8. März 45[79] ebenfalls gegen eine allgemeine Einführung derartiger Repressaliemaßnahme ausgesprochen und ein entsprechendes Vorgehen nur in denjenigen Einzelfällen für unbedenklich erachtet, in denen die Angehörigen der geflüchteten Besatzungsmitglieder Mithilfe geleistet haben oder zumindest volle Mitwisser gewesen sind.

II.) I i
                         1. Skl.
               I a   I Ost   I c   I i

75 Trykt ovenfor.
76 AAs følgeskrivelse er ikke medtaget.
77 Trykt ovenfor.
78 Skrivelsen er ikke medtaget.
79 Trykt ovenfor.

152. Kriegstagebuch/Seekriegsleitung 16. März 1945

WB Norwegen havde krævet 97.000 t kul, et krav der ikke kunne opfyldes bortset fra de 30.000 t fra de danske lagre. I Ruhrområdet var der end ikke kul til at holde togdriften i gang. Den eneste mulighed ville være yderligere beslaglæggelse af de danske lagre, men disse var bestemt som reserve for Østersøområdet.

Kilde: KTB/Skl 16. marts 1945, s. 224f.

[…]

II.) Betr. Nordraum:

a.) Zur Frage der Versorgung Norwegens mit Kohle hat der Wehrmachtbeauftragte für Kohle, Gen. d. Inf. Stapf, folgendes festgestellt, was zur Unterrichtung über die Lage durch den Chef der Energie- und Kohlenversorgung der KM mitgeteilt wird:

"Die Forderung des WB Norwegen über 97.000 Moto Steinkohle ist bis auf die aus Dänemark abdisponierten 30.000 t[80] unerfüllbar, die Erfüllung wäre nur aus dem Ruhrgebiet möglich, in dem die derzeitige Wagengestellungszahl nicht einmal zur Deckung der Eisenbahn und Bunkerkohle für dringendst operative Zwecke ausreicht. Die einzige Möglichkeit, Norwegen zu helfen, wäre eine weitere Beschlagnahme von für Bunkerzwecke geeigneten dänischen Kohlenvorräten. Es ist aber zu beachten, daß bei der Unmöglichkeit, die Gesamtforderung der Marine und des Reikosee an Bunkerkohle zu erfüllen, die dänischen Vorräte als die gegebene Reserve für den Ostseeraum zu betrachten sind."

[…]

153. Alex Walter: Zur Flüchtlingsfrage 17. März 1945

Den 17. marts mødte Walter op i UM for at informere om de spørgsmål vedrørende de tyske flygtninge, man fra tysk side ønskede at få reguleret ved drøftelser med de danske myndigheder. I den forbindelse udleverede han en optegnelse med fem punkter. Optegnelsen beskæftigede sig med den praktiske ordning af indkvarteringen, ikke med den principielle side af sagen. Walter udtrykte på mødet, at han ikke ville sammenkæde flygtningesagen med tilsagnet om hjemførelse af det danske politi, men han var ikke i tvivl om, at baggrunden for dette tilsagn var flygtningesagen.

Dette forsøg på pression tog UM stilling til 20. marts, hvor Walter atter mødte op til en drøftelse.

Kilde: *Aktstykker vedrørende de tyske flygtninge i Danmark*, 1950, nr. 13 (sst. også på dansk).

Zur Flüchtlingsfrage

Deutscherseits wird es für erforderlich gehalten, daß folgende Fragen besprochen und einer praktischen Regelung zugeführt werden:

1.) Die Finanzierung der Unterkunft und Verpflegung der Flüchtlinge, außerdem die Finanzierung der Verwaltungskosten.

Der Flüchtlinge sind teils in Privatquartieren innerhalb der volksdeutschen Gruppe, teils in Lagern, teils in beschlagnahmten Gebäuden untergebracht. Die Kosten für den einzelnen Flüchtling werden dementsprechend verschieden sein. Deutscherseits wird mit einem Durchschnittssatz einschließlich Verwaltungs- und Anschaffungs-

---

80 Se Keitel til Terboven 21. januar 1945.

kosten von etwa 6 d.Kr. gerechnet. Hierin ist auch ein Taschengeld für die einzelnen Flüchtlinge enthalten, daß die Haushaltungsvorstände eine Krone je Tag, für die einzelnen Familienmitglieder 50 Öre je Tag beträgt. Eine Überprüfung dieser Sätze ist z.Zt. im Gange.

2.) Soweit die Flüchtlinge in Privatquartieren untergebracht sind und infolgedessen eine zentrale Verpflegung nicht möglich ist, müssen sie dänische Lebensmittelkarten erhalten. Die Zahl der Empfänger beträgt etwa 7-8.000 Personen, soweit sich das z.Zt. übersehen läßt.

Soweit die Flüchtlinge in Lagern oder in beschlagnahmten Gebäuden untergebracht sind, erfolgt ihre Verpflegung z.Zt. durch die Wehrmacht, die vorschußweise aus ihren Beständen die notwendigen Lebensmittel liefert. Für diese Lebensmittel muß die Wehrmacht Ersatz erhalten. Über Höhe und Art der als Ersatz bereitzustellenden Lebensmittel muß eine Vereinbarung getroffen werden.

Deutscherseits ist man der Auffassung, daß die von den Flüchtlingen auf Lebensmittelkarten oder durch Wehrmachtslieferungen verbrauchten Lebensmittel auf die Ausfuhr nach Deutschland anzurechnen sind, soweit eine solche Ausfuhr vereinbart ist.

3.) Es erscheint notwendig, eine Vereinbarung über den Ankauf von Gebrauchsgegenständen durch die mit der Flüchtlingsfürsorge beauftragten Stellen zu treffen, um unnötig hohe Einkäufe zu verhindern und die Zahlung von überhöhten Preisen auszuschließen. Es läßt sich nicht vermeiden, daß gewisse Aufkäufe stattfinden, um den notwendigsten Bedarf der Flüchtlinge zu decken.

4.) Die voraussichtliche Zahl der in Dänemark unterzubringenden Flüchtlinge kann z.Zt. nicht angegeben werden.

5.) Es wird deutscherseits für notwendig gehalten, die Frage der ärztlichen Betreuung der Flüchtlinge zu regeln, um Schädigungen auch der dänischen Volksgesundheit zu vermeiden.

154. Adolf Hitler: Zerstörungsmaßnahmen im Reichsgebiet 19. März 1945

Hitler beordrede en omfattende ødelæggelse af alle former for anlæg inden for alle områder, der kunne komme fjenden til gode inden for det tyske riges område.

Ordren tilgik 20. marts 1945 bl.a. WB Dänemark.

Der blev udfærdiget udførelsesbestemmelser 30. marts og 7. april, og Seekriegsleitung drøftede realiseringen af ordren inden for sit felt, herunder for Danmark, se KTB/Seekriegsleitung 24. marts 1945. Seekriegsleitung diskuterede det formålstjenlige i de omfattende havneødelæggelser 13. april (KTB anf. dato) og foreslog at undlade dem (Jannsen 1968, s. 310-321, Eichholz, 3, 1996, s. 663-669, Moll 1997, s. 489f., 491, Wegner 2007b, s. 1202f.).

Kilde: IMT, 41, s. 430f. Hubatsch 1962, s. 303. KTB/OKW, 6:2, s. 1580f. ADAP/E, 8, nr. 347. Moll 1997, s. 486f. KTB/Skl 20. marts 1945.

Betr.: Zerstörungsmaßnahmen im Reichsgebiet.

Der Kampf um die Existenz unseres Volkes zwingt auch innerhalb des Reichsgebietes zur Ausnutzung aller Mittel, die die Kampfkraft unseres Feindes schwächen und sein weiteres Vordringen behindern. Alle Möglichkeiten, der Schlagkraft des Feindes unmittelbar oder mittelbar den nachhaltigsten Schaden zuzufügen, müssen ausgenützt werden. Es ist ein Irrtum, zu glauben, nicht zerstörte oder nur kurzfristig gelähmte Verkehrs-, Nachrichten-, Industrie- oder Versorgungsanlagen bei der Rückgewinnung verlorener Gebiete für eigene Zwecke wieder in Betrieb nehmen zu können. Der Feind wird bei seinem Rückzug uns nur eine verbrannte Erde zurücklassen und jede Rücksichtnahme auf die Bevölkerung fallen lassen.

Ich befehle daher:

1.) Alle militärischen Verkehrs-, Nachrichten-, Industrie- und Versorgungsanlagen sowie Sachwerte innerhalb des Reichsgebietes, die sich der Feind für die Fortsetzung seines Kampfes irgendwie sofort oder in absehbarer Zeit nutzbar machen kann, sind zu zerstören.

2.) Verantwortlich für die Durchführung dieser Zerstörungen sind: die militärischen Kommandobehörden für alle militärischen Objekte (einschließlich der Verkehrs- und Nachrichtenanlagen), die Gauleiter und Reichsverteidigungskommißare für alle Industrie- und Versorgungsanlagen sowie sonstige Sachwerte. Den Gauleitern und Reichsverteidigungskommißaren ist bei der Durchführung ihrer Aufgabe durch die Truppe die notwendige Hilfe zu leisten.

3.) Dieser Befehl ist schnellstens allen Truppenführern bekanntzugeben. Entgegenstehende Weisungen sind ungültig.

gez. **Adolf Hitler**

155. Alex Walter: Besprechung mit Nils Svenningsen 20. März 1945

Walter var påny i UM, hvor han prøvede på at komme videre i flygtningespørgsmålet, men forgæves. Svenningsen meddelte ham, at man fra dansk side ikke ville indlade sig på at føre forhandlinger vedrørende anbringelsen af tyske flygtninge i Danmark. Walter spurgte derpå til, hvad Hvass kunne fortælle efter at være hjemkommet fra Berlin. Svenningsen svarede, at Hvass havde bekræftet, at der var givet tilsagn om at hjemsende de danske politimænd i to omgange under forudsætning af, at man fra dansk side gik med til en vis genoprettelse af dansk politi. Til gengæld kunne Svenningsen konstatere, at man i Berlin ikke havde sammenkædet politiets hjemførelse med flygtningesagen.

Kilde: *Aktstykker vedrørende de tyske flygtninge i Danmark*, 1950, nr. 13.

156. OKW/WFSt: Notiz 20. März 1945

En gruppeleder i Kriegsmarine havde i en rejseberetning fra Danmark nævnt, at det igen var blevet tilladt at retsforfølge sabotører. OKW/WFSt så dog på grundlag af det ingen grund til at vige fra førerordrerne af 1. og 30. juli 1944 (Rosengreen 1982, s. 162 synes ikke at have fået fat i konteksten).

Det er bemærkelsesværdigt, at OKW endnu på dette tidspunkt ikke synes at kende til fuldmagterne til hverken Terboven eller Best til at genoptage henrettelserne efter dom.

Kilde: BArch, Freiburg, RW 4/754. RA, Danica 1069, sp. 1, nr. 267.

Entwurf
WFSt/Qu. 2 (I)   *F.H.Qu, den 20.3.1945.*

Nr. 01809/45 geh.

Sachbearbeiter: Hptm. Cartellieri. Geheim

Betr.: Sabotage-Abwehr in Dänemark.

An Chef Truppenabwehr über Ic.

In der Anlage wird die Vortragsnotiz vom 9.3.1945[81] nebst Randbemerkungen Chef OKW und Chef WFSt zurückgesandt.
 Zu Ziff. 6.):
 WFSt/Qu. hält keinen Anlaß gegeben, auf Grund des Reiseberichts des Gruppenleiters Marine eine Änderung der Führerbefehle
 OKW/WFSt/Qu. 2/Verw. 1 Nr. 006973/44 g.K. vom 1.7.1944
 OKW/WFSt/Qu. 2/Verw. 1 Nr. 009169/44 g.K. vom 30.7.1944
 nebst Ausführungsbestimmungen vom 18.8.1944 vorzuschlagen.
 Die bisherigen Bestimmungen erscheinen voll ausreichend, um gegen Saboteure mit der notwendigen Härte vorzugehen.

I.A.
[underskrift]

1 Anlage

157. Günther Pancke: Allgemeine Richtlinien zur Stillegung von Gas-, Wasser- und Elektrizitätswerken 20. März 1945

De retningslinjer for lukning af gas-, vand- og elektricitetsværker, som Pancke lod udsende 20. marts 1945, drejede sig udelukkende om København. Det er en detaljeret planlægning for hver enkelt værk og hvordan og hvem, der skulle tage sig af det. En minutiøs tidsplan var et integreret element. Her blev draget nytte af alle de fejl og krisesituationer, der tidligere var opstået ved nedlukning af værkerne.

Ligesom planen for bekæmpelsen af indre uro af 12. februar var mest detaljeret for København, gentog det sig for værkernes vedkommende. HSSPF anså tydeligvis truslen fra hovedstaden for langt den største. Den trussel blev dog ikke betragtet som større, end at værkerne skulle lukkes på en måde og under varetagelse af sikkerhedsforholdsregler, så de kunne genåbnes uden skade på anlæggene. De skulle ikke destrueres som led i en brændt-jord-politik. Forstmanns efter ordre i efteråret 1944 udførte planlægning af en systematisk ødelæggelse af offentlige værker, er der ikke spor af i HSSPFs retningslinjer marts 1945. Retningslinjerne havde som forudsætning, at planen skulle aktiveres i et samfund, der skulle fungere igen efterfølgende.

Kilde: RA, Tyske arkiver, pakke K599: Diverse korrespondance 15.8.44-20.8.45.

Der Höhere SS- und Polizeiführer in Dänemark *Kopenhagen, den 20.3.1945.*
Abt. Ia – Tgb. Nr. 317/45 (g) *Geheim!*

Betrifft: Allgemeine Richtlinien zur Stillegung von Gas-, Wasser- und Elektrizitätswerken.

---

81 Bilaget er ikke lokaliseret.

1.) Der anliegende Entwurf – Allgemeine Richtlinien zur Stillegung von Gas-, Wasser- und Elektrizitätswerken – tritt ab sofort in Kraft.
2.) Die Richtlinien sind bei Stillegung von Versorgungsbetrieben genauestens zu beachten.

gez. **Pancke**
SS-Obergruppenführer und General der Polizei

Inhaltsverzeichnis
    Teil I: Zeichenerklärung zum anliegenden Ortsplan.
    Teil II: Verzeichnis der Gas-, Wasser-. Elektrizitäts- u. Fernheizwerke.
    Teil III: Zeitplan zur Abschaltung der Versorgungsbetriebe.
    Teil IV: Abschaltanweisungen für
          a.) Gaswerke.
          b.) Wasserwerke.
          c.) Elektrizitätswerke.

T e i l   I
Zeichenerklärung zum anliegenden Ortsplan.

1.)   Versorgungsbetriebe und andere wichtige Werke.
     ⚡   Elektrizitätswerke
     ×   Transformatorstation
     ■   Wasserwerk
     P   Pumpstation
     H   Hochbehälter
     ▲   Wasserturm
     ●   Gaswerke
     ◑   Gasbehälter
     ○   Gasdruckstation
     ⊗   Gaspumpstation
     F   Fernheizwerk
     ⊠   Hauptfernsprechamt
     ⊡   Telegrafenamt
     T   Telefonstation

2.)   Militärische Stützpunkte:
        Heer   Ⓗ
        Marine Ⓜ
        Polizei Ⓟ
   Ⓗ   Trianglen
   Ⓗ   Kongens Nytorv

- Ⓗ Nörrebrogade, Jagtvej
- Ⓗ Pile Allé, Roskildevej
- Ⓗ Toftegaards Plads
- Ⓜ Amagerbrogade Damm
- Ⓜ Knippelsbro
- Ⓜ Langebro
- Ⓟ Enghave Plads
- Ⓟ Raadhuspladsen

Teil II
Verzeichnis der Gas-, Wasser-, Elektrizitäts- u. Fernheizwerke

1.) Gaswerke
a.) Werke bezw. Gasbehälter für die Absperrung des Stadtkerns Kopenhagen
(d.h. ohne Hellerup, Lyngby, Glostrup, Gentofte)
b.) Werke bezw. Gasbehälter für die Absperrung auch der Vororte.

	Benennung	*Straße*	*Planquadrat*	*Stadtbezirk*	*Besetzungsstärke*	*Bemerkungen*
a.)						
●	Gaswerk Dragör	Holländervej	27 T	S	1/2/19	einschl. Wasser u. Elwerk
●	Östre Gaswerk	Zionsvej	M 12	Ö	1/4/52 + ¼ Pak	
●	Gaswerk Frederiksbg.	Finsensvej	E 16	F	1/4/42 + ¼ Pak	einschl. Elekt. Werk
●	Gaswerk Valby	Vigerslev Allé	D20	Valby	1/6/66 + ¼ Pak	
●	Gaswerk Tuborg-Brauerei	Karolinevej 26, Strandvejen	M9	Hellerup	2/18	
◐	Gasbehälter Sundby	Strandlodsvej, Lergravsvej	Q19	S	2/12	
○	Gasdruckstation	Halmtorvet	K18	V		braucht nicht besetzt zu werden
⊗	Gaspumpstation	Skt. Annä Gade, Chrn. Voldgade	O18	K		[braucht nicht besetzt zu werden]
b.)						
●	Gaswerk Holte			Holte		
●	Gaswerk Lyngby	Toftebäksvej	E 2	Lyngby		
●	Gaswerk Glostrup	Gasvärksvej 9	A 17	Glostrup		
●	Gaswerk Charlottenld.	Clarasvej 8b	M 3	Charlottenlund		

● Gaswerk Gen- Hörsholmvej, F 4 Gentofte
tofte Lyngbyvej

2.) Wasserwerke
a.) Werke für die Absperrung des Stadtkerns Kopenhagen
(d.h. ohne Hellerup, Lyngby, Glostrup, Gentofte).
b.) Werke für die Absperrung auch der Vororte.

	Benennung	*Auszuschließenden*	*Planquadrat*	*Stadtbezirk*	*Besetzungsstärke*	*Bemerkungen*
a.)						
H	Hochbehälter Tinghöj	Vandtaarnsvej 60, Sandvejen	D 8	Söborg	1/2/19	
H	Hochbehälter Brönshöj	Bellahöjvej	E 14	Brönshöj	1/19	
■	Wasserwerk Axeltorvet	Axeltorv 12 Studiesträde	L 17	V	1/9	
■	Wasserwerk Dragör	Holländervej	T	Dragör		Siehe Gaswerk Dragör
■	Wasserwerk Valby	Roskildevej 211 (Damhus Sö)	C 18	Valby	2/12	
■	Wasserwerk	Biblioteksvej	B 23	Valby	2/12	
■	Wasserwerk	Björnbaksvej, Brönderslev Allé	P 26	Kastrup	2/12	
■	Wasserwerk	Nordstjerne Allé	P 25	Kastrup	2/12	
■	Wasserwerk Islevbro	Rödovrevej 440	A 13	Islev	3/21	
■	Wasserwerk Vestersögade	Vester Sögade 1, Gammel Kongevej	K 17	V	2/18	
■	Wasserwerk Borups Allé	Borups Allé 177	G 14	F	2/12	
■	Wasserwerk	Peter Andersensvej	G 16	F	1/9	
b.)						
■	Wasserwerk Holte		C	Holte		
■	Wasserwerk Glostrup	Gasvärksvej 15	A 17	Glostrup		
■	Wasserwerk	Vandvärksvej 15	A 14	Vanlöse		
■	Wasserwerk	Bregnegaardsvej 30	L 6	Hellerup		
■	Wasserwerk	Fortunvej 104, Skovvej (Ermelunden)	H 3	Klampenborg		
■	Wasserwerk	Gladsaksevej 9/11 (Utterslev Mose)	F 9	Söborg		
■	Wasserwerk	Vandvärksvej	D 2	Lyngby		

3.) Wassertürme
Diese sind der Vollständigkeit halber aufgeführt und brauchen nicht besetzt und abgesperrt werden.

	Benennung	Auszuschließenden	Planquadrat	Stadtbezirk
▲	Wasserturm	H.C. Bajsensvej	C 24	Valby
▲	Wasserturm	Taarnbyvej, Englandsvej	O 24	Kastrup
▲	Wasserturm	Taarnvej	A 17	Vanlöse
▲	Wasserturm	H.A. Clausensvej	H 6	Gentofte
▲	Wasserturm	Trongaardsvej, Hjortekärsvej	G 1	Klampenborg
▲	Wasserturm	Trongaardsvej	H 1	Klampenborg
▲	Wasserturm	Lyngbyvej, Räveskovsvej	G 5	Gentofte
▲	Wasserturm	Vandtaarnsvej	E 1	Kongens Lyngby
▲	Wasserturm	Gustav Esmanns Allé, Peter Nansens Allé	D 8	Söborg
▲	Wasserturm	Lystoftevej	D	Lyngby
▲	Wasserturm	Lergravsvej	P 19	S
▲	Wasserturm	Tuborgvej	H 11	NV
▲	Wasserturm	Roskildevej	G 18	Valby
▲	Wasserturm	Brönshöjvej	D 14	Brönshöj

4.) Pumpstationen
Diese sind der Vollständigkeit halber aufgeführt und brauchen nicht besetzt und abgesperrt werden.

	Benennung		Planquadrat	Stadtbezirk
P	Pumpstation	Onsgaardsvej 23	M 8	Hellerup
P	Pumpstation	Holte	C	Holte
P	Pumpstation	Prästemosen, Grustoften	B 21	Valby
P	Pumpstation	Engvej,	R 21	S
P	Pumpstation	Öresundsvej, Amager Strandvej	R 19	S
P	Pumpstation	Italiensvej, Amager Strandvej	R 20	S
P	Pumpstation	Sköjtevej, Amager Strandvej	T 24	Kastrup
P	Pumpstation	Kystvejen, Slots Allé	N 2	Klampenborg
P	Pumpstation	Kystvejen, Teglgaardsvej (Skovshoved)	N 3	Charlottenlund
P	Pumpstation	Strandvejen 148, Charlottenlund, Strandpark	M 6	Charlottenlund
P	Pumpstation	Tuborglinien	M 9	Hellerup
P	Pumpstation	Nordtoftevej, Höjvangen (Grönnemose)	E 9	Söborg
P	Pumpstation	Kongshvilebakken	C 3	Lyngby
P	Pumpstation	Strandöre 7, Scherfigsvej	M 10	Ö
P	Pumpstation	Sydkärsvej, Risbjerggaards Allé	D 22	Valby
P	Pumpstation	Ved Damhussöen (Nordufer Damhus Sö)	B 17	Vanlöse

5.) Elektrizitätswerke und wichtige Trafostationen

	Benennung	Auszuschließenden	Plan-quadrat	Stadt-bezirk	Besetzungs-stärke	Bemerkungen
⚡	E-Werk Dragör	Holländervej		S		siehe Gas- u. Wasserwerk
⚡	Vester E-Werk	Bernstorffsgade	L 18	V	2/18	
⚡	E-Werk NESA	Strandvejen 274 (Skovshoved)	N 3	Charlot-tenlund		Braucht nicht besetzt zu wer-den
⚡	E-Werk	Kastrupvej, Rumäniensgade	P 20	S	1/9	
⚡	E-Werk	Adelgade 10, Goth-ersgade	M 16	K	1/3/28	
⚡	Öster-E-Werk	Öster Allé	M 13	Ö	1/3/28	
⚡	E-Werk	Ravnsborggade 9/12	K 15	N	3/19	
⚡	H.C. Örsted-Werk	Tömmergravsgade	K 20	V	1/6/66	
⚡	E-Werk	Nörrebrogade, Bra-gesgade	H 14	N	2/12	
⚡	E-Werk	Hortensiavej, Edi-sonvej	H 17	V	2/12	
⚡	E-Werk	Finsensvej	E 16	F		siehe Gaswerk
×	Trafostation NESA	Lyngbyvej, Hörsholmvej	F 4	Gentofte	3/19	
×	Trafostation NESA	Esberns Allé Bud-dingevej	D 5	Söborg		braucht nicht besetzt zu wer-den.
×	Trafostation TRSF	Nyborggade	M 12	Ö		wie vorstehend
×	Trafostation	Gasvärksvej	K 18	V		wie vorstehend
×	Trafostation	Näsbyholmvej, Fuglsang Allé	E 14	Brönshöj		wie vorstehend

6.) Fernheizwerke und Telegrafenämter

	Benennung	Auszuschließenden	Plan-quadrat	Stadt-bezirk	Besetzungsstärke	Bemerkungen
F	Fernheizwerk Öster Varme-värk	Öster Allé	M 13	Ö		auf dem Gelände des betreffenden E-Werkes
F	Vester Fern-heizwerk	Bernstorffsgade 15/17	L 18	V		auf dem Gelände des betreffenden E-Werkes
F	Gothersgade Fernheizwerk	Adelgade 10	M 16	K		auf dem Gelände des betreffenden E-Werkes
⊠	Hauptfern-sprechamt	Nörregade 21	L 16	K	1/4/42	
⊡	Telegrafenamt (Verstärkeramt)	Lövsträde 2, Köb-magergade	M 16	K	1/4/42	

Teil III
Zeitplan zur Abschaltung der Versorgungsbetriebe.

X Uhr:	Befehl zur Abschaltung der Versorgungsbetriebe.
	Es wird angenommen, daß die Besetzung der Betriebe durch die Wehrmacht um X + 45 +120 min, abgeschlossen ist.
X+5 min: bis X+15 min.	Benachrichtigung des Verbindungsoffiziers der TN beim BdO über Befehl zur Abschaltung der Versorgungsbetriebe:
	Anruf während der Dienstzeit Central 1946 App. 190
	Anruf nach Dienstschluß an OvD des BdO Dagmarhaus App. 205
	Verbindungsoffizier der TN benachrichtigt den leitenden Ingenieur beim Rü-Stab oder dessen Vertreter:
	Anruf während der Dienstzeit HV 509
	Anruf nach Dienstschluß [HV 509]
X+15 min: bis X+30 min	Der leitende Ingenieur Rü-Stab
	1.) erwirkt beim Admiral Dänemark die Freigabe von etwa 10 Fachkräften des Leitenden Ingenieurs der VIII. Sicherungsflottille (z.Zt. Ltn. z.S. Goldmann.)
	2.) Leitende Ingenieur der VIII. Sicherungsflottille (im 10 Bassin) oder dessen Stellvertreter veranlaßt Entsendung von mindestens 10 Fachleuten zum technischen Einsatz unter Angabe des Treffpunktes Dienststelle des BdO, Dagmarhaus Zimmer 201 im II. Stock. (Es ist anzufragen, ob die Einsatzgruppe bis X + 150 min. mit eigenen Verkehrsmöglichkeiten am Treffpunkt sein kann oder abgeholt werden muß.)
	3.) Leitender Ingenieur Rü-Stab benachrichtigt:
	Leiter der Ing.-Gruppe des Oberwerftstabes (z.Zt. Oberbaurat Baumann) oder dessen Stellvertreter und erbittet Entsendung von Fachleuten zum technischen Einsatz zum Dagmarhaus. Anruf erfolgt namentlich über Marinevermittlung/Oberwerftstab HV Apparat 405.
	4.) Die Ingenieure des Rüstungsstabes Dänemark.
	Vesterport.
X+100 min: bis X+115 min.	Einweisung und Einteilung des "Gaswerktrupps". Es werden 6 Mann benötigt. Anweisung zur Abstellung der Gaswerke siehe Teil IV.
X+120 min:	Abholung des Einsatztrupps von der VIII. Sicherungsflottille falls dieser mit eigenen Verkehrsmitteln nicht zum Treffpunkt gelangen kann.
X+125 min:	*Abfahrt des "Gaswerktrupps"*
X+150 min: bis X+175 min.	Einweisung und Einteilung des "Wasserwerktrupps". Es werden 11 Mann benötigt. Anweisung zur Abstellung der Wasserwerke siehe Teil IV. (Siehe Anmerkung am Schluß.)

X+180 min: bis X+200 min.	Einweisung und Einteilung des "Elektrizitätswerktrupps". Es werden 10 Mann benötigt. Anweisung zur Abstellung der Elektrizitätswerke siehe Teil IV. (Siehe Anmerkung am Schluß.)
X+340 min: bis X+400 min.	Kontrollfahrt des Fachführers TN zur Feststellung des Standes der Absperrmaßnahmen bei den Gaswerken.
X+400 min:	*Außerbetriebsetzung der Gaswerke beendet.*
X+400 min:	*Abfahrt des Wasserwerktrupps zur Abstellung der Wasserwerke.* (Siehe Anmerkung am Schluß.)
X+450 min:	*Absperrung der Wasserwerke beendet.*
X+440 min:	Abfahrt des Technischen Sachverständigen zum Abschalten der Transformatorstation Nesa, Lyngbyvej (Planquadrat F4)
X+450 min:	Abfahrt des technischen Sachverständigen zum Abschalten des Örstedwerkes (Planquadrat K20).
X+470 min:	Abfahrt des "Elektrizitätswerktrupps" zum Abschalten der restlichen Elektrizitätswerke.
X+500 min:	*Absperrung der Elektrizitätswerke beendet.*
X+470 min:	Kontrollfahrt zur Feststellung des Standes der Absperrmaßnahmen bei den Elektrizitätswerken.
Anschließend:	Zurückholung der technischen Sachbearbeiter von den Einsatzstellen zum gemeinsamen Treffpunkt.

Schluß der Aktion

Anmerkung: Falls für die Absperrung der Wasser- u. Elektrizitätswerke nicht die vorgesehene Zahl der technischen Kräfte zur Verfügung steht, kann an Hand des Ortsplanes so eingeteilt werden, daß 1 Mann mehrere Werke *nacheinander* abschaltet Gas-, Wasser- u. Elektrizitätswerke Dragör liegen auf einem Gelände. Nach Abschalten des Gaswerkes Dragör, kann die da hingesandte Einsatzkraft unabhängig vom Zeitplan sofort das Wasser- u. Elektrizitätswerk mit abschalten.

Teil IV

Abschaltungsanweisungen für Gaswerke, Wasserwerke, Elektrizitätswerke

Anweisung zur Abstellung der Gaswerke

Da es sich bei den Gaswerken um komplizierte und weitverzweigte Werkanlagen handelt, ist die Mitwirkung eines dänischen Betriebsleiters unbedingt empfehlenswert.

Wie aus der anliegenden Karte ersichtlich ist, ist die Kopenhagener Gasversorgung in einer Ringleitung zusammengeschlossen (Hochdruckleitung). Die Einspeisung dieser Druckleitung erfolgt hauptsächlich vom Valby-Gaswerk und Östre-Gaswerk. Ferner vom Frederiksberg-Gaswerk und vom Gaswerk der Tuborg-Brauerei. Zwischen dem Valby-Gaswerk und Östre-Gaswerk besteht eine direkte telefonischen Verbindung, sodaß sich die beiden technischen Sachbearbeiter, die die Abstellung der Werke vornehmen sollen, sich in allen Zweifelsfragen verständigen können. Bei der Stillegungsaktion bleiben die Niederdruckleitungen unberücksichtigt, auf Absperrung der im Stadtgebiet weitverzweigten Hochdruckschieber in den verbindenden Ringleitungen muß verzichtet werden. Entgegen der beim vorigen Generalstreik getroffenen Maßnahme ist diesesmal die Gasversorgung restlos zu unterbinden.

Dies geschieht durch Absperren der Hauptschieber hinter dem Werksgasometer und des Gasbehälters Sundby. Sofort nach Absperren der Gasometer sind die Retorten abzufackeln und auszustoßen, damit sich nicht aus Koks und Teer eine harte Sinterung bildet, die nach Erkalten ohne Beschädigung der Retorten nicht mehr entfernt werden kann. Diese Maßnahme ist unverzüglich vorzunehmen, da damit zu rechnen ist, daß nach etwa 3½ bis 4 Stunden die zum Kühlen der Retorten erforderliche Wasserversorgung und der elektrische Teil (Winderhitzer usw.) ebenfalls abgeschaltet werden.

Bei den Gaswerken, die über eigene Wasserhaltung und Notaggregatbetrieb verfügen, ist gegen ein Weiterfahren der Retorten mit stark verminderter Feuerung und somit Gaserzeugung nichts einzuwenden, wenn der Gasometer noch in der Lage ist, die erzeugten Gasmengen aufzunehmen.

Anlage: 1 Karte der wichtigsten Gasleitungen in Kopenhagen.[82]

Anweisung zur Abstellung der Wasserwerke
In jedem Falle empfiehlt sich die Mitwirkung des im Werk vorhandenen Betriebsleiters oder Maschinenmeisters.

Zur Außerbetriebsetzung sind zuerst die Filterwerke – falls vorhanden – durch Zudrehen der Zuleitungsschieber abzuschalten. Anschließend zwischen
a.) Dampfantrieb
b.) Dieselantrieb
c.) Gasmotorantrieb
d.) elektrischem Antrieb.

Zu a.) Dampfbetrieb: Abdrehen des Hauptventils bei Hoch und Niederdruckmaschinen und das Ventil über dem Dampfkessel schließen, dadurch sofortiger Stillstand der Maschinen. Anschließend Feuer aus dem Kessel herausreißen und dem Kessel Frischwasser zusetzen, dadurch geht der Dampfdruck langsam zurück. Es ist besonders darauf zu achten, daß die Hauptventile sofort ohne Gefahr für die Dampfmaschinen abgedreht werden können, da diese bei auftretendem Überdruck über die Sicherheitsventile abblasen können.

Wird die Dampfmaschine nicht durch Abdrehen des Hauptventils sofort stillgelegt, so genügt auch Herausreißen des Feuers. Schon bei Zurückgehen des Kesseldrucks von 10 auf 9 Atü besteht keine Leistung an der Pumpe mehr.

Zu b.) Dieselantrieb: Hauptventil am Dieselmotor durch Kettenzug auf Stopp stellen und Ventil der Ölhauptleitung schließen, dadurch Stillstand des Motors.

Zu c.) Gasmotorantrieb: Hauptventil am Motor auf Stopp stellen und Zuleitung der Hauptgasleitung schließen.

---

82 Kortet er ikke lokaliseret.

Zu d.) Motor ausschalten und Hauptsicherung herausschrauben. Wenn die Elektrizitätsversorgung anschließend nicht auch stillgelegt wird, empfiehlt sich Abklemmen der Pole am Motor, damit nicht durch unbeobachtetes Einschrauben der Sicherungen wieder angefahren werden kann.

Die Wasserversorgung Kopenhagens erfolgt überwiegend von dem etwa 40 km entfernten Werk Lejre und im 20 km entfernten Werk Thorslunde.

Das Wasser wird gespeichert im Hochbehälter Tinghöj (Inhalt 120.000m^3 und im Hochbehälter Brönshöj (Inhalt 10.000m^3). Abstellung der Hochbehälter am besten am Hochbehälter selbst. Die Absperrung des Hochbehälters Tinghöj kann auch im Wasserwerk Axeltorv durch Fernschieber vorgenommen werden, wenn im Hochbehälter dieser Einstellung eingeschaltet ist. Soweit für die Wasserwerke genaue Unterlagen vorhanden sind, sind diese in den anliegenden Briefumschlägen enthalten und dem mit der Abstellung des Werkes Beauftragten zu übergeben.

Wasserwerke mit Filteranlagen sind bestimmt die folgenden:
Borups Allé
Axeltorv
Vestersögade
Valby-Wasserwerk
Islevbro.

Bei den Übrigen Wasserwerken ist das Vorhandensein von Filteranlagen in jedem Fall erst nachzuprüfen.

In der Anlage wird eine Übersichtskarte der Wasserversorgung Gross-Kopenhagens beigefügt.[83]

Anweisung zur Abschaltung der Elektrizitätswerke
Die Elektrizitätsversorgung Kopenhagens geschieht teilweise durch Eigenerzeugung hauptsächlich in den Werken
Örsted-Werk
Östre-Werk
Eltwerk Gothersgade
Eltwerk Frederiksberg.
Diese Werke arbeiten zusammen mit der NESA, Lyngbyvej und mit dem Isefjord- und Masnedö-Werk.

Am vorteilhaftesten ist zuerst in der Trafostation der NESA (Lyngbyvej) die Stromeinspeisung aus Schweden, dem Isefjordwerk und dem Masnedö-Werk abzuschalten.

Bei der Abschaltung ist mit größter Vorsicht vorzugehen, um Funkenbildung und in den Hochspannungskabeln Beschädigungen durch Leerlaufstrom zu vermeiden. Damit ist etwa die Hälfte Kopenhagens bereits stromlos.

Als nächstes Werk ist das Örsted-Werk abzuschalten.

Da die Einspeisung von der NESA bereits abgeschaltet ist, bleibt noch die Abschaltung der Eigenerzeugung. Bei Dampfbetrieb geschieht die Abschaltung durch Drosse-

---

83 Kortet er ikke lokaliseret.

lung der Dampfzufuhr und anschließendem Ausblasen der Kessel.

Dieselaggregate werden im allgemeinen nicht in Betrieb sein, da diese nur den Spitzenbedarf decken. Diese sind ggfl. durch Abstellen der Dieselmotore (Ventilstellung auf Stopp) außer Betrieb zu setzen.

Es ist ganz allgemein darauf zu achten, daß jede Funkenbildung bei der Abschaltung vermieden wird und auf der Primärseite keine Leerlaufüberlastungen auftreten. D.h. die Belastungsseite nicht einfach durch Herausnehmen der Trennschalter abschalten (Lichtbogenbildung), sondern bei Umspannwerken die Primärseite zuerst abschalten, indem die einspeisenden Werke angewiesen werden, ihre Leistungsabgabe einzustellen, erst dann Sekundärseite abtrennen.

Die Durchführung der Maßnahme ist durch ständige Beobachtung der Strom-, Spannungs- und Leistungsmesser zu überwachen.

Soweit für die einzelnen Werke genauere Unterlagen vorhanden sind, sind diese in den anliegenden Briefumschlägen enthalten und dem mit der Abschaltung Beauftragten zu Übergeben.

158. Arbeitstagung der Vertrauensmänner im Einsatz Dänemark in Vejle beim OT-Einsatz Dänemark am 19. und 20.3.1943, [20. März] 1945

Der blev afholdt en konference for OTs tillidsmænd i Vejle, hvor bl.a. koncentrationen af firmaindsatsen og indskrænkningen af OT-byggeledelserne blev drøftet. Der foreligger et notat med 17 punkter om konferencens indhold. Heraf fremgår det, at hovedpunktet var at imødegå konsekvenserne af, at der var færre OT-ansatte til rådighed som byggeledere. Byggeledelsen skulle i langt større omfang end hidtil uddelegeres til betroede firmaer, mens OT fortsat skulle tage sig af planlægningen. Desuden blev drøftet en lang række større og mindre spørgsmål imellem hinanden. Der var problemer med at have tilstrækkeligt med byggeredskaber til rådighed, hvorfor de skulle cirkulere direkte mellem firmaerne og ikke gå via OT. Byggearbejdernes gennemførelse afhang i høj grad af, at der var tilstrækkelig transportkapacitet til rådighed. Hvor Transportkorps Speer ikke var til rådighed, skulle firmaerne gå over til selv at skaffe vognmandskørsel, men undgå at leje vogne, der allerede var lejet af et andet tysk tjenestested. Afregningen skulle være tarifmæssig, og pengene ville blive stillet direkte til rådighed af OT. Denne fremgangsmåde var nødvendig, fordi de indenrigspolitiske forhold i Danmark ikke uden videre tillod Transportkorps Speer at tage den til rådighed stående transportkapacitet i besiddelse, og at en del danske arbejdsgivere af politiske grunde ikke ville medvirke. Endelig var det et problem, at de OT-ansatte ikke fik nær så høj en løn som de danske arbejdere. Der blev foreslået måder at sikre dem en højere indtjening på for at højne deres arbejdsvilje og arbejdsglæde.[84]

Trods den fremadskridende opløsning og tilbagetrækningen af en betydelig del af de OT-ansatte skulle arbejdet videreføres ved udlicitering af en del af opgaverne, og de givne, med danskerne aftalte spilleregler videreføres. Transportkorps Speer, som havde udstrakte magtbeføjelser i Tyskland og i de andre besatte lande,[85] kunne ikke udnytte dem i Danmark pga. "indenrigspolitiske forhold", ligesom det blev tilladt danske vognmænd at afvise at køre for OT. Den tilbageholdenhed var allerede ved at falde væk, da konferencen fandt sted, da både værnemagten og OT i de sidste uger af besættelsen rekvirerede, hvad der var behov for uden hensyntagen til danske interesser.

---

84 Til punkt 4, afsnit d til k (ikke medtaget her), og pkt. 17 foreligger der et beslutningsnotat, dateret Oslo 3. april 1945, hvoraf det fremgår, at ønsket om en højere betaling til de tyske arbejdere stødte på problemer, men til en vis grad blev opfyldt (kilde som ovenfor).
85 Hitler havde 18. februar 1945 givet Speer ordre til at opbygge en transportstab med fuldmagt til at prioritere alle transportopgaver (Moll 1997, nr. 388).

Materialet fra konferencen er udateret. Der bringes kun et uddrag.
Kilde: RA, Danica 630, pk. 91, læg 1250.

Verbindungsstelle der deutschen Bauwirtschaft
beim Reichskommissar f.d. bes. Norw. Gebiete

Arbeitstagung
der Vertrauensmänner im Einsatz Dänemark in Vejle
beim OT-Einsatz Dänemark am 19. und 20.3.1945.

Leiter der Arbeitstagung:
Direktor Reg. Bmstr. Klumpp
Leiter d. Verbindungsstelle der deutschen Bauwirtschaft in Oslo

Tagesordnung
19.3.45 Beginn 15.00 Uhr
1.) Zusammenarbeit Amt Bau – OT-Bauwirtschaft   Dir. Regbmstr. Klumpp
2.) Konzentration des Firmeneinsatzes   –
3.) Einsparung von OT-Bauleitungen   –
    Unternehmer Verpflichtung
    Verfügungsrecht des Unternehmers
4.) Firmenfrontführung   –
5.) Front-OT   –

Aussprache jeweils anschließend an die einzelnen Vorträge.

20.3.1945 Beginn 8.30 Uhr
Aussprache über akute OT-[ulæseligt]
1.) OT-Vertrag Einsatz Dänemark
2.) Richtpreisverzeichnis und Preisermittlung für Einsatz Dänemark
3.) Tarif für das Baugewerbe in Dänemark
    Hier: Tarif für Angestellte im Baugewerbe
        Zeitlöhne und Akkordlöhne
        Tarif Lagerpersonal
4.) Dänische Preiskontrolle
5.) Abrechnungswesen im Einsatz Dänemark
    Devisenvorschußzahlung an Unternehmer
6.) Einstufung von Firmenpersonal
7.) Kriegsauszeichnungen
8.) Einberufungen zur Wehrmacht
9.) Gerätekosten – Verrechnung
10.) Kriegssachschäden
11.) Baustandsberichte
12.) Allgemeines.

Verbindungsstelle der deutschen Bauwirtschaft
beim Reichskommissar f.d. bes. norw. Gebiete

Arbeitstagung
der Vertrauensmänner im Einsatz Dänemark in Vejle
beim OT-Einsatz Dänemark am 19. und 20.3.1945

Vermerk
1.) Einsparung von OT-Bauleitungen:
Die Vorbesprechungen mit den Bezirksbauleitern und die darauf folgende Aussprache während der Tagung bestätigen, daß von ganz wenigen Gebieten abgesehen die OT-Bauleitungen von leistungsfähigen, führungsmäßig entsprechend besetzten Firmen als Hauptunternehmer übernommen werden können.

Diejenigen Unternehmer, die an mehreren örtlich von einander getrennten Bauaufgaben eingesetzt sind, können, falls sie kräftemäßig und führungsmäßig stark genug sind, auch an zwei oder mehreren Stellen als Hauptunternehmer eingesetzt werden. Im allgemeinen ist jedoch eine Konzentration dieser einzelnen Firmeneinsätze, d.h. ihre Zusammenfassung in dem Bezirk *eines* Hauptunternehmers, so schnell als möglich anzustreben.

Übernahme bezw. Abstellung von für die jeweiligen Aufgaben beim Hauptunternehmer geeigneten OT-eigenen Kräften im Einvernehmen mit der zuständigen Oberbauleitung bezw. Einsatzleitung und Genehmigung durch Einsatzgruppe wird notwendig.

Grundsätzlich soll der Hauptunternehmer nur für die Baudurchführung verantwortlich eingesetzt werden, während alle Planungsarbeiten bei der OT-Oberbauleitung verbleiben sollen.

Um jegliche Störung in den Planungs- und Baudurchführungs-Arbeiten bei der Umstellung zu vermeiden, wird vorgeschlagen, nach Herauslösung der OT-Bauleitung von OT-Seite einen OT-Verbindungsführer einzusetzen, der je nachdem für den Bezirk von einem oder zwei Hauptunternehmern wie bei der Oberbauleitung im Einverständnis mit dieser veranlaßt.

Die Planungsarbeiten sollen mehr als bisher bei Übergabe einer Gesamtaufgabe an einen Hauptunternehmer einen Gesamtüberblick ermöglichen. Sie müssen auf reines kriegsmäßiges Bauen abgestellt sein und kleckerweise Nacharbeit nach Beendigung der Gesamtaufgabe tunlichst vermeiden. Militärische Dienststellen sind vom Anfang an darauf hinzuweisen, daß Nacharbeiten nicht nur unwirtschaftlich, sondern heute mit Rücksicht auf das immer mehr schwindende Unternehmer-Potential nicht mehr vertreten werden können. Was über das kriegsmäßige Bauen hinaus gewünscht wird, ist von der Truppe selbst auszuführen.

Überall dort, wo abrechnungssichere und verpflichtete Unternehmerkräfte vorhanden sind, können bei deutschen Unternehmern Losbauführer und Bauwarte herausgelöst werden.

Die Abmachungen zwischen OT und Hauptunternehmer hinsichtlich der dem Hauptunternehmer zu übertragenden hoheitlichen Rechte und Pflichten sind jeweils der Qualität der vorhandenen Führungskräfte des Hauptunternehmers anzupassen.

Dort, wo zusammenhängende Bauaufgaben vorhanden sind, ist soweit als möglich vom Verhältnis Hauptunternehmer-Nebenunternehmer zum Verhältnis Hauptunternehmer-Nachunternehmer überzugehen. Bei neuen Einsätzen ist, wenn irgend möglich, die Gesamtbauaufgabe an einen Hauptunternehmer zu übertragen.

Die Abrechnung der Nebenunternehmer, sofern diese verpflichtet sind, erfolgt direkt mit der Oberbauleitung ohne Zwischenschaltung des Hauptunternehmers. Ausrichtung in allen Zweifelsfragen ist jedoch zunächst durch den Hauptunternehmer herbeiführen.

Der Entschädigung des Hauptunternehmers in Höhe vom 1 % auf sämtliche Löhne und Gehälter der Nebenunternehmer muß eine buchmäßige Leistung gegenübergestellt werden können mit Rücksicht auf die Gewinnabschöpfung.

Einschaltung des Transportkorps Speer soll in der Form geschehen, daß die Fahrzeug-Zuteilung durch die Oberbauleitung und der Fahrzeug-Einsatz durch den Hauptunternehmer vorgenommen wird.

Auf die Notwendigkeit einer Absoluten Sauberkeit, Sachlichkeit und peinlichster Pflichterfüllung der verpflichteten Unternehmerkräfte wird mehrmals eingehend hingewiesen.

Ganz allgemein muß festgestellt werden, daß dort, wo der Zweck dieser Anordnung, nämlich die Einsparung von Personal, Vereinfachung des gesamten Apparates, bessere Entfaltung und Auswirkung der Unternehmer-Initiative, nicht erreicht wird, von der Übergabe der OT-Bauleitung an einen Hauptunternehmer Abstand zu nehmen ist.

Dies kann aus den verschiedensten Gründen der Fall sein; vor allem bei Großbauvorhaben, wie z.B. Flugplätzen mit einer Anzahl von großen Spezialbauten und Spezialeinrichtungen, die zum Teil vollständig außerhalb der Interessen einer Bauunternehmung liegen, wird man wohl eine teilweise Vereinfachung erzielen können durch weitgehende Zusammenfassung zusammengehöriger Bauaufgaben und deren Vergabe an einen Hauptunternehmer, jedoch von einer bauseitigen Bauleitung nicht abgehen können.

2.) Firmen-Frontführung:
Die Firmen-Frontführung ist im Einsatz Dänemark sowohl bei den deutschen wie bei den dänischen Unternehmern bereits vorhanden. Es besteht kein Grund, an der bisherigen Handhabung der Frontführung etwas zu ändern, vor allem mit Rücksicht da auf, daß die deutschen Firmen und Firmenteile verhältnismäßig wenig deutsches Personal im Einsatz haben.

Es werden Bedenken darüber geäußert, daß der Firmen-Frontführer, der dem Betriebsführer disziplinar unterstellt ist, fachliche Weisungen von der OT-Frontführung erhalten soll. Auf die Zwiespältigkeit dieser Stellung wird besonders hingewiesen.

Weitere Unklarheiten werden in dem Rechtsverhältnis gesehen in dem ein von der OT zum Unternehmer abgestellter und ihm voll unterstellter Frontführer steht. Auf der einen Seite ist dieser Angestellter der OT mit einem Entsprechenden Anstellungsvertrag, auf der anderen Seite ist er disziplinar dem Betriebsführer der Bauunternehmung unterstellt. Hierin wird eine große Gefahr [bei] Rechtsstreitigkeiten gesehen.

Es muß streng darüber gewacht werden, daß in den Lagern der Dänen keine Parteipolitik betrieben wird.

Die Lagernachweis-Verträge sollen in Zukunft durch Paus[chal] ersetzt werden im Interesse einer wesentlichen Vereinfachung der Abrechnung. Entsprechende Vorschläge werden von Vertretern der Bauwirtschaft ausgearbeitet, wobei die einschlägigen Verträge der Reichsautobahn als Vorbild dienen sollen.

3.) Front-OT:
Nach den ergangenen Bestimmungen ist der Einsatz Dänemark Front-OT, und zwar in der Art der Front-Oberbauleitungen.
Die Anordnungen der Einsatzgruppe über die Vorbereitung [der] Front-OT sind bei dem zuständigen Sachbearbeiter des Einsatzes Dänemark nicht bekannt.
Der bisher aufgestellte Mob-Plan muß sinngemäß vor allem im Hinblick auf den Einbau geschlossener Firmen umgebaut werden unter Berücksichtigung der derzeitigen Gliederungen der Firmeneinsätze.
Wie in Norwegen werden auch hier keine Spezial-Kompanien – wie dies bisher geschehen – sondern Baukompanien für allgemeine Bauaufgaben aufzustellen sein.
Infolge der geringen Stärke der deutschen Belegschaft der einzelnen Firmen werden viele selbständige Züge aufgestellt werden müssen, da ihre Zusammenführung zu einer Kompanie im Ernstfalle nicht sichergestellt ist.
Die Einführung des Front-OT-Tarifs ist erwünscht, jedoch ist noch keine entsprechende Anordnung dem Einsatz Dänemark zugegangen.
Der Front-OT-Vertrag sollte möglichst bald den Firmen zur Kenntnis gebracht werden, damit er bei Inkrafttreten sofort reibungslos durchgeführt werden kann.
Im übrigen wird dieser vom Einsatz Dänemark daraufhin zu überprüfen sein, ob er für die dänischen Verhältnisse ohne weiteres übernommen werden kann oder ob eine entsprechende Abwandlung notwendig ist.

4.) OT-Vertrag Einsatz Dänemark:
Es wird ausdrücklich zur allgemeinen Verwunderung festgestellt, daß weder die in Dänemark eingesetzten deutschen Unternehmer noch die Verbindungsstelle der deutschen Bauwirtschaft als Vertreter der Arbeitsgemeinschaft Bau zu dem OT-Vertrag Einsatz Dänemark gehört wurden, obwohl bei der Aufstellung der Vorarbeiten (einheitliche Tarifbestimmungen für das Baugewerbe in Dänemark und Richtlinien für Akkordsätze im Sinne der Bauleistungswerte) die Verbindungsstelle sowie maßgebliche Vertreter der Bauwirtschaft in Dänemark ausschlaggebend beteiligt waren.
Es wird weiter festgestellt und von den zuständigen Sachbearbeitern des Einsatzes Dänemark selbst zugegeben, daß der Vertag in der vorliegenden Form nicht durchführbar ist, sondern verschiedene Berichtigungen und Abänderungen notwendig sind, die von zwei hierfür bestimmten erfahrenen Firmenvertretern zusammen mit dem Sachbearbeiter des Einsatzes Dänemark festgelegt werden sollen.
Der Neue Vertragsentwurf wird der Einsatzgruppe Wiking zur Genehmigung vorgelegt, wenn irgend möglich durch den Sachbearbeiter der Einsatzgruppe persönlich.

[…]⁸⁶

15.) Geräteumsetzungen:
Sind Umsetzungen von firmeneigenen Geräten zu anderen Firmen notwendig, so ist auf alle Fälle der Mietvertrag zwischen den beiden Firmen abzuschließen und nicht zwischen der abzugebenden Firma und der OT.

Handelt es sich um Großgeräte, wie Bagger, Loks, rollendes Material in größerem Umfange usw., so ist, wenn irgend möglich, die Umsetzung dieser samt zugehörigem eingelernten Bedienungspersonal und evtl. ein Einsatzbeteiligungsvertrag zu veranlassen.

16.) Transportkorps Speer:
Um eine reibungslose Durchführung der Bauarbeiten, die zu einem wesentlichen Teil von der Gestellung der notwendigen Fahrzeuge abhängt, zu gewährleisten, ist es erforderlich, daß die Unternehmer überall dort, wo das Transportkorps Speer nicht in der Lage ist, die notwendige Anzahl von Fahrzeugen für den Transport bereitzustellen, zur Selbstanmietung und Eigenabrechnung von Fahrzeugen übergehen können. Dabei muß jedoch vermieden werden, daß Fahrzeuge, die bereits von deutschen Dienststellen angemietet sind, abgeworben werden. Es wird besonders darauf hingewiesen, daß bei der Anmietung von Fahrzeugen durch die Unternehmer selbst unter allen Umständen die tarifmäßige Abrechnung der Transporte auf Grund des vorliegenden Einheitsmietvertrages gewährleistet sein muß. Bei der Anmietung von Fahrzeugen durch den Unternehmer wären die erforderlichen Geldmittel direkt durch die OT zuzuteilen.

Diese Maßnahme ist notwendig, da auf Grund der innerpolitischen Verhältnisse in Dänemark das Transportkorps Speer nicht in der Lage ist, die uns zur Verfügung stehende Kapazität an Fahrzeugen im dänischen Raum restlos zu erfassen und es ein Teil der dänischen Unternehmer aus politischen Gründen ablehnt, mit dem Transportkorps Speer Mietverträge abzuschließen.

17.) Leistungssteigerung:
a.) Die allgemeine Anordnung des OT-Einsatzleiters Dänemark, wonach sämtliche deutschen Gefolgschaftsmitglieder der Unternehmer in Truppenverpflegung zu nehmen sind, hat zu unhaltbaren Zuständen geführt. Es ist auf die Dauer nicht tragbar, daß unsere besten deutschen Arbeits- und Führungskräfte, die oft bis zu 14 bis 16 Stunden täglich arbeiten müssen, zusehen, wie dänische Arbeiter nicht nur einen höheren Verdienst einstecken, sondern darüber hinaus eine durchaus friedensmäßige dänische Verpflegung zu sich nehmen können. Um unsere deutschen Arbeitskräften willig und freudig bei der Arbeit zu halten und um sie nach wie vor restlos ausnutzen zu können, ist es dringend erforderlich, daß diesem Zustand dadurch abgeholfen wird, daß anstelle der Truppenverpflegung die Unternehmer- bzw. Selbstverpflegung angeordnet wird. Es wird vorgeschlagen, daß überall dort, wo nicht mindestens 50 Gefolgschaftsmitglieder gemeinsam verpflegt werden können, Unternehmerverpfle-

---

86 Udeladt er afsnittene: 5.) Angestellten-Tarif, 6.) Preiskontrolle Willumsen, 7.) Steuer in Dänemark, 8.) Devisenvorschüsse, 9.) Einstufen von Firmenpersonal, 10.) Kriegsauszeichnungen, 11.) Einberufung zur Wehrmacht, 12.) Kriegsschäden, 13.) Geräte-Rückführung, 14.) Unterkunftsgelder.

gung eingeführt wird und dort, wo überwiegend Bauaufsicht und Dienstreisen dies erfordern, zur Selbstverpflegung übergegangen wird. Diese Regelung entspricht im übrigen der in Dänemark bei der Wehrmacht vorhandenen Durchführung.

b.) Um unsere deutschen Fachkräfte bei ihrem Arbeitswillen und ihrer Arbeitsfreudigkeit zu halten und die bisherigen Leistungen nicht nur zu erhalten, sondern noch weiterhin zu steigern, ist es dringend notwendig, daß die auf der Baustelle von ihnen erzielten Akkordüberschüsse bis zu 70 oder 80 % in Landeswährung ausbezahlt werden.

159. Georg Lindemann an Werner Best 21. März 1945

Lindemann ønskede, at Best beslaglagde færgen "Odin" for at den ikke skulle sejle til Sverige. Den skulle i stedet bruges til transport af sårede.

Det er uvist, om beslaglæggelsen blev foretaget, men baggrunden for anmodningen var, ud over behovet, at færgens kaptajn havde forsøgt at sejle den til Sverige, men var blevet forhindret deri af det tyske vagtmandskab ombord (*Information* 24. marts 1945).

Kilde: KTB/WB Dänemark 21. marts 1945.

W. Bef. Dän. bittet den Reichsbevollmächtigten um die Beschlagnahme des Fährschiffs "Odin", weil die Gefahr der Abwanderung dieser Fähre nach Schweden besteht. Einsatz der Fähre zum Verwundetentransport von Korsör nach Nyborg.
[...]

160. Georg Lindemann an Hans-Heinrich Wurmbach 22. März 1945

Lindemann meddelte Wurmbach, at han indtog det standpunkt, at han var øverstbefalende for alle tyske militære enheder i Danmark, også Kriegsmarine og når det gjaldt at fastsætte tidsterminer.

Kilde: KTB/WB Dänemark 22. marts 1945.

Der OB besteht in einem Ferngespräch an Admiral Skagerrak auf dem Standpunkt, daß es sein Recht sei, als verantwortlicher Oberbefehlshaber im dän. Raum auch der Marine Weisungen einschl. Terminsetzung zu erteilen.
[...]

161. WB Dänemark: Tagesmeldung 22. März 1945

Lindemann gav OKW/WFSt meddelelse om, at Gestapos hovedkvarter i København var blevet bombet, tillige med en status over flygtningesituationen (om angrebet på Shellhuset, ødelæggelserne og tabene henvises til *Politische Informationen* 1. april 1945 og Skov Kristensen et al. 1988, s. 472-477 og Mahler Sasbye 1994).

Kilde: KTB/WB Dänemark 22. marts 1945.

[...]
Tagesmeldung:
Tieffliegerangriff von 8 Maschinen auf Gebäude des BdS in Kopenhagen. Etwa 80 Sprengbomben. Bisher gemeldete Verluste:

Deutsche: 31   Tote,
             66   Verwundete.
Dänen: 117   Tote (davon 82 Kinder),
            304   Verwundete,
       über 1.000   Obdachlose.

10 Eisenbahnsabotagen, davon 1 auf Hauptstrecke. 5 weitere Anschläge, Wehrmachtinteressen betroffen.

In letzter Zeit verschiedentliche Anschläge und Einschüchterungsversuche gegen dän. Unternehmer und Arbeiter in deutschen Diensten.

Meldung über Flüchtlinge:	(Stand 21.3.45)
Flüchtlinge insgesamt	59.200
auf Jütland	48.400
(davon bei Volksdeutschen)	8.000
auf Fünen	2.100
auf Seeland (ohne Kopenh.)	–
in Kopenhagen	4.700
noch nicht ausgeladen	4.000

Meldung über Verwundete:	(Stand 21.4.45)
In Kopenhagen gelandet	29.568
nach Deutschland weitergeleitet	19.553
in anderen Laz. Dänemarks	3.233
in Kopenhagen verblieben	6.882

[…]

162. Wilhelm Keitel: Einsatz von Frauen und Mädchen in der Wehrmacht 23. März 1945

På grund af den ændrede krigssituation havde Hitler besluttet, at kvinder og piger kunne finde anvendelse i værnemagten, og der blev udstukket nærmere anvisninger for denne anvendelse og dens begrænsninger.
    Hermed var der åbnet for et ønske, som også havde været fremført fra tyske tjenestesteder i Danmark, se resultatet af rigsinspektionen i Danmark 4. februar og Günther Toepkes referat 7. marts 1945. Da åbningen kom på et så fremskredent tidspunkt af krigen, fik den ingen praktisk betydning i Danmark, især da det ikke kom til en slutkamp.
    Kilde: BArch, Freiburg, RH 2/921b.

Anlage zu OKH/GenStdH/Org. Abt.
Nr. II/71773/45 geh. vom 20.4.45   Abschrift!

Der Chef des Oberkommandos der Wehrmacht   *F.H.Qu., den 23.3.45*
Nr. 1350/45 geh. WFSt/Org (II) (1) – AWA –

Betr.: Einsatz von Frauen und Mädchen in der Wehrmacht.

Der Führer hat auf Grund der veränderten Kriegslage über den Einsatz und die Verwendung von Frauen und Mädchen in der Wehrmacht entschieden:
1.) Oberster Grundsatz bleibt für den Soldaten, den Schutz der deutschen Frau, soweit es nur irgend möglich ist, sicherzustellen.
2.) Einsatz außerhalb des Territorialbefehlsbereiches der Heeresgruppen bzw. OB West und Wehr. Befh.: *unbeschränkt*.
3.) Einsatz innerhalb des Territorialbefehlsbereiches der Heeresgruppen, OB West und W. Befh. wie folgt:
    a.) *verboten* im Gefechtsgebiet vorwärts der Korpsgefechtsstände, im Osten und Südosten vorwärts der AOK.
    b.) *unbeschränkt* im sonstigen rückwärtigen Bereich – ausgenommen bandenverseuchte Gebiete –; hier nur dort, wo zum Schutz der Frauen und Mädchen ständig ausreichende männliche Kräfte an Ort und Stelle sind.
Entscheidungen treffen im einzelnen die Oberbefehlshaber der Heeresgruppen zugleich für die in ihrem Bereich eingesetzten anderen Wehrmachtteile im Benehmen mit diesen.
4.) Rechtzeitige Rückführung bei drohenden Kampfhandlungen, zuerst für alle nicht unbedingt zur Aufrechterhaltung der Einsatzbereitschaft erforderlichen Frauen und Mädchen, demnächst Ablösung auch dieser durch Soldaten, ist durch die Oberbefehlshaber der Heeresgruppen, Wehrmachtbefehlshaber bzw. Bevollmächtigten Generale weitgehend sicherzustellen.
5.) Zur Bedienung von Feuerwaffen zum Kampf dürfen Frauen und Mädchen im Allgemeinen nicht herangezogen werden (Ausnahme: Die vom Führer genehmigten Flakbatterien, ferner zum *freiwilligen* Einsatz ausdrücklich sich Anbietende.

   Ausstattung mit Handfeuerwaffen für den persönlichen Schutz, soweit *im Einzelfall* erforderlich, auch mit Panzerfaust pp. ist zulässig.

   Soweit Frauen und Mädchen im Heimatkriegsgebiet zum Wachdienst eingesetzt sind, wird Ausstattung mit Handfeuerwaffen genehmigt.
6.) Außerhalb des Heimatkriegsgebietes dürfen nur Frauen und Mädchen über 21 Jahre Verwendung finden.
7.) Für weibliche Hilfskräfte, die nicht am Kampfe teilnehmen, ist es hinsichtlich ihrer Behandlung als Kriegsgefangene ohne Bedeutung, ob sie uniformiert sind oder nicht. Auf alle Fälle ist ein gültiger Personalausweis einer militärischen Dienststelle mit sich zu führen, aus dem die Zugehörigkeit zur Deutschen Wehrmacht hervorgeht.

   Weibliche Hilfskräfte, die Kampfbefehle übermitteln oder Waffen und Geräte bei der Truppen bedienen (z.B. Nachrichtenhelferinnen, Helferinnen im Flakeinsatz usw.) nehmen damit an Kampf teil und sind als Kombattanten zu betrachten. Sofern sie ausnahmsweise nicht uniformiert sind, sind sie mit der gelben Armbinde mit der Aufschrift "Deutsche Wehrmacht" und mit dem Kombattantenausweis auszustatten.

   Verboten ist für alle nicht zum Personal der freiwilligen Krankenpflege gehörigen und nicht mit dem hierfür gültigen Ausweis versehenen Personen die Anlegung der Roten-Kreuz-Armbinde.

8.) Über Verhalten im Falle einer Gefangennahme sind die weiblichen Kräfte in gleicher Weise wie Wehrmachtangehörige regelmäßig zu belehren (vgl. die einschlägigen Bestimmungen der Jahresverfügung über Abwehr von Spionage, Sabotage und Zersetzung in der Wehrmacht (Tr. Abw.).
9.) Erforderliche Ausführungsbestimmungen sind durch die Oberkommandos der Wehrmachtteile zu erlassen.
10.) Mit Herausgabe dieses Befehls werden nachfolgende Verfügung ungültig:
OKW/WFSt/Org (III)-AWA Nr. [?]280/43 geh. vom 4.8.43
OKW/WFST/Org (III) Nr. 5039/44 geh. vom 18.8.44,
OKW/WFSt/Qu 2 Nr. 09660/44 geh. vom 27.11.44
OKW/AWA/Ag. WV 2 (III) Nr. 16/44 geh. vom 5.9.44
In Kraft bleibt Verfügung:
OKW/AWA/Ag. Wv (IV) Nr. 2680/42 vom 22.6.42.
gez. **Keitel**

163. Rudolf Stehr an das Volksgruppenamt 23. März 1945

Stehr orienterede om Lebensborns inddragelse i løsningen af flygtningearbejdet. De fleste af Lebensborns institutioner og erhvervelser blev helt eller delvis stillet til rådighed for tyske flygtninge. Den rigsbefuldmægtigedes Außenstelle i Åbenrå blev orienteret, og herfra gik informationerne videre til Dagmarhus.

Kvantitativt var Lebensborns bidrag til løsning af flygtningeproblemet uden betydning. Til gengæld giver brevet indblik i de Lebensborn-aktiviteter, som med meget stor forsinkelse var kommet i gang i Danmark. SS-Sturmbannführer Willy Ziesmer var leder af Lebensborns aktiviteter i Danmark og havde sæde i København.[87]

Kilde: LAÅ, Det tyske Mindretals arkiv, pk. 616.

Kontor der deutschen Volksgruppe *Köbenhavn Ö, den 23. März 1945*
beim Staatsministerium

Vorgang: P.II. 20/43-St/B.

An das Volksgruppenamt
    Apenrade
    Schiffbrückstr. 7

Betrifft: Einschaltung der Lebensbornarbeit in das Flüchtlingshilfswerk.
In der obigen Angelegenheit fand heute mit dem Sturmbannführer Ziesmer eine Besprechung statt, aus der folgende Punkte herausgehoben werden können:
1.) Sturmbannführer Ziesmer ist bereit, die vom Lebensbornheim zu schaffenden Einrichtungen – soweit sie nicht für die Lebensbornszwecke unmittelbar benötigt werden, für das Flüchtlingshilfswerk zur Verfügung zu stellen.

---

87 Ziesmer synes at have haft en forgænger, idet Best 19. juni 1944 havde besøg af SS-Sturmbannführer Siem, der ifølge Bests efterkrigsforklaring var blevet tildelt Pancke som leder af Rasse- und Siedlungsamt i Danmark med det formål at skabe retningslinjer for støtte til danske frivilliges hustruer og børn, samt støtte til illegitime danske børn af tyske soldater (Bests kalenderoptegnelser anf. dato, Bests forklaring 31. august 1945 (HSB, CI Preliminary Interrogation Report CI-PIR 115, 14. maj 1946).

2.) Die Entbindungsstation Lügumkloster hat nur beschränkte Plätze. Immerhin können dort 7 Mütter mit Kind Aufnahme finden. Die Entbindungsstation selbst ist im Hotel Royal untergebracht.[88] Zur Entbindung selbst kommen die Frauen jedoch ins Krankenhaus. Das ist durch eine persönliche Verhandlung des Sturmbannführers Ziesmer mit dem Bürgermeister von Lügumkloster sichergestellt.

3.) Die Errichtung des Kinderheimes Hohenwarte ist im Gange.[89] Fassungsvermögen 40 Kinder. Davon können voraussichtlich nach Fertigstellung des Heimes erstmal 20 Plätze für das Flüchtlingswerk zur Verfügung gestellt werden. Auf Hohenwarte wird außerdem auch eine kleine Entbindungsstation eingerichtet.

Die erforderlichen Betten scheinen inzwischen beschafft worden zu sein. Die notwendigen Reparaturarbeiten sind im Gange. Wenn das erforderliche Leinen beschafft werden kann, hofft Ziesmer kurz nach Ostern Hohenwarte in Betrieb nehmen zu können. Für die Verarbeitung des Leinens hat er zum Teil selbst schwangere Frauen zu Verfügung.

4.) Sturmbannführer Ziesmer ist mit dem Lebensbornchefartzt für Norwegen und Dänemark, der seinen Sitz in Oslo hat, dem Oberstabsarzt Dr. Fritze, bei dem Arzt Christiansen in Lögumkloster gewesen. Oberstabsarzt Dr. Fritze hat erklärt, daß es ärztlich verantwortlich sie, Christiansen mit den vorliegenden Aufgaben zu betreuen.

5.) Außer den Heimen in Nordschleswig ist in der Zwischenzeit auch auf Möen ein Heim errichtet worden.[90] Ferner ist die Errichtung eines Durchgangsheimes in Kopenhagen in Bearbeitung.[91] In diesen beiden Heimen ist die Volksgruppe aber nicht unmittelbar interessiert.

6.) Ich habe Sturmbannführer Ziesmer aufgefordert, bei seiner nächsten Anwesenheit in Nordschleswig die Leiterin der Frauenschaft der Volksgruppe aufzusuchen. Außerdem wäre es zweckmäßig, ihn mit Dr. Meyer als dem Leiter unseres Gesundheitsamtes in Verbindung zu bringen. Diese Anregung kann ihm von Apenrade aus bei seinem nächsten Besuch dort gegeben werden.

7.) Wegen der Sonderburger Leinenlagers erfolgt gesonderter Bericht.[92]

Heil Hitler
Stehr

[med håndskrift:] Bitte Dr. Haensch informieren

---

88 Se *Politische Informationen* 1. april 1945.
89 Se *Politische Informationen* 1. april 1945.
90 Nærmere oplysninger herom foreligger ikke.
91 Der blev oprettet en Lebensborn-institution i København i besættelsens allersidste dage (Warring 1994, s. 154).
92 Denne indberetning er ikke lokaliseret, men Stehr skrev samme dag om køb af lagenlageret til Liefergemeinschaft der DBN i Sønderborg. Heraf fremgik det, at Pancke i januar havde villet købe lageret til brug for Lebensborn, men af danske myndigheder var blevet bedt om at nøjes med 2/3 af lagret. Købet var endnu ikke effektueret, men Stehr havde lavet den aftale med Panckes repræsentant, Sturmbannführer Ziesmer, at Lebensborn skulle overtage den aftalte del af lageret, hvorefter det også kunne komme flygtningearbejdet til gode. Haensch havde 4. marts gjort Best opmærksom på, at Pancke havde opkøbt lageret til brug for Lebensborn og ville have Best til at formå Pancke til at overlade lagenlageret til flygtningearbejdet. Best synes ikke at have fulgt dette forslag op (begge breve i LAÅ, Det tyske Mindretals arkiv, pk. 616).

164. Wilhelm Keitel an WB Dänemark 24. März 1945

Som svar på en henvendelse fra WB Dänemark gjorde Keitel det klart, at den regelmæssige udskiftning af det tyske personale i de besatte lande ikke kun gjaldt hæren, men også de andre værn. Endvidere havde han opfordret rigsminister Speer og RVM til at træffe lignende forholdsregler for OT og den tyske rigsbane.

Se Keitel til Albert Speer samme dag.
Kilde: BArch, Freiburg, RW 4/754.

WFSt/Qu. 2 (II)   24. März 1945

SSD – Fernschreiben

An Wehrmachtbefehlshaber Dänemark

Bezug: Dort. FS Nr. 813 v. 28.2.45[93]
Mein Befehl vom 28.11.44 (WFSt/Qu. 2 Nr. 08179/44 geh)[94] über den regelmäßigen personellen Austausch des in den besetzten Gebieten tätigen Personals bezieht sich nicht nur aus das Heer, sondern in gleicher Weise auf Kriegsmarine, Luftwaffe und Wehrmachtgefolge und hat auch heute noch volle Gültigkeit.

Ich habe den Reichsminister für Rüstung und Kriegsproduktion und den Reichsverkehrsminister aufgefordert, bei der OT und Reichsbahn ähnliche Maßnahmen zu treffen.

Der Chef OKW
Keitel
OKW/WFSt/Qu. 2 (II)/Nr. 395/45

165. Wilhelm Keitel an Albert Speer 24. März 1945

Keitel opfordrede Speer til at følge de regler for regelmæssig udskiftning af personale i OT Sydnorge og Danmark, som allerede var gældende for værnemagtspersonale. Keitel havde på lignende vis henvendt sig til statssekretær Ganzenmüller for rigsembedsmændenes vedkommende.

Forud for indførelsen af højst 12 måneders tjeneste for tysk personel i Danmark havde den højeste tjenestetid været 2 år (Kienitz/Drostrup 2001, s. 45).
Kilde: BArch, Freiburg, RW 4/754. RA, Danica 1069, sp. 1, nr. 00394.

Der Chef   *F.H. Qu., den 24.3.45.*
des Oberkommandos der Wehrmacht
WFSt/Qu 2 (II) Nr. 195/45

An das Reichsministerium für Rüstungs- u. Kriegsproduktion
    Herrn Albert Speer

Lieber Reichsminister Speer!
Im Zuge der Maßnahmen zur Ausrottung von Etappenerscheinungen habe ich Ende November 1944[95] für die besetzten Gebiete einen Regelmäßigen personellen Wechsel

---

93 Trykt ovenfor.
94 Trykt ovenfor.
95 Se Keitel til WB Dänemark og andre 28. november 1944.

befohlen und insbesondere angeordnet, daß in Süd-Norwegen und Dänemark alle über 12 Monate in der Verwaltung eingesetzten Offiziere und Beamte bis spätesten zum 1.4.45 auszutauschen sind. Der Wehrmachtsbefehlshaber Dänemark hat eine entsprechende Bestimmung für Unteroffiziere und Mannschaften erlassen.

Aus Gründen des einheitlichen Auftretens dem Ausland gegenüber halte ich es für erforderlich, daß auch die OT einen den für Soldaten geltenden Bestimmungen angepaßten personellen Austausch vornimmt und bitte Sie, das Notwendige zu veranlassen.

Mit einer entsprechenden Anregung für den Austausch des Reichsbehördenpersonals habe ich mich an Staatssekretär Dr. Ganzenmüller gewandt.

Heil Hitler!
Ihr
K

166. Rudolf Stehr an Werner Best 24. März 1945

Stehr meddelte, at Den danske Lægeforening ikke ville behandle tyske flygtninge mere efter 25. marts.[96] Det tyske mindretals læger havde ikke noget imod at fortsætte behandlingen, og Stehr gjorde opmærksom på, at de danske læger i Nordslesvig heller ikke havde haft noget imod det. Endelig var der en lang række detailspørgsmål vedrørende lægebehandling til beslutning hos den rigsbefuldmægtigede.

Se endvidere Haensch til Werner Best 4. april 1945.

Kilde: LAÅ, Det tyske Mindretals arkiv, pk. 616.

Kontor der Deutschen Volksgruppe   *24. März 1945*
beim Staatsministerium
P.II. 47/45 – St/B.

An den Herrn Reichsbevollmächtigten in Dänemark
    SS-Obergruppenführer Dr. Best
    Kopenhagen V
    Dagmarhaus

Betrifft: Ärztliche Betreuung der Flüchtlinge.

Anliegend wird Abschrift einer Weisung des dänischen Ärztevereins, die von dem Vorsitzenden des "Sönderjydsk Lägekredsforening" den Ärzten in Nordschleswig am 16. März 1945 zugestellt worden ist, mit der Bitte um Kenntnisnahme übersandt. Im Namen der volksdeutschen Ärzte hat der Leiter des Gesundheitsamtes der Volksgruppe, Dr. Meyer, am 20. März 1945 wie aus der Anlage 2) ersichtlich geantwortet und dabei zum Ausdruck gebracht, daß die volksdeutschen Ärzte auch in Zukunft ohne irgendwelche Bedingungen die erforderliche ärztliche Hilfe leisten würden. Außerdem wird darauf hingewiesen, daß in den Satzungen des dänischen Ärztevereins keine Bestimmungen enthalten sind, die diesem Entschluß entgegenständen.

Dabei kann in dieser Verbindung darauf hingewiesen werden, daß die dänischen

---

96 Der blev 4. april udsendt en skrivelse herom til samtlige danske læger. Se gengivelsen i *Daglige Beretninger*, 1946, s. 779f.

Ärzte in Nordschleswig bisher überall mitgearbeitet haben und daß hierzu an sich auch heute noch eine Bereitschaft vorhanden sein dürfte.

Für die ärztliche Betreuung werden im übrigen von dem Volksgruppenamt in Verbindung mit dem Gesundheitsamt folgende Vorschläge gemacht bezw. folgende Fragen gestellt:

1.) Ärztegebühren. Es wird vorgeschlagen, daß für die Behandlung der Flüchtlinge von allen Ärzten ein Satz in Anwendung gebracht wird, der 20 % unter der tarifmäßigen Gebühr liegt. Dieser Punkt müßte mit "den almindelige danske Lägeforening" abgesprochen werden.

2.) Krankenschein. Jeder Flüchtling muß, bevor er einen Arzt aufsucht, sich bei den Kreiskontoren (Apenrade, Sonderburg, Hadersleben, Tonder, Tingleff) einen Krankenschein zum Preise von 0,25 Kr. oder 0,50 Kr. aushändigen lassen. Erst aufgrund dieses Scheines kann er den Arzt besuchen. Dadurch soll eine unnötige Inanspruchnahme der Ärzte verhindert werden.

3.) Behandlung durch Spezialärzte darf nur aufgrund einer Überweisung durch einen praktischen Arzt erfolgen.

4.) Medizinersparnis. Durch Rundschreiben gegebenenfalls von "den almindelige danske Lägeforening" müßte auf die Notwendigkeit hingewiesen werden, bei der Verordnung von Medizin sparsam vorzugehen.

5.) Steht das Seruminstitut für die Untersuchung von Flüchtlingen zur Verfügung?

6.) Wie weit darf eine Behandlung der Flüchtlinge durch Bäder, Bestrahlung und Bandagen erfolgen?

7.) Wie weit kann in der Zahnbehandlung und mit der Verschreibung von Brillen gegangen werden?

8.) Sind Geschlechtskranke durch die Amtsärzte zu behandeln?

9.) Stehen für behandlungsbedürftige Tuberkulosekranke gegebenenfalls die dänischen Sanatorien zur Verfügung?

10.) Wie kann eine ambulante Röntgenbehandlung durchgeführt werden?

11.) Es wird vorgeschlagen für den Krankentransport einen Vertrag mit der Rettungsgesellschaft Falck abzuschließen. Sollte eine solcher Vertrag für das gesamte Land nicht als zweckmäßig angesehen werden, könnte er vielleicht für das Gebiet Nordschleswig, in dem die ganzen Privatquartiere liegen, in Frage kommen.

Heil Hitler!

2 Anlagen.[97]
Durchschlag an
1.) den Reichsbevollmächtigten in Dänemark, Flüchtlingszentralstellen,
2.) den Reichsbevollmächtigten in Dänemark, z.Hd. v. Dr. Klein,
3.) das Volksgruppenamt, Apenrade,
4.) das Gesundheitsamt, Hadersleben,
zur Kenntnisnahme.

Heil Hitler!
Stehr

---

97 Bilagene er ikke medtaget.

167. Kriegstagebuch/WB Dänemark 24. März 1945
WFSt beordrede øjeblikkeligt, at den 166. infanteridivision skulle rejse af med materiel og stilles til rådighed for øverstbefalende Vest. Uddannelsesenheder og rekrutter med under 6 ugers uddannelse skulle blive tilbage. WB Dänemark bad om, at det til Fyn forlagte estiske SS-regiment på grund af upålidelighed blev ført tilbage til Tyskland. WB Dänemark var ikke i stand til at overtage omkostningerne til Hipo, i stedet skulle der rettes henvendelse til OKW.

Dagen efter blev der truffet forberedelser til den 166. infanteridivisions afrejse med tog, hvilket skete 26. og 27. marts. Den 27. marts fik WB Dänemark tilladelse til at sende det estiske SS-regiment til Tyskland (KTB anf. datoer).

Kilde: KTB/WB Dänemark 24. marts 1945.

OKW/WFSt hat sofortigen Abtransport der 166. Inf. Div. in ihrem derzeitigen personellen und materiellen Zustand in den Bereich Ob West befohlen. Ausbildungseinheiten bleiben zurück. Rekruten unter 6 Wochen Ausbildung werden nicht mitgeführt.
[...]
Ob bittet WFSt, daß das nach Fünen verlegte estnische Gren. E.- u. A. Rgt. 20 wegen unzuverzulässigkeit wieder nach Deutschland zurückverlegt wird.
[...]
Ob ist nicht in der Lage, die Kosten für die dänische Hilfspolizei auf allgemeine Besatzungskosten zu übernehmen. Es wird anheimgestellt, einen entsprechenden Antrag an das Oberkommando der Wehrmacht zu richten.
[...]

168. Kriegstagebuch/Seekriegsleitung 24. März 1945
Den af Hitler 19. marts 1945 udsendte ødelæggelsesordre blev drøftet mellem Hitler og OKM 23. marts, og herefter skulle følgende retningslinjer følges: For havne uden for Tyskland (Holland, Danmark, Kurland, Middelhavet, Norge) var der ikke tale om nogen indskrænkninger i forberedelser eller omfang af ødelæggelsesforanstaltningerne. Havne truet af fjendtlig besættelse skulle ødelægges. Anderledes var det i Østersørummet, hvor der kunne ses bort fra ødelæggelser pga. det ringe sovjetiske søkrigspotentiale.

Den 13. april fremkom Seekriegsleitung med en redegørelse for erfaringerne med de allieredes håndtering af erobrede ødelagte havne. Det viste sig, at selv omfattende ødelæggelser af havnene ikke hindrede fjenden i på kort tid at benytte dem. Derfor foreslog Seekriegsleitung, at havnene blev effektivt spærret i stedet for ødelagt, da det kunne udsætte fjendens anvendelse af dem længere end kajsprængninger. Noget svar på forslaget er ikke lokaliseret (KTB/Skl 13. april 1945).

Kilde: KTB/Skl 24. marts 1945, s. 347f.

Allgemeines:
[...]
b.) Gemäß Niederschrift über Führerbesprechung am 23.3. hat der Führer dem Ob.d.M. die Entscheidung über Zerstörung und Lähmung von Seehäfen und Schiffswerften übertragen.

Ob.d.M. hat Ausgabe grundsätzlichen Befehls, der umgehendst von Skl vorzulegen ist, nach folgenden Richtlinien befohlen:
[...]
7.) Für Häfen außerhalb des Reichsgebietes (Holland, Dänemark, Kurland, Mittelmeer,

Norwegen) gelten bezüglich Vorbereitung und Umfang Zerstörungsmaßnahmen keinerlei einschränkende Bestimmungen. Häfen sind bei drohender Feindbesetzung nachhaltigst zu zerstören.

Als Richtlinie bei Entscheidung über Art und Umfang Zerstörung bzw. Verblokkungsmaßnahmen gilt den zu erwartende Nutzen, den Gegner aus Hafen ziehen kann. Im Westraum bringt jede Benutzung eines Hafens durch Westgegner größten Nachteil für eigene Kriegsführung, so daß nachhaltigste Zerstörung erforderlich. Im Ostraum ist Ausnutzungsmöglichkeit wegen geringen Seekriegspotentials des Russen geringer, so daß von nachhaltigster Zerstörung abgesehen werden kann.
[…]

169. WB Dänemark an OKW/WFSt 25. März 1945

Lindemann havde 23. februar 1945 bedt om, at ordren om at man kun kunne gøre tjeneste to år i Danmark blev fulgt af alle værn. Nu fandt han sig foranlediget til at anmode om, at også Kriegsmarine fulgte ordren.
Kilde: KTB/WB Dänemark 25. marts 1945.

[…]
OKW/WFSt wird gebeten, zu veranlassen, daß die wiederholt gegebenen Befehle betr. Personalaustausch nach zweijähriger Dienstleitung in Dänemark auch von der Marine befolgt werden.
[…]

170. OKW/WFSt an WB Dänemark u.a. 26. März 1945

WFSt beordrede med øjeblikkelig virkning, at WB Dänemark afgav hovedparten af 325. og 328. infanteridivision til indsættelse i de truede frontafsnit (Zimmermann 2008, s. 385 med note 531).
Afrejsen blev forberedt 29. marts og skete i de følgende dage, dog forstyrret af jernbanesabotage (RA, KTB/WB Dänemark anf. datoer 1945).
Kilde: BArch, Freiburg, RH 10/116, fol. 3 f.

WFSt/Op.(H)/Nord *F.H.Qu., den 26. März 1945*
  11 Ausfertigungen
  … Ausfertigung

KR-Fernschreiben

an
1.) WB Dänemark
2.) Ob. West
3.) Ob.d.E.
4.) Ob.d.E./AHA/Stab
5.) Gen. Insp. d. Pz. Tr.
6.) Chef Wehrmachttransportwesen, Zeppelin

7.) Chef Wehrmachttransportwesen, Günther
8.) nachr.: Chef Heeresstab
9.) –   Gen.St. d.H./Org
10.) –   Führungsstab Nordküste

1.) Die entscheidungsuchende Offensive der Alliierten im Westen erfordert schnellstmöglichen Einsatz aller verfügbaren Reserven an den bedrohten Frontabschnitten.
2.) WB Dänemark stellt daher unverzüglich aus 325. und 328. Inf. Div. je eine Schatten-Div. auf und führt sie beschleunigt Ob. West zu. Zuführungsraum ist durch Ob. West an WB Dänemark mitzuteilen.
   Gliederung:
   a.) Schatten-Div. der 325. I.D.:
      2 Gren. Rgt. zu je 2 Btl.
      1 Artl. Abt.
      ½ Pg. Jg. Kp.
   b.) Schatten-Div. der 328. I.D.
      2 Gren. Rgt. zu je 2 Btl.
      1 Artl. Abt. (nur 50 % Pferde und Geschirr)
      1 Pz. Jg. Kp.
      1 Pi. Kp.
3.) In Abänderung zu OKW/WFSt/Op.(H)/Nord Nr. 002802/45 g.Kdos. vom 23.3.45 stehen die R.- u. A. Rgtr. der 325. und 328. I.D. zur Aufteilung der Schatten-Div. zur Verfügung.
   Das E- u. A. Rgt. Südjütland ist nicht Wehrkreis X, sondern Ob. West als Schatten-Rgt. im unmittelbaren Einvernehmen zuzuführen.
4.) Transportbereitschaft und erfolgter Abtransport der abzugehenden Verbände sind an WFSt/Op.(H)/Nord zu melden.
5.) Abgabe einer Schatten-Div. aus 233. Pz. Div. ist vorzubereiten. Vorgesehene Gliederung ist zu melden.
6.) WB Dänemark meldet beabsichtige Kräftegliederung im gesamten Bereich nach Abzug der Schatten-Divisionen.

I.A.
gez. **Winter**
OKW/WFSt/Op-(H)/Nord Nr. 002938/45 g.Kdos.

171. Kriegstagebuch/WB Dänemark 27. März 1945

Hitlers ordre af 19. marts om omfattende ødelæggelser i takt med at de tyske tropper trak sig tilbage nåede også WB Dänemark. Lindemann foreslog for Danmarks vedkommende sprængning af vigtige broer og havne, ødelæggelse af forsyningsanlæg og betydende elektricitetsanlæg, sprængning af sendestationen Skamlebæk og i begrænset omfang post- og trafikkontorer. Der var ikke ressourcer til at ødelægge baneanlæg.

Kilde: KTB/WB Dänemark 27. marts 1945.

[...]
Zum Führerbefehl über Zerstörungsmaßnahmen im Reichsgebiet werden dem in Kopenhagen weilenden Ob folgende Vorschläge vorgelegt:
1.) Sprengung wichtiger Brücken und Häfen gem. Kampfanweisung.[98]
2.) Zerstörung wehrmachteigener Versorgungsanlagen und bedeutender elekt. Werke.[99]
3.) Sprengung der Gross-Sendeanlage Skamlebäk (Seeland) und Zerstörung dän. Post- und Verkehrsamter in beschränktem Umfange. Für weitere Zerstörungen reichen Kräfte und Mittel nicht aus (Pioniere). Vor allem können Bahnanlagen nicht berücksichtigt werden.
[...]

172. BdO: Informationsblatt Nr. 45, [27. März 1945]

BdO rapporterede for 27. marts, at hejseværket på Langebro var blevet ødelagt ved sabotage, da en godsvogn med sprængstof blev bragt til eksplosion.

Det var BOPA, der stod for sabotagen, der havde til formål at hindre, at en del af de 15 danske handelsskibe, der var blevet beslaglagt af besættelsesmagten 25. marts, sejlede ud. Fra dansk side forventede man, at de tyske myndigheder ville reagere ved at udsøge sig andre skibe, men det skete ikke. Tværtimod forelå der 3. april underhånden en meddelelse fra venligsindet side om, at der var bestræbelser i gang for at få beslaglæggelsen af de 15 skibe ophævet, hvilket kom frem på et departementschefmøde (RA, BdO Inf. nr. 45, 3. april 1945, tilfælde 4, *Information* 27. marts 1945, KB, Bergstrøms dagbog 27. marts 1945, *Daglige Beretninger*, 1946, s. 769f., Tortzen, 4, 1981-85, s. 258f., Kjeldbæk 1997, s. 403f., 481, RA, UM, 84.A.23, DM, nr. 163, 3. april 1945). Skibene blev givet tilbage, hvilket muligvis skyldtes, at der ikke var ressourcer til at sætte dem i drift (se Maßnahmen ... 10. april 1945).

Kilde: RA, BdO: Informationsblatt Nr. 45, 3. april 1945 (uddrag).

[...]
4.) Am 27.3. gegen 18.10 Uhr Sabotageanschlag gegen Langebrobrücke, die Kopenhagen mit Amager verbindet. Beim Überfahren der Brücke durch einen Güterzug explodierte ein Wagen, der mit Sprengstoff beladen war. Durch die Explosion wurden die Hebewerke der Brücke zerstört und letztere beschädigt. Die Brückenwache der Ordnungspolizei und herbeigeeilte Hilfsmannschaften wurden in ein Feuergefecht mit Saboteuren verwickelt. Durch die Explosion hatte das SS-Polizeibataillon einen Toten, 2 Vermißte und 5 Verletzte. Verluste auf der Gegenseite sind nicht bekannt. 1 verdächtige Person, die im Besitz einer Pistole und 4 verschiedenen Ausweisen war, sowie 4 Angehörige des dän. Eisenbahnpersonals wurden festgenommen.
[...]

---

98 I WB Dänemarks Kampfanweisung var sprængningsmålene i forvejen udpeget. Arbejdet med forberedelsen af sprængningerne var i gang indtil 1. maj 1945, hvor det overalt i Danmark blev indstillet (*Daglige Beretninger*, 1946, s. 840, 865). På hvis foranledning det skete, er uvist, men det var kun Lindemann, der kunne give ordre derom, mens Wurmbach stod for udførelsen inden for sit værn.
99 Her forelå en oversigt udarbejdet af Rü Stab Dänemark (se Forstmann 26. september 1944), mens det var WB Dänemark, der stod for effektueringen.

173. WB Dänemark an OKW/WFSt 28. März 1945

WB Dänemark meddelte, at hoteller, pensioner og lignende, der blev benyttet af værnemagten, som beordret blev overladt til de tyske flygtninge, hvor taktiske grunde eller andre forhold ikke stillede sig i vejen.

Ordren var givet 9. marts, men allerede 28. februar 1945 havde et mødenotat i WFSt (trykt ovenfor) gjort det klart, at de tyske tropper i Danmark om nødvendigt skulle i bivuak for at give de tyske flygtninge tag over hovedet.

Kilde: BArch, Freiburg, RW 4/754.

Durch Kurier Eing. an HGUX am 28.3.45.
+ HXSI/F 436 20/3 (17.00)

An OKW(WFSt/Qu 2 (II)

Betr.: Unterbringung von Flüchtlingen in Dänemark.
Bez.: Dort. FS. v. 9.3.45 Nr. 30/45.[100]

Hotels, Pensionen u. dergl. die von Wehrmacht belegt waren, sind für Flüchtlingsunterbringung freigemacht. Soweit sie nicht entweder aus taktischen Gründen (von OKW befohlene Zusammenfassung in Verteidigungsblocks besetzt bleiben müssen) oder eine feld- oder befehlsmäßige Ersatzunterkunft aus Holzmangel u. Transport-Schwierigkeiten bisher nicht hergestellt werden konnte.

Weitere Freimachung erfolgt laufend.

Wehrm. Befh. Dänm. O. Qu. Nr. 819/45 geh.
Der Chef des Generalstabes,
gez. **Reinhardt**
Gen. Maj.
Für die Richtigkeit gez. von Gärtner Obstlt

174. Georg Lindemann an OKW 29. März 1945

Lindemann bad indtrængende om, at opgaven med at anbringe flygtningene blev overladt til Bests organisation. Desuden at der blev tilført personale til at tage sig af administration og forplejning af flygtningene.

Svaret kendes ikke, men Best fik ikke udvidet sit embedsapparat på den konto, og der kom næppe heller professionelt plejepersonale og læger til i stort omfang. De samtidige anmodninger om tilførsel af de nødvendige ressourcer kan holdes op mod bl.a. erindringerne af Bests repræsentant ved hovedkvarteret i Silkeborg, Wilhelm Casper, der 1994 skrev: "Ich erhielt zur Betreuung der Flüchtlinge im März und April zahlreiche erfahrene Beamte zugewiesen, darunter den Dresdner Oberbürgermeister Dr. Hans Nieland, und zur gesundheitlichen Betreuung der Vertriebenen einen Oberregierungs- und Medizinalrat." (S. 381). Lindemanns indtrængende anmodning skete på baggrund af, at værnemagten i ugevis havde stået over for den umiddelbare opgave at skulle skaffe tag over hovedet til tusinder af flygtninge, og at de lokale kommandanter da på trods af alle regler og bestemmelser fra den rigsbefuldmægtigede bl.a. tvangsmæssigt havde gennemtrumfet *privat* indkvartering. En strøm af klager over dette gik til amtmand Herschend i Silkeborg og fra ham til Lindemanns stab (KB, Herschends dagbog februar og marts 1945).

Kilde: KTB/WB Dänemark 29. marts 1945.

---

100 Fjernskrivermeddelelsen er ikke lokaliseret.

[...]
Es liegt im dringenden militärischen Interesse, daß die Betreuung der Rückgeführten, die z.Zt. völlig in Händen der Wehrmacht liegt, von der Organisation des Reichsbevollmächtigten übernommen wird. Chef OKW wird hierzu gebeten, über oberste Reichsbehörde Zuführung von Verwaltungsbeamten, NSV- und Pflegepersonal zu erwirken.
[...]

175. Georg Lindemann an OKW 30. März 1945
Lindemann anmodede i lighed med Wurmbach om, at der ikke blev taget marinerekrutter bort fra København, da det svækkede byens forsvar.
    Arbejdet med at samle de tyske enheder i kampblokke havde længe været i gang (se KTB/WB Dänemark 6. februar 1945). Lindemann kunne meddele, at alle enheder i København var samlet i forsvarsblokke fordelt tre steder: i bykernen, på havnen og ved Kastrup lufthavn.
    Kilde: KTB/WB Dänemark 30. marts 1945.

[...]
Abzug von Marine-Rekruten aus Kopenhagen schwächt derzeitige Kampkraft. W. Bef. Dän. bittet, daß Marinebesatzung Kopenhagen auf bisheriger Stärke gehalten wird, da sonst die Kräfte zu einer Verteidigung der Stadt nicht ausreichen.
Admiral Skagerrak hat auf seinem Dienstweg entsprechenden Antrag gestellt.
Zur Unterbringung von Dienststellen in Kopenhagen in Kampfblocks meldet W. Bef. Dän.:
1.) Alle militärischen Dienststellen in Kopenhagen sind in Verteidigungsblocks untergebracht. Sie sind bis auf notwendige Ausnahmen (Wachen, Kommandos usw.) innerhalb des zur Verteidigung vorgesehenen Stadtgebietes (Stadtkern – Hafen – Flugplatz Kastrup) zusammengezogen.
2.) Außerhalb der Verteidigungszone liegende Truppenteile werden bei Kampfhandlungen auf den Stadtkern zurückgenommen.
3.) Kriegslazarette verbleiben unter dem Schutz des Genfer Roten Kreuzes außerhalb des Stadtkerns.
4.) Div. Stab 328 verbleibt zur Steuerung des Flüchtlings- und Verwundetenstromes in Kopenhagen. Er verlegt nach Beendigung dieser Aufgaben.
5.) Reichsbevollmächtigter ist gebeten, für den zivilen Sektor entsprechende Weisungen zu erteilen.
[...]

176. Günther Pancke: Agenten-Flugverkehr 31. März 1945

Den værnemagtsøverstbefalende havde udsendt en befaling om, hvordan man skulle forholde sig med alarmering af eftersøgningskommandoer i forbindelse med nedkastningen af fjendtlige agenter. HSSPF lod befalingen gå til sine politistyrker på Sjælland og Fyn.

De meget detaljerede anvisninger blev givet på grundlag af flerårige erfaringer med at eftersøge faldskærmsagenter og nedkastet materiel. Med udsendelsen af ordren i foråret 1945 er det sandsynligt, at man fra tysk side havde iagttaget den stærkt forøgede fjendtlige aktivitet på dette område. Alene i marts var der nedkastet 1340 containere med 141 tons materiel mod 691 containere med 72 tons måneden før (Hæstrup, 2, 1959, s. 155).

Kilde: BArch, R 70 Dänemark 11.

Der Höhere SS-u. Polizeiführer in Dänemark   *Kopenhagen, den 31.3.1945.*
– Ia –   Eilt!
Tgb. Nr. 259/44 (g).   Geheim!

Betrifft: Agenten-Flugverkehr.
Bezug: WB D. – Abt. Ia/Ic – Nr. 65/44 geh. vom 21.2.44.[101]

An 1.) SS- und Pol.-Gebietsführer Seeland
    2.) SS- und Pol.-Gebietsführer Fünen.

Der Wehrmachtbefehlshaber hat zwecks Alarmierung der Jagdkommandos bei feindlichem Fallschirmabwurf oder Absetzung von Agenten den nachfolgenden Befehl herausgegeben, der eingehend zu beachten und nach dem zu verfahren ist. In Zukunft werden bei Alarmierungen nur noch die betreffenden Kennworte durchgegeben:

1.) Alarmierung wegen feindlicher Agenteneinflüge erfolgt durch die Divisionen oder ihnen gleichstehende territoriale Kdo.-Behörden oder nach deren Weisungen durch ihnen unterstellte Dienststellen. Sie beruht in der Regel auf Meldungen des Abwehr-Offz. des Wehrm. Bef. Dän. (Ziff. 2), ausnahmsweise auf Beobachtung der Truppe (Ziffer 3).

2.) Alarmierung auf Grund der Meldung der Abwehrstelle:
a.) Zuständig ist westlich des Großen Belts Abwehr-Offz. des Wehrm. Bef. Dän. in Aarhus, ostwärts des Großen Belts Nebenst. Kopenhagen des Abw.-Offz. des Wehrm. Bef. Dän.
b.) Abw. Offz. Wehr. Bef. Dän. (Nebenstelle AO) erkennt feindliche Agenteneinflüge aus den Beobachtungen des Flugmeldedienstes, sie gibt dessen Meldungen nach Prüfung weiter an
    I.)   die örtlich zuständige Division oder ihnen gleichstehende territoriale Kommandobehörden,
    II.)   an die örtlich zuständige Dienststellen des BdS. Diese benachrichtigt die GFP und stimmt mit ihr die Zusammenarbeit ab.
    III.) Wehrmachtbefehlshaber Dänemark, Ic.

---

101 Skrivelsen er ikke lokaliseret.

Die Divisionen usw. regeln im Einvernehmen mit der örtlich zuständigen Stelle des Abw. Offz. Wehrm. Bef. Dän., in welchem Falle diese die Meldung zunächst unmittelbar an untere Dienststellen (Standortbereichführer, Abschnittskommandeur) leiten sollen.

c.) die Meldung des Abw. Offz. Wehrm. Bef. Dän. gibt an
   I.) Die Lage mit den Stichworten
   Bulldogge erwartet – Abwurf oder Agenten-Absetzung zu erwarten,
   Bulldogge entlaufen – Abwurf oder Absetzen erfolgt.
   II.) Gefährdeter Raum.
   III.) Vermuteter Abwurfplatz.
   IV.) Gegebenenfalls wahrscheinlicher Abtransportweg. Ortsangabe geht offen nach Karte 1:100.000.

3.) Alarmierung auf Grund eigener Beobachtung.
Ist auf Grund von Erdbeobachtung Fallschirmabwurf (Agenten-, Materialabwurf) erkannt, so alarmieren die Divisionen usw. oder die ihnen unterstellten Dienststellen in ihrem Bereich unter sofortiger Meldung an AO (NStAO) wie Ziffer 2.).

Meldet eine Truppe Verdacht auf Agenteneinflug auf Grund von Erdbeobachtung, so ist in jedem Falle erst AO (NStAO) zu weiterer Klärung einzuschalten, bevor Alarmierung erfolgt.

Außer der Beobachtung der feindlichen Flugzeuge können auch sonstige Beobachtungen der Truppe Verdacht auf Agenteneinflug begründen, z.B. Erkennen von Fallschirmen, die im Gelände liegen geblieben sind oder in Bäumen hängen. Auf derartige Anhaltspunkte hat jeder Wehrmachtangehörige im und außer Dienst zu achten.

4.) Aufgabe der Division usw. ist es, innerhalb des gefährdeten Gebietes die Tätigkeit des Abw. Offz. Wehrm. Bef. Dän. und des BdS. Vorzubereiten und zu unterstützen. Abgesetzte Agenten und ihre Helfershelfer sind festzunehmen. Abgeworfenes Material ist zu suchen und bei Auffinden zu Bewachen (vgl. 4 c).

a.) Hierzu ist der gefährdete Raum abzusperren und innerhalb der Sperrlinie zu durchstreifen. Verdächtig ist jeder, von dem nicht völlig einwandfrei feststeht, daß er zu dieser Zeit an diesem Ort lediglich einer erlaubten Tätigkeit nachgeht. (Nicht verdächtig ist z.B. ein nachweislich dort ansässiger Bauer, der zur Versorgung seines Weideviehs unterwegs ist). Die Tatsache, daß der Betr. im Besitz anscheinend einwandfreier Personalpapiere ist, genügt allein nicht. Auch Naturschutzgebiete sind dabei rücksichtslos zu durchstreifen. Sie sind besonders gefährdet. Alle Verdächtigen sind festzunehmen. Verdächtig ist jeder, der nicht mit einem zureichenden Grund rechtfertigen kann, warum er sich in dieser Zeit im gefährdeten Raum aufhält.

b.) Festgenommene sind zu durchsuchen und so zu bewachen, daß Flucht oder Selbstmord ausgeschlossen sind. Vernehmung der Festgenommenen, sowie weitere Festnahme und Haussuchungen auf Grund der Aussagen bereits festgenommener Personen sind ausschließlich Angelegenheit des AO und der Sicherheitspolizei sowie ihrer Beauftragten (GFP). Die Truppe darf nur nach Angaben fragen, die unmittelbar zur wirksamen Durchführung ihres Sperr- und Streifenauftrages erforderlich sind (Angabe von Beteiligten und Material, die sich noch im Gelände befinden, von Verstekken, Abtransportwagen). Jedes Mehr an Fragen kann die Aufklärung der weiteren Zusammenhänge vereiteln.

c.) Abgeworfenes Material ist am Fundort zu belassen und ausreichend zu bewachen; aber nicht zu berühren. Das gilt auch für unterwegs (z.B. bei Verdächtigen oder auf Fahrzeugen) gefundenes Material.

Nichtbefolgung dieses Befehls bedeutet Lebensgefahr; denn nach vorliegenden Erfahrungen ist der Abwurf zuweilen durch verborgene Sprengladungen gegen Aufnahme gesichert. Nur Abwehr-Fachleute können diese erkennen und gefahrlos beseitigen. Die angesetzten Streifen usw. sind hierüber bei jedem Einsatzfall vorher zu belehren.

d.) Festnahmen und Auffinden von Material sind von den Divisionen usw. sofort fernmündlich unter dem Stichwort "Bulldogge eingefangen" an AO (NStAO) zu melden. Hierbei ist anzugeben: Zahl und Art, Ort und Zeit wo gefunden bzw. festgenommen, Ort wo verwahrt. AO (NStAO) benachrichtigt die Dienststelle des BdS und Wehrmachtbefehlshaber Dänemark, Ic. Schriftliche Meldungen sind nachzureichen.

e.) Beendigung der Suche (Sperre und Streife) wird durch die Divisionen usw. oder die von ihnen beauftragten Dienststellen mit Stichwort "Bulldogge beendet" befohlen und an AO (NStAO) sowie Bef. Dän. Ic gemeldet.

Ist die Suche ergebnislos gewesen, so ist trotzdem das Gelände am gleichen und den folgenden (bis zu 3) Tagen durch möglichst unauffällige Streifen unter Beobachtung zu halten, um Saboteure zu ergreifen, wenn sie versuchen, den Abwurf nachträglich aufzunehmen. Erfolgsmeldung unter Stichwort "Bulldogge eingefangen" gemäß Ziff. 4d).

f.) Sind bereits Beauftragte des Abw. Offz. oder des BdS oder der Führer des Pi.-Lehrtrupps D im gefährdeten Raum eingetroffen, so sind für die weitere Durchführung und Beendigung der Streifen und Sperren deren Anordnungen zu befolgen. Ist ihr Eintreffen angekündigt, so ist die Suche nur mit ihrem Einverständnis zu beenden.

g.) Die Divisionen usw. stellen durch Befehl sicher, daß die von ihnen durchzuführenden Maßnahmen nach Eintreffen der Alarmmeldung in kürzester Zeit durchgeführt werden.

5.) Aufgabe des AO (NStAO) und der Dienststellen des BdS ist die abwehrmäßige und sicherheitspolizeiliche Verfolgung der Agenten-Flüge. Sie haben die weiteren Zusammenhänge, insbesondere die Aufgabe der Agenten sowie die zu ihnen gehörenden Bodenorganisationen zu ermitteln. Sämtliche Wehrmachtdienststellen haben sie darin zu unterstützen. Ihre Beauftragten werden häufig in bürgerlicher Kleidung im gefährdeten Gebiet eintreffen. Sie weisen sich dann durch Dienstausweis und Kennwort aus.

6.) Einsatz der eigenen Luftwaffe: Agenten-Flugzeuge werden zuweilen durch Lichtzeichen vom Boden her geleitet. Eigene Flugzeuge werden die Erd-Truppen durch Schießen mit Leuchtmunition auf diese Lichtquellen, gegebenenfalls auch auf andere Ziele hinweisen. Hierzu erläßt General der Luftwaffe erforderlichenfalls ergänzende Anordnungen im gleichen Verteiler.

7.) Alle Gespräche mit Kennwort "Bulldogge" sind Notgespräche und werden wie Ausnahmegespräche behandelt.

8.) Der Befehl Bef. Dän. Ia Nr. 160/43 geh. v. 22.1.43 tritt insoweit außer Kraft, als er sich auf den Agenten-Flugverkehr bezieht.

Der Höhere SS- und Pol.-Führer:
I.A.
[underskrift]
SS-Sturmbahnführer
u. Major d. SchP.

177. WB Dänemark an OKW 31. März 1945

Lindemann bad WFSt om bevilling til opkøb af nogle hundrede køretøjer i Danmark for at sikre reservernes bevægelighed og troppernes forsyning. Det skete i forståelse med Best. Behovet var på 2.500 køretøjer.

OKW/WFSt svarede 16. april Lindemann: "Weitere Beweglichmachung von Reserven durch Ankauf von Kfz. im Lande wird unter Hinweis auf Betriebsstoflage abgelehnt. Mobmäßige Sicherstellung für den Kampffall wird empfohlen." Anbefalingen betød, at WB Dänemark i besættelsens sidste uger greb til omfattende beslaglæggelser/rekvisitioner af køretøjer over hele Danmark, først og fremmest dog på Fyn og i Jylland, der blev betragtet som militært operationsområde. Hertil føjedes kravet om 10.000 heste, der skulle være med til at sikre værnemagtens bevægelighed (KB, Herschends dagbog april-maj 1945, *Daglige Beretninger*, 1946, s. 838, 841, 858).

Kilde: BArch, Freiburg, RW 4/652. RA, Danica 1069, sp. 1, nr. 665f. (citeret i skrivelse (8. og) 16. april 1945).

F e r n s c h r e i b e n

Neudurchgabe
HXSI/FF 740 31.3., 23.00. – WFRL/FF 0233

An OKW/WFSt/Qu   Geheim

Die Kraftfahrzeuglage der in Dänemark eingesetzten Wehrmachtteile erfordert wegen der Starken Abgaben an West- und Ostfront umfangreiche Auffrischung. Z.Zt. besteht ein Fehl von 2.500 Kfz. Diese Fahrzeuge sind für die Verteidigungsbereitschaft (Beweglichmachung der Reserven, Versorgung der kämpfenden Truppe pp.) als dringendster Bedarf notwendig. Es besteht die Möglichkeit, mehrere 100 Kfz. aller Art im Lande anzukaufen. W. Befh. Dänemark hat im Einvernehmen mit Dienststelle des Reichsbevollmächtigten den Ankauf eingeleitet. Um Bewilligung der Mittel für den Ankauf wird gebeten.

W. Bef. Dän. O.Qu. Nr. 954/45 geh.
Gez. von Gaertner Obstlt.

178. Der Reichsführer-SS: Ic-Wochenbericht für die Zeit vom 24.-31.3.1945, 31. März 1945

Den ugentlige oversigt over bandebekæmpelsen i RFSS' regi kunne bl.a. notere, at der var løbende sabotage mod trafiksystemet i Danmark, hertil 6 terrormord og 6 industrisabotager, men at det var jernbanesabotagen, der var altdominerende. Jernbanesabotagen forårsagede kun ringe tab.

Ugeberetningen fra bandebekæmpelseschefen hos RFSS er den eneste lokaliserede, der medtager Danmark. Beretningen kom ikke ind på de forsinkelser, som jernbanesabotagen forårsagede, kun at tabene var ringe. Tid blev ikke regnet som tab.

I OKW/WFSt så man ikke på situationen på samme måde, se notatet 10. april 1945.

Kilde: BArch, Freiburg, RH 2/2130 (uddrag).

Der Reichsführer-SS
Der Chef der Bandenkampf-Verbände
Abt. Ic Dgb. Nr. 326/45, g.Kdos.

O.U., den 31. März 1945
11 Fertigungen
6. Fertigung

Ic-Wochenbericht
für die Zeit vom 24.-31.3.1945

[...]
6.) Dänemark
Bandenlage in Dänemark unverändert, Tätigkeit gleichbleibend, laufend Sabotagen an Verkehrseinrichtungen.
In der Berichtzeit erfolgten:
6 Terrormorde (davon 2 an deutschen Staatsangehörigen)
6 Industriesabotagen
[...]

8.) Eisenbahnsicherheitslage
[...]
Dänemark:
Im Berichtsraum neuerlich 48 Anschläge mit 76 Bahnensprengungen. In mehreren Fällen wurden Sprengungen unter [?] Fahrtnummern durchgeführt. Die entstandenen Verluste sind gering.
22 [Gl]eichensprengungen.

I.a.
[underskrift]
Hauptmann

APRIL 1945

179. Politische Informationen für die deutschen Dienststellen in Dänemark 1. April 1945

Selv om Tyskland stod på sammenbruddets rand, kunne Best ikke give direkte udtryk for det. Det ville øjeblikkeligt have afgjort hans skæbne. I stedet blev den hidtidige fremgangsmåde anvendt, hvor han tillagde andre personer meninger og holdninger uden selv at kunne tages til indtægt for dem: I dette tilfælde vedrørende den politiske udvikling, hvor danskerne ifølge Best ventede et snarligt tysk sammenbrud, og hvor politikerne bekymrede sig om, hvad der så ville ske. "Lillekrigen" mod sabotørerne fortsatte, og atter gengav Best ukommenteret resultaterne af Gestapos arbejde. Det blev også omtalt, at den tyske særfeltret havde været aktiv: 37 dødsdomme var afsagt, hvoraf to dog blev benådet, men ikke et ord faldt om, hvem der havde benådet (Pancke).

Der blev fastholdt et indtryk af administrativ orden og kontrol. Strømmen af flygtninge og deres anbringelse blev således fremstillet i den ånd, selv om der var besværligheder. De rent ud kaotiske forhold og det manglende danske samarbejde i spørgsmålet forblev uomtalt; ligeledes at det var værnemagten, der reelt tog sig af alle de praktiske problemer. Den rigsbefuldmægtigede satte først og fremmest regler op, og så var det gjort.

Udsigterne for den danske landbrugseksport blev fortsat omtalt i positive vendinger, mens manglen på helt nødvendige forsyninger fra Tyskland blev opregnet, uden at Best i øvrigt drog konklusionen; at industri- og rustningseksporten ville falde mere og mere drastisk. Selv om også arbejdsløsheden og arbejdsløshedsunderstøttelsen fandt omtale, blev det ikke fundet værd at nævne, at villigheden til at arbejde for besættelsesmagten tog stærkt af. Der blev på det erhvervsmæssige område givet informationer, der stod i stadig mere grel kontrast til realiteterne.

Til de positive nyheder hørte fællesarrangementet for den nazistiske bevægelse i Danmark 15. marts, og at LS stadig, trods en meget stærk modstand, havde 10-15 % af landbrugerne som medlemmer.

I afsnittet "Fjendtlige stemmer" fik frustrationen over den manglende indflydelse på besættelsespolitikken et hidtil uset omfang. Den handlede hovedsageligt om Lindemanns repressalier for afsporingen af sit tog, fremfærden ved henrettelser af sabotører, de uofficielle henrettelser, den fortsatte anvendelse af modterror og endelig om grusomhederne i Shellhuset og en præsentation med navns nævnelse af nogle af de danske tyskerhåndlangere for at slutte af med Bunkes, Bovensiepens, Hoffmanns og andres meritter. Det var en i en tysk sammenhæng hidtil uhørt udlevering af modterrorens bagmænd og udøvere. Her fik Best luft for, at genoptagelsen af henrettelserne efter dom ikke blev fulgt op af en indstilling af modterroren. Tværtimod lod han Terkel M. Terkelsen fra London fortælle (26. marts), hvorfor danskerne ikke havde medlidenhed med de tyske flygtninge og sårede. Det kunne tyskerne ikke forvente, når de myrdede nogle af de danske læger, der skulle hjælpe. På den måde fik Best også forklaret, hvorfor han selv havde været magtesløs i forhandlingerne med de danske myndigheder.

Bortset fra den effekt, som et eksemplar som dette af *Politische Informationen* må have haft på de tyske tjenestesteder i almindelighed, har indtrykket hos Lindemann, Pancke og Bovensiepen med stabe næppe været gunstigt. Der blev til det sidste ført mere end en "lillekrig" mod modstandsbevægelsen i Danmark. På tysk side fortsatte kampen om besættelsespolitikken til det sidste – nervekrigen ikke mindst.

Kilde: BArch, R 83/1 (19 s. bevaret). RA, Centralkartoteket pk. 681 (24 s. bevaret). RA, Vesterdals nye pakker, pk. 2 (25 s. (komplet).

Der Reichsbevollmächtigte in Dänemark *Kopenhagen, den 1. April 1945.*
Nur für den Dienstgebrauch!

P o l i t i s c h e   I n f o r m a t i o n e n
für die deutschen Dienststellen in Dänemark.

Betr.: I. Die politische Entwicklung in Dänemark im März 1945.
II. Mitteilungen aus der Außenpolitik.
III. Mitteilungen aus der Verwaltung.
IV. Mitteilungen aus der Wirtschaft.
V. Politische Organisationen.
VI. Arbeitslosigkeit, Arbeitslosenunterstützung und Lohnentwicklung.
VII. Feindliche Stimmen über Dänemark.

I. Die politische Entwicklung in Dänemark im März 1945
1.) Die Lage in Dänemark war im März 1945 weiter – wie im Monat Februar – durch wachsende Spannung gegenüber den allgemeinen Kriegsereignissen und gegenüber den Ereignissen in Dänemark gekennzeichnet. Der stetig anwachsende Zustrom von Verwundeten und Flüchtlingen, die seit Anfang März zu Zehntausenden gelandet werden, führte der Bevölkerung der Landeshauptstadt die Nähe der östlichen Kriegsereignisse vor Augen. Die große Zahl zusätzlicher Esser gab Anlaß zu Gerüchten über bevorstehende Rationskürzungen. Die rapide wachsenden Verkehrsschwierigkeiten und neue Kürzungen des Energieverbrauchs ließen den nach Verbrauch der letzten Kohlenvorräte eintretenden Zustand vorausfühlen. Die infolge der Kriegsereignisse insbesondere im Westen geweckte Erwartung des baldigen Zusammenbruchs des deutschen Widerstandes drängte zu Erwägungen über die Schlußphase der Besetzung Dänemarks: Invasion oder freiwilliger Abzug oder … In politischen Kreisen werden umfangreiche Zerstörungen von Hafenanlagen, Kraftwerken u.dgl. durch die kämpfende oder abziehende Besatzung befürchtet und Erwägungen über die Sicherung dieser Anlagen angestellt.

2.) Der Kleinkrieg des Feindes wurde im Monat März 1945 etwa im gleichen Umfange wie im Monat Februar fortgesetzt – vor allem mit Eisenbahnsabotagen.[1]

Die Beschlagnahme und der beginnende Abtransport von 309,2 cbm Benzin aus dänischen Lagern für die deutsche Wehrmacht löste eine Reihe Sprengungen von Benzin- und Öltanks aus, weil offenbar weitere Beschlagnahmen erwartet wurden.[2] Vernichtet wurden 180 to Benzin, 1400 to Dieselöl, 40 to Schmieröl und 100 to Petroleum. Diese Verluste gehen an sich zu Lasten der dänischen Wirtschaft, für die dieser Treibstoff bestimmt war, ihr Ausfall berührt aber auch die deutschen Interessen an der Transportlage in Dänemark.

Das Sonderfeldgericht der deutschen Polizei hat im Monat März 1945 37 Todesurteile gegen Terroristen gefällt, von denen 35 vollstreckt wurden; in zwei Fällen erfolgte Begnadigung, weil die Täter bei ihrer ersten Tat vor der Durchführung festgenommen worden waren.[3]

---

1 Jfr. Lindemanns forholdsregler mod jernbanesabotagen i løbet af februar og marts.
2 Jfr. *Information* 13. marts 1945, KTB/WB Dänemark 15. marts 1945, *Daglige Beretninger*, 1946, s. 719f., Bjørnvad 1988, s. 289-294.
3 Se kommentarerne til KTB/WB Dänemark 24. februar og Best til AA 25. februar 1945. Best fortalte 15. maj 1948, at han havde udstedt en forordning for "Feldgericht der deutschen Polizei" i lighed med den forordning, han havde udstedt i april 1944. Hvem der havde benådningsret, der blev udøvet, fremgår ikke, men når Best ikke nævner det i *Politische Informationen*, tager udgiverne det som et indicium for, at

3.) Die deutsche Sicherheitspolizei hat im Monat März 1945 festgenommen:[4]

wegen Sabotageverdachts	852	Personen
wegen Spionageverdachts	81	Personen
wegen illegaler Tätigkeit	481	Personen
(Kommunismus und nationale		
Widerstandsgruppe)		

Durch die Festnahmen sind 45 Sabotageakte aufgeklärt worden. Bei polizeilichen Aktionen sind wegen Widerstandes gegen die Festnahme, wegen Widersetzlichkeit gegen Polizeistreifen usw. 37 Personen erschossen worden.

4.) Am 21.3.1945 fand ein Luftangriff auf Kopenhagen statt, der dem Dienstgebäude der deutschen Sicherheitspolizei – "Shell-Haus" – galt. Der Angriff wurde in zwei Wellen von etwa 10 bis 12 Flugzeugen im Tiefflug durchgeführt. Der erste Bombenabwurf – insgesamt 40 Sprengbomben – erfolgte um 11.16 Uhr. Das "Shell-Haus" und zwei weitere Dienstgebäude der deutschen Sicherheitspolizei sowie 18 andere Häuser wurden zerstört.[5]

Die Personschäden ergeben sich aus der folgenden Übersicht:

Getötet:	a.) Angehörige der Sicherheitspolizei[6]	
	Deutsch:	15 Männer, 2 Frauen,
	Dänisch:	5 Männer, 6 Frauen,
	b.) Angehörige der Wehrmacht	2 Soldaten
	c.) Dänische Bevölkerung	48 Männer und Frauen,
		96 Kinder.
Schwer verletzt:	a.) Angehörige der Sicherheitspolizei	
	Deutsch:	8 Männer, 9 Frauen,
	Dänisch:	6 Männer, 7 Frauen,
	Russen:	1 Mann,
	b.) Dänische Bevölkerung	134 Personen.

det ikke var ham, men Pancke, der udøvede den. Benådning blev bevilget i alt tre gange, hver gang meddelt af Panckes pressekontor og uden angivelse af, hvem der benådede de dømte. Det er også værd at bemærke, at Best i *Politische Informationen* ikke omtaler, at han har udstedt en forordning vedr. den genoptagne ret, da han giver oplysninger om andre nye forordninger/anordninger (LAK, Best-sagen, Bests redegørelse 15. maj 1948. Dødsdomme og benådninger er trykt hos Alkil, 2, 1945-46, s. 928-934. Jfr. Rosengreen 1982, s. 161f.).

4 Oplysninger på grundlag af Bovensiepens sandsynligvis tabte aktivitetsrapport for marts 1945. Der blev i 1945 anholdt flere danskere end på noget tidligere tidspunkt under besættelsen (se statistikken hos Lauridsen 2006c, s. 203 og tillæg 10 her), en iagttagelse *Information* 8. marts 1945 også havde gjort. Årsagerne til den øgede tyske politiaktivitet kan være flere, og er ikke nødvendigvis blot en reaktion på den endnu større sabotagevirksomhed. Hovedforklaringen kan lige så godt være at finde i Berlin som i København. Angrebet på Shellhuset var et prestigetab for SS i Danmark, som der nu skulle kompenseres for gennem øget aktivitet og flere anholdelser, der kunne indgå i månedsrapporteringen.

5 Om angrebet se WB Dänemark: Tagesmeldung 22. marts 1945 og der givne henvisninger.

6 Se tillige afsnittet "Fjendtlige stemmer" nedenfor.

Leicht verletzt: a.) Angehörige der Sicherheitspolizei   34 Personen
              b.) Dänische Bevölkerung   170 Personen.

Vermißt: a.) Angehörige der Sicherheitspolizei
              Deutsch: 14 Männer, 4 Frauen,
              Dänisch: 12 Männer, 20 Frauen,
           b.) Dänische Bevölkerung   10 Personen

Zwei feindliche Flugzeuge wurden abgeschossen, eines ist abgestürzt.

Auf die dänische Bevölkerung hat die Zerstörung der "Jeanne d'Arc-Schule," in der 96 Kinder getötet wurden, besonders erschütternd gewirkt.[7]

Die deutsche Sicherheitspolizei ist durch die Zerstörung ihrer Dienstgebäude und durch die erlittenen Verluste nicht in ihrer Einsatzfähigkeit beeinträchtigt worden und hat demonstrativ in der Nacht nach dem Luftangriff eine umfangreiche Festnahmeaktion in Groß-Kopenhagen durchgeführt.[8]

II. Mitteilungen aus der Außenpolitik

1.) Die isländische Regierung hat sich geweigert, der Aufforderung der Alliierten, Deutschland den Krieg zu erklären, nachzukommen. Diese Weigerung hat sie damit begründet, daß das isländische Parlament – das älteste der Geschichte – in seiner Verfassung keine Möglichkeit vorsehe, Krieg zu führen. Island habe sich niemals im Kriege befunden und weigere sich jetzt, diese "barbarische Hunnensitte" anzuerkennen, obwohl es durch die Versenkung des größten isländischen Passagierdampfer "Godafoss" durch ein deutsches U-Boot provoziert worden sei.

Die Alliierten haben nach anfänglichem Widerstreben diese Haltung Islands anerkannt und es trotz früherer gegenteiliger Behauptungen zu der Konferenz von San Francisco eingeladen, wo Island als einziges Land auf der Liste der "Assoziierten Mächte" aufgeführt ist.[9]

2.) Augenzeugen aus Finnland haben berichtet, daß die finnische Reichstagswahl am 18.3.1945, bei der die kommunistisch orientierte Partei der Volksdemokraten einen gewaltigen Erfolg errang und die zweitstärkste Partei wurde, frei von sichtbarer russischer Einflußnahme durchgeführt worden sei. Daß dennoch die Parteigänger Rußlands einen so großen Erfolg hatten, sei in der allgemeinen Radikalisierung der Bevölkerung begründet. Der größte Teil der durch die Herabsetzung des Wahlalters neu hinzugekommenen 600.000 Wähler habe für die Volksdemokraten gestimmt. Die durch die wirtschaftlichen Schwierigkeiten Finnlands – insbesondere durch die wachsende Arbeitslosigkeit – fortschreitende Radikalisierung werde von russischer Seite mittelbar zur Förderung der russischen politischen Ziele benützt.

7 Hertil Barfoed 2005, s. 241-246 og reaktionen hos Vilh. Bergstrøm i dagbogen 22.-25. marts 1945, trykt hos Lauridsen 2005b.
8 Den demonstrative tyske storrazzia førte til en del drab og talrige hospitalsindlæggelser (*Daglige Beretninger*, 1946, s. 753f.).
9 Se *Politische Informationen* 1. marts 1945, afsnit II.

3.) Der nach der Emigration des ungarischen Geschäftsträgers der Horty-Regierung Gesandten von Kristóffy von der Szalassy-Regierung nach Kopenhagen entsandte neue Geschäftsträger Gesandter von Reviczky hat am 6.3.1945 mit Familie und einem Teil des Gesandtschaftspersonals das Hotel d'Angleterre mit unbekanntem Ziel verlassen. Er ist inzwischen in Schweden aufgetaucht und hat in einem am 17.3.1945 in der schwedischen Presse veröffentlichten Interview erklärt, er habe sich auf den Kopenhagener Posten nur versetzen lassen, "um den Klauen der Nazisten zu entrinnen."[10]

Die Ungarische Gesandtschaft in Kopenhagen ist jetzt noch besetzt mit dem Gesandtschaftsrat Baron von Kemény (Bruder des derzeitigen ungarischen Außenministers) und dem Kulturattaché Kovács. Außerdem ist noch der Handelsdelegierte Dr. von Varsányi anwesend, nachdem der zweite Handelsdelegierte Dr. Szabó sein Amt niedergelegt und sich an einen unbekannten Aufenthaltsort in Dänemark zurückgezogen hat, da "sein Lebensinstinkt ihm dies geraten habe."

III. Mitteilungen aus der Verwaltung
1.) Die Unterbringung deutscher Flüchtlinge in Dänemark.[11]
Nachdem mit Bahntransporten mehr als 30.000 Flüchtlinge in Jütland angelangt waren, erfolgten von Mitte März 1945 ab Anlandungen von Flüchtlingen in Kopenhagen, durch die sich die Zahl der in Dänemark untergebrachten Flüchtlinge bis zum Ende des Monats auf etwa 100.000 erhöht hat. Dazu treten große Zahlen von Verwundeten, von zurückgeführten Wehrmachteinheiten und -schulen, Einheiten der Waffen-SS, Wehrertüchtigungslagern der HJ, usw.[12]

Die "Flüchtlingszentralstelle" des Reichsbevollmächtigten in Dänemark, in der alle mit der Flüchtlingsbetreuung befaßten Einrichtungen zusammengefaßt sind, ist bemüht, die unmittelbare Betreuung der in mehreren 100 Lagern untergebrachten Flüchtlinge möglichst bald von der Wehrmacht auf zivile Kräfte überzuleiten. Hierfür sind zahlreiche Kräfte verschiedener Art erforderlich, die teils aus dem Reich angefordert sind und teils aus den Flüchtlingstransporten ausgesucht werden können.[13]

Die gesundheitliche Betreuung der Flüchtlinge ist in der Entwicklung begriffen. Während epidemische und lebensgefährliche Fälle in dänischen Krankenhäusern untergebracht werden können, sind für die übrigen Fälle mit deutschen Kräften eine Anzahl von Hilfskrankenhäusern, Entbindungsstationen, Säuglingsheimen, Entlausungsstationen und anderen Einrichtungen geschaffen worden, die zunächst in Nordschleswig und auch in Kopenhagen bereits die Wehrmachtbetreuung weitgehend abgelöst haben. So betreuen in Kopenhagen, wo sich zahlreiche Durchgangslager mit jeweils 10-15.000 Flüchtlinge befinden, gegenwärtig 30 Ärzte und 130 Schwestern die Flüchtlinge in ge-

---

10 Jfr. *Information* 24. marts 1945.
11 Hele dette underafsnit blev af Rudolf Stehr ved den tyske folkegruppes kontor under Statsministeriet udsendt som retningsgivende til Volksgruppenamt i Åbenrå 5. april 1945 (LAÅ, Det tyske Mindretals arkiv, pk. 616).
12 Se om nogle af disse enheder Lindemanns drøftelse 24. april 1945.
13 Det Tyske Gesandtskab havde på ingen måde personale til at klare opgaven, og Best underspillede helt de problemer, som først og fremmest værnemagten stod med for at sikre flygtningenes anbringelse (se tillige Lindemann til OKW 29. marts 1945).

sundheitlicher Beziehung. Ein chirurgisches und ein interimistisches Krankenhaus, ein chirurgisches Hilfskrankenhaus, eine Geburtshilfestation, ein Kinderkrankenhaus, ein Hilfskinderkrankenhaus und ein Kinderinfektionshaus sind eingerichtet, in denen z.Zt. 560 erkrankte Erwachsene und 250 Kinder behandelt werden. Auch die Arbeit der NSV ist in Kopenhagen, wo sich eine starke deutsche Kolonie befindet, bereits recht intensiv. Für einen großen Teil der Durchgangslager, namentlich der Schulen, hat die NSV Lagerleitungen eingerichtet, ein Teil der Verpflegung wird von der NSV gestellt, und auch die Beratung und sonstige Betreuung der Flüchtlinge konnte hier bereits von der NSV übernommen werden.

Die Flüchtlinge erhalten in Dänemark freie Unterkunft und Wehrmachtverpflegung sowie ein Taschengeld von 1 Krone für Erwachsene und 50 Öre für Kinder pro Tag. Soweit sie bei Familien aufgenommen sind, erhalten die Gastgeber ein Quartiergeld von 3 Kronen täglich sowie die gleichen Lebensmittelmarken wie die dänische Bevölkerung. Ein Umtausch der mitgebrachten Reichsmarkbeträge in Kronen ist nicht gestattet, vielmehr werden die Reichsmarkbeträge eingezogen und einer Bank im Reich zugunsten des Berechtigten zugewiesen.

Soweit sich unter den Flüchtlingen arbeitsfähige Kräfte befinden, wird erstrebt, geeignete Beschäftigung für sie zu finden. Verschiedentlich sind Flüchtlinge im Dienst der Wehrmacht tätig, namentlich die Frauen als Helferinnen aller Alt; andere Kräfte helfen mit, um die Lager wohnlich zu machen und fehlende Bedarfsgegenstände selbst herzustellen.

Die Transportlage hat sich in letzter Zeit sehr schwierig gestaltet, da das Transportvolumen der Bahn und der Fähren zwischen Kopenhagen (Seeland) und dem Festland ein beschränktes ist, während die Anlandungen unbeschränkt und ausschließlich auf Kopenhagen konzentriert wurden. Wiederholte Schienensprengungen und andere Verkehrssabotagen verzögerten den Abtransport weiter, sodaß die Belegung der Kopenhagener Durchgangslager eine steigende Tendenz zeigt.[14]

Die Postverbindung der Flüchtlinge mit ihren Angehörigen im Reich ist geregelt.

2.) Das Flüchtlingshilfswerk im Nordschleswiger Volksgruppengebiet.[15]
a.) Allgemeine Organisation.
Gesamtleitung des Flüchtlingshilfswerks in Dänemark: der Reichsbevollmächtigte. Durchführung der Aktion durch die "Flüchtlingszentralstelle" des Reichbevollmächtigten. Volksgruppe in der Flüchtlingszentralstelle vertreten durch den Leiter des Kontors der deutschen Volksgruppe beim Staatsministerium.[16] Örtliche Verbindungsstelle des Reichsbevollmächtigten zur Volksgruppe: Außenstelle Apenrade des

---

14 Se KTB/WB Dänemark 10. marts 1945.
15 Rudolf Stehr skrev 30. marts 1945 til Volksgruppenamt bl.a.: "Für die Monatsinformationen des R.B. habe ich einige Punkte, welche den Stand der Aktion in Nordschleswig betreffen, zusammengestellt." Videre konstaterede han: "Den starke Zustrom von Flüchtlingen nach Dänemark macht die Ausnutzung aller Unterbringungsmöglichkeiten erforderlich. Dabei müssen Improvisationen in Kauf genommen werden, da der R.B. nicht in der Lage ist, den Umfang der Aktion zu bestimmen, vielmehr alle anfallenden Transporte unterbringen muss." (LAÅ, Det tyske mindretals arkiv, pk. 616).
16 Rudolf Stehr.

Reichsbevollmächtigten.[17]

b.) Organisation des Einsatzes in Nordschleswig.

Die Steuerung des gesamten Flüchtlingshilfswerkes in Nordschleswig liegt in der Hand der Volksgruppenführung, die das Volksgruppenamt in Apenrade mit der Durchführung beauftragt hat. Unter Leitung des Volksgruppesamtes sind die folgenden Organe eingeschaltet:

A.) Schatzamt: Der deutschen Volksgruppe, zuständig für die Finanzverwaltung (Anforderung und Abrechnung der Geldmittel, Auszahlung von Quartier- und Taschengeldern, finanzielle Beaufsichtigung der Lagerleitungen, Anschaffungen usw.)

B.) Wohlfahrtsdienst Nordschleswig: Zuständig für die Bereitstellung von Privatquartieren, die Unterbringung von Flüchtlingen in diesen Quartieren und gegebenenfalls auch für den Austausch von Flüchtlingen innerhalb der Privatquartiere. Die Betreuung der in den Privatquartieren untergebrachten Flüchtlinge erfolgt durch Wohlfahrtdienst unter Mitarbeit der NS-Frauenschaft.

C.) NS-Frauenschaft: Zuständig für die Einrichtung und Betreuung sozialer und sanitärer Einrichtungen wie Krankenhäuser, Altersheime, Krankenreviere, Entbindungsheime, Tuberkulosestationen usw. unter Mitarbeit der örtlichen Kräfte des Wohlfahrtsdienstes.

D.) Gesundheitsamt der Volksgruppe: Zuständig für die Beratung des Volksgruppensamtes in allen Angelegenheiten, die sich auf die ärztliche Betreuung der Flüchtlinge beziehen. Im übrigen Zusammenarbeit mit den Truppenärzten, den volksdeutschen und soweit möglich auch den dänischen Ärzten und den Krankenhäusern.

E.) Winterhilfswerk Nordschleswig: Zuständig für die Bekleidungsaktion. Das in Nordschleswig im Rahmen der Spinnstoffsammlung gespendete Zeug steht für die Flüchtlinge zur Verfügung. Nach Möglichkeit werden darüber hinaus noch weitere Ankäufe getätigt.

F.) Deutsche Berufsgruppen in Nordschleswig (Arbeitsfront der Volksdeutschen), zuständig für alle Fragen der Arbeitsvermittlung in Verbindung mit dem Volksgruppensamt.

G.) Schulamt der Volksgruppe: Das Schulamt untersucht die Möglichkeiten zur Aufnahme der Flüchtlingskinder in die deutschen Schulen und Kindergärten. Je stärker der Flüchtlingsstrom wird, desto schwieriger stellt sich die Frage der Raumbeschaffung für den Unterricht.

H.) Amt für Presse und Propaganda: In Verbindung mit dem Organisationsamt der Partei und der Filmstelle zuständig für die politische Betreuung der Flüchtlinge und ihre Einschaltung in die örtlichen deutschen Gemeinschaften.

I.) SK-Leitung: In Verbindung mit dem Organisationsamt zuständig für etwaige Maßnahmen der Volksgruppe zum Schutze der Flüchtlinge.

J.) Kreiskontore: In den nordschleswigschen Städten bestehen deutsche Kreiskontore, denen Auskunftsstellen in Flüchtlingsfragen angeschlossen sind. Diese Kreis-

---

17 Se *Politische Informationen* 1. januar 1945, afsnit III.

kontore sind ausführende Organe des Volksgruppesamtes. U.a. nehmen sie die Verteilung der Quartier- und Taschengelder, sowie der Lebensmittelmarken in ihrem Kreise vor und bedienen sich dabei in den einzelnen Orten der Amtswalter von Partei und Frauenschaft. Solche Kreiskontore bestehen in Tondern, Sonderburg und Hadersleben. Für den Parteikreis Tingleff übernimmt der Wohlfahrtsdienst Tingleff die Funktionen des Kreiskontors und für Apenrade das Volksgruppenamt.

c.) Stand des Flüchtlingshilfswerkes in Nordschleswig.

Nach einer Zählung vom 22. März 1945 waren etwa 15.300 Flüchtlinge in Nordschleswig untergebracht. Inzwischen dürfte sich diese Zahl aber bereits wieder erhöht haben. Überschläglich können die folgenden Zahlen genannt werden:

A.) Anzahl der in Privatquartieren untergebrachten Flüchtlinge etwa 9.000 (Zahl wächst ständig).

B.) Durchgangslager: Etwa 16, und zwar je 4 in Apenrade, Hadersleben, Tondern und Sonderburg.

C.) Inzwischen eingerichtete Gemeinschaftslager etwa 15 bis 17. Darunter Sonderlager, die bereits in Betrieb genommen sind

Entbindungsheim Laimun,
Hilfskrankenhäuser für Flüchtlinge
1.) Lensnack, Apenrade[18]
2.) Volkshochschule, Tingleff.

D.) Insgesamt in den Lagern Untergebrachte z.Zt. etwa 6-7.000. Genauere Zahlen stehen z.Zt. noch aus. Karteien sind in Bearbeitung.

E.) Die Ermittlung der Gemeinschaftslager erfolgt durch die Wehrmacht im Benehmen mit der Außenstelle des Reichbevollmächtigten und dem Volksgruppesamt. Die Verpflegung in den Gemeinschafts- und Durchgangslagern ist z.Zt. noch Angelegenheit der Wehrmacht. Sofern die Wehrmacht aus dem Flüchtlingsbetreuungswerk später ausscheiden sollte, müßte dem schon bei der Auswahl der Lager Rechnung getragen werden (einige Kochgelegenheiten).[19] Die Einrichtung weitere Sonderlager (Altersheim) steht bevor. Eine Zusammenarbeit mit dem "Lebensborn" ist eingeleitet (Lügumkloster, Hohenwarte).[20]

F.) Politische Betreuung: Seit Beginn der Flüchtlingsaktion sind etwa 30 gut besuchte politische Versammlungen durchgeführt worden mit dem Ziele, die Flüchtlinge

---

18 Villa Laimun og Villa Lensnack blev anvendt til tyske flygtninge på trods af, at Best i januar 1945 havde aftalt med KLVs leder Emil Teichmann, at lejrene skulle anvendes af KLV. Det udløste forbitrelse og forsøg på at sabotere arbejdet fra Teichmanns side (Haensch til Best 5. marts 1945, LAÅ, Det tyske Mindretals arkiv, pk. 616. Jfr. Lylloff 2006, s. 73).

19 Fremskaffelsen af feltkøkkener var så stort et problem i forhold til både de tyske flygtninge og værnemagtens tropper i Danmark, at det kom til drøftelse i den øverste hærledelse. Soldaterne ville ikke afgive deres kogegrej, når de skulle forlade deres indkvarteringssteder, da grejet ikke var til at erstatte (se OKW/WFSt notits 26. april 1945).

20 Lebensborn havde oprettet et hjem i "Hotel Royal" i Løgumkloster og planlagde et på Hohenwarte foråret 1945. Det sidste kom den tyske flygtningestrøm på tværs af, og Hohenwarte blev i stedet anvendt til tyske flygtningebørn. Hohenwarte var (og er) en anseelig ejendom ved Højer. Se endvidere Wagners notat 12. januar 1945 (trykt ovenfor), Haensch til Best 4. marts (LAÅ, Det tyske Mindretals arkiv, pk. 616) og 6. marts (trykt ovenfor), Stehr til Volksgruppenamt 23. marts 1945 (trykt ovenfor). Jfr. Lylloff 2006, s. 118f., 293).

in die volksdeutsche Gemeinschaft einzugliedern. Soweit die Raumverhältnisse in den einzelnen Dörfern es zulassen, wird diese Tätigkeit fortgesetzt. Außerdem soll die Zeitung in den Dienst der Betreuungsarbeit eingeschaltet werden, nachdem die Berichterstattung über das Flüchtlingshilfswerk inzwischen freigegeben worden ist.[21]

IV. Mitteilungen aus der Wirtschaft
1.) Landwirtschaft.
Das Wetter im Monat März 1945 hat die Frühjahrsbestellung begünstigt. Die landwirtschaftliche Produktion geht ihren geordneten Gang.

Die Lieferungen von landwirtschaftlichen Erzeugnissen nach Deutschland waren auch im Monat März befriedigend. Schwierigkeiten ergeben sich aus der Knappheit an Brennstoffen und den Einschränkungen von Strom und Gas bei der verarbeitenden Industrie (Molkereien, Schlächtereien, Konservenfabriken usw.) und bei der weiterverarbeitenden Lebensmittelindustrie.

2.) Gewerbliche Wirtschaft.
Die Schwierigkeiten, das sich aus der Knappheit an Brennstoffen und den einschneidenden Beschränkungen von Strom und Gas ergeben, bestehen fort. Dazu kommt auf den meisten Gebieten der zunehmende Mangel an Rohstoffen, deren Lieferung aus Deutschland infolge der bestehenden Transportschwierigkeiten nicht möglich ist. Es wird nach Möglichkeit der vorhandene Lastwagentransportraum für die Beförderung der wichtigsten Güter von Deutschland nach Dänemark eingesetzt, wenn auch Massengüter nach wie vor auf den Seeweg angewiesen bleiben. Vielfach ist es aber z.Zt. in Deutschland kaum möglich, die für Dänemark bestimmten Waren an die deutschen Hafenplätze heranzubringen.

Auf dem Gebiet der Brennstoffversorgung wird dänischerseits alles getan, um die Torfproduktion und die Braunkohlenförderung im Lande nach Möglichkeit in diesem Jahr auf Höchstleistungen zu bringen. Bei Torf, dessen Ergebnis allerdings stark von der Witterung abhängig ist, wird mit einer Erzeugung von 6 Millionen Tonnen gerechnet. Die Förderung der an sich qualitativ nicht besonders guten dänischen Braunkohle wird dänischerseits auf 2-2½ Millionen Tonnen geschätzt. Ob diese Zahlen erreicht werden können, ist zweifelhaft, da für die Braunkohlenförderung und Torferzeugung insbesondere Strom und Material in größerem Umfange zur Verfügung stehen muß und es höchst fraglich ist, ob Energie und Material in genügender Menge bereitstehen werden. Bei beiden einheimischen Brennstoffen, die bei Braunkohle völlig und bei Torf zum größten Teil in Jütland gewonnen werden, wird weiterhin der Abtransport auf die Inseln – sowohl auf der Eisenbahn wie mit Kraftwagen – praktisch zu größten Schwierigkeiten führen. Nachdem eine größere Menge von dänischen Kohlen für kriegswichtige deutsche Zwecke beschlagnahmt werden mußte,[22] sind weitere Einschränkungen, insbesondere für elektrischen Strom, bereits im laufenden Monat eingeführt worden und weitere werden am 1. April in Kraft treten. Z.B. sendet der dänische Staatsrundfunk, weil die

---

21 Med "avisen" menes sandsynligvis *Der Nordschleswiger*.
22 Se Keitel til Terboven 21. januar 1945 og *Daglige Beretninger*, 1946, s. 658f.

Hörer wegen erneuter Herabsetzung der Stromzuteilung die Empfangsgeräte immer weniger benützen können, seit dem 18.3.1945 nur noch 3¾ Stunden täglich (gegenüber 14 Stunden vor dem 1.2.1945).

Auf dem Kraftwagengebiet nimmt die Reifenknappheit und die mangelhafte Versorgung mit Generatorholz ständig zu. Auch die Versorgung mit Schmieröl ist äußerst angespannt.

Zu erwähnen ist ferner, daß der Rundholzbedarf der Wehrmacht für Befestigungsbauten zu einschneidenden Beschlagnahmen – insbesondere in Jütland – geführt hat, sodaß auch auf diesem Gebiet eine erhebliche Knappheit besteht.[23]

3.) Finanzen
Die finanzielle Belastung Dänemark zugunsten des Deutschen Reiches aus den für die Wehrmacht zur Verfügung gestellten Kronenbeträgen und die Bevorschussung der Clearingforderung aus dem deutsch-dänischen Warenverkehr beträgt nunmehr rund 7.7 Milliarden Kronen. Die für die Unterbringung der deutschen Flüchtlinge in Dänemark erforderlichen Mittel werden vorschußweise aus den der Wehrmacht zur Verfügung stehenden Besatzungsmitteln bereitgestellt.[24]

4.) Handelsverkehr mit dritten Ländern.
Nachdem praktisch der Warenverkehr Dänemark mit dritten Ländern aufgehört hat, weil insbesondere ein Warentransport durch Deutschland einstweilen nicht mehr möglich ist, sind im Berichtsmonat neue dänische Verhandlungen über das Zustandekommen eines Warenabkommens mit Schweden eingeleitet worden. Man erhofft von dem Abschluß dieses Abkommens die Bezugsmöglichkeit von wichtigen Rohstoffen für die dänische Industrie.[25]

5.) Schiffahrt.
Auf Grund der Kohlenlage mußte in den vergangenen Wochen eine größere Anzahl bisher in fahrt befindlicher dänischer Dampfer aufgelegt werden. Die noch vorhandenen restlichen Kohlenbestände der dänischen Reedereien werden für Brennstofftransporte innerhalb der dänischen Gewässer, für Lebensmitteltransporte nach Deutschland und Norwegen sowie für Düngemitteltransporte von Norwegen nach Dänemark benötigt und nur noch für solche Fahrten verwendet.

Von den z.Zt. aufgelegten dänischen Dampfern wurden am 25. März 1945 15 Einheiten beschlagnahmt, da diese Schiffe auf Wunsch des Reichkommissars für die Seeschiffahrt und der Kriegsmarine zum Abtransport von Flüchtlingen aus deutschen Ostseehäfen eingesetzt werden sollen. Die Schiffe wurden durch die Kriegsmarine sichergestellt und befinden sich z.Zt. in der Ausrüstung.[26]

23 Der blev foretaget omfattende hugst i de jyske skove. Værnemagten dels købte, dels rekvirerede store mængder træ. Meddelelser herom tilflød næsten dagligt Herschend i Silkeborg (KB, Herschends dagbog 1945).
24 Denne fremgangsmåde blev valgt, da UM havde nægtet at indgå en aftale om finansieringen. Resultatet blev dog det samme: Den danske stat kom til at betale.
25 Forhandlingerne med Sverige om råstoffer til dansk industri nåede ikke noget resultat, efter at Ludwig kom til København i slutningen af marts og blandede sig i dem (Jensen 1971, s. 251f.).
26 Se BdO 27. marts og Maßnahmen ... 10. april 1945.

V. Politische Organisationen

1.) Die DNSAP (Danmarks National-Socialistiske Arbejder-Parti).

Nachdem das "Schalburg-Korps" sich durch Aufgliederung in mehrere Gruppen praktisch aufgelöst hatte,[27] war von der politischen Gruppe des "Schalburg-Korps" (Folkevärn) durch heranziehen mehrerer kleiner nationalsozialistischer Splittergruppen die Bildung eines Zusammenschlusses mit dem Namen "Dansk National Samling" eingeleitet worden. Noch bevor dieser Zusammenschluß endgültige Formen angenommen hatte,[28] fanden Verhandlungen zwischen seinem führenden Exponenten Dr.jur. Popp-Madsen und dem Parteileiter der DNSAP C.O. Jörgensen statt, die im Monat März 1945 mit der Eingliederung der in "Dansk National Samling" zusammengeschlossenen Kräfte in die DNSAP abgeschlossen wurden. Gleichzeitig wurde die Organisation NSU (National-Socialistisk Ungdom), die schon früher die Jugendorganisation der DNSAP war und sich vor etwa 2 Jahren von der Partei getrennt hatte, von ihrem Landesjugendführer Kapitänleutnant Hans Jensen wieder in die Partei zurückgeführt.[29]

Am 15.3.1945 fand in Kopenhagen eine gemeinsame Versammlung statt, in der vor etwa 1.500 Teilnehmern die folgenden Exponenten der dänischen nationalsozialistischen Bewegung sprachen:[30]

Parteileiter C.O. Jörgensen,
Dr.jur. Popp Madsen,
Kreditforeningsdirektör P.C. Rasmussen,
Landesjugendführer Kapitänleutnant Hans Jensen,
Sysselleder Orla Olsen,
Forretningsförer Österberg.

Die Mitgliederzahl der DNSAP dürfte zur Zeit zwischen 12.000 und 15.000 liegen.[31]

2.) LS (Landbrugernes Sammenslutning).

In der landwirtschaftlichen Organisation "Landbrugernes Sammenslutning", kurz als LS bezeichnet, hat vor kurzem eine Änderung in der Leitung stattgefunden. Der seit Gründung der Organisation mit der Führung betraute Hofbesitzer Knud Bach, Röngegaard, ist zurückgetreten und an seiner Stelle hat der Hofbesitzer Julius Egsgaard, Vejle Amt, die Führung übernommen. Es ist anzunehmen, daß Egsgaard die alte fachliche Linie der LS weiterführen und versuchen wird, der LS durch Zusammenschluß aller ihr innewohnenden Kräfte neuen Auftrieb zu geben. Wie bekannt, steht die L.S. seit ihrer Gründung in Opposition zu den drei großen landwirtschaftlichen Organisationen in Dänemark; sie hatte sich in den Jahren seit 1940 stärker an die DNSAP angelehnt.

---

27 Schalburgkorpset opløste ikke sig selv, men blev opløst af besættelsesmagten, hvis instrument det var.
28 Dansk National Samling var stiftet 7. august, men opnåede ikke tilslutning af nogen betydning, selv om Best var positivt indstillet over for sammenslutningen. Derfor valgte gruppen i 1945 genforeningen med DNSAP, givetvis opmuntret fra tysk side af bl.a. Best (Lauridsen 2002a, s. 487f.).
29 Jfr. Kirkebæk 2004, s. 59.
30 Fællesmødet er skildret og uddrag af talerne gengivet i *Fædrelandet* 16. marts og *National-Socialisten* 23. marts, og senere genoptrykt hos Alkil, 1, 1945-46, s. 421-428. Samlingsbestræbelserne blev fra tysk side ønsket givet størst mulig opmærksomhed.
31 Antallet var givetvis ikke over 12.000 medlemmer (Lauridsen 2002a, s. 520).

Eine genaue Übersicht über die zahlenmäßige Anhängerschaft der LS läßt sich nicht genau geben; es wird jedoch angenommen, daß ihr immer noch trotz sehr starker Gegenarbeit etwa 20-30.000 Anhänger angehören. Das sind 10-15 % sämtlicher dänischen Landwirte.

VI. Arbeitslosigkeit, Arbeitslosenunterstützung und Lohnentwicklung
1.) Arbeitslosigkeit.
Die Behörde des Reichbevollmächtigten erhält wöchentliche Aufstellungen vom Arbejds-Direktorat über die Zahl der bei den öffentlichen Arbeitsanweisungskontoren gemeldeten Arbeitsuchenden. Die Zahl der Arbeitsuchenden ist nicht durchaus gleich mit der der Arbeitslosen. Es gibt Arbeitslose, die sich auf den amtlichen Kontoren nicht einfinden, sondern Arbeit lediglich durch Zeitungsinserate oder Umschau suchen. Auch die Unterstützung wird nicht von allen in Anspruch genommen. Im großen und ganzen wird jedoch die Entwicklungskurve der Arbeitsuchendenziffer der der Arbeitslosenziffer entsprechen.

Hiernach betrug die Zahl der Arbeitsuchenden in ganz Dänemark:

Am 5.1.1945   49.644 Personen,
Am 2.2.1945   60.125 Personen,
Am 16.2.1945   65.958 Personen,
Am 9.3.1945   53.647 Personen,
Am 16.3.1945   48.068 Personen,

Davon entfallen auf die Hauptstadt Kopenhagen:

Am 5.1.1945   rnd. 19.800 Personen,
Am 2.2.1945   rnd. 18.450 Personen,
Am 16.2.1945   rnd. 19.900 Personen,
Am 9.3.1945   rnd. 21.450 Personen,
Am 16.3.1945   rnd. 21.300 Personen,

2.) Arbeitslosenunterstützung.
Die Arbeitslosenunterstützung ist in Dänemark nicht so einheitlich geregelt, wie in Deutschland. Jeder Berufszweig hat seine Arbeitslosenunterstützungskasse, die aus Beiträgen der Arbeitgeber und Arbeitnehmer gespeist wird. Die Unterstützungen sind in den einzelnen Verbänden verschieden.

In den letzten Tagen hat der dänische Staat 100 Millionen Kronen bewilligt, damit vom 1. April 1945 an die bisherigen Unterstützungen so erhöht werden können, daß den Arbeitslosen etwa ¾ bis ⅘ ihres gewöhnlichen Arbeitseinkommens gewährleistet werden. Der Zuschuß ist in verschiedener Weise vorgesehen entweder durch Geldzahlungen oder durch Gewährung von Verbilligungsmarken für Bezug von Lebensmitteln, oder durch Zuschuß zur Wohnungsmiete. Dies gilt auch für Kurzarbeiter.

3.) Lohnentwicklung.
Zu den zuletzt am 24.8.1944 bewilligten Teuerungszuschlägen sind ab 1.3.1945 die folgenden weiteren Zuschläge getreten:

Für männliche Arbeiter über 18 Jahren	8	Öre je Std.,
Für weibliche Arbeiter über 18 Jahren	5	Öre je Std.,
Für männliche und weibliche Arbeiter unter 18 Jahren	2½	Öre je Std.,

Die Erhöhung ab 1.3.1945 hat eine Verbesserung des Jahreseinkommens eines erwachsenen männlichen Arbeiters um etwa 200,- Kronen zur Folge.

Die dänische Arbeitgebergruppe der Eisen- und Metallindustrie hat mit ihren Facharbeitern ein freiwilliges Abkommen getroffen, wonach den Arbeitern in Abänderung des Augustabkommens 1944 in jedem Falle am 1.3.1945 ein Minimalzuschlag auf den Stundengrundlohn einschließlich Teuerungszuschlag von 5 Öre (für Arbeiterinnen 4 Öre) gewährt wird. Das Augustabkommen sah eine gestaffelte Zulage von 3 bis 15 Öre für erwachsene Arbeiter bzw. 3-11 Öre für erwachsene Arbeiterinnen vor. Die Zulage von mindestens 3 Öre für Arbeiter wurde in Kopenhagen bis zu einem Höchstverdienst von Kr. 2,50 je Stunde und in der Provinz von Kr. 2,30 (Für Arbeiterinnen Kr. 1,67 bzw. Kr. 1,53) gewährt. Diese Begrenzung nach oben ist bei der jetzigen Erhöhung des Zuschlags in Fortfall gekommen. In einem Zusatzabkommen wurde diese Verbesserung auch auf die ungelernten Arbeiter in der Eisen- und Metallindustrie ausgedehnt.

Es schweben Verhandlungen darüber, diese letztere Regelung auch für die Angehörigen anderer Berufsgruppen zu treffen.

VII. Feindliche Stimmen über Dänemark
1.) Der englische Rundfunk.

London 5.3.1945
Die Ereignisse, die sich nach der Eisenbahnsabotage gegen das rollende Hauptquartier des Generals Lindemann bei Hjerm abspielten, haben die größte Erbitterung in ganz Nordjütland hervorgerufen. Es liegen jetzt folgende Einzelheiten vor:[32] Der deutsche Zug mit dem Wagen Lindemanns war unterwegs von Thy nach Holstebro und Herning. Kurz vor der Station Hjerm zwischen Struer und Holstebro geschah um 1 Uhr nachts eine kräftige Explosion unter dem Zuge. Vier Schienen wurden weggerissen, und die beiden ersten Wagen entgleisten. Dieses Ereignis lief große Erregung unter den Deutschen hervor, Lindemann selbst lief Amok und stieß wilde Drohungen über Vergeltung aus. Unter dem Schutze seines Gefolges lief er in der nächsten Umgebung herum und gab den Befehl, die notwendigen Autos zur Weiterfahrt zu beschaffen. Seinen Adjutanten schickte er nach dem Hof Lille Hillersborg, der etwa 50 m von der Katastrophenstelle lag, um vor dort aus zu telefonieren. Das Telefon wurde sofort zur Verfügung gestellt, und einige Autos, wenn auch nur eine ungenügende Anzahl, wurden herbeigeschafft. Als die Offiziere fertig waren, gaben sie dem Hofbesitzer Emanuel Espersen, seiner Familie und den Leuten den Befehl, den Hof zu verlassen. Die meisten von ihnen hatten nicht einmal Zeit, sich richtig anzuziehen, und durften nichts mitnehmen. Sie erhielten die Erlaubnis, die Pferde aus den Ställen zu holen, wogegen jedoch die Kühe und die Schweine in den Ställen bleiben mußten. Darauf wurde der ganze Hof, sowohl die Ställe als auch das Wohnhaus, mit einer Phosphorflüssigkeit in Brand gesteckt. Auch die

---

32 Se Toepke til OKW/WFSt 24. februar 1945.

Maschinen wurden mit der Flüssigkeit übergossen. Kurz darauf stand der ganze Hof in Flammen. Vor dem Kuhstall hatte man ein besonders Sperrfeuer angezündet, um die Kühe daran zu verhindern, herauszukommen. Da der Stall mit einer feuersicheren Dekke versehen und außerdem gut ventiliert war, verbrannten die Kühe nicht, sondern wurden gerettet. Einige Fohlen verbrannten. Deutsche Soldaten sperrten den Hof ab und verboten, die Feuerwehr herbeizurufen. Erst morgens um 8 Uhr wurde die Absperrung aufgehoben, sodaß die mitgenommenen Tiere befreit werden konnten. Lille Hillersborg war einer der schönsten Höfe der Gegend.

Das Bahnwärterhaus 113, das an der Explosionsstelle liegt, wurde auch angezündet. Keiner der Bewohner war zu Hause, und es wurde aus diesem Grunde nichts gerettet. Bevor Lindemann, der jetzt im Volksmund der "Pyromangeneral" genannt wird, verschwand, versprach er, daß das Zugattentat durch Vergeltungssabotage gerächt werden sollte. Falls jetzt noch Zweifel darüber vorherrschen sollten, wer hinter den Explosion im "Jyllandsexpress" steckt, so dürften diese hiermit gänzlich beseitigt sein.[33]

London 8.3.1945
Die Deutschen haben 5 weitere dänische Patrioten hingerichtet.[34] Diese 5 Patrioten wurden kürzlich aus dem Vestre Fängsel geholt, das Todesurteil wurde ihnen mitgeteilt, worauf sie im Auto nach der Ingenieur-Kaserne transportiert wurden, wo die Hinrichtungen stattfinden. Wie es auch bei der Hinrichtung der 10 Patrioten kürzlich der Fall war, wurde das Todesurteil auch diesmal von General Pancke gefällt, der den dänischen Behörden keine Gelegenheit ließ, um Begnadigung nachzusuchen. Die Hingerichteten wurden im einem gemeinsamen Grabe beerdigt. Jedem wurde am rechten Handgelenk eine Metallkette mit einer Kapsel befestigt, die einen Zettel mit dem Namen enthält. Die illegale Presse hat außerdem an den Tag gebracht, daß außer den offiziellen Hinrichtungen ständig eine bedeutende Anzahl inoffizieller stattfinden.[35] Im Vestre Fängsel werden dänische Patrioten in der Nacht aus ihren Zellen geholt und in die Stadt hinausgefahren, wo sie mit Maschinenpistolen oder durch Genickschuß ermordet werden. Die Leichen werden aus den Autos geworfen, nachdem alle Papiere und sonstigen Sachen, durch die sie identifiziert werden könnten, entfernt worden sind.[36]

London 24.3.1945
Von der dänischen Heimatfront haben wir folgende Beschreibung des Lebens im Shellhaus erhalten, wie es sich abspielte, ehe das Gebäude von englischen Bomben zertrümmert wurde. Ringsum in den Büros des Shell-Hauses standen eine Reihe bunter

---

33 Peter-gruppen forøvede et attentat mod et eksprestog 24. februar som gengældelsesaktion (Bøgh 2004b, s. 79-89, tillæg 3 her).
34 Ib Fischer, Hagberd Friis Jensen, John Erik Andersen, Helge Ove Jensen og Erik Koch Michelsen blev henrettet 3. marts 1945. HSSPFs pressekontor gav meddelelsen 12. marts, men nyheden var nået til London og tilbage igen længe før (*Faldne i Danmarks frihedskamp*, 1970, s. 115f., 202, 35, 204, 290, Alkil, 2, 1945-46, s. 929).
35 De uofficielle henrettelser blev bl.a. udført, når sabotører blev grebet på fersk gerning, eller efter at de var blevet afhentet i deres hjem. Både tysk politi og Hipo foretog uofficielle henrettelser i henhold til RFSS' stående ordre.
36 *Information* 7. marts 1945 fremdrog eksempler herpå. Det gjaldt ikke kun de syv dræbte 24. februar; en hel del andre kan også dokumenteres i foråret 1945 lige til 4. maj.

Uniformen, grüne, Hipo-Leute in schwarz und in Zivil gekleidete Spitzel beiderlei Geschlechts und beiderlei Nationalität. Es waren dort besondere Überfallkommandos, die aus zivilen Dänen und deutschen Nazisten bestanden, die mit automatischen Pistolen und Handgranaten ausgerüstet waren. "Gute Jagd" wurde ihnen nachgerufen, wenn sie ausrückten. In den Garagen des Shell-Hauses standen die Luxusautos des Gestapochefs Seite an Seite mit den beschlagnahmten dänischen Polizeiautos, grauen Opelwagen und falschen Taxen, deren tickende Taxameter nur Tarnung sind. Tag und Nacht brauste das Leben in den Korridoren des Shell-Hauses. Bewaffnete Männer trieben gefesselte Männer und Frauen vor sich her, Autos wurden vollgeladen, Schreibmaschinen klapperten und der Rundfunk lärmte. Der Lärm übertäubte das Rufen und Schreien der Gefangenen. Manchmal wurde im Shell-Haus so laut geschrieen, daß nicht einmal die Bombenexplosionen den Klang dämpfen konnten. In diesem Gebäude bekamen die Gefangenen einen Eisenring um den Mund geschraubt, bis sie das Bewußtsein und das Gedächtnis verloren. Männer und Frauen haben schmerzende Brandwunden bekommen. Viele Hunderte wurden bis zur Bewußtlosigkeit gepeitscht und stundenlang geschlagen. Das ist keine Propaganda; unter den Flüchtlingen in Schweden leben noch verschiedene Zeugen der Gestapo-Tortur. Unter den aktivsten Gestapoleuten waren eine Reihe dänischer Landesverräter: Max Pelving, Buchdrucker Hammeken, Ole Hjorth alias Benttsen, der rothaarige Sadist, der verschiedene Frauen mißhandelt hat, der fanatische Nazist Birkedal-Hansen, sowie zahlreiche andere Angeber und aktive Gestapoleute, von denen viele in den letzten Monaten von den Freiheitskämpfern liquidiert wurden.[37] Das waren Männer des Shell-Hauses, die wie die Wilden während des Volksstreiks in Kopenhagen schossen, das waren diejenigen, die die Terrorgruppen organisierten, dann aber in das Hipo-Korps aufgenommen waren. Die Wagen des Shell-Hauses fuhren bei Nacht auf den Landstraßen in friedliche dänische Provinzstädte und legten dort Bomben. Dies geschah als Racheakt oder als Versuch, die Bevölkerung glauben zu machen, es wären Saboteure, die diese Verbrechen begangen hätten. Es waren die Männer des Shell-Hauses, die zuerst mit den Clearing-Morden anfingen. Der Wagen, der Kaj Munk aus Vedersö an die Mordstelle in Funderbakker brachte, kam aus der Garage des Shell-Hauses. Ein ganzes Kapitel der Geschichte Dänemark, das blutigste, das dramatischste und das grausigste, trägt die Überschrift: Das Shell-Haus.

Die Mehrzahl der dänischen Gefangenen, die im Shell-Haus als Geiseln saßen, wurden laut DPT aller Wahrscheinlichkeit nach nach dem Angriff der RAF auf das Shell-Haus befreit, dank der außerordentlichen Tüchtigkeit der RAF-Flieger, der Geistesgegenwart eines dänischen Polizisten und dem schnellen Eingreifen der dänischen Patrioten von außen her. Ein dänischer Polizist, der selbst Gefangener war, hat der "Information" folgendes berichtet:[38] Ich lag gerade in meinem Bett und las, als ich das Ge-

---

[37] Flere af disse har fået deres historie skrevet, se for Max Pelving, Skov Kristensen 2007c og for Ib Birkedal Hansen, Øvig Knudsen 2005. Ole Hjorth var en tidligere SS-frivillig, der i tiden oktober 1943-september 1944 var tolk for Gestapo i København, hvorefter han kom til Gestapo i Kolding. Han deltog i talrige anholdelser og mishandlinger og skød på københavnerne under generalstrejken sommeren 1944. 21. februar 1948 idømt 20 års fængsel.

[38] Uddrag fra *Information* 23. marts 1945. Politimanden var C. Lyst Hansen, hvis beretning er genoptrykt hos Næsh Hendriksen og Kampmann 1964, s. 21-23.

räusch der Moskito-Maschinen hörte, und bald danach explodierten zwei Bomben, Sie waren genau so geworfen, daß sie, wie ich später erfuhr, das Gebäude im ersten Stock trafen. Das ganze Gebäude wackelte; mein einziger Gedanke war, wie ich entkommen könne. Ich warf mein schweres hölzernes Bett gegen die Tür, und zu meinem Erstaunen wurde die Tür zerschmettert. Ich lief auf die Treppe, und der Erste, der mir begegnete, war unser Gestapowachtposten; er war ganz weiß im Gesicht und zitterte. Ich rief ihm zu, daß er mir die Schlüssel geben solle. Außer sich griff er in die Tasche und zog eine Schere hervor. Ich untersuchte dann selbst seine Taschen und fand die Schüssel, während er unbeweglich stehen bleib. Ich lief zu soviel Zellen, wie ich erreichen konnte, den sämtlichen Nummern von 6-22, und öffnete sie. Die Gefangenen liefen hinaus. Keiner versuchte, uns anzuhalten. Wir sahen niemanden außer 30 toten Deutschen, die auf den Treppen lagen. Auf der Straße traf ich einige Freiheitskämpfer und gab ihnen die Schüssel, damit sie die Zellen 1-5 öffnen könnten. Ich weiß nicht, ob es gelang, schließt der dänische Polizist seinen Bericht. Ein anderer Patriot, der einen Monat im Shell-Haus saß und sich ebenfalls unter den Befreiten befindet, erzählt, daß er, nachdem er früher schon einmal der Tortur unterworfen worden war, gerade zum Verhör mit der gewöhnlichen Tortur geführt werden sollte, als er die Maschinen hörte, worauf zwei Explosionen erfolgten. Zwei der Gestapo-Leute, die ihn begleiteten, liefen, um ihr Leben zu retten, während ein dritter ihm zurief, daß er mit in den Luftschutzraum kommen solle. Als sie die Treppen herunterliefen, beschoß eine neue Maschine das Shell-Haus, und der Gestapomann warf sich auf den Boden, während der Gefangene auf die Straße lief, ohne Deutschen zu begegnen. Einigen der Gefangenen gelang es, einen deutschen Wagen zu erreichen, der im Hofe des Shell-Hauses stand, und sie entkamen auf diesem Wege.

London 26.3.1945
Die Oberärzte Poul Fjeldborg und Johs. Buchholtz in Vejle und Pastor Bentsen in Esbjerg wurden ermordet.[39]

Terkel M. Terkelsen hält Nachrufe für die ermordeten jütländischen Oberärzte und führt dann wörtlich aus: Jetzt sind die beiden Männer den Mörderkugeln zum Opfer gefallen. Sie öffneten ihre Türen, um Menschen in Not Hilfe zu leisten, allein die Hand, die anklopfte, war die des Mörders. Und dies geschieht gleichzeitig damit, daß die Deutschen Zehntausende verwundeter Soldaten und andere Zehntausende hilfloser Frauen und Kinder nach Dänemark schicken in der Hoffnung, daß sie Frieden und Ruhe finden, und in der Überzeugung, daß dänische Ärzte ihnen die Hilfe leisten werden, deren sie so sehr bedürfen. Sie wagen es sogar, an das Mitgefühl zu appellieren, obgleich es ihnen schwer fällt, die Haltung des Herrenvolkes aufzugeben. Sie wagen es, an das Pflichtgefühl der Ärzte zu appellieren, um dann zwei oder vier zufällig ausersehene Ärzte in ihrem Bestreben, den dänischen Selbstbehauptungswillen zu brechen, zu ermorden. Die Deutschen spielen ein hohes Spiel, und zwar mit ihrem eigenen Leben als Einsatz. Verstehen sie nicht, daß das Gesetz der Ritterlichkeit von den dänischen Patrioten nicht auf die Dauer eingehalten werden kann, wenn sie sich selbst den schlimmsten

---

39 Pastor Poul Bendtzen blev likvideret i Esbjerg 24. marts af Peter-gruppens medlemmer i Kolding, og samme gruppe likviderede Poul Fjeldborg og Johannes Buchholz i Vejle dagen efter. Det var som gengæld for jernbanesabotagen og bombardementet af Shellhuset (Bøgh 2004, s. 221f., tillæg 3 her).

Verbrechen hingeben? Sehen sie nicht ein, daß die 47.000 zivilen Flüchtlinge und die 24.000 Verwundeten, die in Kopenhagen angekommen sind, sowie die Zehntausende von Flüchtlingen, die nach Jütland strömen, als Geiseln anzusehen sind, die in der elften Stunde des Krieges der dänischen Bevölkerung auf Gnade und Ungnade ausgeliefert sind? Dänische Patrioten haben sich geweigert, gegen Frauen und Kinder, oder gegen verwundete, mit den Nerven heruntergekommene Soldaten Krieg zu führen. Die Türen der Heime sind diesen traurigen Überbleibseln eines in Auflösung befindlichen Herrenvolkes verriegelt. Kälte und Feindlichkeit schlägt ihnen aus einem Lande entgegen, das unter der deutschen Unterdrückung soviel gelitten hat. Weiter ist Dänemark bis jetzt noch nicht gegangen, aber falls diesen Flüchtlingen jetzt, in der Stunde des Zusammenbruchs eine Bevölkerung begegnet, die keine Gnade kennt, verdanken die Deutschen dies sich selbst und ihren Bezahlten Mördern.

2.) Die schwedische Presse.
Unter Überschriften wie "Eine Konferenz über Dänemark in Deutschland" berichteten die schwedischen Blätter vom 12.3.1945 über Besprechungen in Berlin, an denen der Wehrmachtbefehlshaber Generaloberst Lindemann, der Reichsbevollmächtigte Dr. Best, Obergruppenführer Pancke und der Leiter der Deutschen Volksgruppe in Nordschleswig Tierarzt Dr. Möller teilgenommen hätten. In diesem Zusammenhang wurde mitgeteilt, daß der Reichführer-SS die Unterbringung neuer großer Flüchtlingskontingente in Dänemark gefordert haben solle. Man erwarte, daß die Deutschen demnächst sämtliche Krankenhäuser, Sanatorien, Pensionate und Hotels, sowie Versammlungshäuser, Vereinsgebäude, usw. beschlagnahmen würden. Bei der Konferenz in Berlin habe man ferner die Möglichkeit der Unterbringung von Offiziers- und Unteroffiziersschulen in Dänemark besprochen. Diese Schulen beherbergten gegenwärtig 25-30.000 fanatische Nazisten.[40]

Ohne nähere Quellenangabe brachte "Expressen" vom 18.3.1945 die Mitteilung, daß in der letzten Zeit den dänischen Widerstandsgruppen verschiedene Hilfsangebote von dänischen Nazisten gemacht worden seien, welche "kalte Füße" bekommen hätten. Am erstauntesten sei jedoch wohl eine Gruppe auf Fünen gewesen, an die sich der frühere Chef des "Schalburg-Korps" und "Anstifter der Clearing-Morde und Zerstörungen" gewandt habe. Obersturmbannführer K.B. Martinsen und sein Adjutant seien nämlich von der Ostfront desertiert und hielten sich auf Fünen unter der Erde auf. Sie hätten der Widerstandsbewegung alle möglichen Informationen über die Urheber des Schalburg-Terrors angeboten, falls man ihnen helfen wolle; ihr Anerbieten sei aber abgelehnt worden. In Nyborg habe man von deutscher Seite drei Hipomänner mit der besonderen Aufgabe stationiert, die beiden Deserteure abzufangen, falls diese versuchen sollten, sich über den Belt nach Seeland zu begeben. Alle wagen und Fähren würden genau untersucht.[41]

"Die nationalsozialistische Organisation in Kopenhagen hat nach längerer Zeit wie-

---

[40] Om mødet i AA 5. marts 1945 og hvem der deltog m.m., se referatet fra mødet anf. dato ovenfor.
[41] K.B. Martinsens og hans adjudant, Knud Thorgils' tilbagekomst til Danmark som desertører var blevet bragt som nyhed i *Information* 16. marts.

der eine große Versammlung abgehalten," schreib "Expressen" vom 19.3.1945. "Der neue Parteiführer C.O. Jörgensen sprach über die innerpolitischen Aufgaben der Partei während ein Kreditgesellschaftsdirektor Poul Rasmussen sich des außenpolitischen Themas annahm, u.a. der Frage der Beziehungen zu Schweden. Mit Schweden haben wir nur über eins zu sprechen, setzte er unter ohrenbetäubendem Beifall auseinander, nämlich über Schonen, Halland und Blekinge, die sie uns geraubt haben."[42]

Unter der Überschrift "Deutsche Flüchtlingsscharen wie Heuschreckenschwärme über Dänemark" schreib "Svenska Dagbladet" vom 19.3.1945: "Die dänischen Staatsbahnen sind mit sofortiger Wirkung gezwungen worden, jede Beförderung von Gütern über den Großen Belt einzustellen. Der Schiffraum der Fähren wird zur Zeit ganz von den großen Flüchtlings- und Verwundetentransporten in Anspruch genommen, welche Tag und Nacht durch Dänemark fahren. Dänemark wird heute nicht nur als Sammelplatz für Flüchtlinge und Verwundete, sondern auch als Durchgangsweg für den großen Strom von den Ostseehäfen nach Norddeutschland benutzt, ein Umweg, der offenbar infolge der beschränkten Kapazität der übrigen Ostseehäfen notwendig ist, aber durch die dänische Eisenbahnsabotage sehr erschwert wird. Deutsche Lazarettzüge mit Soldaten, welche aus den besetzten und bedrohten Gebieten evakuiert wurden, rollen nun täglich von dänischen Häfen nach Süden. Auch die leichter Verwundeten in diesen Zügen, die früher oder später wieder an die Front kommen, bieten ein Bild des Elends. Die vielen Flüchtlinge, die nun in den dänischen Städten untergebracht werden, sind nicht besser gestellt. Ihre bettelnden Kinder sind bald eine Landplage, welche anwächst. Die Erwachsenen, die von ihrer ganzen Habe geflohen sind, haben dies in absolutem Vertrauen auf die Propaganda getan, daß der Endsieg nahe sei und sie bald zurückkehren würden. Ihnen allen hat man gesagt, daß sie in ein friedliches Land kommen und freundlich empfangen würden und die allgemeine Ansicht ist, daß Dänemark eine norddeutsche Provinz und Kopenhagen deren Hauptstadt sei. Die Geschäfte in den Städten, wo sich die Flüchtlinge niedergelassen haben, sehen nach ein paar Tagen aus, als sei ein Heuschreckenschwarm über sie hergefallen, und in dänischen Kreisen ist man ernstlich beunruhigt, daß Deutschlands Verschuldung an Dänemark nach dieser letzten Invasion ins Ungeheure steigen wird."

"Einige mit deutschen Verhältnissen wohlvertraute Personen in Göteborg fordern, daß Schweden ein oder mehrere Sanitätskorps ausrüstet, um so bald wie möglich Dänemark bei der Bekämpfung von Epidemien zu helfen, nicht nur im Interesse des dänischen Brudervolkes, sondern auch im eigenen Interesse", berichtete "Aftonbladet" am 18.3.1945. "Anlaß hierzu ist eine Erklärung der Deutschen, daß sie innerhalb der nächsten Woche 80 % der dänischen Krankenhäuser mit Flüchtlingen und Verwundeten belegen wollen. Diese Flüchtlinge und Kranken, die ungefähr 300.000 Köpfe zählen sollen, kommen hauptsächlich aus den von den Russen besetzten Ostgebieten und sind mit Läusen und allerlei Krankheiten und Epidemien behaftet. Wie Dänemark ohne die notwendige Krankenhausausrüstung der im Zusammenhang mit den Flüchtlingen drohenden Epidemien Herr werden soll, ist ein Problem, das nicht nur Dänemark,

---

42 Poul Rasmussens bemærkelsesværdige tale blev gengivet i *Fædrelandet* 16. marts 1945 og siden aftrykt hos Alkil, 2, 1945-46, s. 423.

sondern auch in hohem Grade Schweden angeht. Wenn die schwedischen Behörden 10 bis 15 % der Krankenhausausrüstungen stellen und wenn außerdem auf privatem Wege Betten zur Reserve beschafft werden könnten, so würde dies sehr zur Beruhigung aller nordischen Völker beitragen. Es handelt sich außerdem darum, eine schwedische Hilfsexpedition nach Dänemark unter Leitung schwedische Ärzte zu organisieren, welche sobald wie möglich abgesandt werden kann. Pest und Flecktyphus lassen sich nicht durch Grenzen aufhalten. Generaldirektor Axel Hoyer von der Medizinalverwaltung hat erklärt, es seien schon gewisse Vorkehrungen getroffen worden, um im Notfalle rasch schwedische Hilfe einzusetzen. Die schwedische Nachkriegshilfe werde natürlich in erster Linie den Nachbarländern gelten."

"Dansk Pressetjänst" schreib am 20.3.1945: "In den fünf Wochen, seit denen General Lindemann Oberbefehlshaber in Dänemark ist, sind mehr als 150 Dänen von den Deutschen hingerichtet oder ermordet worden. Lindemann nimmt damit einen der ersten Plätze auf der dänischen Liste über Kriegsverbrecher ein."[43]

Im Zusammenhang mit Berichten über die mutmaßlichen Opfer des britischen Bombeangriffes auf das Shell-Haus befaßten sich die schwedischen Zeitungen vom 22.3.1945 in DPT-Meldungen mit einigen Männern des deutschen Sicherheitsdienstes in Kopenhagen und schrieben im einzelnen: "Einer, welcher dem Angriff entging, war Kriminalrat Buncke, der kürzlich den Posten des Hipo-Chefs übernahm und in das Büro des ehemaligen Reichspolizeichefs einzog, während dieser mit anderen höheren Beamten bei der Gestapo gefangen sitzt. Ob diese sich unter den von den Patrioten befreiten befinden, ist noch nicht bekannt. Für Buncke ist es immer noch möglich, Terror in Dänemark zu organisieren, hauptsächlich, weil er seine Hipo-Männer für Mord und Sabotage zur Verfügung hat, und es werden auch weiter Razzien und Verhaftungen vorgenommen werden. Aber ohne die zerstörten Kartotheken und Akten wird Buncke schlecht arbeiten.[44] Da die Hipo in ihren schwarzen Uniformen nur im Auto fährt und sich nicht zu Fuß auf die Straßen wagt, hat sie auch begrenzte Möglichkeiten. Im Auslande fragt man zuerst nach dem Schicksal Bovensiepens. Man weiß eigentlich nicht viel über ihn, nicht einmal, ob er seinen wirklichen Namen trägt, sagt ein mit den Verhältnissen vertrauter dänischer Patriot, der Gefangener der Gestapo war. Bovensiepen kam vor etwa einem Jahr aus Berlin, wo er im Rasseinstitut der Partei arbeitete. Er ist ungefähr 40 Jahre alt, mit einem charakteristischen Lächeln, daß ihn nie verläßt. Das Bovensiepensche Lächeln ist das Letzte, was so mancher dänische Patriot von dieser Welt gesehen hat.[45] Die deutsche Polizei in Dänemark wird offiziell von General Pancke geleitet, der im Dagmarhaus sitzt. Er ist mit Best und Lindemann gleichgestellt, aber Bovensiepen stand in direkter Verbindung mit Himmler und war deshalb in gewissen

---

43 Dette tal er en del i overkanten, og Lindemann var ikke hovedansvarlig for hverken henrettelserne eller clearingmordene.

44 Det er svært at vurdere, hvor stor skade Shellhusbombardementet påførte Bunkes og de øvrige tyske politifolks arbejde. Det er anslået, at mellem 51 og 56 tyske og danske Gestapofolk omkom (højere end opgivet fra tysk side her i afsnit I.4). Ødelæggelsen af dele af arkiverne var en ting, men lige så vigtigt var, at mange af Gestapofolkene, herunder alle de ledende, selv undgik udslettelse og kunne arbejde videre på grundlag af deres erfaringer.

45 Bovensiepen var årgang 1905 og deltog ikke selv i henrettelsen af modstandere.

Fällen der Stärkste unter den Dreien.⁴⁶ Nach ihm kommt Regierungsrat Hoffmann, ein Mann, der aus der Hitlerjugend kommt und auch unter dem Namen Huber bekannt ist. Als er Anfang 1944 nach Dänemark kam, schuf er sich Freunde unter den dänischen Nazisten und suchte Kontakt mit der Freiheitsbewegung, um zu "Übereinkünften" zu kommen. Er wollte besonders über die Stikkermorde verhandeln.⁴⁷ … Unter ihm arbeiten Kriminalrat Schweitzer,⁴⁸ der sich gern mit allen Gefangenen gut stehen will, und Buncke, dessen Abteilung seinerzeit 11 Gefangene als Rache für einen Stikkermord umbrachte, ein brutaler Mann, der verschiedene Gefangene persönlich mißhandelt hat,⁴⁹ und ferner Hermansen, welcher u.a. den Transport der dänischen Polizei nach Deutschland leitete⁵⁰…"

"Expressen" schrieb am 22.3.1945 in einem "Shellhuset in memoriam" betitelten Leitartikel: "Wieder einmal hat die RAF die dänische unterirdische Bewegung direkt unterstützt durch ihren Präzisionsangriff auf das Hauptquartier der Gestapo im Shell-Haus und den angrenzenden Gebäuden in Kopenhagen. Seit Beginn der Sabotage ist diese intime Zusammenarbeit zwischen englischen Fliegern und der unterirdischen Bewegung im Gange gewesen, und keine englische Aktion in Dänemark ist ohne ausdrückliche Billigung durch die Patrioten geschehen. Es ist der dänischen Freiheitsbewegung nicht leicht geworden, ihren Bundesgenossen zu einer Aktion aufzufordern, welche mit Sicherheit zum Tode gefangener Patrioten führen würde. 50 dänische Freiheitskämpfer, unter ihnen eine Reihe bekannterer Persönlichkeiten, waren bekanntlich im Obergeschoß des Shellhauses eingesperrt, und sicherlich sind die meisten umgekommen.⁵¹ Große Interessen haben für die unterirdische Bewegung auf die Spiele gestanden, welche eine Liquidierung der Gestapo unter so großen Opfern notwendig machten. Der Angriff der RAF war ein Sieg für die Freiheitsbewegung, – aber ein Sieg, welcher zur gleichen Zeit verschärfte Wachsamkeit fordert. Zweifelsohne sind viele Angeber und Polizisten mit dem Leben davongekommen, und man muß damit rechnen, daß sie "un-

---

46 Det er ikke korrekt, at Bovensiepen stod i direkte forbindelse med Himmler, da Kaltenbrunner i RSHA var hans overordnede.

47 Karl Heinz Hoffmann havde været i Gestapo siden 1937 og kom 14. september 1943 til Danmark som chef for Gestapo. Svensk presse kunne i oktober 1944 fortælle om Hoffmanns forsøg på at komme i personlig kontakt med et medlem af Danmarks Frihedsråd med løfte om frit lejde. De skulle forhandle, men dette forsøg på at intimidere modstandsbevægelsen blev ikke besvaret (se *Politische Informationen* 1. november 1944 under afsnittet "Fjendtlige stemmer").

48 Fritz Willy Schweitzer var ikke Kriminalrat, men kriminalkommissær og leder af afdeling IV 3 og 4 i Gestapo (spionage og modstandsbevægelse). Om hans forhold til fangerne, se Mogens Fogs ret udførlige og positive beskrivelse af ham: en ærlig mand (Hoff 1946, s. 698ff., Fog 1976, s. 202, 204f. og passim. Fog havde allerede i *Frit Danmark* april 1945 skrevet om forholdet til det tyske vagtmandskab og andre "tjenesteforpligtede").

49 Kriminalrat Erich Bunke, leder af afdeling IV 2 i Gestapo (sabotagebekæmpelse og våbentilførsler), stod bl.a. for nedskydningen af 11 danskere 9. august 1944 (Henrik Lundtofte i *Hvem var hvem 1940-1945*, 2005, s. 56f.).

50 Kriminalrat Hans Hermannsen, leder af afdeling IV 1 i Gestapo (kommunistbekæmpelse), spillede en tvetydig rolle i Danmark ved at hjælpe nogle danske socialdemokrater og modstandsfolk, en opportunisme, der sikrede ham særbehandling under det korte fængselsophold efter maj 1945, ligesom han ikke blev straffet under retsopgøret (Henrik Lundtofte i *Hvem var hvem 1940-1945*, 2005, s. 150f.).

51 Der omkom otte danske modstandsfolk under og som følge af det engelske angreb på Shellhuset.

ter die Erde" gehen und unter neuen Namen an neuen Orten auftauchen, wo man sie nicht kennt. Vielleicht werden einige der schlimmsten Kriegsverbrecher der Gestapo sogar die Gelegenheit benutzen, ganz zu verschwinden, nachdem sie ihren eigenen Tod bekanntgegeben haben."[52]

180. Kriegstagebuch/WB Dänemark 1. April 1945
Kriemhildstillingen var bygget i efteråret 1944 for at forsvare den tyske nordflanke i tilfælde af en allieret invasion i Danmark. I april 1945 var den militære situation så radikalt ændret, at stillingen blev beordret vendt, så den kunne forsvare de tyske tropper i Danmark mod et angreb fra syd (Andersen 2007, s. 268).
Kilde: KTB/WB Dänemark 1. april 1945.

[...]
Auf Grund der Besprechung zwischen Generalfeldmarschall Busch – Generaloberst Lindemann wird Ausbau der Kriemhildstellung mit Front nach Süden ab 2.4.45 befohlen. Führungsstab Nordküste wird um Mitteilung gebeten, welche Stellung in diesem Bereich mit Front nach Süden umgebaut werden.

General d. Kav. Feld wird mit der Aufgabe des Umbaus der Kriemhildstellung beauftragt.
[...]

181. Kriegstagebuch/Seekriegsleitung 2. April 1945
I Kriegsmarine var der opstillet en liste over den meste akutte personalemangel med Bornholm på en andenplads og "Sonderaktion Dänemark" på en femteplads. Ingen af de to områder blev prioriteret, da Dönitz traf sin beslutning; en afgørelse måtte vente. På grund af situationens udvikling fandt Seekriegsleitung det hensigtsmæssigt med en særlig befaling for hele Kriegsmarine vedrørende behandlingen af fortrolige dokumenter. Ifølge gældende forskrifter skulle fortrolige dokumenter, der risikerede at falde i fjendens hænder, destrueres. Det var nødvendigt at udvide denne regel til, at truede dokumenter af særlig eller enestående værdi skulle bringes til en sikker del af Tyskland, eller – når det ikke længere var muligt – sikre dem ved at tilsidesætte gældende befalinger, for at de senere kunne udnyttes af Kriegsmarine.
Kilde: KTB/Skl 2. april 1945, s. 28f.

[...]
b.) Chef Mar Wehr hat am 30.3.45 Aufstellung einer Dringlichkeitsliste für die Erfüllung der vorliegenden Personalforderungen beantragt.
Hierzu hat Adm Qu II folgende Reihenfolge festgelegt:
1.) Sabotageschutz Norwegen
2.) Bornholm
3.) Küstenaufbau

---

52 Eksempler herpå er ikke kendt før i maj 1945, da bl.a. Gestapo-chefen i Ålborg, Fritz Bolle, gjorde sig usynlig en tid ved et angiveligt "selvmord" (KB, Herschends dagbog nr. 497, 10. maj 1945. Om ham i øvrigt Henrik Lundtofte i *Hvem var hvem 1940-1945*, 2005, s. 41).

4.) Marine-Infanterie-Ersatz-Battl.
5.) Sonderaktion Dänemark[53]
6.) 3. Marine-Infanterie-Div.
7.) Bordbedarf einschl. K-Verbände
8.) Aufstellung von 6 Festungs- bzw. Inselbataillonen,
    Umgliederung der SStA'en Niederlande,
    Austausch des Flak-Hilfspersonals
9.) Marine-Bataillon für die Führer-Division und Marine-Panzer-Jagd-Brigade
10.) Verstärkung der Bordflak
11.) 2 Insel-Kompanien für Helgoland
Hierzu hat der Ob.d.M. gestern entschieden:
1.) Aufstellung von 6 Festungs- bzw. Inselbataillonen durch 2. AdN sofort.
2.) Gestellung von 2.400 Mann durch 2. AdN für SStA'en Niederlande nach näherer Weisung MOK Nord.
3.) Austausch des für Erdkampf nicht geeigneten Hilfspersonals im Nordseebereich in Höhe von zunächst 1.800 Köpfen in Zusammenarbeit mit MOK Nord.
4.) Aufstellung von Straßenbau-Bataillonen unter Anwendung der gem. 3) freiwerdenden Kriegsgefangenen und Eingliederung dieser Bataillone in die Festungspionier-Einheiten.
Die Entscheidung des Ob.d.M. zu den übrigen Punkten steht noch aus.

c.) Chef Skl. drahtet an Chef des Stabes Ob.d.M. folgende Anregung:
"Skl. hält auf Grund Lageentwicklung besonderen Befehl für gesamte Kriegsmarine über Behandlung Geheimsachen (Akten, Druckschriften, Dokumente usw.) für erforderlich. Nach gültigen Vorschriften sind alle Geheimsachen zu vernichten, wenn Gefahr besteht, daß sie in Feindeshand fallen. Es erscheint notwendig, diese Regelung dahingehend zu ergänzen, daß Akten Druckschriften und Dokumente von besonderem oder einmaligem Wert, wenn Möglichkeit der Verbringung in ungefährdetes Reichsgebiet nicht mehr besteht, nach Entscheidung des verantwortlichen Offiziers – wenn notwendig unter Außerachtlassung gültiger Verschlußbefehle – so sicherzustellen sind, daß sie feindlichem Zugriff entzogen, daß aber ihre spätere Ausnutzung für die Kriegsmarine gewährleistet ist. M wird um weitere Veranlassung gebeten."
[…]

182. Günther Pancke: Tagesbefehl Nr. 10/45, 3. April 1945
Pancke havde foreslået Himmler at opløse det tyske ordenspolitis stab, at udvide Panckes stab og at overføre de fritstillede officerer til kampindsats. Forslaget var blevet tiltrådt af Himmler og trådte i kraft med øjeblikkelig virkning.
Kilde: BArch, R 70 Dänemark 11.

---

53 Det er ubekendt, hvad "Sonderaktion Dänemark" indebar.

Der Höhere SS- und Polizeiführer in Dänemark   *Kommandostelle, den 3.4.45*

Tagesbefehl Nr. 10/45

Zur Stärkung der kämpfenden Front habe ich dem Reichsführer-SS den Vorschlag unterbreitet, den Stab des BdO aufzulösen, meine Stab zu erweitern und die dadurch freiwerdenden Offiziere und Unterführer für einen neuen Einsatz zur Verfügung zu stellen.

Aufgrund meines vom Reichsführer-SS erhaltenen Befehls habe ich heute die Zusammenlegung der Stäbe des Höheren SS- und Polizeiführers und des Befehlshabers der Ordnungspolizei angeordnet.

Sämtliche anfallende Arbeit wird nunmehr allein von meinem neuen Stab erledigt.

Die Bataillone Wasserschutzpolizeikommando, Nachrichtenkompanie, Genesenkompanie sowie der Gendarmerie-Einzeldienst unterstehen mir sofort unmittelbar.

Dem Befehlshaber der Ordnungspolizei, Herrn Oberst der Gend. Lorge, seinen Offizieren und Unterführern, die zum Einsatz an der Front frei werden und von Dänemark scheiden, spreche ich meinen Dank und meine Anerkennung aus für die bisher geleistete Arbeit.

Die nun zu meinen Stabe tretenden Offiziere, Unterführer, Männer und Stabshelferinnen begrüße ich in der Erwartung, daß sie wie bisher ihre Pflicht treu und gewissenhaft erfüllen und ihre letzte Kraft einsetzten zum Endsieg unseres Volkes.

183. Georg Lindemann an OKW/WFSt 4. April 1945

Endnu en gang bad Lindemann om, at anbringelsen af de tyske flygtninge blev overladt til de civile myndigheder. Der var endnu ikke tegn på, at det var ved at ske. Ud over flygtningene kom der tyske soldater, alle uden våben. Lindemann anmodede om, at de fik lov til at beholde deres våben ved udskibningen, da han ellers ikke kunne opstille en brugelig enhed af dem i Danmark.

Kilde: BArch, Freiburg, RW 4/754. RA, Danica 1069, sp. 1, nr. 431f.

Entwurf
WFSt/Qu. 2 (II)   *4.4.1945*

Notiz

Anruf W. Befh. Dänemark – Ia.

1.) Die Frage der Übernahme der Betreuung der nach Dänemark evakuierten Flüchtlinge durch zivile Dienststellen werde immer dringlicher. Anzeichen dafür, daß die Betreuung von ziviler Seite übernommen werden solle, lägen nicht vor.

Die Flüchtlinge seien bisher größtenteils auf die Kochgelegenheiten der Wehrmacht angewiesen, da es dem Reichsbevollmächtigten nicht gelungen sei, für sie eigene Kochgelegenheiten zu schaffen. Das führe jetzt zu ernsthaften Schwierigkeiten für Truppenverlegungen sowohl innerhalb des dänischen Raumes als auch außerhalb. Erst gestern habe der Reichsbevollmächtigte in einem Gespräch mit dem Ob. zum Ausdruck gebracht, eine beabsichtigte Truppenverlegung müsse mit Rücksicht auf die Betreuung der Flüchtlinge unterbleiben, weil nach Führerbefehl die Belange der Flüchtlinge vorgingen.

W. Befh. Dänemark bittet erneut, alles zu tun, um die Überleitung der Flüchtlingsbetreuung in den zivilen Bereich zu beschleunigen.

2.) Mit den Personaltransporten über See nach Dänemark kämen z.Zt. nicht nur Flüchtlinge, sondern auch Soldaten, gelegentlich Reste ganzer Einheiten. Diese träfen sämtlich ohne Waffen in Dänemark ein. Feststellungen hätten ergeben, daß den Soldaten die Waffen vor ihrer Einschiffung abgenommen würden, anscheinend weil in einem Falle auf einem beschädigten Schiff ein Kampf um die Rettungsboote mit Schießerei stattgefunden hätte.

Die Wiederauffrischung bzw. Aufstellung von Truppenteilen aus diesem Trümmern stoße auf unüberwindliche Schwierigkeiten, weil W. Befh. Dänemark bereits ein Fehl von 28.000 Gewehren habe. Er könne daher die Leute nicht bewaffnen. Wenn die Soldaten mit Waffen kämen, wäre es ihm leicht, aus den Resten neu zusammengestellte Einheiten laufend den Fronten zur Verfügung zu stellen.

W. Befh. Dänemark bittet zu erwirken, daß in Zukunft den nach Dänemark eingeschifften Soldaten die Waffen belassen bleiben.

184. Walter Haensch an Werner Best 4. April 1945

Haensch kunne meddele, at det var en misforståelse, at danske læger ikke måtte behandle tyske flygtninge, men at det var op til hver enkelt læge at afgøre det med sin samvittighed. Dette havde Haensch foreholdt amtslægen i området, men det havde været uden virkning. I stedet ville lægearbejdet blandt de tyske flygtninge blive forestået af læger fra det tyske mindretal og af tyske læger. Der var aktuelle spørgsmål om tandpleje, apparatur, tuberkulosebehandling m.m. Sluttelig gjorde Haensch opmærksom på, at det ville være påkrævet at få opført barakker med plads til 20.000 mennesker.

Kilde: LAÅ, Det tyske Mindretals arkiv, pk. 616.

Durchdruck
Der Reichsbevollmächtigte in Dänemark   *4. April 1945*
AZ: XVI / 157/45

An den Herrn Reichsbevollmächtigten in Dänemark
   Kopenhagen
   Dagmarhaus

Betr.: Aktuelle Fragen zum Flüchtlingsproblem. Ärztliche Betreuung.
Bezug: Meine Berichte XVI/97/45 vom 6.3.45 und XVI/126/45 vom 13.3.45[54]

Die Mitwirkung der dänischen Ärzteschaft bei der ärztlichen Betreuung der Flüchtlinge verlief ohne nennenswerte Zwischenfälle. Das Abkommen mit den dänischen Amtsärzten im hiesigen Bereich über Krankenhausaufnahme wurde durch ein weiteres Abkommen dahingehend ergänzt, daß die dänischen Ärzte sich einverstanden erklärten, auch Krankenbesuche auf Ruf in den Flüchtlingslagern bzw. Unterkünften vorzunehmen.

---

54 Skrivelsen 6. marts 1945 er trykt ovenfor.

Abgelehnt wurde lediglich, was verständlich ist, die Übernahme einer automatischen Dauerbetreuung in Form von Lagerarztposten.

Wenn lediglich in Kolding diese Regelung nur allmählich und zögernd von den dänischen Ärzten befolgt wurde, so lag das, wie eine erneute Prüfung seitens der Feldkommandantur in Hadersleben ergab, an dem Ungeschick, bezw. der Unbeholfenheit des dortigen Truppenarztes.

Eine Änderung der Lage trat durch die bekannte Abmachung des Flüchtlingszentral-Ausschusses mit dem Leiter der dän. Ärzte Spitzenorganisation in Kopenhagen ein, wonach offenbar in mißverständlicher Auslegung dieser Abmachung auch die hiesigen Ärzte glaubten ab 25.3.45 nicht mehr Flüchtlinge behandeln zu dürfen. Durch die bekannten Vorfälle in Vejle wurden die dän. Ärzte im hiesigen Bereich in dieser Auffassung noch bestärkt.

Den von der Hauptabteilung II mir mitgeteilten erneuten Beschluß der zentralen dän. Ärzteorganisation, nachdem es der Gewissenspflicht des einzelnen Arztes überlassen bleibt, Flüchtlinge zu behandeln, habe ich dem hiesigen dänischen Amtsarzt gegenüber zur Sprache gebracht. Eine darüber hinaus gehende Einwirkung auf die Ärzte ist ihm jedoch auch nicht möglich. Vorerst sind jedoch Fälle von Behandlungsablehnung der dänischen Ärzte nur in geringem Umfange zu verzeichnen. Krankenhausaufnahmen erfolgen nach wie vor reibungslos.

Die nunmehr nach Mitteilung der Hauptabteilung II anlaufende Organisierung der ärztlichen Flüchtlingsbetreuung durch deutsche Ärzte ist nur zu begrüßen. Nach Eintreffen des für den hiesigen Bereich vorgesehenen Amtsarztes Dr. Beller werde ich mit diesem den weitern Aufbau des ärztlichen Betreuungswerkes regeln, wobei ich schon jetzt bemerken darf, daß Dr. Beller eine genügende Anzahl weiterer Ärzte zur Verfügung gestellt werden müssen. Desgleichen müßten genügend Schwestern zur Verfügung gestellt werden. Insoweit ist mir von einer Flüchtlingsschwester der Hinweis gegeben worden, daß eine Anforderung von Schwestern von der Behörde des Reichsbevollmächtigten auch an das "Mutterhaus der Diakonissinnen in Elbingerode i. Harz (20) Dir. Woeckel" gerichtet werden kann.

Mit der Feldkommandantur Hadersleben und der Volksgruppe habe ich vereinbart, daß bis zu endgültigen Durchorganisierung der ärztlichen Betreuung durch reichsdeutsche Ärzte der ärztliche Betreuungsdienst im hiesigen Bereich so verbleibt wie bisher, d.h. durch bezw. unter Leitung der Truppenärzte (Vogl. Meinen Bericht vom 6.3.45.)

Das Angebot eines Flüchtlingszahnarztes im Rahmen der Flüchtlingsbetreuung innerhalb des hiesigen Bereiches tätig zu werden, wurde im Einvernehmen mit der Volksgruppe und den militärischen Stellen angenommen. Da der Zahnarzt die Möglichkeit hatte in Flensburg die notwendigsten Gegenstände und zahnärztliche Instrumente zu beschaffen, wurde nach Zustimmung durch Herrn Reg. Dir. Dr. Stalmann die Genehmigung hierzu erteilt. Die Kosten werde aus dem Flüchtlingshilfswerk in der Weise gedeckt, daß die Kreisamtsleitung der NSV in Flensburg sich einverstanden erklärt hat die RM-Beträge für die Anschaffung der Instrumente und Einrichtungsgegenstände zur Verfügung zu stellen. Bezüglich der seitens der Volksgruppe bereits angeregten Bezahlung, der bis auf weiteres noch tätig werdenden dänischen Ärzte, nach einem einheitlichen Satz, welcher 20 % unter der tarifmäßigen Taxe liegt, darf ich unter Bezugnahme auf fernmündliche Rücksprache mit Reg. Dir. Dr. Stalmann ausführen:

Eine solche Honorierung der Ärzte würde das Mittel zwischen der tarifmäßigen Taxe und derjenigen darstellen, welche die dänischen Krankenkassen den Ärzten gewähren. Die Volksgruppe schlug Honorierung mit 6 Kr. für den Besuch gegenüber 8 Kr. Tarif-Taxe und ca. 5 Kr. Krankenkassetaxe und mit 4 Kr. für die Konsultation gegenüber ca. 5,5 Kr. Tarif-Taxe und ca. 3,5 Kr. Krankenkassetaxe vor.

Bei der gegenwärtigen Situation innerhalb der dänischen Ärzteschaft und unter Berücksichtigung der bevorstehenden ärztlichen Betreuung durch reichsdeutsche Ärzte halte ich es jedoch für nicht angebracht, bezüglich der Honorierung noch Schritte zu unternehmen, wenn auch die ärztlichen kosten ziemlich hoch sind, wie z.B. eine Monatsrechnung des hiesigen Arztes Dr. Abbild über ca. 8 bis 9.000 Kr. zeigt.

Verschiedentlich glaubten Wehrmacht und Volksgruppe im hiesigen Bereich feststellen zu müssen, daß die Apothekerschaft sich weigere, Medikamente für Flüchtlinge an die deutschen Truppenärzte in gleichem Umfange abzugeben wie für dänische Kranke.

Ich habe insoweit über den hiesigen Amtmann und den Amtsarzt Überprüfungen angestellt mit dem Ergebnis, daß die dänische Apothekerschaft nach wie vor bereit ist, keinerlei Unterschiede bei der Abgabe von Medikamenten zu machen. Die Apothekerschaft hat Wert darauf gelegt, dies ausdrücklich zu erklären. Sie hat jedoch gebeten, von dem bestehenden Mangel an Medikamenten, insbesondere Spiritus, sowie Verbandmaterial Kenntnis zu nehmen, und die deutschen Truppenärzte hierauf aufmerksam zu machen, damit die Apothekerschaft nicht in ein schiefes Licht komme.

Weitere sich im Rahmen der ärztlichen Betreuung ergebende Fragen: Inwieweit Tuberkulosen-Kranke in dänischen Sanatorien untergebracht werden können, in welcher Weise auch künftig die dänische Amtsärzte bei Vorliegen von Geschlechtskrankheiten einzuschalten einzuschalten sind, in welchem Umfange eine Krankenbehandlung durch Bäder, Bestrahlung usw. unter Zuhilfenahme dänischer Institute erfolgen kann, werde ich mit Dr. Beller nach seinem Eintreffen klären.

Anliegend füge ich ein Schreiben der SD-Außenstelle Apenrade über "Vitaminol-Aktion" für Säuglinge bei. Problematisch ist nach wie vor die Flüchtlingsentlausung. Soweit sich eine sofortige Entlausung nach Ankunft in Kopenhagen nicht als durchführbar erweist, müßte dafür Sorge getragen werden, daß für Jütland mindestens 3 Entlausungszüge zur Verfügung gestellt werden, von denen je einer dauernd in Nord-, Mitte- und Südjütland stationiert wird. Sollten später wieder Flüchtlingstransporte über die Südgrenze anrollen, müßte versucht werden, die bei Pattburg bestehende dänische Großentlausungsstation einzuschalten, was mir vom hiesigen Amtsarzt zugesagt wurde.

Die Aufstellung einiger Baracken mit einem Fassungsvermögen von 20.000 Personen wäre hierfür allerdings erforderlich zur ersten Unterbringung.

gez. **Dr. Haensch**

185. Werner Best: Besprechung mit Helmer Rosting 4. April 1945

Helmer Rosting havde en samtale med Best, hvoraf det fremgår, dels at Best forhandlingsteknisk ville knytte en forbindelse mellem en begunstigelse for de danske internerede i Tyskland og de danske lægers hjælp til de tyske flygtninge, dels at hans bestræbelser for at mildne de interneredes vilkår ville høre op, hvis man fra dansk side stadig indtog en afvisende holdning over for hjælp til syge flygtninge (samtalen kendes gennem referat i UMs arkiv 84a 33e, underskrevet D, et andet sted skrevet ud som Dahl, Lylloff 1999, s. 52).

186. WB Dänemark an Wilhelm Keitel 5. April 1945

WB Dänemark skrev direkte til Keitel om flygtningesituationen i Danmark. Det var fortsat de tyske tropper, der alene måtte tage sig af indkvarteringen.

Samme melding gav forbindelsesofficeren hos Heeresarzt samme dag med tilføjelsen af, at de danske læger nægtede at pleje eller udlevere medicin til de tyske flygtninge (kilde som nedenfor).

Kilde: BArch, Freiburg, RW 4/754.

Fernschreiben

KR – HXSI/FF 107/08 5.4. 21.30 (DG WFRL/FF 2119)

KR an Chef OKW   Geheim

Betr.: Flüchtlingefürsorge.
1.) Bisher sind über 100.000 Rückgeführte in Dänemark eingetroffen und untergebracht.
2.) Der zur Verfügung stehende Raum für Unterbringungszwecke ist in nächster Zeit ausgeschöpft.
3.) Die Betreuung der Rückgeführten liegt nach wie vor ausschl. in den Händen der Truppe. Die vom … angeforderten Kräfte der zivilen Verw. sind bisher nicht eingetroffen.

[uden underskrift]

187. Günther Pancke: Tagesbefehl 7. April 1945

Pancke indskærpede forbuddet mod, at tyske politifolk modtog besøg af hustruer eller slægtninge i Danmark.
Kilde: BArch, R 70 Dänemark 11.

Der Höhere SS- und Polizeiführer in Dänemark   *Kommandostelle, den 7.4.45*

Es besteht Veranlassung darauf hinzuweisen, daß das lt. Tagesbefehl Nr. 6 vom 5.1.44 und Nr. 15 vom 28.7.44 ausgesprochene Verbot des Besuches von Ehefrauen und sonstigen Angehörigen der in Dänemark tätigen SS- und Polizeiangehörigen nach wie vor in Kraft ist.

Ich betone nochmals, daß ich jeden bestrafen werde, der auf Umwegen (etwa über den Reichsbevollmächtigten und NSV) eine Einreisegenehmigung für seine Familienangehörigen zu erlangen versucht.

Es ist auch nicht statthaft, daß Dienststellenangehörige ihre Familien als Einzelflüchtlinge etc. nach Dänemark kommen lassen. Ausgenommen sind diejenigen Frauen und Kinder, die in offiziellen Flüchtlingstrecks oder -transporten in Flüchtlingslager nach Dänemark eingewiesen werden.

Pancke
SS-Obergruppenführer,
General der Waffen-SS und Polizei

Verteiler:
Alle SS- und Pol. Dienststellen
Nachrichtlich:
RB

188. OKH: Entwaffnung und Verwendung fremdländischer Verbände und Truppenteile 9. April 1945

Det havde vist sig, at udenlandske tropper i tysk krigstjeneste, bl.a. ungarske tropper, ikke ville kæmpe, eller at de løb over til fjenden. Derfor skulle en række udenlandske troppeenheder opløses og anvendes af værnemagten på anden vis.

Ordren fik også konsekvenser i Danmark, se drøftelsen hos WB Dänemark 24. april 1945.
Kilde: BArch, Freiburg, RH 2/921b.

Oberkommando des Heeres   H.Qu., den 9. April 1945
GenStdH/Org. Abt.   40 Ausfertigungen
Nr. II/80 429/45 g.Kdos.   ... Ausfertigung

Betr.: Entwaffnung und Verwendung fremdländischer Verbände und Truppenteile.

An			
	OB West	=	1. Ausf. (fernschr. voraus)
	alle Obkdos. d. Heeresgruppen	=	2.-12. Ausf.
	(H.Gr. im Osten fernschr. voraus)		
	Geb. AOK 20 (zgl. WB Norw.)	=	13. Ausf. (fernschr. voraus)
	AOK 2	=	14. – (– –)
	AOK 4	=	15. – (– –)
Nachr.	Chef OKW	=	16. –
	OKW/ Chef Heeresstab	=	17. –
	OKW/WFSt/Op (H)	=	18. –
	OKW/WFSt/Org	=	19. –
	OKM	=	20. –
	OKL	=	21. –
	SS-Führungshauptamt	=	22. –
	OKH/ObdE/AHA/Stab Ia(3)	=	23. –
	OKH/PA	=	24. –

1.) In letzter Zeit haben häufig fremdländische Verbände und Einheiten, teilweise auch

ungarische Truppenteile, im Einsatz versagt oder sind zum Feinde übergelaufen.
    Der Führer hat daher entschieden, daß alle fremdländischen Truppenteile (gleichgültig welcher Nationalität), für deren Unzuverlässigkeit sichere Anzeichen vorliegen, rechtzeitig zu entwaffnen sind.
2.) Hierzu wird im Einvernehmen mit OKW/WFSt befohlen:
   a.) Vorschläge zur Entwaffnung und weiteren Verwendung von Verbänden und Einheiten sind an OKH/GenStdH/Org. Abt. zu richten.
   b.) Ist Gefahr im Verzuge, kann die Entwaffnung unverzüglich unter gleichzeitiger Meldung an OKH/GenStdH/Org. Abt. durchgeführt werden.
3.) Folgende Verwendung entwaffneter und aufgelöster fremdländischer Verbände und Einheiten ist vorgesehen:
   a.) Einsatz als freiwillige Soldaten in der deutschen Wehrmacht,
   b.) als Bau-Btle.,
   c.) als Wach-Btle. für Objektschutz,
   d.) als Kämpfer zur Stärkung der infanteristischen Kampfkraft (gruppenweise).
4.) Die Verwendung der durch Entwaffnung oder Auflösung ung. Verbände und Einheiten freiwerdenden Ungarn regelt federführend OKH/ObdE/AHA.
Zuführung von je 2-3.000 freiwilligen Ungarn zum Einsatz in der fechtenden Truppen zur H.Gr. Mitte und Weichsel ist vorgesehen.

I.A.
gez. **Krebs**
Gen d Inf und Chef der Führungsgruppe
m.d.W.b.

189. Georg Lindemann: Besprechung mit Hans-Heinrich Wurmbach und Alexander Holle 9. April 1945

De tre tyske værnschefer drøftede den politiske og militære udvikling i Danmark. Den militære trussel kom fra syd, hvorfor der allerede var gjort forberedelse til en styrkelse af Kriemhildstillingen. Der var en fælles bekymring over den stadige afgivelse af mandskab og mangelen på våben.

Kilde: KTB/WB Dänemark 9. april 1945, Anlage 37.

B e s p r e c h u n g
am 9.4.1945

Oberbefehlshaber   Admiral Skagerrak
Chef   mit Chef
Ia   Komm. Gen. d. Dt. Lw. i. Dän.
                          mit Chef

Einleitend wurde durch den OB auf Grund der Lageentwicklung die politische und militärische Bedeutung Dänemark besprochen (Verbindungen nach Norwegen, Ostseeausgänge für eigene Seestreitkräfte, Ernährungsbasis).
    Interessen Rußlands und Englands stoßen im dänischen Raum aufeinander. Ruß-

land sieht die Möglichkeit vor sich, den lange erstrebten Ausgang in den Atlantik zu gewinnen. England wird bestrebt sein, der russ. Absicht zuvorzukommen.

Die Gefahr einer russ. Landung braucht z.Zt. nicht als gegeben angesehen zu werden, da Oderfront im wesentlichen hält und eigene Seestreitkräfte in der Ostsee noch stark genug, um russ. Landungsabsichten von See aus gegen Dänemark verhindern zu können (vgl. hierzu Lagebeurteilung Admiral Skagerrak mit FS Nr. 1573/45 F 1 g.Kdos. vom 5.4.45).[55]

Eine englische Landung von See ist z.Zt. in Dänemark nicht zu erwarten, da seine militärischen Erfolge im Reichsgebiet ein Aufbrechen Dänemarks von Süden mit erheblich geringeren Kräften wahrscheinlicher erscheinen läßt.

Für den Fall eines feindlichen Angriffs von Süden sind daher die Maßnahmen des W. Bef. Dän. in der nächsten Zeit beschleunigt abzustellen.

Admiral Skagerrak hält die Landung eines schwachen dänischen Expeditionskorps von Schweden her auf Seeland für wahrscheinlich. Le. Seestreitkräfte sind für die Abwehr eines solchen Unternehmens angefordert. OB erwähnt hierzu, daß eine Schwächung der 328. Inf. Div. aus gleichem Grunde nicht vorgesehen ist.

Der Auftrag für W. Bef. Dän. bleibt derselbe wie bisher: Das Land ist gegen jeden feindlichen Angriff, von welcher Seite er auch kommt, zu halten.

Infolge der hohen Abgaben ist W. Bef. Dän. vermehrt auf die Unterstützung von Admiral Skagerrak und Komm. Gen. d. Dt. Lw. i. Dän. angewiesen. Da der Schwerpunkt der Abwehr nunmehr im Süden Jütlands liegt, sind alle Abwehrmaßnahmen im Zusammenwirken aller 3 Wehrmachtteile beschleunigt durchzuführen.

Die Kriemhildstellung ist zur Verteidigung nach Süden herzurichten (OB trägt die bisher von W. Bef. Dän. gegebenen Befehle über Ausbau der Stellung und ihre Besetzung vor).

OB Nordwest beabsichtigt, das feindliche Vordringen in allgemeiner Linie im Anschluß an die Ems Verlauf des Küstenkanals bis Oldenburg, von dort Verlauf der Hunte bis zur Einmündung in die Weser südlich Elsfleth und von dort Verlauf der Weser in Südostwärtiger Richtung bis Verden ausschl., weiter etwa entlang der Bahnlinie auf Soltau (Soltau einschl.), Straße Soltau-Lüneburg (Lüneburg einschl.) südl. Lauenburg Anschluß an die Elbe aufzufangen, weiterhin die Kaiser-Wilhelm-Kanalstellung und die deutsch-dänisch Grenzstellung zur Verteidigung nach Süden einzurichten.

Nach eigener Beurteilung der Lage werden die Kräfte des OB Nordwest zur Besetzung dieser beiden Riegelstellungen nicht erheblich sein. Mit einer nachhaltigen Verteidigung dieser Stellung kann daher nicht gerechnet werden. Die Frage, ob Kräfte des W. Bef. Dän. bis in eine der beiden Stellungen nach Süden vorgeschoben werden sollen, ist mit negativem Ergebnis geprüft worden (mangelnde Beweglichkeit der eigenen Truppenteile verhindert zeitgerechte Besetzung der Stellungen – Versorgungswege aus dem dän. Raum in diese Stellungen zu lang). Mit der Einnahme der Kriemhildstellung wird Nordschleswig mit der Insel Alsen dem Feind preisgegeben, dieser Nachteil muß in Kauf genommen werden. Die im Raum Nordschleswig und auf Alsen befindlichen Versorgungslager der 3 Wehrmachtteile sind nach Norden zu verlegen.

---

55 Situationsberetningen er ikke lokaliseret.

Frage OB, ob Marinekräfte ausreichen, die Insel Alsen zu verteidigen, wird von Admiral Skagerrak verneint. Die auf Alsen untergebrachten schwachen Marinekräfte sollen mit drohender Feindannäherung nach Fünen verlegt werden.

Im Anschluß an die Erörterungen über die Kriemhildstellung spricht OB eingehend über die derzeitige Kräftegliederung des Heeres in Dänemark und über den Zustand der Div. Die für die augenblicklichen Kampffronten von W. Bef. Dän. durchgeführten Abgaben seit Januar 1945 wurden besonders erwähnt, damit entfällt auch eine weitere zusätzliche infanteristische Sicherung der Marine und He. Küst. Battr.

Das Absinken der Kampfkraft der im Raum verbliebenen Truppen des Heeres fordert deren beschleunigte Beweglichmachung mit Kfz. aller Art, um schnell Schwerpunkte mit den verbliebenen Kräften bilden zu können (vor allem Beweglichmachung der Art.).

Weitere Herauslösung von Geschützen der He. Küst. Art. wurde festgelegt, wobei Admiral Skagerrak Wert darauf legte, daß die He. Küst. Art. im Abschnitt der 160. Inf. Div. nicht geschwächt werden dürfe. OB ist gleicher Ansicht.

Die Gestellung von Alarmeinheiten durch Admiral Skagerrak und Komm. Gen. d. Dt. Lw. i. Dän. muß erneut gefordert werden. Admiral Skagerrak erklärt, hierfür nur unbedeutende infanteristische Kräfte zur Verfügung zu haben, da in letzter Zeit eine Personalabgabe von etwa 6 bis 7.000 Marine-Soldaten an das Heer erfolgt ist und als Ersatz dafür nur etwa 1.500 Mann erwartet werden. Allein die Verteidigung Kopenhagens wird dadurch empfindlich geschwächt. Komm. Gen. d. Dt. Lw. i. Dän. glaubt, Alarmeinheiten aus den fliegenden Verbänden im dän. Raum stellen zu können, da der starke Betriebsstoffmangel eine volle Ausnutzung der Kräfte verbietet. Einsatz dieser Alarmeinheiten der Lw. vordringlich im Abschnitt der 160. Inf. Div. zur Küstensicherung vorgesehen, um weitere Kräfte für die Kriemhildstellung freizubekommen, auch Einsatz hinter der russ. Brigade kann in Frage kommen.

OB bespricht nunmehr eindringlich die derzeitige Waffenlage des W. Bef. Dän. durch ständige Abgaben mit Waffen und Gerät ausgestatteter Verbände ist ein nicht tragbares Fehl allein an Handwaffen in Höhe von rd. 30.000 Gewehren eingetreten, bei Maschinenwaffen und Panzernahkampfwaffen liegen die Verhältnisse entsprechend.

Admiral Skagerrak bemerkt, daß auch die Kriegsmarine in Dänemark sehr stark unter Waffenmangel leidet, im Verhältnis am günstigsten steht noch die Luftwaffe.

General Holle wird prüfen, ob eine leihweise Abgabe von Gewehren an das Heer in Frage kommen kann. Bei der Marine besteht erheblicher Mangel an Minen. W. Bef. Dän. wird prüfen, wieweit Admiral Skagerrak geholfen werden kann.

Die Freigabe von erbeuteten Waffen, die für dän. Wiederstandsgruppen eingeflogen wurden, wird auch auf General d. Luftwaffe und Admiral Skagerrak ausgedehnt. Ebenso wird Höh.SS- und Polizeiführer gebeten werden, noch Sprengmunition für W. Bef. Dän. und Admiral Skagerrak abzugeben.

Gem. Antrag General Holle wird ein FS an OKW gerichtet werden, daß Stäbe und Dienststellen aller Wehrmachtteile, die nach Dänemark ausweichen wollen, grundsätzlich die Genehmigung des Chefs OKW besitzen müssen.

190. Der Reichsminister der Finanzen an das Auswärtige Amt 9. April 1945
RFM skrev til AA, at det sluttede sig til det tysk-danske regeringsudvalgs standpunkt, at den begunstigede personalegruppe, der uindskrænket kunne gøre indkøb i Danmark og tage varerne med til Tyskland uden dansk toldkontrol, skulle indskrænkes. Med den nuværende ernæringssituation var det mere påtrængende end nogensinde at få den uregulerede udførsel af fødevarer fra Danmark reguleret. RFM foreslog derfor indførelse af en særlig attest for den snævrere personkreds, der skulle fritages for toldkontrol. Udstedelsen af attesten skulle overlades til de tjenestesteder, der også udstedte rejsepapirerne.
Kilde: RA, Danica 50, pk. 91, læg 1264.

Abschrift
Der Reichsminister der Finanzen   *Berlin W 8, 9. April 1945*
Y 5104/3 – 35 V – 2

An das Auswärtige Amt, Berlin

Zollkontrolle Reichdeutscher in Dänemark,
Ihr Schreiben vom 1. August 1944[56] – Ha. Pol. VI 2146/44 –

Ich schließe mich dem Standpunkt des Regierungsausschusses an, daß der begünstigte Personenkreis eingeschränkt werden muß. Z.B. ist es untragbar, daß praktisch jeder, der den Ausweis einer deutschen Dienststelle besitzt, ohne weiteres von der dänischen Zollkontrolle befreit ist. Die gegenwärtige Ernährungslage läßt es dringender als je angezeigt erscheinen, die ungeregelte Ausfuhr von Lebensmitteln aus Dänemark unter eine schärfere Überwachung zu stellen. Dabei ist auch der Umstand zu beachten, daß künftig durch die Belegung Dänemarks mit Flüchtlingen die dänischen Ausfuhrleistungen erheblich beeinträchtigt werden, abgesehen davon, daß ein neuer Kreis von Personen auftritt, der versuchen wird, seine Angehörigen von Dänemark aus mit Lebensmitteln zu versorgen.

Der Personenkreis, der vom Wehrmachtbefehlshaber in Dänemark in Durchführung des OKW-Erlasses vom 30. Oktober 1942 von der Zollkontrolle befreit ist, ist völlig unbestimmt und bedarf einer schärferen Umreissung. Es kann keinem Zweifel unterliegen, daß die eigentlichen Wehrmachtangehörigen von der Überwachung durch den dänischen Zoll ausgenommen bleiben müssen. Hierunter fallen alle Personen, die der Wehrmacht auf Grund gesetzlicher Bestimmung oder öffentlich-rechtlicher Verträge angehören oder unmittelbar unterstehen. Die Angehörigen der Waffen-SS, der OT und des RAD stehen den Wehrmachtsangehörigen gleich. Auch Personen, die als Amtsträger Hoheitsaufgaben des Reiches wahrnehmen, unterstehen der Zollüberwachung nicht. Das sind die deutschen Beamten einschließlich der Polizei, die in Dänemark eingesetzt sind. Hierunter können aber auch reichsdeutsche Zivilangestellte fallen, wenn sie bei einer deutschen Dienststelle Hoheitsaufgaben wahrnehmen.

Der Zollkontrolle müssen dagegen alle Personen unterworfen worden, die auf Grund privatrechtlicher Verträge für deutsche Dienststellen in Dänemark tätig sind ohne dabei Hoheitsaufgaben durchzuführen. Dabei ist es gleichgültig, ob diese Tätigkeit unmit-

---
56 Skrivelsen er ikke lokaliseret.

telbar oder mittelbar für die Wehrmacht oder die Dienststellen von Reichsbehörden ausgeübt wird. Demnach sind insbesondere alle Angehörigen von Privatfirmen, die im Auftrage der Wehrmacht oder der OT bei Bauarbeiten oder sonstigen Vorhaben beschäftigt sind, überwachungspflichtig. Ferner müssen alle dänischen Staatsangehörigen der dänischen Zollhoheit unterstellt werden. Ausgenommen davon sind nur die Freiwilligen, die in der Waffen-SS oder in der Deutschen Wehrmacht Waffendienst leisten. Der bisherige Zustand, daß jeder dänische Arbeiter und Angestellte, der bei einem Wehrmachtvorhaben auf Privatdienstvertrag tätig war, der Zollüberwachung entzogen ist, ist nicht aufrechtzuerhalten.

Hieraus ergibt sich auch die Behandlung der Ausweisfrage. Der Einspruch der Abwehrstelle bezog sich auf die Vorlegung der sogen. Bewegungspapiere, also der Marschbefehle und sonstiger Reiseausweise, aus denen Abgangsort, Ziel und Zweck der Reise hervorgingen. Nach der gegenwärtigen Regelung sind dem dänischen Zoll daher nur die Personalausweise vorzulegen. Der Personalausweis für sich allein ist jedoch nur ausreichend, soweit es sich um ein Soldbuch oder ein Einsatzbuch der Wehrmacht, der Waffen-SS, der OT oder des RAD handelt. In allen anderen Fällen muß zu dem Personalausweis die Bescheinigung einer deutschen Dienststelle in Dänemark treten, die den Reisenden für die einzelne Reise von der Zollüberwachung befreit.

Ich schlage deshalb die Einführung einer besonderen Bescheinigung vor, aus der ersichtlich ist, daß der namentlich genau zu bezeichnende Reisende für eine einmalige Hin- und Rückreise über die dänische Grenze gegen Vorlage der Bescheinigung in Verbindung mit einem näher bezeichneten Personalausweis von der Zollüberwachung befreit wird. Die Ausstellung dieser Bescheinigung ist den Dienststellen zu übertragen, die für die Ausstellung der Bewegungspapiere zuständig sind. Die Dienststellen sind dabei ausdrücklich darauf hinzuweisen, daß die Bescheinigungen nur in den obenumrissenen Fällen ausgestellt werden dürfen.

Abschriften dieses Schreibens habe ich dem Reichsmarschall des Großdeutschen Reiches – Beauftragten für den Vierjahresplan –, dem OKW, dem Reichsernährungsministerium und dem Reichswirtschaftsministerium übersandt.

Im Auftrag
gez. **Dr. Berger**

Abschrift zur Kenntnis.
Herrn Oberregierungsrat Korff
  b. Reichskommissar für die besetzten norwegischen Gebiete
  Oslo

191. Kriegstagebuch/Seekriegsleitung 9. April 1945

MOK Ost tog stilling til overvejelserne i Kriegsmarine med hensyn til placeringen af de krigsskibe, der måtte lægges op pga. brændstofmangel. Tre danske havne var udset til placering af artilleriskibe, mens Helsingør, Nyborg og Korsør skulle have minestrygere. Erfaringerne med anvendelsen af krigsskibe som flydende batterier var ikke gunstige, da der var stor risiko for, at de blev sat ud af spillet af allierede luftstyrker. Den endelige placering af skibene skulle drøftes.

Den endelige placering blev noget anderledes: Andre skibe fandt til Danmark, og andre danske havne blev også anvendt, og der var i de sidste uger ikke længere tale om en plan, men om hvor skibene kunne nå til. Krydseren "Nürnberg" kom f.eks. ikke til Kalundborg, men forblev i København, og krydseren "Leipzig", der ikke skulle have været til Danmark, lagde til ved Åbenrå.

Kilde: KTB/Skl 9. april 1945, s. 146f.

[...]

Die Stellungnahme des MOK Ost lautet:

"1.) MOK Ost stimmt Überlegungen Flotte hinsichtlich Reihenfolge Stillegung Flottenstreitkräfte aus Brennstoffmangel grundsätzlich zu.

2.) Bei derzeitiger Lage als vorläufige Absicht nachstehende Dislokation Flottenstreitkräfte vorgeschlagen.

> Swinemünde: "Lützow", "Schlesien".
> Kiel: "Scheer", "Nordland".
> Kopenhagen: "Prinz Eugen".
> Kalundborg: "Nürnberg".
> Aarhus: "Hansa".
> Helsingör, Nyborg, Korsör: Zerstörer.
> Stralsund, Warnemünde: T-Boote.

3.) Einsatz Flottenstreitkräfte als Schwimmende Batterien in durch anglo-amerikanische Luftstreitkräfte besonders bedrohten Räumen (Swinemünde, Kiel) im Hinblick auf Erfahrungen in letzter Zeit mit größtem Risiko verbunden und vor Einsatzmöglichkeit Ausschaltung durch Feindeinwirkung zu erwarten. Belegung dänischer Häfen wird im einzelnen bei bevorstehender Dienstreise Ob.MOK mit Adm. Skagerrak besprochen und endgültig Vorschlag baldigst vorgelegt."

[...]

192. Günther Pancke: Befehl 10. April 1945

Pancke beordrede, at alle tyske polititransporter fremover skulle bestå af to eller flere vogne, og at det ledsagende personale i vognene skulle sidde med skudklare våben. Anledningen blev også angivet: 4. april var en politivogn blevet standset, de to politifolk dræbt, vognen brændt og ladningen stjålet.

Der foreligger ikke fra anden side oplysninger om aktionen 4. april.

Kilde: BArch, R 70 Dänemark 11.

Der Höhere SS- und Polizeiführer in Dänemark   *Kommandostelle, den 10.4.1945*

Am 4.4.45 wurde 1 Lkw des SS-Wachbtl. Själland auf der Fahrt von Ringsted nach Kopenhagen von Saboteuren in deutscher Wehrmachtsuniform überfallen, indem diese sich als Straßenkontrolle tarnten. Fahrer und Beifahrer wurden getötet, der Lkw verbrannt und die Ladung geraubt.

Ich ordne daher mit sofortiger Wirkung für alle Einheiten der Waffen-SS und Polizei sowie die Dienststellen der SS und des BdS an:

1.) Sämtliche Transporte mit Lkw sind mit 2 Wagen durchzuführen. Der Transport ist solange anzuhalten, bis 2 Lkw voll ausgelastet abgesandt werden können.
2.) Für Kopenhagen sind bei meiner Abt. Qu, im übrigen Lande bei den Gebietsführern die beabsichtigten Transporte anzumelden. Abt. Qu bzw. Gebietsführer haben sich zwecks Geleitzusammenstellung von 2 oder mehreren Fahrzeugen mit den in Frage kommenden Dienststellen der SS und Polizei und Wehrmacht in Verbindung zu setzen.
3.) Für jedes Geleit ist ein Verantwortlicher Unterführer durch Abt. Qu bzw. Gebietsführer zu bestimmen, der eingehend über Verhalten auf der Fahrt zu unterrichten ist.
4.) Die Beifahrer sind ausreichend insbesondere mit MPi zu bewaffnen. Der Beifahrer hat die Waffe stets schußbereit zu halten und ist verantwortlich zur Aufrechterhaltung der Verbindung der Fahrzeuge untereinander.
5.) Abt. Qu legt mir umgehend ein Merkblatt vor, das alle Verhaltensmaßregeln enthält, die unter den gegebenen Verhältnissen beachtet werden müssen.

gez. **Pancke**
SS-Obergruppenführer,
General der Waffen-SS und Polizei

Für die Richtigkeit.
Hauptmann und Adjutant

193. Georg Lindemann: Besprechung mit Oskar Kummetz 10. April 1945

Lindemann drøftede den militære situation med generaladmiral Kummetz, specielt forsvaret af København, der var blevet sværere efter afgivelsen af mandskab. Lindemann betonede, at havnødelæggelsen var Kriegsmarines opgave. Kummetz lovede at bidrage til styrkelsen af Kriemhildstillingen.
Kilde: KTB/WB Dänemark 10. april 1945, Anlage 39.

B e s p r e c h u n g
mit General-Admiral Kummetz am 10.4.45

Die bei der Besprechung am 9.4.45 zwischen OB und Admiral Wurmbach besprochenen Fragen wurden im wesentlichen wiederholt.

OB unterstützt vor allem die Wünsche der Kriegsmarine in Dänemark. Bei den neueingesetzten Mar. Art. Abt. 508, 521, 522 und 523 fehlen vor allem Nachrichtenmittel. Die Abt. sind bisher auf das dän. Fernsprechnetz angewiesen. Funkgeräte fehlen insgesamt 99, Ausstattung mit Inf. Waffen (Granatwerfern, Pz. Nahkampfwaffen) ist gering. Mangel an Stacheldraht und Minen. General-Admiral erklärt, daß er aus seinem Bereich versucht, diese nachschieben zu können.

Verteidigung Kopenhagens wurde eingehend besprochen. Durch das Absinken der

Personalstärken Schiffs-Stamm-Abt., tritt vor allem eine wesentliche Schwächung der Verteidigungskraft Kopenhagens ein.

General-Admiral glaubt, durch die Aufstellung von 3 le. Mar. A[rt.] A[bt.] und 8 Marine-Schützen-Batl., die allerdings größtenteils aus dem Bereich des Admiral Skagerrak entnommen werden sollen, den Personalstand der Kriegsmarine in Kopenhagen doch in alter Höhe halten zu können.

OB betont, daß durch Verfügung OKM die Hafenzerstörungen ausschl. Angelegenheit der Marine sind. Kräfte des Heeres stehen nicht zur Verfügung, ebenso keine Sprengmittel.

Generaladmiral wird versuchen, diese nachzuschieben. Die Frage der schnelle artl. Verstärkung der Kriemhildstellung zur Verteidigung nach Süden wird eingehend besprochen. General-Admiral wird der Verlegung einiger Battr. in die Kriemhildstellung zustimmen, wenn die Lage es erfordert. Die Verstärkung der Kriemhildstellung mit Marine-Flak-Art., vor allem 8,8 cm, wird in Aussicht gestellt, desgleichen der Einsatz einer Marine-Küsten-Battr. in der Assens-Stellung auf Fünen zur Sicherung des Fährhäfens nach Alsen.

Ein Verbindungs-Offz. der Kriegsmarine zum W. Bef. Dän. steht z.Zt. nicht zur Verfügung. Es muß dabei bleiben, daß dieser Offz. erst bei B II von Admiral Skagerrak gestellt wird.

General-Admiral sagt aber zu, die Zuführung der noch fehlenden 2 Marine-Art. Rgt. Stäbe zu beschleunigen.

General-Admiral erklärt abschließend, daß er bisher seine Kräfte an Artl. weitgehend in den dän. Raum vorverlegt habe, nunmehr aber auch darauf bedacht sein müsse, seine eigenen Landfronten von Süden zur Verteidigung vorzubereiten.

194. OKW/WFSt: Verstärkung deutschen Eisenbahnpersonals in Dänemark 10. April 1945

WB Dänemark havde anmodet om allerede nu at få tilført det tyske jernbanepersonale, som det var forberedt skulle komme til Danmark. RVM skønnede, at det skulle kunne klares med 2.600 mand. OKW/WFSt støttede anmodningen på baggrund af den heftige sabotageaktivitet og mulighederne for strejker.

Svaret er ikke lokaliseret, men en tilførsel af et større kontingent tysk jernbanepersonale blev lovet i foråret 1945. 1.000 var ankommet og yderligere 1.500 kunne generaldirektør Knutzen annoncere ankomsten af på et departementschefmøde 24. april 1945 (RA, UM, 84.A.23, DM. Nr. 167. Knutzen 1948, s. 148 er ikke præcis med dateringen), hvilket uanset det endelige antal ankomne understreger betydningen af sikringen af jernbaneforbindelsen. Samtidigt er det klart, at det var en tysk plan helt at overtage personalekontrollen ved det danske jernbanenet, og at WFSt vurderede jernbanesabotagens betydning som så stor, at det kunne retfærdiggøre tilførsel af meget betydelige ressourcer for at få den stoppet, selv på dette fremskredne tidspunkt af krigen.

Kilde: BArch, Freiburg, RW 4/647.

VO Trup.bef bei OKW/WFSt
Nr. 003445/45 g.Kdos.

F.H.Qu., den 10.4.1945.
4 Ausfertigungen
... Ausfertigung

Betr.: Verstärkung deutschen Eisenbahnpersonals in Dänemark.

Vortragsnotiz!

WB Dänemark beantragt auf Grund der Entwicklung der Lage, daß die von der deutschen Reichsbahn für den Raum Dänemark vorbereiteten personellen und materiellen Zuführungen bereits jetzt durchgeführt werden. Die Übernahme des Betriebs ist vorläufig nicht beabsichtigt.

RVM glaubt mit 2.600 Mann auskommen zu können.

Gestellung macht infolge des verengerten Raumen zurzeit keine Schwierigkeiten. Wehrmachttransportchef unterstützt den Antrag.

Stellungnahme WFSt:
Der Zeitpunkt für Verstärkung des deutschen Eisenbahnpersonals in Dänemark erscheint auch im Hinblick auf die lebhaftere Sabotagetätigkeit der letzten Zeit und mögliche Streikbewegungen für gegeben.

Anliegendes Schreiben an RVM wird vorgeschlagen.[57]

gez. **Winter**
F.d.R.
Oberstlt. i.G.

195. Maßnahmen wegen des Entweichens der Svitzer-Schiffe 10. April 1945

Den 8. april lykkedes det, ved en aktion ledet af BOPA, for 16 slæbe- og bugserbåde fra Københavns havn at flygte til Sverige. Lige forud var 15 skibe, der var beslaglagt af Kriegsmarine 25. marts, atter blevet frigivet.[58] De blev nu som følge af den store skibsflugt atter beslaglagt. Ifølge Duckwitz' erindringer var frigivelsen af de beslaglagte skibe sket i forståelse med direktør ved RKS, Dr. Richard Bertram og Best, men frigivelsen havde fået Wurmbach til at kræve Duckwitz stillet for en krigsret, og at skibene igen blev beslaglagt.[59] Genbeslaglæggelser skete også, men det var et led i repressalierne for den nye skibsflugt, som også førte til et midlertidigt tysk forbud mod sejlads på Københavns havn, beslaglæggelse af tilbageværende slæbebåde m.v. – foranstaltninger, som imidlertid efter få dage ikke lod sig opretholde; havnen skulle kunne besejles. Det var en tysk politik i modstrid med sig selv, når der på en gang blev foretaget beslaglæggelser som gengæld for skibsflugt og leveret andre skibe tilbage, som alligevel ikke var nødvendige til tyske formål. For Best og Duckwitz blev det opfattet som to forskellige forhold. Det er meget tænkeligt, at Wurmbach ikke har set helt så differentieret på det. I øvrigt udsendte Kriegsmarine 18. april en ordre om, at alle danske skibe på over 50 tons kun måtte forlade Københavns havn med tysk militærvagt om bord. Dette forsøg på at standse skibsflugten fik sømændene til at nedlægge arbejdet. Der blev 19. og 20. april ført forhandlinger gennem UM, men uden resultat. Den 23. april gav Kriegsmarine så tilladelse til, at skibe på indtil 100 tons måtte sejle uden tysk vagt, og småskibsfarten kom i gang igen, men de store dampskibe kunne fortsat ikke forlade havnen. Besættelsesmagten var kommet i en klemme, hvor dens sanktioner skadede den selv (Kjeldbæk

---

57 Skrivelsen er ikke lokaliseret.
58 Jfr. Svenningsens meddelelse på departementschefmødet 10. april 1945, hvor han også meddelte, at der var beslaglagt 5 bugserbåde tilhørende DFDS, hvilket han antog var et modtræk for, at 16 både var sejlet til Sverige. Yderligere to isbrydere var beslaglagt (RA, UM, 84.A.23, DM nr. 165, 10. april 194). Det blev imidlertid ikke ved det.
59 ABA, Duckwitz 1945-46c, s. 12, Duckwitz' erindringer u.å. kap. X, s. 25 (PA/AA, Nachlass Georg F. Duckwitz, bd. 29).

1997, s. 405f., 482, *Daglige Beretninger*, 1946, s. 764, 797 (skriver 16 skibe), 801, 828, 830, 833, 835, 840, 844, Tortzen, 4, 1981-85, s. 260f., *Information* 26. og 27. marts, 11. april 1945 (skriver 22 skibe), *Skibsfartsberetning for årene 1939-1945*. II. 1950, s. 117).[60]

Duckwitz har en meget kraftigt tonet beskrivelse af Wurmbachs vrede over slæbe- og bugserbådenes flugt i sine erindringer, ifølge hvilken telegrammer med ordrer løb ind fra time til time, og Wurmbach skulle have krævet de skarpeste forholdsregler, herunder beslaglæggelse af oplagte danske skibsnybygninger: "Dr. Best, der ein Meister im Formulieren war, wies jedoch in einem sachlich unangefechtbaren Telegramm nach Berlin darauf hin, daß gerade diese Schiffe am Ende des "siegreichen Krieges von unschätzbarem Wert für die den Neuaufbau Europas seien und wir uns mit einer solchen Strafmaßnahme ins eigene Fleisch schneiden würden." … "Immerhin tat dies Telegramm seine Wirkung. Die große Aktion wurde abgeblasen, das Orchester in Berlin hörte widerwillig auf, uns die Ohren voll zu spielen, während der Admiral in Aarhus sich mit einem enthaltenden dumpfen Trommenwirbel des Mißvergnügens begnügen mußte." (Duckwitz' erindringer u.å. kap. III, s. 21 (PA/AA, Nachlass Georg F. Duckwitz, bd. 29)).

196. Leutlt. d.G. Hass: Bericht über die Reise nach Norwegen-Dänemark, 11. April 1945

En tysk officer fra WFSt besøgte i begyndelsen af april 1945 Danmark og drøftede bl.a. forholdene med general Lindemann. På dagsordenen var brunkulforsyningen til jernbanerne, de tyske flygtninge, østbataljonerne, persontransporten mellem Danmark og Norge og enkelte mindre problemer, mens hele den militære situation og de tyske styrkers kampkraft i Danmark ikke blev drøftet. For Lindemann var det et betydeligt problem, at hans styrker måtte bære hele byrden med indkvartering m.m. af de tyske flygtninge og lod det gå videre, at det var påtrængende, at Best fik stillet de fornødne ressourcer i form af personale til rådighed. Østbataljonernes pålidelighed blev drøftet, men der fremkom ikke forslag desangående. Det blev foreslået, at der blev gjort noget ved den omfattende tyske persontrafik mellem Danmark og Norge.

Officerens besøg satte sig ikke spor i KTB/WB Dänemark, skønt denne vidner om langt alvorligere problemer, end der blev drøftet. Til gengæld havde Carlo Otte, leder af HAVoWI i Norge, dagen efter nogle skarpe kommentarer til Kriegsmarines meningsløse godstrafik mellem Danmark og Norge. Den havde Admiral Skagerrak forlængst fået at mærke.

Kilde: BArch, Freiburg, RW 4/652.

Geheime Kommandosache
Leutlt. d.G. Hass   *F.H.Qu., den 11.4.1945*
WFSt/Qu.1   6 Ausfertigungen
Nr.003482/45 g.K.   … Ausfertigung

B e r i c h t
über die Reise nach Norwegen-Dänemark

[Afsnit A om Norge er udeladt]

B.) Dänemark:

1.) Mit Chef WB Dänemark werde beschleunigte Umstellung der dänischen Eisenbahn auf Braunkohle und Holz besprochen. Die monatlich hierfür benötigten 50.000

---

60 Hæstrup 1966-71, 2, behandler væsentlige sider af besættelsesforholdet i efteråret 1944 og foråret 1945 meget summarisk – eller slet ikke.

to Braunkohle sind ohne Schwierigkeiten aus der dänischen Förderung von 250.000 to zu decken. Die Widerstände der dänischen Staatsbahn müssen überwunden werden.

2.) Flüchtlinge:
Bisher sind 123.000 Flüchtlinge in Dänemark eingetroffen, deren Versorgung bisher ausschließlich durch die Wehrmacht vorgenommen wurde. Der Reichsbevollmächtigte ist aus Mangel an deutschen Kräften hierzu nicht in der Lage.[61] Er hat daher dringend Ärzte, NSV-Personal und deutsche Verwaltungsbeamte angefordert, um damit wenigstens einen Teil der Versorgung der Flüchtlinge von der Wehrmacht zu übernehmen. Trotz mehrfacher Anforderung ist ihm dieses Personal jedoch nicht gestellt worden. Es liegt im Interesse der Wehrmacht, daß hier umgehend Wandel geschaffen wird.

3.) Ostbataillone:
Die Ostbataillone werden durch die Propagandisten der Wlassow-Armee in einem ungünstigen Sinne beeinflußt. Äußerungen, daß das deutsche Rahmenpersonal nur Spitzeldienste leiste und daß die russischen Freiwilligen Anspruch darauf hätten, nur von russischen Offizieren geführt zu werden, werden in jeder Aussprache vorgebracht.

4.) Truppentransporte:
Im Monat März sind nach Auskunft des Flotillenchefs, Kapt. z. See Langhenn, der für die Geleitsicherung aller Transporte zwischen Oslo und Dänemark verantwortlich ist, 20.250 Menschen von Oslo nach Süden und 11.000 Menschen von Dänemark nach Oslo transportiert worden. Diese hohe Zahl der Rückfahrer setzt sich aus Urlauber und vor allem aus Austauschversetzten zusammen. Es ist notwendig, die Austauschversetzungen nunmehr auszusetzten und WB Norwegen zu beauftragen, den Personaltransport verantwortlich für den gesamten norwegischen Raum zu steuern.

5.) Einzelbetrachtungen:
In Frederikshavn sind eine große Anzahl von Flüchtlingen mitten in den militärischen Anlagen des Hafenbereiches, der durch die Geleitsicherung überbelegt ist, untergebracht. Sie bedeuten bei einem feindlichen Luftangriff, mit dem jederzeit gerechnet werden muß, eine große Gefahr.

Die Besatzung der Kriegsmarine auf den Schiffen ist vor allem mit Offizieren überbesetzt. Von den verlorengegangenen Schiffen wird das Personal, um überhaupt Verwendung zu finden, zusätzlich auf die noch fahrenden Einheiten versetzt. So waren z.B. auf dem Zerstörer "Theodor Riedel" sowohl Wachoffiziere als auch Ingenieur-Offiziere überzählig vorhanden. Flotillenchef und Kommandant erklärten, schon mehrmals diese überzähligen Offiziere zu anderweitiger Verwendung angeboten zu haben, jedoch seien sie ihnen bisher nicht abgenommen worden mit der Begründung, eine andere Verwendung wäre nicht möglich.

[signatur]

---

61 Rudolf Stehr skrev 5. april til Volksgruppenamt et brev, hvis eneste emne var "Entlastung der Wehrmacht bei der Mitarbeit in der Flüchtlingsaktion", hvilket understreger, at situationen var langt alvorligere, end Best lod det komme frem i *Politische Informationen* 1. april 1945.

Qu. 1   F.H.Qu., den 12.4.1945

Bezug: Reisebericht Obstlt. d.G. Hass vom 11.4.1945.

An Op. (M)

Zu Ziffer 4.) des Bezugs wird ergänzend mitgeteilt:
  Senator Otte, der Beauftragte des Reichskommissars für die Seeschiffahrt in Norwegen, beklagt sich über sinnloses Fahren von Gütern durch die Kriegsmarine, das immer mit "Führerbefehlen" und "taktisch notwendig" begründet wird.
  Z.B.:
a.) Dampfer "Katania" lud in Dänemark 1.5000 to Kohle. Kurz bevor Beladung zu Ende war, wurde die Kohle wieder ausgeladen. Dann erneute Beladung mit Kohle befohlen. Nachdem 500 to verladen waren, wurde der Dampfer angeblich für Truppentransporte in Oslo dringend benötigt. Die Transportdienststellen konnten ihn zu diesem Zeitpunkt jedoch gar nicht gebrauchen.
b.) Mit Dampfer "Kattenturm" und "Wesermarsch" wurden Kleinkampfmittel der Kriegsmarine von Drontheim nach Narvik befördern. Noch während des Marsches des 3. Dampfers "Stern", ebenfalls von Drontheim nach Narvik, wurde dieser Transport nach Drontheim zurückbefohlen. Die Ladung der beiden ersten Dampfer wurde ebenfalls von Narvik nach Drontheim zurückgeführt.

[signatur]

197. Werner Best: Besprechning mit G.F. Duckwitz 13. April 1945
Duckwitz meddelte Best, at han dagen før havde haft besøg af Ministerialrat Boldt, der kom som udsending for Gauleiter Kaufmann i Hamburg. Kaufmann tilstræbte en fredelig afslutning på krigen omkring Hamburg og i Nordtyskland. Han ville modsætte sig Hitlers ordre om ødelæggelse af de tyske byer. Han havde allerede fået Gauleiter Heinrich Lohses og Gauleiter Paul Wegeners tilslutning. Nu håbede han at vinde Best for den politik. Best tilsluttede sig denne opfattelse og påtog sig at forsøge at vinde Lindemann og Pancke for sagen. Forløbet er kendt gennem Duckwitz' efterkrigserindringer.
  Se Lindemanns Tagesbefehl 15. april 1945.
  Kilde: ABA, Duckwitz 1945-46c, s. 1-4 (jfr. Kirchhoff 1978, s. 167), Duckwitz' erindringer u.å. kap. X, s. 2-4 (PA/AA, Nachlass Georg F. Duckwitz, bd. 29), Thomsen 1971, s. 218 (samtale med Duckwitz).

198. Werner Best an Wilhelm Casper 13. April 1945
Casper fik direktiver vedrørende de daglige udbetalinger til tyske flygtninge for arbejde for værnemagten og endvidere for lommepenge for dem, der ikke var i arbejde. Det var også tilladt at indkvartere flygtningene ved danske familier og ved tyskere bosiddende i Danmark på samme vis som hos det tyske mindretal i Nordslesvig.
  Kilde: KB, Peder Herschends arkiv.

Abschrift.
Der Reichsbevollmächtigte in Dänemark *Kopenhagen, den 13.4.1945*
– Flüchtlingszentralstelle –

An die Außenstelle Silkeborg
   des Reichsbevollmächtigten in Silkeborg

Betrifft: Einzelfragen der Flüchtlingsbetreuung.

I.

Der Arbeitsentgelt für Flüchtlinge, die vorwiegend bei der Wehrmacht beschäftigt werden, war vorläufig dahin geregelt worden, daß die Flüchtlinge von der Einsatzvergütung nur 2,- Kronen täglich behalten durften, während der übrige Teil an die Lagerkasse abgeführt wurde.

Es hat sich herausgestellt, daß ein Betrag von 2,- Kronen in vielen Fällen eine zu geringe Anerkennung für den Einsatz der Flüchtlinge bedeutet. Wie z.T. bereits mündlich voraus mitgeteilt, bin ich deshalb damit einverstanden, daß künftig die Hälfte der Einsatzvergütung dem Flüchtling selbst ausgezahlt wird, während die andere Hälfte der Lagerkasse zugeführt wird. Mit einer Rückwirkung dieser Anordnung bis zum 8.d.Mts. bin ich einverstanden, soweit es zum Ausgleich von besonderen Härten erforderlich erscheint.

II.

Den Flüchtlingen wurde bisher ein Taschengeld ausgezahlt in Höhe von 1,- Kronen täglich für Erwachsene und von -,50 Kr. für Kinder. Zur klareren Unterscheidung dieser beiden Begriffe wird angeordnet, daß vom nächsten Zahltage an ein Taschengeld in Höhe von 1,- Kr. täglich an Personen vom vollendeten 15. Lebensjahr an auszuzahlen ist. Für Kinder, die das 15. Lebensjahr noch nicht vollendet haben, ist als Taschengeld ein Betrag von -,50 Kr. täglich an den gesetzlichen Vertreter oder den sonstigen Betreuer des Kindes auszuzahlen.

Es bestehen keine Bedenken dagegen, daß Flüchtlinge auch bei dänischen oder in Dänemark ansässigen reichsdeutschen Familien, die sich zu ihrer Aufnahme bereit erklärt haben, zu den gleichen Bedingung untergebracht werden, wie es bei den volksdeutschen Familien in Nordschleswig geschieht. Dem Quartiergeber steht demnach ein Unterkunfts- und Verpflegungsgeld von 3,- Kr. je Tag und Person zu. Nach Möglichkeit werden die Quartiergeber ferner mit Lebensmittelmarken für die Flüchtlinge beliefert.

Soweit nur Unterkunft, jedoch keine Verpflegung gewährt wird, sind dem Quartiergeber je Tag eine Krone, für Kinder unter 10 Jahren 50 Öre zu zahlen.

Ich bitte, über I Q die Wehrmachtintendanturen entsprechend unterrichten zu lassen.

gez. **Dr. Best**

199. Walter Haensch an Werner Best 13. April 1945

Haensch gentog, at den danske amtslæge i Åbenrå ikke ville medvirke ved behandlingen af tyske flygtninge, hvilket havde betydning for alle danske læger i regionen. Der var imidlertid tilstrækkeligt med læger fra det tyske mindretal, samt tilsendte tyske læger. På sygehusene havde danske læger indvilget i at behandle enkelte epidemiske sygdomme.

Kilde: LAÅ, Det tyske Mindretals arkiv, pk. 616.

Durchdruck.
Der Reichsbevollmächtigte in Dänemark   Apenrade, 13. April 1945
– Außenstelle Apenrade –
AZ: XVI.11/172/45.

An den Herrn Reichsbevollmächtigten in Dänemark
SS-Obergruppenführer Dr. Best in Kopenhagen.

Betr.: Ärztliche Betreuung innerhalb der Flüchtlingsaktion.
Bezug: Meine Berichte XVI/97/45 vom 6.3.45, XVI/126/45 vom 13.3.45 und XVI/157/45 vom 4.4.45.[62]

Im Nachgang zu meinem Schreiben vom 4.4.45[63] übersende ich anliegend Abschrift des Runderlasses des dänischen Ärztevereines vom 26.3.45 in Übersetzung mit der Bitte um Kenntnisnahme.[64]

Ich füge weiterhin Abschriften des Schreibens des Vorsitzenden der südjütischen Ärztevereinigung vom 16.3.45 sowie der Antwort des Leiters des Gesundheitsamtes bei der Volksgruppe Dr. Meyer vom 20.3.43 bei.[65]

Wie schon erwähnt in meinem Bericht vom 4.4.45 sieht der hiesige dänische Amtsarzt auf Grund des Rundschreibens des Ärztevereins vom 26.3.45 keine weitere Möglichkeit der Einwirkung auf die dänischen Ärzte.

Die Tatsache, daß jedoch genügend volksdeutsche Ärzte zur Verfügung stehen und von dem nunmehr bei der Außenstelle eingetroffenen deutschen Amtsarzt Dr. Beller 6 weitere deutsche Ärzte für den hiesigen Bereich angefordert sind, dürfte nennenswerte Störung in der sanitären Betreuung der Flüchtlinge ausschließen.

Mit Dr. Beller wurde die sanitäre Gesamtlage durchgesprochen. Er hat die Verbindung mit den hiesigen Truppenärzten und dem Leiter des Gesundheitsamtes bei der Volksgruppen aufgenommen. Nach seinem ersten Gutachten hält er die weitere Beteiligung der Truppenärzte an der sanitären Betreuung der Flüchtlinge in dem bisherigen Umfange für wünschenswert und notwendig, da es den einzusetzenden deutschen Ärzten vor allem an Instrumentarien und Verbandmaterial fehlt. Dr. Beller sieht das Tätigwerden der deutschen Ärzte vorerst primär im Form einer entlastenden Unterstützung der Truppenärzte. Gleichwohl sehe ich den Sinn der Einsetzung des deutschen Amtsarz-

---

62 Haenschs skrivelser 6. marts og 4. april er trykt ovenfor.
63 Trykt ovenfor.
64 Bilaget er ikke medtaget.
65 Bilagene er ikke medtaget.

te darin, daß er auf jedenfall die inspektionelle leitende Stellung in der Flüchtlingsbetreuung einnimmt und sich nicht dem Truppenarzt unterordnet. Bei meinem nächsten Besuch in Silkeborg werde ich mit dem Leiter der Abteilung Gesundheitswesen Dr. Friemert die generelle Seite der Angelegenheit einmal eingehend besprechen.

Bezüglich der Aufnahme von kranken Flüchtlingen in dänischen Krankenhäusern haben nunmehr die dänischen Institutionen für die Aufnahme epidemischer Fälle die Einschränkung gemacht, daß die Krankenhäuser bei Scharlach und Diphterie Einweisungen nur dann zustimmen, wenn anderweits Isolierung der Kranken durchaus nicht möglich ist, oder wenn dringende Lebensgefahr besteht.

Dr. Beller wird daran gehen unverzüglich einige Isolierbehelfsreviers im hiesige Bereich einzurichten.

gez. **Dr. Haensch**

200. WB Dänemark an der Selbstschutz der Volksgruppe 14. April 1945

Lindemann gav ordre om, at det tyske mindretals Selbstschutz i tilfælde af, at det blev inddraget i militære bevogtningsopgaver, alene skulle modtage ordrer fra de militære tjenestesteder.

Lindemanns ordre blev udstedt på baggrund af en henvendelse fra mindretalsleder Jens Møller, da "man" i sidste øjeblik var blevet bange for, at der forelå en hemmelig aftale om, at Selbstschutz i tilfælde af en invasion skulle blive underlagt HSSPF (Hvidtfeldt 1953, s. 186).

Kilde: PKB, 14, nr. 449.

Fernschreiben des Wehrmacht-Befehlshaber Dänemark vom 14.4.1945

Für den Fall, daß der Selbstschutz der Volksgruppe zu militärischen Bewachungsaufgaben herangezogen wird (Bahn oder Objektschutz) erhält er allein seine Befehle von der zuständigen militärischen Dienststelle. Die Befehle werden in diesem Falle an den vom W.B.K.A. eingezogenen Führer des Selbstschutzes erteilt. Sonst mit Niederschrift einverstanden.

201. Kriegstagebuch/Seekriegsleitung 14. April 1945

MOK Ost skrev til Wurmbach om troppetransporterne fra Norge til Danmark. Transporterne havde en væsentligt forøget risiko for luftangreb pga. de kortere nætter. Der skulle søges en hurtigere udlosning i Frederikshavn, og derefter skulle tropperne transporteres videre med jernbane på trods af vanskelighederne og den længere transporttid. Det var bedre end at risikere tab på havet.

De omtalte "vanskeligheder" i forbindelse med jernbanetransporten var en omskrivning af, at jernbanetransporten blev forstyrret, hvis ikke *forsinket* af jernbanesabotagen (Skov Kristensen et al. 1988, s. 626 og 837 note 65).

Kilde: KTB/Skl 14. april 1945, s. 227.

[...]
II.) Betrifft: Nordraum:
a.) MOK Ost drahtet an Admiral Skagerrak:

"1.) Für schnelle Truppentransporte Oslofjord/Dänemark Risiko durch wesentlich erhöhte Luftgefährdung im Zusammenhang mit kürzer werdenden Nächten verstärkt.

2.) Daher erneut prüfen, ob Anlaufen und Ausladen schneller Truppentransporter Frederikshavn möglich. Schwierigkeiten hinsichtlich Bahntransport sind bekannt, müssen aber überwunden werden. Hinweis an Heer, daß auch starke Verzögerungen durch längeren Bahntransport besser in Kauf zu nehmen als Transportverluste auf See. Melden, welche Bahntransporte Verzögerungen durch Anlaufen und Ausladen Frederikshavn entstehen."

b.) Der Ob.d.M. hat der Stellungnahme Skl zur Erklärung Esbjerg, Aalborg, Hansted zu Verteidigungsbereichen zugestimmt.

[...]

202. Georg Lindemann: Tagesbefehl 15. April 1945

Alle tyske enheder fik bekendtgjort, at Lindemann ville forsvare Danmark mod et angreb "til sidste patron og sidste åndedrag."

Befalingen blev udsendt, efter at Best angiveligt dagen før havde opsøgt Lindemann i Silkeborg for at få ham til at opgive slutkampen og gå ind på en fredelig afslutning på krigen. Ifølge Duckwitz' erindringer havde Lindemann afvist det kategorisk. Dog fik Best tilsagn om, at kraftværker, havneanlæg og skibe ikke automatisk ville blive sprængt i luften, men kun efter Lindemanns personlige ordre. Pancke skulle tilsvarende ved en henvendelse have fastholdt sin loyalitet mod systemet, og han valgte 19. april at videresende Lindemanns dagsbefaling til alle det tyske ordenspolitis tjenestesteder (ABA, Duckwitz 1945-46c, s. 4f. Jfr. Kirchhoff 1978, s. 167. En mindre detaljeret fremstilling i Duckwitz' erindringer u.å. kap. IX, s. 16 (PA/AA, Nachlass Georg F. Duckwitz, bd. 29), Frisch, 3, 1948, s. 293 (med dansk oversættelse af dagsbefalingen)).

Lindemann holdt tilsyneladende sit løfte til Best. Se Lindemanns drøftelse med kommandanterne 24. april, hvilket på dette punkt synes at bekræfte Duckwitz' erindringer. Afhørt 27. august 1946 i Nürnberg erklærede Lindemann, at han i begyndelsen af april 1945 i Silkeborg havde drøftet Hitlers ødelæggelsesordrer med Best, og at han da i lighed med Best havde afvist at gennemføre dem, da han anså dem som meningsløse (*Records of the United States Nuremberg War Crimes Trials Interrogations,* 1946-1949, Roll 42, Washington 1976, s. 287). Lindemann kunne komme af sted med at tillempe sin forklaring på denne måde, da der, som han gjorde opmærksom på i Nürnberg, slet ingen ødelæggelser blev foretaget i Danmark. Det var imidlertid ikke det samme, som at han heller ikke havde forberedt dem.

Kilde: KTB/WB Dänemark 15. april 1945.

[...]

Tagesbefehl Generaloberst Lindemann an die unterstellten Einheiten: "Entsprechend dem mit vom Führer gegebenen Auftrage werde ich den dänischen Raum gegen jeden Angriff, von welcher Seite er auch kommen mag, bis zur letzten Patrone und bis zum letzten Atemzüge verteidigen. Dieses ist allen Soldaten aller Wehrmachtteile in Dänemark umgehend bekanntzugeben."

[...]

203. Werner Best: Besprechung mit Karl Kaufmann und Heinrich Lohse 15. April 1945

Best var til møde i Flensburg med rigsstatholder Karl Kaufmann og Gauleiter Heinrich Lohse. Mødet fandt sted hos Flensburgs overborgmester Ernst Kracht og var kommet i stand på Kaufmanns foranledning. Han havde, som omtalt ovenfor, via sin medarbejder for søfart, ministerialråd Boldt, forud sonderet terrænet med hensyn til Bests indstilling hos Bests skibsfartssagkyndige, Duckwitz. Mødet mundede ud i, at Kaufmann, Lohse og Best blev enige om, at de sammen ville arbejde for en våbenstilstand i det nordlige område. Best fik til opgave at skaffe Terbovens støtte hertil, og han tog derfor til Oslo 19. april.

Forløbet bygger på Bests efterkrigsforklaringer og Duckwitz' erindringer, men for Kaufmanns vedkommende skulle han 17. april have henvendt sig til den danske generalkonsul i Hamburg, Marius Yde, og sagt, at han var rede til at kapitulere samt bedt Yde om at formidle budskabet videre til de allierede (Yde til UM 15. maj 1945 (Leifland 1992, s. 245)).

Se 20.-21. april nedenfor (Best: Aufzeichnung 31. juli 1945[66] (RA, UM 84.a 34a), Möller 1946, s. 60f., Hansen 1966, s. 82, ABA, Duckwitz 1945-46c, s. 5, Duckwitz' erindringer u.å. kap. X, s. 5 (PA/AA, Nachlass Georg F. Duckwitz, bd. 29), Best 1988, s. 97, Duckwitz 1966, s. 7, Thomsen 1971, s. 218 (samtale med Duckwitz), Dahl 1992, s. 546f., Herbert 1996, s. 399, Leifland 1992, s. 236, 242 (på grundlag af Duckwitz).

204. Günther Pancke: Sonderbefehl 17. April 1945

HSSPF skærpede med en særbefaling det tyske politis alarmberedskab på grund af den givne situation. Der skulle til stadighed være et overblik over, hvor alle befandt sig og hvornår, de ville være tilbage. Der kunne ikke blive tale om længere rejser eller udflugter.

Kilde: BArch, R 70 Dänemark 11.

Der Höhere SS- und Polizeiführer in Dänemark   *Kopenhagen, den 17. April 1945.*
– Ia –   Sonderbefehl

Betr.: Einsatzbereitschaft

Die heutige Lage macht es erforderlich, daß in kürzester Zeit sämtliche Einheiten und Dienststellen beim Auslösen von "Bereitschaft" oder von Alarmstufen einsatzbereit sind.

Jedes friedensmäßige Verhalten wie größere Ausflüge, längere Besuche bei ortsansässige Familien und ähnl. müssen daher unterbleiben, denn es ist untragbar, daß in den entscheidenden Kämpfen unseres deutschen Volkes persönliche und private Interessen vor die dienstlichen Belange gestellt werden. Ich befehle daher:

1.) Jeder SS-Führer und Offizier hat ab sofort beim Verlassen seiner Dienststelle oder Unterkunft zu hinterlassen, wie er zu erreichen ist und wielange seine Abwesenheit voraussichtlich dauern wird.

    Außerhalb der Dienstzeit sind diese Meldungen bei meiner Dienststelle an den Offizier vom Dienst zu geben. Im übrigen gelten hierzu meine mündlichen Anweisungen.

2.) Für die Unterführer, Männer und SS-Helferinnen meines Stabes gilt folgende Rege-

---

[66] Denne optegnelse svarer til en optegnelse, som Best 21. juni 1945 sendte til Nils Svenningsen, men er udvidet med fremstillingen af aftalen med Kaufmann. Optegnelsen i UM er en afskrift foretaget 12. december 1957.

lung: 50 % der Stabsangehörigen befinden sich jeweils in den Unterkünften (hierzu rechnet auch das Kino im Dagmarhaus). Die Einteilung regelt der geschäftsführende Meister der Stabskompanie, Meister d Schp. Olböter.

Für die anderen ist längere Abwesenheit, bei der die Betreffenden nicht oder nur schwer erreichbar sind, grundsätzlich verboten. Im übrigen haben sie bei Ausgang auf ihren Stuben zu hinterlassen, wo sie sich befinden und wielange sie ausbleiben.

3.) Sämtliche mir unterstellten Einheiten und Dienststellen haben sofort eine den vorstehenden Anordnungen entsprechende Regelung zu treffen.

Ich werde bei jeder Alarmierung, bei der nicht rechtzeitig und beschleunigt angetreten wird, die Dienstvorgesetzten und die Beteiligten zur Rechenschaft ziehen.

gez. **Pancke**
SS-Obergruppenführer und
General der Waffen-SS und Polizei

205. Georg Lindemann an OKW/WFSt 18. April 1945
OKW/WFSt fik meddelelse om, at de danske arbejdere ved befæstningsbyggeriet havde nedlagt arbejdet. I stedet måtte arbejdet som i efteråret 1944 videreføres med tropper fra to divisioner, der var under uddannelse og opbygning.

I krigsdagbogen samme dag blev indføjet, at der var 163.500 flygtninge og 29.570 sårede i Danmark.

Arbejdsnedlæggelserne blev omtalt i den illegale presse, og opfordringer til at forlade fæstningsbyggeriet skortede det ikke på. Den 21. marts 1945 havde Danmarks Frihedsråd opfordret til at sabotere *alt arbejde* for tyskerne i anledning af, at besættelsesmagten påbegyndte en ny befæstningsvold tværs over Nordsjælland. Hvor arbejderne ikke selv kunne finde ud af at følge opfordringen, blev de i nogle tilfælde udsat for aktioner fra modstandsfolk (Alkil, 1, 1945-46, s. 278f., *Information* 24, 25. og 28. april 1945, *Frit Danmark*, april 1945, Hauerbach 1945, s. 57-63, Andersen 2007, s. 262).

OKW/WFSt kommenterede arbejdsnedlæggelserne i Danmark 26. april, se anf. dato.

Kilde: BArch, Freiburg, RW 4/754. RA, Danica 1069, sp. 1, nr. 387.

F e r n s c h r e i b e n

HXSI 0482 18.4., 22.30
KR OKW/WFSt/Op (H) Nord
gKdos

Seit 1.4.45 legen lfd. dänische Arbeitskräfte die Arbeit nieder. Der Weiterausbau der Stellungen in Südjütland, auch mit Front nach Süden, ist ohne Mitarbeit der Truppe nicht mehr durchführbar. W. Bef. Dän. hat daher gleiche Maßnahmen wie Herbst 1944 befohlen.

Demzufolge sind in den Raum Südjütland mit Masse verlegt 233. Pz. Div. und 166. Inf. Div. in ihrem derzeitigen Aufstellungsstand. Ausbildung und Schanzarbeit erfolgt nach festgelegtem Wechsel. Die Aufstellung beider Divisionen wird nicht verzögert.

gez. **Lindemann**
Generaloberst WB D. I A
Br. B. Nr. 1338/45 g.Kdos D.D.R.
gez. Toepke

206. Werner Best: Besprechung mit Vidkun Quisling und Josef Terboven 20.-21. April 1945

Den 19. april fløj Best til Oslo, hvor han var inviteret til at holde en tale i anledning af Hitlers fødselsdag dagen efter. Best benyttede anledningen til den 21. april at søge at få Terboven med på, at krigen i Norden skulle afsluttes uden kamp, men blev iflg. Best brysk afvist. Der kunne ikke tages hensyn til de tyske sårede og flygtninge i Danmark. Best var aftenen forud, den 20. april, hos Quisling, der havde sin helt egen plan for krigsafslutningen i Norge. De tyske tropper i landet skulle gå under norsk flag, og så ville Quisling via Stockholm tilvejebringe en våbenstilstand.

Forløbet bygger på Bests og Duckwitz' erindringer og Bests efterkrigsforklaringer (Best: Aufzeichnung 31. juli 1945 (RA, UM 84.a 34a), ABA, Duckwitz 1945-46c, s. 10f. (Jfr. Kirchhoff 1978, s. 167, 172), Duckwitz' erindringer u.å. kap. X, s. 24 (PA/AA, Nachlass Georg F. Duckwitz, bd. 29), Thomsen 1971, s. 218 (samtale med Duckwitz og Best), Hvidtfeldt 1985, s. 18, Best 1988, s. 97, 184f., Dahl 1992, s. 546-548, Herbert 1996, s. 399).

207. Werner Best: Besprechung mit Hans-Heinrich Wurmbach 24. April 1945

Wurmbach var hos Best, som forsøgte at få ham til at undlade at iværksætte forberedelsen af havneødelæggelser. Wurmbach ville ikke gå ind derpå, heller ikke under henvisning til de uundgåelige følger, der ville ramme de tyske flygtninge i Danmark.

Mødet er alene kendt fra Duckwitz' erindringer, og om han selv var til stede, er uvist.

Forberedelserne til havneødelæggelse var i gang samme dag, men blev indstillet 1. maj 1945 (*Daglige Beretninger*, 1946, s. 840. 866). Ifølge en efterkrigsberetning var det Wurmbachs adjudant Hans Frebold, der formidlede en kontakt mellem Wurmbach og medlem af Frihedsrådet, professor L.L. Hammerich, der førte til, at Wurmbach lod planerne for ødelæggelse falde. Frebold havde forud både kontakt til den danske modstandsbevægelse og til tyske modstandskredse i Danmark (Hammerich 1973, s. 373ff., Stender-Petersen 1978, s. 12, jfr. Noe-Nygaard 1987, s. 137).

Kilde: ABA, Duckwitz 1945-46c, s. 12, Duckwitz' erindringer u.å. kap. X, s. 25 (PA/AA, Nachlass Georg F. Duckwitz, bd. 29).

208. Kriegstagebuch/Seekriegsleitung 24. April 1945

I krigens sidste uger samlede Seekriegsleitung oplysninger for flere dage sammen i krigsdagbogen. Blandt de talrige sabotager i Danmark blev nævnt forsøget på at spærre havneudløbet i København den 20./21. april ved at sænke to skibe i havnebasinet. Forsøget mislykkedes, da sprængladningen sprang for sent, og sejladsen ikke blev forhindret.[67]

Det var BOPA, der stod for aktionen i Københavns Sydhavn, hvor skibene "Wuri" og "Japos" med én dags mellemrum blev sænket i inderhavnen. Aktionen blev fra dansk side betegnet som vellykket. De to skibe blokerede havnen (Bergstrøm 20. april 1945 (trykt udg. s. 1098), Brøndsted/Gedde, 2, 1946, s. 918f., Tortzen, 4, 1981-85, s. 260, Kjeldbæk 1997, s. 406, 483, Hansen 2000, s. 57). Dog opgiver *Daglige Beretninger*, 1946, s. 834f., at den første sænkning ikke ville blive til nævneværdig gene, mens den anden sænkning blokerede havneløbet så meget, at store skibe ikke kunne passere. Forskellene i synet på sabotagens succes lader sig næppe forklare, men fra tysk side havde man ikke brug for denne dårlige nyhed, selv om man skulle mene, at én fra eller til ikke gjorde nogen forskel.

Ifølge Duckwitz' erindringer udløste denne sabotage endnu større vrede hos admiral Wurmbach end slæbe- og bugserbådenes flugt godt 10 dage tidligere. "Wurmbach stellte derartige Vergeltungsforderungen und brachte sie in einem solchen Tone vor, daß Dr. Best und ich nach reiflichem Überlegen beschlossen,

---

[67] Langebros broklap, der efter sabotagen 27. marts havde været lukket, blev hævet 11. april (Bergstrøms dagbog 11. april (trykt udg. s. 1081)), hvorefter de indespærrede skibe havde mulighed for at sejle ud.

diesen anscheinend geistesgestörten Mann erst mal austoben zu lassen und garnichts zu tun. Wir beantworten keine Telegramme, stellte uns taub und verleugneten uns, wenn persönliche Abgesandte des wutzitternden Admirals uns aufsuchen wollten. Wir teilten Berlin die Tatsache der Sabotage mit und stellten Gegenmaßnahmen in Aussicht. Glücklicherweise hatte Berlin zu jener Zeit andere Sorgen und ging auf die mit Vehemenz vorgetragene Pläne des Herrn Wurmbach nicht weiter ein. Unser Glück war, daß außerdem die Fernschreibverbindungen mit Berlin unterbrochen waren und wir infolgedessen keine Weisungen erhalten konnten. Und nur von Berlin konnte und wollte Best Weisungen entgegennehmen." (Duckwitz' erindringer u.å. kap. III, s. 21 (PA/AA, Nachlass Georg F. Duckwitz, bd. 29)).

Kilde: KTB/Skl 24. april 1945, s. 376-A.

[...]
3.) Skagerrak:
[...]
23., 00.32 Uhr Angriff einer Feindmaschine mit Bomben auf D.
"Ingelotte Blumenthal" AN 3398 (SO Arendal). Keine Schäden. Im gesamten dänischen Raum weiterhin zahlreiche Schienensprengungen und Leitungsstörungen. 18. abends Sprengversuch eines Waggon mit Kartoffeln bei Verpflegungsausgabestelle Aarhus vereitelt. Saboteur festgenommen, Sprengladung beseitigt. Mehrere Überfälle auf Wehrmachtangehörige, dabei auf beiden Seiten Verluste. 20. 05.20 Uhr Hilferufe des Heckpostens Laz.-Schiff "Monte Rosa" in Kopenhagen vernommen. Posten konnte trotz eingehender Nachsuche nicht aufgefunden werden.

In Nacht zum 20. brachten Saboteure auf im Hafen Kopenhagen liegendem Wrack Sprengladungen an und lösten Haltetaue. Wrack trieb inmitten Fahrrinne und sank nach Explosion Sprengladung. Um Fahrrinne gänzlich zu sperren, brachten Saboteure 20. mittags Sprengladung auf dän. Motorsegler an und schleppten ihn in Richtung gesunkenen Wracks. Durch verspätete Detonation Sprengvorhaben (Einfahrt zum Kohlenhafen) mißglückt. Segler gesunken. Schiffahrt nicht behindert.
[...]

209. Georg Lindemann: Besprechung mit den Kd. General, den Div. Kdrn. und den Kdrn. der Schulen am 24. April 1945

Lindemann afholdt en konference med sine divisionskommandanter og kommandanterne for militærskolerne. Han gjorde det klart, at alle skulle indstille sig på krig i Danmark, og at der ikke ville blive tale om at overgive sig, men at alle ressourcer og reserver skulle sættes ind. Der skulle kæmpes til sidste patron og sidste åndedrag.[68] Han regnede det ikke for sandsynligt med hverken oprør fra modstandsbevægelsen eller invasion af dansk politi fra Sverige, om end man måtte være forberedt herpå. Det drejede sig nu om at hindre opløsningstendenser i den tyske hær. Til problemerne hørte, at alle muligheder for transport var meget begrænsede. Der blev givet anvisninger for, hvordan alle typer enheder bedst muligt forberedte sig til den

---

[68] En enkelt dansk historiker, Thomas Pedersen, har pga. retorikken ment, at der først og fremmest var tale om *pep talk* fra Lindemanns side, idet det for generalen primært gjaldt om at fastholde de tyske troppers disciplin (Pedersen 1995, s. 45). Der *var* tale om en *pep talk* ved den givne lejlighed, men Pedersen ser her bort fra, at Lindemann allerede fra sin ankomst førte en hård linje i Danmark, og at den blev bibeholdt til det sidste, hvad bl.a. forberedelsen til ødelæggelser i Danmark og ønsket om arrestation og henrettelse af Best understreger (se Lindemann 5. maj). Om Lindemanns rolle 3. maj 1945 ved mødet hos Dönitz, se anf. dato.

forestående kamp. Blandt de enheder, man skulle være særligt opmærksom på, var de russiske og ungarske. Militærskolernes elever blev betegnet som det bedste til rådighed værende menneskemateriale. Afsluttende blev der orienteret om den overordnede situation i regionen og kommandoforholdene (Andersen 2007, s. 272).

Kilde: KTB/WB Dänemark 24. april 1945, Anlage 43. Hvidtfeldt 1985, s. 87-91.

Besprechung
mit den Kd. General, den div. Kdrn. und den Kdrn. der Schulen
am 24.4.1945[69]

1.) Taktische und politische Lage in Deutschland äußerst ungünstig.
Müßig, sich darüber den Kopf zu zerbrechen, warum das so kommen mußte und wer daran die Schuld hat. Gebot der Stunde: Nicht die Nerven verlieren und verzagen, sondern vor allem Truppe in eisernen Disziplin halten. Dann besteht Hoffnung, daß bei den großen Gegensätzen zwischen den Alliierten die Dinge sich doch noch zum Guten für uns wenden wenn wir auch mit einem Siegfrieden nicht mehr rechnen können.

2.) Armeen in Norwegen und Dänemark eigentlich die einzigen Armeen, außer der Heeresgruppe in Kurland, die noch völlig intakt sind. Damit haben wir bei der Endrunde dieses Krieges noch erheblich Chancen, unter der Voraussetzung, daß diese Armeen auch intakt und fest in der Hand ihrer Führer bleiben.

3.) Mein Entschluß eindeutig durch meinen Befehl: "Dänemark wird bis zur letzten Patrone und bis zum letzten Atemzug verteidigt."
Mit einer Unterstützung der Seestreitkräfte ist mangels Betriebsstoffs nicht mehr zu rechnen.[70] Die Luftwaffe kann mit je einer Jagdgruppe, ein Tagschlacht- und einer Nachtschlachtgruppe noch 3 Einsätze im Großkampf fliegen. Dann ist auch der Betriebsstoff zu Ende.

Mit einem Aufstandsversuch der illegalen Freiheitsbewegung unter Umständen auch mit einen Übergangsversuch der in Schweden ausgebildeten dänischen Polizisten bei Helsingör ist zu rechnen. Beides aber nicht sehr wahrscheinlich.[71]

Auch in dieser Beziehung ist mein Entschluß eindeutig: "Jeder Aufstandsversuch wird mit den totalsten Mitteln niedergeschlagen." Eine Kapitulation oder Waffenstreckung kommt überhaupt nicht in Frage.

Meine Absichten sind den Dänen in unmißverständlicher Form bekannt gegeben. Ich weiss, daß die Dänen unter allen Umständen und mit allem Mitteln vermeiden wollen, daß ihr Land Kriegsschauplatz und ihre Industrie und Landwirtschaft zerstört wird.

Damit habe ich die Trümpfe in der Hand und werde sie auszuspielen wissen,

---

69 For dels at udnytte den relative ro og dels at kompensere for mandskabsmanglen blev en række skoler for pansertropper flyttet til Danmark i 1945. I midten af februar blev oplysnings- og kavalleriskolen i Bromberg overført til Næstved, overfænrikskole I fra Kampnitz til Haderslev, fanejunkerskole I fra Wischau til Tønder og hærofficersskolen fra Kampnitz til Århus (Zimmermann 2008, s. 384).
70 Rettet til: nur noch ganz beschränkt, desuden er tilføjet: schwimmende Batterien.
71 Sammenlign med den melding Lindemann samme dag gav til OKW. Her nævnte han ikke, at det var usandsynligt, at modstandsbevægelsen ville gøre oprør.

unter der Voraussetzung, daß Sie, meine Herren mir blindlings vertrauen, daß Sie ihre Truppen fest in der Hand behalten, und daß wir gegebenenfalls zum Kampf auf Leben und Tod entschlossen sind.

Wer dieses Vertrauen zu mir nicht hat und nicht zum Kampf auf Leben und Tod entschlossen ist, den bitte ich mir das jetzt zu melden, er kann sofort, ohne daß ihm etwas geschieht, nach Deutschland reisen.

Wer aber hier bleibt, der bildet mit mir eine verschworene Gemeinschaft, wo einer für den anderen steht und fällt!

4.) Das wichtigste ist jetzt, mit größter Energie gegen alle Zersetzungs- und Auflösungserscheinungen in der Armee einzuschreiten. Ich werde jede Maßnahme in dieser Hinsicht und mag sie auch noch so scharf sein, decken, auch wenn sie nach dem Gesetz nicht zulässig ist. Truppe voll auf Führung und ihre Absichten einstellen.

5.) Besonderes Augenmerk erfordern
   a.) die Fest. Stamm. Kpn.
   b.) die M. und O. Btln. Diese nur zu Sicherungsaufgaben, nicht aber zum eigentlichen Kampf einsetzen.
   c.) Russen und sonstige Ostvölker: Ständige Überwachung der inneren Haltung besonders notwendig. Um deutsche Truppen unter dem russ. Abschnitt zu haben, werden die von der Luftwaffe dem Heer zur Verfügung gestellten Soldaten in Rom ausgebildet und zu Btln. formiert. Sie werden voraussichtlich der Gren. Brig. 599 unterstellt.
   d.) Ungarn: Aus den ung. Truppenteilen sollen zunächst alle Leute herausgezogen werden, die sich freiwillig bereit erklären, im Rahmen der deutschen Wehrmacht mitzukämpfen (Befehl hierüber ist ergangen). Aus den übrigen Ungarn ist beabsichtigt, Sicherungs-Batl. (soweit Bewaffnung möglich) und Arbeits-Batl. (Rest) zu bilden.[72]

6.) Größte Gefahr für innere Haltung der Truppe bildet das Hereinströmen aus dem Süden. Daher hier ein besonderes Auffangkommando unter General v. Blücher gebildet. Es besteht der eindeutige Befehl, daß Truppenteile, Einrichtungen und Dienststellen aller Wehrmachtteile und der Waffen-SS nur mit Genehmigung des Chef OKW nach Dänemark verlegen dürfen. Wenn Einholung dieser Genehmigung nicht mehr möglich, entscheidet W. Bef. Dän.

7.) Verwendung der Schulen: Schulen enthalten unser bestes Menschenmaterial. Sie sind meine Reserve in geschlossenen Einheiten um damit gegebenenfalls einen Aufruhr bei einzelnen Truppenteilen niederzuschlagen. Im übrigen aus den Schulen auffüllen von Unterführerfehlstellen bei den anderen Einheiten. Befehle hierüber folgen. Können Schulen schon jetzt Ausbilder abstellen? Meldung hierüber zum 1.5.45.

8.) Aufstellung von Sonderverbänden aus Freiwilligen:
   a.) Pz. Jagdkdos. (bereits befohlen)
   b.) Sonderausbildung für Stoßtrupps und Sabotagebekämpfung bei Ausb. u. Lehr-

---

72 For pkt. 5s vedkommende se OKHs ordre 9. april 1945, trykt ovenfor. Ungarske soldater, der skulle af sted til fronten, gjorde 22. april mytteri i København, så tyske soldater måtte slå oprøret ned. Under kampene blev enkelte danskere og talrige ungarere dræbt (Bergstrøm, 2, 2005, s. 1102, *Information* 23. og 25. april 1945, *Daglige Beretninger*, 1946, s. 839, 845. Jfr. Sørensen 2005 om de ungarske soldater i Danmark).

stab der Flak-Artl. in Oksböl. Die her Ausgebildeten sollen zum größten Teil nach der Ausbildung wieder in ihre Truppenteile zurück. Nur ein kleiner Teil wird zur Aufstellung eines Sonderverbandes verwendet werden.

9.) Führerreserven:
a.) Führerreserve des Wehrm. Befh. Dän. befolgen.
b.) Befehl über Führerreserve der Div. kommt.
c.) Außerdem haben wir in den Schulen eine große Führerreserve.

10.) Befehlsgliederung im Nordraum:
Führer noch in Berlin. Unterstellungsverhältnis wie bisher. Mit der Möglichkeit einer Trennung muß gerechnet werden, ebenso mit einem Ausfall der Reichsregierung. In Dänemark befiehlt dann nur einer, und das bin ich. Im Falle des Ausfalles der Reichsregierung ist damit zu rechnen, daß die Truppe zur Kapitulation aufgefordert wird mit der Begründung, da keine Reichregierung mehr bestünde, müßten die Truppen die Waffen niederlegen, da sie andernfalls als Franktireure angesehen und die führenden Offiziere erschossen würden. Die Rechtslage in dieser Hinsicht ist folgende: (Vortrag Major Müller).

11.) Oberste militärische Dienststellen (OKH, OKW) schon jetzt durch die Verhältnisse zum Teil zerstreut, nicht mehr einheitlich gesteuert und nicht immer ganz im Bilde. Daher schon jetzt notwendig, daß im dänischen Raum nichts geschieht ohne Wissen und Willen des Wehrmachtbefehlshabers. Daher der Befehl des W. Bef. Dän. daß unmittelbare an die Truppe oder an Dienststellen in Dänemark gelangende Befehle von oben erst ausgeführt werden dürfen, wenn W. Bef. Dän. sein Einverständnis gegeben hat.[73]

12.) Umstellen der Truppe auf den Krieg!
Dänemark kann sehr schnell Kampfgebiet werden. Schon jetzt beginnen Luftangriffe, wenn auch erst im kleinen Umfang. Straßenjagd! Daher Märsche, Unterbringung usw. kriegsmäßig.

13.) In der Versorgung sich voll darauf einstellen, daß wir in Dänemark auf uns selbst gestellt sind. Was aus dem Reich noch hereingeholt werden kann, wird geholt. Aus Norwegen noch Waffen zu erwarten. Wie lange das alles noch geht, ist fraglich. Daher
a.) Dänen ausnützen, so lange sie noch willig sind.
b.) Eigene Hilfe – Selbstproduktion – Ausnützung der in den Flüchtlingen steckenden Arbeitskräfte ("Eine Arme hilft sich selbst").

14.) Transportlage:
Kohle knapp, rollendes Material der Eisenbahn knapp. Kraftfahrzeuge knapp, Benzin knapp, Generatorenholz knapp. Daher alle Transporte wohl überlegen, jedes Fahren der Transportmittel voll auslasten, wo irgend möglich, von Fußmärschen und Pferdefahrzeugen Gebrauch machen.

15.) Zwei Kleinigkeiten:
a.) Flüchtlingslager nehmen selbstverständlich nicht am Kampf teil.
b.) Verbindungsleute der Partei, Beauftragte für die Flüchtlingsfürsorge, treffen heute bei den Div. ein.

---

73 Denne ordre kan ses som det løfte, som Lindemann 14. april angivelgt havde givet Best i Silkeborg.

210. Georg Lindemann an OKH 24. April 1945

Lindemann meddelte, at en modtaget ordre om at afgive 264. Infanteridivision ikke var mulig, da divisionen ikke var indsatsklar. De øvrige til rådighed værende styrker var ikke længere tilstrækkelige til at forsvare Danmark mod en ydre fjende. Lindemann udelukkede ikke, at den danske modstandsbevægelse ville indlede en opstand (Andersen 2007, s. 271).

Kilde: KTB/WB Dänemark 24. april 1945. Hvidtfeldt 1985, s. 54, 56.

[...]

24.4.45 – 19.30 Uhr – befiehlt OKH/AHA/Stab I folgende Abgaben (fernmündlich):
1.) 264 Inf. Div. (Fußmarsch nach Berlin, Abmarsch 25.4.45).
2.) Kampfgruppen zu
    Je 1 Inf. Rgt. mit 2 Batl.
    Je 1 Art. Abt. zu 2 Battr. à 3 od. 4 Gesch.
    Je 1 Pi. Kp.
    (davon 2 Pi. Kp. Abtransport am 25.4.45 – früh)
    je 1 Pi. Kp. Abtransport 26., 27. und 28.4.45.

Der durch Major d.G. Lell übermittelte Befehl ist nicht ausführbar:

1.) 264. Inf. Div. in derzeitigem personellen und materiellen Aufstellungsstand nicht einsatzbereit. Division unbeweglich. Infolge Fehl an Pferden, Geschirren, Fahrzeugen Mitnahme von schweren Waffen, Munition und Verpflegung nicht möglich. Schuhzeug so schlecht, daß längere Marschleistungen nicht durchführbar. Bahntransport infolge Belegung der Strecken mit Bewegung 199. Inf. Div. nicht möglich. Leermaterial nicht vorhanden.
2.) W. Bef. Dän. verfügt z.Zt. über keine 5 einsatzfähigen Kampfgruppen.

Neben den Abgaben im Februar sind zwischen 1.3. und 17.4.45 aus den 5 noch in Aufstellung bzw. Wiederaufstellung befindlichen Divisionen des W. Bef. Dän. und der russ. Brigade 599 abgegeben:
    Insgesamt 10 Rgt. Gruppen mit zusammen:
    22 Batl.
    12 Battr.
    1. Pi. Kp.
    4 Pz. Jg. Kp

Die Div. sind sämtlichst erneut in der Wiederaufstellung und noch nicht einsatzbereit (vgl. 10 Tagesmeldung des W. Bef. Dän. Ia vom 16.4.45[74]). Geforderte Art. und Pioniere in dieser Höhe überhaupt nicht vorhanden. Vorhandene Truppen ebenso wie 264. Inf. Div. auch für Fußmarsch unbeweglich. Leermaterial für Bahntransport nicht vorhanden.

Beendigung der Aufstellungen infolge mangelnder materieller Zuweisungen noch nicht zu übersehen.

Gleichzeitige Abgabe der geforderten Verbände aus dänischem Raum auch kann

---

[74] Indberetningen om de fire divisioners kampkraft er i KTB/WB Dänemark 16. april 1945.

nicht tragbar, da die dem W. Bef. Dän. verbleibenden ersatzführigen Kräfte nicht einmal zur Niederschlagung innerer Unruhen ausreichen würden.

Wiederstandsbewegung im Lande ist soweit organisiert, daß mit Losbreschen eines Aufstandes jederzeit zu rechnen ist.

Die Verteidigung Dänemark gegen einen äußeren Feind wäre überhaupt nicht mehr möglich.
[...]

211. Georg Lindemann an OKH 25. April 1945
Lindemann meddelte igen OKH, at den 264. Infanteridivision på grund af mandskabets ringe uddannelse og mangel på våben ikke var egnet til kampindsats. Han havde dagen før fået ordre om at sende den til fods til Berlin med afgang 25. april og havde straks gennem major Lell ladet meddele, at befalingen ikke var gennemførlig (Hvidtfeldt 1985, s. 54, Andersen 2007, s. 271). Endvidere kunne han meddele, at de danske arbejdere, som var beskæftiget af værnemagten, blev truet med våben til at nedlægge arbejdet.

Lindemanns indvendinger blev ikke taget til følge. Borttransporten af den 264. Infanteridivision begyndte 28. april.

Kilde: KTB/WB Dänemark 25. april 1945. Hvidtfeldt 1985, s. 56.

Nochmaliges FS über den Zustand der 264. Inf. Div. an OKH/AHA. Stammpersonal besteht zum größten Teil aus Umschülern mit geringer inf. Ausbildung. Von Rekruten sind 40 % in der 1. Woche 35 % in der 2. bis 3. Ausbildungswoche. Es wird pflichtgemäß gemeldet, daß die Div. infolge der völlig ungenügenden Ausstattung mit Waffen, der eben erst angelaufenden Ausbildung, des unzulänglichen Zustandes von Bekleidung und Ausrüstung und des geringen Grades der Beweglichkeit zum Kampfeinsatz nicht geeignet ist.
[...]
Wiederholt werden Dänen, die bei der Wehrmacht arbeiten, unter Waffenbedrohung zur Niederlegung ihrer Arbeit gezwungen.
[...]

212. Werner Best: Besprechung mit G.F. Duckwitz 25. April 1945
Ifølge Duckwitz' erindringer havde han 25. april en samtale med Best, hvor Best fortalte, at han havde haft besøg af Karl Kaufmanns adjudant ORR Busse dagen før og havde fået at vide, at Kaufmann havde skubbet generalfeltmarskal Busch til side og overtaget kommandoen i Nordtyskland. Endvidere at "Dr. Best hatte mir zugesagt, alles in seiner Macht stehende zu tun, um Ausschreitungen und Zerstörungen von deutscher Seite zu verhindern. Er sah ein, daß nichts geschehen durfte, was die Widerstandsbewegung möglicherweise zum losschlagen provozieren konnte, da die Folgen dann unübersehbar werden mußten. In diesem Sinne hatte er einige sehr ernsthafte Gespräche mit Pancke und Bovensiepen, die öffentlich ihren Zweck erfüllten." De nævnte drøftelser med Pancke og Bovensiepen om denne sag er ikke kendt på anden vis. Muligvis er det noget, som Duckwitz slutter sig til på baggrund af det senere forløb, men hvad enten modstandsbevægelsen lod sig provokere eller ej, var det hverken i Panckes eller Bovensiepens lod at beordre, iværksætte eller forhindre ødelæggelser.

Kilde: Duckwitz' erindringer u.å. kap. X, s. 28 (PA/AA, Nachlass Georg F. Duckwitz, bd. 29).

213. OKW/WFSt: Flüchtlingsfragen Dänemark 26. April 1945

Efter den civile overtagelse af flygtningeadministrationen skulle den nu fungere bedre end i begyndelsen, ifølge Partikancelliet og GBV. Der skulle nu være flere feltkøkkener til rådighed, så der på det område var indtruffet en afspænding. Partikancelliet og GBV bad indtrængende om, at flygtningearbejdet officielt blev fortsat i værnemagtens navn for at få danskerne til at efterkomme kravene. Lindemann havde det ikke været muligt at komme i kontakt med.[75]

Kilde: BArch, Freiburg, RW 4/754. RA, Danica 1069, sp. 1, nr. 426.

WFSt/Qu 2 (II)   26.4.1945

Notiz
Betr.: Flüchtlingsfragen Dänemark.

1.) Nach Auffassung von Partei-Kanzlei und GBV soll die Betreuung der deutschen Flüchtlinge in Dänemark durch zivile Dienststellen jetzt wesentlich besser funktionieren als im Anfangsstadium. Das von Dr. Best angeforderte Personal ist nach Dänemark entsandt. In der Versorgung mit Kochgelegenheiten soll ebenfalls eine Entspannung eingetreten sein. GBV und Partei-Kanzlei bitten dringend, daß die Betreuung der deutschen Flüchtlinge offiziell und formell weiter im Namen der deutschen Wehrmacht läuft, da die dänischen Leistungen hierfür alsdann als Besatzungsleistungen hingestellt werden können, während wenn die gesamte Flüchtlingsbetreuung als ziviler Bereich in Erscheinung tritt, von den Dänen keine Leistungen zu bekommen sind.

2.) Eine fernmündliche Verständigung mit WB Dänemark über diese Fragen war nicht mehr möglich. Es ist aber anzunehmen, daß die Wünsche der zivilen Dienststellen an WB Dänemark auch unmittelbar gelangen und dort im gegenseitigen Einvernehmen eine zweckmäßige Lösung gefunden wird.

214. OKW/WFSt: Arbeitsniederlegung durch dän. Arbeitskräfte 26. April 1945

OKW/WFSt måtte notere sig arbejdsnedlæggelserne i Danmark. Det var en sag for Gestapo og den rigsbefuldmægtigede, men der kunne ikke forventes tilstrækkelige foranstaltninger uden en forstærkning af politiet. Det sidste var ikke muligt. Værnemagten kunne ikke foretage sig noget i sagen.

Kilde: BArch, Freiburg, RW 4/754. RA, Danica 1069, sp. 1, nr. 386.

WFSt/Qu 2 (II)   26.4.1945

Notiz
Betr.: Arbeitsniederlegung durch dän. Arbeitskräfte.

1.) Die Erhaltung der Arbeitsdisziplin in Dänemark ist der Aufgabe des Reichsbevollmächtigten und des Befehlshaber der Sicherheitspolizei. Die Wehrmacht kann sich in solchen Fällen nur als Helfer der genannten Dienststellen einschalten.

---

75 Dette skyldtes sandsynligvis afbrydelsen af fjernskriverforbindelsen, som meddelt af Duckwitz.

2.) Irgendwelche erfolgversprechenden Maßnahmen seitens der deutschen Polizei setzen in jedem Falle eine Verstärkung deutscher Polizeikräfte in Dänemark voraus. Daß dies nicht möglich ist, hat bereits mehrfach festgestellt werden müssen. In der Angelegenheit kann daher durch die Wehrmacht nichts veranlaßt werden, ganz abgesehen von den nicht mehr vorhandenen Nachrichtenverbindungen.

215. Georg Lindemann an Werner Best 28. April 1945
Best fik besked om, at arbejdet med at organisere anbringelsen af de tyske flygtninge fremover alene var hans sag.
Kilde: KTB/WB Dänemark 28. april 1945. Hvidtfeldt 1985, s. 58, 60.

[...]
OB weist den Reichsbevollmächtigten darauf hin, daß es seine Angelegenheit wäre, die für die Flüchtlingsbetreuung erforderliche Organisierung zu schaffen, wozu 2 Monate Zeit gewesen waren. Die Wehrmacht ist in der Lage, noch 4.000 Flüchtlinge unterzubringen und weiteren 7 bis 8.000 Flüchtlingen Unterkunft zu gewähren. Damit ist die Hilfe der Wehrmacht erschöpft, das weitere ist Sache des Reichsbevollmächtigten.
[...]

216. G.F. Duckwitz: Besprechung mit Per Albin Hansson 28. April 1945
Duckwitz var den 27. april taget til Stockholm som led i bestræbelserne på at finde en fredelig løsning på krigen i Norden. Han opnåede bl.a. en samtale med statsminister Per Albin Hansson, der ifølge Duckwitz stillede en eventuel svensk intervention i Danmark i udsigt, hvis tyskerne ville ødelægge Danmark. Den oplysning lod Duckwitz gå videre til Best efter bemyndigelse fra Hansson.
Der er ingen andre samtidige kilder, der kan bekræfte Duckwitz' udlægning af mødet. Det ville i givet fald have indebåret en ændret svensk indstilling i interventionsspørgsmålet. Derimod er det klart, at det var et led i Duckwitz' cementering af sin egen og Bests centrale rolle for gennemførelsen af den fredelige kapitulation i Danmark. I en senere version af erindringerne (betitlet kapitel 10 i Poul Christiansens privatarkiv) har Duckwitz vedgået, at hans referat til Best ikke var ganske i overensstemmelse med sandheden. Ikke desto mindre var det på dette referat, at Bests efterkrigsforsvar (bl.a. med Duckwitz' medvirken) blev bygget op.
Kilde: ABA, Duckwitz 1945-46c, s. 15f. (jfr. Kirchhoff 1978, s. 171), Duckwitz' erindringer u.å. kap. X, s. 29 (PA/AA, Nachlass Georg F. Duckwitz, bd. 29), Best 1988, s. 98, *Förhandlingarna 1945*, 1957, s. 38, Torell 1973, s. 256 (også med Duckwitz' erindringer som kilde, men med påfølgende skepsis om deres værdi s. 258f.), Carlgren 1973, s. 576 (der findes intet samtidigt på skrift, der kan dokumentere Duckwitz' udsagn), Johansson 1985, s. 358 (henviser til Carlgren 1973 uden det kritiske forbehold), Hvidtfeldt 1985, s. 26 (har citeret fra Duckwitz' erindringer i Poul Christiansens privatarkiv på RA).

217. Georg Lindemann: Besprechung mit Generalfeldmarschall Ernst Busch 29. April 1945

Lindemann var til drøftelse i Sydslesvig med feltmarskal Busch vedrørende levering af beklædning til 5.000 kvinder fra Luftwaffe og om dansk levering af fødevaremidler til Nordtyskland. Under turen blev der iagttaget en stærk trafik nordpå, især mange gående og blandt dem specielt mange fra Luftwaffe med en absolut ikke soldatermæssig holdning.

Kilde: KTB/WB Dänemark 29. april 1945, Anlage 47. Hvidtfeldt 1985, s. 93.

Anlage 47

29. April 1945

Fahrt des Herrn Oberbefehlshabers zu Generalfeldmarschall Busch/OB Nw.
Begleiter:
    Oberst von Studnitz
    Oberleutnant von Helldorff
Besprechung in Langwedel (nordostw. Nortorf) v. 13.00-15.00 Uhr.

Der Herr Oberbefehlshaber hat mit Herrn Feldmarschall Busch eine Besprechung, in deren Verlauf OB Nw. um Lieferung von Bekleidungsstücken für ca. 5000 von der Luftwaffe entlassene Stabshelferinnen bittet. Außerdem soll die Frage der Ernährung des norddeutsches Raumes aus dem dänischen Raum geprüft werden.

Während der Fahrt von Flensburg nach Langwedel (ostwärts Nortorf) ungewöhnlich starker Verkehr, besonders von Fußgängen aus Richtung Süden nach Norden. Besonders viele Angehörige der Luftwaffe in absolut unsoldatischer Haltung, meist ohne Waffen.[76] OB befiehlt an der Grenze nochmals schärfste Überwachung und rücksichtslose Zurückweisung aller unerwünschten Elemente. Grenzbewachung soll verschärft werden.

218. Werner Best: Besprechungen 30. April 1945

Daglige Beretninger, 1946, s. 861f. videregav under 1. maj 1945 under overskriften "Diplomatisk Aktivitet i København" bl.a. følgende, der skulle have fundet sted dagen før: "Det vides, at Grev Bernadotte har forhandlet med Dr. Werner Best, sandsynligvis ogsaa med tyske Militærpersoner. Spørgsmaalet om Tilbagetrækning af det tyske Militær i Danmark og Norge menes at have været et vigtigt Led i Forhandlingerne. Der nævnes allerede forskellige Former, hvorunder en saadan Tilbagetrækning skal kunne finde Sted, fælles for dem alle er, at den maa foregaa uden Ødelæggelser, alt under Forudsætning af, at Tyskerne selv behersker Situationen." Oberst Norup noterede 29. april tilsvarende i sin dagbog, at Best havde begyndt forhandlinger om Danmarks kapitulation (Torell 1973, s. 307 med note 40).

Disse forlydender lader sig ikke bekræfte af de parter, som Best i de dage kunne have forhandlet med, nemlig Folke Bernadotte og Walter Schellenberg. Han traf sammen med dem begge (Best 1988, s. 200), men ingen af dem gav ham siden rollen som kapitulationsformidler. Bernadotte nævner udtrykkeligt, at han undgik at tale om storpolitiske emner med Best (Bernadotte 1945, s. 84), mens de begge nævner, at de drøftede, om de i Danmark siden april 1940 internerede englændere og amerikanere kunne overføres til Sverige, hvilket Best gik med til.

---

76 Jfr. *Information* 3. maj 1945, der tilsvarende berettede om en strøm af tyske soldater og køretøjer, der var på vej nordpå i og til Danmark.

Schellenberg forhandlede ifølge sine erindringer heller ikke med Best, men informerede ham: "Am Morgen des 30. April [1945] begab ich mich zunächst zu Dr. Best. Ich informierte ihn über meine Vollmachten hinsichtlich einer friedlichen Aufhebung der deutschen Besetzung der skandinavischen Länder. Wie ich erwartet hatte stimmte Dr. Best zu." (Schellenberg 1959, s. 366). Schellenberg søgte selv med tilbagevirkende kraft at tilegne sig en central rolle som kapitulationsformidler (se Schellenberg 2003, s. 190, 192f.). Efter al sandsynlighed var det Best selv (og med ham Duckwitz), der var den ivrigste udbreder af de samtidige forlydender om, at han var kapitulationsformidler. Han havde blot ikke nogen at forhandle med, da han ikke selv havde nogen som helst beføjelser over de tyske tropper i Danmark og derfor ikke var en interessant forhandlingspart (*Daglige Beretninger*, 1946, s. 861f., Best 1988, s. 51, 200, Bernadotte 1945, s. 84, Schellenbergs redegørelse i Bernadotte 1945, s. 102, Schellenberg 1956, s. 366, Schellenberg 1961, s. 257, Schellenberg 2003, s. 190-197, Hæstrup, 2, 1966-71, s. 289).

Best gør heller ikke i sine erindringer udførligere rede for sammenkomsten 30. april på "Hotel d'Angleterre". Han skriver blot: "Kurz vor der Kapitulation war ich noch einmal bei von Dardel zu einem Frühstück eingeladen, an dem auch der bekannte Graf Folke Bernadotte und der beauftragte Himmlers Walter Schellenberg teilnahmen." (Best 1988, s. 200). Imidlertid fortalte den svenske gesandt Gustav von Dardel den følgende dag envoyé V. Assarson i det svenske udenrigsministerium derom:

"Kungl. Svenska Beskickningen   *Köpenhamn den 1 maj 1945*
                                                                            Fortroligt.

Bäste Broder
När jag i går sammanträffade med dr Best, uttalade han sin store sorg över den hopplösa situationen i Tyskland och förklarade att, om blott danskarna höllo sig lugna och icke begingo några våldsamheter mot tyskarna, den tyska avvecklingen i Danmark borde kunna försiggå i lugn.

Din tillgivna
Dardel"

(Riksarkivet, Stockholm, Utrikesdepartementets arkiv, HP 1 Politik: allmänt, Danmark 1943 aug-1945 maj, AD, XLVII, von Dardel til Assarsson den 1. maj 1945). Der var tydeligvis tale om en rigsbefuldmægtiget med de bedste hensigter om en fredelig afslutning på den tyske besættelse, som han gerne meddelte omverdenen, han havde blot ikke noget af have dem i. Han var en politisk impotent figur i kapitulationssituationen og måtte siden konstruere sig en betydningsfuld og afgørende rolle i forløbet med bistand fra Duckwitz og von Steengracht (se kommentaren til Dönitz' dagbog 3. maj og von Steengracht 6. maj 1945).

219. Georg Lindemann: Tagesbefehl 30. April 1945

Lindemann dementerede over for alle tyske enheder i Danmark rygter om, at de tyske tropper i Danmark havde kapituleret. En dansk opstand ville blive slået ned på den mest brutale måde, og Danmark ville blive forsvaret til sidste mand.[77]

Det er værd at bemærke, at denne kraftige udmelding fremkom samme dag, som en tysk befuldmægtiget dukkede op i Stockholm for at meddele, at feltmarskal Ernst Busch, øverstbefalende i Norden (!), og general Lindemann var rede til at overgive sig, så snart det allierede fremstød nåede Østersøen. Tyskerne ville ikke kapitulere til russerne, men så snart de vestlige allierede nåede til Lübeck og derved havde afskåret tropperne i dette område fra de fanatiske SS-formationer i Midttyskland, ville de overgive sig (Eisenhower 1948, s. 350). Det er muligt, at der foreligger en misforståelse, hvis ikke enten Lindemanns navn er blevet misbrugt eller han spillede egentligt dobbeltspil. I sidstnævnte tilfælde spillede han meget højt spil den 3. maj over for Dönitz (se nedenfor). Den tyske befuldmægtigede var muligvis G.F. Duckwitz, der kom til Stockholm 27. april for at forsøge at komme i kontakt med vestallierede repræsentanter for Eisenhower

---

[77] I dansk radioavis 2. maj 1945 kl. 18.35 blev der oplæst en meddelelse af tilsvarende indhold, hvor Lindemann benægtede at have ført kapitulationsforhandlinger (Alkil, 2, 1945-46, s. 934).

for at opnå en overenskomst om Hamburgs kapitulation (ABA, Duckwitz 1945-46c, s. 16f. (jfr. Kirchhoff 1978, s. 171). Torell 1973, s. 256 med Duckwitz 1945-46c som kilde). Hvidtfeldt 1985, s. 45 note 39 er af den mening, at det næppe var rigtigt, at Lindemann var villig til at kapitulere, hvilket udgiver er enig i pga. det videre forløb i majdagene. Lindemann var først og fremmest bange for sin egen hals, hvis hans forsikringer mod forræderi ikke skulle blive troet på højeste sted. Derpå tyder også hans radiomeddelelse 2. maj 1945 (Leifland 1992, s. 252 er enig i, at Eisenhower har misforstået Lindemanns rolle og holder på, at det på den ene eller anden måde er en repræsentant for Kaufmann, der har fået kontakt til det allierede hovedkvarter).

Kilde: KTB/WB Dänemark 30. april 1945. Hvidtfeldt 1985, s. 60.

[...]

OB befiehlt an alle Truppen und Dienststellen: "Durch Dänen und Feindsender wird Gerücht verbreitet, daß die deutschen Truppen in Dänemark am 1.5.45 kapitulieren würden. Daran ist nicht ein wahres Wort. Wir stehen zu unserem dem Führer geschworenen Eide und werden getreu seinem Befehl Dänemark bis zum letzten Mann verteidigen. Alle aus diesen Gerüchten etwa entstehenden Entwaffnungsversuche seitens der Dänen und Aufstände dän. Terroristen sind in der brutalsten Form niederzuschlagen. Dieser Befehl ist sofort allen Truppen und Dienststellen aller Wehrmachtteile bekanntzugeben."

[...]

MAJ 1945

220. Georg Lindemann an Karl Dönitz 1. Mai 1945

Som Hitlers afløser fik Dönitz den første indberetning om situationen i Danmark. Lindemann omtalte både rygter og forlydender. Det var svært med sikkerhed at udtale sig om situationen, men han gjorde det klart, at han var parat til at udkæmpe en storkamp, selv om styrkerne kun havde begrænset kampværdi. En intervention fra de allierede eller Sverige var ikke forventelig, og den danske modstandsbevægelse kunne til enhver tid slås ned. Tilstedeværelsen af det store antal flygtede og sårede gjorde det besværligt at disponere frit med tropperne, og forsyningen af både tropper og flygtninge var stærkt afhængig af danske virksomheder. Den første forsyningsmangel havde vist sig, især i København.

Det var et dystert billede, der blev tegnet, og dog var det alligevel ikke gjort så sort, at det skulle forlede Dönitz til en bestemt konklusion vedrørende forholdene i Danmark. De tyske troppers situation i Danmark var meget ugunstig, og den danske befolkning fuldstændig i venteposition. Persontransporten havde været stort set indstillet i en måned, al øvrig transport vanskelig, og der blev næsten ikke arbejdet for besættelsesmagten. Det var en underdrivelse, når Lindemann skrev, at der ikke var forsyninger til en længere storkamp. Foråret 1945 havde stort set drænet Danmark for de lagre, der havde været til rådighed (Steinert 1967, s. 177f.).

Kilde: BArch, Freiburg, RW 44/I 9 [= gl. signatur: OKW 88]. RA, Danica 1069, sp. 1, nr. 152f.

F e r n s c h r e i b e n

von Frr HXSI 019 1.5., 13.00   Geheim

An Groß-Admiral Dönitz

Bezug: FS Nr. 3916/45 Geh. SS Forelle

1.) Truppe fest in der Hand der Führung. Sämtliche Verbände haben infolge ständiger personeller und materieller Abgaben nur begrenzten Kampfwert. Besonders fehlt Beweglichkeit. Zuverlässigkeit der russ. und ung. Verbände für einen Großkampf nicht unbedingt gewährleistet.
2.) Anglo-amerikanische Großlandung wird z.Zt. nicht erwartet. Kleinere Unternehmungen in Zusammenhang mit Operationen im norddeutschen Raum möglich. Mangelnde Aufklärung erschwert rechtzeitiges erkennen.
3.) Für russ. Landungsversuche auf östl. dän. Inseln z.Zt. noch keine Anhaltspunkte. Ausreichende Abwehr mangels Kräften dort nicht vorhanden.
4.) Vorbereitung für Abwehr von Angriffen von Süden über Land getroffen.
5.) Dänische Bevölkerung überwiegend ablehnend, z.T. feindselig. Allgemeiner Wunsch (auch des Königs und der legalen politischen Parteien) Krieg in Dänemark zu vermeiden. Gerüchte über Verhandlungen des Reichsführers SS über Schweden und bevorstehende Kapitulation der deutschen Truppen in Dänemark haben zu Anfragen örtlicher dänischer Behörden geführt.[1] Den Gerüchten über Kapitulation ist in schärfster Form entgegengetreten worden.[2]

1 Det var ikke blot rygter, men Himmlers kapitulationstilbud til de allierede blev ikke modtaget.
2 Se Lindemanns meddelelse til de tyske tropper i Danmark samme dag.

6.) Organisierte Widerstandsbewegung, stärke 25-30.000 Mann, etwa zur Hälfte gut bewaffnet.³ Steigende Sabotagetätigkeit, insbesondere gegen Bahnen und Nachrichtenanlagen. Terrorisierung der noch für deutsche arbeitenden Dänen hat zunehmende Wirkung.⁴ Offener Aufruhr ohne gleichzeitigen Feindangriff von außen nicht wahrscheinlich (außer Kommunisten), kann jederzeit niedergeschlagen werden. Bei gleichzeitigem Feindangriff wird Bandenkrieg nicht zu verhindern sein (Mangel an eigenen Kräften).

7.) Nach hier vorliegenden Nachrichten beabsichtigt Schweden, Neutralität aufrecht zu halten. Duldende Unterstützung dänischer Wiederstandsbewegung (Überführung dän. Polizeitruppe aus Schweden nach Seeland) zu erwarten.

8.) Hohe Flüchtlings- und Verwundetenzahlen (z.Zt. rd. 230.000) erschweren freie Verfügung über die Truppe, Verhältnis zu dänischen Behörden und Bevölkerung sowie eigene Maßnahmen zur Unterdrückung innerer Unruhen.

9.) Versorgungslage z.Zt. noch im Großen gesichert. Da Versorgungseinrichtungen der Armee und der Divisionen erst im Aufbau, noch starke Abhängigkeit von dänischen Betrieben. Bei längeren Großkampf Mangel an Munition und Betriebsstoff unausgleichlich. Bekleidungslage schlecht. Transportlage infolge Mangel an Kfz., Betriebsstoff und Eisenbahnkohle schwierig. Da Flüchtlinge nur durch Wehrmacht versorgt werden, ernste Spannungen in der Verpflegungslage, besonders in Kopenhagen.

10.) Wegen Abhörgefahr auf dänischen Leitungen kann diese Meldung nicht fernmündlich durchgegeben werden.

gez. **Lindemann**

---

3 Abwehrlagebericht Nr. 4, 1. März 1945 meddelte følgende om modstandsbevægelsens styrke: "Wie stark man sich z.Zt. in den Kreisen der Widerstandsbewegung fühlt, geht aus der Tatsache hervor, daß aktivistische Kreise, vor allem jüngere Offiziere, zu einem Aufstand auf den dänischen Inseln drängen. Sie glauben, die deutschen Truppen ohne Hilfe durch eine Invasion, aber unter Mitwirkung der in Schweden aufgestellten dänischen sogenannten Polizeieinheiten vertreiben zu können. In Abwehrlagebericht Nr. 3 war ausführlich über die Entwicklung und Organisation der Widerstandsbewegung berichtet. Hier seien nur zur Illustrierung des oben Angeführten einige Zahlen mitgeteilt: Auf Seeland bestehen 6 Ämter mit je etwa 1.200 Mann, dazu kommt noch das Gebiet Kopenhagen mit Stärkeangaben, die zwischen 5.000 und 30.000 schwanken. Für Aarhus muß eine Stärke von 2.000 Mann angenommen werden. Eine Zusammenarbeit der aus nationalen Kreisen sich rekrutierenden Widerstandsbewegung und der Kommunisten besteht auch weiterhin nicht, im Gegenteil sind Spannungen zwischen den beiden Gruppen aufgetreten, die dazu geführt haben, daß Kommunisten den nationalen Gruppen Waffen stehlen und sogar nationale Widerständler verpfeifen." (RA, Danica 203, pk. 46, læg 547). Da antallet af modstandsbevægelsens tilknyttede militær- og ventegrupper steg meget stærkt i de sidste måneder af besættelsen, kan de tyske størrelsesvurderinger kun vanskeligt bedømmes, men i hvert fald kan Lindemanns opgivelse 1. maj betragtes som stærkt underdrevet.

4 I krigsdagbogen kom det frem, at de danske arbejderes villighed til at arbejde for besættelsesmagten de sidste par måneder var dalet kraftigt; ikke kun på grund af terrorisering, men mere under indtryk af krigens gang.

221. Karl Dönitz an Werner Best 1. Mai 1945

Dönitz meddelte Best, at han, Dönitz, var udnævnt til Hitlers efterfølger. Lindemann og Best blev bedt om omgående at komme til ham.[5]

Best svarede samme dag.
Kilde: FM 24h-6.

+ Eins 13.30 Uhr Plascnick Rbv K[open]hagen+

+ KR Blitz MBBL 812 1/5 12.35 = KR Rbv Dän Best =

Ich habe am 30.4.45 um 20.14 Uhr folgenden FT-Spruch erhalten: "An Stelle des bisherigen Reichsmarschall Göring setzte der Führer Sie Herr Großadmiral als seinen Nachfolger ein. Schriftliche Vollmacht unterwegs, ab so sollen Sie sämtl. Maßnahmen verfügen, die sich aus der gegenwärtigen Lage ergeben. Bormann."

Ich bitte Sie Umgehend zusammen mit Gen Oberst Lindemann her zu kommen und Ankunftszeit zu drahten.

Heil Hitler
Ihr **Dönitz**
Großadm. Forelle +

222. Werner Best an Karl Dönitz 1. Mai 1945

Dönitz fik besked om, at Lindemann og Best var på vej til ham og ville ankomme i løbet af næste dag.
Kilde: FM 24h-6.

Hwg. *Kopenhagen, den 1.5.1945.*

1.) Fernschreiben KR-Blitz! über G-Schreiber der Wehrmacht
Rbv K[open]hagen Nr. W 2 1.5.45 17.30 Uhr

KR-Blitz an Großadmiral Dönitz (Forelle)

Ihr Fernschreiben mit dem Funkspruch des Reichsleiters Bormann habe ich erhalten. Mit Generaloberst Lindemann habe ich verabredet, daß wir im Laufe des 2.5.1945 zu Ihnen kommen. Genaue Ankunftszeit kann ich wegen möglicher Fährenverspätung erst unterwegs durchgeben.

Heil Hitler!
Reichsbevollmächtigter **Dr. Best**

2. Nach Abgang zurück an RB.

---

5 ABA, Duckwitz 1945-46c, s. 16 fortæller, at han 30. april blev forevist Dönitz' telegram til Best, hvilket er åbenlyst urigtigt. I Duckwitz' erindringer u.å. kap. X, s. 31 gentager han, at Best 30. april telegrafisk var blevet bedt om at komme til Dönitz (PA/AA, Nachlass Georg F. Duckwitz, bd. 29). I forlængelse heraf er det heller ikke korrekt, som beskrevet hos Duckwitz, at Best den 30. april om aftenen rejste til Flensburg. Best rejste først 2. maj, så de angivelige drøftelser Duckwitz skulle have haft med Best om, hvad Best skulle mene ved det kommende møde hos Dönitz, må have fundet sted i tidsrummet forud.

223. Joachim von Ribbentrop an Karl Dönitz 2. Mai 1945

Da krigen var tabt, foreslog den netop afskedigede udenrigsminister Ribbentrop bl.a. den nyudnævnte rigskansler Dönitz at skaffe sig en forhandlingsplatform hos de vestallierede ved at gøre det klart, at det ville koste meget blod at sikre den betingelsesløse kapitulation i Slesvig-Holsten og Danmark. Ved en henvendelse til Montgomery og Eisenhower skulle der træffes en aftale om rømning af Danmark og Norge, mens Schleswig-Holstein eller en del deraf ikke skulle besættes, men rumme en fri tysk regering. Det var afgørende og hastende. Ribbentrop afventede Dönitz' proklamation og snarlige initiativer.

Dönitz tog ikke hensyn til brevet, hvis det overhovedet blev afsendt. Han rykkede samme dag sit hovedkvarter fra Plön til Flensburg og lod mellem kl. 10 og 13 meddele, at Hamburg ikke skulle forsvares. Næste morgen lod han endvidere meddele, at Kiel ikke skulle forsvares. Derefter var der ikke meget Slesvig-Holsten tilbage som forhandlingsplatform (Hvidtfeldt 1985, s. 20f.).

Ribbentrop ønskede til det sidste at opnå en særkontakt til de vestallierede, også om det så skulle være med risiko for en slutkamp i Slesvig-Holsten og Danmark. De civile tab ved en sådan beslutning (herunder de mange tyske flygtninge) blev ikke inddraget i overvejelserne, der mest havde karakter af politiske luftkasteller, der var overhalet af den militære udvikling, da de blev fremsat.

Kilde: Schumann und Nestler 1975, s. 389-391 (udkast).

Sehr verehrter Herr Großadmiral!
Ich möchte nachstehend kurz meine Auffassung über die politische Situation, in der wir uns jetzt befinden, umreißen:

1.) Der Krieg ist militärisch verloren. Eine geschlossene deutsche Front steht weder im Westen, Süden oder Osten. Vielmehr hat sich die Front in Kampfhandlungen einzelner Armeeteile aufgelöst, die zwar weiter kämpfen werden, sich aber auf die Dauer nicht halten können. Im Norden sollte sich die gesamte Abwehr auf das militärische Halten Schleswig-Holsteins konzentrieren. Alles, was an guten Truppen noch vorhanden, sollte in diesem Raum versammelt werden. Dadurch, daß die Engländer eine russische militärische Unterstützung zur Eroberung dieses Raumes ablehnen werden, ist der Raum mit den guten Marinetruppen gegen die Engländer allein vielleicht längere Zeit zu halten, auf die Dauer zweifellos auch nicht.

2.) Das Ziel einer politischen Aktion sollte es daher sein, zu erreichen, daß Schleswig-Holstein oder zumindest ein Teil desselben nicht besetzt wird, damit die Reichsregierung unter Ihrer Leitung eine Chance hat, vom freien deutschen Gebiet aus zu regieren. Um zu sehen, ob hierfür eine Chance ist, muß man zunächst einmal – koste es, was es wolle – zu Verhandlungen kommen.

3.) Der Beginn von Verhandlungen von Regierung zu Regierung ist schwer, da Roosevelt, Churchill und Stalin sich auf die bedingungslose Kapitulation festgelegt haben. Ich schlage daher vor, den Versuch einer Verhandlungsaufnahme bei den Generälen Eisenhower und Montgomery zu machen. Wenn das englische und amerikanische Oberkommando weiß, daß die Eroberung Schleswig-Holsteins und Dänemarks viel Blut kostet, könnte Interesse an einem Arrangement bestehen. Hinzu kommt, daß zweifellos auch in der englischen Armee heute schon gewisse Besorgnisse wegen der Übermacht der roten Armee vorhanden sind, daß man daher nicht weitere Kräfte gegen Deutschland gebrauchen möchte, ja, daß man vielleicht heute in der englischen Armee schon ahnt, daß man die deutsche Kraft eines Tages gegen die rote Armee dringend brauchen wird.

4.) Es hat meiner Auffassung nach keine Erfolgschance, mit Eisenhower und Montgomery etwa auf der Basis zu sprechen, daß man sich zwar mit ihnen arrangieren möchte, aber nicht mit den Russen. So wäre es meiner Ansicht nach zwecklos, z.B. den Engländern offiziell ein Angebot zu machen, daß man gegen die in Holstein stehenden englischen Truppen nicht kämpfen, gegen die Bolschewiken aber, wenn sie an Holstein heran sind, kämpfen würde. Ein Wort von Stalin würde genügen, um die Anglo-Amerikaner sofort zum Abbruch der Verhandlungen auf einer solchen Basis zu veranlassen. Man muß sich m.E. darüber klar sein, daß man in offener Form die Alliierten nicht voneinander trennen kann, sondern nur dadurch, daß man die These der Verständigung mit allen Alliierten, also auch mit Rußland vertritt. Wir müssen daher m.E. so operieren, daß es den Anglo-Amerikanern ermöglicht wird, das Gesicht zu wahren, d.h. die Anglo-Amerikaner müssen den Russen die deutschen Vorschläge in einer Form präsentieren können, daß die Russen – obwohl sie genau wissen, daß ein solches deutsch-englisches Arrangement etwa über die Nichtbesetzung Holsteins nicht im russischen Interesse liegt und über das Militärische hinaus sehr viel weitergehenden politischen Inhalt hat – diese nicht beanstanden können.

5.) Mein Vorschlag ist daher, an die Engländer und Amerikaner heranzutreten und mit ihnen ein militärisches Arrangement z.B. über Schleswig-Holstein, Dänemark und evtl. auch Norwegen zu treffen, wonach Dänemark und Norwegen allmählich geräumt, dafür aber Schleswig-Holstein oder ein Teil desselben nicht besetzt wird, damit die Reichsregierung unter Ihrer Leitung hier als freie Regierung amtieren kann. Ich schlage die Entsendung eines Parlamentärs zu Eisenhower und Montgomery vor, um zu versuchen, sie auf dem Wege eines solchen militärischen Teilarrangements zur Verhandlung zu bringen und sie zu veranlassen, sich vom militärischen Standpunkt aus bei den Politikern für eine solche Lösung einzusetzen. Sollte irgend ein wie auch immer geartetes Arrangement zustande kommen, so wäre dies der erste wichtige Schritt, um von der Formel der bedingungslosen Kapitulation abzukommen und von Seiten der Reichsregierung und Ihrer Leitung in Verhandlungen mit den Alliierten zu kommen. Darauf könnte man dann allmählich weiter aufbauen.

6.) Den Russen gegenüber, die die Reichsregierung unter Ihrer Leitung ebenso angreifen und in Grund und Boden verdammen werden wie die des Führers, können die Anglo-Amerikaner selbst nur auf ein solches militärisches Teilarrangement eingehen, wenn Sie Ihre Bereitschaft erklären, mit allen Alliierten zu einem Arrangement zu kommen. Ich halte es daher für entscheidend, daß bei einer solchen Aussprache mit Eisenhower (der hierzu zweifellos den politischen Bevollmächtigten des amerikanischen Präsidenten Murphy hinzuziehen wird) Montgomery ein deutsches außen- und innerpolitisches Programm entwickelt wird, das sowohl für die Engländer und Amerikaner akzeptabel als auch von diesen – und dies ist das Entscheidende – den Russen als akzeptabel und ein Alibi präsentiert werden kann. Dieses Programm, außenpolitisch: Zusammenfassung der Deutschen in seinen Wohngrenzen in Europa, keine Unterjochung fremder Völker, vielmehr Freiheit aller Nationen innerhalb Europas und enge Zusammenarbeit mit diesen und den Weltmächten zur Aufrechterhaltung des Friedens; innerpolitisch: Evolution in weltanschaulichen Fragen, und besonders soweit ein dogmatisches Festhalten weltanschaulicher Grundsätze geeignet ist, die Zusammenarbeit mit anderen Nationen zu stören, oder soweit diese Dogmatik nach

Auffassung unserer Gegner automatisch zum Kriege führen muß. In diesen Fragen kann natürlich manche Taktik getrieben werden. Ich möchte vorschlagen, daß ich Ihnen über diesen Punkt meine persönliche Auffassung noch mündlich darlege. Entscheidend scheint mir aber zu sein, daß wir zunächst aus dem jetzigen völligen dead-lock in der Herstellung der Synthese zwischen innerpolitischen Notwendigkeiten, die ich mich seit Jahren vergeblich bemüht habe, herzustellen, und außenpolitischen Möglichkeiten herauskommen. Denn über eines müssen wir uns nach meiner Auffassung klar sein: Es gibt jetzt in unserer Lage für die Reichsregierung unter Ihrer Leitung nur zwei Möglichkeiten, entweder Deutschland wird restlos besetzt, die Reichsregierung interniert, die Verwaltung des Landes von den Alliierten übernommen und dann wird vielleicht in absehbarer Zeit eine Regierung Brüning mit Demokraten und Kommunisten oder eine Regierung Thälmann mit Katholiken, Demokraten usw. von den Alliierten eingesetzt. Damit würde der Nationalsozialismus ausgerottet und die deutsche Wehrmacht restlos zerschlagen, das deutsche Volk auf Jahrzehnte zur Knechtschaft verurteilt. Oder es gelingt der Reichsregierung unter Ihrer Leitung, mit einem umfassenden Programm, unter Zurückstellung bzw. in den Hintergrund tretenlassen bzw. Modifizierung bestimmter weltanschaulicher Fragen, der Versuch einer Politik der Zusammenarbeit mit allen Nationen, also zumindest äußerlich auch mit Rußland, zu finden, und durch Anerkennung der Reichsregierung unter Ihrer Leitung und Ihres Programms das nationale Deutschland und damit auch das nationalsozialistische und eine verkleinerte Wehrmacht zu erhalten und damit dem deutschen Volk den Weg zum Wiederaufstieg zu ebnen.

Sind wir erst einmal in Verhandlungen mit den Anglo-Amerikanern, so ist schon viel gewonnen. Wegen der Stärke Rußlands wird es dann zwangsläufig zu einer immer engeren Zusammenarbeit kommen. Das Entscheidende ist, daß wir jetzt die Überbrückung finden. Durch eine offene pro-englisch-amerikanische und antisowjetische Einstellung würde nach meiner Auffassung die Überbrückung sehr erschwert. Viel Zeit haben wir aber nicht, denn wie ich höre, hat der Engländer seinen Brückenkopf erheblich erweitert.

Ich möchte daher anregen, zunächst einmal die Reaktion auf den Tod des Führers und Ihre Proklamation abzuwarten und dann baldigst zu handeln.
[uden underskrift]

224. Der Reichsbevollmächtigte: Vertrauliche Tagesinformation 3. Mai 1945
Med udførlige direkte citater fra internationale pressekilder distribuerede Det Tyske Gesandtskab oplysninger om den militære situation, om at Berlin var faldet til russerne, om Hitlers død, om Dönitz' overtagelse af regeringsmagten, om Bernadottes fredsforhandlinger med Himmler og om udsigten til en tysk kapitulation i Norge og Danmark, og hvordan den ville foregå.
Kilde: RA, Vesterdals nye pakker, pk. 1.

Der Reichsbevollmächtigte in Dänemark   Nr. 90.
Pressereferat

Vertrauliche Tagesinformation
3. Mai 1945.

Gestern abend gegen 10 Uhr gab Moskau bekannt, daß Berlin kapituliert habe. Auch die südöstlich von Berlin eingekesselten deutschen Truppen sollen sich ergeben haben.

Nach dem Moskauer Communiqué haben in Mecklenburg Truppen Rokosowskys Rostock, Warnemünde, Ribnitz, Laage und Teterow erobert.

Die Engländer geben die Einnahmen von Lübeck bekannt. Über Lübeck hinaus sollen britische Panzer bis Wismar vorgestoßen sein, während von der Elbe her amerikanische Verbände Hagen[ow] und Schwerin erreicht haben.

Westlich der Elbe soll die 1. kanadische Armee vor Emden und Wilhelmshaven stehen.

General Alexander gab in einem Tagesbefehl bekannt, daß die deutschen Armeen in Italien und Westösterreich unter ihrem Befehlshaber, General von Vietinghoff-Scheel, gestern Mittag kapituliert hätten. Die Kapitulation umfaßt die deutschen Truppen in Norditalien, Vorarlberg, Tirol, Salzburg und Teile von Kärnten und Steiermark. Churchill äußerte über die Kapitulation, daß sie sich günstig auf den weiteren Gang der Ereignisse auswirken würde.

In einer Erklärung sagte General Eisenhower gestern, Großadmiral Dönitz habe behauptet, daß der Führer in Berlin gefallen sei. Seinen Informationen nach träfe das nicht zu. Himmler habe am 24. April in Lübeck Graf Bernadotte gegenüber geäußert, daß der Führer schwer krank sei und vielleicht schon tot. Jedenfalls werde er nicht länger als 48 Stunden leben. Der Ebenfalls bei dem Gespräch anwesende General Schillenburg habe hinzugefügt, daß der Führer an Gehirnblutungen leide. Großadmiral Dönitz, auf den nun der Eid der Truppen auf den Führer übergehen solle, versuche einen Keil zwischen die Alliierten zu treiben. Dieser Versuch sei völlig aussichtslos und werde keinerlei Einfluß auf die Durchführung der von den Alliierten gemeinsam geplanten Operationen haben.

In Barcelona sind die Mitglieder der Vichy-Regierung Lavalle und Deat mit einen Flugzeug gelandet, nachdem ihnen die Schweiz sechs Mal die Einreise verweigert hatte. Hiergegen hat der amerikanische Botschafter in Madrid Protest erhoben, worauf General Franco persönlich die Ausweisung der beiden Flüchtlinge befahl.

"Major Georg Fielding, Mitarbeiter der "New York Harald Tribune", hält die Befreiung der dänischen Inseln für keine leichte Aufgabe, und Norwegen bietet ein schweres militärisches Problem", meldet "Sydsvenska Dagbladet"s New Yorker Korrespondent. "Ein Einfall in Norwegen von der See her ist von unseren jetzigen Basen aus so kompliziert, daß er vielleicht nicht zustande kommt ehe wir in Dänemark festen Fuß gefaßt haben. Es gibt jedoch eine Möglichkeit, die deutschen Truppen in Norwegen unmittelbar in eine hoffnungslose Lage zu bringen, das ist eine schwedische Intervention. Man muß natürlich abwarten, wie lange die Regierung und das Volk Schwedens einer systematischen Vernichtung Norwegens zusehen wollen, ehe sie sich entschließen, der deutschen Kontrolle in diesem Lande ein Ende zu setzen. Der Zeitpunkt muß kommen, da die Anwesenheit der Deutschen in Norwegen selbst im neutralen Schweden als unerträglich angesehen wird. Wenn die britischen und russischen Truppen die deutsche Ostseeküste besetzen, verschwinden damit auch jedes ernsthafte Risiko einer bewaffneten schwedischen Intervention."

DPT meldet am 30 April: "Die Nachricht von Himmlers Kapitulationsangebot hat in

Dänemark eine Welle siegesbewußten Optimismus hervorgerufen, den nicht einmal warnende Stimmen dämpfen konnten. Mit den detaillierten Rundfunkmitteilungen über den faktischen Inhalt des Himmlerschen Angebots hat der Optimismus im dänischen Volke in der Sonntag-Nacht seinen Höhepunkt erreicht. Die Nachricht von Graf Bernadottes Rolle im letzten Akt des Krieges kommt nicht so überraschend für die Leser der illegalen Presse, welche in der letzten Zeit seine Reisen durch Dänemark genau registriert hat. Am 25. April konnte "Tidens Tegn" mitteilen, daß Graf Bernadotte während eines Aufenthalts in Apenrade an die deutsch-dänische Grenze wurde, um mit einem Abgesandten Himmlers neue Verhandlungen zu führen. Ebenso konnte die Zeitung mitteilen, daß nach den letzten Meutereien der ausländischen Wehrmachtsangehörigen in Kopenhagen ein Aufruf ausgesandt worden sei.[6] Sonntag war vom frühen Morgen an in Kopenhagen viel Volk auf den Straßen, das mit Jubel und Spannung auf neue Mitteilungen wartete. Obwohl die schwedischen und englischen Rundfunkmitteilungen am Morgen etwas dämpfend auf den Glauben auf unmittelbare Kapitulation gewirkt hatten, hielt sich doch die Stimmung den ganzen Tag über. Gerüchte über Dänemarks eigene Lage schwirrten in der Luft. In den Laubenkolonien hißte man überall die Danebrogsflagge und am Nachmittag strömten die Menschen in das Innere der Stadt, um die Jubelstimmung mitzuerleben, dessen Auslösung durch das Radio man jeden Augenblick erwartete.

Die deutschen Truppen in Dänemark werden auf etwa 110.000 Mann geschätzt, von denen 17.000 zur Luftwaffe und 25.000 zur Marine gehören.[7] General Lindemann, welcher im Februar General von Hanneken als Oberbefehlshaber in Dänemark ablöste, hat das Kommando über alle drei Waffengattungen. Oberbefehlshaber in Nordjütland ist ein General von Baehr, und Oberbefehlshaber für Seeland und die Hauptstadt ein General Hoffmann. In den letzten Tagen sind in Jütland neue Divisionen zusammengestellt worden, aber nur aus den Truppen, welche sich bereits im Lande befanden. Größere Verstärkerungen von Süden sind nicht angekommen. Die Truppen in Dänemark sind zweit- und drittklassig, wirkliche Elitetruppen gibt es kaum. Es sind teils sehr junge Soldaten da, sogar im Alter von 12 bis 13, und teils zweitklassiges Personal, was Körperbau und Ausbildung anlangt. Unter den Truppen befinden sich ungefähr 10.000 Ungaren, die sehr unzuverlässig sind, und eventuell ebenso viele Österreicher und Ukrainer, auf die man sich auch nicht verlassen kann. Die deutschen Flottenverbände in Dänemark sind nicht umfassend, man dürfte auch kaum die Absicht haben, das Land zu einer Flottenbasis zu machen. Abgesehen von den zwei Kreuzern im Hafen Kopenhagen besteht die Marine hauptsächlich aus Minensuchbooten.[8]

Wie eine deutsche Kapitulation in Dänemark sich rein technisch abspielen sollte, ist ungewiß. Außer einem möglicherweise eingeweihten Kreis weiß niemand, welche Instanz auf deutscher Seite die Befugnis hat, über eine Kapitulation in ihren Einzelheiten zu verhandeln und sie durchzuführen. Zusammen mit einen deutschen Kapitulation in Dänemark wird es zu Massenverhaftungen von Nazisten, Stikkern, Mitgliedern der landesverräterischen Hipo usw. kommen. Es ist kein Geheimnis, daß die Widerstandsbewegung über

---

6 Se Lindemann: Besprechung… 24. april 1945.
7 Se notatet af Quartiermeister der Wehrmacht 8. maj 1945.
8 De to krydsere var "Nürnberg" og "Prinz Eugen" (Hvidtfeldt 1985, s. 39).

ein Personen-Archiv verfügt, das im Hinblick auf eine Solche Lage ausgearbeitet ist. Ein besonderes Problem könnte durch den Umstand entstehen, daß Dänemark wie bekannt seit der Auflösung und teilweisen Deportierung der dänischen Polizei im September 1944 über keine zivile Ordnungsmacht mehr verfügt. Wie man sich erinnern wird, entkamen damals mehrere Tausend dänischer Polizisten, welche seitdem "unter der Erde" lebten. Sie werden sicher bald wieder als dänische Polizei auftauchen. Während der ersten Periode werden die Truppen der Widerstandsbewegung die Aufgaben der Ordnungsmacht übernehmen, und schließlich muß man sich erinnern, daß auch in Schweden Polizeitruppen für die kommende Situation ausgebildet worden sind. Alles deutet darauf hin, daß im Augenblick der Befreiung eine Regierung bereitstehen wird, welche sich zur Hälfte aus Vertretern der Widerstandsbewegung und zur Hälfte aus Vertretern der großen politischen Parteien zusammensetzt, so wie die illegale Presse es schon während der letzten Wochen angedeutet hat."

225. Fahrt des Herrn Oberbefehlshabers [Lindemann] zu Großadmiral Dönitz 3. Mai 1945

Lindemann og Best fulgtes på en del af turen til mødet hos Dönitz i Mürwik. De ankom 2. maj om aftenen og mødet blev holdt næste formiddag. Mødets indhold og Lindemanns og Bests holdninger blev ikke refereret. Derimod blev der indgående berettet om mulighederne for at anvende den beskadigede tyske krydser "Leipzig", der lå i Åbenrå havn, i forsvaret af Danmark. Lindemann fandt også tid til at bekymre sig om de mange benzindrevne køretøjer fra Luftwaffe, som var undervejs på de danske landeveje. Han ville have undersøgt det berettigede deri.

    Om mødet i Mürwik, se Dönitz' dagbog 3. maj 1945.
    Kilde: KTB/WB Dänemark, Anlage 49. Hvidtfeldt 1985, s. 93-95.

Anlage 49

2./3. Mai 1945

Fahrt des Herrn Oberbefehlshabers zu Großadmiral Dönitz, Oberster Befehlshaber der deutschen Wehrmacht
Begleiter:
    Oberst von Studnitz
    Oberleutnant von Helldorff

Während der Fahrt nach Plön von Kolding bis Hadersleben Besprechung OB mit Dr. Best, welcher ebenfalls zu Großadmiral Dönitz fährt. Gegen 19.00 Uhr Ankunft im Führerhauptquartier, welches gerade in Verlegung nach Flensburg/Mürwik begriffen ist. Infolgedessen nur kurze Lageorientierung an OB durch Generaloberst Jodl und Meldung bei Großadmiral Dönitz ohne anschließenden Vortrag. Rückfahrt nach Flensburg. Dort in Marineschule Mürwik am 3.5.45, 10.00 Uhr Besprechung bei Großadmiral Dönitz,[9] an welcher außer OB noch Reichbevollmächtigter Dr. Best teilnimmt. Außerdem kurze Besprechung zwischen OB und Reichkommissar Terboven, welcher um

---

9 Dönitz' dagbog 3. maj henlægger mødet til kl. 11.

Mitteilung der wichtigsten Ereignisse auf Draht- oder Funkweg bittet. Lage äußerst gespannt, da Feind vor Kiel und im Anmarsch auf Neumünster. Rückfahrt ab Mürwik 12.15 Uhr. In Apenrade kurzer Besuch bei Kommandant Kreuzer Leipzig. OB bespricht mit diesem Frage der Verwendung des havarierten Kreuzers. Kommandant lehnt Überführung nach Hadersleben zur artl. Unterstützung der Kriemhildstellung ab, da Kreuzer mit eigener Kraft nicht manövrieren und durch seine Länge unter Umständen in dem schmalen Fahrwasser quergelegt werden könnte. OB ist mit Verbleib in Apenrade einverstanden. 15 cm. Granaten für den Kreuzer noch nicht eingetroffen.[10] Kdt. bittet, daß OB mit Admiral Skagerrak Frage bespricht, ob Kreuzer im Ernstfall versenkt und die Mannschaft an General Feldt abgegeben werden soll, oder ob nach Zerstörung bezw. Vernichtung aller Kriegsanlagen an Bord Kreuzer als Wohnschiff Verwendung finden soll. An Bord Verpflegung für 3 Monate. OB sichert Besprechung mit Admiral Skagerrak zu. Auf der Weiterfahrt Besprechung mit General Feldt in Hadersleben. OB befiehlt aufgrund der Lage Besetzen der Kriemhildstellung sowie Durchführung eigener Aufklärung in den Raum Husum-Schleswig-Rendsburg. General Feldt bittet, daß die zugesagte schw. Artl. Abt. kommt, und das die Kettenfahrzeuge, vor allem Pz-IV 1g. der 233. Pz. Div. im Landmarsch zugeführt werden.

General Feldt meldet, daß 1 Luftnachrichten Rgt. zum Teil schon eingetroffen und über alle Flugplätze in Dänemark verteilt werden soll. Abschließend fragt OB General Feldt, ob im Ernstfall die Truppe stehen würde. General Feldt bejaht diese Frage.

Während der Fahrt durch Deutschland wiederum fast ausschließlich Lastwagenkolonnen der Luftwaffe (meist Benzinwagen) unterwegs. OB wünscht nachträgliche Überprüfung aller Luftwaffeneinheiten in Dänemark auf ihre Berechtigung sich im dänischen Raum aufzuhalten.

226. Karl Dönitz: Tagebuch 3. Maj 1945

Deltagerne i konferencen hos Dönitz på marineskolen i Mürwik var – foruden Best og Lindemann – Jodl, Keitel, rustningsminister Albert Speer, partichef Paul Wegener, den værnemagtsoverstbefalende i Norge Franz Böhme, Terboven og udenrigsminister grev Schwerin von Krosigk. Til stede var også Dönitz' adjudant Lüdde-Neurath. Mødet om Danmark og Norge begyndte kl. 11, og der foreligger kun et meget knapt samtidigt referat.

Det blev drøftet, hvordan den militære og politiske situation var. Af det samtidige mødereferat fremgår det ikke, hvem der indtog hvilke standpunkter. For Danmarks vedkommende blev anført, at troppernes kampkraft efter førerens død var usvækket, til gengæld var den politiske situation vanskeliggjort af de tyske flygtninges tilstedeværelse. Fra den stærke frihedsbevægelse kunne forventes opstand, hvis der kom angreb udefra.

Oplysninger om, hvem der fremkom med hvilke standpunkter på mødet, er først fremkommet i en række efterkrigsforklaringer og erindringer: fra Best 1945 (kolporteret også af ABA, Duckwitz 1945-46c, s. 18, Duckwitz' erindringer u.å. kap. X, s. 32f. (PA/AA, Nachlass Georg F. Duckwitz, bd. 29), Schwerin von Krosigk 1948, 1951 og 1974 (og flere gange), Dönitz 1958 og Lüdde-Neurath 1964. Så godt som alle senere fremstillinger hviler ret ukritisk på nogle af disse efterkrigsskildringer, da det samtidige referat kun giver få holdepunkter.[11] Martin Moll har 1995 (s. 72-76) kritisk analyseret de fleste af forklaringerne, men

---

10 Fra dansk side var der bekymring for, at "Leipzig" skulle blive anvendt i en slutkamp (Bech 1946, s. 103).
11 Torell 1973, s. 256f. med note 74 bruger tilmed Duckwitz som kilde til mødet!

netop ikke de første (og utrykte) af Best,[12] og Schwerin von Krosigk og kommer ikke nærmere ind på Bests rolle og senere selviscenesættelse.[13]

Best skrev sit referat af mødet 3. maj første gang 31. juli og – med visse ubetydelige og nogle væsentlige ændringer – igen 20. oktober 1945,[14] hvor han først citerede Terboven for at ville fortsætte kampen, for derefter at skrive (her på grundlag af 31. juli-versionen): "Dann erläuterte Generaloberst Lindemann die Aufstellung der deutschen Truppen in Dänemark und erklärte auf eine Frage des Großadmirals Dönitz, daß er sich auf seine Truppen voll und ganz verlassen könne. Nunmehr nahm ich das Wort und stellte fest, daß eine Verteidigung des dänischen Raumes aus den folgenden Gründen unmöglich sei: 1. Im Augenblick des Angriffs von außen werde im Rücken der deutschen Truppen ein nach Zehntausenden zählender, wohlbewaffnete Aufstandsbewegung losbrechen. 2. Die Operationen der deutschen Truppen seien durch die Anwesenheit von mehr als einer Viertelmillion Nichtkombattanten (Verwundeten und Flüchtlingen) in Dänemark, die von der Truppe abhängig seien, gehemmt. 3. Der schwedische Ministerpräsident Per Albin Hansson habe mir vor wenigen Tagen durch einen Verbindungsmann mitteilen lassen, daß Schweden einen mutwilligen Kampf der deutschen Truppen in Dänemark und Norwegen nicht untätig zusehen sondern aktiv eingreifen werde. Ich wies weiter hin, daß ein Kampf in Dänemark und Norwegen für die Kriegsentscheidung wertlos sei und daß deshalb die durch ihm verursachten Verwüstungen dieser noch unversehrten Länder dem deutschen Volke als besondere Schuld angerechnet werden würde. Aus allen diesen Gründen forderte ich, daß von einer Verteidigung Dänemarks und Norwegens Abstand genommen werde.

Der Großadmiral Dönitz stellte noch die Frage, was der schwedische Ministerpräsident unter einem "mutwilliger" Kampf verstehe. Ich erwiderte: jeden Kampf, da jeder Kampf sinnlos sei."

Det var ifølge Best kun Schwerin von Krosigk, der kraftfuldt gik ind for hans standpunkt, mens Dönitz forbeholdt sig den endelige beslutning. Det er på den baggrund sikkert, at det alene var Schwerin von Krosigk (og ikke andre af de ved mødet tilstedeværende), der vidnede om mødet ved retssagen mod Best i 1948 i København, hvor han ganske fulgte Bests udlægning af forløbet. I sine senere erindringer gik Schwerin von Krosigk imidlertid videre på en måde, der til dels stred mod hans første forklaring: Best havde i sine 1945-forklaringer ikke fremstillet det som om, at Lindemann var indstillet på en slutkamp i Danmark, og det havde Schwerin von Krosigk heller ikke 1948, men 1951 (s. 370 og 1974, s. 365) fremstillede sidstnævnte Lindemann som indstillet på en slutkamp og tillagde ham både udtalelsen, at kampen skulle blive "die letzte anständige Schlacht des Krieges" og – idet Lindemann angiveligt inviterede regeringen Dönitz til Danmark – udvidede det med "Dann machen wir den Flaschenhals zu und schlagen die letzte anständige Schlacht des Krieges". Tilsvarende havde Best i de 1950 skrevne (og 1988 udgivne) erindringer tillagt både Böhme og Lindemann beredvillighed og villighed til at kæmpe, men ikke fremstillet dem som direkte krigeriske, som det var tilfældet hos Schwerin von Krosigk 1951 og senere. I betragtning af, at Lindemann endnu 3. maj bad

---

12 Werner Best: Aufzeichnung 31. juli 1945 (RA, UM 84.a 34a), Werner Best: Die Besprechung über die Verteidigung Dänemarks und Norwegens in Flensburg am 3.5.1945, nedskrevet 20. oktober 1945 (RA, Bests personarkiv nr. 5135).

13 Schwerin von Krosigks forklaring i Best-sagen 28. april 1948 (LAK).

14 20. oktober-versionen er nok tæt på 31. juli versionen, men vidner om Bests evne til, næsten ord for ord, at reproducere en én gang givet forklaring: "Dann legte Generaloberst Lindemann die Verteilung der deutschen Truppen in Dänemark dar und erklärte auf eine Frage des Großadmirals, daß er sich auf seine Truppen voll und ganz verlassen könne. Nun kam ich zum Wort und sagte, daß ich eine Verteidigung Dänemarks für ganz unmöglich hielte. Ich trug drei Gründe vor: 1. Die deutschen Truppen in Dänemark seien mit mehr als einer Viertelmillion Nichtkombattanten (Verwundeten und Flüchtlingen) belastet. 2. Im Augenblick des Angriffs von außen werde im Rücken der deutschen Truppen ein nach Zehntausenden zählender Aufstand der ausgezeichnet bewaffneten Widerstandsbewegung ausbrechen. 3. Der schwedische Ministerpräsident Hansson habe mir vor wenigen Tagen mitteilen lassen, daß Schweden einen mutwilligen Kampf in Dänemark und Norwegen nicht dulden sondern selbst eingreifen werde. Ich wies darauf hin, was es für Deutschland bedeuten werde, wenn das so konsequent neutrale Schweden im letzten Augenblick Anlaß fände, gegen uns zu kämpfen. Dies und die sinnlosen Zerstörungen in Dänemark und Norwegen würden dem deutschen Volke später als eine besondere Belastung zugerechnet werden. – Großadmiral Dönitz fragte, was ein "mutwilliger" Kampf sei. Ich erwiderte: jeder Kampf, da jeder Kampf sinnlos sei." I en erklæring 28. april 1948 var Schwerin von Krosigk i stand til at reproducere denne forklaring, idet han punkt for punkt fulgte Bests fremstilling (LAK, Best-sagen). Bests forsvarer havde gjort sit arbejde godt.

Dönitz om at få København erklæret for åben by af hensyn til flygtningene og de sårede soldater, er der grund til at sætte et stort spørgsmålstegn ved Schwerin von Krosigks senere fremstillinger.[15] Lindemann var indstillet på at gøre sin pligt i majdagene 1945, men næppe mere (se nedenfor).

Best kom på et afgørende punkt til at stå næsten alene med sin udlægning af mødet 3. maj: I fremstillingerne 31. juli og 20. oktober 1945 gjorde han udsigten til en svensk invasion – med deraf følgende ødelæggelser og slutkamp i Danmark – til det afgørende for Dönitz' senere beslutning om at kapitulere. Dette hævdede Best med Steengracht i AA som kilde (Best 31. juli og 20. oktober 1945, *Forhandlingarna 1945 om svensk intervention i Norge och Danmark*, 1957, s. 38. Best 1988, s. 98 og 200 undlod at gøre dette punkt afgørende, men mente dog, at det havde bidraget til kapitulationen). Ingen af de øvrige tilstedeværende ved mødet 3. maj har kunnet erindre, at Best nævnte muligheden af en svensk invasion (Schwerin von Krosik 24. april 1948 undtaget!), og da Dönitz 1958 efter sit fængselsophold blev opmærksom på, hvad Best havde forklaret, tog han direkte afstand fra, at han skulle have drøftet det med sin adjudant Lüdde-Neurath, og at det havde øvet nogen indflydelse på hans beslutning (Dönitz 1958, s. 491 note 294). Det kom dog Best til gode ved dommen over ham i Danmark, at han havde arbejdet for en kapitulation i Danmark (PKB, 13, s. 245).

Best skulle i forbindelse med mødet i Mürwik angiveligt have opnået, at Pancke enten blev fjernet fra sin post i Danmark eller underlagt Best. Da Himmler på det tidspunkt stadig var øverste chef for det tyske politi, var det imidlertid kun ham, der kunne give denne ordre, og Best traf netop sammen med Himmler natten før mødet hos Dönitz, hvilket han siden udførligt udbredte sig om, men uden at nævne, at Pancke skulle være blevet detroniseret. Imidlertid fastholdt Duckwitz i sine efterkrigsforklaringer, at det var tilfældet.[16] For forklaringens mulige rigtighed taler, at von Dardel natten til 3. maj rapporterede til Stockholm, at Best gennem Schellenberg ville *begære* at få fuldmagt af Himmler til at få den øverste befaling over det tyske politi i Danmark (Riksarkivet, Stockholm, Utrikesdepartementets arkiv, HP 1 Politik: allmänt, Danmark 1943 aug-1945 maj, AD, XLVII, von Dardel til Assarsson den 3. maj 1945). Den viden stammede imidlertid sikkert fra Duckwitz, som vidste besked med, hvad Best bl.a. ville søge at få ud af mødet ved Flensborg. Hvad der kom ud af mødet vedrørende Pancke, findes der kun efterkrigsforklaringer på. Til gengæld står det fast, at Pancke 3. maj 1945 var blevet underlagt WB Dänemark (se WB Dänemark til WFSt 6. maj).[17]

Endnu en sejr skulle Best ifølge Duckwitz have hjembragt fra mødet, nemlig at livsvigtige anlæg og transportmidler i Danmark ikke skulle ødelægges. Det var endnu et punkt, hvor Best havde fået Schwerin von Krosigks stærke støtte. Denne beslutning nævner ingen af de øvrige mødedeltagere, heller ikke Best i 1945-forklaringerne (Herbert 1996 har den heller ikke med til at tegne billedet af Best).[18] (ABA, Duckwitz 1945-46c, s. 18f. (jfr. Kirchhoff 1978, s. 172f.), Duckwitz' erindringer u.å. kap. X, s. 32f. (PA/AA, Nachlass Georg F. Duckwitz, bd. 29). Duckwitz' erindringer er en andenhåndsberetning, der skulle give Best – og dermed ham selv – afgørende ansvar for, at det kom til en fredelig krigsslutning i Danmark (Schellenberg 2003, s. 196f. er ude i samme ærinde for sit eget vedkommende med lige så ringe held. Se om hans fantasteri Browder 2003)), Frisch, 3, 1948, s. 295f. (Panckes detronisering), Schwerin von Krosigk 1951, s. 370, Schellenberg

---

15 Hos Moll 1995, s. 73 nævnes en artikelserie af Schwerin von Krosigk i *Christ und Welt*, april 1955, hvor udtrykket "die letzte anständige Schlacht" ikke tillægges Lindemann, men de ved mødet tilstedeværende militære personer generelt.

16 ABA, Duckwitz 1945-46, s. 18 (jfr. Kirchhoff 1978, s. 173), Duckwitz' erindringer u.å. kap. X, s. 33 (PA/AA, Nachlass Georg F. Duckwitz, bd. 29). Fremstillingen er overtaget af Rosengreen 1982, s. 167.

17 Panckes underkastelse under Best eller fjernelse fra sin post var på dette fremskredne tidspunkt af den tyske besættelse ganske uden betydning, men det er med til at tegne billedet af en rigsbefuldmægtiget, der konsekvent og til det yderste forfulgte de politiske mål, han havde sat sig. Endnu før Pancke var kommet til Danmark, havde det været Bests ønske, at HSSPF skulle være underlagt ham. Selv ikke efter Hitlers død og midt i det totale tyske sammenbrud lod Best forsøget på at overtrumfe Pancke gå sig forbi. Så meget betød det. Men det lykkedes altså ikke. Sidenhen, da erindringerne 1950 blev nedfældet i Horsens Statsfængsel, var han kommet til at se den sag i et andet lys, og den sluthistorie skulle ikke fortælles. Men Duckwitz havde allerede skrevet den.

18 Pancke og Bovensiepen m.fl. forsvandt fra Danmark 5. og 6. maj, inden Lindemann kunne effektuere en ordre fra de allierede om at arrestere dem (Steinert 1967, s. 225, Hvidtfeldt 1985, s. 112, Lundtofte 2003, s. 201f.). På den baggrund er det lidet sandsynligt, at Bovensiepen samme dag skulle have beordret Duckwitz arresteret og skudt, som Duckwitz angiver i sine erindringer (1945-46c, s. 4. Schjødt-Eriksen 1976, kap. 12 reproducerer dette og andet af Duckwitz uden at tilføje substans).

1956 (1959), s. 368f., *Forhandlingarna 1945 om svensk intervention i Norge och Danmark*, 1957, s. 38 (Best om svensk intervention), Dönitz 1958, s. 450f., 456f., 491 n. 294 (hvor Dönitz afviser, at Best på mødet skulle have nævnt, at Sverige ville intervenere, hvis Tyskland ikke kapitulerede i Danmark), Lüdde-Neurath 1964, s. 78ff., 184f., Hansen 1966, s. 143f., Best 1988, s. 98, 157f., 185, Steinert 1967, s. 178f., Thomsen 1971, s. 218f., Torell 1973, 256f. (bruger Duckwitz og Best selv som kilder til forløbet), Rosengreen 1982, s. 166f. (Panckes underkastelse med Duckwitz som kilde), Best 1988, s. 98 (referat af mødet), 157f. (intet om indhold af mødet), 200 (omtale af trussel om svensk intervention), Herbert 1996, s. 399f. (intet om Pancke – helt overfladisk).
Kilde: Schramm 1962, s. 424.

[…]
11.00 Uhr: Besprechung Norwegen und Dänemark.
Reichsbevollmächtigter für Dänemark Dr. Best, Generaloberst Lindemann, Reichskommissar Terboven, General Böhme, übrige Teilnehmer wie vor.
Norwegen: Militärische Lage gut. Gut zu halten, gut bevorratet. OB ist von der Widerstandskraft seines Raumes überzeugt. Politische Lage z.Zt. günstig, da allgemeines Bestreben bei dem erwarteten Zusammenbruch Deutschlands und dem baldigen Kriegsende heil herauszukommen. Daher wenig Bereitschaft zum Aufstand.
Dänemark: Militärische Lage gefestigt. Kampfkraft der Truppe auch nach dem Tode des Führers ungebrochen. Dänen fürchten Kriegszustand im eigenen Lande.
Politisch trotz starker Freiheitsbewegung Aufstand nur bei Angriff von außen zu erwarten. Verhältnisse erschwert durch Flüchtlingslage.
Weisung für beide Räume: Ruhe und Ordnung aufrechterhalten, da uns durch innere Unruhe nur Nachteile entstehen können. Stark und energisch auftreten, aber im Einzelfall zu Konzessionen bereit sein.
[…]

227. Georg Lindemann an Karl Dönitz 3. Maj 1945

UM ønskede København erklæret for åben by. På grund af de mange tyske sårede og flygtninge gik Lindemann ind derpå, såfremt der ikke blev gjort oprør eller landet tropper fra Sverige. Han bad om Dönitz' afgørelse.
Afgørelsen blev ikke truffet, førend at den var overhalet af udviklingen, men Best gentog anmodningen over for Dönitz dagen efter.
Lindemann fik svar 4. maj kl. 22.30 (Steinert 1967, s. 223).
Kilde: KTB/WB Dänemark 3. Mai 1945. Hvidtfeldt 1985, s. 64.

[…]
FS an Gross-Admiral Dönitz: "Direktor dänischen Außenministeriums hat Vertreter Reichsbevollmächtigten Bitte übermittelt, Kopenhagen zur offenen Stadt zu erklären. W. Bef Dän. versteht darunter, daß Stadt im Angriffsfall nicht verteidigt, aber bis dahin Truppen in Stadt verbleiben. Unter Voraussetzung, daß kein Aufstandsversuch gemacht und keine dänischen Freischärler aus Schweden oder schwedische Truppen in Dänemark landen, mit Rücksicht auf in Kopenhagen befindliche 16.750 deutsche Verwundete und 55.000 Flüchtlinge mit Vorschlag einverstanden. Um Entscheidung wird gebeten."
[…]

228. Der Reichsbevollmächtigte: Vertrauliche Tagesinformation 4. Mai 1945

På Det Tyske Gesandtskab blev der arbejdet med de tjenstlige opgaver til det allersidste. Det sidste nummer af Vertrauliche Tagesinformation berettede om det tyske militære sammenbrud, at Kiel og Flensburg var erklæret for åbne byer, kommissionsoplysninger om tysk grusomhed og massemord i Frankrig, men hovedhistorien var dog en engelsk journalists korte besøg i Danmark. Der blev gengivet et langt direkte citat af hans oplevelse af situationen i Danmark, om modstandsbevægelsen, om de tyske flygtninge, om de tyske troppers modløshed og det tyske politi, der fortsatte sit virke.

Hermed lukkedes den rigsbefuldmægtigedes pressereferat for bestandig. Det havde virket på nogle meget frie principper med hensyn til oplysning om fjendtlig propaganda; noget som havde været utænkeligt i Norge, Holland eller Frankrig, for slet ikke at tale om de tyskbesatte østområder.

Kilde: RA, Vesterdals nye pakker, pk. 1.

Der Reichsbevollmächtigte in Dänemark   Nr. 91.
Pressereferat

Vertrauliche Tagesinformation
4. Mai 1945.

Nach dem Bericht des Alliierten Oberkommandos haben britische Panzer den Kieler Kanal erreicht. Anderen Meldungen zufolge sind sie schon darüber hinaus vorgestoßen. Kiel und Flensburg sollen zur offenen Stadt erklärt worden sein. In den letzten 36 Stunden sollen sich in Norddeutschland eine halbe Million deutscher Soldaten den britischen Verbänden ergeben haben.

Kanadische Truppen sollen gestern in Oldenburg eingerückt sein.

Zwischen Wismar und Wittenberge, so heißt es, erstreckt sich die Vereinigung der Westalliierten mit den Russen auf ein 100 Kilometer breites Gebiet.

Das gestrige Moskauer Communiqué gab bekannt, daß im Endkampf um Berlin 134.000 deutsche Gefangene gemacht worden seien.

Südöstlich von Mährisch-Ostrau wollen die Russen Teschen eingenommen haben.

Neuseeländische Truppen sollen gestern in Triest einmarschiert sein und sich mit jugoslawischen Streitkräften vereinigt haben.

Nach umfassenden Flotten- und Luftlandeoperationen während der letzten Tage in Burma, eroberte die 14. britische Armee Rangoon.

Eine Kommission des obersten alliierten Hauptquartiers hat einen Bericht über deutsche Grausamkeiten in Frankreich ausgearbeitet, demzufolge 150.000 französische Staatsbürger von der deutschen Besatzung ermordet worden sein sollen.

Britischen Meldungen zufolge soll sich die deutsche Regierung aus Schleswig-Holstein entfernt haben und nach Dänemark gezogen sein. Dönitz sei gestern in Kopenhagen gewesen.

Der Stockholmer Korrespondent von "Daily Express", Gordon Young, hat kürzlich mit Hilfe dänischer Patrioten in einem kleinen Boot einen Abstecher an die dänische Küste gemacht und seine Beobachtungen in "Stockholms Tidningen" veröffentlicht. Er Schreibt u.a.: "Mit Hilfe eines raffinierten Codesystems, heimlicher Versammlungen und einer Sabotageorganisation, welche zwischen 50.000 und 100.000 Männer und Frauen umfassen soll, haben die Dänen in den vergangenen Monaten die Besatzungstruppen in Atem gehalten. Durch meinen Besuch konnte ich selbst einen Einblick in den einzigartigen Kurierdienst gewinnen, welcher die Patrioten versorgt, Passagiere hinüber und herüber befördert und den alliierten Regierungen innerhalb weniger Stunden über alles was die Deutschen tun berichtet. Es waren ausschließlich Dänen, welche meine Reise vermittelten. Obwohl die Dänen Schwedens großzügige Haltung gegenüber der Freiheitsbewegung sehr anerkennen, waren in dieser Angelegenheit keine schwedischen Behörden beteiligt. Seit der Besetzung Dänemarks durch die Deutschen haben die dänischen Kuriere Tausende von der Gestapo gejagte Dänen in Sicherheit gebracht, und es darf heute verraten werden, daß im Frühjahr vorigen Jahres Dänen die ersten jemals gefundenen Teile einer V-Bombe, welche bei der Erprobung der Waffe auf dänischem Gebiet niedergegangen war, sammelten und den Engländern auslieferten. Auf meiner Reise führten wir Vorräte, Propagandabroschüren, Briefe und zwei rückkehrende dänische Patrioten mit uns. Wir fuhren zu unserem heimlichen Treffpunkt ohne Intermezzo, obwohl wir einen unruhigen Augenblick erlebten. Gerade als wir uns der Küste näherten, tauchte ein unbekanntes, bewaffnetes Fahrzeug am Horizont auf und kam auf uns zu. Wir hielten den Atem an. Die Dänen glaubten, es sei ein deutsches Patrouillenboot, welches diesen Abschnitt der Küste bewachte. Zwei Minuten später lachten wir alle, denn als das unbekannte Fahrzeug uns eingeholt hatte, zeigte es sich, daß es Freunde von uns an Bord hatte, welche im Passieren riefen und winkten. Im übrigen ging die Reise so schnell und schmerzlos vonstatten, daß wir an unserem Treffpunkt fast eine Stunde warten mußten, ehe die von uns Erwarteten eintrafen. Schließlich kamen unsere Freunde an und berichteten über Zustände am Vorabend der Befreiung Dänemarks. Die Dänen erzählten, bis zu dieser Woche seien 90.000 deutsche Soldaten in Dänemark gewesen. Aber schon seit ein paar Tagen hätten die Deutschen damit begonnen, von der Ostküste Jütlands Truppen fortzunehmen und an den Kieler Kanal zu schicken, um den erwarteten Stoß General Dempseys aufzufangen. Die deutschen Befestigungen in Dänemark sind niemals besonders imponierend gewesen, und die Moral der deutschen Truppen war schon seit einiger Zeit sehr unterschiedlich. Es scheint die gleiche Geschichte zu sein wie überall. Die SS und die Gestapo sind unerschütterlich, aber die regulären Soldaten, besonders die älteren unter ihnen, haben das Sinnlose einer Fortsetzung des Kampfes eingesehen. Außerdem hat sie der Anblick der 205.000 Flüchtlinge und 80.000 Verwundeten schwer bedrückt, welche man nach Dänemark in Sicherheit gebracht hat, und der Anblick der verwundeten Deutschen in Dänemark muß jeden einzelnen Soldaten niedergeschlagen stimmen. Die meisten haben Papierverbände und diejenigen, welche ein Bein oder beide Beine verloren haben, besitzen keine Krücken zum Laufen. Viele von ihnen liegen im Sterben. In den Kopenhagener Krematorien werden täglich 50 Deutsche verbrannt. Zur Zeit stehen ungefähr 5.000 dänische Polizisten, welche in Schweden ausgebildet worden sind, in ihrer neuen blauen Ausrüstung bereit, von Südschweden nach Dänemark überzusetzen und sich in dem Augenblick, wo man sie braucht, den Patrioten anzuschließen.

229. I. Polizei-Wachbataillon "Dänemark" und SS-Polizei-Bataillon "Dänemark" an HSSPF 4. Mai 1945

HSSPF krævede 4. maj 1945 telefonisk en oversigt over vagtbataljonernes styrke og styrkernes placering. Oversigterne blev udarbejdet samme dag. Der foreligger indberetninger fra I. Pol.-Wachbtl."Dänemark" og SS-Pol.-Batl. "Dänemark".

Oversigterne viser HSSPFs prioritering af vagtopgaver ved besættelsens afslutning i København og enkelte steder i provinsen. Der var stadig 16 industrivirksomheder og enkelte andre værfter, der fik tysk politibeskyttelse. B&Ws forskellige afdelinger (4 i alt) havde tilsammen 61 politivagter tilkommanderet, det næsthøjeste antal havde Korsør værft (30 vagter), fulgt af Dansk Industrisyndikat (27 vagter) og Odense værft (25 vagter). De øvrige virksomheder havde alle et langt samarbejde med besættelsesmagten bag sig, men de fleste måtte nøjes med en meget beskeden tysk politibeskyttelse. Danske sabotagevagter måtte stå for det meste. Tyske myndigheders opholdssteder blev naturligvis højt prioriteret, Dagmarhus først og fremmest (31 vagter), fulgt af Frimurerlogen (29 vagter), mens Jægersborg Kaserne må regnes i en kategori for sig med 40 vagter. Deutsches Haus og den tyske landsgruppeleder havde hver 7 vagter, mens den rigsbefuldmægtigedes bolig, Rydhave, ikke optræder på listen. Det var dansk politi, der tog sig af hans beskyttelse, en ordning han selv havde sørget for blev opretholdt efter 19. september 1944.[19] Det er tænkeligt, at han havde mere tillid til dem end HSSPFs mænd. Til fangetransporter fra København til Frøslevlejren var der afsat 30 politifolk, en så betragtelig styrke, at man fra tysk side ville være forberedt på alle eventualiteter, herunder angreb på transporterne.

Kilde: BArch, R 70 Dänemark 7.

Pol.-Wachbatl. "Dänemark" O.U., den 4. Mai 1945
– Ia –

Betr.: Stärke des I. Pol.-Wachbatl. "Dänemark"
Bezug: Der Höhere SS- u. Polizeiführer vom 4.5.1945 (fernmündlich)

An den Höheren SS- und Polizeiführer in Dänemark – Abt. Ia –
   in Kopenhagen

I.) Iststärke:

	Offz.	San.-Offz.	Verw.-Bea.	Unterführer u. Männer
Btl.-Stab	3	1	3	7
[?]ehr.-Staffel				23
[?]-Staffel				43
mot.-Zug	1			35
1. Komp.	2			134
2. Komp.	3			153
3. Komp.	2			146
Zusammen:	11	1	3	541

---

19 Se herom Boest 1997.

II.) Eingesetzte Kräfte:

a.) Wachen und Stützpunkte.

		Offz.	Verw.-Bea.	Unterf. u. Männer
Werft	Burmeister & Wain	29		
–	Orlogs-	7		
Sauerstoff-Werk	Skandiagade[20]	13		
–	Strandvejen	13		
–	Fiskerihavnsgade	7		
B&W – Gießerei		15		
B&W – Masch.-Fabr.		10		
Nordhafenwerft Kalkbrennerei		13		
Masch.-Fabr. Sörensen		10		
Fordwerke		6		
Masch.-Fabr.	Torp	3		
–	Jeco	3		
–	Völund	4		
Deutsches Haus		7		
Wohnung Landesgruppenleiter		7		147
Hauswache				20
Außerhalb Kopenhagen:				
Werftwache	Korsör	30		
–	Odense	25		
Wachführer auf versch. Werften		8		63
Übertrag:				230

b.) Kommandierte innerhalb des Batl und Kranke, sowie Einheiten, die nicht zum Einsatz gemeldet werden.

	Offz.	Verw.-Bea.	Unterführer u. Män.
Verwaltung und Fuhrpark			29
Stab	3	2	7
N.-Sta.			17
K.-Sta			37
San.-Stelle	1	(San.)	5
Komp.-Troß von 3 Komp.			27
Ausbilder für Sabotagewächter	1		3
Kranke			24
Begleitschutz f. Essentransp. pp.			10

c.) Außerhalb des Batl. Kommandiert:

Stab/Höh. SS- u. PF	3
SS- u. Pol. Standortf.	4
Kuriere nach Lübeck	2

---

20 Iltfabrikkernes nøgleposition havde Rü Stab Dänemark udtrykt i månedsberetningen for februar 1945 (trykt ovenfor 28. februar). På det tidspunkt havde Forstmann fået Lindemann til at sørge for bevogtningen af bl.a. disse virksomheder, men som det fremgår her, var bevogtningen siden overgået til Panckes politibataljoner.

Flüchtlings- Auffangstab	1		5
Panzerfaustlehrgang			10
Technische Komp. (Zeichner)			1
San.-Fachschullehrg. Berlin			1
Arrestanten			7
als Koch in Ringstedt			1
Dienstreise (Insp. Wagner)		1	
Gefangenentransport nach Fröslev	1		30
Urlauber u. bisher nicht zurück			6
San.-Dienstgr. Zum BdS kommand.			1
	6	(1) 3	460

III.) Zusammenstellung:

Iststärke gem. Ziffer I	11	(1) 3	541
Abzügl. Einges. Kräfte gem. Ziffer II:	6	(1) 3	460
Zum Einsatz verbleiben:	5	– –	81

IV.) Zugeteilte Kräfte:
1./SS-Wachkomp. in Stärke von 2 Offz./147 Unterf. u. Män. ist restlos zur Bewachung der Langebro und Knippelsbro eingesetzt, sodaß Einsatzkräfte nicht mehr zur Verfügung stehen.[21]

[underskrift]
Major d. SchP. u. Batl.-Kdr.

SS-Pol.-Btl. "Dänemark"   *Kopenhagen, den 4.5.1945*

Betr.: Stärkemeldung.
Bezug: Fernspruch vom 4.5.45 – Abt. Ia –

An den Höheren SS- und Polizeiführer in Dänemark
    Kopenhagen

			Iststärke			*Funktionäre*	*Einsatzstärke*	
Btl.-Stab	4/3	Offz.	20	Unterf.	u. M.	7	4/3	13
K.-Staffel	1	–	44	–	–	5	1	39
N.-Staffel	-	–	18	–	–	2		16
mot. Zug	1	–	35	–	–	4	1	30
schw. Kp.	3	–	142	–	–	10	3	56
2. Kp.	2	–	171	–	–	12	1	74
3. Kp.	3	–	158	–	–	13	3	83
	14/3	–	588	–	–	53	13/3	313

---

21 De tyske politisoldater ved Knippelsbro blev ifølge *Daglige Beretninger*, 1946, s. 867 afløst af værnemagtssoldater 1. maj.

Kranke:			31	von allen Einheiten
Wachen:	a.)	Dagmarhaus	31	2. Kp.
	b.)	Hauswache Loge	29	schw. Kp.
	c.)	Hauswache Jägersborg	40	3. Kp.
	d.)	Syndikatwache	27	2. Kp.
Sonderkommando im Freihafen:			26	schw. Kp.
Panzernahbekämpfungslehrgang:		1/	17	von allen Einheiten
Begleitkdo. nach Flensburg:			4	2. u. schw. Kp.
Gefängnis:			2	2. u. 3. Kp.
Abordnungen: (mit Stall)			17	von allen Einheiten
			1/ 224	

Heinz
Oberstleutnant und Btl.-Kommandeur

230. Seetransportchef Klinkner an Werner Best, Georg Lindemann u.a. 4. Mai 1945

Søtransportchef Klinkner fra OKM henvendte sig til en række ledende repræsentanter for besættelsesmagten og klagede over organiseringen af modtagelsen af de tyske flygtninge i Danmark. Der blev foreslået en anderledes velorganiseret modtagelse med stabe, der stod parat til at foretage det fornødne.

Henvendelsen nåede næppe at blive besvaret, men er et eksempel på, at det tyske bureaukratiske apparat fungerede videre i sin egen virkelighed til kapitulationen.

Kilde: BArch, Freiburg, RM 31/3179. RA, Danica 1069, sp. 2, nr. 1637 (afskrift). FM 24h-6.

Geheime Kommandosache!   Abschrift für MOK Ost /Qu III

Fernschreiben vom Seetrachef für die Wehrmacht/OKM Skl Adm Qu VI
B. Nr. 513/45 Gkdos vom 4.5.45 – 18.00 Uhr

Mit A.ü. an:
Gltd KR Wehrmbefh Dän
KR GenKdo Südjtld
KR Rbv Dän Dr. Best Khagen
KR Nachr Adm Skag
KR Nachr Adm Z Bv bei Großadm. Dönitz
KR Nachr MOK Ost Führstab
KR Nachr Haka Apenrade (üb LW).

Geheim

Betr.: Ausladung Verwundeter, Flüchtlinge und Truppe in dänische Häfen.

Nach eigener Beobachtung werden Flüchtlings- und Verwundetentransporte, die wegen augenblicklicher militärischer Lage unangemeldet in die Häfen laufen, in keiner Weise von irgendeiner Stelle der Wehrmacht oder der Verwaltung unterstützt. Schiffe werden einfach abgewiesen mit dem Bemerken, es wäre kein Platz zur Aufnahme da, oder werden in andere Häfen abgeschoben. (Beobachtungen Sonderburg und Apenrade).

Auf Reede Sonderburg liegen seit zwei Tagen und mehr auf Schiffe ca. 1.500 Verwundete, und ca. 8.000 Flüchtlinge aus dem Osten, ohne daß inzwischen etwas Wesentliches zu ihrem Abtransport erfolgt wäre. Die Ansicht, daß Verwundete und Flüchtlinge auf Schiffen auf Reede besser untergebracht seien als an Land ist völlig irrig und entspricht nicht den Absichten von Großadmiral Dönitz. Es kommt darauf an, mit allen Mitteln, die Schiffe schnellstens wieder nach Osten in Marsch zu setzten. Von dort sind entsprechende Maßnahmen zu treffen.

Es fehlen nach meiner nur flüchtigen Überprüfung verantwortliche Stellen in den Häfen, die

a.) den Abtransport und die Versorgung der Verwundeten sofort veranlassen und

b.) die ankommende Truppe, die zum Teil aus unbewaffneten Soldaten, Kdierten aller Wehrmacht-Teile und kleine Truppenteilen besteht, sofort weiterzuleiten und sie ihrer Bestimmung zuzuführen,

c.) die Flüchtlinge zu versorgen, unterzubringen und weiterzuleiten.

Es wird vorgeschlagen

zu a.) je einen Sanitätsoffizier in jedem Hafen zu bestimmen oder einzusetzen,

zu b.) Auffangstäbe sofort aufzustellen, da auch Truppe hier verwahrlost, Kleidungs- und Ausrüstungsgegenstände verkauft und herumlungert,

zu c.) Persönlichkeiten zu ernennen, denen genügend Befugnis zusteht, allen irgendwie vgbaren[22] Raum zu beschlagnahmen oder sicherzustellen, Verpflegungs- und Abtransportangelegenheiten mit den zuständigen Zentralstellen in Dänemark zu veranlassen.

OKM Skl. Adm Qu VI 513/45 gKdos
513 Seetrachef f.d. Wehrm. +
+ 1740 I **Klinkner** MDAS +

231. Werner Best an Karl Dönitz 4. Mai 1945

Best bad, i lighed med Lindemann dagen før, storadmiral Dönitz om, at København blev erklæret for åben by. Han henviste til de talrige tyske flygtninge og sårede og våbenløse soldater fra øst.

Best nåede ikke at få noget svar, da det kun drejede sig om minutter, før der i stedet indløb meddelelse om den tyske kapitulation. Lindemann fik svar 4. maj kl. 22.30 (Steinert 1967, s. 223).

Kilde: BArch, Freiburg, RW 44 I/12. RA, pk. 451. RA, Danica 1069, sp. 2, nr. 1655. Gengivet hos Hvidtfeldt 1985, s. 30f. og Lauridsen 2007a, s. 448.

– QED-QEM –
+ FRR RBV KHAGEN W 9 4/5, 19.20.

Für Herrn Reichsaußenminister B Großadm. Dönitz.

gKdos – Geh. Verschl. –

Wehrmachtbefehlshaber Dänem[ark] hat mit meinem Einverst[ändnis] Großadmiral Dönitz um Zustimmung zur Erklärung als offene Stadt gebeten. Halte diese Maßnahme

---
22 Således i original.

politisch sowie im Hinblick auf 60.000 Flüchtlinge und 15.000 Verwundete im Stadtbereich für dringend notwendig. Verteidigung wäre auch durch Tausende von waffenlosen Soldaten aus den Ostgebieten erschwert. Für Herbeiführung schneller Entscheidung wäre ich sehr dankbar.
Dr. Best

232. Karl Dönitz an WB Norwegen und WB Dänemark 4. Mai 1945
Storadmiral Dönitz befalede de værnemagtsøverstbefalende i Norge og Danmark at undgå episoder, der kunne skærpe situationen i forhold til fjenden fra vest.
    Kilde: KTB/OKW, IV:2, s. 1474.

[...]
11.30 Uhr Fernschreiben an Wehrmachtbefehlshaber Norwegen und Dänemark: "Großadmiral fordert Vermeidung von Zwischenfällen, die geeignet sind, gegenüber Westfeind Lage zu verschärfen."
[...]

233. Wilhelm Keitel an Georg Lindemann 4. Mai 1945
Lindemann fik svar på sit spørgsmål fra dagen før: Han fik tilsagn om, at København måtte blive erklæret for åben by, såfremt byen blev angrebet og forudsat, at den danske modstandsbevægelse ikke forsøgte en opstand. Beslutningen var også meddelt UM.
    Svaret indløb kl. 22.30 ifølge KTB/OKW, IV:2, s. 1474.
    Kilde: RA, pk. 451.

4.5.1945

K R - B l i t z - F e r n s c h r e i b e n

An W. Befh. Dänemark.

Bezug: FS WB Dän. Ia Nr. 1516/45 g.Kdos. vom 3.5.45.[23]

W. Befh. Dänemark wird ermächtigt, Kopenhagen im Angriffsfalle zur offenen Stadt zu erklären. Vorausgesetzt, daß kein Aufstandsversuch und Landung von dänischen Freischärlern stattfindet, Zeitpunkt so spät wie möglich wegen Rückwirkung auf kämpfende Truppe. Bis dahin bleiben Truppen in der Stadt. Diese Entscheidung in entsprechender Form dem dänischen Außenminister bekannt geben.
Der Chef OKW
Keitel
Chefgruppe Nr. 01011/45 geh

23 Trykt ovenfor.

234. Wilhelm Keitel an Georg Lindemann 4. Mai 1945

Lindemann fik besked om, at de tyske tropper i bl.a. Danmark havde kapituleret fra 5. maj, men at de ikke skulle nedlægge våbnene.

    Kilde: KTB/WB Dänemark 4. maj 1945. Lüdde-Neurath 1964, s. 141, Anlage 13 (uden Lindemanns tilføjelse). EUHK nr. 154 (lidt afvigende tekst). Hvidtfeldt 1985, s. 66f.

[...]

Eingang folgenden FS, das an alle unterstellten Einheiten durchgegeben wurde: "Ab 5.5.45 – 08.00 Uhr – deutscher Sommerzeit Waffenruhe gegenüber den Truppen des Feldmarschalls Montgomery. Sie umfaßt alle Verbände des Heeres, der Kriegsmarine, der Luftwaffe und der Waffen-SS im Bereich der Niederlande, Friesland einschl. der West- und Ostfriesischen Inseln und Helgoland, Schleswig-Holstein und Dänemark. Sofort an sämtliche unterstellten Truppen bekanntgeben. Eingang des Befehls nachprüfen. Truppe bleibt mit ihren Waffen in Stellung. In See befindliche Transportbewegungen der Kriegsmarine laufen weiter. Keinerlei Zerstörungen, Schiffsversenkungen und Kundgebungen. Sicherung aller Vorräte. Gehorsam und Disziplin mit eiserner Strenge aufrecht erhalten.

gez. Keitel"

Zusatz W. Bef. Dän. (4.5.45): "Vorstehender Befehl ist sofort an alle Truppen und Dienststellen bekanntzugeben. Jede Aufforderung auf Waffenniederlegung oder Übergabe von Wachen ist abzulehnen. Jeder gewaltsame Versuch dieser Art ist mit Waffengewalt niederzuschlagen. Eingang des Befehls ist zu bestätigen."
[...]

235. Wilhelm Keitel an Werner Best, Georg Lindemann u.a. 4. Mai 1945

Kort før midnat til 5. maj afgav Keitel detaljerede ordrer om, hvorledes de tyske tropper skulle forholde sig i forbindelse med kapitulationen. Overflødigt indsatsdueligt personel fra Schleswig-Holstein skulle i videst muligt omfang søge til Danmark, hvor det blev underlagt Best. Syge og sårede skulle ikke søge nordpå. Best skulle dagligt indberette det antal personer opdelt efter troppeenhed, som stod til hans rådighed.

    Kilde: KTB/Skl., 68, s. 427a-428a.

Eingegangen 5.5.45 – 00.30 Uhr
Fernschreiben von KR Blitz WBBL 1012/19 4.5. 23.00=
m.A.Ü. = FR Blitz 1/Skl =

Gltd. KR Blitz WB Dänemark =
KR Blitz Ob. Nordwest =
KR Blitz OKM 1. Skl =
KR Blitz OKL/Lw. Führstb. =
KR Blitz RF-SS =
KR Blitz Führungsstab A =
KR Blitz nachr. Reichsaußenminister =
KR Blitz nachr. Gauleiter Wegener =

– gKdos –

Für die in Schleswig-Holstein kämpfende Truppe ist das Operationsgebiet sofort weitgehend von allem Überflüssigem Personal freizumachen. Hierzu wird befohlen:

1.) Aus dem Bereich O[B] Nordwest ist alles einsatzfähige Personal das für Kampfführung nicht unmittelbar benötigt wird, in den dänischen Raum abzuschieben.
   Nicht abzuschieben sind:
   a.) Sämtliche Lazaretteinrichtungen einschließlich Verwundeter und Kranker, soweit nicht deren Abschub für die Versorgung der kämpfenden Truppen dringend erforderlich.
   b.) Kranke bei den Truppenteilen, mit deren Wiederstellung in den nächsten 8 Tagen nicht zu rechnen ist. Diese sind den nächsten Lazaretteinrichtungen umgehend zu übergeben.

2.) Für die Aufrechterhaltung der Zucht und Ordnung im schleswig-holsteinischen Raum sind verantwortlich:
   a.) Im militärischen Sektor der OB Nordwest.
   b.) Auf allen übrigen Gebieten der Reichsführer SS[24] Abgrenzung der Art der Aufgaben im gegenseitigen Einvernehmen. Hierzu steht zur Verfügung die Auffangorganisation des OB Nordwest, SS-Ober-Gruppenführer von Bassewitz.

3.) Die für Überschreiten Deutsch-dänischer [Grenze?] Wirkung[en] für alle Angehörigen der Wehrmachtteile und Waffen-SS, OT und RAD, sowie für das Wehrmachtgefolge aufgehoben.

4.) WB Dänemark erfaßt alle die Grenze überschreitenden Wehrmachtangehörige UWK usw. Ernn. einschließlich ihrer Waffen, Kfz., usw. Ausnahme:
   a.) Versorgungstruppen der im Bereich OB Nordwest kämpfenden Truppenteile,
   b.) Führungsstäbe der Oberkommandos. Zur Durchführung werden ihm unterstellt der General z.B.V. (Gen. d. Artl. Müller). Der Führungsstab A (Oberst i.G. von Brunn), sowie 50 Offiziere aus der Führerreserve.[25]

5.) Das erfaßte Personal und Material stehen WB Dänemark zur Verfügung. Das erfaßte Personal ist hierzu zunächst getrennt nach Wehrmachtteilen, Waffen-SS und Organisationen in Auffanglagern und in diesen getrennt nach bewaffneten und unbewaffneten zu sammeln und zu ordnen.

   Erfaßte Kraftfahrzeuge sind abzustellen, der KW Betriebsstoff ist ausschließlich dem OB Nordwest zu übergeben. Ausgenommen Flugbetriebsstoff, über den Ob.d.L. verfügt.

6.) Für die Versorgungstruppen der im Bereich OB Nordwest kämpfenden Truppenteile legt WB Dänemark im unmittelbaren Einvernehmen mit OB Nordwest bzw. den Obkdo der Kriegsmarine und Luftwaffe die erforderlichen Unterbringungsräume fest.

   Ebenso trifft WB Dänemark Vorbereitung zu Unterbringung weiterer Einheiten und Truppenteile des OB Nordwest mit Überschreiten der Grenze unterstehen diese Teile ebenfalls uneingeschränkt dem WB Dänemark.

---

24 Himmler blev frataget sine poster af Dönitz 6. maj (Longerich 2008, s. 755). Note hertil i KTB-udgave: Dieser Satz ist nachträglich gestrichen.
25 Note i KTB-udgave: dazu am Rand die handschriftl. Ergänzung: "soweit nicht von OB. Nordwest benötigt"

7.) Entlassungen in einfachster Form dürfen nur durchgeführt werden bei
   a.) DU-Soldaten,
   b.) AV-Soldaten, die in Schleswig-Holstein beheimatet sind,
   c.) Wehrmachtgefolge auf eigenen Wunsch.
8.) WB Dänemark meldet täglich (notfalls geschätzt) das erfaßte Personal, getrennt nach Wehrmachtteilen usw. an Chef OKW/Chefgruppe.
Chef OKW/Chefgruppe Nr. 3015/45 Gkdos
gez. **Keitel**

236. Wilhelm Keitel an WB Dänemark u.a. 5. Mai 1945

Da meddelelsen om kapitulationen forelå, udsendtes direktiver til de tyske tropper i Danmark om, hvordan de skulle forholde sig. Kapitulationen skulle foregå værdigt og velordnet, og våbnene måtte kun afleveres til englænderne.

Kilde: BArch, Freiburg, RW 44 I/34. KTB/WB Dänemark 5. maj 1945. KTB/OKW, 4:2, s. 1672. Lüdde-Neurath 1964, s. 142f. (adressaterne er kun med her). Hvidtfeldt 1985, s. 67f. KTB/Skl 5. maj 1945, 68, s. 439-A til 440-A.

Der Oberste Befehlshaber der Wehrmacht   H.Qu., den 5. Mai 1945
Chef OKW/Chefgruppe

FFR Fernschreiben

1.) OB Nordwest,
2.) Wehrmachtsbefehlshaber Dänemark,
3.) Oberbefehlshaber Niederlande,
4.) OKM 1/Skl,
5.) OKL Luftwaffenführungsstab,
6.) nachr. Reichsführer SS
7.) nachr. Reichsarbeitsdienstleitung
8.) nach. Reichsminister Speer

1.) Wenn wir [in] Nordwestdeutschland, Dänemark und Holland die Waffen niederlegen, so geschieht es, weil der Kampf gegen die Westmächte seinen Sinn verloren hat. Im Osten jedoch geht der Kampf weiter, um möglichst viele deutsche Menschen vor der Bolschewisierung und Versklavung zu retten.
2.) Jeder Soldat, insbesondere jeder Offz. hat durch stolze, männliche Haltung und Würde dazu beizutragen, daß der Ehrenschild der deutschen Nation auch jetzt nach einem fast 6-jährigen heroischen und ehrenvollen Kampf, der in der Weltgeschichte eines gleichen sucht, rein und unantastbar bleibt, nur so können wir vor den Opfern dieses Krieges bestehen und ihr Andenken in Ehren halten. Nur so helfen wir der Heimat in dieser schwersten Stunde und nur so allein können wir dem Gegner die Achtung abverlangen, auf die brave und tapfere Soldaten von jeher einen Anspruch hatten.
3.) Die Waffen sind erst nach Aufforderung durch den Gegner geordnet und gesammelt niederzulegen.

4.) Sämtliche Waffen, Munition und Betriebsstoff, Verpflegung und sonstige Lager und militärischen Einrichtungen sind durch Kdos. unter Führung namentlich zu bestimmender Offiziere besonders zu bewachen und gegen Plünderung zu schützen. Übergabe an den Gegner erst nach Aufforderung durch diesen.
5.) Sichere und schnelle Nachrichtenübermittlung zu allen unterstellten Truppenteilen, Dienststellen und Kommandobehörden muß unbedingt gewährleistet bleiben.
6.) Die befohlenen Bewegungen nach Dänemark (Chef OKW-Chef Gruppe Nr. 3015/45 g. Kdos. vom 4.5.) laufen weiter.[26]
7.) Vorstehender Befehl gilt sinngemäß für die der Wehrmacht angeschlossenen Organisationen (OT und RAD). Für die Weitergabe an diese sorgen die Kommandobehörden.
8.) Ich mache die Befehlshaber und Kommandeure aller Dienstgrade für schnelle und gewissenhafte Durchführung dieses Befehls persönlich verantwortlich.

Der Oberste Befehlshaber der Wehrmacht
– Chef OKW – Chef Gruppe HQu
gez. I.A.: **Keitel**
Generalfeldmarschall
OKW/WFStab Nr. 0010004/45 g.Kdos
v. 5.5.45. – 09.20 Uhr –

(5.5.)
Wiederholung eines Befehls des OB: "Wenn eine Abgabe der Waffen gefordert wird, so kommt diese nur an die Engländer in Frage. Waffenabgabe an die Dänen ist in jedem Falle ausgeschlossen. Jede Aufforderung dazu ist abzulehnen, jeder gewaltsame Versuch mit Waffengewalt zu unterbinden."

237. Georg Lindemann an Wilhelm Keitel 5. Mai 1945

Lindemann havde modtaget en henvendelse fra den øverstbefalende for den danske hær, general Gørtz, med opfordring til at ophøre med alle opgaver i forbindelsen med besættelsen og at fremsende en forbindelsesofficer. Lindemann havde svaret, at henvendelsen var overhalet af udviklingen, men bad om, at det ikke blev forsøgt at afvæbne tyske troppeenheder, og at der blev sørget for de sårede og flygtningene. En forbindelsesofficer ville blive sendt til Gørtz.

Kilde: BArch, Freiburg, RW 44 I/34. RA, pk. 451. KTB/Skl 5. maj 1945, 68, s. 441-A til 442-A.

F e r n s c h r e i b e n

Wehrmachtbefehlshaber Dänemark an Chef OKW,   *5.5.1945*
(Abschrift)

Generaloberst Lindemann vom 5.5./13.00 Uhr, eingegangen 5.5./13.30 Uhr

an Generalfeldmarschall Keitel.

---

26 Datoen er forkert, korrekt dato er 4. april 1945 (jfr. Lüdde-Neurath 1964, s. 143).

Ich habe von dem Oberbefehlshaber des bisherigen dänischen Heeres heute früh folgendes Schreiben erhalten:

"Unter Hinweis auf die Entwicklung, die die Kriegsereignisse in den letzten Tagen genommen haben, erlaube ich mir, Herrn Generaloberst anheimzustellen – um unnötiges Blutvergießen zu vermieden – die deutschen Truppen und die Polizei in Dänemark aufzufordern, alle in Verbindung mit der Besetzung stehenden Aufgaben einzustellen und weitere Befehle in ihren Kasernen zu erwarten.

Gleichzeitig teile ich mit, daß ich unter Beachtung einer würdigen Form imstande bin, im Namen des dänischen Heeres und der dänischen Marine eine vorläufige Kapitulation sämtlicher deutschen Truppen, umfassend alle Wehrmachtteile und die Polizei, anzunehmen, bis eine endgültige Kapitulation gegenüber den alliierten Großmächten erfolgen kann.

Ich erwarte die umgehende Antwort des Herrn General und Zusendung von Verbindungsoffizieren zur Ordnung weiterer Angelegenheit.
gez. Goertz"

Ich habe darauf folgende Antwort übermitteln lassen:

"Ich habe ihren Brief heute früh erhalten. Ich halte seinen Inhalt insofern für überholt, als inzwischen die deutsche Reichsregierung mit dem Feldmarschall Montgomery eine Waffenruhe vereinbart hat.

Nach den mir darüber erteilten Befehlen bleibt die Truppe mit ihren Waffen in ihren Stellungen und hat ihre Sicherungsaufgaben fort[zu]setzen. Ich habe daher befohlen, daß die Truppe außer zu dienstlich notwendigen Zwecken ihre Unterkunft nicht zu verlassen hat. Ich bitte Ihrerseits dafür zu sorgen, daß nicht von dänischer Seite an einzelne Truppen die Aufforderung gerichtet wird, die Waffen niederzulegen oder Wachen aufzugeben. Ferner, daß die Versorgung der Truppe, der Verwundeten und der Flüchtlinge weiterhin in bisherigem Umfange gesichert bleibt.

Als Verbindungsoffizier zu Ihnen habe ich vorläufig den Major Andersen bestimmt."
gez. **Lindemann**
Generaloberst
Ic Nr. 2242/45 geh. v. 5.5.45

238. WFSt an WB Dänemark 5. Mai 1945
WFSts ordenspoliti indskærpede, at den tyske kapitulation i Danmark gjaldt over for engelske tropper, men ikke over for den danske befolkning eller modstandsbevægelsen. Ved dansk opsætsighed skulle de til rådighed værende magtmidler tages i brug.
Kilde: BArch, Freiburg, RW 44 I/34 og RW 44 I/12. RA, pk. 451.

WFSt/Op (H)   F.H.Qu., den 5. Mai 1945
Geheime Kommandosache   7 Ausfertigungen
                                                                           4. Ausfertigung

KR-Blitz-Fernschreiben

An WB Dänemark

Die vom OKW befohlene Waffenruhe und spätere Kapitulation gilt lediglich gegenüber englischen Truppen. Der dänischen Bevölkerung einschließlich der dänischen Freiheitsbewegung gegenüber gilt dieser Befehl nicht.

Das Verhalten aller Dienststellen und Angehörigen der Wehrmacht muß korrekt und diszipliniert sein, ohne zu provozieren.

Bei etwaigem dänischen Widerstand oder Widersetzlichkeiten sind jedoch alle zu Gebote stehenden Gewaltmaßnahmen anzuwenden.

Das Ansehen und die Würde des deutschen Soldaten und Volkes ist unter Umständen aufrechtzuerhalten.

I.A.
gez. [underskrift]
OKW/WFSt/Ordnungspolizei (H) Nordwest
Nr. 00 10017/45 g.Kdos.

Verteiler:

Chef OKW/WFSt	1. Ausf.
Chef Führungsgruppe	2. Ausf.
OP (H) Nord	3. Ausf. (zugl. Fernschrb.)
Ausw. Amt	4. Ausf.

239. Georg Lindemann: Ferngespräch mit Werner Best u.a. 5. Maj 1945

Lindemann stod 5. maj i telefonisk kontakt med bl.a. Best og WFSt. Der var for det første et problem med fortsat at få de tyske flygtninge forplejet, da danskerne ikke længere ville levere og heller ikke acceptere beslaglæggelser. For det andet blev Best bedt om at få afklaret situationen på Bornholm, hvor der fortsat herskede krigstilstand (den tyske kommandant ville ikke kapitulere). For det tredje spurgte Lindemann til den store radiosender i Kalundborg, og Best svarede, at han ikke havde ansvaret for, at den var kommet i dansk besiddelse.

Fra WFSt blev WB Dänemark orienteret om, at der ville komme en engelsk delegation til København for at forhandle. Her skulle spørgsmålet om de tyske troppers forsyning gøres til et vigtigt punkt. Fra Jodl indgik besked om, at de tyske tropper ikke skulle have noget at gøre med den danske modstandsbevægelse og ikke aflevere våben til den.

Kilde: KTB/WB Dänemark 1945, Anlage 51. Hvidtfeldt 1985, s. 95-97.

Ferngespräch Dr. Best:
OB bespricht Versorgungslage für Wehrmacht und Flüchtlinge, welche stark angespannt durch Weigerung der Dänen Verrechnungsschecks anzunehmen und Auflageverfügung anzuerkennen. Dänen erkennen auch Beschlagnahmen nicht mehr an.

Als Verbindungsoffizier wird Major Andersen zu Dr. Best entsandt.

Ferngespräch General von Blücher:
OB befiehlt, daß das Auftreten feindlicher Panzer sofort fernmündlich ihm zu melden

ist. Bei Erscheinen der Engländer etwaiger Aufforderung zur Waffenabgabe ist dieser Aufforderung zu leisten.

Ferngespräch Reichskommissar Terboven:
OB teilt mit, daß für Norwegen Zustand unverändert. Wenn möglich, soll weiter telefonische Verbindung gehalten werden. Auf keinen Fall treffen irgendwelche Forderungen, die von Montgomery gestellt wurden, auf Norwegen zu.

Ferngespräch Generalleutnant Kratzert:
OB verbietet nachdrücklichst irgendwelche Maßnahmen gegen die dänische Bevölkerung zu unternehmen, da aus Odder Herunterholen dänischer Flaggen gemeldet wurde. Dies ist mit allen Mitteln zu unterbinden. (Meldung über Odder war falsch).

Ferngespräch General Detlefsen WFSt:
Im Auftrage Feldmarschalls Keitel wird folgendes gemeldet:
    Montgomery hat gefordert, daß entweder OB oder Chef bis heute Spätnachmittag nach Kopenhagen fahren solle um sich dort mit dem Führer der englischen Delegation, General Dewing, zwecks Verhandlung zu treffen. Hierzu mitzubringen: Sämtliche Unterlagen über die in Dänemark vorhandenen Truppen. General Detlefsen schildert anschließend, wie die Verhandlung mit England geführt wurde. Großadmiral Dönitz habe sich zur *vollständigen* Übergabe mit Waffen an Montgomery entschlossen, um weiteres Blutvergießen deutscher Menschen zu vermeiden und um die im Kampf gegen den Bolschewismus eingesetzten Truppenteile zu retten. Er betont ausdrücklich, daß die Waffenabgabe von uns angeboten worden ist. Der Kampf konnte mit eigenen Kräften nicht fortgesetzt werden.
    Die Bewegung in den jütländischen Raum soll weiterlaufen. Chef betont, daß Aufnahme weiterer Truppen aus Deutschland in Jütland verpflegungsmäßig nicht mehr möglich sei, da dänische Bevölkerung schon jetzt streikt und kein Brot mehr gebacken wird.
    General Detlefsen betont, daß dies ein wichtiger Verhandlungspunkt für heute Nachmittag ist.

Ferngespräch Dr. Best:
Dr. Best bittet doch zu veranlassen, daß in Bornholm die Übergabe schnellstens erklärt wird, da dort noch der alte Kriegszustand herrscht. OB orientiert Dr. Best über die im Laufe des Tages eintreffende englische Kommission.

SS-Obersturmbannführer Gerlach:
OB will SS-Obergruppenführer Pancke sprechen. Dieser ist ebenso wie der SS-Standartenführer Bovensiepen nicht auffindbar.

Ferngespräch Generaloberst Jodl:
OB weist darauf hin, das Truppenteile von der Heeresgruppe Busch nicht nach Dänemark übernommen werden können, wegen der bekannten Verpflegungsschwierigkei-

ten. Außerdem sperrt die dänische Freiheitsbewegung die Grenze. Generaloberst Jodl erklärt, daß wir mit dieser Freiheitsbewegung nichts zu tun haben, da die Übergabeverhandlungen einzig und allein mit den Engländern geführt worden seien. Kein deutscher Soldat darf sich von Dänen entwaffnen lassen, ebenso darf niemand vor der dänischen Widerstandsbewegung zurückweichen. Generaloberst Jodl will Sender Kalundborg mit Waffengewalt zurücknehmen lassen. OB rät ab, darauf auch unterblieben. Ferner sollen keine Truppen mehr von Deutschland nach Dänemark hereinkommen.

In einem weiteren Ferngespräch teilt Generaloberst Jodl mit, daß auf den Kopenhagener Flugplätzen im Laufe des Nachmittags ca. 2 englische Kompanien luftlanden werden.

Ferngespräch Dr. Best:
OB fragt nach dem Vorgang der Übergabe des Senders Kalundborg. Dr. Best lehnt Verantwortung dafür ab. Der Sender sei von den Dänen auf eigene Faust mit Gewalt übernommen worden.[27]

240. Alfred Jodl an WB Dänemark u.a. 5. Mai 1945

Jodl fremsendte indholdet af den tyske kapitulationserklæring til de værnemagtsøverstbefalende i de berørte lande.
   Kilde: BArch, Freiburg, RW 44 I/34. RA, Danica 203, pk. 45, læg 542. KTB/Skl 5. maj 1945, 68, s. 445-A til 446-A.

Funkspruch/Fernschreiben des WFSt vom 5.5.1945

(KR Blitz) an   1.) OB Nordwest
                2.) OB Niederlande
                3.) W. Bef. Dänemark
(d. Kurier):   4.) OKM/Skl
                5.) OKL/Lw.Fü.Stab
                6.) Reichsführer-SS, Feldkommandostelle

Nachstehend wird der Text der Kapitulationsurkunde der gesamten deutschen Streitkräfte in Holland, in Nordwest Deutschland einschließlich aller Inseln und in Dänemark übersandt.
"1.) Das Oberkommando der deutschen Wehrmacht erklärt sich einverstanden mit der Übergabe sämtlicher deutschen Streitkräfte in Holland, in Nordwest Deutschland einschließlich der Friesischen Inseln und Helgoland und allen anderen Inseln, in Schleswig Holstein und in Dänemark an den Oberbefehlshaber der 21. Heeresgruppe.

---

27 Kalundborgsenderen blev fra 1. maj brugt til at sende "Den frie danske Radios" udsendelser, jfr. *Information* 4. maj 1945 (hvor senderen dog ikke nævnes ved navn). Da det var den vigtigste danske radiosender, blev der fra WB Dänemarks side set meget alvorligt på sagen. Senderen ville være af stor betydning i en akut krisesituation.

Dieses schließt alle Schiffe in diesen Zonen ein. Diese Streitkräfte haben die Waffen zu strecken und sich bedingungslos zu ergeben.

2.) Alle Kampfhandlungen auf dem Lande, zur See und in der Luft durch deutsche Streitkräfte in den vorgenannten Gebieten sind um 8.00 Uhr vormittags doppelte britische Sommerzeit am Sonnabend den 5. Mai 1945 einzustellen.

3.) Die betreffenden deutschen Befehlsstellen haben sofort und ohne Widerrede oder Kommentar alle weiteren Befehle auszuführen, welche durch die alliierten Mächte in jedweder Sache erteilt werden.

4.) Ungehorsam in Bezug auf Befehle oder Ermanglungen in deren Ausführung werden als Bruch dieser Übergabebedingungen angesehen und werden von den alliierten Mächten laut den anerkannten Rechten und Kriegsgebräuchen behandelt.

5.) Diese Übergabebedingungen sind unabhängig von, ohne Vorbehalt auf und werden überholt durch irgendwelche allgemeinen Übergabebedingungen, welche durch oder im Auftrage der alliierten Mächte gestellt werden in Bezug auf Deutschland und den deutschen Streitkräften im Ganzen.

6.) Der Wortlaut dieser Kapitulationsurkunde ist in englischer und in deutscher Sprache aufgestellt.
    Der englische Text ist der maßgebende.

7.) Sollten sich irgendwelche Zweifel oder Dispute bezüglich der Auslegung oder Deutung der Übergabebedingungen ergeben, so ist die Entscheidung der alliierten Mächte die endgültige."

Hierzu wird befohlen:

Bei der Übergabe ist mit den örtlichen Befehlshabern der 21. englischen Heeresgruppe zu vereinbaren, daß die deutschen Offiziere und ein Teil der deutschen Truppen ihre leichten Waffen behalten, um die erforderlichen Maßnahmen zur Aufrechterhaltung der Manneszucht, Ruhe und Ordnung sicherzustellen.[+)]

I.A.
gez. **Jodl**
OKW/WFSt/Ordnungspolizei (H) 00 10020/45 g.Kdos.

[+)] Feldm. Montgomery wurde gebeten, diese Zahl auf 10 % der besten Soldaten jeder Kampftruppe und auf alle Offz. festzusetzen.

241. Alfred Jodl an WB Dänemark u.a. 5. Mai 1945

Jodl meddelte WB Dänemark, hvilke dele af den tyske besættelsesmagt der skulle forlade Danmark, og hvornår. Alle dele af værnemagten skulle forlade Danmark undtagen Kriegsmarine. Derimod kunne sårede, tyske flygtninge, andre landes tropper, krigsfanger og udenlandske arbejdere forblive. Med hensyn til våben m.m. ville der komme særskilt ordre.

Der blev endnu samme dag afholdt et møde mellem generalmajor Helmuth Reinhardt og general Dewing, der til dels ophævede de af Jodl givne retningslinjer. Se WB Dänemark til WFSt 6. maj 1945.

Kilde: BArch, Freiburg, RW 44 I/34, fol. 180f.

Geheime Kommandosache
WFSt

F.H.Qu., den 5. Mai 1945
11 Ausfertigungen
5. Ausfertigung

KR-Blitz-Fernschreiben

An
1.) WB Dänemark
2.) OB Nordwest
3.) OKM/1. Skl.
4.) OKL/Fü.Stab
5.) Reichsarbeitsdienstführung z.Hd. Generaloberst-Arbeitsführ. (d. Kurier)
6.) Reichsminister Speer
7.) Reichsführer SS
8.) Führungsstab A (Oberst i.G. v. Braun)
9.) General zbV (Gen. d. Art. Müller)

1.) Feldmarschall Montgomery fordert Abzug aller Wehrmachtteile außer Kriegsmarine aus Dänemark.
2.) WB Dänemark verlegt daher sofort beginnend, alle Truppenteile des Heeres, der Luftwaffe, der Waffen-SS, sowie der Organisationen außerhalb der Wehrmacht (OT, RAD usw.) aus Dänemark in den schleswig-holsteinischen Raum zwischen Kaiser-Wilhelm-Kanal und der deutsch-dänischen Grenze.
3.) Für die Unterbringung im schleswig-holsteinischen Raum ist OB Nordwest verantwortlich. Einzelheiten sind in unmittelbarem Einvernehmen zwischen WB Dänemark und OB Nordwest zu vereinbaren.
4.) Es bleiben vorläufig in Dänemark:
    a.) alle Angehörigen der Kriegsmarine, einschließlich aller ihr taktisch unterstellten Einheiten anderer Wehrmachtteile,
    b.) alle Verwundeten und Kranken, einschließlich des erforderlichen Pflegepersonals,
    c.) alle deutschen Flüchtlinge
    d.) fremdländische Truppen,
    e.) alle Hilfswilligen,
    f.) alle Kriegsgefangenen, ohne Rücksicht auf ihre Nationalität,
    g.) alle fremdländischen Arbeiter.
Die Sicherung der deutschen Verwundeten und Zivilisten wird nach Abschluß der Verhandlungen in Kopenhagen geregelt.
5.) Am Anfang der Marschbewegungen sind sämtliche Verpflegungs- und Betriebsstoffbestände abzutransportieren.
6.) Einsatzfähige Lkw, sämtliche Sanitätskraftfahrzeuge und bespannt Fahrzeuge sind mitzuführen und mit Verpflegung u. Betriebsstoff zu beladen.
7.) Über Verbleib von Waffen, Munition und sonstigem Kriegsgerät folgt Befehl.
8.) Es melden:

WB Dänemark bis 7.5. 10.00 Uhr
a.) Absichten über Durchführung und Zeitplan
b.) Zahl der im Raum Schleswig-Holstein unterzubringenden Menschen
OB Nordwest bis 8.5. 10.00 Uhr
Absichten für Unterbringung der aus Dänemark zugeführten Verbände
Verbindungsoffz. WB Dänemark mit Unterlagen bis 7.5. vorm. zu OB Nordwest.
9.) Der Befehl über Öffnen der dänischen Grenze Chef OKW/Chef Gruppe Nr. 3015/45 g.Kdos vom 4.5. wird aufgehoben.
General z.b.V. (General d. Art. Müller) Führungsstab A (Oberst i.G. von Braun) und 50 Offiziere der Führerreserve werden dem OB Nordwest unterstellt.

I.A.
gez. Jodl
OKW/WFSt/Op (H) Nr. 0010042/45 g.Kdos.

242. Georg Lindemann an Oberst Mempel 5. Mai 1945
Lindemann beordrede Københavns kommandant oberst Mempel til straks at arrestere Best og stille ham til rådighed for storadmiral Dönitz. Det skete på baggrund af, at Lindemann fra Det Danske Krigsministerium havde fået meddelelse om, at Best havde ladet sin tyske vagt afløse af den danske frihedsbevægelse og dermed stillet sig under danskernes beskyttelse (Hvidtfeldt 1985, s. 35f.).[28]
Toepke videregav ordren til Dönitz samme dag.
Kilde: KTB/WB Dänemark 1945, Anlage 53. Hvidtfeldt 1985, s. 100.

F e r n s c h r e i b e n

1 Ausfertigung

An Wehrmachtortskommandanten Groß-Kopenhagen – Oberst Mempel[29] –

Auf Befehl des Groß-Admiral Dönitz ist der Reichsbevollmächtigte Dr. Best – auch gegen dänischen Widerstand – sofort festzunehmen und zur Verfügung des Groß-Admiral zu halten.

Weitere Befehle folgen.
Gef.St., den 5.5.45

Gez. **Lindemann**
Generaloberst und Wehrmachtsbefehlshaber Dänemark
Ia – Br. B. Nr. 1537/45 g.Kdos. -

[28] I sine erindringer angiver Duckwitz, at Lindemann, da han erfarede, at Hamburg havde kapituleret, beordrede Best arresteret, men at kommandanten i København fornuftigvis ikke udførte ordren (ABA, 1945-46c, s. 4). Det er åbenlyst urigtigt, men det tilfører erindringerne en dramatisk sluteffekt, når både Duckwitz selv (i skjul for Gestapo (gentaget hos Duckwitz 1945-46c, s. 18 (ABA) og 1966)) og Best fremstilles som værende i yderste fare til det allersidste på denne håndgribelige måde. Duckwitz er her som i en del andre tilfælde andenhåndskilde til de forhold, han skildrer og gerne vil være en del af.
[29] Ved Ernst Richters afskedigelse som HKK 9. april 1945, blev han afløst af oberst Mempel, der synes at have fået et mere begrænset ansvarsområde, nemlig alene Storkøbenhavn, ligesom titlen HKK forsvandt, mens oberst Friede blev øverstkommanderende for det øvrige Sjælland (KTB/WB Dänemark 5. maj 1945).

243. WFSt: Lage in Dänemark 5. Mai 1945

Situationen i Danmark blev noteret, den danske frihedsbevægelse havde bevæbnet sig og patruljerede i alle de større byer. Frihedsbevægelsen krævede den udøvende magt og at overtage sikringen af de offentlige værker. Værnemagten optrådte korrekt, men de tyske jernbanetransporter lå stille, og der var strejker på de virksomheder, der leverede til værnemagten, hvilket vanskeliggjorde situationen. Tyskvenlige danskere blev taget som gidsler, og befolkningen fejrede dagen som en befrielse (Zimmermann 2008, s. 386).

Kilde: BArch, Freiburg, RW 44 I/34 og RW 44 I/12. RA, pk. 451.

WFSt/Op ( )   *F.H.Qu., den 5. Mai 1945*
Nr. 0010019/45 k.dos.

Notiz

1.) Lage in Dänemark:
Dänische Freiheitsbewegung hat sich bewaffnet. Bewaffnete Streifen in allen größeren Städten. Verhalten deutscher Wehrmacht gegenüber im allgemeinen Korrekt. Lediglich in Aarhus eine deutsche Dienststelle eingeschlossen.[30] Zum Einsatz zugeführter Infanterie-Zug umstellt. Gegenmaßnahmen eingeleitet.

Dänische Freiheitsbewegung beansprucht Übernahme der vollziehenden Gewalt und Sicherung der Elektrizitäts-, Wasser- usw. Werke.

Eisenbahntransporte für deutsche Interessen in Frage gestellt.

Durch Streiks der für Deutschland arbeitenden Betriebe (Bäckereien, Schlächtereien usw.) ist für Versorgung deutscher Wehrmacht schwierige Lage entstanden.

Deutschfreundliche Dänen werden als Geiseln festgenommen.

Kundgebungen der dänischen Freiheitsbewegung wird über die Rundfunksender Kopenhagen und Kalundborg verbreitet.

Dänische Bevölkerung feiert den heutigen Tag als Befreihungstag. Überall Freudenkundgebungen.

Landung englischer Truppen in Kopenhagen befehlsgemäß vorbereitet. Sie wird heute Nachmittag erwartet.

2.) Lage OB Nordwest:
Es liegen keine Anzeichen vor, daß sich die englischen Truppen nicht das Abkommen über Waffenruhe hinwegsetzen. Kaiser-Wilhelm-Kanal an keiner Stelle überschritten. OB Nordwest meldet keine besonderen Vorkommnisse.

---

30 Der opstod ved middagstid et voldsomt skyderi blandt tyske og østrigske soldater ved banegården i Århus og det omliggende terræn. Skyderiets opståen mentes at være en misforståelse soldaterne imellem. Under skyderiet blev tre danskere og et ukendt antal soldater dræbt (*Daglige Beretninger*, 1946, s. 873f.).

244. WFSt: Notiz 5. Mai 1945

WFSt noterede en fjernskrivermeddelelse fra Lindemann, hvis indhold Lindemann allerede anså for forældet, men han ville afvente nærmere ordre. Dernæst blev de tyske styrkers talmæssige størrelse opgjort foruden antallet af flygtninge og sårede. Endvidere var der en status for, hvor langt man var nået med to infanteridivisioners transport fra Danmark (Zimmermann 2008, s. 386).

Kilde: BArch, Freiburg, RW 44 I/34, fol. 216.

WFSt/Op (H) Nord   F.H.Qu., den 5. Mai 1945

Notiz

Generaloberst Lindemann, WB Dänemark meldet um 19.00 Uhr folgendes Fernschreiben:

"An WB Dänemark
Schicksal Raum Ostpreußen hängt entscheidend vom Offenhalten Dänemarks und von Verpflegungsbevorratung Bornholm ab. Erbitte entsprechende Maßnahme und Mitteilung.
      von Saucken, Gen. d. Pz. Tr. und Ob. Ostpreußen".

Generaloberst Lindemann ist der Auffassung, daß o. Fernscheiben durch Lageentwicklung überholt. Entscheidung erbeten.

Stärken WB Dänemark:

Heer:	102.000	(einschl. Ungarn, Russen und Hiwi)
Marine:	35.000	
Luftwaffe:	30.000	
Polizei:	3.300	
OT:	1.400	
Verwundete:	60.000	
Insges. rd.:	230.000	
Flüchtlinge:	207.000	

Nach Abzug Kriegsmarine mit taktischen unterstellten Truppenteilen, Hiwi, Kriegsgefangene, Russen, Ungarn und Ostarbeiter verbleiben 115.000 Mann, die aus Dänemark abzuführen sind.

Dänische Grenze zwar durch bewaffnete Dänen besetzt, jedoch nicht gesperrt. Sperrung erfolgt neuerdings im Einvernehmen mit WFSt durch WB Dänemark.

Stand der Transporte aus Dänemark:

264. I.D: (insgesamt 27 Züge) 21 ab, davon 8 nach Rendsburg
            7 davon eingetroffen
            13 nach Schwerin
            6 davon zurück.

199. I.D.: (insgesamt 14 Züge) 4 Züge ab, 2 davon in Schwerin ausgeladen.
                                [Underskrift]

Verteiler:
Chef OKW/WFSt
Chef Führungsgruppe/Op (H)
Op (H) Nord

245. Günther Toepke an Karl Dönitz 5. Maj 1945

Toepke videregav til Dönitz den ordre, som Lindemann havde givet den tyske kommandant i København, hvorefter Best skulle arresteres og skydes, hvis der ikke kom anden ordre. Toepke fik kl. 0.23 det svar, at Best skulle arresteres og stilles til rådighed for Dönitz også selv om danskerne ville yde modstand. Kl. 0.45 fik Toepke ordre om, at der ikke skulle foretages noget mod Best, men at der ville blive truffet beslutning næste dag (Zimmermann 2008, s. 386 n. 539).

Med håndskrift er påskrevet den ordre, som Dönitz afgav næste dag (udeladt her, se 6. maj).
Kilde: BArch, Freiburg, RW 44 I/34, fol. 190.

WFSt/Op   *F.H.Qu., den 5. Mai 1945*

Anruf Oberstlt. Toepke, WB Dänemark

An Großadmiral Dönitz
Ich melde:
"Gemäß Mitteilung des dänischen Kriegsministeriums an den Wehrmachtortskommandanten Kopenhagen hat der Reichbevollmächtigte Dr. Best seine deutsche Wache durch dänische Freiheitsbewegung ablösen lassen und sich damit unter den Schutz der Dänen gestellt.
Ich betrachte den Reichsbevollmächtigten als Verräter und werde ihn, wenn Sie, Herr Großadmiral, keine Gegenbefehle geben, standrechtlich erschießen lassen.
gez. **Lindemann**

00.23 Uhr:
An Ia WB Dänemark fernmündlich (durch Ia):
    Dr. Best sofort festnehmen auch gegen dänischen Widerstand, zur Verfügung Großadmiral. Weitere Befehle folgen.

00.45 Uhr:
An Ia WB Dänemark: "Nichts unternehmen bis Entscheidung Großadmiral gefallen ist. Entscheidung fällt 6.5."

Verteiler:
Chef OKW
Chef WFSt
Chef Führungsgruppe
Op (H)
Admiral Bürkner

246. Adolf von Steengracht an Werner Best [6.] Mai 1945

Best forklarede 31. juli 1945, at han var blevet ringet op fra AA nogle dage efter 5. maj 1945, hvor Steengracht havde fortalt, at Bests argumenter i kapitulationsspørgsmålet var trængt igennem ("durchgesetzt hätten") hos Dönitz. Best sluttede deraf at have givet et væsentligt bidrag til, at der blev taget beslutning om at kapitulere i Norden og Nordvesteuropa. Duckwitz støtter i sine erindringer langt hen Bests forklaring, det gælder såvel holdningen ved konferencen i Mürwik som Steengrachts opringning, men ifølge Duckwitz var det oplysningen om den mulige svenske intervention, som havde været afgørende for Dönitz' beslutning om at kapitulere i Norden. Duckwitz nævner også tilstedeværelsen af det store antal tyske flygtninge. For Dönitz' opfattelse, se hans dagbog 3. maj 1945.

I betragtning af, at Best kun fandt støtte for sin udlægning af konferencen 3. maj 1945 og dens konsekvenser hos Duckwitz, der ikke var til stede og ikke havde kontakt til de øvrige mødedeltagere, må den påståede opringning fra AA indgå i Bests og Duckwitz' fælles bestræbelser på at sikre sig en fremtrædende betydning i spillet om slutopgøret i Norden. Som sådan har bestræbelserne ikke fundet lydhørhed blandt historikere, men det er et eksempel, der sætter spørgsmålstegn ved begges troværdighed. Her henvises også til Bests angivelige telefonsamtale med AA 8. september 1943 vedrørende igangsættelsen af aktionen mod de danske jøder. Angivelige telefonsamtaler kunne bruges til meget.

Som et kuriosum skal endelig henvises til de ganske uvederhæftige, sene erindringer af Bests repræsentant i Silkeborg, Wilhelm Casper, der broderer videre på Bests afgørende betydning ved mødet 3. maj hos Dönitz og lægger Best følgende ord (ved direkte citat over for Casper) i munden: "Dönitz ließ sich von meinen Gründen überzeugen." Det er dog kun forspillet til Caspers forsøg på at tiltage sig rollen som den, der fik Lindemann til at afstå fra at fortsætte kampen i Danmark (!) (Casper 1994, s. 384f.).

Kilde: Best: Aufzeichnung 31. juli 1945 (RA, UM 84.a 34.a.), Torell 1973, s. 258 med note 74 og 77, Hvidtfeldt 1985, s. 48 note 82, ABA, Duckwitz 1945-46c, s. 117f., Duckwitz' erindringer u.å. kap. X, s. 37 (PA/AA, Nachlass Georg F. Duckwitz, bd. 29) og Bests udaterede "Aufzeichnung" efter krigen i Vilh. Buhls arkiv (RA).

247. Wilhelm Keitel an Georg Lindemann 6. Mai 1945

Keitel meddelte Lindemann i anledning af "Best-affæren", at Best havde handlet efter anvisning fra AA, og at Dönitz havde besluttet, at der ikke skulle gøres mere ved sagen. Best var fortsat at betragte som tysk gesandt i Danmark.

Kilde: KTB/WB Dänemark, Anlage 53. Hvidtfeldt 1985, s. 100.

Anruf Feldmarschall Keitel 6.5. 1150

Betr.: Affäre Best

Die Angelegenheiten ist gestern Nacht mit dem Außenminister besprochen worden und hat heute dem Großadmiral Dönitz zur Entscheidung vorgelegen. Es wird eindeutig festgestellt, daß Dr. Best auf Anweisung des Außenministers gehandelt hat, sich als Vorstand einer deutschen Gesandtschaft zu betrachten und sich unter den Schutz der dänischen Regierung zu stellen, die von Deutschland anerkannt worden ist.

Vom Außenminister ist es versäumt worden, den Herrn OB zu verständigen.

Der Großadmiral betrachtet die Angelegenheit als erledigt.

248. Werner Best an das Auswärtige Amt 6. Mai 1945

Dagen efter kapitulationen fik AA en telefonisk orientering om situationen i Danmark. De tyske tropper fik fortsat leverancer fra danskerne, de tyske flygtninges forplejning blev overtaget af danskerne, og endelig var der ikke tale om at internere alle tyske statsborgere. Dagmarhus var rømmet efter aftale med UM, men Best kunne fortsat færdes frit. Danskerne ville ikke have tyske flygtninge på Bornholm og anbefalede, at der blev fundet andre landingssteder.

Kilde: BArch, Freiburg, RW 44 I/12. RA, pk. 451. RA, Danica 1069, sp. 2, nr. 1670f. PKB, 13, nr. 442. Hvidtfeldt 1985, s. 36f.

Hauptquartier, 6. Mai 1945

Im Auftrage des Herrn Staatssekretärs von Steengracht habe ich Dr. Best in Kopenhagen um einen kurzen Bericht über die Lage in Kopenhagen gebeten. Herr Dr. Best hat fernmündlich das folgende mitgeteilt:

Dr. Best hatte am 5.5.45 eine Besprechung mit dem Direktor des dänischen Außenministeriums Svenningsen über die folgenden Fragen:
1.) Fortsetzung der Lieferungen an die Wehrmacht,
2.) Versorgung der deutschen Flüchtlinge,
3.) Behandlung der Reichsdeutschen.
Dr. Best bekam heute Bescheid der dänischen Regierung zu den Fragen 1 bis 3.

Zu 1.): Lieferungen werden fortgesetzt. Aufforderung ist durch Rundfunk bekannt gegeben.

Zu 2.): Der dänische Staat übernimmt die Versorgung der Flüchtlinge nach Abrükken der Wehrmacht.

Zu 3.): Allgemeine Internierung der Reichsdeutschen ist nicht beabsichtigt. Wann und in welchem Umfang die Reichsdeutschen Dänemark verlassen sollen, ist noch nicht entschieden.

Dr. Best teilt weiter fernmündlich mit:
"Es war in den letzten zwei Tagen in Kopenhagen ziemlich unruhig. Von 10.000 Angehörigen der Widerstandsbewegung wurde Kopenhagen völlig beherrscht. Zahlreiche Versuche, deutsche Truppen zu entwaffnen blieben ohne Erfolg. Eine Verhaftungswelle geht durch das ganze Land. Fast alle deutsch-freundlichen Elemente werden festgenommen, auch eine Anzahl Reichsdeutscher. Ich interveniere in den mir bekannt werdenden Fällen für Reichsdeutsche.

Das bisherige Dienstgebäude Dagmarhaus ist geräumt worden, um zu verhüten, daß durch gewaltsame Wegnahme ein Signal für weitere Gewaltaktionen gegeben wird. Räumung wurde mit dem dänischen Außenministerium vereinbart. In meinem eigenen Hause ist die deutsche Polizeiwache entwaffnet und durch eine Gruppe der Widerstandsbewegung ersetzt. Deshalb gab es Zeitungsmeldungen, daß ich entweder interniert wäre oder mich unter den Schutz des Freiheitsrates gestellt hätte. Beides ist unrichtig. Ich bewege mich frei und führe meinen Verhandlungen mit dem dänischen Außenministerium weiter.

Die dänische Regierung hat erfahren, daß auf Bornholm eine größere Zahl Soldaten, Verwundete und Flüchtlinge gelandet werden sollen. Es ist eine Zahl von 20.000 genannt. Die dänische Regierung will dies nicht haben und ist auch in der Lage, dieses zu verhindern. Ich empfehle, diesen Transport an andere Stellen zu lenken."

Hiermit Herrn Staatssekretär von Steengracht vorgelegt.

Hoffmann

249. WB Dänemark an WFSt 6. Mai 1945

Generalmajor Helmuth Reinhardt sammenfattede resultatet af et møde, han 5. maj havde haft med general Dewing på Hotel d'Angleterre om den tyske rømning af Danmark. Rømningen skulle straks påbegyndes, der måtte kun medbringes lette våben, resten skulle efterlades. Der måtte kun benyttes et minimum af transportmidler, så kun de nødvendigste fornødenheder undervejs kunne medtages. Der kunne ikke længere købes ind hos danskerne, og beslaglæggelser var forbudt. Jernbanen kunne ikke benyttes. Ungarske og russiske soldater skulle marchere med ud af Danmark. WB Dänemark fik som opgave at arrestere SD og Gestapo og at skaffe lister over deres medlemmer. Derudover blev der taget enkeltspørgsmål op, som hvad der skulle ske med de 40.000 tyske soldater på Københavns red, de tyske krigsskibes placering og Bornholms rømning.

Korte referater af mødets indhold blev pr. fjernskriver videresendt af Toepke til OKW/WFSt og af Oberstleutnant Plucker til Verteiler "Siegfried" samme dag (RA, KTB/WB Dänemark, Anlage 54, trykt hos Hvidtfeldt 1985, s. 100-102).

Kilde: BArch, Freiburg, RW 44 I/ 34, fol. 158-160. Hvidtfeldt 1985, s. 73f., 76 (tillige med WB Dänemarks rømningsbefaling nr. 1).

Geheime Kommandosache
WFSt/Op

F.H.Qu., den 6. Mai 1945
16 Ausfertigungen
Ausfertigung

Fernschreiben WB Dänemark
an WFSt fernmündlich voraus.

Besprechung am 5.5. Abends mit Generalmajor Dewing in Kopenhagen.
Teilnehmer: Gen. Major Reinhardt und General Dewing.

1.) Räumung Dänemarks: Für Marine bisher Zurückbleiben befohlen, aber neuer Befehl einer anderen Stelle zu erwarten, der möglicherweise auf Marinedienstweg kommt. WB Dänemark erhält ihn nachrichtlich. Beginn sofort. Frist nicht gesetzt, aber auf Beschleunigung wird gedrängt. Grundsätzlich möglichst schnell Städte, insbes. auch Kopenhagen, räumen. Leitung WB Dänemark Truppe rückt unter ihren Kommandeuren ab. Jeder Mann nimmt seine persönlichen Waffen, d.h. die er üblicherweise trägt, mit. Die schweren Waffen und das schwere Gerät werden an einzelnen Punkten gesammelt, und bis zum Abzug durch deutsche Truppen bewacht. Nach dem Abzug übernehmen alliierte oder dän. Kräfte die Bewachung. Es ist aber klargestellt, daß die Truppe vor der 21. engl. Heeresgruppe die Waffen streckt und nicht vor den Dänen. Was nachher mit dem zurückbleibenden Gut geschieht, insbes. Bewachung, ist eine Sache der Alliierten. Die Truppe nimmt ein Minimum an Transportraum mit, nämlich das, was sie braucht, um die Versorgungsgüter mitzuführen und zur

Truppe zu bringen, die für den biwakmäßigen Satz während des Marsches erforderlich sind. In erster Linie sind dazu Bespannfahrzeuge zu verwenden. Während des Marsches Verpflegung aus den vorhandenen Beständen, Kürzung der Portionen muß vorgenommen werden. Dänen werden nichts mehr verkaufen oder ohne Bezahlung abgeben. Beschlagnahme oder Wegnahme sind durch Montgomery verboten, da sonst Zusammenstöße zu erwarten. Truppe muß feldmäßig abkochen, auch wenn keine Feldküchen vorhanden. Benutzung der Bahn nicht bewilligt. Auch die Ungarn und Russen müssen mit abmarschieren. Zurücklassen von Restkommandos für Flüchtlingsbetreuung wird noch geprüft. Lazarette bleiben vorläufig, dazu deutsches Personal. Zielraum: Schleswig südl. der Reichsgrenze. Auf Frage: Was geschieht dort? Antwort nach längerem Überlegen: Jenseits der Grenze ist die Truppe außerhalb meines Befehlsbereichs, aber sie wird weiter nach Süden marschieren und dann auf britische Truppen stoßen. Von deren Befehlshaber erhält sie weitere Anweisungen. Das ist alles, was ich Ihnen dazu sagen kann und alles, was Sie zu wissen brauchen.

2.) Es ist sofort ein kleiner Verbindungsstab des WB Dänemark in Marsch zu setzen, der am 7.5. vormittags arbeitsbereit. Eintreffen fernmündl. melden. Leitender Offz. außerdem persönliche Meldung.

Aufgabe: Laufende Meldung über Stand der Bewegung, Regelung von Einzelheiten, z.B. Verwundete, Flüchtlinge, Übergabe der Minen- und Nachrichtenpläne. Empfangnahme weiterer Befehle.

Sofort vorlegen: Genaue Übersicht über Verpflegungsvorräte, später Kürzung der Portionen melden. Über Waffen- und Gerätsammelpunkte.

3.) General Dewing fragt nach Verhältnis OB zu Pancke. Antwort: Pancke bisher gleichgeordnet. OB hat sich vorgestern die Polizei selbst unterstellt.[31]

Auftrag: WB Dänemark soll SD und Gestapo durch Wehrmacht in Schutzhaft nehmen und Listen ihrer Angehörigen durch Verbindungsstab einreichen. Unser Hinweis, daß uns die Leute und ihr Aufenthalt unbekannt, OB soll sich dazu des Stabes Panckes bedienen. Das ist besser alt Inhaftnahme durch Dänen oder Engländer. Nicht betroffen: Kriminalpolizei und Ordnungspolizei. Diese nehmen an Räumung teil. Hipo ist dänische Angelegenheit.

4.) General Dewing fragt, inwiefern untersteht dem OB die Kriegsmarine an der Küste und schwimmende Verbände? Schwammen die Verbände überhaupt nicht? Antwort: Teile an Land in beschränktem Umfange. Über die Räumungsbewegung gibt OB der Marine Befehl. Über technische Schiffsfragen kann WB Dänemark keine Auskunft geben. An schwimmenden Verbänden untersteht Admiral Skagerrak nur eine Sicherungs-Division, die übrigen unterstehen dem Flottenchef.

5.) Eigene Frage, vor Kopenhagen auf Reede Schiffe mit etwa 40.000 Soldaten. Was soll damit werden? General Dewing wird Befehl von Montgomery einholen. Dazu Einzelheiten bis 6.5. vormittags melden, wieviel Schiffe, Zahl der Wehrmachtangehörigen und Flüchtlinge, Lebensmittellager an Bord. Genug Kohle vorhanden, um Kiel zu erreichen? Wird von hier erledigt.

---

31 Det er bemærkelsesværdigt, at WB Dänemark skulle have underlagt sig det tyske politi 3. maj, såfremt Best samme dag af RFSS havde fået underlagt HSSPF i Danmark (jfr. kommentaren til Dönitz' dagbog 3. maj).

6.) Geplante Seebewegung von Kurland und Hela nach Dänemark oder Norwegen wird englischerseits hier entschieden. Anlaufen dänischer oder norwegischer Häfen abgelehnt. General Dewing wird Anweisung einholen, in welche deutsche Häfen eingelaufen werden kann. Dazu genaue Meldung nötig über Zahl, Art und Standort der Schiffe. Wird hier von Marine erledigt.

7.) Frage General F.[32] jetziger Standort aller deutschen Kriegsschiffe kann nur Flottenchef oder Seekriegsleitung beantworten.

8.) Bornholm: Ist es auch in Waffenruhe einbezogen und zu räumen? Grundsätzlich ja, denn es gehört zu Dänemark, doch werden wegen der besonderen geographischen Lage neue Anordnungen eingeholt werden. Möglicherweise muß man Schiffe zur Räumung dorthin schicken, dazu Zahl der dort vorhandenen Truppen getrennt nach Wehrmachtteilen melden. Erledigt Marine.

9.) Flugplatz Kastrup bis 6.5. 18.00 Uhr zu räumen wegen Streitigkeiten zwischen dortigen englischen und deutschen Soldaten (zugegebenermaßen Übergriffe der Engländer). Flüchtlinge bleiben da. Ebenso nach näherer Vereinbarung des englischen und deutschen Flugplatzkommandanten etwa notwendige Spezialisten und Betreuungskommandos für Flüchtlinge. Befehl ist von hier erteilt.

10.) Bei General F. englischer Adm. Holt. Dieser wollte Admiral Wurmbach oder dessen Chef sprechen. Auf meinen Vorschlag zunächst 6.5. Besprechung mit hier anwesenden Korvetten-Kapitän Roth, Fl. Adm. Skagerrak vorgesehen.

WB Dänemark
gez. **Reinhardt**
Gen. Major

250. WFSt: Lage 6. Maj 1945

WFSts situationsberetning blev indledt med en fororientering om forhandlingerne i København, bl.a. vedrørende rømningen af Danmark, forbud mod yderligere tilførsel af flygtninge fra øst og arrestation af medlemmer af SD og Gestapo. Dernæst blev situationen i Danmark generelt skildret, efter at budskabet om våbenstilstanden var meddelt i dansk radio. Den var forløbet uden alvorlige episoder (Zimmermann 2008, s. 386).

Kilde: BArch, Freiburg, RW 44 I/34, fol. 153f.

Op (H)/Nord. *H.Qu., den 6.5.45.*

1.) Lage

Dänemark:
Mündliche Vorausorientierung über Verhandlungen in Kopenhagen.

1.) Die Wehrmacht räumt Dänemark, vorerst ohne Marineeinheiten. Bisher ohne Angabe von Frist. Möglichst schnell unter Mitnahme der Waffen, die der Mann bei sich tragen kann. Schwere Waffen sind gesondert niederzulegen, sie werden durch

---

32 Her og andre steder: Fejlskrivning for general D., dvs. Dewing.

Engländer bzw. Dänen übernommen und bewacht.
2.) Russen und Ungarn gehen mit. Benutzung der Eisenbahn abgelehnt. Weitere Zuführung von Truppen und Flüchtlingen aus dem Osten abgelehnt.[33] Bornholm muß geräumt werden.
3.) Übergabe eine Liste der Angehörigen des SD und der Gestapo an WB Dänemark. Festnahmen sollen durch WB Dänemark selbst veranlaßt werden.
4.) An Verpflegung nur die in Verpflegungslagern der Wehrmacht vorhandenen Bestände mitführen. Zusätzliche Versorgung wird abgelehnt.
5.) Verbindungsstab unter Führung von Oberstleutnant Toepke steht ab 7.5. in Kopenhagen zur Verfügung des Generals Fewing.[34]

Allgemeines:
Nach Bekanntgabe der Waffenruhe im dänischen Rundfunk um 20.00 Uhr und am 5.5. im ganzen Lande Kundgebungen der Bevölkerung im allgemeinen ohne wesentliche Zwischenfälle verlaufen. In Kopenhagen einige Schießereien und 1 Sprengstoffanschlag auf das Dienstgebäude des BDS; einige Verletzte. Im Laufe des Tages noch eine Reihe kleinerer Zwischenfälle zwischen Angehörigen der Widerstandsbewegung, die mit Waffen auftreten, und Truppen. Durch Ausgabe von Weisungen seitens WB Dänemark und dem dänischen Stiftsamtmann Herschend meist schnell beseitigt.

In Kopenhagen dänische Polizei in Uniform wieder aufgetreten. Verhalten korrekt. Ebenso mehrere Boote mit dänischer Polizei in Helsingör aus Schweden gelandet.

Um 16.30 Uhr trafen 18 englische 2-mot. Flugzeuge mit etwa je 25 Mann Besatzung auf dem Flugplatz Kopenhagen-Kastrup mit einer englischen Kommission unter General Fewing ein. Begleitender Jagdschutz flog zurück. Ein Teil der gelandeten Engländer fuhr in die Stadt ein, anderer blieb auf dem Flugplatz. Zu Zwischenfällen ist es nicht gekommen.

Gerüchte ausländischer Sender über russische Landung in Dänemark nicht bestätigt.

Gegen 18.00 Uhr kleine Kolonne amerikanischer Truppe Grenze nördlich Krosaa [Kruså] passiert. (Bildberichter!)

Um 16.30 Uhr eigenes U-Boot und Wachschiff 101 nördlich Helsingör nach Bombenangriff von anglo-amerikanischen Flugzeugen gesunken.

Im Laufe des Nachmittags Landung von 40 illegalen Dänen aus Schweden in Hals. Nach [deren] Angaben keine Kampfabsichten. Landung erfolgte zur Übernahme der polizeilichen Sicherungsaufgabe. Truppenbewegung im Landmarsch auf Aalborg.

Einigung zwischen dänischer Freiheitsbewegung und englischem Kommandanten reibungslos verlaufen.

Nur örtliche Schießereien.

Militärautos werden angehalten, verschiedentlich Waffenabnahme. Truppe wird kaserniert.

---

33 Det indebar, at den ordre Dönitz samme dag havde givet om, at så mange tyskere som muligt skulle reddes fra bolsjevismen, herunder ved hjælp af den tyske flåde, led et ikke ringe afbræk, da flygtningeskibene ikke ville kunne gå til Danmark.
34 Den allierede general Richard Dewing skrives konsekvent Fewing!

Norwegen (Kurzorientierung):
In Norwegen außer der bisher erfolgten Bekämpfung von steigender Widerstandsbewegung keine Verschärfung der Lage.

OB Nordwest (Kurzorientierung):
K.b.E.
Engländer im Vormarsch auf Schleswig.

251. Lutz Schwerin von Krosigk an Werner Best 7. Mai 1945

Best blev orienteret om, at værnemagten skulle trække sig ud af landet, og hvilke dele der foreløbigt skulle forblive. Best blev bedt om at give meddelelsen videre til de danske myndigheder. Endelig skulle Best søge at skaffe sig rettigheder som officiel tysk repræsentant i Danmark.

Baggrunden for det sidste var, at han af Schwerin von Krosigk var blevet udnævnt til den nye tyske regerings de facto repræsentant hos den nye danske regering; en udnævnelse uden praktisk betydning (Steinert 1967, s. 272f.).

Kilde: KTB/Skl 7. maj 1945, 68, s. 433-A til 434-A. FM 24h-6. EUHK, nr. 156. De to sidstnævnte steder dateret 8. maj.

Funkspruch
des Reichsaußenministers Schwerin-Krosigk
an Gesandten Dr. Best (Kopenhagen) vom 7.5.1945

Gesandten Dr. Best über W. B. Dänemark:

1.) *Zur Information:*
   Wehrmachtbefehlshaber in Dänemark hat Befehl vom 5. Mai erhalten, sofort beginnend alle Truppenteile des Heeres, der Luftwaffe, der Waffen-SS sowie der Organisationen außerhalb der Wehrmacht (OT, RAD) aus Dänemark in den schleswig-holsteinischen Raum zwischen Kaiser-Wilhelm-Kanal und deutsch-dänischen Grenze zu verlegen. Es verbleiben vorläufig in Dänemark,
   a.) Alle Angehörigen der Kriegsmarine,
   b.) Alle Verwundeten und Kranken einschließlich des Pflegepersonals,
   c.) Alle deutschen Flüchtlinge,
   d.) Alle Hilfswilligen,
   e.) Alle Kriegsgefangenen,
   f.) Alle fremdländischen Truppen,
   g.) Alle fremdländischen Arbeiter.
   Die Sicherung der deutschen Verwundeten und Zivilisten bleibt einer weiteren Regelung vorbehalten.
2.) Ich bitte Sie, mit der neuen vom König ernannten dänischen Regierung in Verbindung zu treten und darauf hinzuwirken, daß von dänischer Regierungsseite alles geschieht, um die Durchführung des oben genannten Befehls friedlich und reibungslos zu gestalten.
3.) Diese Besprechungen mit der dänischen Regierung werden Gelegenheit bieten, Ihre bisherige Stellung als Reichsbevollmächtigter "De Facto" überzuleiten in diejenige

einer diplomatischen Vertretung des Reiches in Dänemark. Es wird Ihr Ziel sein müssen, sich die Stellung und Vorrechte einer diplomatischen Vertretung zu erhalten. Offizielle Schritte in dieser Richtung dürften zur Zeit wohl kaum zweckmäßig sein. Erbitte kurz gefaßten Drahtbericht über Lage.
Schwerin von Krosigk

252. Oberkommando der Luftwaffe an Luftflottenkommando 6, 7. Mai 1945
OKL lod den ordre gå videre, at OKW ville have alle former for varulve-aktiviteter forbudt.
Det var en ordre, der ikke blev fulgt, heller ikke i Danmark. For varulve-aktiviteterne efter den tyske kapitulation i og uden for Danmark, se Rose 1980, s. 324-330, Biddiscombe 1998, s. 204-206, Stevnsborg 1992, s. 439-442, 508-511, *Gads leksikon om dansk besættelsestid*, 2002, s. 496, Lundtofte 2003, s. 196-200. I Danmark blev kun få personer i Sønderjylland dømt for varulveaktivitet udført efter maj 1945.
Kilde: Rose 1980, s. 323 (faksimile).

Lfl. Kdo. 6   Funkstelle 2/35

Funkspruch Nr. 75 Dringend/Blitz   7.5.   21.10
                                                               7.5.   04.05

Von OKL an Lfl. Kdo. 6
An Lfl. Kdo. 6 und LW Kdo. 4 und LW Kdo. 8 nachrichtlich.

Jede Betätigung für Werwolf oder Unterstützung derartiger Unternehmen ist durch OKW verboten worden. Jede Betätigung in dieser Richtung schadet nur dem deutschen Volk und ist unter allen Umständen zu unterlassen. Alle unterstellten Führungsdienststellen, Stäbe und Truppenteile mit allen verfügbaren Nachrichtenmitteln umgehend entsprechend anweisen.
Der Chef des Gen. Stabes der LW.
OKL Füst IA ROB.
gez. **Koller**

253. WFSt: Notiz 8. Mai 1945
WFSt fik fra Danmark oplysning om, at de tyske tropper fortsat ville blive forsynet, så længe de var i Danmark, mens flygtningenes forplejning var sikret for de næste seks måneder.
Kilde: BArch, Freiburg, RW 44 I/12. RA, pk. 451.

WFSt/Op (H) Nord   *F.H.Qu., den 8. Mai 1945*

Notiz
AOK Lindemann 01 Hauptmann Kienitz meldet 13.00 Uhr fernmündlich:
"Die Dänen haben sich bereit erklärt ihre Lieferungen an die Truppe fortzusetzen, solange sie sich in Dänemark befindet. Die Flüchtlinge werden auf 3 Monate vom dänischen Roten Kreuz, für weitere 3 Monate vom schwedischen Roten Kreuz versorgt."

254. WFSt: Notiz 9. Mai 1945

Der var indløbet oplysninger om, at tyske soldater blev afvæbnet af danskere, at de fik frataget personlige ejendele og til dels også marchforplejning af bevæbnede danskere og engelske soldater, ligesom de fik beslaglagt køretøjer af danskerne. Der var indgået en aftale med den engelske kommandant i Åbenrå om at få det stoppet.

Kilde: BArch, Freiburg, RW I/34, fol. 71f.

WFSt/Op (H) Nord   F.H.Qu., den 9. Mai 1945

Notiz

1.) Von aus Dänemark kommenden Truppen und Grenzposten von Krusaa (nördlich Flensburg) wurde am 9.5. gemeldet:
   a.) Entwaffnung deutscher Soldaten durch Dänen,
   b.) Abnahme von Privateigentum und teilweise Marschverpflegung durch englische Soldaten und bewaffnete Dänen,
   c.) Beschlagnahme von Kfz. durch Dänen,
   d.) Feuern mit Handwaffen auf deutsches Gebiet an der Grenze.
2.) Persönliche Inaugenscheinnahme des an die deutsch-dänische Grenze entsandten Oberstleutnant i.G. Benze bestätigte diese Angaben.
3.) Beim Zusammentreffen mit dem örtlichen englischen Kommandeur Major Straker-Carrier, I. Royal-Dragons in Apenrade, erklärte dieser in aller Form
   a.) die Beschlagnahme der Masse der Kfz. und Fahrräder habe er befohlen auf Grund erhaltener Weisungen (Mitnahme nur eines Minimums an Transportraum) durch General Dewing. Dabei müsse es bleiben.
   b.) Persönliches Eigentum wird in Zukunft nicht mehr abgenommen werden; Ausnahme, wenn zuviel Gepäck mitgeführt wird (Einsparung von Transportraum!). Entscheidung des örtlichen englischen Offiziers ist dann bindend.
   c.) Handfeuerwaffen werden den Wehrmachtsangehörigen belassen entsprechend den Forderungen des Generals Dewing.
   d.) Beschlagnahmen werden nicht mehr durch Dänen, sondern nur durch Engländer erfolgen.
   e.) Einwirkung auf die Dänen, provozierende Handlungen (Schießereien über die Grenze) zu unterlassen.
   f.) Obige Maßnahmen treten am 9.5., 18.00 Uhr in Kraft.

Durchführung obiger Anordnungen wurde einem anwesendem Leutnant übertragen.

Persönlicher Eindruck vom Kommandeur: Loyal, jedoch nicht in der Lage, *alle* dänischen Übergriffe zu verhindern.

Verhalten der örtlichen dänischen Führer: Korrekt und höflich, zum Teil freundlich.

Alle übrigen Dänen: "Indianerspieler".

Verteiler:
Chef OKW/WFSt
Chef Führungsgruppe/Op
Chefgruppe
Op (H) Nord
Reserve 2x

255. OKW/WFSt an OB Nordwest und Georg Lindemann 9. Mai 1945
Den ureglementerede og udisciplinerede opførsel, som de tyske tropper på march mod syd og i det dansktyske grænseområde lagde for dagen, var uværdig for værnemagten og skulle bringes til ophør gennem en række foranstaltninger, der skulle træde i kraft øjeblikkeligt.

Lindemann var med virkning fra 6. maj blevet underlagt Oberbefehlshaber Nordwest, generalfeltmarskal Ernst Busch. Alle troppeenheder i Danmark undtaget Kriegsmarine blev underlagt ham som Armee Lindemann (Keitel til WB Dänemark 6. maj 1945 (BArch, Freiburg, RW 44 I/34, f. 149). Jfr. Hvidtfeldt 1985, s. 77).

Kilde: BArch, Freiburg, RW I/34, fol. 68 (afskrift). Hvidtfeldt 1985, s. 84.

West/Op (H) Nord   H.Qu., OKW, den 9. Mai 1945

K R - B l i t z - F e r n s c h r e i b e n

an
1.) OB Nordwest
2.) nachr.: AOK Lindemann

Durch regellos und undiszipliniert nach Süden ziehende Soldaten ist ein der deutschen Wehrmacht unwürdiger Zustand im deutsch-dänischen Grenzgebiet insbesondere im Raum Flensburg entstanden, der schnellstens und mit aller Tatkraft zu beseitigen ist.
   Hierzu sind erforderlich:
1.) Aufbau einer *sofort* wirksam werdenden Auffang- und Weiterleitungsorganisation.
2.) Strenge Marschüberwachung auf den Hauptmarschstraßen.
3.) Einrichtung von Durchgangslagern an der deutsch-dänischen Grenze mit Verpflegungsstation und Weiterleitungsstelle unter einem voll verantwortlichen Führer.
4.) Rechtzeitige Quartiervorbereitung und -anweisung.
5.) Abstellung von Offizieren für Marschüberwachung, gegebenenfalls Anforderung bei WFSt aus Führerreserve.
6.) Entsendung von Generalstabsoffizieren in das Grenzgebiet zur Abstellung von Mängeln an Ort und Stelle.

Zur einheitlichen Leitung dieser Maßnahmen wird OB Nordwest Generalmajor von Trotha zur Verfügung gestellt.
   Die getroffenen Maßnahmen und ihre Auswirkung sind zu melden.

I.A.
gez. **Detlefsen**
OKW/WFSt/Op (H) Nord

256. WB Dänemark: Besprechung am 9. Mai 1945

Den engelske major Fischer drøftede foranstaltninger gældende for Fyn og Jylland med repræsentanter for værnemagten og Danmark. Det skulle tillades de tyske pionerenheder at rydde landminer, mens danske medlemmer af det tyske sikkerhedspoliti, SD og Hipo skulle anmeldes til danskerne. De udmarcherende tyske tropper skulle nøjes med de forhåndenværende forsyninger. De skulle bivuakere undervejs og ikke gå ind på gårdene. Tysk plejepersonale havde i en del tilfælde forladt deres poster, hvad der fra tysk side var blevet givet udtrykkelig forbud imod. Det måtte indskærpes. WB Dänemark blev personligt gjort ansvarlig for eventuelle skader, der fremkom som følge af bomber med tidsindstilling, hvilket de tyske repræsentanter protesterede imod. Det forventedes, at rømningen af Danmark ville vare fire uger.

Kilde: KTB/WB Dänemark 1945, Anlage 58. Hvidtfeldt 1985, s. 110, 112.

B e s p r e c h u n g
am 9.5.45 12.00 Uhr.

Teilnehmer:
OB., Chef, Ic, Hptm. Lembcke als englischer Dolmetscher,
Oblt. von Helldorf.
Britischer Major Fisher
Dänischer Hauptmann Helck und 2 weitere dän. Offiziere.

1.) Major Fisher teilt mit: Er selbst ist Beauftragter des Generals Dewing für Jütland. Seine Aufgabe ist es die Durchführung der gegebenen Anordnungen zu überwachen, nicht selbst einzugreifen. Hauptmann Helck ist Adjutant des dänischen Generals Bennecke, dänischen Befehlshaber von Jütland und Fünen. Die beiden anderen dänischen Offiziere gehören ebenfalls diesem Stabe an.

Was hier besprochen wird, gilt nur für Jütland und Fünen.

2.) Es sollen deutsche Pioniere zurückgelassen werden, die die Landminen sprengen oder sonst entfernen. Diese Einheiten sollen nur je Mann ein Gewehr und 20 Patronen, aber keine automatischen oder schweren Waffen behalten.

3.) Die Minerpläne sollen an General Bennecke übermittelt werden. Weiteres vgl. dazu unter Ziffer 9).

4.) Die deutschen Truppen sollen geschlossen unter ihren Führern marschieren. Es wird deutscherseits entgegen gehalten, daß das befohlen sei. Von dänischer Seite wird aber aufgrund angeblich eigener Beobachtungen behauptet, es kämen dagegen häufig Verstöße vor. Major Fisher erklärt dazu, das seien nur Ausnahmefälle, im ganzen sei alles in Ordnung. OB: Nachprüfung durch Marschüberwachung ist angeordnet.

5.) Angehörige der Sicherheitspolizei und des SD sowie der Hipo, die dänischer Nationalität sind, auch wenn sie deutsche Uniform haben, sind den Dänen namentlich mitzuteilen und zu übergeben. Von deutscher Seite wird dazu erklärt, daß die Namen uns nicht bekannt sind und daß auf Anordnung von General Dewing Festnahme der Angehörigen der Sicherheitspolizei und des SD befohlen sei. Ein Sammellager werde z.Z. erkundet. Für Hipo werde gleiche Anordnung ergehen. Auf Rückfrage wird von dänischer Seite bestätigt, daß nur die Angehörigen dänischer Nationalität gemeint seien und hinzugefügt, daß diese Regelung nur für Jütland und Fünen gilt. Auf die Erklärung, daß uns die Namen der in Frage kommenden Leute nicht bekannt seien, wird von dänischer Seite gefragt, ob dem OB nicht die gesamte Polizei und SS unterstünde. OB: Die Polizei unterstand dem Höh. SS und Polizeiführer, SS Obergruppenführer Pancke. Erst nachdem dieser am 4. Mai verschwunden war, habe ich mir die Polizei unterstellt. Auf die Frage, wer Pancke vertrete, wird SS Oberführer Gerlach genannt. Die Dänen erklären, sie wollten sich dann an diesen halten.

6.) Die Truppe soll im Freien biwakieren, und nicht auf Bauernhöfen unterziehen. Sie soll keine schweren Waffen mitnehmen. OB: Das ist bereits befohlen.

7.) Auf die Frage des Major Fisher wird erklärt, daß die vorhandenen Verpflegungsvorräte für die Versorgung der Truppe ausreichen. Hierbei wird auf die Schwierigkeiten hingewiesen, die dadurch entstehen, daß die Truppe nicht einmarschiert ist und Mangel an Fahrzeugen hat.

8.) Die Sammelplätze für Waffen, Munition und Gerät sollen General Bennecke mitgeteilt werden. Es wird von deutscher Seite erwidert: Mit General Dewing ist ausgemacht, daß dieser die Übersicht erhält. Major Fisher erklärte, das sei in Ordnung, und bat ihm eine Abschrift zuzuleiten.

9.) Es sollen an Major Fisher auch Karten der Befestigungen in Jütland übersandt werden. Auf den Hinweis, daß diese Karten ebenso wie die Minenpläne bereits an General Dewing geschickt seien, erklärte er, dann sei es in Ordnung und er werde sich Abschriften in Kopenhagen besorgen.

10.) In vielen Fällen hat das deutsche Lazarett- und Flüchtlingspersonal seinen Posten verlassen. Deutsche Antwort: Das ist verboten, Angabe von Einzelfällen erbeten. Das wird zugesagt. OB: Befehl wird nochmals gegeben werden.

11.) Der als Dolmetscher tätige dänische Offizier erklärt, daß OB persönlich für alle Schäden, die infolge Legens von Bomben oder Sprengmitteln mit Zeitzündern entstünden, haftbar gemacht würde. Auf die Frage, wer diese Anordnung erteile, wird geantwortet, sie sei von Major Fisher erteilt. OB erwidert, daß derartige Bomben bisher nicht gelegt wären und die Absicht dazu auch nicht bestünde. Chef betont, daß der OB unmöglich für Vorkommnisse haften können, die dänische Kommunisten, Terroristen oder ähnliche Gruppen verübten. Major Fisher erklärt darauf, es sei selbstverständlich, daß jeder nur für seinen unmittelbaren Befehlsbereich hafte. Also: OB für Wehrmacht, SS-Führer für SS, Gestapo-Leiter für Gestapo usw.

12.) Auf Frage wird die voraussichtliche Dauer der Räumung auf 4 Wochen angegeben. Major Fisher erklärt, das stimme mit seiner Annahme überein. Übersendung einer Karte der Marschwege an ihn wird zugesagt.

257. Georg Lindemann an OKW/WFSt 10. Mai 1945

Lindemann havde fra sine kommandører i Danmark modtaget meddelelse om overgreb på og chikanering af de tyske tropper, der var på vej ud af landet. De blev frataget våben, transportmidler, fødevarer og andre genstande. Han havde rettet henvendelse til den allierede militærdelegation for at få det stoppet, så soldaterne i det mindste blev behandlet som krigsfanger (Zimmermann 2008, s. 387, 393).

Kilde: BArch, Freiburg, RW 44 I/34, fol. 35-39 og RW 44 I/12. RA, pk. 451.

WFSt/Op.
Abschrift

O.U., den 10. Mai 1945

KR-Fernschreiben vom 10.5.45, 02.30 Uhr
eingegangen am 10.5.45, 08.00 Uhr

an OKW/WFSt

Ich habe an den Leiter meines Verbindungsstabes bei der alliierten Militärdelegation in Kopenhagen folgenden Befehl erteilt:
   Sie haben umgehend dem Chef der alliierten Militärdelegation folgendes schriftlich vorzulegen:
   Verantwortliche Kommandeure haben mir gemeldet:

I.) Korsör:
Dort führt den Befehl ein britischer Major Rutherford.
1.) Am 8.5 wurde die Radf. Kp. 1/593 entwaffnet und es wurden ihr die Fahrräder abgenommen.
   Am 9.5 wurde die Pi. Kp. 328 entwaffnet. Der Wehrmachtstreife wurde nicht gestattet, ihre Fahrräder mitzunehmen.
2.) Um Mitternacht 8./9.5. wurden Teilen des Versorgungs-Rgt. 328, darunter der San. Kp. Fahrzeuge abgenommen und deutschen Soldaten Uhren und andere persönliche Gegenstände von britischen Soldaten weggenommen.
3.) Am 9.5. vormittags wurden einzelne angekommene deutsche Soldaten planmäßig von engl. Soldaten, deren Vorgesetzter ein Kapitän Waiwright, in Kfz.-Halle in Nähe Brücke nach Uhren, Füllfederhaltern, Bleistiften, Ringen, Feuerzeugen, Geld u. Zigaretten untersucht. Diese Gegenstände wurden ihnen weggenommen.
4.) Die Mitnahme von Waffen wurde gänzlich wahllos behandelt. Am 8.5. wurden nur MG, am 9.5. vormittags sämtliche Waffen, am 9.5. nachmittags alle Waffen außer Karabiner abgenommen. Offiziere wurden mit entwaffnet.
5.) Der Major hat den für den Fährbetrieb zuständigen Offizier gegenüber geäußert, er ließe je Batl. höchstens 1 Lkw. oder 1 Bespannfahrzeug über die Fähre. Hierbei wurde als das eine zuständige Bespannfahrzeug auch die Feldküche bezeichnet.
6.) Reitpferde wurden abgenommen.
7.) Da infolge dieser Maßnahmen ein ordnungsgemäßer Ablauf der befohlenen Bewegungen und eine Versorgung der Truppe auf dem Marsch unmöglich gemacht ist, hat der Div. Kdeur. die Marschbewegung bei Korsör gestoppt, bis höheren Ortes eine Klärung herbeigeführt ist. Der brit. Major hat aber den mit Leitung des Fährbetriebes beauftragten Offiziers unter Androhung standrechtlichen Erschießens gezwungen, entgegen dem erteilten Befehl die Bewegungen weiter laufen zu lassen. Bei diesen Vorfällen wurden alle Einwände mit dem Hinweis auf bedingungslose Kapitulation angelehnt.

II.) Krusaa (nördl. Flensburg):
Eine Truppe wurde gezwungen, ihre Waffen abzugeben. Radioapparate, Ferngläser, Fahrräder, z.T. auch Armbanduhren und Ringe wurden abgenommen.
   Ich stelle dazu fest:

I.) Es sind sich alle beteiligten Stellen darüber einig, daß die Räumung Dänemarks ohne jeden Zwischenfall erfolgen soll. Meine Truppen haben dafür strengste Befehle, die sie auch unter schwierigsten Verhältnissen aufs Genaueste beachtet haben. Notwendig ist dazu, daß die Marschbewegungen und die Versorgung der Truppen gegen Störungen gesichert sind. Die Weisungen des alliierten Oberkommandos, die sie, Herr General, meinem Chef des Generalstabes übermittelt haben, gehen begreiflicherweise von diesem Grundgedanken aus. Es ist in der Besprechung in der Nacht vom 5./6. 05.45 festgelegt:

1.) Jeder Mann nimmt seine persönlichen Waffen, d.h. die Waffen, die er üblicherweise trägt, in den Raum Schleswig mit. Dem widerspricht es, wenn Truppenteile schon in Korsör, aber auch, wenn sie an der Grenze entwaffnet werden. Es widerspricht dem auch, wenn Handwaffen wie M.Pi. oder Schnellfeuergewehre abgenommenwerden.

2.) Es ist in der erwähnten Besprechung festgelegt worden, daß die Truppen den Transportraum mitzunehmen haben, den sie brauchen um die Versorgungsgüter mitzuführen und zur Truppe zu bringen, die für den biwakmäßigen Satz während des Marsches erforderlich sind. Auf die Notwendigkeit, daß die Verpflegung der Truppe während des Marsches unbedingt gesichert ist, hat auch heute ihr Beauftragter in Aarhus hingewiesen. Es ist ferner festgelegt worden, daß für den Transport in erster Linie Bespannfahrzeuge zu verwenden sind. Damit ist gesagt: daß bei Fehlen von Bespannfahrzeuge auf Kw. Transportraum zurückzugreifen ist. Dem widerspricht die Regelung, daß nur 1 Lkw. oder 1 Bespannfahrzeug je Batl. Mitzuführen ist. Das Maß des Transportraumes bestimmt sich nach der Stärke der Truppe und der Lange des Marschweges.

Dieses ist für die einzelnen Truppenteile völlig verschieden. Hinzu kommt, daß ein Teil der Truppen überhaupt über keine Fahrzeuge verfügt, andere dagegen über mehr als nach den örtlichen Stellen gegebenen Anordnungen zulässig ist. Hierzu ist ein Ausgleich während des Marsches notwendig, der z.T. erst in Jütland durchgeführt werden kann. Es ist daher nicht möglich, bereits in Korsör irgendwelche Beschränkungen durchzuführen. Ein großer Teil der Truppe in Seeland ist überhaupt nicht für Marsch ausgerüstet und ausgebildet. Das gilt insbesondere für die große Zahl der im Wehrmachtdienst stehenden Frauen. Wegen dieser muß Transportraum für Marschkranke und notwendigstes persönliche Gepäck mitgeführt werden. Wird das gehindert, müssen sämtliche Marschkranken den Lazaretten zugeführt werden. Wenn aber sogar Feldküchen als die einzige zulässigen Bespannfahrzeuge angesehen werden, ist eine Verpflegung unterwegs überhaupt nicht möglich, da die Truppe in weitem Umfang die Verpflegung mitführen muß. Ich verstehe aber den Standpunkt der betreffenden brit. Offiziere in Korsör und Krusaa überhaupt nicht. Nach den Erklärungen, die sie, Herr General, meinem Chef des Generalstabes gegeben haben, ist zu erwarten, daß meine Armee in Schleswig weitere Befehle von brit. Truppen erhalten wird. Ein scheinbaren mehr an Fahrzeugen oder Waffen, das mit über die Grenze geführt wird, kann daher ohne weiteres in Schleswig erfaßt werden, an der Grenze besteht jederzeit die Möglichkeit ihre Zahl festzustellen. Auch wenn die königl. großbrit.

Regierung oder das alliierte Oberkommando der königl. dän. Regierung zugesagt haben sollte, ihre gewisse Teile der Waffen und Fahrzeuge zuzuweisen, könnten diese später zurückgeführt werden. Das gilt auch für die Fahrräder. Wenn Radfahrtruppen ihre Räder behalten, vollzieht sich ihr Abmarsch schneller. Auf Fußmarsch sind sie nicht geschult.

Den Hinweis örtlicher Führer auf die bedingungslose Kapitulation vermag ich auch nicht als zutreffend anzuerkennen. Bedingungslose Kapitulation bedeutet, daß die deutsche mil. Dienststellen den Anordnungen des alliierten Oberkommandos zu folgen haben. Diese übermitteln Sie, Herr General, mir. Es kann aber nicht der Sinn der Kapitulationsbestimmungen sein, daß jeder örtliche Führer befugt ist, Anweisungen zu geben, die im Widerspruch zu den Anordnungen seiner eigenen höheren Dienststelle stehen. Es gefährdet aber auch die Disziplin der mir unterstellten Truppen, wenn ich Ihnen Befehle gebe, die in genauer Übereinstimmung mit denen von Ihnen, Herr General, mir übermittelten Anweisungen stehen und wenn andererseits Ihren unterstehende Offiziere Anweisungen erteilen, die dazu im völligen Widerspruch stehen. Ebenso wird die Disziplin gefährdet, wenn durch derartige Anordnungen die Versorgung der Truppen unmöglich gemacht wird. Ich muß aber auch die Mittel behalten, um während des Marsches die Disziplin zu wahren. Dazu gehört, daß der Truppenführer nicht an einen Platz gebunden ist, sondern sich mit einem Reitpferde oder Fahrrad jederzeit bewegen kann. Daher widerspricht die Beschlagnahme von Reitpferden dem Sinn der getroffenen Anordnungen. Es mußten aber auch dir Wehrmachtstreifen, die den Marsch zu überwachen haben, beweglich sein. Daß sie dazu Fahrräder haben, ist das Mindeste. Ich bitte daher, diese Zustände abzustellen. Ich erkläre Ihnen in aller Form, daß ich bei Fortdauer dieser Zustände die Verantwortung für eine reibungslose Räumung Dänemarks, wie sie berechtigterweise von allen Beteiligten gewollt ist, nicht übernehme. Ein Teil der getroffenen Maßnahmen ist mit dem anerkannten Völkerrecht nicht vereinbart.

1.) Die Wegnahme von Fahrzeugen einer San. Kp. ist nach Art 17 und 6 des Genfer Abkommens zur Verbesserung des Loses der Verwundeten und Kranken der Heere im Felde vom 27. Juli 1929 unzulässig.
2.) Die Rechtstellung der deutschen Soldaten nach der Kapitulation ist noch nicht geklärt. Ohne damit anzuerkennen, daß sie Kriegsgefangene sind, muß ich in Anspruch nehmen, daß sie mindestens die Rechte von Kriegsgefangenen haben.

Es verstößt gegen Artl. 6 des Abkommens über die Behandlung der Kriegsgefangenen vom 27. Juli 1929, wenn deutschen Soldaten Uhren, Ringe oder andere persönliche Gegenstände sowie Geld ohne Empfangsschein und Gutschrift abgenommen werden. Das gilt auch für Geld in dänischen Kronen.

Gem. den allgemein anerkannten Regeln des Völkerrechtes bitte ich, dafür Sorge zu tragen, daß diese zu Unrecht abgenommenen Gegenstände zurückerstattet und daß die völkerrechtlich üblichen Maßnahmen ergriffen werden. Die Einzelheiten bitte ich mit dem Chef meines Verbindungsstabes zu vereinbaren

gez. **Lindemann**
Generaloberst

Verteiler:
Adjutantur Großadmiral
Reichsaußenminister
Chef OKW/Chef WFSt
Chef Führungsgruppe
Chefgruppe (Oberst Poleck)
Op. (H)
Op. (L)
Op. (M)
Op. (H)/Nordwest

258. OKW/WFSt an General Fangohr 10. Mai 1945
Dethlefsen videregav til lederen af den tyske kommission ved general Eisenhowers hovedkvarter i Europa, general Fangohr, de oplysninger, som Lindemann havde fremsendt om overgreb på de tyske tropper i Danmark til den engelske øverstkommanderende i Danmark. Lindemann kunne ikke gennemføre en gnidningsløs tilbagetrækning, hvis ikke overgrebene hørte op. OKW tilsluttede sig Lindemanns henvendelse.
Kilde: BArch, Freiburg, RW 44 I/12. RA, pk. 451.

WFSt/Op (H) H.Qu. OKW, den 10.5.1945

KR-Blitz-Funkspruch

an Gen. d. Inf. Fangohr, Führer dtsch. Kommission
beim Ob. Kdo. all. Expeditionsstreitkräfte in Europa (Eisenhower).

I.) Ob. Armee Lindemann hat Einspruch bei all. Militärdelegation in Kopenhagen wegen nachstehende Übergriffe örtlicher englischer Befehlshaber in Dänemark erhoben:
  1.) Teilweise Entwaffnung von Truppen einschließlich Offz. entgegen Kapitulationsbedingungen.
  2.) Beschlagnahme aller Fahrräder und Reitpferde bei mehreren Einheiten, hierdurch Marschüberwachung und Marschbeschleunigung verhindert.
  3.) Beschlagnahme von Lkw und Bespannfahrzeugen. Beschränkung auf nur ein Fahrzeug je Bataillon. Hierdurch Marschversorgung unmöglich gemacht.
  4.) Wegnahme persönlichen Eigentums (Ringe, Uhren usw.) im Gegensatz zu anerkannten Völkerrechtsbestimmungen selbst Kriegsgefangenen gegenüber.
Begründung der Übergriffe durch englische Befehlshaber mit bedingungsloser Kapitulation unberechtigt, da in krassem Gegensatz zu Kapitulationsbedingungen des General Fewing, an die sich Ob. Armee Lindemann streng hält.
  Zwischenfälle und erhebliche Verzögerungen des Marsches sind die Folge hiervon.
  Bei Fortdauer dieser Übergriffe kann daher Ob. Armee Lindemann einen reibungslosen Ablauf des Marsches nicht mehr gewährleisten. Er bittet um Abstellung

dieser Übergriffe, Rückerstattung unrechtmäßig abgenommener Privatgegenstände und Beachtung der üblichen Völkerrechtsbestimmungen.
II.) OKW schließt sich Einspruch Ob. Armee Lindemann voll an. Sie sind in aller Form Ob. all. Expeditionsstreitkräfte in Europa zu übermitteln.

I.A.
gez. **Dethlefsen**
OKW/WFSt/Op (H) Nord

Verteiler:
Adjutantur Großadmiral
Reichsaußenminister
Chef OKW/Chef WFSt
Chef Führungsgruppe
Chefgruppe (Oberst Poleck)
Chef Op (H)
Op (H) Nord (zgl. Funkspruch)
Op (L)
Op (M)
Ic zgl. Kriegstagebuch
Reserve

F.d.R.
[Underskrift]
Oberstlt. d.G.

259. WFSt: Aktennotiz 10. Mai 1945
WFSt fik fra Danmark oplysning om, at de tyske tropper havde forsyninger til otte dage, og at yderligere forsyninger kunne ventes. Det ville blive afgjort, hvilke forvaltningsenheder der skulle blive tilbage i Danmark og tage sig af lazaretter og flygtninge (Zimmermann 2008, s. 387).
   Kilde: BArch, Freiburg, RW 44 I/34, fol. 56.

WFSt/OP (H) Nord   F.H.Qu., den 10. Mai 1945

Aktennotiz
AOK Lindemann meldet, daß die Divisionen für 8 Tage versorgt sind. Die Möglichkeit, die Truppe aus Lagern mit weiterer Verpflegung zu versehen, ist vorgesehen. Meldung über übrigbleibende Versorgungsbestände kann zurzeit noch nicht erstattet werden, da erstens die Truppe noch weitere Vorräte mitnehmen wird, zweitens nach Kopenhagen der Gesamtbestand an Versorgung gemeldet werden mußte. Die Frage des Zurückbleibens von Verwaltungseinheiten zur Betreuung der Lazarette und Flüchtlinge wird geklärt.

Verteiler:
Chef OKW/WFSt
Chef Führungsgruppe/Op (H)
Chefgruppe
Op (H) Nord
Gen.Qu.

260. OKW/WFSt: Vorfälle Bornholm 10. Mai 1945

Der var indløbet melding om, at fem russiske skibe havde anløbet Bornholm, og at der var blevet krævet en tysk kapitulation. Russiske besættelsestropper var på vej. Der blev af Admiral östliche Ostsee spurgt, hvordan man skulle forholde sig.

OKW/WFSt lod samme dag det spørgsmål gå videre til Montgomerys stab.

General Dewing havde forud 8. maj anmodet om at måtte sende et luftbårent kompagni fra Sjælland for at modtage den tyske kapitulation på Bornholm. Den tilladelse fik han ikke, selv om han kunne meddele, at Nexø var blevet bombarderet af sovjetiske fly og mange huse ødelagt. I stedet henvendte Eisenhower sig til den sovjetiske overkommando og meddelte, at han agtede at sende et detachement til Bornholm for at modtage den tyske kapitulation, men ville vide, om det var i konflikt med de sovjetiske planer. Han fik først svar 10. maj, at Bornholm lå så nær de sovjetiske styrkers operationssfære, at øen var blevet besat af sovjetiske tropper. Der var tale om et fait accompli, Eisenhower havde nølet og fravalgt Bornholm (Jensen 1996, s. 72-74).

Kilde: BArch, Freiburg, RW I/34, fol. 32.

OKW/WFSt/Op (M)   *10. Mai 1945*

Vorfälle Bornholm

1.) Anruf MOK Ost (Korv. Kpt. Winther):
Um 14.38 Uhr Funkspruch Befehlshabers von Bornholm, General Wuthmann, wonach 5 russ. S-Boote um 14.30 Uhr Hafen Rönne anlaufen.[35]

2.) 16.30 Uhr Funkspruch Befehlshaber von Bornholm, daß auf Befehl russ. Kommission Kommandierender General, Chef und Inselkommandant um 17.30 Uhr zum Abschluß Kapitulation bei Befehlshaber 1. balt. Flotte abfahren.
Russ. Besatzungstruppe nach Bornholm unterwegs.

3.) Funkspruch vom Admiral östl. Ostsee:
   a.) 17.30 Uhr 13 SM westlich Bornholm Schiff "Rugard" durch 3 russ. Schnellboote angegriffen. Nach Torpedoschuß ohne Befehl Feuer eröffnet, vorauf S-Boote abdrehen. "Rugard" Marsch fortgesetzt.
   b.) Im gleichen Gebiet Bomben und Bordwaffen durch russ. Flugzeuge. Schäden am Boot. Kein eigenes Abwehrfeuer.

---

35 General Rolf Wuthmann var ankommet til Bornholm 6. maj 1945 med et grenaderregiment for at overtage forsvaret af øen, da hverken von Kamptz i Rønne eller Lindemann i Silkeborg havde tilstrækkeligt kendskab til den militære situation i østområderne. Det var hensigten at bruge Bornholm som mellemstation for evakuering af indesluttede tyske tropper i Østpreussen til den vestlige Østersøs havne (Jensen 1996, s. 82f.).

c.) Erbitte klare Weisung für Verhalten befohlenen Westgeleits.

Astmann

Verteiler:
Chef WFSt
Adj. Großadmiral
Chef Führungsgruppe
Op (M)

261. OKW/WFSt an Befehlshaber Bornholm 10. Mai 1945

General Rolf Wuthmann fik besked på at afvente den allierede overkommandos ordre med hensyn til, hvordan han skulle forholde sig til det russiske krav om en tysk kapitulation. Bornholm var en del af Danmark, og der var sluttet en kapitulationsaftale med Montgomery vedrørende Danmark. Derfor ville en kapitulationsaftale med russerne være ugyldig.

Kommandanten fik svar på, hvordan han skulle forholde sig dagen efter.
Kilde: BArch, Freiburg, RW I/34, fol. 19.

OKW/WFSt/Op (M)   10. Mai 1945

KR-Funkspruch
über Marinenachr. Dienst

an

1.) Befehlshaber Bornholm
(telefonisch an Marinefunkstelle Kopenhagen 02.33 Uhr

KR-Blitz-Fernschreiben

an

2.) nachr.: OKM/1. Skl durch Kurier
3.) [nachr.:] Wehrmachtsbefehlshaber Dänemark
4.) [nachr.:] MOK Ost, Kiel (Milwaukee).
5.) [nachr.:] MOK Ost, Mürwik.

Bornholm ist Teil Dänemarks. Bezüglich deutscher Truppe in Dänemark ist eindeutiger Kapitulationsvertrag mit Feldmarschall Montgomery abgeschlossen. Etwa auf russ. Druck abgeschlossener Kapitulationsvertrag mit Russen daher unsererseits als ungültig auszusehen.

Alle weitere Schritte unterlassen und Entscheidung alliierten Oberkommandos, die eingeholt ist, abwarten.

Nach wie vor hat OKW Absicht, im Rahmen Erfüllung brit. Forderung auf Zurückziehung deutscher Truppen aus Dänemark auch Truppen von dänischer Insel Bornholm mit Schiffstransport so schnell wie möglich in deutschen Häfen abzutransportieren.

I.A.
gez. **Dethlefsen**
OKW/WFST/Op (M) Nr. 0010072/45 g.K.

Verteiler:
Chef WFSt/Kriegstagebuch
Adj. Großadmiral
Chef Führungsgruppe/Op (H)
Op (M) zgl. Fernschreiben

262. OKW/WFSt an Stab Montgomery 10. Mai 1945
Russerne befalede, at tyskerne på Bornholm kapitulerede. Der var russiske besættelsestropper på vej til øen. Øens øverstbefalende general Wuthmann havde fået besked på at afvente den allierede overkommandos ordre.
  Den allierede overkommandos svar til OKW/WFSt blev 11. maj videregivet til Bornholms kommandant.
Kilde: BArch, Freiburg, RW I/34, fol. 55.

OKW/WFSt/Op (M)   *10. Mai 1945*

KR-Funkspruch
auf Sonderlinie
von OKW an Stab Montgomery

Betr.: Bornholm

1.) Befehlshaber Bornholm meldet: 14.30 Uhr Einlaufen 5 russ. S-Boote Hafen Rönne. 16.35 Uhr auf Befehl russ. Kommission Kommandierender General, Chef und Inselkommandant abfahren 17.30 Uhr zum Abschluß Kapitulation bei Inselbefehlshaber 1. balt. Flotte. Russ. Besatzungstruppe nach Bornholm unterwegs.
2.) Bornholm ist dänische Insel und gehört zu Dänemark. Daher hinsichtlich dieser Insel eindeutiger Kapitulationsvertrag mit Feldmarschall Montgomery abgeschlossen. Umgehende Entscheidung des Oberkommandos der alliierten Streitkräfte erbeten, ob der mit Engländern abgeschlossene Kapitulationsvertrag mit Übergabe deutscher Streitkräfte in Dänemark an Engländer gültig, oder ob russischer Anspruch auf dänische Insel Bornholm berechtigt. OKW betrachtet sich rechtlich an den mit Montgomery abgeschlossenen Kapitulationsvertrag gebunden.
3.) Befehlshaber Bornholm hat Weisung, alle weiteren Schritte zu unterlassen und Entscheidung alliierten Oberkommandos abzuwarten.

I.A.
gez. **Dethlefsen**
OKW/WFSt/Op (M) Nr. 901/45.

Verteiler:
Adj. Großadmiral
Chef WFSt
Chef Führungsgruppe/Op (H)
OKM/1. Skl.
Op (M) zgl. Fernschreiben

263. OKW/WFSt an Inselkommandanten Bornholm 11. Mai 1945

Bornholms kommandant, Gerhard von Kamptz, fik ordre om, at han skulle overgive Bornholm til den sovjetiske chef på stedet. Det allierede hovedkvarter ville forbeholde sig en senere ordning af forholdene.

De britiske militære chefer havde 11. maj drøftet det sovjetiske svar på Eisenhowers forespørgsel vedrørende Bornholm, og de sovjetiske begrundelser for besættelse af øen gjorde, at man accepterede det som en foreløbig forholdsregel (Jensen 1996, s. 74). Den indstilling kom til udtryk i ordren til von Kamptz.

Kilde: BArch, Freiburg, RW I/34, fol. 15.

OKW/WFSt/Op   H.Qu., den 11.5.1945

K R - B l i t z - F e r n s p r u c h
an Inselkommandanten Bornholm

Alliiertes Hauptquartier hat entschieden, daß Insel Bornholm mit Besatzung zunächst an sowjetischer Befehlshaber zu übergeben ist, vorbehaltlich der späteren Regelung.

I.A.
Jodl

264. MOK Ost an Seekriegsleitung 12. Mai 1945

Wurmbach kunne meddele at alle tyske tropper, der forlod Danmark i Korsør og ved grænseovergangene blev frataget alt undtaget personlig udrustning. Det gjaldt også indkøbte danske varer, inklusive fødevarer. Der burde rettes henvendelse til feltmarskal Eisenhower for at få forhindret, at danskerne fratog de tyske soldater noget, men at soldaterne fik lov til at tage alt det med, de kunne bære. MOK Ost bad om en øjeblikkelig afgørelse.

Se Wurmbach til MOK Ost 13. maj 1945.
Kilde: RA, Danica 203, pk. 38, læg 468.

Marinenachrichtendienst

KR MKOF 328 12/5 13.10
mit AUE TM 2 KR 1 Skl Salamander
KR OKW/WFSt OP M
Gltd. KR MOK Ost Kiel KR 1. Skl Salamander
KR OKW/WFSt Op M

Stabschef Adm Skag Khagen drahtet: In Korsör und beim Grenzübertritt wird den Sold alles abgenommen was nicht zur persönlichen Ausrüstung des Sold gehört vor allem alle gekauften dänischen Waren einschließlich gekaufter Lebensmittel. Dem Vernehmen nach hat der Herresverbdgsoffz bei Feldmarschall Eisenhower eine vfg Eisenhowers, wonach die Dänen deutschen Sold nichts abnehmen dürfen, sondern daß die deutschen Soldaten über die Grenze nehmen dürfen, wieviel jeder tragen kann. Umgehend Klärung erbeten, da in Korsör und an der Grenze teilweise sehr unschöne Bilder entstehen.

Zusatz MOK Ost: Um unmittelbare Klärung und Unterrichtung Stabschef Adm Skag nach MOK Ost Führst. Flensburg wird gebeten
MOK Ost Führst F I

265. Hans-Heinrich Wurmbach an MOK Ost 13. Mai 1945

Wurmbach kunne meddele, at Lindemann havde protesteret over overgreb på de tyske soldaters bagage og over grænsekontrollen til besættelsesmyndighederne. Der var tilsagt indgriben. Det var generelt enkelte soldater, der blev udplyndret, ikke sluttede enheder.

Kilde: RA, Danica 203, pk. 38, læg 468.

Marinenachrichtendienst

KR MDAS 125339 13/5 12.35
Ohne AUE
KR OKM 1. Skl.

Im Nachgang zu FS Stabschef Adm Skag wird gemeldet: Armee-OBKdo Lindemann hat bei Besatzungsbehörde gegen Übergriffe bei Gepäck u. Grenzkontrolle protestiert. General Dewing hat Abhilfe zugesagt. Im Allgemeinen wurden nicht geschlossene Abteilungen, sondern Einzelgänger ausgeplündert.

Adm Skag

266. Werner Best an das Auswärtige Amt 13. Mai 1945

Best rapporterede til AA, at flygtningene uden problemer blev forsørget af de danske myndigheder. Tyske statsborgere blev fortsat ikke interneret, men talrige enkeltpersoner blev arresteret, og Best søgte i de tilfælde at intervenere. Best ville ikke søge at få en officielt anerkendt status. I offentligheden gjaldt han som interneret. Best kunne stå i kontakt med andre tyske instanser fra Kastelsvej, ligesom gesandtskabspersonalet stadig var i København. Der forelå ikke aftaler for deres vedkommende. Flere tusind danskere var blevet arresteret anklaget for samarbejde med besættelsesmagten. Best regnede med at måtte afgive forklaring i en del af tilfældene. Den danske modstandsbevægelse prægede bybilledet.

Best blev anholdt den 21. maj og hans kone og børn interneret i en lejr for tyske flygtninge i Oksbøl.

Kilde: BArch, Freiburg, RW 44 I/12. RA, pk. 451. RA, Danica 1000, sp. 2, nr. 1668f. PKB, 13, nr. 443.

Aufzeichnung!

Dr. Best gab heute telefonisch einen kurzen Bericht über die Lage in Dänemark durch, in dem er folgendes ausführte:

Die Versorgung der deutschen Flüchtlinge durch die dänischen Behörden gehe reibungslos weiter. Eine allgemeine Internierung von Reichsdeutschen sei bisher nicht erfolgt. Dagegen würden zahlreiche Einzelverhaftungen mit wechselnden Begründungen vorgenommen. Dr. Best interveniere in solchen Fällen beim Dänischen Außenministerium.

Zur Dänischen Regierung habe Dr. Best ein rein praktisches Verhältnis, er halte es nicht für zweckmäßig, eine Klärung seines juristischen Status herbeizuführen. Für die Praxis genüge die derzeitige Form der Zusammenarbeit mit dem Dänischen Außenministerium. Für die Öffentlichkeit gelte Dr. Best als interniert. Er kann jedoch nach seinem Belieben in die Stadt fahren, als Fahrer diene dabei die von der Widerstandsbewegung gestellte Wache.

Die Behörde sei jetzt in dem alten Gesandtschaftsgebäude (Kastelsvej) zusammengefaßt, wo sich auch Dr. Best vormittags aufhalte. In diesem Hause seien auch die Behördenmitglieder untergebracht worden, die aus den Hotels ausziehen mußten. Im alten Gesandtschaftsgebäude würden die Arbeiten durchgeführt, die noch geleistet werden könnten. Das Gebäude wird von einer Wache der Freiheitsbewegung bewacht, die jedoch den Zutritt nicht hindert.

Dr. Best habe die Möglichkeit, telefonisch mit den übrigen deutschen Dienststellen in Dänemark in Verbindung zu treten. Er hoffe auch, daß es ihm von Zeit zu Zeit gelinge, mit Mürwik telefonieren zu können.

Die Mitglieder der Behörde von Dr. Best befänden sich noch in Kopenhagen. Die Frage ihres Abtransports sei noch nicht geklärt. Das Dänische Außenministerium habe geraten, sich in dieser Angelegenheit einstweilen noch abwartend zu verhalten. Dr. Best selbst habe sich der Dänischen Regierung zur Verfügung gestellt und werde in Kopenhagen bleiben, solange es notwendig sei. Dies könne längere Zeit der Fall sein, da in den letzten Tagen etwa 2.000 Dänen wegen ihrer angeblichen Zusammenarbeit mit uns verhaftet worden seien. Es sei wahrscheinlich, daß sich Dr. Best zu einer Anzahl dieser Fälle werde äußern müssen.

Die Lage in der Stadt sei wieder ruhiger geworden, wenn auch noch immer das Straßenbild von der Freiheitsbewegung bestimmt wird. Die dänische Polizei soll morgen (14.5.) ihre Funktionen wieder aufnehmen.

Hiermit über den Herrn Staatssekretär dem Herrn Reichsaußenminister vorgelegt.
Mürwik, den 13. Mai 1945.

Hencke